한국주역대전 8

명이괘·가인괘·규괘·건괘·해괘·손괘

이 지시는 2012년 대한민국 교육부와 한국학중앙연구원(한국학진흥사업단)의 한국학분야 토대연구지원사업의 지원을 받아 수행된 연구임(AKS-2012-EAZ-2101)

8

한국주역대전

한국주역대전 편찬실

명이괘·가인괘·규괘·건괘·해괘·손괘

學古房

한국주역대전을 펴내며

2012년 9월 첫 작업을 시작한 '『한국주역대전』편찬 · 표점 · 번역 · 주해 · 해제'라는 방대한 사업이 이제 출판의 결실을 보게 되었다. 지난 수 십 년간 유교경학과 한국학의 급속한 성장에도 불구하고 한국역학은 여전히 불모의 상태를 벗어나기 어려웠다. 개별 연구들이 적지 않게 축적되어 왔고, 이에 고무되어 한국역학사를 공동으로라도 엮어보자는 호기로운 시도가 없었던 것은 아니지만, 그것이 아직 시기상조라는 자각과 함께 무산되곤 하였다. 한국역학 원전자료는 한국경학자료 가운데 단연 방대한 양을 자랑한다. 반면 전문연구자는 턱없이 부족하다. 사정이 이러하니 한국역학이 우뚝 서기까지는 아직 갈 길이 멀기만 하다. 이러한 정황 속에서 『한국주역대전』의 출간은 매우 기쁜 일이 아닐 수 없다.

이번에 출간되는 『한국주역대전』은 한국학자의 역학관련 자료 가운데 주요한 것을 가려 뽑아 『주역전의대전』 체제에 맞추어 집해(集解)형식으로 편찬한 것이다. 『주역전의대전』은 중국은 물론 조선시대 역학사상 형성에 무엇보다 영향력이 큰 문헌이라 할 수 있다. 이번 『한국주역대전』은 먼저 『주역전의대전』을 소주까지 모두 번역하여, 주역에 대한 중국학자들의 이해와 한국학자들의 해석을 비교해 볼 수 있도록 하였다. 편찬 체재는 경문 - 정전 - 본의 - 중국대전 - 한국대전으로 구성하였다. 편찬과 표점, 그리고 번역을 동반한 『한국주역대전』을 통해 한국학자들의 『주역전의대전』에 대한 깊은 이해 및 새로운 해석의 지평을 볼 수 있을 것이다. 또한 한국학자들의 저작을 시대별로 배열하였으므로 그 흐름을 일목요연하게 파악할 수 있을 것이다.

이번 『한국주역대전』을 편찬하면서 연구기간은 짧고 작업은 방대하여 아쉬운 점이 한 둘이 아니었다. 제한된 연구기간으로 인해 연구 범위를 제한할 수밖에 없었으며, 따라서 작자 미상의 자료, 연대 미상의 자료, 『주역전의대전』과 유사하여 별다른 특징을 볼 수 없는 자료는 편찬 범위에 포함시키지 않았다. 또한 다산의 『주역사전』처럼 중요한 자료일지라도 별도로 번역되어 시중에 유통되고 있는 책은 자료에 포함시키지 않았다. 특히 상수학 관련 자료들에 대한 번역은 앞으로 더 정치한 번역이 필요할 것이라고 생각되며, 그에 대한 별도의 연구도 필요할 것이다. 그럼에도 불구하고 이번 『한국주역대전』의 출간은 한국역학연구의 획기적인 토대를 제공하여, 많은 후속연구를 가능하게 하리라는 기대로 그 아쉬움을 상쇄하고자 한다.

이와 같이 방대한 토대사업은 실상 국가적 지원이 아니고서는 실행되기 어렵다. 이 사업의 지원을 결정해 주신 한국학중앙연구원과 한국학진흥사업단에 감사드린다. 그리고 제한된 연구기간의 압박 속에 과도한 업무를 사명감으로 감당해 준 연구진들의 노고에 고마운 마음을 전한다.

오늘날과 같은 출판시장의 현실에서 『한국주역대전』과 같은 방대한 분량의 책을 간행해 줄 출판사를 찾는다는 것은 결코 쉽지 않은 일이다. 모든 어려움에도 불구하고 조금의 망설임도 없이 흔쾌하게 이 책의 출판을 결정해 주신 도서출판 학고방의 하운근 사장님께 깊은 감사를 드린다.

2017년 1월
한국주역대전편찬 연구책임자
성균관대학교 유학대학 교수/한국주자학회 · 율곡학회 회장
최 영 진

목차

36

명이괘

明夷卦 ䷣

‖中國大全‖

傳

明夷, 序卦, 晉者, 進也, 進必有所傷, 故受之以明夷, 夷者傷也. 夫進之不已, 必有所傷, 理自然也, 明夷所以次晉也. 爲卦坤上離下, 明入地中也. 反晉, 成明夷, 故義與晉正相反. 晉者, 明盛之卦, 明君在上, 群賢竝進之時也, 明夷, 昏暗之卦, 暗君在上, 明者見傷之時也. 日入於地中, 明傷而昏暗也, 故爲明夷.

명이괘는 「서괘전」에서 “진(晉)은 나아감이니, 나아가면 반드시 상처를 입기 때문에 명이괘로 받았으니, 이(夷)는 상처가 남이다”고 하였다. 무릇 나아감을 그치지 않아서, 반드시 상처를 입게 됨은 이치상 당연한 일이므로, 명이괘가 진괘(晉卦☷☰) 다음에 오는 이유이다. 괘는 곤괘(坤卦☷)가 위이고, 리괘(離卦☲)가 아래이니, 밝음이 땅속으로 들어감이다. 진괘를 뒤집으면 명이괘가 되기 때문에 그 뜻이 진괘와는 정반대가 된다. 진괘는 밝음이 융성한 괘로 밝은 임금이 위에 있고 여러 현자들이 나란히 나아가는 때인데, 명이괘는 어두운 괘로 어두운 임금이 위에 있고 밝음이 상처를 입는 때이다. 해가 땅속으로 들어가서 밝음이 상처를 입어 어둡기 때문에 명이가 된다.

‖韓國大全‖

유정원(柳正源) 『역해참고(易解參攷)』

傳, 群賢.

『정전』에서 말하였다: 여러 현자들.

案, 賢一作臣.

내가 살펴보았다: ‘현자[賢]’는 어떤 곳에는 ‘신하[臣]’로 되어 있다.

明夷, 利艱貞.

정전 명이(明夷)는 어려울 때에 곧음이 이롭다.
본의 명이(明夷)는 어렵게 여겨서 곧음이 이롭다.

‖中國大全‖

傳

君子當明夷之時, 利在知艱難而不失其貞正也. 在昏暗艱難之時, 而能不失其
正, 所以爲明, 君子也.

군자는 명이(明夷)의 때에 처하여, 어려움을 알아서 그 곧고 바름을 잃지 않는데 이로움이 있다. 어둡고 어려울 때 바름을 잃지 않을 수 있기에 밝게 되는 것이니, 군자이다.

本義

夷, 傷也. 爲卦下離上坤, 日入地中, 明而見傷之象, 故爲明夷, 又其上六, 爲暗
之主, 六五近之, 故占者利於艱難以守正, 而自晦其明也.

‘이(夷)’는 상처가 나는 것이다. 괘는 아래에 리괘(☲)가 있고 위에 곤괘(☷)가 있어서, 해가 땅속으로 들어가니, 밝지만 상처를 입는 상이기 때문에 명이가 되고, 또 상육은 어둠의 주인이 되고 육오가 가까이 있기 때문에, 점치는 자는 어렵게 여겨서 바름을 지켜 스스로 밝음을 감추는 것이 이롭다.

小註

中溪張氏曰, 離下坤上爲明夷, 離日爲坤地所掩, 有傷其明之象. 斯時也, 宜克艱其心
而不失乎貞正, 此則處明夷之道也.

중계장씨가 말하였다: 리괘가 아래에 있고 곤괘가 위에 있어서 명이괘가 되는데, 리괘인 해

가 곤괘인 땅에 가려졌으니, 밝음에 상처가 생기는 상이 있다. 이 시기에는 마음을 어렵게 해서 곧고 바름을 잃지 않게 해야 하니, 이것이 명이의 때에 대처하는 도이다.

○ 孔氏曰, 暗主在上, 明臣在下, 不敢顯其明智, 亦明夷之義, 時雖至暗, 不可隨世傾邪. 政宜艱難堅固守其貞正之德, 故利在艱貞.
공씨가 말하였다: 어두운 임금이 위에 있고 밝은 신하가 아래에 있으니 밝은 지혜를 감히 드러내서는 안 되고, 또 명이의 뜻은 때가 비록 지극히 어둡더라도 세상의 치우치고 삿됨에 따라서는 안 된다. 정치는 마땅히 어렵게 여겨서 곧고 바른 덕을 단단히 지켜야 하기 때문에, 어렵게 여겨서 곧게 함이 이롭다.

○ 雲峰胡氏曰, 以二體, 則離明也, 傷之者坤. 以六爻, 則初至五皆明也, 傷之者上. 上爲暗主, 而五近之, 故本義從象傳, 以利艱貞爲五. 象辭多言利貞, 惟坤利牝馬之貞, 同人利君子貞, 家人利女貞, 明夷則曰利艱貞. 在諸爻中, 惟噬嗑九四, 大畜九三言之, 未有一卦全體以爲利義者, 蓋明夷之時, 艱難之時也. 貞, 一也, 與處平常之時異矣. 彼方欲晦我之明, 艱難守貞而自昭其明可也.
운봉호씨가 말하였다: 두 몸체로 말한다면 리괘는 밝음이며 상처를 입히는 괘는 곤괘이다. 여섯 효로 말한다면 초효에서 오효까지는 모두 밝음이며 상처를 입히는 효는 상효이다. 상효는 어두운 임금이고 오효가 가까이 있기 때문에, 『본의』에서는 「단전」에 따라 "어렵게 여겨서 곧음이 이롭다"는 말을 오효에 대한 내용으로 여겼다. 단사에서는 여러 차례 "곧음이 이롭다"고 했는데, 곤괘(坤卦䷁)에서는 "암말의 곧음이 이롭다"고 했고, 동인괘(同人卦䷌)에서는 "군자의 곧음이 이롭다"고 했으며, 가인괘(家人卦䷤)에서는 "여자의 곧음이 이롭다"고 했고, 명이괘에서는 "어렵게 여겨서 곧음이 이롭다"고 했다. 여러 효에 있어서는 서합괘(噬嗑卦䷔)의 구사와 대축괘(大畜卦䷙)의 구삼에서 언급했는데, 한 괘의 전체를 이롭다는 뜻으로 여기지 않은 것은 명이의 때는 어렵고 고단한 시기가 되기 때문이다. 정(貞)은 한결 같음이니, 평상시에 대처하는 경우와는 다르다. 그 시기가 나의 밝음을 어둡게 하려고 하니, 어렵게 여겨서 곧음을 지키고 스스로 밝음을 드러냄이 옳다.

○ 雙湖胡氏曰, 艱則患難之時也. 處此時者, 利在遭患難而守其貞, 故曰利艱貞. 明傷於坤地之下, 居中而不失其正, 其六二當之乎. 象辭, 文王所作也. 於坤曰安貞吉, 於明夷曰利艱貞, 終守臣節而不失, 其不可見於此乎?
쌍호호씨가 말하였다: 어렵게 여기는 것은 환란의 시기이다. 이러한 시기에 대처하는 경우, 이로움은 환란을 만나더라도 곧음을 지키는데 있기 때문에, "어렵게 여겨서 곧음이 이롭다"고 하였다. 땅인 곤괘(☷)의 아래에서 밝음이 상처를 입었는데, 가운데에 있으면서 바름을

잃지 않는 것은 육이일 것이다. 단사는 문왕이 지은 것이다. 곤괘(䷁)에서는 "곧음을 편안히 여기면 이롭다"[1]고 했고, 명이괘에서는 "어렵게 여겨서 곧음이 이롭다"고 했으니, 끝내 신하의 절개를 지켜서 잃지 않는 것을 이곳에서 확인할 수 있지 않겠는가?

║韓國大全║

권근(權近) 『주역천견록(周易淺見錄)』

明夷, 明者見傷於陰暗之時. 不曰夷明, 不使陰暗加乎其明者也, 言明者自晦其明, 以避其難, 而陰暗不得以傷之也. 否不利君子貞, 而明夷利艱貞者, 彼以一時而言, 此以一身而言, 前後互相發也. 以一時而言, 則否隔明夷之時, 小人得志, 以害君子, 固不利於君子之貞也. 以一身而言, 則君子豈以時之不利, 變其所守, 以從於彼哉. 尤宜知艱難而不敢易, 益固守其貞正, 然後可免小人之禍, 亦可保君子之道也, 故利艱貞.

명이(明夷)는 밝음이 어둠에게 상처를 입는 때이다. '이명(夷明)'이라고 하지 않음은 음의 어둠을 밝음에 보태지 않게 한 것이니, 밝은 자가 스스로 그 밝음을 흐리게 하여 어려움을 피하여 어둠이 그를 해칠 수 없음을 말한다. 비괘(否卦)에서 "군자의 곧음이 이롭지 않다"고 하고 명이괘에서 "어려울 때에 곧음이 이롭다"고 한 것은, 비괘는 한 시대로써 말하고 명이괘는 한 몸으로써 말하여 앞뒤를 서로 밝혔기 때문이다. 한 시대로써 말하면 막히고 밝음이 감춰지는 때여서 소인이 뜻을 얻어 군자를 해치니, 진실로 군자의 곧음이 이롭지 않다. 한 몸으로써 말하면 군자가 어찌 때가 이롭지 않다고 하여 자신이 지키던 것을 바꾸어 다른 것을 따르겠는가? 더욱 마땅히 어려움을 알면서도 감히 바꾸지 않으며 곧고 바름을 더욱 굳게 지킨 뒤에야 소인들의 화를 면할 수 있고, 또한 군자의 도리를 보존할 수 있기 때문에 "어려울 때에 곧음이 이롭다"고 하였다.

이익(李瀷) 『역경질서(易經疾書)』

文王目擊箕子事, 故於明夷發利艱貞之義. 雖不的指其名意, 實如此, 故周公於六五著之. 至孔子, 則於象傳已以箕子當之, 而先言文王事, 文王亦善處明夷者也. 九三居文

---

1) 『周易·坤卦』: 西南, 得朋, 東北, 喪朋, 安貞, 吉.

明之首, 外接柔順, 分明是文王事. 若爻無此義, 象何以云爾. 如升四言文王事, 則上六冥升, 分明指昏冥之殷紂, 而其不亡, 猶得賴利於不息之貞臣. 故孔子因周公之意, 爲六五, 明夷之傳, 互絫可見. 二直股四直腹, 則初宜直趾, 而變趾言翼者, 鳥之動必先翼, 如人之先趾. 明夷有自上而下之象[2], 鳥之垂翼, 於此最關切也.

문왕이 기자(箕子)의 일을 목격하였기 때문에 명이괘에서 "어려울 때에 곧음이 이롭다"는 뜻을 펼쳤다. 비록 그 이름과 뜻을 정확하게 가리키지는 않았지만, 실제로 이와 같기 때문에 주공이 육오에서 그것을 드러내었다. 공자에 이르러 「단전」에서 이미 기자를 거기에 해당시키면서 먼저 문왕의 일을 말했으니, 문왕도 밝음이 감춰지는 때에 잘 대처한 사람이다. 구삼은 문채가 나고 밝은 첫머리에 있어 밖으로 유순함에 접하였으니, 분명히 문왕의 일이다. 만약 효에 이러한 뜻이 없었다면, 「단전」에서 어째서 이를 말하였겠는가? 승괘 사효에서 문왕의 일을 말했으니, 상육의 '올라가는 것에 어두움'은 분명히 어리석은 은나라 주왕을 가리킨 것으로, 망하지 않은 것은 오히려 쉬지 않는 곧은 신하에 이로움을 힘입었기 때문이다. 그러므로 공자가 주공의 뜻으로 인하여 육오로 삼았으니, 명이괘의 「단전」과 서로 참조하면 알 수 있다. 이효는 다리, 사효는 배라고 한다면, 초효는 발이라고 해야 하는데, 발을 날개라고 한 것은 새가 움직일 때 날갯짓을 먼저 함이 사람이 먼저 발을 쓰는 것과 같기 때문이다. 명이에는 위에서 아래로 내려가는 상이 있으니, 새가 날개를 늘어뜨림이 이에 가장 가깝다.

유정원(柳正源) 『역해참고(易解參攷)』

童溪王氏曰, 在人君則爲昏暗, 在賢人則爲晦藏.

동계왕씨가 말하였다: 임금에게는 어두움이 되고, 현자에게는 숨기는 것이 된다.

○ 趙氏曰, 不特遭時之昏暗, 人有蔽於物, 汨於情者, 皆足以傷吾之明.

조씨가 말하였다: 어두운 때를 만났을 경우뿐만 아니라 사물에 가려지거나 인정에 빠진 사람은 모두 나의 밝음을 해치게 된다.

○ 案, 明入地中, 明之體自若, 何傷乎. 傷者, 非傷明也, 入地昏暗, 人不見其明也.

내가 살펴보았다: 밝음이 땅속으로 들어가더라도 밝음의 본체는 본래 그대로이니 어찌 상하겠는가? "상한다"는 것은 밝음을 상하게 한 것이 아니라, 땅 속에 들어가 어두워서 사람이 그 밝음을 보지 못하는 것이다.

---

2) 象: 경학자료집성DB와 영인본에는 '豪'으로 되어 있으나, 문맥을 살펴 '象'으로 바로잡았다.

김상악(金相岳) 『산천역설(山天易說)』

夷傷也. 以卦則明入地中, 明之見傷也. 以爻則上六爲暗主, 而六五近之, 故利於艱難
以守正, 而自晦其明也.

이(夷)는 상처가 남이다. 괘로 보면 밝음이 땅속으로 들어가 밝음이 상처를 입는 것이다.
효로 보면 상육이 어둠의 주인이고 육오가 가까이 있기 때문에 어렵게 여겨서 바름을 지켜
서 스스로 그 밝음을 어둡게 함이 이롭다.

서유신(徐有臣) 『역의의언(易義擬言)』

明夷之時, 君子爲艱, 唯君子爲能艱而貞, 其道何由焉, 自晦其明也. 明夷之辭, 何乃太
簡. 文王之言愼密, 而不出利艱貞也.

명이의 때에는 군자가 어렵게 된다. 군자만이 어렵게 여겨서 곧을 수 있으니, 그 도를 무엇
으로 말미암는가? 스스로 자신의 밝음을 감추는 것이다. 명이괘의 단사가 어찌 너무 간략한
가? 문왕의 말은 주의 깊고 세밀하여 "어렵게 여겨서 곧음이 이롭다"에서 벗어나지 않는다.

강엄(康儼) 『주역(周易)』

或曰, 利艱貞, 象傳以六五當之, 本義亦然. 然則明夷之時, 遭內難者, 可用此占, 而疏
遠者, 不可用此占耶. 妄謂, 文王象辭, 槩言處明夷之時, 无論遠近, 皆當利在艱難守
正[3], 而自晦其明而已. 至周公繫爻, 則見上六爲暗主, 自五以下爲明者, 而六五切近暗
主, 有內難正志之象, 故爻辭特言箕子之明夷利貞. 蓋以象辭利艱貞, 專爲六五之占,
而不同於文王之易矣. 至孔子釋象, 則同於周公之易, 而亦以六五當之. 本義則例從象
傳, 故又以六五釋之. 然文王之易, 固未嘗獨爲六五一爻, 而有利艱貞之辭也. 占而得
此者, 皆當利於艱貞, 何必內難而後可哉.

어떤 이가 물었다: "어렵게 여겨서 곧음이 이롭다"는 「단전」에서는 육오로써 해당시켰고,
『본의』에서도 그렇습니다. 그렇다면 명이의 때에는 안으로 어려움을 만난 자는 이 점을 사
용할 수 있고, 소원한 자는 이 점을 사용할 수 없습니까?

내가 답하였다: 문왕은 단사는 대략 명이의 때에 처하면 멀고 가까움에 관계없이 모두 어렵
게 여겨 바름을 지켜서 스스로 밝음을 감춤이 이롭다고 말한 것입니다. 주공의 효사에 이르
러 상육이 어두운 임금이고 오효 이하는 밝은 자임을 알 수 있으며, 육오가 어두운 임금에
가장 가까워서 안으로 어려워하고 뜻을 바르게 하는 상이 있기 때문에 효사에서 특별히 "기

---

3) 正: 경학자료집성DB에는 '止'로 되어 있으나, 경학자료집성 영인본을 참조하여 '正'으로 바로잡았다.

자의 명이니, 곧음이 이롭다"고 하였습니다. 단사의 '어렵게 여겨서 곧음이 이로움'을 육오의 점으로만 여겼으니, 주공의 효사는 문왕의 역과는 같지 않을 것입니다. 공자가 「단전」을 해석함에 주공의 역과 같이 해서 또한 육오를 그것에 해당시켰습니다. 『본의』도 「단전」의 예를 따랐기 때문에 육오로써 해석하였습니다. 그러나 문왕의 역은 육오 한 효만을 위하여 "어렵게 여겨서 곧음을 이롭다"는 말을 한 적이 없습니다. 점을 쳐서 이것을 얻은 자는 모두 '어렵게 여겨서 곧게 함'을 이롭게 여겨야 하니, 어찌 반드시 안으로 어려운 뒤에만 가능하겠습니까?

박문건(朴文健) 『주역연의(周易衍義)』

艱其貞而不用, 則庶免剛陽之禍.

그 곧음을 어렵게 여겨서 쓰지 않으면, 굳센 양의 화를 거의 면할 것이다.

〈問, 利艱貞. 曰, 六二處下體之中, 而爲二剛之所害, 故有艱貞之勉也. 言艱者, 改心易慮之謂也. 若用柔, 則未免傷害之禍也.〉

〈물었다: "곧음을 어렵게 여김이 이롭다"는 무슨 뜻입니까?

답하였다: 육이는 아래 몸체의 가운데 처하여 두 굳센 양의 해침을 당하기 때문에 곧음을 어렵게 여김에 힘씀이 있습니다. 어렵게 여김을 말한 것은 마음을 고치고 생각을 바꾼다는 말입니다. 만약 부드러움을 쓴다면 해침을 당하는 화를 면하지 못할 것입니다.〉

김기례(金箕澧) 『역요선의강목(易要選義綱目)』

明夷, 進之不已則傷. 明入地中而暗, 利艱貞. 暗君在上, 明臣在下, 爲下之道, 時難而益正, 則不見傷.

명이의 때는 나아가기를 그치지 않으면 해침을 당하게 된다. 밝음이 땅속으로 들어가 어두우니, 어려울 때는 곧음이 이롭다. 어두운 임금은 위에 있고, 밝은 신하는 아래에 있어 아래의 도는 때가 어려울수록 더욱 바르게 하면 해침을 당하지 않을 것이다.

심대윤(沈大允) 『주역상의점법(周易象義占法)』

艱難而不失其正, 君子之利也. 坎爲艱, 坤爲貞.

어렵게 여겨서 그 바름을 잃지 않음은 군자의 이로움이다. 감괘(☵)가 어려움이 되고, 곤괘(☷)가 곧음이 된다.

오치기(吳致箕)「주역경전증해(周易經傳增解)」

夷者傷也. 離爲明, 而明入地中, 爲明之傷也. 處昏暗之世, 利於知艱而守正, 故言利艱
貞, 蓋戒辭也.

'이지러짐[夷]'은 상처가 남이다. 이괘는 밝음인데 밝음이 땅속으로 들어가서 밝음이 상하게
된다. 어두운 세상에 처하여 어려움을 알아 바름을 지킴이 이롭다. 그러므로 "어렵게 여겨서
곧음이 이롭다"고 하였으니, 경계하는 말이다.

○ 卦義爲明之傷, 故不言亨, 理固然也.

괘의 뜻은 밝음이 손상되는 것이기 때문에 형통하다고 말하지 않았으니, 이치가 진실로 그
러한 것이다.

이진상(李震相)『역학관규(易學管窺)』

卦體.

괘의 몸체.

晉之反也. 陽以上出爲功, 而今反下入, 故爲明夷.

진괘(☲☷)의 뒤집어진 괘이다. 양은 위로 가서 공을 이루는데, 지금은 반대로 아래로 들어가
기 때문에 명이가 된다.

채종식(蔡鍾植)『주역전의동귀해(周易傳義同歸解)』

傳云, 利在艱難之時, 不失其正, 此言時之艱難也. 本義云, 利於艱難以守正, 此言人之
艱難也. 蓋時旣艱難, 故人亦艱難以守正也.

『정전』에서 "어려울 때에 그 바름을 잃지 않아야 이롭다"는 때의 어려움을 말한다. 『본의』
에서 "어렵게 여겨서 바름을 지킴에 이롭다"는 사람의 어려움을 말한다. 때가 이미 어려우므
로 사람이 또한 어렵게 여겨서 바름을 지킨다.

이병헌(李炳憲)『역경금문고통론(易經今文考通論)』

虞曰, 夷傷也.

우번이 말하였다: '이지러짐[夷]'은 상처가 남이다.

象曰, 明入地中, 明夷.

「단전」에서 말하였다: 밝음이 땅속으로 들어간 것이 명이이다.

‖中國大全‖

本義

以卦象釋卦名.

괘의 상으로 괘의 이름을 풀이하였다.

小註

進齋徐氏曰, 離日在坤地之下, 故曰明入地中. 日出地則明, 入地則晦, 故以晦爲夷.

진재서씨가 말하였다: 리괘(☲)인 해가 곤괘(☷)인 땅 밑에 있기 때문에, "밝음이 땅속으로 들어간다"고 하였다. 해가 땅밖으로 나오면 밝고 해가 땅속으로 들어가면 어둡기 때문에, 어두움을 이(夷)의 뜻으로 삼았다.

‖韓國大全‖

서유신(徐有臣) 『역의의언(易義擬言)』

爲晉爲夷, 皆由乎日, 非由乎地也. 違道敗德, 自失其明, 是爲明夷也. 遭時艱危, 自晦其明, 亦爲明夷也.

진괘와 명이괘가 되는 것은 모두 해[☲]로 말미암지 땅[☷]으로 말미암지 않는다. 도를 어기고 덕을 무너뜨림은 그 밝음을 스스로 잃음이니, 이것이 명이가 된다. 어렵고 위험한 때를 만나 그 밝음을 스스로 감춤도 명이가 된다.

최세학(崔世鶴) 「주역단전괘변설(周易彖傳卦變說)」

明夷, 泰之一體變也, 二一爻爲主. 然否二入於下體之中, 而有蒙雜之象. 故彖不言主爻, 而只以兩象, 明明夷之義.

명이괘는 태괘(䷊)의 한 몸체가 변한 것으로 이효가 주인이 된다. 그러나 비괘(䷋)의 이효가 아래 몸체의 가운데로 들어가서 어둡고 뒤섞인 상이 있다. 그러므로 「단전」에서 주인 효를 말하지 않고, 단지 두 가지 상으로써 명이의 뜻을 밝혔다.

內文明而外柔順, 以蒙大難, 文王以之.

안은 문채가 나고 밝으며 밖은 유순하여 큰 어려움을 무릅썼으니, 문왕이 그것을 사용하였다.

‖中國大全‖

傳

明入於地, 其明滅也, 故爲明夷. 內卦離, 離者, 文明之象, 外卦坤, 坤者, 柔順之象, 爲人內有文明之德而外能柔順也. 昔者文王如是, 故曰文王以之. 當紂之昏暗, 乃明夷之時, 而文王內有文明之德, 外柔順以事紂, 蒙犯大難, 而內不失其明聖, 而外足以遠禍患, 此文王所用之道也, 故曰文王以之.

밝음이 땅으로 들어가서 밝음이 소멸되기 때문에 명이가 된다. 내괘는 리괘이며 리(離)는 문채가 나고 밝은 상이고, 외괘는 곤괘이며 곤(坤)은 유순한 상이니, 사람이 안으로는 문채가 나고 밝은 덕을 갖추고 있으며 밖으로는 유순할 수 있는 것이 된다. 옛날에 문왕은 이처럼 행동하였기 때문에 "문왕이 그것을 사용하였다"고 하였다. 주왕의 혼탁한 시대에 처함은 명이의 때가 되며, 문왕이 안으로 문채가 나고 밝은 덕을 갖추고서 밖으로 유순하게 따라서 주왕을 섬겼기에, 큰 어려움을 당하였지만, 안으로는 밝고 성스러움을 잃지 않았고 밖으로는 우환과 재앙을 멀리 할 수 있었으니, 이것이 문왕이 사용한 도이기 때문에 "문왕이 그것을 사용하였다"고 하였다.

本義

以卦德釋卦義. 蒙大難, 謂遭紂之亂而見囚也.

괘의 덕으로 괘의 뜻을 풀이하였다. "큰 어려움을 무릅썼다"는 주왕의 혼란한 시기를 만나서 감옥에 갇혔음을 말한다.

小註

臨川吳氏曰, 文王爲紂所囚, 內文明而不失己, 外柔順以免禍, 是文王所用, 合於明夷全卦之義.

임천오씨가 말하였다: 문왕은 주왕에게 갇히게 되었는데, 안으로는 문채가 나고 밝아서 자신을 잃지 않았고, 밖으로는 유순하게 따라서 화를 면했으니, 문왕이 사용한 방법은 명이 전체 괘의 뜻에 부합한다.

▌韓國大全▐

유정원(柳正源) 『역해참고(易解參攷)』

李氏開曰, 晉外景也, 明夷內景也, 晉明乎外, 明夷明乎內. 晉以順用其明, 明夷以順保其明, 外有蒙蔽, 而用其明, 則必傷矣.

이개가 말하였다: 진괘(晉卦)는 밖이 빛나고, 명이괘는 안이 빛나니, 진괘는 밖에서 밝고 명이괘는 안에서 밝다. 진괘는 순함으로 그 밝음을 쓰고, 명이괘는 순함으로 그 밝음을 보존한다. 밖으로 가려짐이 있는데 그 밝음을 쓰면 반드시 상처를 입게 된다.

김규오(金奎五) 「독역기의(讀易記疑)」

釋彖. 二爲文明之主, 而上互坎, 所謂蒙大難也. 傳遠禍字, 推言言外之意, 略帶柔順之義耳. 吳氏直作柔順以免禍, 說得傷快矣. 柔順字所包甚廣, 何可只作免禍說也.

「단전」을 해석하였다: 이효는 문채가 나고 밝은 주인이 되는데 위의 호괘가 감괘(☵)이니, 이른바 "큰 어려움을 무릅쓴다"는 것이다. 『정전』의 "재앙을 멀리한다[遠禍]"는 말 밖의 뜻을 미루어 말한 것이니, 대략 유순함의 뜻을 가지고 있다. 임천오씨가 직접 "유순하게 따라서 화를 면했다"고 하였는데, 설명이 명쾌하지 않다. '유순함[柔順]'은 포함한 것이 매우 넓은데, 어찌 "화를 면한다"고만 말할 수 있겠는가?

서유신(徐有臣) 『역의의언(易義擬言)』

離明坤順, 有文王之象. 三分有二, 文明也, 服事殷紂, 柔順也. 羑里之厄, 大難也, 此文王之明夷也.

리(☲)는 밝음이고, 곤(☷)은 유순함이니 문왕의 상이 있다. 천하의 2/3를 차지하였으니 문채가 나고 밝은 것이고, 은나라 주왕에게 복종하여 섬겼으니 유순함이다. 유리에서의 재앙은 큰 어려움이니, 이것이 문왕의 '명이(明夷)'이다.

박문건(朴文健) 『주역연의(周易衍義)』

蒙大難, 明夷之謂也. 此以卦象釋卦名, 而以卦德明文[4]王之明夷也.

"큰 어려움을 무릅쓴다"는 명이를 말한다. 이것은 괘상으로 괘의 이름을 해석한 것이고, 괘의 덕으로 문왕의 명이를 밝혔다.

〈問, 大難內難. 曰, 大難, 明入地中之謂也, 在文王, 則以明聖而見囚也. 內難, 艱貞晦明之謂也, 在箕子, 則以親戚而爲奴也. 六二處內, 而爲剛所害, 故取內難之義也.

물었다: '큰 어려움'과 '안이 어려움'은 무슨 뜻입니까?

답하였다: '큰 어려움'은 밝음이 땅속에 들어감을 말하는데, 문왕의 경우이니 밝은 성인으로 감옥에 갇힌 것입니다. '안이 어려움'은 곧음을 어렵게 여겨 밝음을 숨김을 말하는데, 기자의 경우이니 친척이면서 노예가 된 것입니다. 육이가 안에 있으면서 굳센 양에게 해침을 당하기 때문에 안이 어렵다는 뜻을 취한 것입니다.〉

---

4) 文: 경학자료집성DB에는 '六'으로 되어 있으나, 경학자료집성 영인본을 참조하여 '文'으로 바로잡았다.

利艱貞, 晦其明也. 內難而能正其志, 箕子以之.

정전 "어려울 때에 곧음이 이로움"은 밝음을 감춘 것이다. 안이 어렵지만 그 뜻을 바르게 할 수 있으니, 기자가 그것을 사용하였다.

본의 "어렵게 여겨서 곧음이 이로움"은 밝음을 감춘 것이다. 안이 어렵지만 그 뜻을 바르게 할 수 있으니, 기자가 그것을 사용하였다.

▌中國大全▌

傳

明夷之時, 利於處艱戹而不失其貞正, 謂能晦藏其明也. 不晦其明, 則被禍患, 不守其正, 則非賢明. 箕子當紂之時, 身處其國內, 切近其難, 故云內難. 然箕子能藏晦其明而自守其正志, 箕子所用之道也, 故曰箕子以之.

밝음이 감춰지는 때에는 어려움에 처하더라도 곧고 바름을 잃지 않음이 이로우니, 밝음을 감출 수 있음을 말한다. 밝음을 감추지 못한다면 화를 당하고, 바름을 지키지 못한다면 현명함이 아니다. 기자가 주왕이 통치하던 때에 몸소 그 나라 안에 머물러서 환란과 매우 가까웠기 때문에 "안이 어렵다"고 하였다. 그러나 기자는 자신의 밝음을 감추어서 스스로 올바른 뜻을 지킬 수 있었으니, 기자가 사용한 도이기 때문에 "기자가 그것을 사용하였다"고 하였다.

本義

以六五一爻之義, 釋卦辭. 內難, 謂爲紂近親, 在其國內, 如六五之近於上六也.

육오 한 효의 뜻으로 괘사를 풀이하였다. '안이 어려움[內難]'은 주왕과 가까운 친척이 되어 국내에 머물러 있음을 뜻하니, 마치 육오가 상육과 가까이 있음과 같다.

小註

朱子曰, 文王箕子, 大槪皆是晦其明. 然文王外柔順, 是本分自然做底, 箕子晦其明, 又云艱, 是他那佯狂底意思, 便是艱難底氣象.

주자가 말하였다: 문왕과 기자는 대체로 모두 자신의 밝음을 감추었다. 그러나 문왕이 밖으로 유순했던 것은 본분에 따른 자연스러운 행동이고, 기자가 자신의 밝음을 감추고도 또한 어렵다고 한 것은 거짓으로 미친 척했다는 뜻으로 바로 환란에 처했을 때의 기상이다.

○ 建安丘氏曰, 文王得明夷二體之義, 內有文明之德, 而外以柔順掩之. 故雖蒙被大難, 而卒能脫身於羑里者, 用此道也. 箕子得明夷六五一爻之義, 故處難處之世, 而知以艱貞爲利, 晦其明而不耀其明, 屈其身而能正其志. 況以暗君在上, 事之不可, 諫之不行, 不忍其宗國之顚亡, 罹此內難而能卒免於禍者, 用此道也.

건안구씨가 말하였다: 문왕은 명이괘 두 몸체의 뜻을 얻어서 안으로는 문채가 나고 밝은 덕을 갖추고도 밖으로는 유순함으로 이를 가렸다. 그러므로 비록 큰 혼란을 당하였지만 끝내 유리(羑里)에서 벗어날 수 있었던 것은 이 도를 사용했기 때문이다. 기자는 명이괘 육오 한효의 뜻을 얻었기 때문에, 환란의 세상에 처해서 어렵게 여겨서 곧음이 이롭다는 사실을 알고, 자신의 밝음을 감추어 그 밝음을 드러내지 않았으며, 자신을 굽혀서 그 뜻을 올바르게 할 수 있었다. 하물며 어두운 군주가 위에 있어서 섬길 수가 없고 간언을 행할 수 없으며, 차마 자신의 친족 국가가 패망하는 것을 볼 수 없었음에랴! 안이 어려움을 근심하면서도 끝내 화를 모면할 수 있었던 것은 이 도를 사용했기 때문이다.

○ 中溪張氏曰, 以全卦言, 離明文王象, 坤晦紂象, 以坤乘離, 是文王之明爲紂所蔽也. 以一爻言, 五箕子象, 五體本陽, 以六居之, 爲陰中藏陽, 是箕子自晦其明也.

중계장씨가 말하였다: 전체의 괘로 말한다면 리괘의 밝음은 문왕의 상이고 곤괘의 어둠은 주왕의 상인데, 곤괘가 리괘를 타고 있으니 문왕의 밝음이 주왕에게 가려진 것이다. 한 효로 말을 한다면 오효는 기자의 상인데, 본래가 양인 오효의 몸체에 육(六)으로 자리하였으니, 음 속에 양이 감춰진 것으로, 기자가 스스로 그 밝음을 가린 것이다.

○ 雲峰胡氏曰, 象曰明夷利艱貞, 周公於六五爻辭曰, 箕子之明夷利貞釋, 象兼文王發之. 蓋羑里演易, 處之甚從容, 可見文王之德, 佯狂受辱, 處之極艱難, 可見箕子之志. 然此一時也, 文王因而發伏羲河圖之易, 箕子因而發大禹洛書之疇. 聖賢之於患難, 自係斯文之會, 蓋有天意存焉, 此非象傳本意, 姑及之.

운봉호씨가 말하였다: 단사에서 "명이는 어렵게 여겨서 곧음이 이롭다"고 했는데, 주공은 육오의 효사에서 "기자의 명이이니, 곧음이 이롭다"고 하여 해석했고, 「단전」에서는 문왕을 겸하여 뜻을 펼쳤다. 문왕이 유리(羑里)에 갇혀 역도(易道)를 펼침은 매우 침착하게 대처함이니 문왕의 덕을 확인할 수 있으며, 기자가 미친 척을 하며 수모를 당함은 지극히 어렵게

대처함이니, 기자의 뜻을 확인할 수 있다. 그러나 이는 동시대에 있었던 일로, 문왕은 그에 따라 복희의 「하도」의 역을 연역하였고, 기자는 그에 따라 대우(大禹) 「낙서」의 구주(九疇)를 펼쳤다. 성현이 환란 속에서 스스로 유학의 도리를 지켜냄은 하늘의 뜻을 보존하고 있었기 때문이니, 이것은 「단전」의 본래의 의도는 아니지만 잠시 언급을 하였다.

‖韓國大全‖

권만(權萬)『역설(易說)』

明夷, 晉倒爲明夷, 進其可恃乎. 晉與明夷, 上下體之際, 皆有坎水, 橫截三接之際, 宜思蒙大難之慮.

명이는 진괘(䷢)의 위아래가 전도되어 명이괘(䷣)가 되었으니, 나아감을 믿을 수 있겠는가? 진괘와 명이괘는 위아래 몸체의 경계에 모두 감괘(☵)인 물이 있으니, 횡으로 끊어지고 세 번 접하는 때에 큰 어려움을 무릅쓰는 걱정을 생각해야 한다.

○ 艱指坎, 貞指五, 陰之中也. 內難之內, 恐作納何也. 以卦內外之內言之, 則內卦明不可謂之難也, 離納於坤也.

‘어려움’은 감괘(☵)를 가리키고, ‘곧음’은 오효를 가리키니 음의 가운데이다. “안이 어렵다”의 ‘안’은 “거두다[納]”로 하는 것이 어떻겠는가? 내괘와 외괘의 ‘안’으로 말하면 내괘의 밝음은 어렵다고 할 수 없으니, 이괘(☲)가 곤괘에 거둬지기 때문이다.

유정원(柳正源)『역해참고(易解參攷)』

箕子以之.

기자가 그것을 사용하였다.

張子曰, 文王難在外, 箕子難在內.

장자가 말하였다: 문왕은 어려움이 밖에 있었고, 기자는 어려움이 안에 있었다.

○ 梁山來氏曰, 箕子艱貞, 難于文王多矣, 故以艱貞係箕子之下. 要之天命與周, 故文王之明夷處之易, 天命廢殷, 故箕子之明夷處之難. 雖人爲, 必天意也, 文王箕子, 一而已矣.

양산래씨가 말하였다: 기자가 '어렵게 여겨서 곧음'이 문왕보다 어려움이 많았기 때문에 '어렵게 여겨서 곧음'을 기자의 아래에 붙였다. 요약하면 천명이 주(周)나라에 주어졌기 때문에 문왕의 명이는 대처하기가 쉬웠고, 천명이 은나라를 버렸기 때문에 기자의 명이는 대처하기가 어려웠다. 사람이 하더라도 반드시 하늘의 뜻이니, 문왕과 기자는 동일할 뿐이다.

김상악(金相岳) 『산천역설(山天易說)』

卦辭, 二爲入地之明, 五爲自晦之明. 內文明而外柔順, 則可以蒙大難, 故曰文王以之. 晦其明而正其志, 則可以處內難, 故曰箕子以之. 然蒙大難晦其明, 箕子文王一而已矣. 所以九卦於內外卦獨无取於離也. 然有互體之離, 則實未嘗不明也.

괘사로는 이효가 땅속으로 들어간 밝음이 되고, 오효가 스스로 감춘 밝음이 된다. 안은 문채가 나고 밝으며 밖은 유순하면 큰 어려움을 무릅쓸 수 있으므로 "문왕이 그것을 사용하였다"고 하였다. 밝음을 감추고 그 뜻을 바르게 하면 안의 어려움에 대처할 수 있으므로 "기자가 그것을 사용하였다"고 하였다. 그러나 큰 어려움을 당하여 그 밝음을 감춘 것은 기자와 문왕이 같을 뿐이다. 이 때문에 구덕괘(九德卦)는 내외괘에서 리괘(☲)에서만 취하지 않았다. 그러나 호체의 리괘가 있으면 참으로 일찍이 밝지 않음이 없다.

윤행임(尹行恁) 『신호수필(薪湖隨筆)·역(易)』

漢趙賓以周公贊易, 必不以同時之箕子爲言, 强解箕子以萬物之荄兹, 蓋易之辭疑晦難辨. 若以臆見傅會牽引, 則其得罪於聖經當如何. 但當以正義解釋, 不以辭而害意, 不以意而害辭而已.

한나라 맹희의 제자인 조빈은 주공이 역을 찬술할 때에 반드시 같은 시기의 기자를 말하지 않았을 것으로 여겨 '기자'를 '만물이 한창 자라는 것'으로 무리하게 해석하였으니, 역의 말이 의심스럽고 어두워 분별하기가 어렵다. 만약 견강부회하여 끌어들인다면 성경에 죄를 얻음이 어떠하겠는가? 다만 바른 뜻으로 해석하여야 하니, 말로써 뜻을 해쳐서도 안 되고, 뜻으로써 말을 해쳐서도 안 될 뿐이다.

서유신(徐有臣) 『역의의언(易義擬言)』

利艱貞, 晦其明也.

'어렵게 여겨서 곧음이 이로움'은 밝음을 감춘 것이다.

卦中, 又有君子自晦之象, 所以爲艱貞也.

괘 가운데 군자가 스스로 숨기는 상이 있으니, 어렵게 여겨서 곧게 하는 것이다.

內難而能正其志, 箕子以之.

안이 어렵지만 그 뜻을 바르게 할 수 있으니, 기자가 그것을 사용하였다.

明在內而夷, 故曰內難, 六二之象也. 有應二之志, 故曰能正其志, 六五之象也. 此箕子之艱貞白晦也.

밝음이 안에 있지만 감춰지기 때문에 "안이 어렵다"고 했으니, 육이의 상이다. 이효의 뜻에 호응하기 때문에 "그 뜻을 바르게 할 수 있다"고 하였으니, 육오의 상이다. 이것이 기자가 어렵게 여기고 곧게 하여 스스로 숨은 것이다.

박문건(朴文健) 『주역연의(周易衍義)』

正其志, 艱貞之謂也. 此釋卦辭, 而以卦體明箕子之艱貞也.

"그 뜻을 바르게 한다"는 곧음을 어렵게 여김을 말한다. 이것은 괘의 말을 해석하고 괘의 몸체로 기자가 곧음을 어렵게 여김을 밝힌 것이다.

〈問, 利艱貞晦其明也. 曰, 六二, 艱其貞正, 而不用其外者, 是晦其明也. 觀箕子佯狂之事, 則正其內而不正其外, 亦可知矣. 夫子以卦名, 明文王之明夷, 以卦辭, 明箕子之艱貞. 然不可作一人事看也. 曰, 周公以五爲箕子之明夷, 而夫子以二爲箕子之艱貞, 何. 曰, 易之道不泥, 故隨其義而取之也.

물었다: "곧음을 어렵게 여김이 이로움은 밝음을 감춘 것이다"는 무슨 뜻입니까?

답하였다: 육이는 그 곧고 바름을 어렵게 여겨서 밖으로 쓰지 않는 것이니, 그 밝음을 감추는 것입니다. 기자가 거짓으로 미친척한 일을 보면, 그 안을 바르게 하고 밖을 바르게 하지 않았음을 또한 알 수 있습니다. 공자는 괘의 이름으로써 문왕의 명이를 밝혔고, 괘의 말로써 기자의 곧음을 어렵게 여김을 밝혔습니다. 그러나 한 사람의 일로서만 볼 수 없습니다.

물었다: 주공은 오효를 기자의 명이로 보았고, 공자는 이효를 기자의 어려울 때에 곧음으로 여겼는데, 어째서입니까?

답하였다: 역의 도는 막히지 않으므로 그 뜻에 따라 취한 것입니다.〉

이지연(李止淵) 『주역차의(周易箚疑)』

明夷之時, 明者日也, 夷之者地也. 內明而外順, 以不犯其夷, 而能保其明者, 爲吉也. 故以文王箕子稱之.

명이의 때에 '밝은 것[明者]'은 해이고, '감추는 것[夷之者]'은 땅이다. 안은 밝고 밖은 유순하여 그 감추는 것을 침범하지 않고 그 밝음을 보전할 수 있는 것은 길하다. 그러므로 문왕과 기자로써 말한 것이다.

김기례(金箕澧) 『역요선의강목(易要選義綱目)』

內文明而外柔順, 釋卦德, 以蒙大艱, 釋明夷, 文王以之, 釋利艱貞. 晦其明, 內難而能正其志, 箕子以之, 以堂內之親, 當內輔之位, 當自內之難, 晦明免禍, 箕子也.

'안은 문채가 나고 밝으며 밖은 유순함'으로 괘의 덕을 해석하였고, '큰 어려움을 무릅씀'으로 명이를 해석하였으며, '문왕이 그것을 사용함'으로 "어렵게 여겨서 곧음이 이롭다"를 해석하였다. "밝음을 감추고, 안이 어렵지만 그 뜻을 바르게 할 수 있으니, 기자가 그것을 사용하였다"는 집안의 친척으로 안에서 보좌하는 지위에도 마땅히 하고 안으로부터의 어려움에도 마땅히 하여 밝음을 감추고 화를 면한 것이 기자라는 것이다.

심대윤(沈大允) 『주역상의점법(周易象義占法)』

內難, 家國之內難也.

'안이 어려움'은 집안과 국가의 안이 어렵다는 것이다.

오치기(吳致箕) 「주역경전증해(周易經傳增解)」

此以卦象卦體卦德, 釋卦名義及卦辭, 而又引文王箕子處難之道, 以明卦義也. 傳義已備矣.

이것은 괘의 상·몸체·덕으로 괘의 이름·뜻·말을 해석하였고, 문왕과 기자가 어려움에 대처한 도를 인용하여 괘의 뜻을 밝혔다. 『정전』과 『본의』에 이미 갖추어져 있다.

이진상(李震相) 『역학관규(易學管窺)』

互坎互震, 險難生焉, 故利艱貞.

호괘인 감괘(☵)와 진괘(☳)에서 험난함이 생기기 때문에 어려울 때에 곧음이 이롭다.

박문호(朴文鎬) 『경설(經說)-주역(周易)』

一部易本, 成於羑里, 其中事何莫非文王之所以, 而今於明夷, 特發此意者, 蓋以此卦

尤切於文王之事故也. 且以羑里繫象之事推之, 周公之繫象, 其必在遭流, 言避居東之
時乎.

하나의 『주역』이 유리에서 완성되었으니, 그 가운데의 일이 문왕이 한 것이 아님이 없겠지만, 지금 명이괘에서 특별히 이 뜻을 말한 것은 이 괘가 문왕의 일에 더욱 절실하기 때문이다. 유리에서 단사를 매단 일로 미루어 보면, 주공이 상을 매단 것은 반드시 추방당한 때에 해당하니, 피하여 동쪽에 거처할 때를 말한 것이다.

以一卦當文王, 以一爻當箕子, 蓋以所處之地, 有不同也. 然其德之大小, 亦可見也. 內難, 言內其難也. 或讀作內而難, 亦通. 諺釋作其內難之義, 更詳之.

하나의 괘로 문왕에 해당시켰고, 하나의 효로 기자에 해당시켰으니, 처한 경우가 같지 않기 때문이다. 그러나 그 덕의 크고 작음을 또한 알 수 있다. '안이 어려움'은 어려움을 받아들인다는 말이다. 혹은 안으로 어렵다고 해석하는데 또한 통한다. 언해에서는 안이 어렵다고 해석하는데 더욱 상세하다.

이정규(李正奎) 「독역기(讀易記)」

明夷之時, 天下之事, 不忍言也. 內文明外柔順, 蒙大難, 文王之明, 見夷也. 利艱貞, 晦其明, 箕子之明, 見夷也. 且經雖不言, 初九垂翼, 三日不食, 六二夷左股, 拯馬壯, 伯夷及微子, 可以當之, 而夷其明也. 九三南狩, 得大首, 武王之明, 獨見其明也. 以一人之暗, 而群聖人之明, 不能容, 禍厄非常, 天下塗炭. 況上下皆暗, 加之以禽獸之暗, 而鐵籠冪卻, 則天下之禍, 當如何而有一二. 不失其明者, 雖艱得貞, 雖貞能免乎. 令人不覺失聲也.

명이의 때에는 천하의 일을 차마 말할 수 없다. "안은 문채가 나고 밝으며 밖은 유순하여 큰 어려움을 무릅씀"은 문왕의 밝음이 감춰짐이다. "어렵게 여겨서 곧음이 이로움은 밝음을 감춘 것이다"는 기자의 밝음이 감춰짐이다. 경에서 비록 말하지 않았지만, 초구에서 "날개를 늘어뜨리고, 삼일 동안 먹지 않음"과 육이에서 "좌측 다리에 상처를 입으니 돕는 말이 건장하다" 등은 백이와 미자가 거기에 해당되며 그 밝음을 감춤이다. 구삼에서 "남쪽으로 사냥하여 큰 머리를 얻음"은 무왕의 밝음이 홀로 그 밝음을 나타냄이다. 한 사람이 어두워서 여러 성인의 밝음을 수용할 수 없다면 비상한 재앙이 닥쳐 천하가 도탄에 빠질 것이다. 하물며 위 아래가 모두 어두운 데 짐승 같은 어두움을 더하여 쇠로 만든 바구니를 쓰고 물리치려고 한다면 천하의 재화가 어찌 한 두 가지만 있을 수 있겠는가? 그 밝음을 잃지 않은 자가 어렵더라도 곧을 수 있으며, 곧더라도 모면할 수 있겠는가? 사람이 깨닫지 못하는 사이에 명성을 잃을 것이다.

이병헌(李炳憲) 『역경금문고통론(易經今文考通論)』

荀曰, 明在地下, 爲坤所蔽, 大難之象.

순상이 말하였다: 밝음이 땅 아래에 있어 곤괘(☷)에게 가려지게 되니, 크게 어려운 상이다.

虞曰, 箕子紂諸父, 故稱內難, 坤爲晦. 明麗正, 故正其志. 右一對往來策數, 準屯蒙.

우번이 말하였다: 기자는 주왕의 여러 숙부 중 한 사람이었기 때문에 안이 어렵다고 하였는데, 곤괘가 어둠이 된다. 밝음이 바름에 걸려있기 때문에 그 뜻을 바르게 할 수 있다. 이상은 하나의 짝으로 왕래하는 책수(策數)는 준괘와 몽괘와 같다.

象曰, 明入地中, 明夷, 君子以, 莅衆, 用晦而明.

「상전」에서 말하였다: "밝음이 땅속으로 들어간 것이 명이이니", 군자가 그것을 본받아 군중을 대할 때에는 어둠을 사용하여 밝게 한다.

中國大全

傳

明, 所以照, 君子无所不照, 然用明之過, 則傷於察, 太察則盡事, 而无含弘之度, 故君子觀明入地中之象, 於莅衆也, 不極其明察而用晦, 然後能容物和衆, 衆親而安, 是用晦乃所以爲明也. 若自任其明, 无所不察, 則己不勝其忿疾而无寬厚含容之德, 人情睽疑而不安, 失莅衆之道, 適所以爲不明也. 古之聖人設前旒屏樹者, 不欲明之盡乎隱也.

명(明)은 비추는 것이니, 군자는 비추지 않음이 없지만 밝음을 씀이 지나치다면 살핌에 손상을 주고, 지나치게 살핀다면 일을 다 파헤쳐 포용하고 관대한 도량이 없게 된다. 그러므로 군자는 밝음이 땅속으로 들어가는 상을 관찰하고, 군중에 임할 때 밝게 살핌을 지극히 하지 않고 어둠을 사용하니, 그런 뒤에야 남을 용납하고 군중과 화합할 수 있어서, 군중이 친애하고 편히 여기니, 어둠을 사용함이 곧 밝게 만드는 방법이다. 만약 스스로 밝음을 자처하여 살피지 않음이 없게 된다면, 자신이 분하고 미워하는 마음을 이기지 못하여 관대하고 포용하는 덕이 없게 되며, 사람들의 정이 반목하고 불안해하여 군중을 대하는 도를 잃게 되니, 바로 밝지 못하게 되는 이유이다. 옛날의 성인이 앞에 깃술을 달고 나무로 문을 가린 것은 은밀한 곳에 밝음을 다하지 않고자 해서이다.

小註

朱子曰, 君子用晦而明, 晦, 地象, 明, 日象. 晦則是不察察, 若晦而不明, 則晦得没理會了. 故外晦而內必明乃好.

주자가 말하였다: "군자가 어둠을 사용하여 밝게 한다"에서 어둠은 땅의 상이고, 밝음은 해의 상이다. 어두우면 명확하게 살필 수 없으니, 만약 어둡고 밝지 못하다면 어두워 이해할 수 없을 것이다. 그러므로 밖은 어둡더라도 안은 반드시 밝아야만 좋다.

○ 白雲郭氏曰, 明入地中而後爲明夷. 夷之爲傷, 非毀其明也, 晦其明而已. 晦其明,
則有終明之道, 是知艱貞之, 君子所以能用晦而明也.
백운곽씨가 말하였다: 밝음이 땅속으로 들어간 이후에야 명이가 된다. 감춰져서 손상됨은
밝음을 훼손함이 아니라 밝음을 어둡게 하는 것일 뿐이다. 밝음을 어둡게 하였다면 끝내
밝아지는 도는 어려움을 알아서 곧게 하는 것이니, 군자가 어둠을 사용하여 밝게 할 수 있는
이유이다.

○ 建安丘氏曰, 明入地中, 外晦內明, 故君子以之, 莅衆, 不用明而用晦, 此其所以明
也.
건안구씨가 말하였다: 밝음이 땅속으로 들어가서 밖은 어둡고 안은 밝기 때문에, 군자는 그
것을 관찰하여, 군중에 임함에 밝음을 사용하지 않고 어둠을 사용하니, 이것이 밝게 되는
이유이다.

○ 東萊呂氏曰, 用晦而明者, 君子養明之道, 不有虞淵之入焉, 有暘谷之明.
동래여씨가 말하였다: "어둠을 사용하여 밝게 한다"는 군자가 밝음을 기르는 도이니, 해가
지는 곳으로 들어감이 없고, 해가 떠오르는 곳의 밝음이 있다.

○ 雲峰胡氏曰, 晉, 明盛之象, 君子斂而用以自治. 明夷, 晦其明之象, 君子推而用以
治人, 皆善用易者也.
운봉호씨가 말하였다: 진괘(晉卦䷢)는 밝음이 융성한 상인데, 군자가 수렴하여 사용해서 스
스로를 다스린다. 명이괘는 밝음을 어둡게 하는 상인데, 군자가 미루어 사용해서 남을 다스
리니, 이 모두는 『주역』을 잘 사용하는 것이다.

‖韓國大全‖

조호익(曺好益) 『역상설(易象說)』

象曰, 大象.
'상왈(象曰)'은 「대상전」이다.

傳屛樹, 屛謂之樹. 天子外屛, 諸侯內簾, 士以帷, 以別內外, 蓋蕭墻之意也.
『정전』에서 '나무로 문을 가림[屛樹]'에서 '병(屛)'은 가리개 나무를 말한다. 천자(天子)는 외병(外屛)으로, 제후(諸侯)는 내렴(內簾)으로, 사(士)는 유(帷)로써 가려 안과 밖을 구별하였으니, 경계를 삼가는[蕭墻] 뜻이다.

김도(金濤) 「주역천설(周易淺說)」

愚按, 程傳下所釋, 朱子惟一條, 郭氏以下諸儒凡四條, 而皆得於大象之旨矣. 蓋君子所以用明者, 必有其道. 用明而察者, 過察者也, 用明而晦者, 含容者也. 明而過察, 則失其所以爲明之道, 晦而含容, 則得寬裕簡重之道, 而衆和而安之矣. 明夷之卦, 离明在下, 坤地在上, 乃傷明之卦也. 若全用過察之明, 而處无道之世, 則傷害必及. 故古之人戒而不用, 利艱貞者, 有之矣. 至於莅衆也, 則君子不極其明察, 而用晦之道, 故能容物而和衆, 自至於安妥矣. 其所以外晦而內明之意, 至矣盡矣. 然則凡天下莅衆者, 可不以此爲法哉.

내가 살펴보았다: 『정전』 아래의 해석이 주자는 한 조목뿐이고, 곽씨 이하 여러 유학자가 모두 네 조목인데, 모두 「대상전」의 뜻에 맞는다. 군자가 밝음을 씀에 반드시 그 도가 있다. 밝음을 써서 살피는 것은 지나치게 살피는 것이고, 밝음을 쓰지만 감추는 것은 포용하는 것이다. 밝게 하여 지나치게 살피면 밝게 하는 도는 잃게 되고, 감추어서 포용하면 관대하고 질박한 도를 얻게 되어 무리들이 화합하고 편안해 할 것이다. 명이괘는 이괘(☲)의 밝음이 아래에 있고, 곤괘(☷)의 땅이 위에 있어 밝음을 상하게 하는 괘이다. 지나치게 살피는 밝음을 전적으로 사용하면서 도가 없는 세상에 있다면 이지러지고 해침이 반드시 미칠 것이다. 그러므로 옛날 사람들이 경계하고 사용하지 않았으니, "어렵게 여겨서 곧음이 이롭다"는 것이 있는 것이다. 군중을 대할 때에 군자가 밝게 살핌을 지극하게 하지 않고 어둠의 도를 사용하기 때문에 남을 용납하고 군중과 조화를 이루어 저절로 편안함에 이를 것이다. 그래서 밖으로 감추고 안으로 밝은 뜻이 지극하고 극진한 것이다. 그렇다면 천하에 무리를 대하는 자는 이것으로 법을 삼아야 하지 않겠는가!

이만부(李萬敷) 「역통(易統)·역대상편람(易大象便覽)·잡서변(雜書辨)」

臣謹按, 晉武帝, 頗能明察, 而近於苛刻. 唐德宗, 務爲察察, 而反甚昏惑. 漢高祖宋太祖, 寬厚含弘, 不察小事, 而大體則明. 由是觀之, 則用晦而明, 誠人君之所當勉也.

신이 삼가 살펴보았습니다: 진나라 무제는 너무 밝게 살펴 가혹하고 각박함에 가까웠습니다. 당나라 덕종은 살피고 살핌을 힘써, 도리어 매우 어리석었습니다. 한나라 고조와 송나라 태조는 너그럽고 후덕하며 포용하고 관대하여 작은 일은 살피지 않았지만 전체적으로는 밝았습니다. 이로부터 보면 어둠을 쓰면서 밝은 것이 참으로 임금이 힘써야 할 것입니다.

김상악(金相岳) 『산천역설(山天易說)』

莅與明離象, 衆與晦坤象. 晉之自昭明德, 修己之道也, 夷之用晦而明, 治人之道也. 文王箕子, 不用晦而明, 則難免於禍患之來, 用晦而不明, 則无以顯範, 易之功, 所以用晦而明也.

'대함[莅]'과 '밝음[明]'은 리괘(☲)의 상이고, '무리[衆]'와 '어둠[晦]'은 곤괘(☷)의 상이다. 진괘의 "밝은 덕을 스스로 밝힌다"[5]는 자신을 닦는 도이며, 명이괘의 "어둠을 사용하여 밝게 한다"는 사람을 다스리는 도이다. 문왕과 기자가 어둠을 사용하지 않고 밝았다면 화와 근심이 오는 것을 면하기 어려웠을 것이고, 어둠을 사용하기만 하고 밝지 못하였다면 법을 드러내지 못했을 것이니, 『주역』의 공은 어둠을 사용하여 밝게 하는 것이다.

윤행임(尹行恁) 『신호수필(薪湖隨筆)·역(易)』

用晦而明, 御衆之道也. 冕之爲冠, 塞視塞聽, 蓋取於斯歟.

어둠을 사용하여 밝게 함은 무리를 이끄는 도이다. 면류관을 쓰고 보고 듣는 것을 막는 것은 여기에서 취하였다.

서유신(徐有臣) 『역의의언(易義擬言)』

日入地中, 外晦而內明, 故君子之莅衆, 亦外用晦, 而內則明也. 莅衆坤象, 晦而明日象, 本明故用晦, 卦象也.

해가 땅속으로 들어가 밖은 어둡고 안은 밝기 때문에 군자가 군중을 대할 때에 밖으로는 어둠을 사용하고 안으로는 밝게 한다. '군중을 대함'은 곤괘(☷)의 상이고, 감추지만 밝음은 해의 상이고, 본래 밝기 때문에 어둠을 쓰는 것은 괘의 상이다.

박문건(朴文健) 『주역연의(周易衍義)』

問, 莅衆用晦而明. 曰, 君子莅於衆, 而雖用晦, 然其實則明也. 外晦內明, 明不息之道也.

---

5) 「晉卦」: 象曰, 明出地上, 晉, 君子以, 自昭明德.

물었다: "군중을 대할 때에는 어둠을 사용하여 밝게 한다"는 무슨 뜻입니까?

답하였다: 군자가 군중을 대할 때에 비록 어둠을 사용하지만 실제로는 밝습니다. 밖은 어둡고 안은 밝은 것이 쉬지 않는 밝은 도입니다.

이지연(李止淵) 『주역차의(周易箚疑)』

人之用明, 卽取禍之道, 況處暗世乎.

사람이 밝음을 사용하는 것은 재난을 취하는 도이니, 하물며 어두운 세상에 처해서겠는가?

김기례(金箕澧) 『역요선의강목(易要選義綱目)』

君子以, 莅衆, 用晦而明, 內明外晦, 勿察察, 內容衆也.

"군자가 그것을 본받아 군중을 대할 때에는 어둠을 사용하여 밝게 한다"는 안은 밝고 밖은 어둡게 하여 너무 세세하게 살피지 말아서 안으로 무리를 받아들인다.

심대윤(沈大允) 『주역상의점법(周易象義占法)』

明入地中, 內明而外暗. 君子以莅衆, 不極其明察, 而有所不見不知也, 以不見不知爲明耳. 明足以察其細, 照其奸, 而隱掩以含容, 前旒樹屛, 亦其意也. 莅衆离坤象, 晦而明坎离象. 君子之晦而明, 明之大者也, 子曰, 其愚不可及.

밝음이 땅속으로 들어가니, 안이 밝고 밖은 어두운 것이다. 군자가 이것을 본받아 군중을 대함에 밝게 살핌을 지극하게 하지 않아 보지 못하거나 알지 못하는 것이 있으니, 보지 못하거나 알지 못함으로 밝음을 삼는다. 밝음이 세밀함을 살피고 간악함을 비출 수 있지만 숨겨서 포용하니, 앞에 깃술을 달고 나무로 문을 가리는 것이 그 뜻이다. '군중을 대함'은 리괘와 곤괘의 상이며, '어둡게 하지만 밝음'은 감괘와 리괘의 상이다. 군자가 어둡게 하지만 밝음은 밝음이 큰 것이니, 공자는 "그 어리석음은 따를 수 없다"[6]고 했다.

오치기(吳致箕) 「주역경전증해(周易經傳增解)」

明入地中, 外晦而內明, 故君子觀其象, 不以明爲明, 以晦爲明. 其臨民, 有含容之度, 而不極其苛察, 用晦藏之德, 而不自任其明, 此所以明也. 聖人之設旒樹屛, 卽此義也. 明離象, 衆與晦坤象.

---

6) 『論語·公冶長』.

밝음이 땅속으로 들어가서 밖은 어둡고 안은 밝기 때문에 군자가 그 상을 살펴서 밝음을 밝음으로 여기지 않고 어둠을 밝음으로 여긴다. 그가 백성에 임할 때에 포용하는 도량이 있어서 가혹한 살핌을 지극하게 하지 않고, 어둡게 감추는 덕을 사용하여 그 밝음을 자임하지 않으니, 이것이 밝아지는 까닭이다. 성인이 앞에 깃술을 달고 나무로 문을 가리는 것이 이 뜻이다. 밝음은 리괘(☲)의 상이고, 무리와 어둠은 곤괘(☷)의 상이다.

이진상(李震相) 『역학관규(易學管窺)』

蔡氏曰, 莅明離象, 衆晦坤象.

채씨가 말하였다: '대함[莅]'과 '밝음[明]'은 리괘(☲)의 상이고, '무리[衆]'와 '어둠[晦]'은 곤괘(☷)의 상이다.

박문호(朴文鎬) 『경설(經說)-주역(周易)』

前旒, 言冕前之旒也. 屛樹, 言門之樹也, 皆設於前者也.

'앞의 깃술'은 면류관 앞의 깃술이고, '나무로 문을 가린 것'은 문의 가리개 나무이니, 모두 앞에 설치하는 것이다.

이정규(李正奎) 「독역기(讀易記)」

蓋莅中者, 外晦而內明, 則外有含弘之度, 人情悅服. 內有精明之見, 事理不錯, 此所以爲明也. 若用察察之明, 則易入於猜疑之端, 人情睽異矣, 是反害明而不明也.

가운데 임하는 자가 밖은 어둡고 안이 밝으면 밖으로 포용하고 관대한 도량이 있게 되어 인정(人情)이 기뻐서 복종할 것이다. 안으로 정밀하게 밝은 견해가 있으면 사물의 이치가 어긋나지 않으니, 이것이 밝음이 되는 까닭이다. 정밀히 살피는 밝음을 사용하면 원망하고 의심하는 단서에 쉽게 들어가서 사람들의 정이 반목하게 될 것이니, 이것이 도리어 밝음을 해쳐서 밝지 않은 것이다.

이병헌(李炳憲) 『역경금문고통론(易經今文考通論)』

虞曰, 坤爲衆爲晦, 離爲明.

우번이 말하였다: 곤괘는 무리이고 어둠이며, 리괘가 밝음이다.

初九, 明夷于飛, 垂其翼, 君子于行, 三日不食, 有攸往, 主人有言.

초구는 명이는 날 때에 날개를 늘어뜨림이며, 군자가 떠남에 삼일 동안 먹지 못하고, 가는 바가 있음에 주인이 나무라는 말을 한다.

‖中國大全‖

傳

初九, 明體而居明夷之初, 見傷之始也. 九, 陽明上升者也, 故取飛象. 昏暗在上, 傷陽之明, 使不得上進, 是于飛而傷其翼也. 翼見傷, 故垂朶, 凡小人之害君子, 害其所以行者. 君子于行, 三日不食, 君子明照, 見事之微, 雖始有見傷之端, 未顯也, 君子則能見之矣, 故行去避之. 君子于行, 謂去其祿位而退藏也, 三日不食, 言困窮之極也. 事未顯而處甚艱, 非見幾之明, 不能也. 夫知幾者, 君子之獨見, 非衆人所能識也, 故明夷之始, 其見傷未顯而去之, 則世俗孰不疑怪? 故有所往適則主人有言也. 然君子不以世俗之見怪而遲疑其行也. 若俟衆人盡識, 則傷已及而不能去矣. 此薛方所以爲明而揚雄所以不獲其去也. 或曰, 傷至於垂翼, 傷已明矣, 何得衆人猶未識也? 曰, 初, 傷之始也. 云垂其翼, 謂傷其所以飛爾, 其事則未顯也. 君子見幾, 故亟去之, 世俗之人, 未能見也, 故異而非之. 如穆生之去楚, 申公白公, 且非之, 況世俗之人乎? 但譏其責小禮, 而不知穆生之去避胥靡之禍也. 當其言, 曰不去, 楚人將鉗我於市, 雖二儒者, 亦以爲過甚之言也. 又如袁閎, 於黨事未起之前, 名德之士方鋒起而獨潛身土室, 故人以爲狂生. 卒免黨錮之禍, 所往而人有言, 胡足怪也?

초구는 밝은 몸체이고 명이의 초효에 있으니 손상되는 시작이다. 구(九)는 양의 밝음이 위로 상승하는 자이기 때문에 나는 상을 취했다. 어둠이 위에 있어서 양의 밝음을 손상시켜 위로 나아가지 못하게 하였으니, 날 때에 그 날개를 손상시킴이다. 날개가 손상되었기 때문에 늘어뜨리게 되니, 소인이 군자를 해침은 그가 행하는 바를 해치는 것이다. "군자가 떠남에 삼일 동안 먹지 못한다"는 군자는 밝게 비추어서 일의 기미를 보니, 비록 처음 손상되는 단서가 있어서 아직 드러나지 않았지만, 군자라면 잘 볼 수 있기 때문에 떠나가 피한다. '군자가 떠남에 있어서'는 녹봉과 지위를 버리고 물러나 숨음을 말하고, "삼일 동안 먹지 못한다"는 지극히 곤궁함을 말한다. 사안이 아직 드러나지 않았어도 매우 어렵게 처리하니, 기미를 보는 밝음이 아니라면 할 수 없는 것이다. 기미를 안다는 것은 군자 홀로 보는 것이며, 군중들이 볼 수 있는 것이 아니므로 명이의 처음에 손상됨이 아직 드러나지 않았을 때 떠난다면, 속세에서 그 누가 의심하거나 괴이하게 여기지 않겠는가? 그러므로 가는 곳이 생기면 주인이 나무라는 말을 하게 된다. 그러나 군자는 속세에서 괴이하게 여긴다고 해서 그 떠남을 지체하거나 의심하지 않는다. 만약 군중이 모두 알아주기를 기다린다면, 이미 손상되어 떠날 수 없을 것이다. 이것은 설방이 밝음이 되는 이유이며, 양웅이 떠나지 못했던 이유이다.

어떤 이가 물었다: 손상됨이 날개를 늘어뜨림에 이르렀다면 손상됨이 이미 분명히 드러난 것인데, 어찌 군중들이 여전히 알지 못하는 것 입니까?

답하였다: 초효는 손상되는 시작입니다. "날개를 늘어뜨린다"고 한 것은 날 수 있는 수단을 손상시켰음을 말하니, 그 사안은 아직 드러나지 않았습니다. 군자는 기미를 보았기 때문에 빨리 떠난 것이며, 속세의 사람들은 아직 볼 수 없기 때문에 괴이하게 여겨서 비난한 것입니다. 마치 목생이 초나라를 떠날 때 신공과 백공 또한 비난한 경우와 같으니, 하물며 속세의 사람이겠습니까? 다만 예우가 작음을 불평한다고 비난을 하였고, 목생이 떠난 것이 서미의 화를 피한 일인 줄은 알지 못했습니다. 목생이 그런 나무라는 말에 대하여 "떠나지 않으면 초나라 사람들이 장차 나에 대해서 시장에서 재갈을 물리게 될 것이다"라고 함에, 비록 두 유학자라도 또한 너무 심한 말이라고 여겼습니다. 또 원굉은 당고의 사건이 아직 일어나기 이전에 명망과 덕이 있는 선비들이 모두 봉기를 하였지만, 홀로 토실에서 몸을 숨겼습니다. 그러므로 사람들은 그를 미친 사람이라고 여겼지만, 끝내 당고의 화를 모면했으니, 가는 것에 대해 사람들이 나무라더라도 어찌 괴이하게 여기겠습니까?

本義

> 飛而垂翼, 見傷之象, 占者行而不食, 所如不合, 時義當然, 不得而避也.

날 때에 날개를 늘어뜨림은 손상되는 상이니, 점치는 자가 떠남에 먹지 못하고 가는 곳마다 화합하지 못함은 때와 뜻이 당연하여 피할 수 없다.

小註

> 建安丘氏曰, 明夷暗主在上, 初體離明, 去上最遠, 見傷卽避, 有飛而垂翼之象. 垂翼, 不敢上進, 戢身避禍也. 君子知幾, 義當速去, 蓋可以不食而不可以不去, 去重於食故也. 主人, 主我者也, 謂初與四爲應也. 有言, 謂訝其去之무也.

건안구씨가 말하였다: 명이괘의 어두운 주인은 상효에 있고, 초효의 몸체는 리괘의 밝음으

로 상효와 가장 멀리 떨어져서 손상되면 곧바로 피하니, 날 때에 날개를 늘어뜨리는 상이 있다. '날개를 늘어뜨림'은 감히 위로 나아가지 못함이니, 자신을 단속하여 화를 피함이다. 군자는 기미를 알면 의당 신속히 떠나야만 한다. 먹지 않을 수 있지만 떠나지 않을 수가 없으니, 떠남이 먹는 일보다 중요하기 때문이다. '주인(主人)'은 나를 주재하는 자이니, 초효와 사효가 호응이 됨을 뜻한다. '유언(有言)'은 일찍 떠남을 의심함을 말한다.

○ 雲峰胡氏曰, 飛離鳥象, 象爲飛, 占爲行爲往, 象爲垂其翼, 占爲不食有言. 飛而垂翼, 物之傷也, 行而不食, 所如不合, 君子之傷也, 君子此時, 惟有安於義命而已. 蔡氏謂初二爻, 三仁象, 愚意于行不食, 伯夷避紂之象.

운봉호씨가 말하였다: '낢[飛]'은 리괘(☲)인 새의 상이니, 상(象)은 낢이 되고 점(占)은 떠남과 감이 되며, 상은 '날개를 늘어뜨림'이 되고 점은 '먹지 않음'과 '나무라는 말이 있음'이 된다. '날개를 늘어뜨림'은 사물의 손상됨이고, 떠남에 먹지 못하고 가는 곳마다 화합하지 못함은 군자의 손상됨이니, 군자는 이러한 시기에 의명(義命)을 편안히 여길 따름이다. 채씨는 "초효와 이효는 세 인자(仁者)의 상이다"라고 했는데, 내가 생각하기에 떠남에 음식을 먹지 않음은 백이가 주왕을 피한 상이다.

○ 節齋蔡氏曰, 曰飛曰行曰往, 皆進之謂也. 曰垂翼曰不食曰有言, 皆傷之謂也. 言當明夷之初, 進而有傷也. 取上獨遠, 故傷者淺.

절재채씨가 말하였다: "난다"고 하고 "떠난다"고 하며 "간다"고 했는데, 모두 나아감을 말한다. "날개를 늘어뜨린다"고 하고 "먹지 못한다"고 하며 "나무라는 말을 한다"고 했는데, 모두 손상됨을 말한다. 명이의 초기를 맞아서 나아감에 손상됨이 있음을 말한 것이다. 상효와 유독 멀리 떨어져 있기 때문에, 상처를 적게 입는다는 것을 취했다.

韓國大全

조호익(曺好益) 『역상설(易象說)』

初前阻坎, 坎爲陷, 有垂翼之象. 行陽動象. 不食, 初近坎, 而不在坎體象. 言離有口象, 又離火有聲象. 左傳, 初變則艮, 艮爲言.

초효의 앞은 감괘(☵)로 막혀 있는데 감괘는 빠짐[陷]이 되니, 날개를 늘어뜨리는 상이 있다.

'행(行)'은 양(陽)이 움직이는 상이다. '먹지 못함[不食]'은 초효가 감괘에 가까이 있으나 감괘의 몸체에는 있지 않은 상이다. '말[言]'은 리괘(☲)에 입[口]의 상이 있고, 또 리괘의 불[火]에는 소리[聲]의 상이 있다. 『춘추좌전』에 "초효가 변하면 간괘가 되는데, 간괘는 말[言]이 된다"고 하였다.

○ 訟六三, 食舊德, 本爻在坎體, 泰九三, 于食有福, 本爻在兌體.

송괘(訟卦) 육삼에서 "옛 덕을 녹봉으로 받는다[食舊德]"고 한 것은 본효(本爻)가 감괘의 몸체에 있기 때문이고, 태괘(泰卦) 구삼에서 "먹음에 복이 있으리라[于食有福]"라고 한 것은 본효가 태괘의 몸체에 있기 때문이다.

송시열(宋時烈) 『역설(易說)』

離爲飛鳥, 故曰于飛, 言其羽翼見傷而垂韠, 以陽明將升, 而卦遇明夷也. 初爻變, 則有小過飛鳥之象. 初與上六, 上下爲翼也. 于行者, 初與互震之中爻爲應, 震爲足爲行也. 離數爲三, 象爲日, 離爲龜. 龜者, 不食之物, 見上. 故曰三日不食. 有攸往者, 從震之中爻也. 主人, 卽其六四也. 震亦爲言, 故曰有言. 程傳謂, 挈方之明, 楊雄之不去, 穆生之去, 袁閎於黨錮未起之前, 潛身土室, 皆爲見幾, 理則然矣. 小象義不食, 若夷齊之事.

리괘(☲)가 나는 새가 되기 때문에 '날 때[于飛]'라고 하였으니, 그 깃털과 날개가 손상되어 늘어뜨려지는 것으로 밝은 양이 올라가서 괘가 명이의 때를 만난다는 말이다. 초효가 변하면 소과괘(☷)의 나는 새의 상이 있다. 초효와 상육은 위 아래로 날개가 된다. '떠날 때[于行]'는 초효가 호괘인 진괘(☳)의 가운데 효와 호응함이니, 진괘가 발이 되고 떠남이 된다. 리괘(☲)의 수는 3이고 상은 해이며, 리괘는 거북이 된다. 거북은 먹지 않아도 잘 사는 동물로 앞에 나온다. 그러므로 "삼일 동안 먹지 못한다"고 하였다. '가는 바가 있음'은 진괘의 가운데 효를 따르는 것이다. '주인'은 육사이다. 진괘도 말이 되기 때문에 "나무라는 말이 있다"고 하였다. 『정전』에서 "설방의 밝음, 양웅의 떠나지 못함, 목생의 떠남, 원굉이 당고의 사건이 아직 일어나기 전에 토실에 몸을 숨긴 것은 모두 기미를 본 것이 된다"고 하였는데, 이치로 보면 분명한 것이다. 「소상전」에서 "의리상 음식을 먹지 않는다"는 백이와 숙제의 일과 같다.

이현익(李顯益) 『주역설(周易說)』[7]

飛行往, 皆進之謂, 垂翼不食有言, 皆傷之謂. 此爻只是見傷不能進之義, 非謂避禍而去. 建安丘氏以避禍速去爲言. 雲峯胡氏爲伯夷避周之象, 皆非是. 蔡氏之以初二爲三仁象, 亦非是. 四五是微子箕子象, 則四五爲三仁矣. 丘胡說似本於傳.

"날다"·"떠나다"·"가다"는 모두 나아간다는 말이고, "날개를 늘어뜨리다"·"먹지 못한다"·"나무라는 말을 한다"는 모두 상처를 입는다는 말이다. 이 효는 손상되어 나아갈 수 없다는 뜻일 뿐이지 화를 피하여 간다는 말이 아니다. 건안구씨는 화를 피하여 빨리 떠나는 말로 여겼고, 운봉호씨는 백이가 주나라를 피한 상으로 여겼는데, 모두 잘못이다. 채씨는 초효와 이효를 세 인자(仁者)의 상으로 여겼는데, 이것도 잘못이다. 사효와 오효가 미자와 기자의 상이니, 사효와 오효가 세 인자한 사람이 된다. 구씨와 호씨의 설명은 『정전』에 근본한 것 같다.

이익(李瀷) 『역경질서(易經疾書)』

君子于行, 程子所謂去祿位而退藏, 是也. 雖知幾遠避, 亦不宜朝食其祿而夕便去也. 須透迤宛轉, 不食多日, 然後方決. 若謂窮困之極, 則孔子何以曰義不食也. 主人, 君人也. 君主其諸臣, 故曰主人. 於此云爾者, 謂雖有言, 勿邮也, 微子之事, 可以當之.

'군자가 떠남'은 정자가 말한 "녹봉과 지위를 버리고 물러나 숨는다"가 이것이다. 기미를 알아 멀리 피할 때 아침에 그 녹봉을 먹고 저녁에 간다면 마땅하지 않다. 구불구불하거나 순탄하더라도 여러 날 먹지 않은 이후에 결단하여야 한다. 지극히 곤궁할 때 같으면 공자가 어찌하여 "의리상 음식을 먹지 않는다"고 하였겠는가? 주인은 임금이다. 임금은 여러 신하의 주인이기 때문에 '주인'이라고 하였다. 여기에서 말한 것은 '나무라는 말'이 있더라도 걱정하지 말라는 것이니, 미자의 일이 여기에 해당할 수 있다.

심조(沈潮) 「역상차론(易象箚論)」

初九, 飛垂翼, 三日有言.

날 때에 날개를 늘어뜨림이며 삼일에 나무라는 말을 한다.

離火升上, 如飛鳥相似, 在傷時, 故曰垂翼, 蓋爲在下也. 三離數, 日離象, 言雜兌也.

리괘(☲)의 불이 위로 올라가기를 마치 나는 새와 비슷하며, 손상되는 때가 있기 때문에 "날개를 늘어뜨린다"고 하였으니, 아래에 있기 때문이다. 3은 리괘의 수이고, 해는 리괘의 상이니, '말'은 섞인 태괘(☱)이다.

---

7) 경학자료집성DB에서는 명이괘(明夷卦) '단사'에 해당하는 것으로 분류했으나, 내용에 따라 이 자리로 옮겨왔다.

유정원(柳正源) 『역해참고(易解參攷)』

左昭五年, 初, 穆子〈魯叔孫豹〉之生也, 筮之, 遇明夷之謙. 卜楚丘〈魯卜大夫〉曰, 是將行〈出奔〉, 而歸爲子祀. 以讒人入, 其名曰牛. 卒以餒死. 明夷日也. 日之數十, 故有十時〈一日分爲十時〉, 亦當十位〈日中當王, 食當公, 平朝爲卿, 雞鳴爲士, 夜半爲皂, 人定爲輿, 黃昏爲隷, 日入爲僚, 晡時爲僕, 日昳爲臺, 偶中日出, 闕不在第, 尊王公曠其位.〉. 自王已下, 其二爲公, 其三卿. 日上其中〈日中〉, 食日爲二〈食時〉, 朝日爲三〈朝時〉. 明夷之謙, 明而未融〈謙又卑退〉, 其當朝乎〈卿位〉, 故曰爲子祀. 日之謙當鳥〈離爲日爲鳥, 離變謙, 日光不足, 故曰當鳥〉, 故曰明夷于飛. 明而未融, 故曰垂其翼. 象日之動〈日動物也, 雖有夷傷, 其動不爽〉, 故曰君子于行〈初九, 在明傷之世, 居謙下之位, 故將避亂而行〉. 當三在朝〈在朝時〉, 故曰三日不食〈非食時, 故三日不食〉. 離火也, 艮山也, 離爲火, 火焚山〈變艮〉, 山敗〈焚山草木焦枯〉. 於人爲言〈艮爲言〉, 敗言爲讒〈艮爲離所焚故言敗爲讒〉, 故曰有攸往〈離變艮有所往〉, 主人有言〈往而見燒故主人有言〉. 言必讒也〈言而見敗故必讒言〉. 純離爲牛〈離畜牝牛〉, 世亂讒勝〈離焚山則離勝譬世亂則讒勝〉, 勝將適離〈山焚離獨存故知勝適離〉, 故其名曰牛〈豎牛非牝牛故不吉〉. 謙不足〈謙道主退〉, 飛不翔〈離鳥之謙〉, 垂不峻〈鳥翼垂下〉, 翼不廣〈翼垂〉, 故曰其爲子後乎〈不遠不高不廣〉. 吾子亞卿也〈莊叔世爲魯亞卿〉, 抑少不終〈朝日正卿之位莊叔亞卿不足以終盡卦體〉. 〈○ 案, 不終, 恐是不善終.〉

『춘추좌전』 소공 오년, 당초에 목자(穆子)〈노나라 숙손표〉가 출생하였을 때에 장숙(莊叔)이 점을 쳐서 명이괘(䷣)가 겸괘(謙卦䷎)로 변한 괘를 만났다. 점치는 자인 초구(楚丘)가 말하였다: 이 아이는 장차 떠났다가〈나라를 떠나 도망가다.〉 돌아와서 당신을 위해 제사(祭祀)를 받들 것입니다. 돌아올 때 참소하는 사람을 데리고 들어올 것인데, 그 자의 이름은 우(牛)입니다. 끝내 이 자로 인해 굶어 죽게 될 것입니다. 명이는 해이고 해의 수는 10입니다. 그러므로 하루에 10시간이 있으니〈하루를 나누어 10시간으로 하였다.〉 이 또한 10 등급의 지위에 해당합니다. 〈정오[日中]는 왕에 해당하고, 아침밥[食]을 먹을 때는 공(公)에 해당하고, 새벽[平朝]은 경(卿)에 해당하고, 닭이 울때[雞鳴時]는 사(士)에 해당하고, 한밤중[夜半]은 하인[皂]에 해당하고, 잠들 때[人定時]는 수레[輿]에 해당하고, 황혼(黃昏)은 노예[隷]에 해당하고, 날이 질 때[日沒時]는 신료[僚]에 해당하고, 오후 3시에서 5시[晡時(申時)]는 마부[僕]에 해당하고, 해가 기울 때는 대(臺)에 해당한다. 집의 모퉁이 중간에서 해가 돋을 때는 빼놓고 차례에 넣지 않은 것은 왕(王)과 공(公)을 높여 그 지위를 비워 둔다.〉 왕 이하로 두 번째가 공(公)이고 세 번째가 경(卿)입니다. 해가 중천에서 가장 높고〈정오[日中]〉 아침을 먹을 때의 해가 두 번쌔〈밥먹을 때[食時]〉이고, 아침의 해가 세 번째〈아침 때[朝時]〉에 해당합니다. 명이괘가 변하여 겸괘가 된 것은 날이 밝았으나 아직 완전히 밝지 않은 것이니〈겸손하고 낮추고 물러나는 것〉, 아침〈경의 지위[卿位]〉에 해당하므로 '당신을 위해 제사를 받들 것이다'고 한 것입니다. 해[離卦]가 변하여 겸괘가 된 것은 새[鳥]에 해당하기 때문에〈리괘(離卦☲)는 해이고 새이며, 리괘(離卦)가 변하여 겸괘(謙卦)가 되어 햇빛[日光]이 부족하기 때문에 "새에 해당한다"고 한 것이다.〉 그러므로 "명이는 난다"고 하였습니다. 날이 밝았으나 아직 완전히 밝지 않았기 때문에 "날개를 늘어뜨렸다"고 하였습니다. 해의 움직임을 상징하였기〈해는 움직이는 물체로 비록 손상함이 있더라도 그 움직임은 밝다.〉 때문에 "군자가 떠나간다"〈명이의 초구가 밝음이 손상된 세상에 있고 겸손하고 낮추는[謙下] 자리에 있기 때문에 장차 난리를 피해 떠날[行] 것이다.〉고 하였습니다. 세 번째인 아침에 해당하기 때문에 "3일 동안 먹지 못한다"고 한 것입니다.〈밥 먹을 때가 아니기 때문에 3일 동안 먹지 못한다.〉 리(離)는 붉[火]이고 간(艮)은 산(山)입니다. 리(離)가 붉[火]이니 불이 산을 태우면〈효가 변한 간괘〉 산은 파괴됩니다.〈산을 태우면 초목이 말라버린다.〉 간(艮)이 사람에 있어서는 언어가 되는데〈간은 말이 된다〉, 남을 파괴하는 말이 참소입니다. 〈간(艮)이 리(離)에 태워졌기 때문에 말이 파괴되어 참소가 된 것이다.〉 그러므로 "가는 바가 있음에〈리(離)가 간(艮)으로 변하여 가는 바가 있다.〉 주인이 나무라는 말을 한다〈가서 태워지기 때문에 주인이 나무라는 말이 있다.〉"고 하였으니, 이 말은 반드시 참소하는 말입니다.〈말을 하여 파괴되기 때문에 반드시 참소하는 말이다.〉 순수한 리괘(離卦)가 소[牛]〈리(離)는 암소를 기르듯이 한다.〉인데, 세상이 어지러우면 참소하는 말이 이기고〈리(離(火))가 산을 태우면 리(離)가 이기는 것이니, 세상이 어지러우면 참소하는 말이 이기는 것에 비유한 것이다.〉 이기면 리(離)로 돌아가기〈산이 타고 나면 리(離)만 남기 때문에 리(離)만 이길 것을 안다.〉 때문에 "그 이름이 우(牛)이다"〈거세한 소는 암소가 아니기 때문에 불길하다.〉라고 한 것입니다. 겸(謙)은 부족이므로〈겸(謙)의 도는 물러남을 주로 한다.〉 날되 멀리 날지 못하고〈리(離)인 새가 겸(謙)으로 변한 것이다〉, 날개를 늘어뜨렸으므로〈새의 날개가 늘어뜨려져 아래로 쳐졌다.〉 멀리 날지 못하는 것입니다.〈날개가 늘어뜨려졌다.〉 그러므로 "아마도 당신의 후계자가 될 것이다.〈멀리 높이 날지 못하여 넓지 못하다.〉"라고 한 것입니다. 당신은 아경(亞卿)이니〈장숙이 대대로 노나라의 아경이었다.〉 이 아이[少]는 제명에 죽지 못할 것입니다.〈아침 해가 정경(正卿)의 지위인데 장숙은 아경(亞卿)이어서 지위가 괘의 몸체를 끝까지 다하기에는 부족하다.〉

〈○ 案, 不終, 恐是不善終.〉
〈내가 살펴보았다: "제명에 죽지 못할 것이다[不終]"는 아마도 잘 죽지 못한다는 것이다.〉

○ 荀氏〈爽〉曰, 離爲朱鳥, 故曰于飛. 爲坤所抑, 故曰垂其翼.

순상이 말하였다: 리괘가 붉은 새이므로 '나는 때'라고 하였고, 곤괘에게 눌리게 되기 때문에 "날개를 늘어뜨린다"고 하였다.

○ 王氏曰, 明夷之主, 在於上六, 上六爲至闇者也. 初處卦之始, 最遠於難也. 遠難過甚, 明夷遠邇, 絶迹匿形, 不由軌路, 故曰明夷于飛. 懷懼而行, 行不敢顯, 故曰垂其翼也. 尙義而行, 故曰君子于行也. 志急於行, 飢不遑食, 故曰三日不食也. 殊類過甚, 以斯適人, 人必疑之, 故曰有攸往, 主人有言.
왕씨가 말하였다: 명이의 주인은 상육에 있는데, 상육은 매우 어두운 자이다. 초육이 괘의 시작에 처하여 어려움에서 가장 멀다. 어려움에서 아주 멀어 명이의 때에 멀리 은둔하여 자취와 형적을 끊고 숨겨 길로 말미암지 않기 때문에 "명이에 난다"고 하였다. 두려움을 품고 가며 가지만 드러내지 않기 때문에 "날개를 늘어뜨린다"고 하였다. 의로움을 높여 가기 때문에 "군자가 떠난다"고 하였다. 뜻이 가는데 급하고 굶주려 급히 먹지 않는 까닭에 "삼일 동안 먹지 못한다"고 하였다. 부류와 다름이 매우 심하여 이것으로써 사람에게 가면 사람들이 반드시 의심하기 때문에 "가는 바가 있음에 주인이 나무라는 말이 있다"고 하였다.

○ 括蒼龔氏曰, 明夷難在上, 初宜下, 不宜上. 故飛而垂翼就下也.
괄창공씨가 말하였다: 명이는 어려움이 위에 있으니, 초효에서는 아래로 가야지 위로 가서는 안 된다. 그러므로 날지만 날개를 늘어뜨려 아래로 가는 것이다.

○ 雙湖胡氏曰, 離爲飛鳥, 二陽象翼. 初在下, 亦有被傷, 垂翼象. 三日離三爻象.
쌍호호씨가 말하였다: 리괘는 나는 새가 되며, 두 양이 날개를 상징한다. 초육이 아래에 있어 상처를 입으니, 날개를 늘어뜨리는 상이다. 삼일은 리괘 세 효의 상이다.

○ 案, 垂翼者, 猶言戢翼也. 飛則見傷, 故戢翼而不飛也. 于行者, 君子之素位而行也. 有攸往者, 見幾而作也.
내가 살펴보았다: 날개를 늘어뜨림은 날개를 거둔다는 말과 같다. 날면 상처를 입기 때문에 날개를 거두고 날지 않는다. '떠날 때'는 군자가 자신의 지위에서 행하는 것이다. '가는 바가 있음'은 기미를 보고 행하는 것이다.

本義, 行而 [至] 避也.
『본의』에서 말하였다: 떠남에 … 피할 수 없다.
案, 行而不食者, 不食非義之食也. 所如不合者, 有攸往主人有言也. 一本避下有之字.
내가 살펴보았다: 떠남에 먹지 못함은 옳지 않은 음식을 먹지 않는 것이다. 가는 곳에서

화합하지 못함은 가는 바가 있음에 주인이 나무라는 말을 한다는 것이다. 어떤 판본에는 '피(避)' 아래에 '지(之)'자가 있다.

김상악(金相岳)『산천역설(山天易說)』

明夷之初, 見傷之始, 以離遇坤, 三互震體, 故有飛而垂翼之象. 君子志急於行, 三日不食. 主人謂四也. 有所往, 適不免其有言也. 伯夷避紂, 此爻之義也.

명이의 초기는 손상되는 시초이니, 리괘(☲)가 곤괘(☷)를 만나고 삼효의 호괘가 진괘(☳)의 몸체이므로 날지만 날개를 늘어뜨리는 상이 있다. 군자는 뜻이 가는데 급하여 삼일 동안 먹지 못한다. 주인은 사효를 말한다. 가는 곳이 있지만 가서 나무라는 말이 있음을 면하지 못한다. 백이가 주왕을 피한 것이 이 효의 뜻이다.

○ 離有鳥象, 而初之居下, 飛而垂翼之象. 小過之初曰, 飛鳥以凶, 上飛而見凶也. 明夷曰, 垂其翼, 下飛而避傷也. 行與往, 震之象, 離爲日, 而離居三爲三日. 離有見幾之明, 見傷未顯而能決去, 故三日不食而行也. 豫六二曰, 介于石不終日, 亦見幾之事. 雖不待終日, 比之於三日不食, 其辭安. 四居人位而陽爲客陰爲主, 故謂四爲主人. 言離象, 有言, 謂有所往, 必致疑怪而有言也. 井九三不爲人所食, 故行路惻之. 明夷行自不食, 故主人有言也. 離坤交, 則與需爲對, 需上六曰, 不速之客來敬之, 時之不同也. 所以需之五曰, 酒食貞吉, 二曰小有言終吉.

리괘(☲)에 새의 상이 있고, 초효가 아래에 있어 날지만 날개를 늘어뜨리는 상이다. 소과괘(䷽) 초효에서 "나는 새처럼 빠르니 흉하다"고 하였으니, 위로 날아 흉함을 당한다는 것이다. 명이괘에서 "날개를 늘어뜨린다"고 하였으니, 아래로 날아 손상됨을 피하는 것이다. '떠남[行]'과 '감[往]'은 진괘의 상이고, 리괘는 해이며, 리(離)가 삼에 있어 삼일이 되는 것이다. 리(離)에 기미를 보는 밝음이 있어서 상처를 당함이 아직 드러나지 않았을 때 결단하여 떠나기 때문에 삼일 동안 먹지 못하고 떠난다. 예괘(豫卦) 육이에 "절개가 돌이라서 날이 저물도록 기다리지 않는다"고 하였으니, 또한 기미를 보는 일이다. 종일을 기다리지 못하였지만 삼일 동안 먹지 못하는 것에 비하여 그 말이 편안하다. 사효가 사람의 지위에 있어 양은 객이 되고 음은 주인이 되기 때문에 사효가 주인이 된다고 하였다. 말이 리(離)의 상이니, "나무라는 말이 있다"는 가는 바가 있음에 반드시 의심과 괴이함을 이루어 나무라는 말이 있다는 말이다. 정괘(井卦) 구삼에서는 다른 사람에게 먹히지 않으므로 길을 감에 측은해 한다. 명이괘에서는 떠남에 스스로 먹지 못하므로 주인이 나무라는 말이 있다. 리괘(☲)와 곤괘(☷)가 사귀면 수괘(需卦䷄)와 음양이 바뀐 괘가 되는데, 수괘 상육에 "불청객이 오니,

공경한다"고 하였으니, 때가 같지 않은 것이다. 그래서 수괘 오효에 "술과 음식으로 기다림이니, 바르고 길하다"고 하였고, 구이에서 "약간 말이 있으나, 마침내 길할 것이다"라고 하였다.

김규오(金奎五) 「독역기의(讀易記疑)」

初九, 明夷于飛, 垂其翼.

초구는 명이는 날 때에 날개를 늘어뜨림이며.

夷故飛而避之, 非欲其上而有爲也. 垂固帶傷之意, 而亦有低回之象. 曰飛曰行曰往, 皆去之之意, 齊氏以爲皆進, 何也. 豈以爻在最下, 故去亦謂之進耶. 可疑.

상처가 나기 때문에 날아서 피하는 것으로 위로 가서 무엇을 하려는 것은 아니다. '늘어뜨림'은 상처를 받는다는 뜻이며, 낮게 나는 상이 있다. "날다"·"떠나다"·"가다"는 모두 그 곳을 떠난다는 뜻인데, 제씨가 '모두 나아감'으로 여긴 것은 어째서인가? 어찌 이 효가 가장 아래에 있기 때문에 떠나는 것을 모두 나아간다고 하겠는가? 의심할만하다.

○ 解不食ㅎ야, 意雖可通, 而不如改作ㅎ며. 蓋不食, 身之困也. 有言, 人之譏也. 本義作對待說.

'먹지 못하여'라고 해석하는 것이 뜻은 비록 통할 수 있지만 '먹지 못하며'로 고치는 것만 못하다. '먹지 못함'은 자신이 곤란한 것이고, '나무라는 말이 있음'은 다른 사람이 꾸짖는 것이다. 『본의』에서는 대대(對待)하는 말로 보았다.

박제가(朴齊家) 『주역(周易)』

初九明夷于飛, 傳陽明上升, 故取飛象.

'초구는 명이는 날 때'에 대해 『정전』에서 말하였다: 양의 밝음이 위로 올라가기 때문에 나는 상을 취했다.

案, 卦內明夷之下, 必有于字, 于猶於也. 謂明之滅於飛, 非有明夷之一物, 而爲能飛也. 此卽日夕而鳥飛, 乃明將入之時也. 以鳥而見其時, 則象在其中矣. 曰垂其翼者, 暮鳥之狀, 如所謂昏鴉接翅者也, 亦憔悴之意. 行人不食已久, 而主人非但不欣然迎之, 至於有言, 則困可知矣. 此行人非尋常行路人也, 乃君子而不得志也. 此爻之象宛然, 詩中有盡. 小象又發其不食之, 故曰非無食也, 乃不肯食, 而此行人之心事見矣.

내가 살펴보았다: 괘 안에서 '명이(明夷)' 아래에 반드시 '우(于)'라는 글자가 있으니, '우(于)'

는 '어(於)'와 같다. 날 때 밝음이 사라진다는 말이니, 명이 때 한 사물이 날 수 있다는 것이 아니다. 이것은 날이 저물어 새가 나는 것이니, 밝음이 장차 사라지는 때이다. 새로 그 시간을 보면 상이 그 가운데 있다. '날개를 늘어뜨림'은 저녁 무렵의 새의 모습으로 어두울 때 까마귀가 날개를 접는 것이니, 또한 초췌하다는 뜻이다. 떠나는 사람이 오랫동안 먹지 못하였는데, 주인이 반갑게 맞이하지 않을 뿐만 아니라 나무라는 말이 있으니, 곤란함을 알 수 있다. 이 떠나는 사람은 보통의 길가는 사람이 아니라, 군자이면서 뜻을 얻지 못한 것이다. 이 효의 상은 완연하니, 시 가운데 다함이 있다. 「소상전」에서 또 먹지 않음을 말하였으므로 "먹지 않는 것이 아니라 즐겨 먹지 않는다"는 말이니, 여기에서 떠나가는 사람의 관심사가 드러난다.

서유신(徐有臣) 『역의의언(易義擬言)』

下卦爲明之夷者, 故三爻辭皆曰明夷, 謂明而夷也. 當以明夷句絶, 于飛垂其翼, 當飛而不能飛也. 離爲雉象也. 明夷之時, 垂翼者, 必君子也. 君子見幾而作, 不食不義之食也. 離爲龜, 有不食之象也. 離三畫爲三日也. 三日者, 不食之甚也. 坤爲食, 蓋不能致養於六四也. 明夷之時, 雖欲進往, 宜不見合, 故曰主人有言, 主人亦六四也.

하괘는 밝음이 가려지므로 세 효에서 모두 '명이'라고 하였으니, 밝지만 가려진다는 말이다. '명이' 구절에 "날 때에 날개를 늘어뜨린다"고 하였으니, 날아야 하는데 날지 못하는 것이다. 리괘는 꿩의 상이다. 명이의 때에 날개를 늘어뜨리는 자는 반드시 군자이다. 군자는 기미를 보고 일어나되 의롭지 않은 음식은 먹지 않는다. 리괘는 거북이니, 먹지 못하는 상이 있다. 리괘의 세 획이 삼일이 된다. 삼일은 먹지 못함이 심한 것이다. 곤괘는 음식이니, 육사에게 봉양하기를 즐겨하지 않는다. 명이의 때에 나아가지만 화합하는 자를 볼 수 없기 때문에 "주인이 나무라는 말이 있다"라고 하였으니, 주인은 또한 육사이다.

박문건(朴文健) 『주역연의(周易衍義)』

欲行見摧, 故有垂其翼之象. 主人謂六四也.

가려고 하지만 꺾임을 당하기 때문에 '날개를 늘어뜨리는' 상이 있다. 주인은 육사를 말한다. 〈問, 明夷之義. 曰, 爻中明夷, 多取見傷之義也. 問, 于飛之義. 曰, 下體如鳥之張翅, 故於初取此義也.

물었다: 명이의 뜻은 무엇입니까?

답하였다: 효 가운데 명이는 대부분 손상된다는 뜻을 취하였습니다.

물었다: '날 때[于飛]'는 무슨 뜻입니까?

답하였다: 아래 몸체는 새가 날개를 펼치는 것과 같기 때문에 초효에서 이 뜻을 취하였습니다.〉

〈○ 問, 明夷以下. 曰, 初九欲進而見傷, 是明夷也. 故其飛垂翼也. 君子行進於上, 至
於三日之久, 而不敢食焉. 若有所往, 則主人必有慍言也. 不如退而不往也. 蓋初雖陽
在下, 四雖陰在上, 雖進於上, 於義不當吞食之也. 若往而取食, 則徒飽不順之名也. 三
曰者, 取升進之數也.

물었다: '명이' 이하는 무슨 뜻입니까?

답하였다: 초구는 나아가려 하지만 손상되는 것이 명이입니다. 그러므로 날 때에 날개를
늘어뜨립니다. 군자가 위로 나아가 삼일 동안 오래되어도 감히 먹을 수 없습니다. 만약 가는
바가 있으면 주인이 반드시 성내는 말이 있게 되니, 물러나 가지 않는 것보다 못합니다.
초효가 비록 양이 아래에 있고 사효가 비록 위에 있어서 비록 위로 나아가지만 의리상 마땅
히 삼켜 먹지 못합니다. 만약 가서 음식을 취한다면 한갓 배부르고 따르지 않는다는 말 뿐입
니다. 삼일은 올라가 나아가는 수를 취했습니다.〉

이지연(李止淵) 『주역차의(周易箚疑)』

火, 鳥之飛, 預垂其翼, 恐傷其明而退避也. 離在上而坤三畫在下, 則謂之日三接, 離在
下而三畫在上, 則謂之三日, 坤之三畫, 直以三字取象者也. 旣有明哲保身之計, 則餌
其祿食, 於義不可. 孟子曰, 吾得見王, 退而有去志, 故不食也, 正與此相似. 主人有言,
如景丑之問孟子者也.

불[火]은 새가 낢이니, 미리 그 날개를 늘어뜨리는 것은 그 밝음이 상처받을까 염려하여 피
하는 것이다. 리괘(☲)가 위에 있고 곤괘(☷) 세 획이 아래에 있으면 하루에 세 번 만난다고
하고, 리괘가 아래에 있고 곤괘 세 획이 위에 있으면 삼일이라고 하니, 곤괘의 세 획에서
'삼(三)'이라는 상을 취한 것이다. 이미 밝고 맑게 몸을 보전하려는 생각이 있다면 그 녹을
먹을 것이니, 의리에는 불가하다. 맹자가 말한 "내가 왕을 뵙고 물러나 떠나려는 뜻을 두었
다. 그래서 녹봉을 받지 않았다"[8]가 바로 이것과 비슷하다. "주인이 나무라는 말이 있다"는
제나라 경공과 공손추가 맹자에게 질문한 것과 같다.

윤종섭(尹種燮) 『경(經)-역(易)』

明夷于飛垂翼, 互坎, 坎爲飛鳥, 初在坎之下, 爲垂翼之象. 三日不食, 取象於离, 而离
中虛爲不食.

'명이는 날 때에 날개를 늘어뜨림'은 호괘는 감괘(☵)로 감괘가 나는 새가 되며, 초효가 감괘

---

8) 『孟子·公孫丑下』: 孟子, 去齊居休, 公孫丑問曰, 仕而不受祿, 古之道乎. 曰非也. 於崇, 吾得見王, 退
而有去志, 不欲變故, 不受也.

의 아래에 있어 날개를 늘어뜨리는 상이 된다. '삼일 동안 먹지 않음'은 리괘(☲)에서 상을 취하였는데, 리괘의 가운데가 빈 것이 먹지 않음이 된다.

김기례(金箕灃)『역요선의강목(易要選義綱目)』

胡雲峯曰, 離有飛鳥像.

운봉호씨가 말하였다: 리괘(☲)에 나는 새의 상이 있다.

○ 夷爲晉之反, 陽在下而上進, 故曰飛. 柔暗在上, 進必見傷, 故垂翼.

명이괘(䷣)는 진괘(䷢)와 위아래가 바뀐 괘로 양이 아래에서 위로 나아가므로 난다고 하였다. 어두운 부드러운 음이 위에 있어서 나아감에 반드시 손상되므로 날개를 늘어뜨린다.

○ 君子明於事幾, 可以勇退, 在未顯之初, 義不食祿, 而三日內去者也. 主人指四應, 見幾而作, 人所不知, 應我者, 亦訝其去而問.

군자는 일과 기미에 밝아 용감하게 물러날 수 있으니, 일이 아직 드러나기 않은 초기에 의리상 녹을 먹지 않고 삼일 안에 떠나는 자이다. 주인은 호응하는 사효를 가리키는데, 기미를 보고 일어나서 다른 사람이 알지 못하고, 나에게 호응하는 자도 떠남을 의아하게 여겨 묻는 것이다.

심대윤(沈大允)『주역상의점법(周易象義占法)』

明夷之義, 明而見傷也. 六爻, 皆君子之蒙難, 而晦明者也. 明夷之爻位, 居剛, 違而去之也. 居柔, 順嘿而取容也.

명이의 뜻은 밝지만 손상된다는 것이다. 여섯 효는 모두 군자가 어려운 때를 당하여 밝음을 감추는 것이다. 명이에서 효의 자리는 굳센 양의 자리에 있으면 어기고 떠나가며, 부드러운 음의 자리에 있으면 순순히 입을 다물고 받아들인다.

明夷之謙䷽, 斂下也, 日之將入山也. 初九以剛明之君子, 見幾於明夷未深之初, 卽退然斂下而去之, 故特言君子以美之也. 有應于四爲違去而外求君之象, 故曰明夷于飛. 巽互离震爲飛, 离震在本卦之上, 巽在對訟之上, 言去君而求君也. 隔于九三, 爲去而未得卽合之象, 故曰垂其翼. 履之巽羽, 互兌折, 爲垂翼. 旣之他處, 不可遽進而干澤, 太公避紂之惡, 而歸周不爲, 卽謁文王, 釣于渭濱, 君子勇於退, 而難於進, 自重之道也. 故曰君子于行, 三日不食. 巽爲行爲三, 离爲日坎爲食. 初九進于二爻, 則亦爲巽爲坎, 羈旅疏逖, 未見親信, 故曰有攸往主人有言. 巽离爲往, 艮爲主人爲言, 言爲九三所疑也.

명이괘가 겸괘(謙卦䷎)로 바뀌었으니, 거두어 내림이며 해가 산으로 들어가려는 것이다. 초구가 굳세고 밝은 군자로 명이가 아직 깊어지지 않은 초기에 기미를 보고 물러나 거두어 내려서 떠나가므로 특히 군자를 말하여 그것을 찬미했다. 사효에 호응하여 어기고 떠나서 밖으로 임금을 구하는 상이 있으므로 '명이는 날 때에'라고 하였다. 손괘(☴)와 호괘인 리괘(☲)와 진괘(☳)가 '낢[飛]'이 된다. 리괘와 진괘는 명이괘의 위에 있고, 손괘는 명이괘와 음양이 바뀐 괘인 송괘(訟卦䷅)의 위에 있으니, 임금을 떠나가서 임금을 구한다는 말이다. 구삼에게 막힌 것이 떠나가서 바로 합할 수 없는 상이므로 "날개를 늘어뜨린다"고 하였다. 리괘(履卦䷉)의 손괘(☴)가 깃이고, 호괘인 태괘가 끊김이어서 날개를 늘어뜨림이 된다. 다른 곳에 간 후에 바로 나아가서 은혜를 구할 수 없으니, 태공이 주왕의 악을 피해 주나라에 귀의하려 하였으나, 문왕을 바로 만날 수 없어 위수 가에서 낚시를 했다. 군자가 물러남에 용감하고 나아감에 어려워하는 것은 신중하게 처신하는 도이다. 그러므로 "군자가 떠남에 삼일 동안 먹지 못한다"고 하였다. 손괘는 떠남이 되고 3이 되며, 리괘는 해가 되며 감괘는 식사가 된다. 초구가 두 효로 나아가면 손괘와 감괘가 되는데, 무리를 이끌고 멀리 가지만 친근함과 믿음을 받지 못하기 때문에 "가는 바가 있음에 주인이 나무라는 말을 한다"고 하였다. 손괘와 리괘가 "가다"가 되고, 간괘가 주인과 말이 되니, 구삼에게 의심을 받는다는 말이다.

오치기(吳致箕) 「주역경전증해(周易經傳增解)」

初九, 陽剛得正, 而在明夷之初, 爲見傷之始, 故有飛而垂翼之象. 而君子當昏世, 明於見幾, 去祿位而遯行, 故乃至三日不得食, 而有所往主人, 訝其去之早. 其困雖如此, 而卽安其義命者也, 卽象而占可知矣.

초구는 굳센 양이 바름을 얻어 명이의 처음에 있어 손상되는 시작이 되기 때문에 날지만 날개를 늘어뜨리는 상이 있다. 군자가 어두운 세상에서 기미를 봄에 밝아서 녹봉과 지위를 버리고 피하여 떠나기 때문에 삼일이 되어도 먹지 못하는데 이르고, 가는 곳의 주인이 일찍 떠남을 의심함이 있다. 곤란함이 비록 이와 같지만, 올바른 명령을 편안히 여기는 자로 상과 점을 알 수 있다.

○ 爻變似坎, 有飛鳥之象. 故言飛言翼, 而初在下, 故言垂也. 行取於互震, 三取離數三, 而離又爲日也. 坎實中爲食之象. 故離之虛中爲不食之象也. 主人指四爲應而在人位也. 言取於對體爻變之兌.

효가 변하면(䷖) 감괘(☵)와 유사하니, 나는 새의 상이 있다. 그러므로 '난다[飛]'와 '날개[翼]'

를 말하였고, 초효가 아래에 있기 때문에 '늘어뜨림[垂]'을 말하였다. '떠남[行]'은 호괘인 진괘(☳)에서 취하였고, '삼[三]'은 리괘의 수 3에서 취하였으며, 리괘가 또한 해[日]가 된다. 감괘는 가운데가 가득 찼으니, 먹는 상이 된다. 그러므로 리괘의 가운데가 빈 것은 먹지 못하는 상이 된다. 주인은 사효가 호응이 되고 사람의 자리에 있음을 가리킨다. '말[言]'은 음양이 반대 되는 괘의 몸체에서 효가 변한 태괘(☱)에서 취하였다.

이진상(李震相) 『역학관규(易學管窺)』

明夷于飛,

명이는 날 때에,

于飛于行, 攸有往, 皆陽明上升之象. 垂翼不食有言, 皆爲暗所傷之象. 飛而傷, 則戢翼而不能飛, 行而傷, 則失祿而不得食, 往而傷, 則所主者, 有嘖言而無所合, 困窮之甚也.

'날 때에'·'떠남에'·'가는 바'는 모두 양의 밝음이 위로 상승하는 상이다. '날개를 늘어뜨림'·'먹지 못함'·'말이 있음'은 모두 어둠에게 손상되는 상이다. 날아서 손상되면 날개를 거두어 날 수 없으며, 떠나서 손상되면 녹을 잃어버려 먹을 수 없으며, 가서 손상되면 주인된 자가 다투는 말만 하고 합치되는 것이 없으니, 곤궁함이 심한 것이다.

박문호(朴文鎬) 『경설(經說)-주역(周易)』

雖始有見傷之端未顯, 雖字之義. 或云止於端, 或云至於顯, 兩皆通耳. 小禮指醴酒事也. 當其二字, 釋於市下.

『정전』에서 "비록 처음에 손상되는 단서가 아직 드러나지 않았지만"에서 '비록[雖]'의 뜻이 '단(端)'에서 그친다고도 하고, '현(顯)'에까지 이어진다고 하는데 두 가지 모두 통한다. '작은 예법[小禮]'은 술 마시는 일을 가리킨다. '당기(當其)' 두 글자는 '어시(於市)' 아래에서 해석하였다.

象曰, 君子于行, 義不食也.

「상전」에서 말하였다: "군자가 떠남에" 의리상 음식을 먹지 않는다.

▍中國大全▍

傳

君子遯藏而困窮, 義當然也. 唯義之當然, 故安處而无悶, 雖不食可也.

군자가 은둔하여 곤궁하게 됨은 의리상 당연한 일이다. 의리상 당연한 일이기 때문에 편안하게 거처하며 근심이 없게 되니, 비록 음식을 먹지 않더라도 괜찮다.

本義

唯義所在, 不食可也.

의리가 있는 곳이라면, 음식을 먹지 않아야 옳다.

小註

童溪王氏曰, 君子于行, 謂去其祿位也. 三日不食, 謂義不食其祿也.

동계왕씨가 말하였다: "군자가 떠난다"는 말은 녹봉과 지위를 버린다는 뜻이다. "삼일 동안 음식을 먹지 못한다"는 말은 의리에 따라서 녹봉을 받아먹지 않는다는 뜻이다.

○ 雲峰胡氏曰, 君子去就之義, 皆於其初占之. 賁之初不可乘而不乘義也, 明夷之初不當食而不食亦義也. 卦皆下離決去就之義於早者, 非明不能也.

운봉호씨가 말하였다: 군자가 떠나고 나아가는 뜻은 모두 초효에 대한 점으로 나타난다. 비괘(賁卦䷕)의 초효는 탈 수 없으니 타지 않는 것이 의로움이고, 명이괘의 초효는 먹어서

는 안 되니 먹지 않는 것이 또한 의로움이다. 두 괘는 모두 하괘인 리괘(☲)가 과감히 떠나서 일찍 의로움으로 나아간 것으로, 밝음이 아니라면 할 수 없다.

▌韓國大全▐

김상악(金相岳) 『산천역설(山天易說)』

不食而行, 安義也.

먹지 않고 가는 것은 의리를 편안히 여기는 것이다.

○ 賁之不乘, 安於賁趾, 明夷之不食, 急於垂翼, 皆義之所在也.

비괘(賁卦)의 초구「상전」에서 '탈 수 없음'[9]은 발을 꾸밈에 편안한 것이고, 명이괘에서 '먹지 못함'은 날개를 늘어뜨림에 급한 것이니, 모두 의로움이 있는 곳이다.

서유신(徐有臣) 『역의의언(易義擬言)』

不食爲義, 則有攸往, 非義也.

먹지 못함이 의로우면 가는 바가 있음은 의로움이 아니다.

오치기(吳致箕) 「주역경전증해(周易經傳增解)」

君子當昏世而遯藏, 義所當然. 故安處而无悶, 雖不食可也.

군자가 어두운 세상에서 은둔하는 것이 의리상 당연한 것이다. 그러므로 편안하게 거처하며 근심함이 없으니, 비록 음식을 먹지 못하더라도 괜찮다.

이병헌(李炳憲) 『역경금문고통론(易經今文考通論)』

荀曰, 火性炎上, 離爲飛鳥, 故曰于飛. 爲坤所抑, 故曰垂其翼. 陽爲君子, 陽未居五,

---

9) 『周易·賁卦』: 初九, 賁其趾, 舍車而徒. 象曰, 舍車而徒, 義弗乘也.

陰暗在上, 有明德者, 義不食祿也.

순상이 말하였다: 불의 성질은 타올라가고, 리괘는 나는 새이므로 '날 때'라고 하였다. 곤괘에게 물리침을 당하기 때문에 "날개를 늘어뜨린다"고 하였다. 양은 군자인데 양이 오효에 있지 못하고 어두운 음이 위에 있어 밝은 덕이 있는 자가 의리상 녹을 먹을 수 없다.

荀九家曰, 衆陰爲主人.

『순구가역(荀九家易)』에서 말하였다: 여러 음이 주인이 된다.

王曰, 明夷之主, 在上六.[10] 或曰, 離三爻象.

왕필이 말하였다: 명이의 주인은 상육에 있다. 어떤 이는 "리괘의 세 효의 상이다"라고 하였다.

---

10) 六: 경학자료집성DB에는 '大'로 되어 있으나 문맥을 살펴 '六'으로 바로잡았다.

六二, 明夷, 夷于左股, 用拯馬壯, 吉.

육이는 명이한 때에 좌측 다리에 상처를 입으니, 돕는 말을 건장한 것으로 쓰면 길하다.

‖中國大全‖

傳

六二以至明之才, 得中正而體順, 順時自處, 處之至善也. 雖君子自處之善, 然當陰闇小人傷明之時, 亦不免爲其所傷. 但君子自處有道, 故不能深相傷害, 終能違避之爾. 足者, 所以行也, 股在脛足之上, 於行之用, 爲不甚切, 左又非便用者, 手足之用, 以右爲便, 唯蹶張用左, 蓋右立爲本也. 夷于左股, 謂傷害其行而不甚切也. 雖然亦必自免有道, 拯用壯健之馬, 則獲免之速而吉也. 君子爲陰闇所傷, 其自處有道, 故其傷不甚, 自拯有道, 故獲免之疾, 用拯之道, 不壯, 則被傷深矣, 故云馬壯則吉也. 二以明居陰闇之下, 所謂吉者, 得免傷害而已, 非謂可以有爲於斯時也.

육이는 지극히 밝은 재질로서 중정을 얻어서 몸체가 순하고, 시기에 순응하여 자처를 함은 지극히 잘 거처함이다. 비록 군자가 자처하길 잘하더라도 어두운 음인 소인이 밝음을 상처 입히는 때가 된다면, 또한 상처를 당하는 일에서 벗어나지 못한다. 다만 군자는 자처함에 도가 있기 때문에 서로 깊은 상처를 주지 못하고 끝내 떠나가 피할 따름이다. 발[足]은 걸어가는 수단이고, 다리[股]는 정강이[脛]와 발 위에 있어서 걸어갈 때의 쓰임에서는 매우 절실한 부위가 아니며, 좌측 또한 쓰기에 편리한 쪽이 아니니, 손발을 사용할 때에는 우측을 편리하게 여기고, 쇠뇌를 당길 때에만 좌측을 사용하니, 오른쪽이 섬을 근본으로 삼기 때문이다. "좌측 다리에 상처를 입는다"는 말은 걸어감에 상처를 주지만 심각하지는 않다는 뜻이다. 비록 그렇다고 하지만 또한 반드시 스스로 모면하는 데에는 방법이 있으니, 건장한 말을 돕는 용도로 사용한다면 신속히 모면하여 길하게 된다. 군자는 어두운 음으로 인해 상처를 입지만 자처함에 도를 지니고 있기 때문에 상처를 입음이 심각하지 않고, 스스로를 구원함에도 방법이 있기 때문에 모면하길 신속히 하니, 구원을 하는 방법에 있어서 건장하지 않은 말을 사용한다면 상처를 깊이 입게 된다. 그렇기 때문에 "말이 건장하면 길하다"고 하였다. 이(二)는 밝음으로 음한 어두움의 밑에 있으니, 이른바 길함은 상처를 입는 일에서 모면할 수 있다는 뜻일 뿐이지, 이러한 시기에 무언가를 도모할 할 수 있음을 뜻하지 않는다.

本義

傷而未切, 救之速則免矣, 故其象占如此.

상처를 입지만 깊지 않으니, 구원하길 신속히 한다면 모면할 수 있기 때문에, 그 상과 점이 이와 같다.

小註

或問, 明夷初二二爻不取爻義. 朱子曰, 初爻所傷地遠, 故雖傷而尙能飛. 問, 初爻比二爻, 卻似二爻傷得淺, 初爻傷得深. 曰, 非也. 初尙能飛, 但垂翼耳.

어떤 이가 물었다: 명이괘의 초효와 이효 두 효는 효의 뜻을 취하지 않았습니까?

주자가 답하였다: 초효가 상처를 입는 것은 상효와 거리가 멀기 때문에 비록 상처를 입더라도 오히려 날 수 있습니다.

물었다: 초효와 이효를 비교해보면, 오히려 이효의 상처가 얕고 초효의 상처가 깊은 것 같습니다.

답하였다: 아닙니다. 초효는 여전히 날 수 있지만 날개를 늘어뜨릴 따름입니다.

○ 進齋徐氏曰, 初傷其翼, 初傷猶淺, 二傷其股, 則傷於行矣. 二在下, 故曰左. 兵法前爲右, 後爲左, 今人以下移爲左遷, 夷于左股, 傷于下也. 馬壯則行速, 言救之道速, 則獲免于難而吉也.

진재서씨가 말하였다: 초효는 날개에 상처를 입었는데 초효의 상처는 여전히 얕고, 이효는 다리에 상처를 입었으니 걸어감에 상처를 입었다. 이효는 밑에 있기 때문에 '좌측[左]'이라고 하였다. 병법에서는 앞을 우측으로 여기고 뒤를 좌측으로 삼는데, 오늘날의 사람들은 밑으로 이동함을 좌천이라고 여겼으니, "좌측 다리에 상처를 입는다"는 말은 밑에 상처를 입었다는 뜻이다. 말이 건장하다면 신속히 이동하니, 구원하는 방법이 신속하다면 어려움에서 벗어날 수 있어서 길하다는 뜻이다.

○ 雲峰胡氏曰, 明夷取手足心腹爲象. 初二爲股, 三四爲腹, 五上爲首. 初三右也, 故二四爲左. 左弱而右强, 右陽而左陰也. 豊與明夷下體離, 皆以上六一爻爲闇主. 豊九三與上爲應, 故折其右肱, 傷之切而不可用也. 明夷六二去上遠, 故夷于左股, 傷之未切, 猶可用也. 用拯馬壯吉, 渙初六亦言之. 本義以初柔非濟渙之才, 取九二之剛爲馬, 明夷六二亦柔也. 諸家多取九三之剛爲馬, 而本義但曰救之速則免何也? 蓋渙下坎主九二, 初欲救渙之速, 非假二之剛健中正不可, 明夷下離主六二, 六二文明中正, 救傷之速, 有不必假於三者.

운봉호씨가 말하였다: 명이괘는 손·발·심장·배를 취하여 상으로 삼았다. 초효와 이효는 다리가 되고 삼효와 사효는 배가 되며 오효와 상효는 머리가 된다. 초효와 삼효는 우측이 되기 때문에 이효와 사효는 좌측이 된다. 좌측은 약하고 우측은 강하며 우측은 양이고 좌측은 음이다. 풍괘(豐卦䷶)와 명이괘의 하체는 리괘이고, 모두 상육의 한 효를 어두운 주인으로 삼는다. 풍괘의 구삼은 상효와 호응이 되기 때문에 "우측 팔뚝이 부러졌다"고 했는데, 상처가 깊어서 사용할 수 없다. 명이괘의 육이는 상효와 멀리 떨어져 있기 때문에 "좌측 다리에 상처를 입는다"고 했는데, 상처가 아직 깊지 않아서 여전히 사용할 수 있다. "돕는 말을 건장한 것으로 쓰면 길하다"고 했는데, 환괘(渙卦䷺)의 초육에서도 이처럼 말했다. 『본의』에서는 부드러운 초효는 구제할 수 있는 재질이 아니며, 굳센 구이를 취하여 말로 삼았다고 했는데, 명이괘의 육이 또한 부드러운 음이다. 여러 학자들은 대부분 구삼의 굳셈을 취하여 말로 여겼지만 『본의』에서는 단지 "구원하길 신속히 한다면 모면할 수 있다"고 한 이유는 어째서인가? 환괘의 하괘인 감괘는 구이의 주인이 되고 초효는 신속히 구원을 받고 자 하지만, 이효의 강건함과 중정함을 빌리지 않는다면 불가능하며, 명이괘의 하괘인 리괘는 육이의 주인이 되고 육이는 문채가 나며 밝고 중정하여 신속히 상처를 구원하니, 삼효에 게서 힘을 빌릴 필요가 없기 때문이다.

○ 鄭氏剛中曰, 大抵救傷拯渙, 非健速不可, 故皆以馬壯言.
정강중이 말하였다: 대체로 상처를 돕고 흩어짐을 구제함[11]은 강건함과 신속함이 아니라면 불가능하기 때문에, 모두 '말의 건장함'으로 말하였다.

韓國大全

조호익(曹好益) 『역상설(易象說)』

馬坎象, 壯震健象, 渙初亦同. 二在下故曰左. 兵法右爲前左爲後. 初爲足二爲股. 卦全體取象.
'말[馬]'은 감(坎)의 상이고, '건장함[壯]'은 진(震)의 강건한[健] 상이다. 환괘(渙卦)의 초효

---

11) 『周易·渙卦』: 初六, 用拯, 馬壯, 吉.

역시 이와 같다. 이효는 아래 몸체에 있으므로 '좌측[左]'이라고 한 것이다. 병법(兵法)에서는 오른쪽이 앞이 되고 왼쪽이 뒤가 된다. 초효는 발[足]이 되고, 이효는 다리[股]가 된다. 괘 전체 모양에서 상을 취한 것이다.

○ 傳蹶張, 漢書, 申屠嘉, 以材官蹶張, 註材官之士, 多力能脚踏强弩張之, 故曰蹶張. 師古曰, 以手張弩曰擘張, 以足蹋曰蹶張. 蹶音厥.

『정전』에서 '쇠뇌를 당김[蹶張]'은 『한서(漢書)·신도가열전(申屠嘉列傳)』에 "신도가가 무졸(武卒)인 재관(材官)으로서 발로 쇠뇌의 줄을 당기었다[申屠嘉, 以材官蹶張]"고 하였는데, 이에 대한 주(註)에 "재관의 무사들은 힘이 세어서 능히 발로 강한 쇠뇌의 줄을 당길 수 있었다. 그러므로 '궐장(蹶張)'이라고 한 것이다"고 하였다. 안사고(顔師古)는 "손으로 쇠뇌를 당기는 것을 '벽장(擘張)'이라고 하고, 발로 쇠뇌를 당기는 것을 '궐장(蹶張)'이라고 한다"고 하였다. 궐(蹶)의 음은 궐(厥)이다.

송시열(宋時烈)『역설(易說)』

左者後也. 與師之左次同意. 震錯巽, 巽爲股. 言二五相應時, 値明夷而旣得中正, 所傷不甚切緊, 故曰夷于左股. 傳謂股在脛足之上, 於行不甚切, 此見震足之上爻, 爲股之義也. 極者, 濟於互坎之水也. 坤之牝馬順, 故難於用極. 當以坤錯乾, 用乾馬之健壯, 則吉. 言爻本陰柔而遇坤, 故當以陽剛之德, 濟之之義也. 小象順以則者, 言以坤之順, 則乾之健, 故吉也. 則者, 法也. 卦與豐義, 略相似.

'좌측'은 뒤이다. 사괘 육사의 '물러나 머무름'12)과 같은 뜻이다. 진괘(☳)와 음양이 바뀐 괘가 손괘인데 손괘(☴)가 다리가 된다. 이효와 오효가 서로 호응할 때 명이의 때를 만나 이미 중정함을 얻어 손상됨이 매우 절실하지 않기 때문에 "좌측 다리에 상처를 입는다"고 하였다. 『정전』에서 "다리[股]는 정강이[脛]와 발 위에 있어서 걸어갈 때는 매우 절실한 부위가 아니다"고 하였으니, 여기에서 발인 진괘의 상효가 다리의 뜻이 됨을 알 수 있다. 지극함[極]은 호괘인 감괘의 물에서 많다. 곤괘의 '암말'이 유순하기 때문에 지극히 쓰기에는 어렵다. 곤괘의 음양이 바뀐 건괘에서 건괘인 말의 건장함을 쓴다면 길하다. 효가 본래 부드러운 음이고 곤괘를 만났기 때문에 굳센 양의 덕으로써 그것을 구제한다는 뜻이다. 「소상전」에서 '순하고 법도에 맞기 때문'이라는 것은 곤의 유순함으로써 건의 건장함을 법도로 삼기 때문에 길하다는 말이다. '법도[則]'는 법(法)이다. 괘는 풍괘의 뜻과 대략 비슷하다.

---

12) 『周易·師卦』: 六四, 師左次, 无咎.

이익(李瀷) 『역경질서(易經疾書)』

晉明夷比離, 各占半天一弧. 明者日也, 日輒隨天西轉, 則北爲右南爲左也. 初昏爲翼, 夜半爲腹, 將朝爲首, 則六二其股也. 一歲則日南至而夜長晝短, 日北至而夜短晝長, 一日則日入而暗, 日出而明. 左股者, 正當夜長日入之候, 而位直於股也. 古人行必先左足, 史所謂規左足而先應, 是也. 傷于左股, 不行之象也. 豊之右肱[13], 可以相叅. 凡坎水多言拯, 下坎則渙未濟, 是也. 必於初爻言之, 互坎則艮, 明夷, 是也. 必於二爻言之, 旣傷于股. 故拯馬者, 欲乘而待其行也. 雖不行, 可行則行在其中. 箕子之事, 可以當之箕子, 則微子去而不爲也, 比干死而不爲也, 佯狂爲奴, 遲回不去, 蓋有待而然也. 若至終不可爲, 則留亦何益. 傳云順以則也, 與象傳柔順蒙難相照, 此卽在股時也.

진괘(晉卦)와 명이괘는 리괘(☲)와 비교해보면 하늘 원주의 반[⌒]을 각각 차지한다. '밝음'은 해이니, 해는 하늘을 따라 서쪽으로 회전하므로 북쪽이 오른쪽이고 남쪽이 왼쪽이다. 해가 지고 처음으로 어두워 질 때[初昏]가 '익(翼)'이고, 밤중이 '복(腹)'이고, 아침이 올 무렵[將朝]이 '수(首)'이니, 육이는 다리[股]이다. 일년 중에 동지가 되면 밤이 길고 낮이 짧으며, 하지가 되면 밤이 짧고 낮이 길고, 하루 중에 해가 들어가면 어둡고, 해가 나오면 밝아진다. '좌측 다리'는 바로 밤이 길어 해가 들어가는 때로 자리는 다리에 해당한다. 옛사람들이 걸어갈 때에 반드시 왼쪽 발을 먼저 내디디니, 『한서(漢書)』에서 말한 왼쪽 발을 엿보니 먼저 호응한다[14]가 이것이다. 왼쪽 다리에 상처를 입음은 가지 못하는 상이다. 풍괘의 오른팔[15]과 서로 참고할만 하다. 감괘(☵)의 물은 대부분 "돕다[拯]"를 말하니, 아래가 감괘(☵)인 환괘(䷺)와 미제괘(䷿)가 이것이다. 반드시 초효에서 말한다면 호괘인 감괘는 간괘(☶)이니, 명이가 이것이다. 반드시 이효에서 말한다면 이미 다리에 상처를 입었다. 그러므로 돕는 말은 태워서 떠나기를 기다린다. 비록 떠나지 못하지만 떠난다면 떠남이 그 가운데 있다. 기자의 일은 기자에게만 해당하고, 미자는 떠나서 하지 않았고, 비간은 죽어서 하지 못했고, 기자는 미친 척하여 노예가 되어 주변을 배회하면서 떠나지 않았으니, 기다려서 그렇게 한 것이다. 만약 끝까지 할 수 없다면 머무름이 어찌 보탬이 되겠는가? 육이「상전」에서 "순하고 법도에 맞다"는「단전」에서 "유순하여 어려움을 무릅씀"과 서로 대조되니, 이것은 은나라 때이다.

---

13) 肱: 경학자료집성DB와 영인본에는 '股'로 되어 있으나 『주역』경문에 따라 '肱'으로 바로잡았다.

14) 『漢書·息夫躬傳』: 京師雖有武蠭精兵, 未有能窺左足而先應者也.

15) 『周易·豊卦』: 九三, 豊其沛. 日中見沫, 折其右肱, 无咎.

권만(權萬) 『역설(易說)』

六二, 用拯馬, 拯本作抍, 古易抍馬吉.

육이는 '돕는 말을 쓰며'의 '돕대[拯]'는 본래 '승(抍)'으로 되어있으니, 『고역(古易)』에는 "돕는 말은 길하대[抍馬吉]"고 하였다.

심조(沈潮) 「역상차론(易象箚論)」

六二, 左股, 拯馬.

육이에서 말하였다: 좌측 다리에, 돕는 말.

陰爻偶, 有兩股象, 故稱股. 馬, 離午也.

음효는 짝수여서 두 다리의 상이 있으므로 '다리'라고 하였다. 말은 리괘(☲)의 오(午)에 해당한다.

유정원(柳正源) 『역해참고(易解參攷)』

白雲蘭氏曰, 左陰右陽. 豊之折右肱, 終不可用, 則明夷雖傷左股, 而不害也.

백운난씨가 말하였다: 왼쪽이 음이고 오른쪽이 양이다. 풍괘에서는 "오른팔이 부러졌으니 끝내 쓸 수 없으니,"[16]라 하였고, 명이괘에서는 비록 좌측 다리에 상처를 입었지만 해로움은 없다.

○ 童溪王氏曰, 六二, 文明之主也. 以六居二, 柔順之至. 文王以之, 夫南狩獲其大首, 武王之事也, 左股見傷, 羑里之厄也.

동계왕씨가 말하였다: 육이는 문채나는 밝은 주인이다. 음인 육(六)이 이효에 있어 지극히 유순하다. "문왕이 그것을 사용한다"에서 "남쪽으로 사냥하여 큰 머리를 얻음"은 무왕의 일이며, 왼쪽 다리에 상처를 입음은 유리에 갇힌 재난이다.

○ 雙湖胡氏曰, 咸以三爲股, 明夷以二爲左股. 只在下體二三爻取象, 不必泥說. 卦巽爲股也, 馬互坎象. 渙初六亦曰用拯馬壯吉, 初六正坎體, 亦以坎爲馬象. 況二卦, 皆有互震在前, 亦馬象.

쌍호호씨가 말하였다: 함괘는 삼효가 다리이고, 명이괘는 이효가 왼쪽 다리이다. 아래 몸체

---

16) 『周易·豊卦』: 九三, 豊其沛. 日中見沫, 折其右肱, 无咎. 象曰, 豊其沛, 不可大事也, 折其右肱, 終不可用也.

에 있는 이효와 삼효에서 상을 취하였지만 반드시 이에 얽매어 말할 필요는 없다. 괘에서 손괘가 다리이고, 말은 호괘인 감괘의 상이다. 환괘 초육에서도 "말로 구원하되 말이 건장하니, 길하다"고 하였는데, 초육이 바로 감괘(☵)의 몸체여서 감(坎)을 말의 상으로 여긴 것이다. 두 괘가 모두 호괘인 진괘가 앞에 있으니, 또한 말의 상이다.

○ 梁山來氏曰, 此爻變乾爲健爲良馬, 馬壯之象也.
양산래씨가 말하였다: 이 효가 변하여 건괘(☰)가 되면 굳건하고 좋은 말이 되니, 말이 건장한 상이다.

○ 案, 拯救之道, 用此健壯之馬, 則其爲撥亂之急歟, 將爲決去之速歟. 初之攸往, 見幾之明也. 三之得首, 有爲之時也. 而二之文明, 有中正之德, 得順時之宜. 上有闇君, 而禍已及身. 比五之夷, 則雖淺矣, 而比二之夷, 則亦已深矣. 時不可決去也, 勢不可撥亂也. 唯當守正得中, 拯難救患而已. 拯救之道無他, 用此健壯之馬也. 馬者, 地類也, 言其順也, 行地无彊, 旣順且壯, 馬之性也. 能如是, 則上不爲闇君之所疑忌, 下不失吾中正之德也.
내가 살펴보았다: 돕고 구제하는 도에 이 건장한 말을 쓰면 어지러움을 다스리는 급함이 되겠는가? 장차 결단하여 속히 떠남이 되겠는가? 초효의 가는 바는 기미를 보는 밝음이다. 삼효가 머리를 얻음은 함이 있는 때이다. 이효의 문채나는 밝음은 중정의 덕이 있고 때를 따르는 마땅함을 얻었다. 위에 어두운 임금이 있어 화가 이미 몸에 미쳤다. 그러나 오효의 상처남에 비교하면 비록 얕지만 이효의 상처남에 비교하면 또한 이미 깊다. 결단하여 떠날 수 없는 때이고, 어지러움을 다스릴 수 있는 형세가 아니다. 마땅히 바름을 지키고 중도를 얻어 어려움을 돕고 근심을 구제할 뿐이다. 돕고 구제하는 도는 다른 것이 아니라 이 건장한 말을 쓰는 것이다. 말은 땅의 부류로 유순하여 땅을 걸어감이 끝이 없다는 뜻이니, 유순하면서 건장한 것이 말의 성질이다. 이와 같이 한다면 위로 어두운 임금에게 의심과 시기를 받지 않고, 아래로 나의 중정한 덕을 잃지 않을 것이다.

傳, 蹶將[至]爲本
『정전』에서 말하였다: 쇠뇌를 당길 때에만 … 근본으로 삼기 때문이다.
案, 漢書, 註以手張弩曰擘, 以足踏曰蹶張, 蓋以左足張弩, 則立右足爲本.
내가 살펴보았다: 『한서』 주석에서 쇠뇌를 손으로 당기는 것을 '벽(擘)'이라고 하고, 발로 밟는 것을 '궐장(蹶張)'이라고 하였는데, 왼발로 쇠뇌를 당기면 서는 것은 오른발이 근본이 된다.

김상악(金相岳) 『산천역설(山天易說)』

明夷之時, 不能无傷害, 而二之居下, 爲夷于左股之象. 比三而三互坎體, 故用拯馬壯而吉也.

명이의 때에 상처나 해가 없을 수 없고, 이효가 아래에 있어 왼쪽 다리에 상처를 입는 상이 된다. 삼효와 가까이 있어 삼효의 호괘가 감괘의 몸체이므로 "돕는 말을 건장한 것으로 쓰면 길하다."

○ 明夷取象人身. 故初二爲股, 三四爲腹, 五上爲首. 凡言左者, 後字義也. 故四亦言左. 據上而言, 則四居內爲腹, 三居下爲股, 而六二去上遠, 故曰夷于左股. 豊九三與上爲應, 曰折其右肱. 蓋股在脛足之上, 於行之用, 爲不甚切, 又左非便用者, 惟蹶張用左. 故詩云, 元央在梁, 戢其左翼, 所以初之垂翼, 二之夷股, 雖見傷而猶能從陽而行也. 馬, 陽物也, 坎之象. 拯馬壯, 與渙初六同. 或曰, 渙取九二之剛中, 明夷取六二之中正, 恐未必然. 易中言馬者, 皆指剛爻也. 所以坤之牝馬, 配乾之良馬也. 來註, 文王囚于羑里, 夷于左股也. 散宜生之徒, 獻珍物美女, 用拯馬壯也. 脫羑里之囚, 得專征伐吉也. 又先儒云, 初九九三, 乾馬用壯之助也. 助之者壯, 處之者順, 所以吉也, 非吉之吉也, 凶之吉也. 旣傷股矣, 非凶乎. 傷而獲拯, 非凶之吉乎.

명이는 사람의 몸을 상으로 취하였다. 그러므로 초효와 이효는 다리가 되고, 삼효와 사효는 배가 되고, 오효와 상효는 머리가 된다. 왼쪽은 뒤라는 뜻이므로 사효에서도 좌측이라고 하였다. 위에 근거하여 말하면 사효는 안에 있어서 배가 되고, 삼효는 아래에 있어서 다리가 되며, 육이는 위와 거리가 멀기 때문에 "좌측 다리에 상처를 입었다"고 하였다. 풍괘의 구삼은 상효와 호응이 되기 때문에 "우측 팔이 부러졌다"고 하였다. 다리[股]는 정강이[脛]와 발 위에 있어서 걸어갈 때의 쓰임에서는 매우 절실한 부위가 아니며, 또한 좌측은 쓰기에 편리한 쪽이 아니니, 쇠뇌를 당길 때만 왼쪽을 사용한다. 그러므로 『시경』에서 "원앙새가 징검다리에 있으니 왼쪽 날개를 접고 있도다"[17]라고 하였으니, 초효가 날개를 늘어뜨리고 이효가 다리를 다쳐 상처를 입지만 양을 쫓아 떠난다. 말은 양의 물건이며, 감괘의 상이다. "돕는 말이 건장함"은 환괘 초육과 뜻이 같다.

어떤 이가 말하였다: 환괘는 구이의 강중을 취하였고, 명이는 육이의 중정을 취하였는데 반드시 그런 것은 아닌 것 같다. 『주역』 가운데 말을 말한 것은 모두 굳센 양효를 가리킨다. 곤의 암말은 건의 좋은 말에 짝한다. 래지덕의 주에 문왕이 유리에 갇힘은 '좌측 다리에 상처를 입음'이고, 산의생의 무리가 진기한 보물과 미녀를 바친 것은 '돕는 말을 건장한 것으로 씀'이다. 유리의 감옥에서 벗어남은 마음대로 정벌함이 길함을 얻음이다.

---

17) 『詩經 · 小雅』: 鴛鴦在梁, 戢其左翼. 君子萬年, 宜其遐福.

또 선유들이 말하였다: 초구와 구삼은 건의 말이 건장함을 써서 도움이다. 돕는 것이 건장하고 처리함이 유순해서 길하니, 길한 것 가운데 길함이 아니라 흉한 것 가운데 길함이다. 다리에 상처를 입으니, 흉하지 않겠는가? 상처를 입었지만 도움을 얻게 되니, 흉한 것 가운데 길함이 아니겠는가?

김규오(金奎五) 「독역기의(讀易記疑)」

六二股傷, 故拯以馬也. 初二离體能動. 但其所以飛所以行者見傷, 故不敢爲行. 可之行而爲行, 遯之行耳. 然二則自有中正明順之德, 能自救其傷, 其所以救者亦行也. 然則其行, 或不當專作違避之意否.

육이는 다리가 상처를 입기 때문에 말로써 돕는다. 초효와 이효는 리괘(☲)의 몸체로 움직일 수 있다. 날고 떠날 때 상처를 입기 때문에 떠날 수 없다. 떠날 수 있어서 떠나는 것은 돈괘의 떠남뿐이다. 이효는 본래 중정하고 밝고 유순한 덕을 가지고 있어서 스스로 그 상처를 구할 수 있어서 구하는 것도 떠나는 것이다. 그렇다면 그 떠남은 오직 떠나서 피하는 뜻으로만 해서는 안 되는 것 같다.

○ 用拯馬壯, 與渙初同. 疑因互坎而言, 坎有馬象, 拯亦有水意.

'돕는 말을 건장한 것으로 씀'은 환괘 초효와 같다. 호괘인 감괘로 인하여 말한 것 같으니, 감괘에 말의 상이 있고, "돕다[拯]"는 물의 뜻이 있다.

○ 二重陰, 恐其太柔, 故欲其馬之壯. 三重陽, 恐其太剛, 故戒以疾貞. 亦以二爲自處, 故取其義. 三爲治人, 故取其仁.

두 음이 겹친 것은 너무 부드러우므로 그 말은 건장하길 바란다. 세 양이 겹친 것은 너무 굳세므로 "급히 곧게 해서는 안 된다"고 경계하였다. 이효로써 자처하기 때문에 그 뜻을 취하였다. 삼효는 사람을 다스리기 때문에 그 인자함을 취하였다.

박제가(朴齊家) 『주역(周易)』

六二多一夷字, 上夷謂旣滅之後, 下夷說所夷之故也. 必曰左者, 從南征者言也. 日夕而南去, 則左先暗者也. 曰用拯馬壯者, 二居兩剛之中, 拯之者, 自上言者三也, 馬所乘者也, 當在下者, 乃初也. 諸家多以三爲馬, 則不知拯義矣.

육이에 '이(夷)'가 많은데, 앞의 '이(夷)'는 이미 사라진 뒤를 말하고, 뒤의 '이(夷)'는 상처입는 까닭을 말하였다. 반드시 '좌측'이라고 말한 것은 남쪽으로 떠남을 말하니, 날이 저녁이 되어 남쪽으로 떠나면 좌측이 먼저 어두워진다. "돕는 말을 건장한 것으로 쓴다"는 이효가 두 굳센 양의 가운데 있으니, '돕는 자'는 위로부터 말하면 삼효이며, 말은 태우는 것이니, 아래에 있는 초효이다. 여러 학자들이 대부분 삼효를 말로 여겼는데, 돕는다는 뜻을 알지 못한 것이다.

서유신(徐有臣) 『역의의언(易義擬言)』

此亦明而夷者也. 但所傷未深切, 夷于左股也. 左股, 下體之象也, 柔順中正, 足以避免, 故爲用拯馬壯而吉也. 互坎故曰拯也, 可拯之道, 便是馬也. 右股不病, 尙可行矣, 況有壯馬者乎. 左股之夷, 非所憂也.

이는 또한 밝지만 이지러지는 것이다. 상처가 깊지 않고 좌측 다리에 상처를 입었다. '좌측 다리'는 아래 몸체의 상이니, 유순하고 중정하여 피하여 면할 수 있으므로 '돕는 말을 건장한 것으로 쓰면 길하게' 되는 것이다. 호괘가 감괘이므로 돕는다고 하였으니, 도울 수 있는 도는 말이다. 우측 다리가 병들지 않았기 때문에 떠날 수 있으니, 하물며 건장한 말이 있음에랴! 좌측 다리의 상처는 걱정할 것이 아니다.

박문건(朴文健) 『주역연의(周易衍義)』

爲上所害, 故有夷于左股之象. 股, 取在下欲進之義也.

위에게 해침을 당하기 때문에 '좌측 다리에 상처를 입는' 상이 있다. 다리는 아래에서 나아가려는 뜻을 취하였다.

〈問, 明夷以下. 曰, 六二欲進而見傷, 是明夷也, 故夷其左股. 雖然用拯溺之道, 而所棄之馬, 若壯健則可進, 遇而致吉. 蓋二志在於欲遇, 六五妄生疑慮, 故有夷股之災. 然銳進相遇, 則拯己之溺而有吉也. 左者, 取在下之義也.

물었다: '명이' 이하는 무슨 뜻입니까?

답하였다: 육이가 나아가고자 하나 상처를 입는 것이 명이이기 때문에 좌측 다리에 상처를 입습니다. 비록 그렇지만 빠진 것을 구하는 도를 쓰는데 버려진 말이 만약 건장하면 나아가 만나 길할 수 있습니다. 이효의 뜻이 만나고자 함에 있지만 육오가 의심과 걱정을 거짓으로 만들기 때문에 다리에 상처를 입는 재난이 있게 됩니다. 용맹하게 나아가 서로 만나면 자기의 빠짐을 도와서 길함이 있을 것입니다. 좌측은 아래에 있는 뜻을 취하였습니다.〉

이지연(李止淵) 『주역차의(周易箚疑)』

如郭子儀之聞命, 卽行則其用拯之道可知. 馬卽意馬.

곽자의[18]가 명령을 듣는 것과 같으니, 떠나면 구하는 도를 씀을 알 수 있다. 말은 곧 의마

(意馬)[19]이다.

김기례(金箕澧) 『역요선의강목(易要選義綱目)』

卦內近取諸身, 下謂股, 中謂腹, 上謂首.

괘 안에서 가까이 그것을 몸에서 취하였으니, 아래는 다리, 가운데는 배, 위는 머리를 말한다.

○ 手足之用, 右繁左歇. 豊九三折右肱, 傷之切也. 此言傷左股, 不至重傷. 二以中順, 不大傷而速去之時, 故云拯己之馬健則吉. 股傷而用壯馬, 欲去之速. 二互坎故曰馬.

손과 발의 쓰임은 오른쪽을 쓰면 왼쪽은 쉰다. 풍괘 구삼에서 "우측 팔뚝이 부러졌다"는 상처가 심한 것이다. 여기서 좌측 다리에 상처를 입는다는 중상에는 이르지 않은 것이다. 이효가 가운데이면서 유순하여 크게 상처를 입처를 입지 않아서 속히 떠나는 때이므로 자신을 돕는 말이 건장하면 길하다고 하였다. 다리가 상처를 입었지만 건장한 말을 사용하여 빨리 떠나고자 한다. 이효는 호괘가 감괘이므로 말이라고 하였다.

심대윤(沈大允) 『주역상의점법(周易象義占法)』

明夷之泰䷊, 交通也. 日之旣没天地俱昏也. 六二以柔中居柔, 能含黙容保, 旣不爲其所猜惡, 無應亦不爲其所親媚. 順從於三剛, 而居坎體, 隱晦之甚, 故曰明夷夷于左股. 對否爲巽艮, 巽爲股震爲左, 言不能行動也. 巽离爲隨, 互坎水艮取爲拯, 隨流而取物也, 言隨時以得安也. 艮震爲用, 坎爲馬, 乾爲壯, 言中順而從三也. 旣不失其道, 又能保其身, 故獨言吉也.

명이괘가 태괘(䷊)로 바뀌었으니, 사귀어 통하는 것이다. 해가 이미 져서 천지가 모두 어둡다. 육이가 부드러운 음으로 가운데에서 부드러움에 있으면서 침묵하고 보전하여 시기나 미움을 당하지 않고 호응함도 없어 잘 지내지도 않는다. 삼효의 굳센 양을 쫓아 감괘의 몸체에 있어 지나치게 숨기 때문에 "명이할 때에 좌측 다리에 상처를 입는다"고 하였다. 반대괘인 비괘(䷋)는 손괘(☴)와 간괘(☶)가 되니, 손은 다리이고 진은 왼쪽이니, 움직일 수 없다는 말이다. 손괘와 리괘가 따름이 되고, 호괘인 감괘의 물과 간괘의 취함이 돕는 것이 되어 흐름에 따라 물을 취함이니, 때에 따라 편안함을 얻음을 말한다. 간괘와 진괘가 쓰임이 되

---

18) 곽자의(郭子儀): 당(唐) 숙종(肅宗) 때 안사(安史)의 난을 평정하고 분양왕(汾陽王)에 봉해졌다.

19) 의마(意馬): 생각이 가만히 한곳에 있지 못하고 말처럼 달아남을 말한다.

고, 감괘가 말이 되고, 건괘가 건장함이 되니, 가운데를 유순하게 하여 삼효를 따른다는 말이다. 그 도를 잃지 않았고 또 그 몸을 보전하므로 홀로 길하다고 하였다.

오치기(吳致箕) 「주역경전증해(周易經傳增解)」

六二以文明之德, 柔得中正, 而當明夷之時, 去暗主稍遠, 雖不至于過傷, 而亦有傷左股之象. 然上得陽剛之比, 可以拯救其險難, 有用馬強壯之象. 故占言吉.

육이는 문채 나는 밝은 덕으로 부드러우면서 중정을 얻어서 명이의 때에 어두운 임금과 조금 멀리 있어 지나치게 상처를 입음에 이르지는 않지만 좌측 다리에 상처를 입는 상이 있다. 그러나 위로 굳센 양과 가까이 있어 그 험난함을 구하기 위해 건장한 말을 쓰는 상이 있다. 그러므로 점에서 "길하다"고 하였다.

○ 左取於陰, 已見師四 對體互巽爲股之象, 而左股言其不甚切也. 濟險曰拯, 而互坎爲險, 以柔比剛, 故言拯也. 變乾爲良馬壯之象也.

좌측은 음에서 취하였으니, 사괘 사효[20]에 이미 보인다. 반대 몸체로 호괘인 손괘가 다리의 상이 되니, 좌측 다리는 심각하지 않다는 말이다. 험난함을 구제하는 것을 '도움[拯]'이라고 하는데, 호괘인 감괘가 험난함이 되니, 부드러움이 굳셈 가까이에 있으므로 돕는다고 하였다. 이효가 변하면 건괘로 좋은 말의 건장한 상이 된다.

이진상(李震相) 『역학관규(易學管窺)』

用極馬壯.

돕는 말을 건장한 것으로 쓴다.

二至四互坎, 爲美脊之馬. 又二變則爲乾, 健馬之象. 初則決去, 三則撥亂, 而二則柔順自守, 故處患而能亨, 其文王之象乎.

이효에서 사효까지는 호괘가 감괘(☵)로 등이 아름다운 말이 된다. 또 이효가 변하면 건괘(☰)가 되어 건장한 말의 상이다. 초효는 결단하여 떠나고, 삼효는 어지러움을 다스리며, 이효는 부드럽고 유순하게 스스로 지키는 까닭에 환란에 처하여 형통할 수 있으니, 문왕의 상일 것이다.

---

20) 『周易·師卦』: 六四, 師左次, 无咎.

박문호(朴文鎬) 『경설(經說)-주역(周易)』

蹶而張弓者, 雖用左足, 然以右立爲本, 則猶依舊, 以右爲便也.
밟고 활을 당기는 자는 왼발을 사용하지만 오른발로 섬을 근본으로 삼으니, 옛 것에 의존하여 오른쪽을 편하게 여긴다.

이병헌(李炳憲) 『역경금문고통론(易經今文考通論)』

陸曰, 旁視曰睇.
육적이 말하였다: 옆으로 보는 것을 "한눈판대[睇]"고 한다.

孟曰, 抍, 擧也.
맹희가 말하였다: '승(抍)'은 "든대[擧]"는 것이다.

程傳曰, 大二之得吉者, 以其順處而有法則也.
『정전』에서 말하였다: 육이가 길함을 얻은 이유는 순하게 대처하면서도 법칙이 있기 때문이다.

按, 馬壯, 蓋指三也. 左股, 似指初.
내가 살펴보았다: 말이 건장한 것은 삼효를 가리킨다. 좌측 다리는 초효를 가리키는 것 같다.

象曰, 六二之吉, 順以則也.

「상전」에서 말하였다: "육이의 길함"은 순하고 법도에 맞기 때문이다.

‖中國大全‖

傳

六二之得吉者, 以其順處而有法則也. 則, 謂中正之道. 能順而得中正, 所以處明傷之時而能保其吉也.

육이가 길함을 얻은 이유는 순하게 대처하면서도 법칙이 있기 때문이다. ‘칙(則)’은 중정한 도를 뜻한다. 순하면서도 중정을 얻을 수 있음은 밝음이 상처를 입는 시기에 처해서도 길함을 보존할 수 있는 방법이다.

小註

臨川吳氏曰, 六二以柔居中, 爲順而有則, 故能得强壯之馬, 以拯己之傷而有吉也.

임천오씨가 말하였다: 육이는 부드러운 음이 가운데 있어서, 순하면서도 법칙을 가지기 때문에 강성한 말을 얻어서 자신의 상처를 구원하고 길함을 갖출 수 있다.

‖韓國大全‖

김상악(金相岳) 『산천역설(山天易說)』

則, 卽順帝之則之則也.

‘법도[則]’는 "상제의 법도를 따른다"고 할 때의 ‘법도[則]’이다.

○ 明夷升, 皆以二四柔正爲順, 詳見升六四[21].

명이괘와 승괘는 모두 이효와 사효에서 부드럽고 바름을 유순함으로 여겼으니, 승괘 육사효에 자세히 보인다.

서유신(徐有臣)『역의의언(易義擬言)』

應於五爲則也. 順以則, 乃其馬也.

오효와 호응함이 법도가 된다. "순하고 법도에 맞다"는 곧 그 말이다.

박문건(朴文健)『주역연의(周易衍義)』

夷而進遇, 順而有則.

이지러지지만 나아가 만나니, 순하여 법도에 맞는다.

오치기(吳致箕)「주역경전증해(周易經傳增解)」

中正之德, 柔順有法則, 故處明夷之時, 而能保其吉也.

중정한 덕으로 유순하면서 법칙이 있기 때문에 명이의 때에 처하여 그 길함을 보존할 수 있다.

---

21) 六: 경학자료시스템DB와 영인본에는 '九'로 되어 있으나, 『주역』 원문에 따라 '六'으로 바로잡았다.

九三, 明夷于南狩, 得其大首, 不可疾貞.

구삼은 명이한 때에 남쪽으로 사냥하여 큰 머리를 얻으니, 급히 곧게 해서는 안 된다.

|| 中國大全 ||

傳

九三, 離之上, 明之極也, 又處剛而進, 上六, 坤之上, 暗之極也. 至明, 居下而爲下之上, 至暗, 在上而處窮極之地, 正相敵應, 將以明去暗者也. 斯義也, 其湯武之事乎. 南, 在前而明方也. 狩, 畋而去害之事也. 南狩, 謂前進而除害也. 當克獲其大首, 大首, 謂暗之魁首, 上六也. 三與上, 正相應, 爲至明克至暗之象. 不可疾貞, 謂誅其元惡, 舊染汚俗, 未能遽革, 必有其漸, 革之遽, 則駭懼而不安, 故酒誥云, 惟殷之迪諸臣惟工, 乃湎于酒, 勿庸殺之, 姑惟敎之, 至於旣久, 尚曰餘風未殄. 是漸漬之俗, 不可以遽革也, 故曰不可疾貞, 正之, 不可急也. 上六, 雖非君位, 以其居上而暗之極, 故爲暗之主, 謂之大首.

구삼은 리괘의 위에 있어서 지극히 밝고 또 굳센 양의 자리에 있어서 나아가며, 상육은 곤괘의 위에 있어서 지극히 어둡다. 지극한 밝음이 아래에 있지만 하괘의 위가 되며, 지극한 어둠이 위에 있지만 궁극에 달한 장소에 있으니, 서로 적으로 대응하여 장차 밝음이 어둠을 제거하는 것이다. 이러한 뜻은 탕임금과 무왕의 일에 해당할 것이다. 남쪽은 앞에 있어서 밝음에 해당하는 방위이다. 수(狩)는 사냥을 하여 해로움을 제거하는 일이다. 남쪽으로 사냥을 함은 앞으로 나아가서 해로움을 제거한다는 뜻이다. 마땅히 큰 머리를 이겨서 잡아야 하니 '대수(大首)'는 어둠의 괴수로, 상육을 뜻한다. 삼효와 상효는 서로 호응하니, 지극한 밝음이 지극한 어둠을 이기는 상이다. "급히 곧게 해서는 안 된다"는 말은 원흉을 제거하되 예부터 더렵혀진 풍속을 갑작스럽게 고칠 수 없으니 반드시 점진적으로 해야 함을 뜻하며, 갑작스럽게 고치게 된다면 놀라고 두려워하여 편안치 못하기 때문에 「주고」편에서는 "은나라가 이끌었던 여러 신하들과 백공들이 술에 빠지거든 죽이지 말고 우선 가르쳐라"[22]고 했고, 오랜 시간이 흘러서는 오히려 "남아있던 풍속이 아직 끊어지지 않았다"[23]고 했다. 이것은 오랜

---

22) 『書經 · 酒誥』: 又惟殷之迪諸臣惟工, 乃湎于酒, 勿庸殺之, 姑惟敎之.
23) 『書經 · 畢命』: 餘風未殄, 公其念哉.

시간 축적된 풍속을 갑작스럽게 고칠 수 없음을 뜻하기 때문에, "급히 곧게 해서는 안 된다"고 하였으니, 바르게 함에 급히 해서는 안 된다는 의미이다. 상육은 비록 임금의 자리가 아니지만, 위에 있으며 어둠의 지극함이기 때문에, 어두운 주인이 되니, '대수'를 뜻한다.

以剛居剛, 又在明體之上而屈於至暗之下, 正與上六闇主爲應, 故有向明除害得其首惡之象. 然不可以亟也, 故有不可疾貞之戒. 成湯起於夏臺, 文王興於羑里, 正合此爻之義, 而小事亦有然者.

굳센 양으로 굳센 양의 자리에 있고, 또 밝은 몸체의 위에 있으면서도 지극한 어둠의 밑에 굽혀 있어서, 바로 상육의 어두운 주인에 대응하기 때문에 밝음을 향하고 해악을 제거하여 원흉을 얻는 상이 있다. 그러나 너무 빠르게 해서는 안 되기 때문에 "급히 곧게 해서는 안 된다"는 경계의 말이 포함되었다. 성탕은 하대(夏臺)에서 궐기하였고 문왕은 유리(羑里)에서 병사를 일으켰으니, 바로 이 효의 뜻과 부합되며 작은 일들에서도 이러한 경우가 있다.

建安丘氏曰, 他卦三與上爲正應, 在明夷則爲以至明伐至暗之象也, 故曰明夷于南狩. 南者, 進而在前之方, 狩者, 畋而去之之事. 大首, 指上六, 得其大首者, 殲厥渠魁也. 九三出而專南狩之權, 以應上六柔暗之敵, 爲民除害, 一擧而獲其首惡之大者. 然九三以剛居剛, 又有不可疾貞之戒, 不可疾貞者, 猶冀其改過遷善, 則伐可不擧矣.

건안구씨가 말하였다: 다른 괘에서는 삼효와 상효가 정응이 되고, 명이괘에서는 지극한 밝음이 지극한 어둠을 정벌하는 상으로 여겼기 때문에 "명이한 때에 남쪽으로 사냥한다"고 말했다. '남(南)'은 나아가서 앞의 방위에 있음을 뜻하며, '수(狩)'는 사냥하여 제거하는 일을 뜻한다. '대수(大首)'는 상육을 뜻하고, "큰 머리를 얻는다"는 말은 우두머리를 없앤다는 뜻이다. 구삼은 밖으로 나가서 남쪽에서 사냥을 하는 권력을 마음대로 부리고, 이로써 상육의 유약하고 어두운 상대와 대응하여 백성들을 위해 해악을 제거하니, 한 차례 사냥을 하여 해악의 원흉을 포획함이다. 구삼은 굳센 양으로 굳센 양의 자리에 있는데, 또 "급히 곧게 해서는 안 된다"는 경계도 포함되어 있으니, "급히 곧게 해서는 안 된다"는 말은 잘못을 고쳐서 선한 곳으로 옮겨가길 기대한다면, 정벌을 사용하지 않을 수 있는 경우와 같다.

○ 雲峰胡氏曰, 初无位可去, 則去之宜速. 二在位可救, 則救之宜速. 若九三至明之極, 與上至暗之極者爲應, 不可復救矣, 故有向明除害, 得其首惡之象. 然二之救難可速也, 三之除害不可速也, 故又有不可疾貞之戒. 武王須假五年, 其得此歟.

운봉호씨가 말하였다: 초효는 자리가 없어서 떠날 수 있으니, 떠남은 마땅히 신속해야 한다. 이효는 자리에 있어서 구원할 수 있으니, 구원은 마땅히 신속해야 한다. 구삼과 같이 지극한 밝음의 정점에서 상효의 지극한 어둠의 정점에 있는 것과 대응하는 경우 재차 구원할 수가 없기 때문에, 밝음을 향하여 해로움을 제거하니, 원흉을 얻는 상이다. 그러나 어려움 속에서 벗어나는 이효의 일은 신속하게 할 수 있지만 해악을 제거하는 삼효의 일은 신속하게 할 수 없기 때문에, 또한 "급히 곧게 해서는 안 된다"는 경계의 말이 포함된다. 무왕이 오년을 기다리려만 했던 이유는 바로 이러한 뜻을 얻었기 때문이다.

○ 西溪李氏曰, 武王處明夷, 則以不可疾爲貞, 箕子處明夷, 則以利艱爲貞, 各當其事也.

서계이씨가 말하였다: 무왕은 밝음이 손상된 시기에 처하여 급히 할 수 없음을 곧음으로 여겼고, 기자는 명이한 시기에 처하여 어렵게 여김을 곧음으로 여겼으니, 각각 그 사안에 합당하게 했다.

○ 隆山李氏曰, 雜卦云晉晝, 則明夷爲夜, 又曰明夷誅, 則晉爲賞. 錫馬三接賞也, 南狩得大首, 誅也.

융산이씨가 말하였다: 「잡괘전」에서는 "진괘(晉卦䷢)는 낮이다"고 하였으니 명이괘는 밤이 되고, 또 "명이괘는 형벌이다"라고 하였으니 진괘는 상이 된다.[24] 진괘의 "말을 하사한다"는 말과 "세 차례 접견한다"는 말은 상에 해당하고, 명이괘의 "남쪽으로 사냥을 하여 큰 머리를 얻다"는 말은 형벌에 해당한다.

○ 白雲郭氏曰, 不可疾者, 離之性, 失之過則暴, 故戒.

백운곽씨가 말하였다: "급히 해서는 안 된다"는 말은 리괘의 성질은 지나친 데에 빠지면 난폭하기 때문에 경계를 하였다.

---

24) 『周易·雜卦傳』: 剝爛也, 復反也. 晉晝也, 明夷誅也, 井通而困相遇也.

韓國大全

송시열(宋時烈)『역설(易說)』

離爲南方, 坤爲西南, 又以上爻謂南也. 震爲出征麋鹿之象, 故以狩言之, 言震將往應於上六, 而時値明夷. 乾爲大爲首, 當舒緩毋疾, 待坤之道, 極變而爲乾而得之, 則其志爲大得也, 此所以貞正之戒也. 傳以幽暗之魁首, 謂大首, 三爲重剛, 故戒其毋速之意.
리괘는 남방이고, 곤괘는 서남방이며, 또 상효를 남쪽이라고 한다. 진괘는 출정함과 사슴의 상이 되므로 사냥으로 말하였으니, 진괘가 장차 가서 상육과 호응하여 명이의 때를 만남을 말한다. 건괘는 큼과 머리가 되어 천천히 하고 빨리 하지 않으면서 곤의 도가 끝까지 변하여 건이 됨을 기다려 그것을 얻으면 그 뜻을 크게 얻을 수 있으니, 이것이 곧음과 바름의 경계이다.『정전』에서 말한 '어둠의 괴수'는 큰 머리를 말하니, 삼효가 거듭된 굳셈이므로 빨리 하지 말라는 뜻으로 경계하였다.

이익(李瀷)『역경질서(易經疾書)』

九三居離之終, 離有結繩網罟之象, 故明夷. 南狩者, 夜獵也. 二言左, 三言南, 股不可言南, 狩不可言左, 文勢然也. 九三與上六爲應, 大首者, 上六也. 九三漸近於將朝, 其志已在於大首, 非有已得之象詳. 不可疾貞, 及傳文志字可見. 首者指禽獸, 如今數禽獸以首, 是也. 上六故以首爲言, 大首者, 大獸也. 狩獵故有此象, 此文王事可以當之. 伐崇伐密, 卽南狩之獲也. 不然, 象傳所著, 何從而云爾. 不可疾貞, 尤爲左契 文王時, 未有天下而三居文明之上, 故於此發之.
구삼은 리괘의 끝에 있고 리괘에는 줄로 묶고 그물질하는 상이 있기 때문에 명이의 때이다. '남쪽으로 사냥감'은 밤에 사냥하는 것이다. 이효에서는 왼쪽, 삼효에서는 남쪽이라고 하였는데 다리에서는 남쪽을 말할 수 없고, 사냥에서는 왼쪽을 말할 수 없으니, 문장의 형세가 그런 것이다. 구삼은 상육과 호응하는데, '큰 머리'가 상육이다. 구삼이 장차 아침이 밝아옴에 점점 가까워지면서 그 뜻이 이미 '큰 머리'에 있지만 이미 얻지 않은 상이 분명하다. '급히 곧게 해서는 안 됨' 및「단전」의 '뜻[志]'이라는 글자에서 알 수 있다. '머리'는 금수를 가리키니, 요즘 금수를 머리 수로 세는 것이 이것이다. 상육이므로 머리로써 말하였으니, '큰 머리'는 큰 짐승이다. 사냥하기 때문에 이러한 상이 있으니, 이것은 문왕의 일이 이에 해당한다. 숭나라와 밀나라를 친 것이 남쪽으로 사냥가서 얻는 것이다. 그렇지 않다면「단전」에서 기록한 것이 무엇을 가지고 말하였겠는가? '급히 곧게 해서는 안 됨'이 더욱 증명이 된다.[25]

문왕 때는 천하를 소유하지 못했으나 삼효가 문채나는 밝음의 위에 있기 때문에 여기에서 말한 것이다.

심조(沈潮) 「역상차론(易象箚論)」

九三, 南狩, 大首.

구삼은 남쪽으로 사냥하여 큰 머리.

南, 離也, 大, 陽也, 首, 上六也. 離爲戈兵, 故得其大首也.

남쪽은 리괘이고, 큰은 양이고, 머리는 상육이다. 리괘가 창과 병기가 되므로 큰 머리를 얻는다.

유정원(柳正源) 『역해참고(易解參攷)』

漢上朱氏曰, 自二至上, 有師之體坎爲中. 冬狩之時, 離爲南, 三動之上, 南狩也. 大首, 元惡也. 得者, 易辭離爲甲胄戈兵, 故象狩獲.

한상주씨가 말하였다: 이효에서 상효까지는 사괘의 몸체인 감괘의 가운데가 된다. 겨울철 사냥의 때는 리괘가 남쪽이 되고, 삼효는 움직임의 위가 되니 남쪽으로 사냥감이다. '큰 머리'는 악의 우두머리이다. '얻음'은 역의 말에서 리괘는 갑옷과 병기가 되므로 사냥가서 잡는 상이다.

○ 平庵項氏曰, 貞字自爲句. 南狩不得已而爲之, 匪棘其欲也, 故曰不可疾.

평암항씨가 말하였다: '곧음[貞]'은 스스로 구절이 된다. 남쪽으로 사냥감은 부득이하여 그렇게 하는 것으로 하고자 함을 벌여놓는 것이 아니므로 "급히 하지 않는다"고 하였다.

○ 案, 南狩得首, 聖人之不得已也. 上之暗極, 猶冀有克念作聖之理, 則三之除害, 豈可以疾貞乎. 武王之假五年, 是也. 又如殲厥巨魁, 脅從罔治, 薄伐玁狁, 至于太原, 是皆不可疾貞之義也.

내가 살펴보았다: 남쪽으로 사냥가서 머리를 얻음은 성인의 부득이함이다. 상효는 지극히 어둡지만 생각하여 성인이 되려는 이치[26]를 바란다면 삼효가 해로움을 제거함에 어찌 급히

---

25) 좌계(左契): 둘로 나눈 부신(符信)의 왼쪽의 것 하나를 자기 손에 두어 좌계로 하고, 다른 것을 상대방에게 주어 우계(右契)로 한다.

26) 『書經·周書』: 惟聖, 罔念作狂, 惟狂, 克念作聖, 天惟五年, 須暇之子孫, 誕作民主, 罔可念聽.

곧게 하겠는가? 무왕이 5년을 빌려준 것이 이것이다. 또 "큰 괴수를 죽이고 위협에 따른 자들은 다스리지 말아라"[27]와 "잠깐 험윤(玁狁)을 정벌하여 태원(太原)에 이르다"[28]는 모두 "급히 곧게 해서는 안 된다"는 뜻이다.

本義, 小事 [至], 然者.
『본의』에서 말하였다: 작은 일들에서도 … 이러한 경우

案, 本義引湯文之事, 以明其南狩得首之義, 而又恐泥於一事, 故曰小事亦有然者. 以人事言之, 如性偏難克處, 克將去亦得首之象.
내가 살펴보았다: 『본의』에서 인용한 탕임금과 문왕의 일은 남쪽으로 사냥 가서 머리를 얻은 뜻을 밝힌 것인데 아마 한 가지 일에 막혔기 때문에 "작은 일들에서도 이러한 경우가 있다"고 한 듯하다. 사람의 일로 말하면 성질이 편벽되어 이기기 어려운 곳에서 장차 제거할 수 있어 머리를 얻는 상과 같다.

김상악(金相岳) 『산천역설(山天易說)』

大首, 謂暗之魁首, 上六也. 用離之至明, 克坤之至暗, 故有南狩得其大首之象. 三之過剛, 又互震體, 故有不可疾貞之戒. 成湯武王之德, 此爻之義也.
'큰 머리'는 어둠의 괴수로 상육을 말한다. 리괘의 지극한 밝음을 사용하여 곤괘의 지극한 어둠을 이기므로 '남쪽으로 사냥하여 큰 머리를 얻는' 상이 있다. 삼효가 지나치게 굳세고 호괘가 진괘의 몸체이므로 '급히 곧게 해서는 안 되는' 경계를 두었다. 성탕과 무왕의 덕이 이 효의 뜻이다.

○ 離坤皆居南, 而明夷之南, 因坎坤相接而言, 周之德化, 自北而南之象也. 升象傳曰, 南征吉, 亦以是也. 火獵冬獵, 皆謂狩, 離互坎體之象. 故旣未濟三四, 皆言伐鬼方, 乃田狩之大者也. 又明夷與復, 爭三一爻, 復上六曰, 用行師, 終有大敗, 以國君凶. 故此曰得其大首. 晉成公伐鄭, 楚子救鄭, 晉占遇復曰, 南國蹙射其元, 謂陽氣南行而摧陰也. 不可疾貞, 卽大武遲久之義也. 離性失之過則暴, 又動萬物者, 莫疾乎雷, 故戒之以此. 在箕子則以利艱爲貞, 在武王則以不可疾爲貞.
리괘와 곤괘는 모두 남쪽에 있고, 명이의 남쪽은 감괘와 곤괘가 서로 접하는 것으로 말하였으니, 주나라의 덕과 교화가 북에서 남으로 가는 상이다. 승괘 「단전」에서 "남쪽을 가면

27) 『書經·夏書』: 火炎崑岡, 玉石俱焚, 天吏逸德, 烈于猛火, 殲厥渠魁, 脅從罔治, 舊染汚俗, 咸與惟新.
28) 『詩經·小雅』: 戎車旣安, 如輊如軒, 四牡旣佶, 旣佶且閑. 薄伐玁狁, 至于太原, 文武吉甫, 萬邦爲憲.

길하다"고 한 것이 이 때문이다. 불을 놓아 사냥하는 것과 겨울철 사냥을 모두 사냥이라고 하는데 리괘와 호괘인 감괘의 몸체의 상이다. 그러므로 기제괘와 미제괘 삼효와 사효에서 모두 "귀방(鬼方)을 정벌한다"고 했으니, 사냥의 큰 것이다. 명이괘와 복괘는 삼효 하나를 다투는데 복괘 상육에서 "군사를 동원하는 데에 쓰면 마침내 크게 패할 것이고, 나라를 다스리면 임금이 흉하다"[29]고 하였기 때문에 여기에서는 "큰 머리를 얻는다"고 하였다. 진(晉)나라 성공(成公)이 정나라를 정벌하려는데 초나라 제후가 정나라를 구원하려고 하였다. 진나라가 점을 쳐서 복괘를 만났는데 "남쪽 나라가 줄어들고, 그 임금을 쏜다"[30]고 하였으니, 양기가 남쪽으로 가서 음을 누른다는 말이다. "급히 곧게 해서는 안 된다"는 큰 싸움은 더디고 오래간다는 뜻이다. 리괘의 성질은 지나친 데에 빠지면 난폭하게 되고, 만물을 움직이는 것은 우레보다 빠른 것이 없으므로 이렇게 경계하였다. 기자에게는 어려울 때를 이롭게 함이 곧음이고, 무왕에게는 급히 하지 않음이 곧음이다.

김규오(金奎五) 「독역기의(讀易記疑)」

九三傳湯武之事, 取得首去害之意. 義夏臺羑里, 取起自明夷之實. 文王雖未剪商, 而伐崇伐密, 已有得首之勢也. 小事亦然者, 凡出自艱險, 而能除害者皆是.

구삼『정전』의 탕임금과 무왕의 일은 머리를 얻고 해로움을 제거하는 뜻에서 취하였다.『본의』의 하대와 유리는 명이로부터 일어나는 실제에서 취하였다. 문왕이 비록 상나라를 치지 않았지만 숭나라와 밀나라를 쳐서 이미 머리를 얻는 형세가 있다. "작은 일에서도 그렇다"는 험난함으로부터 벗어나서 해로움을 제거할 수 있는 것이 모두 이것이다.

박제가(朴齊家) 『주역(周易)』

南狩者, 天子之事, 五月之禮也. 大首者, 陽之首也. 三者, 明之際於地者也, 日之入地, 首先下, 故三謂之首. 此狩, 非三之自狩, 乃見滅於狩者也, 此狩, 乃六之狩, 而應於三者, 而爲暗體之主, 故本有吞明之志者也. 曰不可疾貞者, 其暗之志已成, 貞疾雖得明之首, 而不能可也. 凡疾, 瘳謂之可者, 是也. 蓋三雖以剛居剛, 冉冉將墜迫在晷刻, 何能作除害之狩, 又何敢敵乘時之六, 而得其元首耶. 且湯武之事, 夫子雖於革之象言之, 此從水火交政而說, 故先說天地革, 而下及湯武. 若明夷之時之方, 以文王箕子爲主, 而卦象只曰, 利艱貞. 若九三有此象, 則象辭必不但下一艱字, 而止, 此象傳曰, 南

---

29) 復卦: 上六, 迷復, 凶, 有災眚, 用行師, 終有大敗, 以其國君凶, 至于十年, 不克征.
30) 『春秋·成公16年』: 公筮之, 史曰, 吉. 其卦遇復曰, 南國蹙, 射其元王, 中厥目, 國蹙王傷, 不敗, 何待. 公從之

狩之志乃大得也, 夫旣得矣, 何曰志耶. 志者, 事之先, 若湯武之志, 則不可先. 故此志, 乃暗之志於得其大首也, 非三之自狩而得其志也. 必曰南狩者, 豈以五月爲陽之極, 長而將夷, 爲不可救之義歟.

'남쪽으로 사냥감'은 천자의 일로 오월의 예이다. '큰 머리'는 양(陽)의 머리이다. '삼'은 밝음이 땅에 교제하는 것이다. 해가 땅속으로 들어갈 때는 머리가 먼저 아래로 가므로 삼을 머리라고 하였다. 이 '사냥'은 삼효가 자신이 사냥하는 것이 아니라 사냥에서 죽음을 당하는 자이니, 이 '사냥'은 바로 상육이 사냥하여 삼효에 호응하는 것이어서 상육은 어두운 몸체의 주인이기 때문에 본래 밝음을 삼키려는 뜻이 있다. "급히 곧게 해서는 안 된다"는 그 어둠의 뜻이 이미 이루어져서 곧음을 급히 하여 밝음의 머리를 얻더라도 불가능하다는 것이다. 질병은 나을 수 있다고 하는 것이 옳다. 삼효가 굳센 양으로 굳센 자리에 있어 느리게 나아가 얼마 후에 떨어지고 핍박받게 될 것이니, 어찌 해로움을 제거하는 사냥을 할 것이며, 때를 타고 있는 음인 육(六)을 대적하여 그 원수를 얻을 수 있겠는가? 탕임금과 무왕의 일은 공자가 혁괘의 「단전」에서 말하였으나, 이것은 물과 불이 서로 정벌하는 것으로부터 말하므로 먼저 천지가 변혁하는 것을 말하고 다음으로 탕임금과 무왕을 언급하였다. 명이의 때의 방법은 문왕과 기자를 위주로 하여서 괘의 「단전」에서 "어려울 때에 곧음이 이롭다"고만 하였다. 만약 구삼에 이 상이 있다면 「단전」에서 반드시 '어려움'이라는 한 글자만 써서 그칠 뿐만 아닌데, 이 「상전」에서 "남쪽으로 사냥하는 뜻을 크게 얻었다"고 하였으니, 이미 얻었다면 어찌 '뜻[志]'이라고 했겠는가? '뜻[志]'은 일보다 먼저이니, 탕임금과 무왕의 뜻은 먼저 할 수 없다. 그러므로 이 뜻은 큰 머리를 얻는 데에 대한 어둠의 뜻이지 삼효가 자신이 사냥가서 그 뜻을 얻는 것이 아니다. 반드시 "남쪽으로 사냥간다"고 한 것이 어찌 오월로 양의 끝을 삼고 자라서 장차 이지러지는데 구할 수 없는 뜻이 될 것이다.

서유신(徐有臣) 『역의의언(易義擬言)』

此亦明而夷者也. 但離終而互震, 是爲昏曉之間, 明將復昇之象也. 日軌南巡, 則登天而明, 北行則入地而晦也. 日周于天, 有巡狩象也. 大首, 乾象也. 三陰在上, 而莫能爲害, 故曰不可疾貞. 方昇之日, 物不得爲疾, 太陽之貞明也.

이것도 밝지만 이지러지는 것이다. 리괘의 끝이지만 호괘인 진괘는 어둠과 새벽의 사이가 되어 밝음이 장차 다시 오르려는 상이다. 해가 궤도를 따라 남쪽으로 가면 하늘에 올라 밝고, 북쪽으로 가면 땅으로 들어가 어둡다. 해는 하늘을 일주하니 순수(巡狩)하는 상이 있다. '큰 머리'는 건괘의 상이다. 세 음이 위에 있지만 해로움이 될 수 없기 때문에 "급히 곧게 해서는 안 된다"고 하였다. 뜨는 해는 사물을 급하게 할 수 없고, 태양의 곧음이 밝음이다.

강엄(康儼) 『주역(周易)』

本義, 成湯起 [止] 羑里.

『본의』에서 말하였다: 성탕이 궐기하였고, … 유리에서.

或曰, 成湯起於夏臺, 而終革夏命, 可謂合此爻之義, 而文王旡有向明除害之事, 於此爻之義, 似所當也. 妄謂成湯之夏臺, 文王之羑里, 卽本義所謂明體而屈於至暗之下者也, 湯文皆由此而起. 或除殘賊, 以安天下, 或三分有二, 以興王業, 文王之終守臣節, 雖異於成湯, 而其先屈後伸之義, 則同也. 此爻以明體屈於至暗, 而有向明除害之義, 故本義以湯文之事證之.

어떤 이가 말하였다: 성탕이 하대에서 궐기하여 마침내 하나라의 명을 바꾸었으니, 이 효의 뜻에 합치한다고 할 수 있는데 문왕은 밝음을 향하고 해로움을 제거하는 일이 없었지만 이 효의 뜻에 해당하는 것 같습니다.

내가 말하였다: 성탕의 하대와 문왕의 유리는 『본의』에서 말한 밝은 몸으로 지극한 어둠의 아래에 굽혀 있는 것으로 탕임금과 문왕은 모두 이것으로 일어났습니다. 혹은 잔적을 제거하여 천하를 편안하게 하며, 혹은 천하의 2/3를 차지하여 천자의 업적을 일으켰지만 문왕은 끝내 신하의 절개를 끝까지 지켰으니, 성탕과는 다를지라도 먼저 굽히고 뒤에 편 뜻은 같습니다. 이 효는 밝은 몸으로 지극한 어둠에게 굽혀있지만 밝음을 향하고 해로움을 제거하려는 뜻이 있으므로, 『본의』에서 탕임금과 문왕의 일로써 그것을 증명한 것입니다.

○ 本義, 又云小事亦有然者, 恐此亦以先屈後伸之義看.

『본의』에서 또 "작은 일들에서도 이러한 경우가 있다"고 한 것은 먼저 굽히고 뒤에 편 뜻으로 보아야 할 것이다.

박문건(朴文健) 『주역연의(周易衍義)』

南征有功, 故有得其大首之象. 南, 在前之方也. 狩, 田獵之名, 征伐之喩也. 大首魁首, 謂上六也.

남쪽으로 가서 공이 있으므로 '큰 머리를 얻는' 상이 있다. '남쪽'은 앞에 있는 방위이고, '수(狩)'는 사냥의 이름이니, 정벌의 비유이다. 큰 머리는 괴수이니 상육을 말한다.

〈問, 明夷以下. 曰九三欲進, 而爲上六之所拒, 雖明夷, 然能南狩而獲其大首也. 不可以有疾病, 然當用貞以威之也. 於此勉貞者, 由上六之彊盛故也.

물었다: '명이' 이하는 무슨 뜻입니까?

답하였다: 구삼이 나아가려고 하나 상육에게 막히니 밝음이 이지러지지만 남쪽으로 사냥하여 큰 머리를 얻게 됩니다. 빠르게 하는 병통이 있어서는 안 되므로 곧음을 써서 위엄 있게 해야 합니다. 여기에서 곧음을 힘쓰게 한 것은 상육이 강성하기 때문입니다)

이지연(李止淵) 『주역차의(周易箚疑)』

明无終傷之理, 暗有必變之時. 非暗傷明, 則明乃變暗, 其勢不兩立. 況我明而彼暗, 我剛而彼柔, 此所謂以至仁伐至不仁者也. 上三陰皆傷明之主, 六則尤其魁首, 而與己爲應者. 天意若曰汝往征之, 而不可疾貞者, 言一日之間, 天命未絶, 則不可以征也. 天命已絶, 人心已去, 則乃一夫也.

밝음은 끝내 손상되는 이치가 없고, 어둠은 반드시 변하는 때가 있다. 어둠이 밝음을 해치지 않으면 밝음은 어둠을 변화시키니, 그 형세는 양립할 수 없다. 하물며 내가 밝고 상대방이 어두우며, 내가 강하고 상대방이 약하면 이것은 지극한 인(仁)으로 지극한 불인(不仁)을 정벌하는 것이다. 위의 세 음이 모두 밝음을 해치는 주인이니, 육(六)은 가장 큰 괴수로 나와 대응이 되는 자이다. 하늘의 뜻은 "네가 가서 정벌하되 급히 곧게 해서는 안 된다"고 말하는 것과 같으니 하루 사이에 천명이 끊어지지는 않는 것이므로 정벌해서 안 됨을 말한다. 천명이 이미 끊어지고 인심도 이미 떠나가면 보통 사람일 것이다.

김기례(金箕澧) 『역요선의강목(易要選義綱目)』

南謂前也.

'남쪽'은 앞을 말한다.

○ 大首, 指上六柔暗大惡.

'큰 머리'는 부드럽고 어두운 큰 악인 상육을 가리킨다.

○ 三居明極, 敵暗極而剪去, 則如湯武之事.

삼효는 지극히 밝음에 있어 지극한 어둠을 대적하여 잘라 버리는 것이니, 탕임금과 무왕의 일과 같다.

○ 不曰伐而曰狩者, 以下攻上. 在聖人拯民, 不得已之事, 而猶有慙德之意.

'정벌'이라고 하지 않고 '사냥'이라고 한 것은 아래가 위를 공격해서이다. 성인이 백성을 구제하는데 있어서는 부득이한 일이지만 덕에 부끄러운 뜻이 있다.

○ 火性疾, 故戒其不可遽革舊染, 而殲厥巨魁.

불의 성질은 급하므로 급하게 옛날 더럽혀진 것을 고치거나 큰 괴수를 제거하지 말아야 한다고 경계하였다.

심대윤(沈大允) 『주역상의점법(周易象義占法)』

明夷之復䷗, 反也. 日之極北而將反也. 九三以剛居剛而有應, 違之而有合, 旣晦而有復明之理, 故曰明夷于南狩, 言背暗向明, 如日之自北向南也. 離爲南, 有坎坤而無艮, 故不言田而言狩也. 坎爲大, 震爲首, 大首, 天下之所宗主也. 坤一變爲艮, 艮爲得, 明夷變而爲衆所戴, 故取變也. 桀紂之世, 湯武, 是也. 九三, 諸侯之明夷也. 上下之陰順從, 而初九不從, 猶未可放伐, 故曰不可疾貞. 震爲疾, 諸侯皆曰可伐, 武王曰不可, 是也.

명이괘가 복괘(復卦䷗)로 변하였으니, 돌아가는 것이다. 해가 북쪽 끝까지 가면 돌아온다. 구삼은 굳센 양으로 굳센 양의 자리에 있어 호응이 있고, 어긋나더라도 합함이 있으며, 이미 어두우나 다시 밝아지는 이치가 있으므로 "명이한 때에 남쪽으로 사냥한다"고 하였으니, 어둠을 등지고 밝음을 향함은 해가 북쪽에서 남쪽으로 향하는 것과 같다는 말이다. 리괘가 남쪽이고 감괘와 곤괘는 있지만 간괘가 없으므로 '전(田)'이라고 하지 않고 '수(狩)'라고 하였다. 감괘는 큼이 되고, 진괘는 머리가 되니, '큰 머리'는 천하가 으뜸으로 여기는 주인이다. 곤괘(☷)의 한 효가 변하면 간괘(☶)가 되는데 간괘는 얻음이 되니, 명이가 변하여 무리에게 받들어지게 되므로 변화를 취하였다. 걸왕과 주왕의 시기에 탕임금과 무왕이 이것이다. 구삼은 제후의 명이이다. 위 아래의 음이 순종하고 초구는 따르지 않으나 오히려 아직 정벌할 수 없기 때문에 "급히 곧게 해서는 안 된다"고 하였다. 진괘가 급함이 되는데 제후들이 모두 "정벌할 수 있다"고 하였지만 무왕이 "안 된다"고 한 것이 이것이다.

오치기(吳致箕) 「주역경전증해(周易經傳增解)」

九三, 陽剛得正, 而居離之終, 應上六之暗主, 故有向明而南狩, 除害而得其首惡之象. 然誅暴救民, 其事雖正, 而出於萬一不得已, 故必遲待天命人心, 而不可急也, 所以戒言如此.

구삼은 굳센 양으로 바름을 얻고 리괘의 끝에 있어 어둠의 주인인 상육과 호응하므로 밝음을 향하여 남쪽으로 사냥 가서 해로움을 제거하여 악의 괴수를 얻는 상이 있다. 그러나 포악한 사람들을 제거하고 백성을 구원할 때에, 그 일이 바르지만 만일의 부득이함에서 나왔기 때문에 반드시 천명과 인심을 더디게 기다려 급하게 해서는 안 되니, 그래서 경계하는 말이 이와 같다.

○ 南取於離, 狩者畋獵而去害也. 離爲戈兵, 互震爲動, 而震動戈兵, 爲畋獵之象也. 大首, 指上六暗主, 而取對乾之陽爲大爲首也. 疾, 取於互震, 貞, 取於三之得正也.
남쪽은 리괘에서 취하였고, 사냥은 사냥 가서 해로움을 제거함이다. 리괘는 병기가 되고, 호괘인 진괘는 움직임이 되어 병기를 진동시켜 사냥하는 상이 된다. '큰 머리'는 상육의 어두운 임금을 가리키는데 음양이 바뀐 괘인 건괘의 양의 큼이 되고 머리가 되는데서 취하였다. '급함'은 호괘인 진괘에서 취하였고, '곧음'은 삼효가 바름을 얻음에서 취하였다.

이진상(李震相) 『역학관규(易學管窺)』

于南狩.
남쪽으로 사냥하여.

陰暗在前, 故曰南狩, 非以離之在南也. 三是離體, 所敵在坤. 若用後天方位, 則當曰自南而狩于西耳. 但自二至上, 有師之體, 而坤爲冬日行南陸, 坎爲弓輪, 離爲甲冑戈兵, 有狩獲之象.
어두운 음이 앞에 있으므로 "남쪽으로 사냥간다"고 하였으니, 리괘가 남쪽에 있기 때문이 아니다. 삼효는 리괘의 몸체이며, 대적하는 상대방은 곤괘에 있다. 만약 후천의 방위를 사용한다면 "남쪽에서 서쪽으로 사냥간다"고 해야 한다. 이효에서 상효까지 사괘의 몸체가 있고, 곤괘는 겨울에 해가 남쪽 대륙으로 감이 되며, 감괘는 활과 바퀴가 되고, 리괘는 갑옷과 병기가 되니, 사냥 가서 잡는 상이 있다.

박문호(朴文鎬) 『경설(經說)-주역(周易)』

不以武王配湯, 而必擧文王者, 以夏臺羑里其事同故也.
무왕을 탕임금에 짝하지 않고 굳이 문왕을 든 것은 하대와 유리의 일이 같기 때문이다.

이용구(李容九) 「역주해선(易註解選)」

成湯起於夏臺, 文王興於羑里, 正合此爻之義.
성탕은 하대(夏臺)에서 궐기하였고 문왕은 유리(羑里)에서 병사를 일으켰으니, 바로 이 효의 뜻과 부합된다.

象曰, 南狩之志, 乃大得也.

「상전」에서 말하였다: "남쪽으로 사냥하는" 뜻을 크게 얻는다.

║中國大全║

傳

夫以下之明, 除上之暗, 其志在去害而已, 如商周之湯武, 豈有意於利天下乎.
得其大首, 是能去害而大得其志矣, 志苟不然, 乃悖亂之事也.

아래의 밝음이 위의 어둠을 제거함에는 그 뜻이 해악을 제거하는데 있을 따름이니, 은나라의 탕임금과 주나라의 무왕이 어찌 천하를 탐하는 뜻을 두었겠는가? 큰 머리를 얻음은 해악을 제거하여 그 뜻을 크게 얻을 수 있음이니, 뜻이 만약 그렇지 않다면 어그러지고 혼란스러운 일이 된다.

小註

建安丘氏曰, 三在明體之上, 以昭去昏, 以順取逆, 持此以往, 則南狩可以大得志矣.

건안구씨가 말하였다: 구삼은 밝은 몸체의 위에 있고, 밝음으로 어둠을 제거하고 순종함으로 거스름을 취했으며 이것을 지니고 나아갔으니, 남쪽으로 사냥을 하면 그 뜻을 크게 얻을 수 있다.

○ 中溪張氏曰, 是狩也, 必有湯武之志, 然後可以行湯武之事也.

중계장씨가 말하였다: 이러한 사냥에 있어서 반드시 탕임금이나 무왕의 뜻을 지닌 뒤에라야 탕임금과 무왕이 했던 일을 시행할 수 있다.

▌韓國大全▐

김상악(金相岳) 『산천역설(山天易說)』

以明除暗, 以順取逆, 何患不得志也. 志陽而意陰, 故三言志, 四言意.

밝음으로 어둠을 제거하고 유순함으로 거스름을 취하니, 어찌 뜻을 얻지 못함을 근심하겠는가? 뜻[志]은 양이고 생각[意]은 음이므로 삼효에서는 뜻을, 사효에서는 생각을 말하였다.

서유신(徐有臣) 『역의의언(易義擬言)』

後天之離, 乃得先天之乾, 此其象也. 南狩之志, 在於得大首. 然則其志, 蓋不在於上六之應也.

후천의 리괘가 선천의 건괘를 얻은 것이 이 상이다. 남쪽으로 사냥 가는 뜻은 큰 머리를 얻는데 있다. 그렇다면 그 뜻은 상육의 호응에 있지 않다.

오치기(吳致箕) 「주역경전증해(周易經傳增解)」

向明而除暗主, 其志乃大得天命人心也.

밝음을 향하고 어두운 주인을 제거하니, 그 뜻은 천명과 인심을 크게 얻는 것이다.

이병헌(李炳憲) 『역경금문고통론(易經今文考通論)』

荀九家曰, 自暗復明, 當以漸次, 不可卒正.

『순구가역(荀九家易)』에서 말하였다: 어둠에서 밝음으로 회복하는 것은 마땅히 점차적이어서 갑자기 바로 할 수 없다.

程傳曰, 南, 明方也. 狩, 去害之事也. 大首, 謂暗之魁首, 上六也, 是能去害, 而大得志矣.

『정전』에서 말하였다: 남쪽은 밝음에 해당하는 방위이다. '사냥'은 해로움을 제거하는 일이다. '큰 머리'는 어둠의 괴수로 상육을 말한다. 해악을 제거하여 그 뜻을 크게 얻을 수 있다.

按, 此文王之事.

내가 살펴보았다: 이것은 문왕의 일이다.

六四, 入于左腹, 獲明夷之心, 于出門庭.

정전 육사는 좌측 배로 들어가서 명이한 마음을 얻어서 대문의 뜰로 나온다.
본의 육사는 좌측 배로 들어가니, 명이의 마음을 얻어서 대문의 뜰로 나온다.

中國大全

傳

六四, 以陰居陰而在陰柔之體, 處近君之位, 是陰邪小人, 居高位, 以柔邪順於君
者也. 六五, 明夷之君位, 傷明之主也, 四以柔邪順從之, 以固其交, 夫小人之事
君, 未有由顯明以道合者也, 必以隱僻之道, 自結於上. 右當用, 故爲明顯之所,
左不當用, 故爲隱僻之所. 人之手足, 皆以右爲用, 世謂僻所爲僻左, 是左者, 隱
僻之所也. 四由隱僻之道, 深入其君, 故云入于左腹, 入腹, 謂其交深也. 其交之
深, 故得其心, 凡奸邪之見信於其君者, 皆由奪其心也, 不奪其心, 能无悟乎? 于出
門庭, 旣信之于心而後行之於外也. 邪臣之事暗君, 必先蠱其心而後能行於外.

육사는 음으로 음의 자리에 있고 부드러운 음의 몸체에 있어서 군주와 가까운 자리에 위치하였으니,
음흉하고 사악한 소인이 높은 지위에 머물러서 유약함과 사악함으로 군주에게 순종하는 자이다. 육
오는 명이의 임금 자리이고 밝음을 손상시키는 주인인데, 사효가 유약함과 사악함으로 순종하며 따
라서 그 사귐을 견고하게 만드니, 소인이 군주를 섬김에 현저한 밝음의 도로써 합하는 자가 없고,
반드시 숨고 치우친 도를 실천하여 스스로 윗사람과 결탁을 한다. 우측은 쓰기에 합당하기 때문에
밝고 드러나는 장소가 되고, 좌측은 쓰기에 합당하지 않기 때문에 숨고 치우친 장소가 된다. 사람의
손발에 있어서 모든 경우에 우측을 주로 사용하고 속세에서는 치우친 곳을 '벽좌(僻左)'라고 부르니,
이것은 좌측이 숨고 치우친 장소가 됨을 뜻한다. 사효는 숨고 치우친 도에 따라서 군주에게 깊이
들어갔기 때문에 "좌측 배로 들어간다"고 했으니, "배로 들어간다"는 말은 사귐이 깊음을 뜻한다.
사귐이 깊기 때문에 그 마음을 얻는 것으로, 간사하고 사악한 자가 군주에게 신임을 얻음은 모두
그 마음을 빼앗음에서 비롯되니, 그 마음을 빼앗지 않는다면 군주가 깨닫지 못하겠는가? "대문의 뜰
로 나온다"는 말은 마음으로 믿게 한 뒤에 밖으로 시행한다는 의미이다. 간사한 신하가 어두운 군주
를 섬길 때에는 먼저 그 마음을 미혹시킨 뒤에 밖으로 시행할 수 있다.

本義

此爻之義, 未詳. 竊疑左腹者, 幽隱之處, 獲明夷之心于出門庭者, 得意於遠去
之義, 言筮而得此者, 其自處當如是也. 蓋離體, 爲至明之德, 坤體, 爲至闇之地,
下三爻, 明在闇外, 故隨其遠近高下, 而處之不同. 六四, 以柔正居闇地而尙淺,
故猶可以得意於遠去. 五, 以柔中居闇地而已迫, 故爲內難正志以晦其明之象.
上則極乎闇矣, 故爲自傷其明, 以至於闇而又足以傷人之明. 蓋下五爻, 皆爲君
子, 獨上一爻爲闇君也.

이 효의 뜻에 대해서는 정확히 알 수 없다. 내가 생각하기에 좌측 배는 그윽하고 숨겨진 장소이고,
명이의 마음을 얻어서 대문 뜰로 나옴은 멀리 떠난다는 의미에서 뜻을 얻은 것이니, 점을 쳐서 이
효를 얻은 자는 마땅히 이처럼 자처해야 한다는 의미이다. 리괘의 몸체는 지극히 밝은 덕이 되고
곤괘의 몸체는 지극히 어두운 땅이 되며, 아래의 세 효는 밝음이 어둠 밖에 있기 때문에 거리와 높이
의 차이에 따라서 대처함이 동일하지 않다. 육사는 부드럽고 바름으로 어두운 땅에 있지만 아직까지
는 얕기 때문에, 오히려 멀리 떠남에서 뜻을 얻을 수 있다. 오효는 부드럽고 알맞음으로 어두운 땅에
있고 이미 급박하기 때문에, 안이 어렵지만 뜻을 바르게 하여 밝음을 감추는 상이 된다. 상효는 어둠
이 지극해지기 때문에 스스로 밝음을 손상시키고, 이로써 어둠에 이르게 되고 또 남의 밝음도 손상시
키기에 충분하다. 그 아래의 다섯 효는 모두 군자가 되고, 상효 하나만 어두운 군주가 된다.

小註

朱子曰, 明夷下三爻, 皆說明夷是明而見傷者. 六四爻說者, 卻以爲是奸邪之臣先蠱惑
其君心, 而後肆行於外. 殊不知上六是暗主, 六五卻不作君說. 六四之與上六旣非正
應, 又不相比. 又況下三爻皆說明夷是好底, 何獨此爻卻作不好說. 以意觀之, 六四居
闇地尙淺, 猶可以得意而遠去, 故雖入於幽隱之處, 猶能獲明夷之心, 于出門庭也, 故
小象曰, 獲心意也. 上六不明晦, 則是合下已是不明, 故初登于天可以照四國, 而不免
後入于地, 則是始於傷人之明, 而終於自傷以墜其命矣. 呂原明以爲唐明皇可以當之,
蓋言始明而終暗也.

주자가 말하였다: 명이괘 하괘의 세 효에서는 모두 명이는 밝지만 상처를 입는다고 설명한
다. 육사의 효에서는 도리어 간사한 신하가 먼저 군주의 마음을 미혹시키고 이후에 밖으로
제멋대로 행동한다고 설명했다. 상육이 어두운 임금이고 육오가 임금이 된다고 말할 수 없
음을 전혀 알지 못한 것이다. 육사는 상육과 정응이 되지 않고, 또 서로 비견되지도 않는다.
하물며 하괘의 세 효에서 모두 명이함이 좋은 것으로 설명했다면, 어찌 유독 이 효에서만
좋지 않다고 했겠는가? 그 뜻으로 살펴본다면 육사는 어두운 곳에 있지만 아직까지는 얕으
니, 오히려 그 뜻을 얻어서 멀리 떠날 수 있기 때문에 비록 그윽하고 숨겨진 곳으로 들어가

더라도 오히려 명이의 마음을 획득하여 대문의 뜰로 나올 수 있기 때문에, 소상전에서는 "마음과 뜻을 얻는다"고 하였다. 상육은 밝지 못하여 어두우니 당연히 밝지 못하기 때문에, 처음에 하늘에 오름으로써 사방의 나라를 비출 수 있지만, 뒤에는 땅속으로 들어감을 면하지 못한다면, 이것은 남의 밝음을 상처 입히는 것에서 시작하여 끝내 스스로 상처를 입혀서 명을 실추시키는 일에 해당한다. 여원명(呂原明)31)은 당나라 현종이 여기에 해당할 수 있다고 여겼으니, 처음에는 밝았지만 끝내 어둡게 됨을 뜻한다.

○ 于出門庭, 言君子去暗尙遠, 可以得其本心而遠去.
"대문의 뜰로 나온다"는 말은 군자가 어둠으로부터 멀리 떨어져 있기 때문에, 그 본심을 얻어서 멀리 떠날 수 있음을 뜻한다.

○ 雲峰胡氏曰, 腹坤象, 故坤體之下有左腹象. 自明之暗, 有入于幽隱之象. 左僻爲幽, 腹在內爲隱, 諸家皆以入于左腹, 爲小人左道惑君, 本義謂上爲暗主, 傷人之明者, 下五爻, 皆君子之明爲其所傷者. 初二三明在暗外, 至四則明將入于暗中, 然比之六五, 則暗尙淺, 猶可得意于遠去. 坤有腹象, 入于左腹, 自離而入于坤也. 坤偶有門象, 于出門庭, 猶可去而出乎坤也. 獲明夷之心者, 微子之自靖, 出門庭者, 微子之行遯也.
운봉호씨가 말하였다: 배는 곤괘의 상이기 때문에 곤괘의 몸체 중 아래에는 좌측 배의 상이 있다. 밝음으로부터 어둠으로 나아감에는 그윽하고 숨겨진 곳으로 들어가는 상이 있다. 좌측의 숨겨진 장소는 그윽한 곳이고 배는 안에 있어 숨겨진 장소가 되는데, 여러 학자들은 모두 "좌측 배로 들어간다"는 말을 소인이 옳지 못한 도로써 군주를 미혹시킨다고 여겼고, 『본의』에서는 상효는 어두운 주인이 되어 남의 밝음을 손상시키는 자라고 했으며, 아래 다섯 효는 모두 군자의 밝음이 손상을 당한 것이라고 했다. 초효·이효·삼효의 밝음은 어둠 밖에 있고, 사효에 이르게 되면 밝음이 장차 어둠 속으로 들어가게 되지만, 육오와 비교해보면 어둠이 여전히 얕기 때문에 오히려 멀리 떠남에서 뜻을 얻을 수 있다. 곤괘에는 배의 상이 있으니 "좌측 배로 들어간다"는 말은 리괘로부터 곤괘로 들어간다는 뜻이다. 곤괘(坤卦☷)는 짝으로 되어 있어 대문의 상이 있고 "대문의 뜰로 나온다"는 말은 오히려 떠나서 곤괘로부터 나올 수 있다는 뜻이다. 명이의 마음을 얻음은 미자가 스스로 뜻을 실천할 방안을 모색함이며, 대문의 뜰로 나옴은 미자가 은거함이다.

○ 建安丘氏曰, 坤爲腹, 左者隱僻之所也. 六四進居坤體之下, 故曰入于左腹. 傷人之

---

31) 여원명(呂原明): 북송(北宋)때의 학자이며 명신(名臣)으로 이름은 여희철(呂希哲), 자(字)는 원명(原明)이며, 시호(諡號)는 형공(榮公)이다. 저서(著書)로는 여씨잡기(呂氏雜記)가 있다.

明者, 上也. 六四, 深入其腹, 而得其傷明之心, 故曰獲明夷之心. 幸而四與上同體, 于此而得其密意, 知上之闇主不可輔, 舍而去之以就九三之明, 故有于出門庭之象. 此微子於紂爲同姓肺腑之親, 知其意之不可諫, 舍商紂而歸武王. 書云, 吾家耄遜于荒, 我不顧行遯, 正得此爻之義矣.

건안구씨가 말하였다: 곤괘는 배가 되고 좌측은 숨겨지고 가려진 장소이다. 육사는 나아가서 곤괘 몸체의 아래에 있기 때문에 "좌측 배로 들어간다"고 하였다. 남의 밝음을 손상시키는 자는 상효이다. 육사는 배로 깊이 들어가서 밝음을 손상시키는 자의 마음을 얻었기 때문에 "명이의 마음을 얻는다"고 하였다. 요행히 사효는 상효와 동체가 되어 이때에 은밀한 뜻을 얻어 상효에 해당하는 어두운 주인을 보필할 수 없다는 사실을 알아서, 버리고 떠나 구삼의 밝음으로 나아갔기 때문에 대문의 뜰로 나오는 상이 있다. 이것은 미자가 주왕에 대해서는 동성으로 매우 가까운 친척이 되지만 간언을 할 수 없다는 뜻을 알아서 은나라의 주왕을 버리고 무왕에게 귀의한 경우와 같다. 『서경』에서는 "우리나라의 나이든 사람들이 황야로 달아나니, 나는 돌아보지 않고 떠나겠다"[32]고 하였으니, 바로 이 효의 뜻을 얻음이다.

○ 雙湖胡氏曰, 節初九戶庭, 指九二, 九二門庭, 指六三. 陽爲戶, 陰爲門. 今六四稱門庭, 蓋指本爻之象也.

쌍호호씨가 말하였다: 절괘(節卦䷻)의 초구에서 호정(戶庭)이라고 한 말은 구이를 가리키며, 구이에서 문정(門庭)이라고 한 말은 육삼을 가리킨다. 양은 방문이 되고 음은 대문이 된다. 명이괘의 육사에서는 '문정(門庭)'이라고 지칭했는데, 아마도 본효의 상을 가리키는 것 같다.

‖韓國大全‖

송시열(宋時烈) 『역설(易說)』

二之言左與師同, 然此爻亦言左者, 終未瑩. 蓋左爲東, 故於震云左耶. 震爲龣足, 龣者左足白皙, 皆以左東之意. 師亦似以震言左. 腹者, 坤爲腹, 震錯巽爲入, 而入于腹, 則

---

32) 『書經·微子』: 曰, 父師少師. 我其發出狂. 吾家耄遜于荒. …… 自靖, 人自獻于先王, 我不顧行遯.

入之深也. 深入則得所以處明夷之心也. 震爲出, 綜艮爲門, 四爻又爲門爻, 故曰于出門庭. 所謂獲心意者, 與初爲應, 以心相得也.

이효에서 왼쪽을 말한 것은 사괘와 같으나, 본 효에서 왼쪽을 말한 것은 끝내 확실하지 않다. 왼쪽은 동쪽이 되므로 진괘(☳)에서 왼쪽을 말한 것이 아닐까? 진괘는 왼발이 흰 말이 되는데 '발 흰 말[馵]'은 왼쪽 발이 희고 살이 두툼한 것으로 모두 왼쪽을 동쪽으로 한다는 뜻이다. 사괘에서도 진괘를 왼쪽으로 말하는 것 같다. '배'는 곤괘가 배가 되고, 진괘의 음양이 반대인 손괘가 들어감이 되는데, 배에 들어가면 깊이 들어간 것이다. 깊이 들어가면 명이에 있는 마음을 얻을 수 있다. 진괘가 나옴이 되고, 진괘가 거꾸로 된 간괘가 문이 되며, 사효가 또 문의 효가 되므로 "대문의 뜰을 나온다"고 하였다. '마음과 뜻을 얻은 것'은 초효와 호응하는 것으로 마음으로 서로 얻은 것이다.

이현익(李顯益) 『주역설(周易說)』

建安丘氏謂, 六四深入其腹, 而得其傷明之心. 於此而得其密意, 知上之闇主不可輔, 舍而去之以就九三之明, 故有于出門庭之象.

건안구씨가 말하였다: 육사는 배로 깊이 들어가서 밝음을 손상시키는 자의 마음을 얻었다. 이때에 은밀한 뜻을 얻어 상효에 해당하는 주인이 보필할 수 없다는 사실을 알아서, 버리고 떠나서 구삼의 밝음으로 나아갔기 때문에 대문의 뜰로 나오는 상이 있다.

此說非是. 獲明夷之心, 只是去之者自獲其心, 非謂得上六傷明之心. 于出門庭, 只是遠去之謂, 非謂就九三. 況門之取象, 只是坤, 以九三言, 可乎. 此說, 不但與本義不合, 亦與傳不合.

이 설명은 옳지 않다. '명이한 마음을 얻음'은 떠나는 자가 스스로 그 마음을 얻는 것이지 상육이 밝음을 손상시키는 마음을 얻는 것을 뜻하지 않는다. "대문의 뜰을 나온다"는 멀리 떠난다는 말이지 구삼에 나아간다는 뜻이 아니다. 하물며 문으로 상을 취함은 다만 곤괘인데 구삼으로 말함이 괜찮겠는가? 이 설명은 『본의』와 합치되지도 않을 뿐만 아니라 『정전』과도 합치되지 않는다.

王氏湘卿謂, 微子去之, 利而不貞, 比干諫而死, 貞而不利. 惟箕子囚奴, 利且貞.

왕상경이 말하였다: 미자가 떠나간 것은 이롭지만 곧지 못한 것이고, 비간이 간하다 죽은 것은 곧지만 이롭지 못한 것이다. 기자만 죄를 짓고 노비가 된 것이 이롭고 또 곧다.

夫利貞, 只是謂利於貞, 今作二德說, 非是. 且微子之去, 亦合於義則謂之不貞, 不可.

곧음이 이로움은 다만 곧음에 이로움을 말하는 것이니, 지금 두 가지 덕을 말하는 것은 옳지 않다. 또 미자가 간 것은 의리에 합하니, 곧지 못하다고 한 것도 옳지 않다.

이익(李瀷) 『역경질서(易經疾書)』

六四左腹, 明夷之極, 卽冬至夜半之候也. 苟欲獲其心意, 非入于此, 不能門庭向明之地獲以出之, 乃得其幽暗之心, 而發諸向明之地, 比干事可以當之. 蓋謂身犯昏暴之君, 直諫而發其心迹也, 何以不言死其守, 正不畏死, 爻有此象, 其被殺非所論也. 六四在明夷之世, 近君而得正故也. 明夷諸爻, 皆得位, 惟六五中而失正, 有賢而失位之象, 箕子當之. 傳云箕子也

육사의 좌측 배는 명이의 끝으로 동지 한밤중 때이다. 만약 그 마음과 뜻을 얻고자 한다면 이 곳으로 들어가지 않고서는 밝은 곳으로 향하는 대문의 뜰을 얻어 나올 수 없으니, 이에 바로 그 어두운 마음을 얻어 밝음으로 향하는 곳에서 편다는 것으로 비간의 일이 이에 해당한다. 어둡고 포악한 임금에게 몸이 손상되더라도 바른 말로 간하여 그 마음의 자취를 폈으니, 어찌 죽음으로 지키고 바름으로 죽음을 두려워하지 않았다고 말하지 않겠는가? 효에 이 상이 있으니, 그가 피살될 것은 논할 것이 아니다. 육사가 명이의 시기에 임금에게 가까이 있으면서 바름을 얻었기 때문이다. 명이괘의 모든 효가 모두 제자리를 얻었지만 육오만 가운데이면서 바름을 잃고 어질지만 자리를 잃은 상이 있으니, 기자가 이에 해당한다. 「단전」에서도 기자를 말하였다.

심조(沈潮) 「역상차론(易象劄論)」

六四, 入于左腹, 門庭.

육사는 좌측배로 들어가니, 대문의 뜰로.

入, 反巽也, 腹, 卦中而又坤也. 左, 陰也, 門庭, 坤偶而又反艮也. 占法又以三四爲門戶爻.

'들어감'은 음양이 바뀐 손괘이고, '배'는 괘의 가운데이면서 또 곤괘이다. '왼쪽'은 음이고, '대문의 뜰'은 곤괘의 짝이면서 또 뒤집어진 간괘이다. 점치는 법에서도 삼효와 사효를 대문의 효로 여긴다.

유정원(柳正源) 『역해참고(易解參攷)』

鄭氏〈剛中〉曰, 干寶云, 一爲室, 二爲戶, 三爲庭, 四爲門, 六四在門庭間, 故以出爲言.

정강중이 말하였다: 간보가 '초효는 집, 이효는 방, 삼효는 뜰, 사효는 문'이라고 하였으니, 육사가 문과 뜰의 사이에 있으므로 '나옴'을 말하였다.

○ 雙湖胡氏曰, 腹坤象, 四進坤體, 故曰入. 去上六, 猶隔六五, 故曰左腹. 獲, 得也. 傷明者, 上也. 入其腹, 得其傷明之心, 故曰獲明夷之心. 幸而稍隔, 尙可避去, 故曰于出門庭.

쌍호호씨가 말하였다: '배'는 곤괘의 상으로 사효가 곤의 몸체로 나아가기 때문에 "들어간다"고 하였다. 상육으로 가지만 육오에서 떨어져 있기 때문에 '좌측 배'라고 하였다. '획(獲)'은 얻음이다. 밝음을 손상하는 자는 상효이다. 그 배에 들어가 밝음을 손상시키는 마음을 얻기 때문에 "명이의 마음을 얻는다"고 하였다. 다행히 조금 떨어져 있어 오히려 피하여 떠날 수 있기 때문에 "대문의 뜰에서 나온다"고 하였다.

○ 梁山來氏曰, 此爻指微子言. 蓋初爻指伯夷, 二爻指文王, 三爻指武王, 五爻指箕子, 上六指紂, 則此爻乃指微子无疑矣. 左腹者, 微子, 乃紂同姓, 腹心之臣也. 坤爲腹, 腹之象. 此爻變中爻爲巽. 巽爲入, 入之象也. 因六四與上六同體, 故以腹心言之. 明夷者, 紂也, 明夷之心者, 紂之心意也. 出門庭, 遯去也.

양산래씨가 말하였다: 이 효는 미자를 가리켜 말한 것이다. 초효는 백이를, 이효는 문왕을, 삼효는 무왕을, 오효는 기자를, 상육은 주왕을 가리켰으니, 이 효가 미자를 가리킨 것이 틀림없다. '좌측 배'는 미자인데 주왕의 동성의 친척으로서 깊이 신뢰하는 신하이다. 곤괘는 배가 되니 배의 상이다. 이 효는 가운데 효가 변하면 손괘가 된다. 손괘는 들어감이니 들어가는 상이다. 육사와 상육이 같은 몸체이므로 심복[腹心]으로 말하였다. 명이는 주왕이고, 명이의 마음은 주왕의 마음과 뜻이다. '대문의 뜰에서 나옴'은 피하여 떠나는 것이다.

○ 案, 左者, 不便於用事也. 腹心者, 親密之地也. 四居親密之地, 而不見信任, 无所用事, 猶能出門遠去. 諸儒以微子言者, 近是.

내가 살펴보았다: '좌측'은 사용하는데 불편하다. '심복[腹心]'은 친밀한 곳이다. 사효가 친밀한 곳에 있지만 신임을 받지 못하여 할 수 있는 것이 없으니, 오히려 문을 나와 멀리 떠날 수 있다. 여러 선비들이 미자로써 말한 것이 옳은 듯하다.

김상악(金相岳) 『산천역설(山天易說)』

左腹者, 幽隱之處. 六四居坤之下, 與上同體, 故深入其腹, 得其傷明之心, 而比三互震體, 故出門庭以去之, 微子行遯, 此爻之義也.

'좌측 배'는 그윽하고 숨겨진 장소이다. 육사는 곤괘의 아래에 있으면서 상효와 같은 몸체이므로 깊이 그 배에 들어가 밝음을 손상시키는 마음을 얻어 호괘인 진괘의 몸체인 삼효에 가까이 있으므로 대문의 뜰을 나와 떠나는 것이니, 미자가 떠나 숨은 것이 이 효의 뜻이다.

○ 腹坤象, 門者, 陰之偶也. 四之與上同處暗地, 又爲心位, 故獲明夷之心也. 四變爲豊, 豊亦明之見蔽者, 而曰日中見斗, 遇其夷主, 故本爻之象如此. 獲明夷之心, 卽幽不明也. 出門庭, 則必有所遇也.

'배'는 곤괘의 상이고, '문'은 음의 짝이다. 사효가 상효와 함께 어두운 곳에 있고, 또 마음의 자리가 되기 때문에 명이의 마음을 얻는다. 사효가 바뀌면 풍괘(䷶)가 되는데 풍괘도 밝음이 가려지는 것으로 "대낮에도 북두성을 보니, 대등한 상대를 만난다"[33]고 하였으므로 이 효의 상도 이와 같다. '명이의 마음을 얻음'은 그윽하여 밝지 못한 것이다. 대문의 뜰을 나오면 반드시 만나는 것이 있을 것이다.

김규오(金奎五) 「독역기의(讀易記疑)」

六四得正, 而傳以爲柔邪者, 主於五之君位也. 五固君位, 而屯復之初, 皆有君象, 亦何常之有. 義所以不取也.

육사가 바름을 얻었는데 『정전』에서 유약하고 사악하다고 한 것은 오효의 임금의 자리를 위주로 말한 것이다. 오효는 임금의 자리이지만 준괘와 복괘의 초효에 모두 임금의 상이 있는 것이 또한 어찌 항상 있는 것이겠는가? 의리상 취할 수 없는 것이다.

○ 門庭, 同人節, 皆以陽前遇陰, 謂之門, 此獨直以本爻當之. 疑彼以前進而言, 此以退去而言, 自九三而視四故云然耶. 入言自离入坤也, 出言自坤退去也. 丘氏得其密意, 知不可輔之說, 違於傳義, 又涉傷巧, 未信其必然也.

'대문의 뜰'은 동인괘와 절괘에 모두 양이 앞에 있으면서 음을 만나는 것을 문이라고 하였으니, 여기에 이 효가 해당한다. 아마 저기에서는 앞으로 나아감으로써 말하였고, 여기에서는 물러나는 것으로써 말하였으니, 구삼으로부터 사효를 보기 때문에 그런 것일 것이다. '들어감'은 리괘에서 곤괘로 들어가는 것이고, '나옴'은 곤괘에서 물러감을 말한다. 구씨의 "은밀한 뜻을 얻어 보필할 수 없음을 안다"는 설명은 『정전』과 『본의』에 어긋나며, 게다가 너무 교묘하니, 그것이 반드시 그런지 믿을 수 없다.

박제가(朴齊家) 『주역(周易)』

入者, 非他乃陰也. 獲與得有間, 此獲乃殺獲也. 此爻恐專爲比干設也. 于出門庭者, 剖其心, 而專無掩蔽, 惡之著也. 猶同人出門之出門. 若曰左腹爲幽隱之處, 出門庭爲

---

33) 豊卦: 九四, 豊其蔀, 日中見斗, 遇其夷主, 吉.

得意遠去之義, 則此所謂明夷之物者, 自入於他人之腹, 而又獲自己之心, 則於文爲不成理. 此之爲說, 由於象傳獲心意也一句, 而謂得其心意也. 然非但得與獲不同, 而曰得心足矣, 又何曰心意也. 三曰志大得, 四又曰獲心意, 此明夷之時, 何其得意之多也. 此當以獲心爲句, 屬之上句, 入于左腹, 而以意之一字爲斷. 意與億通, 爲億逆之義, 而又爲逼勒之義, 言此獲心者, 乃逼勒之至者, 所不忍言者也. 故只曰意而紂之惡見矣.

'들어감'은 다름이 아니라 음이다. '얻을 획(獲)'과 '얻을 득(得)'은 차이가 있으니, 이 '얻을 획(獲)'은 죽여서 얻는 것이다. 이 효는 전적으로 비간을 위하여 가설한 듯하다. '대문의 뜰을 나옴'은 그 심장을 쪼개어 전연 가림이 없는 것이니, 악이 드러남이다. 동인괘의 문을 나옴[34]의 문을 나옴과 같다. 만약 '좌측 배'가 그윽하고 숨겨진 장소이고, '대문의 뜰을 나옴'이 뜻을 얻어 멀리 떠난다는 뜻이라고 말한다면, 여기서 말한 명이라는 것은 다른 사람의 배에 스스로 들어온 것이고, 또 자기의 마음을 얻었다는 것이니, 문장에서 이치가 성립되지 않는다. 여기에서 말한 것은 「상전」에서 "마음과 뜻을 얻은 것이다"는 한 구절에 근거하여 그 마음과 뜻을 얻었다고 하는 것이다. 그러나 '득(得)'과 '획(獲)'이 같지 않을 뿐만이 아니어서 "마음을 얻었다[得心]"라고 하면 충분한데 또 어찌 '마음과 뜻[心意]'이라고 하는가? 삼효에서 "뜻을 크게 얻었다"고 하였고, 사효에서 또 "마음과 뜻을 얻은 것이다"고 하였으니, 이는 명이의 때에 어찌 뜻을 얻은 것이 많은가? 이 문장은 '획심(獲心)'을 한 구절로 하여 위 구절에 속하게 하고, '입우좌복(入于左腹)'은 '의(意)' 한 글자로 판단하여야 한다. '의(意)'와 '억(億)'은 통하며 헤아리는 뜻이 되고, 또 핍박하고 억누르는 뜻이 되니, 여기에서 '마음을 얻음[獲心]'은 핍박하고 억누름이 지극한 것으로 차마 말할 수 없는 것이다. 그러므로 '뜻[意]'이라고 말하였지만 주왕의 악함이 드러난다.

서유신(徐有臣) 『역의의언(易義擬言)』

六四, 柔順得正, 能深知明夷之心, 而出避於外者也. 應於初九, 離爲腹, 有入于左腹之象也. 得明夷之四, 四爲心, 有獲明夷之心之象也, 四爲門, 有于出門庭之象也. 初爲內故曰入也, 四爲外故曰出也. 四五之辭, 蓋以內卦之離, 擬諸明夷之君. 離日, 有君象也.

육사는 유순하면서 바름을 얻어 명이의 마음을 깊이 알아서 밖으로 나와서 피하는 자이다. 초구와 호응하니 리괘는 배가 되어 좌측 배에 들어가는 상이 있다. 명이의 사효를 얻었다면 사(四)가 마음이 되니, 명이의 마음을 얻는 상이 있고, 사(四)가 문이 되니 대문의 뜰을 나오는 상이 있다. 초효는 내괘이므로 "들어간다"고 하였고, 사효는 외괘이므로 "나간다"고 하였다. 사효와 오효의 말은 내괘인 리괘로써 명이의 임금에 비유하였다. 리괘의 해에 임금의

---

34) 『周易・同人卦』: 初九, 同人于門, 无咎. 象曰, 出門同人, 又誰咎也.

상이 있다.

박문건(朴文健)『주역연의(周易衍義)』

欲識有心, 故有入于左腹之象. 左腹, 初九之腹也. 門, 謂中門也. 出於門外之庭者, 明其信下之道也.

마음이 있는가 알고자 하기 때문에 좌측 배에 들어가는 상이 있다. '좌측 배'는 초구의 배이다. '문'은 가운데 문이다. 문 밖의 뜰로 나간 것은 아래를 믿는 도를 밝힌 것이다.

〈問, 入于左腹以下. 曰, 六四見傷於初九, 而未知所然, 故入于其腹, 獲其傷己之心意, 則不過相疑之一端也. 是以出門庭, 而以明其无疑之心也. 於初取腹義者, 離爲大腹故也.

물었다: "좌측 배로 들어간다" 이하는 무슨 뜻입니까?

답하였다: 육사가 초구에서 손상을 당하지만 그러한 것을 알지 못하기 때문에 그 배로 들어가서 자기를 손상시키는 마음과 뜻을 얻었으니, 서로 의심하는 하나의 단서에 불과합니다. 그래서 대문의 뜰을 나갔으니, 의심하는 마음이 없음을 밝힌 것입니다. 초효에서 배의 뜻을 취한 것은 리괘가 큰 배가 되기 때문입니다.〉

이지연(李止淵)『주역차의(周易箚疑)』

左, 如師左次之左也. 腹者, 地之腹也. 地道右旋, 右者乃其地所用事之方也. 在下之離明, 入地之初, 入其右腹, 則犯其地道, 旺盛之方, 益爲見傷, 故乃入于左腹. 如師之左次而以全其師, 譬如月避日也. 深見其以暗傷明之幾微, 而避出于門庭之外也. 門庭, 亦坤之門庭也. 入而出者, 指明者也.

'좌측'은 사괘에서 '물러나 머물음[左次]35)'의 '좌(左)'와 같다. '배'는 땅의 배이다. 땅의 도는 오른쪽으로 도는데 오른쪽은 그 땅이 사용하는 방향이다. 아래에 있는 리괘의 밝음이 땅속으로 들어가는 처음에 오른쪽 배로 들어가면 땅의 도를 해치게 되어 왕성한 방향이 더욱 손상을 입으므로 좌측 배로 들어간다. 사괘에서 물러나 머물러서 군대를 온전하게 하는 것과 같은 것은 비유하면 달이 해를 피하는 것과 같다. 어둠이 밝음을 손상시키는 기미를 깊이 알아서 대문의 뜰 바깥으로 피하여 나가는 것이다. '대문의 뜰'은 곤괘의 대문 뜰이다. 들어가서 나오는 것은 밝은 자를 가리킨다.

---

35)『周易·師卦』: 六四, 師左次, 无咎. 象曰, 左次无咎, 未失常也.

이항로(李恒老) 「주역전의동이석의(周易傳義同異釋義)」

傳, 陰邪小人, 居高位, 以柔邪順于君者也.

『정전』에서 말하였다: 음흉하고 사악한 소인이 높은 지위에 머물러 유약함과 사악함으로 군주에게 순종하는 자이다.

本義, 下五爻, 皆爲君子, 獨上一爻爲闇君也.

『본의』에서 말하였다: 아래의 다섯 효는 모두 군자가 되고, 상효 하나만 어두운 군주가 된다.

按, 易中說心, 皆言君子, 无言小人, 一也. 六四適當腹位, 而若以結君爲語, 則五與四爲腹, 二也. 象傳曰獲心意, 若以蠱惑人君爲言, 則當有貶辭, 而獲心意是自得之辭, 三也. 明夷上六以下, 皆言君子處明夷之道, 而不應於此四爻, 獨言小人之情狀, 四也. 六五不以人君爲義, 而以箕子之貞當之, 則六四之近五, 亦非交君之象, 五也. 有此諸疑, 故云未詳而以君子釋.

내가 살펴보았다: 역에서 말한 마음[心]은 모두 군자를 말하니, 소인을 말하지 않은 것이 첫 번째이다. 육사는 배의 자리가 적당한데 만약 임금과 맺는 것으로 말을 삼으면 오효가 사효와 배가 됨이 두 번째이다. 「상전」의 "마음과 뜻을 얻었다"는 것을 임금을 미혹시키는 말로 여긴다면 폄하하는 말이 있어야 하는데 "마음과 뜻을 얻었다"는 스스로 얻는 말이니, 세 번째이다. 명이괘 상육 이하는 모두 군자가 명이의 때에 처하는 도를 말하였는데, 이 사효에서만 호응하지 않고 소인의 정상만을 말하였으니, 네 번째이다. 육오는 임금을 뜻으로 삼지 않고 기자의 곧음으로 해당시켰으니, 육사가 오효에 가까운 것이 또한 임금과 교류하는 상이 아닌 것이 다섯 번째이다. 이러한 여러 의문점이 있기 때문에 "정확히 알 수 없다"고 하고 군자로써 해석한 것이다.

김기례(金箕澧) 『역요선의강목(易要選義綱目)』

坤爲腹, 故曰左腹, 指上六暗主, 非僻之心.

곤괘가 배가 되므로 '좌측 배'라고 하였으니, 어둠의 주인인 상육의 잘못되고 치우친 마음을 가리킨다.

○ 正在陽前, 有門庭象, 見同人.

바로 양이 앞에 있어서 '대문의 뜰'인 상이 있으니, 동인괘에 보인다.

○ 上六爲暗傷明之主, 而四居同體. 以肺腑之親, 得見其非僻之心, 知不可回悟, 就九三而出門去, 先儒以爲微子當之.

상육은 어둠이 밝음을 손상시키는 주인이 되는데 사효가 같은 몸체에 있다. 미자는 주왕과 매우 가까운 친척이지만, 그 잘못되고 치우친 마음을 보고서 깨닫게 할 수 없음을 알아 구삼에게 가서 대문을 나와 떠났으니, 이전의 학자들은 미자가 그에 해당한다고 여겼다.

○ 左卽非也, 孟子所謂非其上之義固.

'좌측'은 비난한다는 말이니, 『맹자』에서 "윗사람을 비난한다"[36]의 뜻이 맞다.

○ 此爻議論不一, 先儒多以本義之說爲是.

이 효에 대한 의논이 한결 같지 않으니, 이전의 학자들은 대부분 『본의』의 설명이 옳다고 여겼다.

심대윤(沈大允) 『주역상의점법(周易象義占法)』

明夷之豐䷶, 明盛也, 日之出于海也. 六四以柔居柔, 近於三而應于初. 柔順以事昏君, 得其委任, 如楊愔之君昏於上, 而政淸於下, 故曰入于左腹, 言得政與衆也. 坤爲腹, 震爲左. 初三從應於下, 故曰獲明夷之心. 离艮爲獲, 言得君也. 于出門庭, 言今行于外也. 門庭, 門前塗也, 艮震爲門庭, 豐之對渙, 有艮震.

명이괘가 풍괘(豐卦䷶)로 바뀌었으니, 밝음이 성대한 것이며 해가 바다에서 나오는 것이다. 육사는 부드러운 음으로 부드러운 음의 자리에 있으면서 삼효에는 가깝고 초효와 호응한다. 유순함으로 어두운 임금을 섬겨서 위임을 얻었으니, 양음(楊愔)[37]의 임금이 위에서 어두웠으나 정치가 아래에서 맑았으므로 "좌측 배로 들어간다"고 하였으니, 정치가 백성들과 함께 함을 얻었다는 말이다. 곤괘가 배가 되고, 진괘가 왼쪽이 된다. 초효와 삼효가 아래에서 따르고 호응하므로 "명이한 마음을 얻었다"고 하였다. 리괘와 간괘가 얻음이니, 임금을 얻었다는 말이다. '대문의 뜰을 나옴'은 지금 밖으로 떠난다는 말이다. '대문의 뜰'은 대문 앞의 길이다. 간괘와 진괘가 대문의 뜰이니, 풍괘(䷶)의 음양이 바뀐 괘인 환괘(䷺)에 간괘와 진괘가 있다.

오치기(吳致箕) 「주역경전증해(周易經傳增解)」

六四以柔得正, 而與上六暗主同體而居, 入其幽暗之中, 獲知其暴虐之心, 欲以傷人之

36) 『孟子・梁惠王』: 齊宣王見孟子於雪宮. 王曰, 賢者亦有此樂乎. 孟子對曰, 有. 人不得則非其上矣. 不得而非其上者, 非也. 爲民上而不與民同樂者, 亦非也.
37) 양음(楊愔, 551-560): 북위 시기의 인물로 재상을 지냈다.

明, 終不能改, 故乃出門庭而遠避, 卽象而占可知矣.

육사는 부드러운 음으로 바름을 얻었지만 어두운 주인인 상육과 같은 몸체로 있으면서 그 어두운 가운데로 들어가서 포학한 마음이 남의 밝음을 손상시켜서 끝내 고칠 수 없음을 알 수 있기 때문에 대문의 뜰을 나가서 멀리 피하는 것이니, 상에 나아가 점을 알 수 있다.

○ 入取於爻變互巽, 左取陰而坤爲腹之象. 左腹, 言幽暗之地也. 心取於離, 耦爻爲門象, 而庭者門之前也.

'들어감'은 효가 변한 호괘인 손괘에서 취하였고, '좌측'은 음에서 취하였으며, 곤괘는 '배'의 상이 된다. '좌측 배'는 어두운 곳을 말한다. '마음'은 리괘에서 취하였고, 짝하는 효가 대문의 상이 되며, '뜰'은 대문의 앞이다.

이진상(李震相) 『역학관규(易學管窺)』

入于左腹.

좌측 배로 들어가니.

微子在紂, 爲腹心之親, 而處不用之地, 乃左腹之象也. 見紂惡日甚, 猜忌骨肉, 知其必及於禍, 故不顧行遽, 此其象也. 六五非傷明之主, 乃見傷於上六者也. 周公旣以箕子之明夷當之, 安得更爲傷明之君乎.

미자가 주왕에게 매우 가까운 친척이었지만 쓸 수 없는 곳에 처했으니, 좌측 배의 상이다. 주왕의 악함이 날로 심해지고 친척들을 시기함을 보고 반드시 화에 미칠 것을 알았기 때문에 돌아보지 않고 급히 떠난 것이 이 상이다. 육오는 밝음을 손상시키는 임금이 아니고 상육에게 손상을 당하는 자이다. 주공이 기자의 명이로써 여기에 해당시켰으니, 어찌 밝음을 손상시키는 임금이 되겠는가?

박문호(朴文鎬) 『경설(經說)-주역(周易)』

明在闇外. 以位言則當云內, 而云外者, 主闇地而言也. 旣不在闇地, 是外也非內也.

밝음은 어둠 밖에 있다. 자리로써 말하면 안이라고 해야 하지만 밖이라고 한 것은 어두운 곳을 위주로 말한 것이다. 어두운 곳에 있으니, 밖이고 안이 아니다.

象曰, 入于左腹, 獲心意也.

「상전」에서 말하였다: "좌측 배로 들어감"은 마음과 뜻을 얻은 것이다.

‖中國大全‖

傳

入于左腹, 謂以邪僻之道, 入于君而得其心意也, 得其心, 所以終不悟也.

"좌측 배로 들어간다"는 말은 사악하고 치우친 도로써 임금에게 들어가서 그 마음과 뜻을 얻음을 말하니, 마음을 얻었으므로 끝내 깨닫지 못하는 것이다.

‖韓國大全‖

유정원(柳正源)『역해참고(易解參攷)』

獲心意.

마음과 뜻을 얻은 것이다.

正義, 心有所存, 旣不逆忤, 能順其志, 故曰獲心意.

『주역정의』에서 말하였다: 마음에 보존된 것이 거스르지 못하고 그 뜻을 따르기 때문에 "마음과 뜻을 얻은 것이다"고 하였다.

○ 莆陽劉氏曰, 獲心意者, 微子獲存宗祀之心意也.

보양유씨가 말하였다: '마음과 뜻을 얻은 것'은 미자가 종묘 제사를 보존할 마음과 뜻을 얻었다는 것이다.

김상악(金相岳) 『산천역설(山天易說)』

意者, 傷明之意也.

'뜻[意]'은 밝음을 손상시키는 뜻이다.

○ 此爻之象, 與遯象傳曰, 剛當位而應, 與時行也, 相似.

이 효의 상은 돈괘 「단전」의 "굳센 양이 제자리를 당하여 호응함이니, 때에 따라 행한다"와 비슷하다.

서유신(徐有臣) 『역의의언(易義擬言)』

以其深知其心意也, 故謂之入于左腹也.

그 마음과 뜻을 깊이 알기 때문에 "좌측 배로 들어간다"고 하였다.

오치기(吳致箕) 「주역경전증해(周易經傳增解)」

言獲知昏君之心意也

어두운 임금의 마음과 뜻을 알 수 있는 것을 말한다.

이병헌(李炳憲) 『역경금문고통론(易經今文考通論)』

苟曰, 腹者爲五居坤, 坤爲腹也. 四得位比三, 應于順首, 欲上三居五, 以陽爲腹心也, 故曰入于左腹, 獲明夷之心, 言三當出門庭, 升五君位.

순상이 말하였다[38]: '배'는 오효가 곤괘에 있음을 말하니, 곤괘가 배이기 때문이다. 사효는 제자리를 얻고 삼효와 비의 관계이며 유순한 우두머리에게 호응하여 위로 삼효가 오효에 있게 하고자 하니, 양으로서 복심(腹心 매우 가까움)을 삼았다. 그러므로 "좌측 배로 들어가니, 명이의 마음을 얻었다"고 한 것은 삼효가 대문의 뜰을 나와 오효인 임금의 자리에 올라야 한다는 말이다.

---

38) 苟爽曰, 陽稱左, 謂九三也. 腹者, 謂五居坤, 坤爲腹也. 四得位比三, 處於順首, 欲三上居五, 以陽爲腹心也. 故曰入于左腹, 獲明夷之心. 言三明當出門庭, 升五君位.

六五, 箕子之明夷, 利貞.

육오는 기자의 명이이니, 곧음이 이롭다.

‖中國大全‖

傳

五, 爲君位, 乃常也. 然易之取義, 變動隨時. 上六, 處坤之上而明夷之極, 陰暗傷明之極者也, 五切近之, 聖人因以五爲切近至暗之人, 以見處之之義, 故不專以君位言. 上六, 陰暗傷明之極, 故以爲明夷之主. 五切近傷明之主, 若顯其明, 則見傷害必矣, 故當如箕子之自晦藏, 則可以免於難. 箕子, 商之舊臣而同姓之親, 可謂切近於紂矣. 若不自晦其明, 被禍可必也, 故佯狂爲奴, 以免於害. 雖晦藏其明, 而內守其正, 所謂內難而能正其志, 所以謂之仁與明也. 若箕子, 可謂貞矣. 以五陰柔, 故爲之戒云利貞, 謂宜如箕子之貞固也. 若以君道言, 義亦如是, 人君有當含晦之時, 亦外晦其明而內正其志也.

오(五)가 임금의 자리가 됨은 떳떳한 일이다. 그러나 역에서 뜻을 취함은 변동하여 때를 따른다. 상육은 곤괘에서 맨 위에 있고 명이의 지극함이며, 음한 어둠이 밝음을 해침이 지극한데, 오효가 매우 가까이 있어서 성인은 오효가 지극히 어두운 사람과 매우 가까이 있다는 것에 기인하여 대처하는 뜻을 나타내었기 때문에, 임금의 지위로써만 말하지 않았다. 상육은 음한 어둠이 밝음을 손상시킴이 지극하기 때문에 명이의 주인으로 여겼다. 오효는 밝음을 손상시키는 주인과 매우 가까워서, 만약 그 밝음을 드러낸다면 반드시 손상을 당하기 때문에 마땅히 기자가 스스로를 감춘 것처럼 한다면 어려움에서 모면할 수 있다. 기자는 은나라의 오래된 신하로 왕족과 동성인 친척이므로, 주왕과 매우 가까운 관계라고 할 수 있다. 만약 그 밝음을 스스로 감추지 못하면 반드시 화를 당하기 때문에, 거짓으로 미친 척을 하여 노예가 되어 재해를 모면하였다. 비록 그 밝음을 감추었지만 안으로 올바름을 지켰으니, 이른바 "안이 어렵지만, 그 뜻을 올바르게 하였다"는 의미로, 이 때문에 인(仁)하고도 밝다고 이른다. 기자 같은 이는 곧다고 할 수 있다. 오효는 부드러운 음이기 때문에 그를 위해 경계를 하여 "곧음이 이롭다"고 했으니, 마땅히 기자가 곧음을 굳건하게 지킨 것처럼 해야 함을 뜻한다. 만약 임금의 도로써 말을 한다면 그 뜻이 또한 이와 같으니, 임금은 마땅히 머금고 감추어야 하는 때가 있으니, 또 밖으로 그 밝음을 감추고 안으로 그 뜻을 바르게 해야 한다.

本義

居至闇之地, 近至闇之君而能正其志, 箕子之象也, 貞之至也. 利貞, 以戒占者.

지극히 어두운 땅에 있고 지극히 어두운 임금을 가까이 하지만, 그 뜻을 올바르게 할 수 있으니 기자의 상이 되며 지극히 곧은 것이다. "곧음이 이롭다"는 말을 하여 점치는 자를 경계하였다.

小註

或問, 商之三仁, 其行不同, 而同於至誠惻怛之意. 微子之去, 欲存宗祀, 比干之死, 欲紂改行, 可見其至誠惻怛處. 不知箕子至誠惻怛, 何以見. 朱子曰, 箕子比干都是一樣心, 箕子偶然不衝著紂之怒, 自不殺他. 然他見比干恁地死, 若更死諫, 无益於國, 徒使人君有殺諫臣之名. 在他處此最難, 微子去卻易. 比干一向諫死, 又卻索性. 箕子在半上落下, 最是難處. 被他監繫在那裏, 不免佯狂. 所以易中特說箕子之明夷, 可見其難處, 故象曰利艱貞, 晦其明也. 內難而能正其志, 箕子以之. 他外雖狂, 而心則定也.

어떤 이가 물었다: 은나라의 세 어진 이는 행동이 모두 달랐지만 지극한 정성과 불쌍히 여겨 슬퍼하는 뜻에 있어서는 동일합니다. 미자가 떠나감은 조상의 제사를 보존하고자 함이고, 비간이 죽은 것은 주왕이 행실을 고치기를 바랐기 때문이니, 지극한 정성과 불쌍히 여겨 슬퍼했음을 확인할 수 있습니다. 그런데 기자에 대해서는 지극한 정성과 불쌍히 여겨 슬퍼했음을 알 수 없으니, 무엇을 통해 확인할 수 있습니까?

주자가 답하였다: 기자와 비간은 모두 동일한 마음을 지녔는데, 기자는 우연하게도 주왕의 진노를 사지 않아서 죽임을 당하지 않았습니다. 그러나 그는 비간이 죽임을 당하는 것을 보았고, 만약 자신도 죽음으로 간언을 하면 나라에 보탬은 되지 않고 임금에게 간언한 신하를 죽였다는 오명만 남게 될 것입니다. 그가 처한 입장은 가장 어려운 상황이었고, 미자가 떠났던 일은 도리어 쉬운 일입니다. 비간은 한결같이 간언을 올리다가 죽었지만, 도리어 불만을 갖지 않았습니다. 기자는 반쯤 올라가다가 아래로 떨어진 입장이 되니, 가장 어려운 상황입니다. 그는 수감이 되어 그 땅에 남게 되어서 미친 척하는 짓을 모면하지 못했습니다. 『주역』에서 특별히 '기자의 명이'라고 한 것은 그가 어려운 입장에 있었음을 알 수 있기 때문입니다. 그러므로 「단전」에서는 "어려움에 곧아서 이로움은 밝음을 감춘 것이다. 안이 어렵지만 그 뜻을 바르게 할 수 있으니, 기자가 그것을 사용하였다"고 했습니다. 기자는 밖으로 비록 미친 척 했지만, 마음은 바르게 했습니다.

○ 爻說貞而不言艱者, 蓋言箕子則艱可見, 不必更言之.

효사에서는 곧음에 대해서만 말하고 어려움에 대해서는 말하지 않은 것은 기자를 언급했다면 어려움에 대해서 확인할 수 있으므로 재차 말할 필요가 없기 때문이다.

○ 進齋徐氏曰, 上六爲明夷之主, 則闇君也. 而六五近之, 雖當明夷之時, 然居位得中, 守其明而不息. 此箕子之貞也.
진재서씨가 말하였다: 상육은 명이의 주인이 되니 어두운 군주이다. 그러나 육오가 가까이 있으니, 비록 명이한 시기가 되었지만 있는 자리가 알맞음을 얻고 그 밝음을 지켜 쉬지 않는다. 이것은 기자의 곧음에 해당한다.

○ 王氏湘卿曰, 微子去之, 利而不貞, 比干諫而死, 貞而不利. 惟箕子囚奴, 利且正也, 以六居五乃能利貞.
왕상경이 말하였다: 미자가 떠남은 이롭지만 곧지 않고, 비간이 간언을 하여 죽음은 곧지만 이롭지 않다. 오직 기자가 갇히고 노예가 되었던 일만이 이롭고 또 올바른 것이니, 육(六)이 오효 자리에 있어 이에 곧음이 이로울 수 있다.

○ 中溪張氏曰, 爻言利貞, 卽象所謂利艱貞也.
중계장씨가 말하였다: 효사에서 "곧음이 이롭다"고 한 말은 곧 「단전」에서 말한 "어려울 때 곧음이 이롭다"는 뜻이다.

○ 雲峰胡氏曰, 士大夫處平時易, 處明夷之時難. 處明夷之時, 爲微子比干猶易, 爲箕子難. 微子已去, 不可復去, 比干已死, 不必復死. 內難而能正其志, 箕子以之. 此殷有三仁, 而爻獨以箕子言之也. 易以意爲主, 此卦之意主於上六, 故以象暗君. 則君位不在五, 諸卦意有類此者, 唯學者識之.
운봉호씨가 말하였다: 사대부가 평상시에 대처함은 쉽지만 명이한 때에 대처함은 어렵다. 명이한 때에 처하여 미자나 비간처럼 행동함은 오히려 쉽지만 기자처럼 행동하기는 어렵다. 미자는 이미 떠나가서 다시는 떠날 수 없었고, 비간은 이미 죽어서 다시 죽을 필요가 없었다. 안으로 어렵지만 뜻을 올바르게 할 수 있음은 기자만이 사용하였다. 이것이 은나라에 세 어진 이가 있었지만 효사에서는 기자만을 언급한 이유이다. 『주역』에서는 뜻을 위주로 삼는데, 이 괘의 뜻은 상육을 주로 하기 때문에 이로써 어두운 임금을 상징하였다. 임금의 자리가 오효에 있지 않은 것은 여러 괘 가운데 생각하건대 이러한 부류의 것들이 있으니, 배우는 자들은 명심해야 한다.

┃韓國大全┃

권근(權近) 『주역천견록(周易淺見錄)』

此卦以文王箕子爲象, 文王全得一卦之義, 故象曰, 內文明而外柔順, 合二體之德而言
也. 箕子得此一爻之義, 故象曰, 利艱貞, 晦其明也, 以六五之才而言也. 六五處衆陰之
中, 近至闇之君, 柔順得中, 下與六二德同位應, 有內明而外晦, 以處艱厄, 而不失其正
之象. 故以箕子當之. 然爻但言利貞, 象言利艱貞. 周公只言箕子固有之德, 孔子兼言
其處內難之意也. 象言晦其明, 象言明不可息. 象是言其外之迹, 象是言其內之德. 雖
外晦其明, 而內不息其明, 此箕子之所以貞也.

이 괘는 문왕과 기자를 상으로 삼았다. 문왕이 온전하게 한 괘의 의미를 얻었으므로 「단전」
에서 "안은 문채가 나고 밖은 유순하다"라고 하여 두 몸체의 덕을 합하여 말하였다. 기자는
이 한 효의 뜻을 얻었으므로 「단전」에서 "어려울 때에 곧음이 이로움은 밝음을 감춘 것이다"
라고 하여 육오의 재질로써 말하였다. 육오는 뭇 음의 가운데 처하고 매우 어두운 임금에
가까이 있으면서 유순하고 중도를 얻어 아래로 육이와 덕이 같고 자리가 호응하니, 안은
밝고 밖은 어두움으로써 어려움과 환난에 처하여 그 바름을 잃지 않는 상이 있다. 그러므로
기자를 해당시켰다. 그러나 효에서는 "곧음이 이롭다"고만 하고, 「단전」에서는 "어려울 때에
곧음이 이롭다"고 하였다. 주공은 기자에게 고유한 덕만을 언급하고, 공자는 기자가 안으로
부터의 어려움을 처리한 것을 아울러 말하였다. 「단전」에서는 "밝음을 감춘다"고 하고, 「상
전」에서는 "밝음이 끝날 수 없는 것이다"고 하였다. 「단전」은 밖으로 드러난 자취를 말하고,
「상전」은 그 안의 덕을 말한 것이다. 비록 밖으로 그 밝음을 감추지만 안에서는 밝음이 끝날
수 없으니, 이것이 기자가 곧은 이유이다.

조호익(曺好益) 『역상설(易象說)』

傳, 傷明之極, 傷明, 自傷其明.

『정전』의 "밝음을 손상시킴이 지극하다[傷明之極]"에서 '상명(傷明)'은 스스로 그 밝음을 손
상시키는 것이다.

송시열(宋時烈) 『역설(易說)』

箕子明夷, 利於艱貞, 說見象. 小象明不可息者, 離之明, 雖蒙坤暗之土, 而其本體之
明, 有未嘗息. 箕子利貞之心, 亦不爲艱虞所失也. 占亦如之.

'기자의 명이'는 어려울 때에 곧음이 이로우니, 설명이 「단전」에 보인다. 「소상전」의 '밝음이 끝날 수 없음'은 리괘의 밝음이 어두운 곤괘의 땅에 덮였지만 그 본체의 밝음은 일찍이 그친 적이 없다. 기자의 곧음을 이롭게 여기는 마음도 어려움에 의해 잃어버릴 수 없는 것이다. 점도 이와 같다.

석지형(石之珩) 『오위귀감(五位龜鑑)』

臣謹按, 明夷之六五, 不專取君位, 而取箕子之明夷者, 蓋以上有陰暗傷明之主故也. 此爻之義, 雖與今時不同, 而苟言其勢, 則无不同也. 何則. 上六, 本非君位, 而當明夷之時, 以力乘五而傷害之. 五能善處其變, 不失其守, 其身可辱, 而其明不可息, 此其所以爲貞也. 聖人雖借箕子以明其義, 而凡天下之遇此勢者, 擧可當之. 伏願殿下, 近取而深體焉.

신이 삼가 살펴보았습니다: 명이의 육오가 임금의 자리만을 취하지 않고 기자의 명이를 취한 것은 위에 어두운 음이 밝음을 손상시키는 주인이 있기 때문입니다. 이 효의 뜻이 지금과는 같지 않지만, 그 형세를 말하면 같지 않음이 없습니다. 왜 그렇습니까? 상육은 본래 임금의 자리가 아닌데 명이의 때에 힘으로써 오효를 타고 해칩니다. 오효가 그 변화에 잘 대처하고 그 지킴을 잃지 않아서 몸은 욕될 수 있지만 밝음은 끝날 수 없으니, 이것이 곧아야 하는 이유입니다. 성인이 기자를 빌어서 그 뜻을 밝혔으니, 천하에 이 형세를 만난 자는 대체로 그에 해당합니다. 엎드려 바라건대 전하께서는 가까이에서 취하여 깊이 본받으십시오.

심조(沈潮) 「역상차론(易象箚論)」

六五, 箕子之明夷.

육오는 기자의 명이이니.

自三至此有箕象. 子, 互坎也.

삼효에서 여기까지 '기(箕)'의 상이 있고, '자(子)'는 호괘인 감괘이다.

유정원(柳正源) 『역해참고(易解參攷)』

雙湖胡氏曰, 卦辭唯曰利艱貞, 而爻辭以箕子當六五一爻, 又以六五盡卦辭之義, 曰箕子之明夷, 卽艱也. 曰利貞, 卽遇艱難之時, 而利在貞正也. 故夫子象傳以文王當一卦之體, 而以箕子當卦辭之義, 可以見矣. 五陰柔不正, 故戒程子已言之. 朱子曰, 爻辭以古人爲言, 如高宗箕子者, 自是一類本義.

쌍호호씨가 말하였다: 괘사에서는 "어려울 때에 곧음이 이롭다"고만 말하고, 효사에서는 기자를 육오 한 효에 해당시켰으며, 또 육오로써 괘사의 뜻을 다하여 '기자의 명이'라고 하였으니, 어려움이다. "곧음이 이롭다"는 어려운 때를 만나지만 이로움이 곧고 바름에 있다. 그러므로 공자가 「단전」에서 문왕으로써 한 괘의 몸체에 해당시켰고, 기자로써 괘사의 뜻에 해당시켰음을 볼 수 있다. 오효는 부드러운 음이면서 바르지 않기 때문에 경계해야 할 것을 정자가 이미 말하였다. 주자가 '효사에서 옛사람으로써 말을 하여 고종과 기자 같은 자'라고 하였으니, 『본의』와 본래 같은 종류이다.

案, 五之得中, 何以謂至闇之地. 陰之不正, 何以謂箕子之象. 五之陰切近於上, 上之至闇, 壓了在上, 雖以五之中, 无所施其明, 只得晦藏免難而已. 此之謂至闇之地, 切近於至闇之君也. 內晦陽剛之才, 外有柔順之德, 遭時艱難, 而利在貞正, 非箕子而誰乎.
내가 살펴보았다: 오효가 가운데를 얻었는데, 어찌 지극히 어두운 땅이라고 하는가? 음은 바르지 않는데, 어찌 기자의 상이라고 하는가? 오효의 음이 상효에 매우 가까이 있고, 상효의 지극한 어둠이 위에서 누르고 있어서 오효의 중도로도 밝음을 베풀 곳이 없어 속으로 감추어 어려움을 면할 뿐이다. 이것을 지극히 어두운 땅이라고 하는데, 지극히 어두운 임금에 매우 가까이 있는 것이다. 안으로 굳센 양의 재질을 감추고 밖으로 유순한 덕이 있어 어려운 때를 만나더라도 곧고 바름에 이로움이 있으니, 기자가 아니면 누구이겠는가?

김상악(金相岳) 『산천역설(山天易說)』

居至暗之地, 近至暗之君, 而五爲陽位, 以六居之, 爲箕子之明夷利貞, 卽利艱貞也.
지극히 어두운 땅에 있고 지극히 어두운 임금에 가까이 있지만 오효는 양의 자리가 되는데 음인 육(六)으로 있는 것은 '기자의 명이이니, 곧음이 이로움'은 어려울 때에 곧음이 이로운 것이 된다.

○ 五變則爲旣濟, 旣濟之五, 言文王與紂之事, 故此言箕子. 或曰, 易之爻位, 以五爲君, 則紂當六五, 而箕子處其國內, 故謂之內難. 若以上爲紂, 以五爲箕子, 則是乃外難, 又不見箕子十分艱難處. 然六五柔中之德, 惟箕子可以當之. 上六暗昏之極, 紂可以當之. 故九三曰, 得其大首, 亦謂上也.
오효가 변하면 기제괘(旣濟卦䷾)가 되는데 기제괘 오효에서 문왕과 주왕의 일을 말했으므로 여기에서는 기자를 말하였다.
어떤 이가 말하였다: 『주역』에서 효의 자리는 오효를 임금으로 하니, 주왕이 육오에 해당하고 기자는 그 나라 안에 처하였기 때문에 안이 어렵다고 하였다. 만약 상효를 주왕으로 여기

고, 오효를 기자로 여긴다면 이것은 밖이 어려운 것이니, 기자가 아주 어려운 것을 볼 수 없을 것이다. 육오의 부드럽고 알맞은 덕은 기자만이 해당할 수 있고, 상육의 지극한 어둠은 주왕이 해당할 수 있다. 그러므로 구삼에서 "큰 머리를 얻는다"고 하였으니, 또한 상효를 말한다.

김규오(金奎五) 「독역기의(讀易記疑)」

六五, 王氏說微子利而不貞, 豈有不貞而可以爲仁乎, 恐未安.
육오는 왕씨가 미자는 이롭지만 곧지 않다고 하였는데, 어찌 곧지 않으면서 어질 수 있겠는가? 타당하지 않은 듯하다.

○ 象明不可息, 坤非明體, 蓋以五之得二而言.
「상전」에서 "밝음이 끝날 수 없다"고 하였는데 곤괘는 밝은 몸체가 아니니, 오효가 이효를 얻은 것으로 말한 것이다.

○ 下五爻皆明而受夷, 上獨夷人之明, 故不言明夷. 然亦以卦之所得名, 在於上六, 如咸四遯二之例也.
아래 다섯 효는 모두 밝지만 이지러짐을 받는데, 상효만 남의 밝음을 이지러지게 하므로 명이라고 하지 않았다. 그러나 또한 괘가 이름을 얻음이 상육에 있으니, 함괘의 사효, 돈괘의 이효의 예와 같다.

박제가(朴齊家) 『주역(周易)』

六五, 箕子之明夷.
육오는 기자의 명이이니.

此乃處明夷之道, 卽卦象之主, 空其位而不立象, 卻言象, 蓋以此時無位之可論, 只以所處之第一義當之耳.
이는 명이에 대처하는 도이니, 곧 괘 단사의 주인이 그 자리를 비우고 상을 세우지 않았는데 도리어 단사를 말한 것은 이 때에 논할만한 자리는 없어서 다만 대처하는 가장 중요한 뜻으로 그에 해당하기 때문이다.

서유신(徐有臣) 『역의의언(易義擬言)』

先君子曰, 箕子之明夷, 自晦其明也.

선군자께서 말씀하셨다: 기자의 명이는 스스로 그 밝음을 감춤이다.

竊按, 卦之爲明夷, 蓋自傷其明也. 失德而自傷者, 固爲之明夷, 守正而自晦者, 亦可謂
明夷. 六五有柔順黃中之德, 此非明夷之君, 秖爲自晦之象. 故爲箕子之明夷也. 與二
相應之, 志猶不能自已, 故曰貞也. 箕子之被髮爲奴, 豈直免禍之計哉, 是必有苦心耳.
紂惡不悛, 微子旣去, 民心屬於父師, 故佯狂以自晦也, 是爲箕子之仁也. 或曰, 於傳無
之, 將何徵焉. 曰, 徵於周公之言也. 周公及見箕子, 而乃以明夷之五, 爲箕子之象, 其
微意可見.

내가 살펴보았다: 명이괘인 것은 스스로 그 밝음을 손상시키는 것이다. 덕을 잃어 스스로
손상되는 자는 참으로 명이가 되고, 바름을 지켜 스스로 감추는 자도 명이라고 할 수 있다.
육오가 유순하고 임금의 덕이 있지만 이는 명이의 임금이 아니라 다만 스스로 감추는 상이
될 뿐이므로 기자의 명이가 된다. 이효와 서로 호응하지만 뜻은 스스로 그만둘 수 없기 때문
에 "곧다"고 하였다. 기자가 머리를 풀고 노예가 되었으니, 어찌 화만 면하려는 계책이었겠
는가? 반드시 고심이 있었을 뿐이다. 주왕의 악함이 고쳐지지 않았고, 미자는 떠났으며, 민
심은 어버이와 스승에게 속하였기 때문에 거짓으로 미친 척하여 스스로 감춘 것이니, 이것
이 기자의 어짐이 되는 것이다.

어떤 이가 물었다: 전(傳)에는 없는데 무엇으로 증명하겠습니까?

답하였다: 주공의 말에서 증명하겠습니다. 주공이 기자를 봄에 미쳐 명이의 오효로써 기자
의 상으로 삼았으니, 그 은미한 뜻을 알 수 있습니다.

박문건(朴文健) 『주역연의(周易衍義)』

行中失意, 故有箕子明夷之象. 用貞則可以避禍.

떠나는 가운데 뜻을 잃기 때문에 기자의 명이의 상이 있다. 곧음을 쓰면 화를 피할 수 있다.

〈問, 箕子之明夷利貞. 曰, 六五雖親六二, 然未免見疏, 故有箕子明夷之象. 用柔貞之
道, 而後庶免大禍也. 蓋箕子之佯狂, 必得此爻, 故有周公取之也.〉

〈물었다: "기자의 명이이니, 곧음이 이롭다"는 무슨 뜻입니까?

답하였다: 육오가 비록 육이와 친하지만 소외당함을 면할 수 없으므로 '기자의 명이' 상이
있습니다. 부드럽고 곧은 도를 쓴 이후에 큰 화를 면할 수 있을 것입니다. 기자가 거짓으로
미친 척 한 것이 반드시 이 효를 얻었으므로 주공이 취하였습니다.〉

〈○ 問, 六五爲箕子, 則六二當爲商紂, 於五取箕子, 何. 曰, 箕子, 紂之(之親戚)親戚
也. 紂爲君而居內, 則箕子當爲臣而居外也. 易之義在於變易而已.〉

〈물었다: 육오가 기자가 되면 육이는 상나라의 주왕이 되어야 하는데 오효에서 기자를 취한 것은 어째서 입니까?

답하였다: 기자는 주왕의 친척입니다. 주왕이 임금이 되어 안에 있으면 기자는 신하가 되어 밖에 있습니다. 역의 뜻은 변역에 있을 뿐입니다.〉

이지연(李止淵) 『주역차의(周易箚疑)』

箕子見囚, 亦以善晦其明, 畢竟得釋, 如四之于出門庭也.

기자가 죄수가 된 것도 그 밝음을 잘 감춘 것으로 마침내 풀려났으니, 사효에서 대문의 뜰을 나오는 것과 같다.

김기례(金箕灃) 『역요선의강목(易要選義綱目)』

他卦皆以五爲君, 而獨明夷上六居闇極, 五切近傷明之主. 處內難而晦明守正, 佯狂免禍, 獨箕子. 故曰利貞. 微子失[39]比干死, 皆不得處難之正, 故三仁獨言箕子.

다른 괘는 모두 오효를 임금으로 여기는데 명이의 상육만이 지극히 어두운데 있고, 오효는 밝음을 손상시키는 주인에게 매우 가까이 있다. 안이 어려움에 처하여 밝음을 감추어 바름을 지키며, 거짓으로 미친 척하여 화를 면한 것은 기자뿐이다. 그러므로 "곧음이 이롭다"고 하였다. 미자가 곧음을 잃고 비간이 죽은 것은 모두 어려움에 대처하는 바름을 얻지 못했기 때문에 세 사람의 어진 자 중에서 기자만을 말하였다.

심대윤(沈大允) 『주역상의점법(周易象義占法)』

明夷之旣濟䷾, 日之離地而旣盡出也. 帶坎者, 其光暗也. 六五以中順居剛而無應, 違之而無所合. 箕子之佯狂爲奴, 而罔爲臣僕, 是也. 雖晦其光, 而亦無蒙難, 而傷夷之患, 旣濟之義也. 明夷非君道也, 故不取君位也.

명이괘가 기제괘(旣濟卦䷾)로 바뀌었으니, 해가 땅을 떠나 다 나온 것이다. 감괘(☵)에 붙어 다니는 것은 그 빛이 어둡다. 육오가 가운데이면서 유순함으로 굳셈에 있지만 호응이 없고, 떠나가도 합치하는 것이 없다. 기자가 거짓으로 미친 척하여 노예가 되어 신하가 될 수 없었던 것이 이것이다. 비록 빛을 감추지만 또 어려움을 무릅쓰고 손상되는 환란이 없으니, 기제괘의 뜻이다. 명이는 임금의 도가 아니므로 임금의 자리를 취하지 않았다.

---

39) 失: 경학자료집성DB에는 夫로 되어 있는데, 영인본과 문맥을 살펴 失로 바로잡았다.

오치기(吳致箕) 「주역경전증해(周易經傳增解)」

六五柔順得中, 而中以行正. 當明夷之時, 近昏暗之君, 能晦藏其明, 固守其正, 乃箕子之象, 而貞之至者也. 故言利貞而譽之也.

육오는 유순하고 가운데를 얻어 중도로써 바름을 행한다. 명이의 때에 어두운 임금에 가까우니 그 밝음을 감추고 그 바름을 견고하게 지킬 수 있어서 바로 기자의 상으로 지극히 곧은 자이다. 그러므로 "곧음이 이롭다"고 말하여 칭찬하였다.

○ 此爻有柔中之德, 不可以暗主當之, 故特言箕子之晦其明也.

이 효는 부드러운 음으로 알맞은 덕이 있어서 어두운 주인으로 해당시킬 수 없기 때문에 특별히 기자가 그 밝음을 감춘 것을 말하였다.

이진상(李震相) 『역학관규(易學管窺)』

箕子之明夷.

기자의 명이이니,

王氏謂, 微子利而不貞, 比干貞而不利, 恐誤. 微子處變, 而不失其正, 不可謂不貞, 比干之死, 安於義, 義安處, 便是利. 箕子則貞而已, 不計其利. 利貞, 爲占者戒, 謂其利於貞也, 非謂利而又貞也.

왕씨가 "미자는 이롭지만 곧지 못하고, 비간은 곧지만 이롭지 않다"고 하였는데, 틀린 것 같다. 미자는 변화에 처하여 그 바름을 잃지 않았으니, 곧지 않다고 할 수 없으며, 비간의 죽음은 의로움에 편하였으니, 의리상 편안한 곳이 이로움이다. 기자는 곧았을 뿐으로 이로움을 생각하지 않았다. "곧음이 이롭다"는 점치는 자를 위한 경계로 곧음에 이롭다는 말이지 이롭고 또 곧다는 말이 아니다.

박문호(朴文鎬) 『경설(經說)-주역(周易)』

以戒占者, 言當如箕子之貞也.

점치는 자에 대한 경계로 기자의 곧음 같이 해야 한다고 말했다.

小註丘氏, 以此六爻, 各屬一人而云, 上爲紂, 五爲箕子, 四爲微子, 三爲武王, 二爲文王, 初爲伯夷太公, 蓋主本義而言也. 若如程傳, 則四當爲飛廉惡來也. 嘗以此推之, 三百八十四爻, 亦皆各有一人, 可當一爻者矣.

소주에서 구씨가 이 여섯 효를 각각 한 사람에게 소속시켜서 "상효는 주왕, 오효는 기자, 사효는 미자, 삼효는 무왕, 이효는 문왕, 초효는 백이와 태공이 된다"고 하였으니, 『본의』를 위주로 하여 말한 것이다. 『정전』과 같다면 사효는 마땅히 비렴과 악래[40]에 해당한다. 이것으로 미루어 보면 384효도 모두 각각 한 사람이 있어 한 효에 해당할 것이다.

이병헌(李炳憲) 『역경금문고통론(易經今文考通論)』

趙賓〈西漢人, 孟喜弟子.〉曰, 陰陽氣無箕子. 箕子者, 萬物方荄玆也.

조빈〈서한 사람으로 맹희의 제자이다.〉이 말하였다: 음양의 기운이 무성하게 자라남이 없다. 기자(箕子)는 만물이 무성하게 자라는 것이다.

劉向曰, 今易箕子作荄玆. 古音其荄子玆, 同物. 明夷體坤, 坤終亥出子, 故云其子之明夷, 其說亦當. 考其象, 亦合于象辭.

유향이 말하였다: 지금 역에서는 '기자(箕子)'를 무성하게 자라난대荄玆]고 했다. 옛날 발음에 '기(其)'는 '해(荄)'이고, '자(子)'는 '자(玆)'여서 발음이 같다. 명이괘의 몸체는 곤괘인데 곤(坤)은 해(亥)에서 끝나고 자(子)에서 나오므로 '기자(其子)의 명이'라고 하였으니, 그 설명도 타당하다. 그 상을 고찰하면 단사에도 합치된다.

---

40) 비렴·악래(飛廉·惡來): 비렴은 은나라 주왕이 총애하던 신하이었는데, 아들인 악래와 함께 주왕을 섬기면서 부자가 주왕의 총애를 받았다.

象曰, 箕子之貞, 明不可息也.

「상전」에서 말하였다: 기자의 곧음은 밝음이 끝날 수 없는 것이다.

‖中國大全‖

傳

箕子晦藏, 不失其貞固, 雖遭患難, 其明自存, 不可滅息也. 若逼禍患, 遂失其所守, 則是亡其明, 乃滅息也. 古之人如揚雄者是也.

기자는 밝음을 감추어서 곧음을 잃지 않았으니, 비록 어려움을 당하였지만 밝음은 스스로 보존되어 없어질 수 없었다. 만약 환란에 핍박을 당하여 결국 지키던 것을 잃게 된다면, 밝음을 잃어서 없어지게 된다. 옛 사람들 중 양웅과 같은 자가 이런 경우이다.

小註

中溪張氏曰, 箕子之明可晦, 而不可息者, 蓋其明在內故也.

중계장씨가 말하였다: 기자가 밝음을 감출 수 있으면서도 끝날 수 없었던 이유는 밝음이 안에 보존되었기 때문이다.

‖韓國大全‖

김상악(金相岳) 『산천역설(山天易說)』

明可晦而不可息也. 箕子雖遭內難, 而其明自存, 不失其正. 故爻曰利貞, 傳曰明不可息也.

밝음은 감출 수는 있어도 끝낼 수는 없다. 기자가 안이 어려움을 만났지만 그 밝음을 스스로 보존하여 그 바름을 잃지 않았기 때문에 효에서 "곧음이 이롭다"고 하였고, 「상전」에서 "밝음이 끝날 수 없는 것이다"고 하였다.

서유신(徐有臣) 『역의의언(易義擬言)』

明, 離象也. 箕子之志, 以爲六二之明, 不可滅息也.

밝음은 리괘의 상이다. 기자의 뜻은 육이의 밝음이 끝날 수 없다고 여겼다.

박문건(朴文健) 『주역연의(周易衍義)』

內貞, 則明不可以止息.

안이 곧으면 밝음이 끝날 수 없는 것이다.

오치기(吳致箕) 「주역경전증해(周易經傳增解)」

雖晦藏, 而不失其貞正之德, 故其明自存, 不可息滅也.

감추었지만 곧고 바른 덕을 잃지 않기 때문에 그 밝음을 스스로 보존하여 끝날 수 없는 것이다.

上六, 不明, 晦, 初登于天, 後入于地.

상육은 밝지 못하여 어두우니, 처음에는 하늘에 오르고, 뒤에는 땅으로 들어간다.

‖中國大全‖

傳

上居卦之終, 爲明夷之主, 又爲明夷之極. 上, 至高之地, 明在至高, 本當遠照, 明旣夷傷, 故不明而反昏晦也. 本居於高, 明當及遠, 初登于天也, 乃夷傷其明而昏暗, 後入于地也. 上, 明夷之終, 又坤陰之終, 明傷之極者也.

상효는 괘의 끝에 있고 명이의 주인이 되며 또 명이의 지극함이 된다. 상효는 지극히 높은 곳이고 밝음은 지극히 높은 곳에 있으니, 본래는 마땅히 멀리 비춰야 하는데 밝음이 이미 손상을 당하였기 때문에 밝지 못하고 도리어 어둡게 된다. 본래 높은 곳에 있어서 밝음이 마땅히 멀리까지 미침은 "처음에는 하늘에 오른다"는 뜻에 해당하고, 밝음이 손상되어 어둡게 됨은 "뒤에는 땅으로 들어간다"는 뜻에 해당한다. 상효는 명이의 끝이고 또 곤괘 음의 끝이 되니, 밝음을 손상시킴이 지극한 자이다.

本義

以陰居坤之極, 不明其德, 以至於晦. 始則處高位, 以傷人之明, 終必至於自傷而墜厥命, 故其象如此, 而占亦在其中矣.

음으로 곤괘의 끝에 있어서 그 덕을 밝히지 못하여 어둠에 이르게 된다. 처음에는 높은 지위에 있어서 남의 밝음을 손상시켰고, 끝내는 스스로를 손상시켜서 그 목숨을 실추함에 이르기 때문에 그 상이 이와 같고 점 또한 그 가운데 들어 있다.

小註

朱子曰, 明夷未是說暗之主, 只是說明而被傷者, 乃君子也, 上六方是說暗君.

주자가 말하였다: 명이괘에서는 아직까지 어두운 주인에 대해서 말하지 않았고, 단지 밝지만 손상을 입었다고만 말했는데, 이것은 군자에 해당하며, 상육에 와서야 비로소 어두운 임금을 말하였다.

○ 王氏湘卿曰, 前五爻言明夷, 猶有明可夷也. 上居明夷之極, 无明可夷, 直不明而晦矣.

왕상경이 말하였다: 앞의 다섯 효에서는 명이에 대해서 말했는데 여전히 손상을 시킬 밝음이 있었다. 상효는 명이괘의 끝에 있어서 손상시킬 밝음 자체가 없고, 단지 밝지 못하고 어둡다.

○ 雲峰胡氏曰, 下三爻以明夷爲句首, 四則明夷之辭在句中, 上六不曰明夷, 而曰不明晦. 蓋惟上六不明而晦, 所以五爻之明, 皆爲所夷矣. 始則居高位, 而傷人之明, 終則必至於自傷, 而墜厥命. 爻設爲此象, 以爲後世人主之大戒. 人之明未必傷也, 卒乃自傷, 而遂隕絶厥命, 則亦何益之有哉? 如紂者, 亦可鑒矣.

운봉호씨가 말하였다: 하괘 세 효에서는 명이(明夷)를 첫 구문으로 기록했고, 사효에서는 명이에 대한 말을 구문 중간에 기록했으며, 상육에서는 명이를 언급하지 않고 "밝지 못하여 어둡다"고 했다. 상육만이 밝지 못해서 어두운 것은 다섯 효의 밝음이 두 손상을 당했기 때문이다. 처음에는 높은 지위에 있어서 남의 밝음을 손상시켰고, 끝에는 반드시 스스로를 손상하는데 이르러 목숨을 잃게 된다. 효사에서 이러한 상을 나타내어 후세의 임금이 지켜야 할 큰 경계로 삼았다. 남의 밝음을 반드시 손상시키지 않더라도, 끝내 스스로 손상을 입혀 끝내 목숨을 잃게 된다면 또한 어떤 보탬이 있겠는가? 주왕과 같은 자를 또한 거울로 삼아야 한다.

○ 雙湖胡氏曰, 下五爻皆設明夷, 是有明而見傷者也. 上一爻說不明晦, 是實晦而不明者也. 以卦言, 則傷離之明者在坤, 坤爲晦. 以爻言, 則傷下五爻之明者在上, 上獨爲晦, 各有不同也. 五上爲天, 有登天之象. 坤地至上方成, 又有入地之象. 嘗觀朱子贊易曰, 理定旣實, 事來尚虛, 用應始有, 體該本无, 此文王周公爲垂世立教而作易, 豈欲故以明夷一卦紀商周之事哉? 卦爻自有此象, 則繫此辭, 自後世觀之, 非特箕子一爻, 紂君臣當時事體无一不與明夷卦爻相似耳. 若謂先因此事而後爲此辭, 則六十四卦只載六十四事, 文王周公之志荒矣.

쌍호호씨가 말하였다: 아래의 다섯 효에서는 모두 명이라고 하였는데 밝지만 손상을 당한 자이다. 상효에서는 "밝지 못하여 어둡다"고 했는데 실제로 어두워서 밝지 못한 자이다.

괘로써 말한다면 리괘의 밝음을 손상시키는 것은 곤괘에 있으니, 곤괘는 어둠이 된다. 효로써 말한다면 아래 다섯 효의 밝음을 손상시키는 것은 상효에 있으니, 상효만 유독 어둠이 되어 각각 다른 점이 있게 된다. 오효와 상효는 하늘이 되어 하늘에 오르는 상이 있다. 곤괘인 땅이 위에 이르면 완성이 되지만 또 땅으로 들어가는 상이 있다. 일찍이 주자가 「찬역」을 살펴보니 "이치는 정해져서 이미 실하지만 일이 도래함은 오히려 비고, 쓰임은 응함에 따라 비로소 있게 되지만 몸체는 모두 포함하되 본래는 없다"고 하였으니, 이것은 문왕 · 주공이 세상에 전해주기 위해 가르침을 세우고 역을 지은 이유인데, 어찌 일부러 명이라는 하나의 괘를 통해서 은나라와 주나라의 일을 기록했겠는가? 괘와 효는 그 자체로 이러한 상이 있으니 이러한 말을 했던 것인데, 후세에 기준을 두고 살펴보면 기자에 해당하는 한 효뿐만 아니라 주왕 시대의 임금과 신하가 당시에 처했던 도리 중 하나라도 명이의 괘 및 효와 유사하지 않은 것이 없을 따름이다. 만약 앞서 이러한 일이 있었고 이후에 이러한 말을 했다면, 육십 사개의 괘는 단지 육십 사개의 사안만 수록한 것이므로, 문왕과 주공의 뜻이 허망해진다.

▌韓國大全▐

송시열(宋時烈) 『역설(易說)』

上六, 明旣夷盡, 爻本最高, 故曰登于天, 爲坤所掩, 故曰後入于地. 卦與晉相綜, 在晉之時, 則日在地上, 爲登天. 綜爲明夷, 則日在地下, 爲入地也. 小象照四國, 以晉之時義也. 失則者, 失其則, 而爲明夷之極之意也. 蓋初爻似伯夷, 二爻似文王, 三爻似武王, 四爻似微子, 五爻似箕子, 上六似紂, 而上六又似後世之玄宗耶.

상육은 밝음이 이미 다 이지러진 것이나 효가 본래 가장 높은 자리이기 때문에 "하늘에 오른다"고 하였고, 곤괘에게 가려지기 때문에 "뒤에는 땅으로 들어간다"고 하였다. 괘가 진괘(䷢)와 위아래가 서로 바뀐 괘이니, 진(晉)의 때는 해가 땅 위에 있어서 하늘로 올라감이 된다. 위아래가 바뀐 명이괘가 되면 해가 땅 아래에 있어서 땅으로 들어감이 된다. 「소상전」에서 "사방의 나라에 비춘다"는 진(晉)의 때와 뜻이다. '법칙을 잃음'은 그 법칙을 잃어서 명이의 끝이 된다는 뜻이다. 초효는 백이, 이효는 문왕, 삼효는 무왕, 사효는 미자, 오효는 기자, 상효는 주왕과 비슷하고, 상육은 또 후세 당나라의 현종과 비슷한 것 같다.

권거(權榘)「독역쇄의(讀易瑣義)·역중기의(易中記疑)·역괘취상(易卦取象)」

諸卦五皆君位, 獨明夷以上六爲君位者, 明夷是亂極之時, 天命已絶, 人心已離, 名雖
爲君, 已失君位, 乃獨夫而但居上者, 故可去暗除害. 然以下伐上, 出於不得已, 而三又
離體, 而以剛居剛, 故又以不可疾貞戒之. 如湯之進伊尹, 猶望其改過, 武王以爲不可
而還, 及其不悛而伐之, 是不可疾貞之義. 雖貞疾之君猶在五, 而三乃欲取其大首, 非
逆乎. 此爻之義, 尤當細玩也. 六五以箕子係之者, 明君位之不在於五, 而五之中正, 又
非明夷之主也.

모든 괘는 오효가 모두 임금의 자리인데 명이괘에서만 상육이 임금의 자리인 것은 명이가
혼란이 지극한 때로 천명이 이미 끊기고 인심이 이미 떠나서 이름이 비록 임금이지만 이미
임금의 지위를 잃어 이에 보통 사람으로 위에 있는 자이므로 어둠과 해로움을 제거할 수
있기 때문이다. 그러나 아래가 위를 정벌하는 것은 부득이함에서 나오는 것으로 삼효가 리
괘의 몸체이고 굳센 양으로 굳센 양의 자리에 있기 때문에 "급히 곧게 해서는 안 된다"로써
경계하였다. 탕임금이 이윤을 등용하여 그가 잘못을 고치기를 바랐고, 무왕이 정벌해서는
안 된다고 여겨 돌아왔는데, 그가 고치지 않음에 이르러 정벌하였으니, "급히 곧게 해서는
안 된다"는 뜻이다. 곧음을 급히 하는 임금이 오효에 있고, 삼효는 그 큰 머리를 취하고자
하니, 거스리는 것이 아니겠는가? 이 효의 뜻은 자세하게 살펴보아야 한다. 육오에 기자를
붙인 것은 임금의 자리가 오효에 있지 않고 오효의 중정이 또 명이의 주인이 아님을 밝힌
것이다.

유정원(柳正源)『역해참고(易解參攷)』

王氏曰, 處明夷之極, 是至晦者也, 本其初也. 在乎光照, 轉至於晦, 遂入于地.
왕씨가 말하였다: 명이의 끝에 처하여 지극히 어두운 것이니, 그 처음에 근본한 것이다. 빛
이 비추는 곳에 있다가 돌아서 어둠에 이르고 마침내 땅으로 들어간다.

○ 誠齋楊氏曰, 紂之嗣位, 聞見甚敏, 才力過人, 其初登于天, 照四國之時乎. 及其昏
棄, 失德而爲獨夫, 後入于地, 而失則之時也.
성재양씨가 말하였다: 주왕이 천자의 자리를 계승하여 견문이 매우 총명하고 재주와 힘이
다른 사람보다 뛰어나서 처음에서 하늘에 올라갔으니, 사방의 나라에 비추는 때이었을 것이
다. 그가 혼미함에 버리는데 미치어서 덕을 잃고 보통 사람이 되어 뒤에 땅으로 들어갔으니,
법칙을 잃은 때이다.

○ 案, 上六已出於地外, 而謂之入地. 蓋以坤陰之終, 明傷之極, 而自墜厥命, 有如深
入北方陰柔之地, 昏暗不明也.

내가 살펴보았다: 상육은 이미 땅 밖으로 나왔으므로 땅으로 들어간다고 하였다. 음인 곤(坤)의 끝이며, 지극하게 밝음이 손상되어 스스로 그 천명을 추락시켜 북방의 부드러운 음의 땅으로 깊이 들어가니, 어두워 밝지 않다.

김상악(金相岳) 『산천역설(山天易說)』

上六, 以坤乘離, 明入地中, 故不明而晦. 初則處高位, 而爲明夷之主, 終則傷其明, 而爲明夷之象. 詩云, 靡不有初, 鮮克有終, 此之謂也.

상육은 곤괘가 리괘를 타고 밝음이 땅속으로 들어가므로 "밝지 못하여 어둡다"고 하였다. 처음에는 높은 자리에 처하여 명이의 주인이 되었지만, 끝에는 그 밝음을 손상시켜 명이의 상이 되었다. 『시경·대아』에 "처음이 있지 않음이 없지만 끝이 있기는 드물다"라고 하였으니, 이것을 말한 것이다.

○ 不明, 明之見傷也. 晦, 坤之本象也. 以爻則上居天位, 以卦則坤爲地, 故曰登于天, 入于地. 始則居高位, 以傷人之明, 終則至於自傷, 而墜厥命, 所以失則也. 此爻之義, 與復上六相似. 不明晦, 卽迷復之凶也. 初登于天, 後入于地, 卽以國君凶也. 失則, 亦反君道也.

'밝지 못함'은 밝음이 손상당한 것이다. '어둠'은 곤괘의 본래 상이다. 효로 보면 상효는 하늘 자리에 있고, 괘로 보면 곤괘는 땅이 되므로 "하늘에 오르고 땅에 들어간다"고 하였다. 처음은 높은 자리에 있으면서 다른 사람의 밝음을 손상시키고, 끝에는 스스로 손상됨에 이르러 그 천명을 추락시키니, 법칙을 잃은 것이다. 이 효의 뜻은 복괘 상육과 비슷하다. '밝지 못하여 어두움'은 돌아옴에 혼미하여 흉한 것이고, "처음에는 하늘에 오르고, 뒤에는 땅에 들어간다"는 나라를 다스리면 임금이 흉한 것이고, '법칙을 잃음'은 임금의 도를 위반한 것[41]이다.

박제가(朴齊家) 『주역(周易)』

此亦總一卦之象, 而斷之于此, 不必專屬此一爻看. 大抵此卦位應, 不可拘常.

이것은 또한 한 괘의 상을 총괄하여 여기에서 단정하였으니, 굳이 이 한 효에만 속하는 것으로 볼 필요는 없다. 이 괘의 자리와 호응은 일반적인 경우에 구애될 수 없다.

---

41) 『周易·復卦』: 上六, 迷復, 凶, 有災眚, 用行師, 終有大敗, 以其國君凶, 至于十年, 不克征. 象曰, 迷復之凶, 反君道也.

서유신(徐有臣) 『역의의언(易義擬言)』

晉變爲明夷, 故曰不明晦初登于天後入于地, 朝夕之象也. 稱不明, 以著其始之光明也. 稱初登, 以著其始之在天上也. 若是本來晦也, 本來在地中也, 則豈曰明夷云乎哉. 上六, 但言明夷之極, 而自爲桀紂之象也.

진괘(䷢)가 변하여 명이괘(䷣)가 되므로 "밝지 못하여 어두우니, 처음에는 하늘에 오르고, 뒤에는 땅으로 들어간다"고 하였으니, 아침과 저녁의 상이다. "밝지 못하다"고 한 것은 처음에 빛남을 드러낸 것이다. "처음 오른다"고 하여 처음 하늘 위에 있음을 드러낸 것이다. 만약 본래 어두우면 본래 땅속에 있는 것이니, 어찌 '명이'라고 했겠는가? 상육은 명이의 끝이라고 하였으니, 저절로 걸왕과 주왕의 상이 된다.

박문건(朴文健) 『주역연의(周易衍義)』

處上害與, 故有不明晦之象. 登天, 處高位之喩也. 入地, 墜大命之喩也.

위에 처하여 함께 하는 이를 해치므로 밝지 못하고 어두운 상이 있다. '하늘에 오름'은 높은 자리에 처함을 비유한 것이다. '땅에 들어감'은 큰 명을 추락시킴에 비유한 것이다.

〈問, 不明晦以下. 曰, 上六恃其彊盛, 而以害其下者, 不明而有晦也. 故初則登天而後則入地也. 失爲上之則, 故終爲九三之所獲也.〉

〈물었다: "밝지 못하여 어둡다" 이하는 무슨 뜻입니까?

답하였다: 상육은 자신의 강성함을 믿고 그 아래 사람들을 해치는 자니, 밝지 못하고 어둠이 있습니다. 그러므로 처음에는 하늘에 올랐다가 뒤에는 땅에 들어갑니다. 위가 되는 법칙을 잃었기 때문에 끝에 구삼에게 잡히는 신세가 됩니다.〉

이항로(李恒老) 「주역전의동이석의(周易傳義同異釋義)」

傳, 本居於高, 明當及遠, 初登于天也, 乃夷傷其明而昏暗, 後入于地也.

『정전』에서 말하였다: 본래 높은 곳에 있어서 밝음이 멀리까지 미침은 '처음에는 하늘에 오른다'는 뜻에 해당하고 밝음이 손상되어 어둡게 됨은 '뒤에는 땅으로 들어간다'는 뜻에 해당한다.

本義, 始則處高位, 以傷人之明, 終必至於自傷而墜厥命.

『본의』에서 말하였다: 처음에는 높은 지위에 있어서 남의 밝음을 손상시키고, 끝내는 스스로를 손상시켜서 그 목숨을 실추함에 이른다.

按, 上六索性, 昏闇之爻也. 初登後入, 皆以夷傷其明言之.

내가 살펴보았다: 상육의 평소 성질이 매우 어두운 효이다. 처음에는 오르고 뒤에는 들어가니, 모두 그 밝음을 손상시키는 것으로써 말한 것이다.

김기례(金箕澧) 『역요선의강목(易要選義綱目)』

居暗極爲夷主, 傷人之明, 故曰不明晦.

지극히 어두운데 있어서 명이의 주인이 되고 남의 밝음을 손상시키기 때문에 "밝지 못하여 어둡다"고 하였다.

○ 上爲天, 爻爲夷主, 則下瞻者, 初謂之天. 以高明之位, 宜照四方, 而反傷其明, 昏若明入地. 地指坤體.

위는 하늘이 되고 효는 명이의 주인이 되니, 아래에서 보는 자가 처음에는 하늘이라고 하였다. 높고 밝은 자리에서 사방을 비추어야 하는데 도리어 그 밝음을 손상시켜서 어둡기가 밝음이 땅에 들어가는 것과 같다. 땅은 곤괘의 몸체를 가리킨다.

贊曰, 不食避紂, 伯夷之淸. 南狩獲醜, 武王之兵. 肺腑出門, 微子則兄. 晦明內難, 箕子之貞.

찬미하여 말하였다: 먹지 않고 주왕을 피한 것은 백이의 맑음이네. 남쪽으로 사냥하여 괴수를 잡음은 무왕의 용감함이네. 가까운 친척으로 대문을 나온 것은 미자가 형을 본받음이네. 밝음을 감추고 안으로 어려워 한 것은 기자의 곧음이네.

심대윤(沈大允) 『주역상의점법(周易象義占法)』

明夷之賁䷕, 文餙也, 日之隱山而未見也. 上六以柔居柔, 而處明夷之極, 不能葆光, 晦明以安其身, 而托于暗君, 欲行其志. 應於九三, 如日之因于水月, 而有光映, 僅得賁之附餙小明, 而終無光耀之發揚, 故曰不明晦, 言不明而晦也. 初若有得, 而終以無成, 故曰初登于天, 後入于地. 登天, 言位高也. 入地, 言止於順從, 而無能爲也. 艮爲登, 對訟有乾巽, 依附昏君, 而求施其明, 其瑣已甚, 所謂枉尋直尺者也, 祇自辱焉, 何功之能成哉.

명이괘가 비괘(賁卦䷕)로 바뀌었으니, 문채로 꾸미는 것이며, 해가 산으로 숨어 보이지 않는 것이다. 상육이 부드러운 음으로 부드러운 음의 자리에 있으면서 명이의 끝에 처하여 빛을 보전할 수 없어 밝음을 감추어 그 몸을 편안하게 하고 어두운 임금에게 의탁하여 그 뜻을 행하고자 한다. 구삼에게 호응함이 마치 해가 물에 비친 달로 인하여 그림자가 있는 것과 같아서 비괘가 조금 밝음을 꾸미는 것은 겨우 얻을 수 있으나 끝내 빛이 드러남은 없으므로 "밝지 못하여 어둡다"고 하였으니, 밝지 못하여 어두움을 말한다. 처음에는 얻은 것이 있는 것 같지만 끝내 이루는 것이 없기 때문에 "처음에는 하늘에 오르고, 뒤에는 땅에 들어간다"고 하였다. '하늘에 오름'은 지위가 높다는 말이다. '땅에 들어감'은 순종함에 그쳐서 할 수 있는 것이 없다는 말이다. 간괘가 오름이 되고, 음양이 바뀐 송괘에 건괘와 손괘가 있으니, 어두운 임금에게 기대고 붙어서 그 밝음을 시행하기를 구하는데 그 자잘함이 매우 심하니, 여덟 자를 굽혀 한 자를 펴려는 자이니, 자신이 모욕될 뿐인데 어찌 공이 이루어지겠는가?

오치기(吳致箕) 「주역경전증해(周易經傳增解)」

上六陰柔居明夷之極, 乃昏暗之主, 其德不明而晦. 方其初也, 尊爲天子, 用威而暴虐, 以傷人之明. 及其終也, 自傷其明, 而覆墜厥命, 故有初登天, 後入地之象. 雖不言占, 其凶可知矣.

상육은 부드러운 음으로 명이의 끝에 있으니, 어두운 주인으로 그 덕이 밝지 못하고 어둡다. 그 처음에는 높이 천자가 되지만 위엄을 써서 포학하게 하여 다른 사람의 밝음을 손상시킨다. 끝에 이르러서는 스스로 그 밝음을 손상시켜 그 천명을 추락시키기 때문에 처음에는 하늘에 오르고, 뒤에는 땅에 들어가는 상이 있다. 점을 말하지 않았지만 그 흉함을 알 수 있다.

○ 天取天位, 地取於坤也.
하늘은 하늘의 자리에서 취하였고, 땅은 곤괘에서 취하였다.

이진상(李震相) 『역학관규(易學管窺)』

暗極傷明, 入地之遠也. 初登于天, 離照四方, 後入于地, 坤體四昏.
지극히 어두워 밝음을 손상시키니, 땅에 들어감이 멀다. "처음에는 하늘에 오르다"는 리괘가 사방에 비추는 것이고, "뒤에는 땅으로 들어간다"는 곤괘의 몸체인 사효가 어둡다는 것이다.

이용구(李容九) 「역주해선(易註解選)」

上六, 以商周之事論, 則上一爻極暗, 爲紂之昏棄, 五近晦爲箕子之囚奴, 四與上同體, 避暗取明, 爲微子之遯去, 三與上以明克暗, 爲武王伐紂, 二在大臣之位, 藏明於暗, 爲文王之羑里, 初去暗超遠, 見傷卽避, 其伯夷太公, 居海濱之事.

상육은 상나라와 주나라의 일로 논하면, 상효는 지극한 어둠으로 주왕이 어두워 제사를 버림이 되고, 오효는 어둠에 가까워 기자가 갇혀서 노예가 된 것이며, 사효는 상효와 같은 몸체로 어둠을 피하여 밝음을 취하는 것으로 미자가 피하여 떠나감이 되고, 삼효는 상효와 밝음으로써 어둠을 이기니 무왕이 주왕을 정벌함이 되며, 이효는 대신의 자리에 있으면서 어둠에 밝음을 감추는 것이니 문왕이 유리에 갇힌 것이 되고, 초효는 어둠에서 매우 멀지만 상함을 보고 피하니 백이와 태공이 바닷가에서 산 일에 해당한다.

이병헌(李炳憲) 『역경금문고통론(易經今文考通論)』

虞曰, 離滅坤下, 故不明晦. 晉時在上麗乾, 故登于天, 照四國. 今反在下, 故後入于地, 失則.

우번이 말하였다: 리괘가 곤괘 아래에서 없어지기 때문에 “밝지 못하여 어둡다”고 하였다. 진(晉)의 때에 위에서 건괘에 붙었기 때문에 하늘에 올라 사방의 나라에 비춘다. 지금 도리어 아래에 있기 때문에 뒤에는 땅으로 들어가서 법칙을 잃는다.

象曰, 初登于天, 照四國也, 後入于地, 失則也.

「상전」에서 말하였다: "처음에는 하늘에 오름"은 사방의 나라에 비춘 것이며, "뒤에는 땅으로 들어감"은 법칙을 잃은 것이다.

中國大全

傳

初登于天, 居高而明, 則當照及四方也, 乃被傷而昏暗, 是後入于地, 失明之道也. 失則, 失其道也.

"처음에는 하늘에 오른다"는 말은 높은 자리에 있어서 밝음이니, 마땅히 그 비춤이 사방에 미치게 되며 끝내 손상을 당하여 어둡게 되니, 이것은 "뒤에는 땅으로 들어간다"는 뜻이며, 밝음의 도를 잃은 것이다. '실칙(失則)'은 그 도를 잃었다는 뜻이다.

本義

照四國, 以位言.

"사방의 나라에 비춘다"는 말은 자리로써 한 말이다.

小註

建安丘氏曰, 明夷六二受人之傷者, 以其順則, 故卒能自全其明而免禍. 上六傷人之明者, 以其失則, 故至於自墜厥命而喪邦. 則者, 君道之正也, 其可失乎?

건안구씨가 말하였다: 명이괘의 육이는 남에게서 상처를 받는 자인데, 법칙에 순응하였기 때문에 끝내 스스로 밝음을 온전히 지켜서 화를 모면할 수 있었다. 상육은 남의 밝음을 손상시키는 자인데, 법칙을 잃었기 때문에 스스로 목숨을 실추시켜서 나라를 잃는 지경에 이르

른다. 법칙은 임금이 지켜야 하는 올바른 도인데 잃을 수 있겠는가?

○ 雲峰胡氏曰, 離之照四國, 以德言, 此之照四國, 以位言爾. 則者, 不可踰之理, 失則, 所以爲紂, 順則, 所以爲文王.

운봉호씨가 말하였다: 리괘에서 "사방의 나라에 비춘다"는 말은 덕으로써 한 말이며, 이곳에서 "사방의 나라에 비춘다"는 말은 자리로써 한 말일 뿐이다. 법칙은 뛰어넘을 수 없는 이치이니, 법칙을 잃어버리면 주왕처럼 되며 법칙을 따르면 문왕처럼 된다.

○ 進齋徐氏曰, 下三爻離體明也. 上三爻坤體暗也. 上六暗極, 所以爲明夷之主也, 故不言明夷. 下五爻, 皆所以處明夷之道, 而有遠近淺深之殊者也, 故皆言明夷. 初明雖傷, 去上最遠, 垂翼而已. 二則傷股而害已深矣, 以其在下居中, 去上猶遠, 有可拯之道也. 三則與上爲正應, 可以南狩而獲其大首矣. 四入坤晦之門庭, 其暗尙淺, 有可去之道. 五則迫近于難, 義不可去, 亦惟艱貞自晦其明而已. 此紂之時, 聖賢所處之道, 不同有如此.

진재서씨가 말하였다: 하괘의 세 효는 리괘의 몸체에 해당하여 밝다. 상괘의 세 효는 곤괘의 몸체에 해당하여 어둡다. 상육은 어둠이 지극하여 명이의 주인이 된다. 그러므로 명이를 언급하지 않았다. 아래의 다섯 효는 모두 명이에 대처하는 방법이지만 거리와 깊이의 차이가 있다. 그러므로 모두 명이를 언급했다. 초효의 밝음은 비록 손상당하지만 상효와 가장 멀리 떨어져 있어서 날개를 늘어뜨릴 따름이다. 이효는 다리에 상처를 입어 피해가 이미 깊어졌지만, 하괘의 가운데에 위치하고 상효와의 거리도 여전히 멀기 때문에 구원을 받을 수 있는 도가 있다. 삼효는 상효와 정응이 되니, 남쪽으로 사냥하여 큰 머리를 포획할 수 있다. 사효는 곤괘의 어둠에 해당하는 대문의 뜰로 들어갔으니, 어둠이 여전히 얕아서 떠날 수 있는 도가 있다. 오효는 어려움에 급박하여 의리상 떠날 수 없지만, 또 어려움 속에서도 곧게 지켜서 스스로 그 밝음을 감출 따름이다. 이것이 주왕의 때에 성현들의 대처가 이처럼 달랐던 이유이다.

○ 建安丘氏曰, 明夷以二體言, 則離明爲坤暗所傷. 以六爻言, 則上一爻爲暗君, 自五而下皆爲所傷. 所以下五爻皆曰明夷, 此受傷者也. 上一爻曰不明晦, 而獨不言明夷, 此傷人之明者也. 今以商周之事槪論, 則上一爻極暗, 爲紂之昏棄, 五近晦, 爲箕子之囚奴, 四與上同體, 避暗就明, 爲微子之遯去, 三與上應, 以明勑時, 爲武王之伐紂, 二在大臣之位, 藏明於暗, 爲文王之羑里, 初去暗稍遠, 見傷卽避, 其伯夷太公居海濱之事乎. 明夷六爻之義, 於此可見矣.

건안구씨가 말하였다: 명이괘는 두 괘의 몸체로 말한다면, 리괘의 밝음이 곤괘의 어둠에게

손상을 당한다. 여섯 효로 말을 한다면, 상효 하나가 어두운 임금이 되고, 오효로부터 그 아래는 모두 손상을 당하게 된다. 아래의 다섯 효에서 모두 '명이'라고 하였으니 이는 손상을 당하는 자이다. 맨 위의 한 효에서 "밝지 못하여 어둡다"고 말하고 유독 명이에 대해서 언급하지 않았으니 이 효가 남의 밝음을 손상시키는 자이기 때문이다. 이제 은나라와 주나라의 일화로 논의를 해본다면, 맨 위 한 효는 지극히 어두우니 주왕이 나라를 잃음이 되고, 오효는 어둠에 가까우니 기자가 갇히고 노예가 되었던 일이 되며, 사효는 상효와 몸을 같이 하나 어둠을 피해서 밝음으로 나아갔으니 미자가 피해서 떠난 일에 해당하고, 삼효는 상효와 호응을 하여 밝음이 때를 이기기 때문에 무왕이 주왕을 정벌한 일이 되며, 이효는 대신의 자리에 있고 어둠 속에서 밝음을 감추고 있으니 문왕이 유리에 갇혔던 일이 되며, 초효는 어둠에서 조금 멀어 손상을 당하면 곧바로 피하니 백이와 태공이 해변에 머물렀던 일에 해당할 것이다. 명이괘 여섯 효의 뜻은 이러한 일화에서 확인할 수 있다.

韓國大全

유정원(柳正源) 『역해참고(易解參攷)』

本義. 〈案, 此本在照四國也下.〉

『본의』. 〈내가 살펴보았다: 이것은 본래 '조사국야(照四國也)' 아래에 있다.〉

김상악(金相岳) 『산천역설(山天易說)』

照四國, 以位言, 失則, 以德言. 失則, 則初之照四國, 終必爲幽國也. 六二內明而外順, 故曰順以則也. 上六傷明而反晦, 故曰失則也. 商周之事, 可見於此. 明夷一卦, 自初至五, 皆君子之處明夷者, 故一无悔咎之辭, 而上爲傷明之主, 故曰失則, 所謂明夷誅也, 專在此爻.

'사방의 나라에 비춤'은 지위로 말한 것이고, '법칙을 잃음'은 덕으로 말한 것이다. 법칙을 잃으면 처음에는 사방의 나라에 비추다가 끝에는 반드시 나라를 어둡게 할 것이다. 육이가 안은 밝고 밖은 유순하므로 "순하여 법도에 맞다"고 하였다. 상육은 밝음을 손상시켜 도리어 어두워지므로 "법칙을 잃었다"고 하였다. 상나라와 주나라의 일을 여기에서 볼 수 있다. 명이괘는 초효에서 오효까지 모두 군자가 명이의 때에 대처하는 것이므로 후회나 허물과 같은 말이 전혀 없고, 상효는 밝음을 손상시키는 주인이므로 "법칙을 잃었다"고 하였으니, 명이를 벌주어야 하는 것은 이 효에만 있다.

서유신(徐有臣) 『역의의언(易義擬言)』

照四國, 是其則也, 失則者, 自失之也.

'사방의 나라에 비춤'은 그 법칙이고, '법칙을 잃음'은 스스로 잃은 것이다.

박문건(朴文健) 『주역연의(周易衍義)』

〈問, 照四國. 曰, 上六處高, 而以臨其下, 故謂之照四國也.

물었다: "사방의 나라에 비춘다"는 무슨 뜻입니까?

답하였다: 상육은 높은데 처하여 그 아래에 임하기 때문에, "사방의 나라에 비춘다"고 하였습니다.〉

오치기(吳致箕) 「주역경전증해(周易經傳增解)」

初雖有位, 終乃自傷, 是爲失君之則. 與六二之順則, 相反也.

처음에는 지위가 있지만 끝에는 스스로 손상시키니, 임금의 법칙을 잃은 것이다. 육이의 순하고 법도에 맞음과는 상반된다.

37

가인괘
家人卦 ䷤

║中國大全║

傳

家人, 序卦, 夷者傷也, 傷於外者, 必反於家, 故受之以家人. 夫傷困於外, 則必
反於內, 家人所以次明夷也. 家人者, 家內之道, 父子之親, 夫婦之義, 尊卑長幼
之序, 正倫理篤恩義, 家人之道也. 卦外巽內離, 爲風自火出, 火熾則風生. 風生
自火, 自內而出也. 自內而出, 由家而及於外之象. 二與五, 正男女之位於內外,
爲家人之道, 明於內而巽於外, 處家之道也. 夫人有諸身者, 則能施於家, 行於
家者, 則能施於國, 至於天下治, 治天下之道, 蓋治家之道也. 推而行之於外耳,
故取自內而出之象, 爲家人之義也. 文中子書, 以明內齊外爲義, 古今善之, 非
取象之意也. 所謂齊乎巽, 言萬物潔齊於巽方, 非巽有齊義也, 如戰乎乾, 乾非
有戰義也.

가인괘(家人卦)는 「서괘전」에서 "이(夷)는 상(傷)함이니, 밖에서 상한 자는 반드시 집으로 돌아오기 때문에 가인괘로 받았다"라고 하였다. 밖에서 상하고 곤궁하면 반드시 안으로 돌아오니, 가인괘가 이 때문에 명이괘(明夷卦)의 다음이 되었다. 가인(家人)은 집안의 도이니, 부자(父子)의 친함과 부부(夫婦)의 의리와 존비(尊卑)·장유(長幼)의 차례에 윤리를 바르게 하고 은혜와 의리를 돈독히 함이 가인의 도이다. 괘가 밖은 손괘(巽卦☴)이고 안은 리괘(離卦☲)여서 바람이 불로부터 나오게 되니, 불이 세게 타오르면 바람이 생긴다. 바람이 불로부터 생김은 안으로부터 나옴이다. 안으로부터 나옴은 집으로부터 밖에 미치는 상(象)이다. 이효와 오효가 안과 밖에서 남자와 여자의 자리를 바르게 함이 가인의 도가 되며, 안에서 밝고 밖에서 공손함이 집안에 거처하는 도이다. 사람은 자신이 지닌 것은 집안에 시행할 수 있고, 집안에서 행하는 것은 나라에 시행할 수 있어 천하가 다스려짐에 이르니, 천하를 다스리는 도가 집안을 다스리는 도이다. 미루어 밖으로 행할 뿐이므로 안으로부터 나오는 상을 취하였으니, 가인의 뜻이 된다. 문중자(文中子)의 책에서는 '안을 밝게 하고 밖을 가지런히 하는 것'으로 뜻을 삼았는데, 예로부터 지금까지 이를 좋게 여기지만 상에서 취한 뜻은 아니다. 이른바 '제호손(齊乎巽)'은 만물이 손괘(巽卦)의 방향에서 깨끗하고 가지런해짐을 말하는 것이지,[1] 손괘에 가지런하다는 뜻이 있는 것은 아니니, '전호건(戰乎乾)'이 건괘(乾卦)에 싸운다는 뜻이 있는 것이 아님과 같다.[2]

---

1) 『周易·說卦傳』: 齊乎巽, 巽東南也, 齊也者, 言萬物之潔齊也.
2) 『周易·說卦傳』: 戰乎乾, 乾西北之卦也, 言陰陽相薄也.

小註

或問, 易傳云, 正家之道, 在於正倫理篤恩義, 今欲正倫理, 則有傷恩義, 欲篤恩義, 又有乖於倫理, 如何. 朱子曰, 須是於正倫理處, 篤恩義, 篤恩義而不失倫理, 方可.

어떤 이가 물었다: 『정전』에서 "집안을 바르게 하는 도가 윤리를 바르게 하고 은혜와 의리를 돈독하게 함에 있다"고 하였는데, 이제 윤리를 바르게 하고자 하면 은혜와 의리를 상함이 있고, 은혜와 의리를 돈독하게 하고자 하면 윤리에 어그러짐이 있는 것은 어째서입니까? 주자가 답하였다: 반드시 윤리를 바르게 하는 데에서 은혜와 의리를 돈독히 하는 것이니, 은혜와 의리를 돈독히 하되 윤리를 잃지 않아야 비로소 옳습니다.

○ 合沙鄭氏曰, 家人之卦, 由人事而名也, 天理在焉. 學者不旁通其情, 而拘於家人一事, 則六十四卦, 皆拘也.

합사정씨가 말하였다: 가인괘는 인사(人事)를 따라 이름을 지었는데, 천리가 거기에 있다. 배우는 자가 그 실정을 통달하지 못하여 가인(家人) 한 가지 일에만 구애(拘碍)되면 육십사괘에 모두 구애된다.

‖韓國大全‖

조호익(曺好益) 『역상설(易象說)』

序卦, 明於內而巽於外, 明內巽外, 程子意, 以男女言之, 五爻傳可見.[3]

『정전』의 "안에서 밝고 밖에서 공손하다"는 안으로 밝고 밖으로 공손함인데, 정자의 뜻은 남자와 여자로 말한 것이니, 오효의 『정전』에서 알 수 있다.

유정원(柳正源) 『역해참고(易解參攷)』[4]

傳, 正倫 [至] 恩義.

---

3) 이 문장 전체는 경학자료집성DB에 누락되어 있으나, 경학자료집성 원문을 대조하여 보충하였다.
4) 경학자료집성DB에는 가인괘(家人卦) '괘사'로 분류하였으나, 내용에 따라 이 자리로 옮겨왔다.

『정전』에서 말하였다: 윤리를 바르게 … 은혜와 의리를 돈독히 한다.

水心葉氏曰, 正倫理, 則尊卑之分明, 篤恩義, 則上下之情合, 二者竝行, 而家道盡矣.
然必以正倫理爲先, 未有倫理不正而恩義可篤者也.
수심섭씨가 말하였다: 윤리를 바르게 하면 높음과 낮음의 분수가 밝혀지고, 은혜와 의리를
돈독히 하면 위와 아래의 정감이 합쳐지니, 두 가지를 함께 행해야 집안의 도리를 다할 것이
다. 그러나 반드시 윤리를 바르게 함을 우선해야 하니, 윤리가 바르지 않고서 은혜와 의리를
돈독하게 할 수 있는 경우는 없다.

○ 晦齋先生曰, 家人之道, 在於正倫理, 篤恩義, 蓋必先正其倫理然後, 恩義可篤也.
自古人君不能正其家, 而兄弟夫婦之間, 離貳怨隙, 有不克相保者, 其禍始於倫理之不
正也. 故家人卦, 以嚴爲本, 非處身之嚴者, 亦何以正一家之倫理乎.
회재선생이 말하였다: 가인의 도리는 윤리를 바르게 하고 은혜와 의리를 돈독히 함에 있지
만, 반드시 먼저 윤리를 바르게 한 뒤에야 은혜와 의리가 돈독해질 수 있다. 예로부터 임금
이 그 집안을 바르게 할 수 없어서 형제와 부부의 사이가 떨어져 등지고 원망하며 갈라져
서로 보살피지 못하는 것은 그 재앙이 윤리를 바르게 하지 못함에서 시작된다. 그러므로
가인괘는 엄함으로 근본을 삼으니, 처신을 엄하게 하는 자가 아니라면 또한 어찌 한 집안의
윤리를 바르게 할 수 있겠는가?

明內齊外.
안을 밝게 하고 밖을 가지런히 함.
〈中說禮樂篇, 程元曰, 風自火出家人, 何也, 子曰, 明內而齊外, 故家道正而天下正.
『중설·예악편』5)에서 말하였다: 정원이 "어째서 바람이 불로부터 나오는 것을 가인이라 합
니까?"라고 묻자, 공자가 "안을 밝게 하고 밖을 가지런히 하기 때문에 집안의 도가 바르면
천하가 바르게 된다"고 하였다.〉

김기례(金箕澧) 「역요선의강목(易要選義綱目)」6)
傷於外者, 必反於家.
밖에서 상처받은 자는 반드시 집으로 돌아온다.

---

5) 『중설(中說)』: 수(隋)나라 유학자 왕통(王通)이 편찬한 책이다.
6) 경학자료집성DB에서는 가인괘(家人卦) '단사'에 해당하는 것으로 분류했으나, 내용에 따라 이 자리로 옮겨왔다.

○ 風自火出, 明內齊外, 係辭曰, 齊乎巽.

'바람이 불로부터 나옴'은 안을 밝게 하고 밖을 가지런히 함이니, 말을 달아서 "손괘에서 가지런하다"고 하였다.

○ 蓋內明而外齊, 由家而施國.

대체로 안이 밝아야 밖이 가지런해지니, 집안을 말미암아 나라에 시행한다.

이진상(李震相) 『역학관규(易學管窺)』[7]

卦體.

괘의 몸체.

晉明夷, 皆四陰二陽. 故又以家人睽四陽二陰之卦次之. 長女上而中女下, 服事於內者也.

진괘(晉卦☲☷)와 명이괘(明夷卦☷☲)는 모두 음이 넷이고 양이 둘이다. 그러므로 양이 넷이고 음이 둘인 가인괘(家人卦)와 규괘(睽卦☲☱)로 다음 하였다. 맏딸이 위에 있고 둘째 딸이 아래에 있으니, 안에서 시중드는 것이다.

이정규(李正奎) 「독역기(讀易記)」[8]

家人者, 倫理之所始也, 事物之所資也, 天下國家之所本也, 若一有不得其所, 而有悔吝之象, 則不可爲倫理之始, 事物之資, 天下國家之本也. 六爻之全吉, 以此故歟, 美哉.

가인은 윤리가 시작되고 사물이 의지하고 천하국가가 근본 하는 바이니, 만약 하나라도 제자리를 얻지 못하여 후회나 인색의 상이 있다면, 윤리가 시작되고 사물이 의지하고 천하국가가 근본 할 수 없다. 육효 전체가 길한 것은 이 때문일 것이니, 아름답도다!

---

7) 경학자료집성DB에는 가인괘(家人卦) '괘사'로 분류하였으나, 내용에 따라 이 자리로 옮겨왔다.

8) 이 문장 전체는 경학자료집성DB에 누락되어 있으나, 경학자료집성 원문을 대조하여 보충하였다.

家人, 利女貞.

가인은 여자가 바르게 함이 이롭다.

‖中國大全‖

傳

家人之道, 利在女正, 女正則家道正矣. 夫夫婦婦而家道正, 獨云利女貞者, 夫正者, 身正也, 女正者, 家正也, 女正則男正可知矣.

가인의 도는 이로움이 여자가 바르게 하는데 있으니, 여자가 바르게 하면 집안의 도가 바르게 된다. 남편은 남편답고 아내는 아내다워야 집안의 도가 바르게 되는데, "여자가 바르게 함이 이롭다"고만 말한 것은 남편이 바르게 하면 자기만 바르게 되지만 여자가 바르게 하면 집안이 바르게 되기 때문이니, 여자가 바르게 하면 남자도 바르게 됨을 알 수 있다.

本義

家人者, 一家之人. 卦之九五六二, 內外各得其正, 故爲家人. 利女貞者, 欲先正乎內也, 內正則外无不正矣.

가인은 한 집안의 사람이다. 괘의 구오와 육이가 안팎에서 각각 그 바름을 얻었기 때문에 가인이 된다. "여자가 바르게 함이 이롭다"는 것은 먼저 안을 바르게 하고자 함이니, 안이 바르게 되면 밖이 바르지 않음이 없을 것이다.

小註

中溪張氏曰, 家人之義, 以內爲主, 六二居內而位正, 故曰利女貞. 女正則家道成矣. 或謂男女莫非家人, 而獨曰利女貞者, 何邪. 蓋家人合巽離而成卦, 巽長女而位四, 離中女而位二. 以柔居柔各得其正, 此亦利女貞之義. 昔舜刑于二女, 正合家人巽離之象.

중계장씨가 말하였다: 가인의 뜻은 안을 주인으로 하는데, 육이는 안에 있고 자리가 바르기 때문에 "여자가 바르게 함이 이롭다"고 하였다. 여자가 바르게 하면 집안의 도가 이루어진다. 어떤 이는 "남자와 여자가 가인 아닌 것이 없는데, 여자가 바르게 함이 이롭다고만 한 것은 어째서인가?"라고 하였다. 가인괘는 손괘와 리괘를 합하여 괘를 이루었는데, 손괘는 맏딸로 네 번째에 자리하고 리괘는 둘째 딸로 두 번째에 자리한다. 부드러운 음으로 부드러운 자리에 있어 각각 그 바름을 얻었으니, 이 또한 "여자가 바르게 함이 이롭다"는 뜻이다. 옛날 순임금이 두 딸에게 본보기가 되었다는 것9)이 바로 가인괘의 손괘와 리괘의 상에 부합한다.

○ 誠齋楊氏曰, 正莫易於天下, 而莫難於一家, 莫易於一家之父子兄弟, 而莫難於一婦, 一婦正, 一家正, 一家正, 天下定矣, 故家人之卦辭曰利女貞.

성재양씨가 말하였다: '바르게 함'은 천하보다 쉬운 것이 없고 한 집안보다 어려운 것이 없으며, 한 집안의 부자(父子)와 형제보다 쉬운 것이 없고 아내보다 어려운 것이 없으니, 아내 한 사람이 바르게 되면 한 집안이 바르게 되고, 한 집안이 바르게 되면 천하가 안정되기 때문에 가인괘의 괘사에서 "여자의 바름이 이롭다"고 하였다.

○ 雲峰胡氏曰, 家人九五居外, 六二居內, 男女正位之象也. 長女居上, 中女居下, 尊卑有序之象也. 四陽二陰, 陽强而陰弱, 夫唱婦隨之象也. 二柔皆居陰位, 執柔而不敢抗之象也. 內明而外巽, 處家之象也. 自初至五, 皆貞, 尊卑各安其分之象也, 而卦獨曰利女貞, 先正乎內也. 天下以國爲內, 國以家爲內, 家以女爲內. 在咸之時, 二女尙少, 此中女與長女, 則家道旣成之象也. 巽長女一陰在下而順, 今居上卦之下而得其正, 離中女一陰在中而明, 今居下卦之中而得其正. 此所以爲女之正而其家无不正者. 要之, 家人內也, 當以離內爲主.

운봉호씨가 말하였다: 가인괘 구오가 밖에 있고 육이가 안에 있음은 남자와 여자가 자리를 바르게 하는 상이다. 맏딸이 위에 있고 둘째 딸이 아래에 있음은 높고 낮음에 차례가 있는 상이다. 양은 넷이고 음이 둘인데 양은 강하고 음이 약하니 남편이 부르고 아내가 따르는 상이다. 부드러운 두 음이 모두 음의 자리에 있으니, 부드러움을 지키면서 감히 대항하지 않는 상이다. 안은 밝고 밖이 공손하니, 집에 거처하는 상이다. 초효에서 오효까지 모두 바르니, 높고 낮음이 각각 그 분한에 편안해 하는 상인데, 괘에서 "여자가 바르게 함이 이롭다"고만 말한 것은 먼저 그 안을 바르게 함이다. 천하는 나라를 안으로 하고 나라는 집안을 안으로 하며 집안은 여자를 안으로 한다. 함괘(咸卦☱☶)의 때에는 두 여자가 아직 어렸지만,

---

9) 『서경 · 요전』.

가인괘(家人卦)는 둘째 딸과 맏딸이니, 집안의 도가 이미 이루어진 상이다. 손괘(巽卦☴)인 맏 딸은 한 음이 아래에 있으면서 유순한데, 이제 상괘의 아래에 있으면서 그 바름을 얻었고, 리괘(離卦☲)인 둘째 딸은 한 음이 가운데 있으면서 밝은데, 이제 하괘의 가운데 있으면서 그 바름을 얻었다. 이것이 여자가 바르게 하여 그 집안이 바르지 않음이 없게 되는 까닭이다. 요컨대, 가인은 안이니, 마땅히 리괘(離卦☲)인 내괘로 주인을 삼아야 한다.

┃韓國大全┃

송시열(宋時烈)『역설(易說)』

巽離皆女, 二五相應, 陽外陰內, 風以噓火, 火熾風生, 象與義, 皆有家人正位之意. 故曰家人也. 利女貞者, 女正則家正也. 象又推衍家內之事, 女內男外, 以柔從剛, 女道之正. 故曰貞, 占者亦如之.[10]

손괘(☴)와 리괘(☲)가 모두 여자인데, 이효와 오효가 서로 호응하고, 양이 밖이고 음이 안이며, 바람으로 불어서 커지고 불타올라 바람이 나오니, 상과 뜻에 모두 가인이 자리를 바르게 한다는 뜻이 있다. 그러므로 ‘가인’이라고 했다. “여자가 바르게 함이 이롭다”는 여자가 바르게 하면 집안이 바르게 되기 때문이다. 「단전」에서 또한 집안의 일을 미루어 넓혔는데, 여자는 안이고 남자가 밖이며, 부드러운 음으로 굳센 양을 따르니, 여자의 도리가 바른 것이다. 그러므로 ‘바름’을 말하였으니, 점친 것도 또한 이와 같다.

강석경(姜碩慶)「역의문답(易疑問答)」

家人之卦最好看. 卦辭利女貞者, 以上下巽離而言也, 孔子歷數一家之人者, 推諸六爻而言也. 卦體爻位之得其正者, 無如此卦, 有家者, 誠能觀其象玩其辭, 而反諸躬體諸身, 則不但家齊, 而其於治國乎, 更無事矣.

가인괘는 아주 보기 좋다. 괘사인 “여자가 바르게 함이 이롭다”는 위아래의 손괘와 리괘로 말한 것이고, 공자가 일일이 한 집안의 사람을 헤아림은 여섯 효를 미루어 말한 것이다. 괘의 몸체와 효의 자리가 이 괘만큼 바르게 된 것이 없으니, 가정을 이룬 자가 참으로 그

---

10) 이 문장 전체는 경학자료집성DB에 누락되어 있으나, 경학자료집성 원문을 대조하여 보충하였다.

상을 살피고 그 말을 음미하여 자신에게 돌이키고 체험한다면, 집안을 가지런히 할 뿐만 아니라 나라를 다스림에도 다시 어려움이 없을 것이다.

이익(李瀷) 『역경질서(易經疾書)』

李光地曰, 六十四卦, 剛柔皆得位, 惟旣濟, 中四爻得位者三, 家人蹇漸也. 家人名義, 獨取風化有原之象, 蹇漸之中爻雖得位, 而初上不皆陽爻. 凡易取類, 上爻有父之象, 故蠱之下五爻, 皆曰父母, 至上爻則變其文也. 初爻有子之象, 故蠱曰有子, 觀曰童觀, 隨漸曰小子, 中孚曰其子, 皆指初爻也. 二爲女, 正位乎內, 母道也, 五爲男, 正位乎外, 父道也. 然必初上皆陽, 然後父子之象備, 又三陽四陰, 各得其位, 然後兄弟夫婦, 粲然 於一卦之中.

이광지가 말하였다: 64괘에서 굳셈과 부드러움이 모두 제자리인 것은 기제괘(旣濟卦☵☲) 뿐 이고, 가운데의 네 효가 제자리인 것이 셋이니, 가인괘와 건괘(蹇卦☵☶)와 점괘(漸卦☴☶)이 다. 가인괘의 이름은 풍습의 교화에 근원이 있다는 상을 취했을 뿐이고, 건괘와 점괘는 가운 데 효가 비록 제자리를 얻었다고 하더라도 초효와 상효가 모두 양효는 아니다. 『주역』에서 부류를 취함에 상효에는 아버지의 상이 있으므로 고괘(蠱卦☶☴)의 아래의 다섯 효에서 모두 '부모'[11]를 말하였고, 상효에 이르러서야 그 문장을 바꾸었다. 초효에는 자식의 상이 있으므 로 고괘에서 "아들이 있으면"[12]이라 하고, 관괘(觀卦)에서 "어린 아이가 보는 것이니"[13]라고 하고, 수괘(隨卦)와 점괘에서 '소자'[14]라 하고, 중부괘에서 '학의 새끼'[15]라 하였으니, 모두 초효를 가리킨다. 이효는 여자가 되어 안에서 자리를 바르게 하니 어미의 도리이고, 오효는 남자가 되어 밖에서 자리를 바르게 하니 아비의 도리이다. 그러나 반드시 초효와 상효가 모두 양효인 뒤에야 부모와 자식의 상이 갖추어지고, 또한 삼효가 양효이고 사효가 음효로 각각 제자리를 얻은 뒤에야 형제와 부부가 한 괘의 가운데서 명백해진다.

愚謂, 此說近矣, 猶有未明父子兄弟夫婦, 皆指下三爻者也. 六爻皆得位, 惟旣濟, 世治 之象. 其反爲未濟, 則無所不濟之謂旣濟. 下五爻皆得位, 惟家人, 爲家齊之象. 其反 爲睽, 則無所睽乖之謂家人, 此聖人命名之義也. 九五王假有家, 則九三爲匹庶之齊

---

11) 『周易·蠱卦』: 初六, 幹父之蠱. 有子, 考无咎. 厲, 終吉. 九二, 幹母之蠱, 不可貞. 九三, 幹父之蠱, 小有悔, 无大咎. 六四, 裕父之蠱, 往見吝. 六五, 幹父之蠱, 用譽.

12) 『周易·蠱卦』: 初六, 幹父之蠱. 有子, 考无咎. 厲, 終吉.

13) 『周易·觀卦』: 初六, 童觀, 小人, 无咎, 君子, 吝.

14) 『周易·隨卦』: 六二, 係小子, 失丈夫. 『周易·漸卦』: 初六, 鴻漸于干, 小子厲, 有言, 无咎.

15) 『周易·中孚卦』: 九二, 鳴鶴在陰, 其子和之, 我有好爵, 吾與爾靡之.

家. 上九威如, 則九三嗃嗃, 乃化之者, 中惟婦子最親, 故嘻嘻. 必自近始, 婦子而不止, 必及於家人也. 嗃嗃則終吉, 嘻嘻則終吝, 其語與與奢寧儉同, 嗃嗃, 非中道可知. 治家之道, 恩常掩義, 故苟非明智斷行而先務安和者, 必歸於嘻嘻, 但言嗃嗃之悔厲, 方爲無弊. 上云未失, 下云失家節, 未失者, 乃未失家節也. 雖成嚴稍過, 而在家節, 則爲未失也, 未字, 宜熟玩也.

내가 살펴보았다: 이 설명이 근사하지만, 여전히 부자와 형제와 부부가 모두 아래의 세 효를 가리키고 있다는 점을 분명히 하지 못하였다. 여섯 효가 모두 제자리인 것은 기제괘 뿐이니, 세상이 다스려지는 상이다. 그것을 반대로 하면 미제괘(未濟卦䷿)가 되니, 다스리지 못함이 없음을 기제라고 한 것이다. 아래 다섯 효가 모두 제자리인 것은 가인괘 뿐이니, 집안을 가지런히 하는 상이 된다. 그것을 반대로 하면 규괘(睽卦䷥)가 되니 어그러짐이 없음을 가인이라 한 것이며, 이것이 성인이 이름을 붙인 뜻이다. 구오는 왕이 집안에 이름이니[16] 구삼은 평민의 집안을 가지런히 함이 된다. 상구가 위엄으로 하면[17] 구삼이 원망함이 바로 교화된 것이고, 중간에 부인과 자식이 아주 친하기 때문에 희희덕거린 것이다.[18] 가까운 것에서 시작해야 하지만 부녀자에 그치지 않고 집안사람들에게까지 미쳐야 한다. 원망하면 끝내는 길하고, 희희덕거리면 끝내는 부끄러우니, 그 말이 "사치하기 보다는 차라리 검소해야 한다"[19]와 같으며, '원망함[嗃嗃]'은 중도(中道)가 아님을 알 수 있다. 집을 다스리는 방법은 은혜가 항상 의리를 가리게 되므로 참으로 명석한 지혜와 단호한 행위로 먼저 안정과 화합에 힘쓰는 자가 아니라면 반드시 희희덕거림으로 돌아갈 것이니, 다만 원망하는 후회를 엄하게 해야만 폐단이 없을 것이다. 삼효의 「상전」에서 앞에서는 '잃지 않음'을 말하고, 뒤에서는 '가정의 절도를 잃음'을 말하였으니, 잃지 않음은 바로 가정의 절도를 잃지 않음이다. 비록 엄격함이 조금 지나치더라도 가정의 절도는 잃지 않는 것이니, "않는대[未]"는 말을 음미해야 할 것이다.

심조(沈潮) 「역상차론(易象箚論)」[20]

內外卦皆女, 而宅爻又陰也, 故曰利女貞.

내괘와 외괘가 모두 여자이고, 자리 잡은 효도 또한 음효이기 때문에 "여자가 바르게 함이 이롭다"고 하였다.

---

16) 『周易 · 家人卦』: 九五, 王假有家, 勿恤, 吉.

17) 『周易 · 家人卦』: 上九, 有孚威如, 終吉.

18) 『周易 · 家人卦』: 九三, 家人嗃嗃, 悔厲吉, 婦子嘻嘻, 終吝.

19) 『論語 · 八佾』: 禮, 與其奢也, 寧儉, 喪, 與其易也, 寧戚.

20) 경학자료집성DB에는 가인괘(家人卦) 「단전」으로 분류하였으나, 내용에 따라 이 자리로 옮겨왔다.

유정원(柳正源) 『역해참고(易解參攷)』

馬氏曰, 男以女爲家, 家人以女爲奧主. 長女中女, 各得其正, 故曰利女貞.

마씨가 말하였다: 남자는 여자로 집안을 이루고, 집사람은 여자를 안방주인으로 삼는다. 맏딸과 둘째 딸이 각각 바름을 얻었으므로 "여자가 바르게 함이 이롭다"고 하였다.

○ 東谷鄭氏曰, 長女處下而巽順乎陽, 中女居中而附麗乎陽. 婦人之義有三從, 蓋盡從陽之義, 此女之貞也.

동곡정씨가 말하였다: 맏딸이 아래에서 양에게 겸손[巽順]하고, 둘째 딸이 가운데서 양에게 붙어 있다. 부인의 뜻에는 세 가지의 따름이 있으니, 양을 따른다는 뜻을 다하는 것이 여자의 바름이다.

○ 南軒張氏曰, 九五居外, 六二居內, 男女正位之象也. 四陽二陰, 陽剛而陰弱, 夫唱婦隨之象也. 二柔皆居陰位, 執柔而不抗之象也, 內明而外巽, 處家之象也.

남헌장씨가 말하였다: 구오가 밖에 있고 육이가 안에 있으니, 남자와 여자가 바르게 자리한 상이다. 양이 넷이고 음이 둘인데 양은 굳세고 음은 유약하니, 남편이 부르고 아내가 따르는 상이다. 부드러운 두 개의 음이 모두 음의 자리에 있으니 부드러움을 지키면서 대항하지 않는 상이고, 안은 밝고 밖이 공손하니 집에 거처하는 상이다.

김상악(金相岳) 『산천역설(山天易說)』

家人之義, 離巽同. 卦二與四, 皆得正位, 故利女貞, 而六二貞吉, 又爲成卦之主.

가인의 뜻은 리괘(離卦☲)와 손괘(巽卦☴)가 같다. 괘에 이효와 사효가 모두 바른 자리를 얻었으므로 여자가 바르게 함이 이롭지만, 육이의 바르며 길함이 또한 전체 괘의 주인이 된다.

○ 初上爲家, 中四爻爲人, 三畫之二五, 六畫之三四, 皆人位也. 利女貞, 與觀六二同辭. 然美戒不同, 家人則已然之利也.

초효와 상효는 집이 되고 중간의 네 효는 사람이 되니, 삼획괘로는 이효와 오효, 육획괘로는 삼효와 사효가 모두 사람의 자리이다. "여자가 바르게 함이 이롭다"는 관괘의 육이와 말이 같다. 그러나 찬미함과 경계함은 같지 않으니, 가인괘는 이미 이루어진 이로움이다.

김규오(金奎五) 「독역기의(讀易記疑)」

卦辭貞者女, 而利之者男也, 雖不言男, 而未嘗无男也. 其單以女貞立文者, 主乎內而言, 可推之本也. 是以釋彖首言女正, 以發卦辭, 而推及於男正, 以及於父母. 又推而及於六親, 又推而極於天下, 皆爲貞所包之義, 而風火內出之象也.

괘사의 바르게 하는 것은 여자이고 이를 이롭게 하는 것은 남자이니, 비록 남자를 말하지 않았지만 남자가 없었던 적은 없다. 단지 여자의 바름으로 글을 쓴 것은 안을 위주로 말한 것이니, 근본을 미루어 볼 수 있다. 이 때문에 「단전」에서 단사를 해석함에 먼저 여자의 바름을 말하여 괘사를 펼치고, 미루어 남자의 바름을 언급하여 부모에게 미쳤다. 다시 미루어 육친에 미치고 다시 미루어 천하에까지 다하였으니, 모두 바름으로 포괄한다는 뜻이며 바람과 불이 안으로부터 나오는 상이다.

○ 單言女貞之義, 先儒詳之, 而復有二說. 陰卦多陽, 陽倍於陰, 一也, 陽或失正, 而陰皆得正, 二也.

다만 여자의 바름만을 말한 뜻을 이전 유학자가 상세히 하여 다시 두 가지의 설이 있다. 음괘는 양효가 많아 양효가 음효보다 두 배라는 것이 한가지이고, 양효는 혹 바름을 잃었어도 음효는 모두 바름을 얻었다는 것이 다른 한가지이다.

서유신(徐有臣) 『역의의언(易義擬言)』

家人, 有家之道也, 女貞, 有家之利也. 長女在上, 中女在下, 六二六四得正, 此卦獨然. 故爲家人, 爲女貞也.

가인괘에는 집안의 도리가 있고, 여자의 바름에는 집안의 이로움이 있다. 맏딸이 위에 있고 둘째 딸이 아래에 있으면서 육이와 육사가 바름을 얻은 것은 이 괘가 홀로 그러하다. 그러므로 가인이 되고 여자의 바름이 된다.

윤행임(尹行恁) 『신호수필(薪湖隨筆)・역(易)』

巽上離下, 內虛外實, 有室家之象. 陰內陽外, 各得其位, 爲男女之正, 所以爲家人.

손괘가 위이고 리괘가 아래여서 안이 비고 밖이 찼으니, 가정의 상이 있다. 음(陰)이 안에 있고 양(陽)이 밖에 있어 각각 제자리를 얻어 남자와 여자가 바르게 되었으니, 가인이 되는 까닭이다.

박문건(朴文健) 『주역연의(周易衍義)』

處下體之內, 而上有敵, 應當用女子之貞, 而不出戶外也.

아래 몸체의 안에 있으면서 위로 대적함이 있으니, 응당 여자의 바름을 써서 문 밖으로 벗어나지 말아야 한다.

〈問, 文王則取利女貞之義, 而夫子則取女利貞之義, 何. 曰, 三聖之易不同, 不止此而已.
물었다: 문왕은 여자가 바르게 함이 이롭다는 뜻을 취하였는데, 공자는 여자가 바름을 이롭게 여긴다는 뜻을 취한 것은 어째서입니까?
답하였다: 세 성인의 역이 같지 않은 것은 이 뿐만이 아닙니다.〉

이지연(李止淵) 『주역차의(周易箚疑)』

女是家人也, 爭長競短, 分門割戶, 崔山南之所以戒家人也, 不聽老婆言, 鄭磏之所以同居也, 相敬如賓, 冀缺之所以待家人也. 然而何可比論於鵲巢關雎之得貞靜之意也哉.
여자가 가인이니, 길고 짧음을 다투고 문호를 분할함은 최산남[21]이 집안사람들에게 경계한 것이고, 듣지 못하는 노파와 대화함은 정렴[22]이 함께 기거한 것이고, 서로 공경하기를 손님처럼 함은 기결[23]이 집사람을 대한 것이다. 그렇지만 어떻게 바르고 정결한 의미를 지닌 까치의 둥지[24]와 꾸룩대는 물수리[25]에 비교하여 논의할 수 있겠는가?

김기례(金箕澧) 「역요선의강목(易要選義綱目)」

易正天下, 難正一家, 易正一家, 難貞一婦.
천하를 바르게 하기는 쉬워도 한집안을 바르게 하기는 어려우며, 한 집안을 바르게 하기는 쉬어도 한 부인을 바르게 하기는 어렵다.

○ 長女順於上, 中女明於下, 各[26]得正位. 故曰利女正, 有而家之象.
맏딸이 위에서 유순하고 둘째 딸이 아래에서 밝아 각각 바른 자리를 얻었다. 그러므로 "여자

---

21) 최산남(崔山南): 당나라 때의 사람으로 효심이 깊었다고 전해진다.
22) 정렴(鄭磏: 1506~1549): 조선 전기의 학자로 유불선에 능통했다고 한다. 천문·지리·의학·복서뿐 아니라, 어학·그림·음악 등 모든 방면에 두루 뛰어났으며, 매월당 김시습, 토정 이지함과 더불어 조선의 3대 기인으로 꼽는다.
23) 기결(冀缺): 춘추 시대 진(晉)나라 사람으로 극군(郤君) 또는 극결(郤缺)로도 불린다. 기읍(冀邑)에서 농사를 짓고 살면서 부부간에 서로 공경하기를 손님을 대하듯이 했는데, 구계(臼季)의 천거를 받아 하군대부(下軍大夫)가 되었다.
24) 『詩經·國風』: 維鵲有巢, 維鳩居之, 之子于歸, 百兩御之.
25) 『詩經·國風』: 關關雎鳩, 在河之洲. 窈窕淑女, 君子好逑.
26) 各: 경학자료집성DB와 영인본에는 모두 '名'으로 되어 있으나, 문맥을 살펴 '各'으로 바로잡았다.

가 바르게 함이 이롭다"고 하였으니, 가정이 있는 상이다.

이항로(李恒老) 「주역전의동이석의(周易傳義同異釋義)」

傳, 女正則男正, 可知矣.

『정전』에서 말하였다: 여자가 바르게 하면 남자도 바르게 됨을 알 수 있다.

本義, 內正則外無不正矣.

『본의』에서 말하였다: 안이 바르게 되면 밖이 바르지 않음이 없을 것이다.

按, 造端夫婦[27]之義, 傳與本義已盡之矣. 雲峯胡氏曰, 巽長女, 离中女, 長女居上, 中女居下, 爲得其正, 此說亦通.

내가 살펴보았다: 부부에서 시작된다는 뜻을『정전』과『본의』에서 이미 다 설명하였다. 운봉호씨가 "손괘는 맏딸이고 리괘는 둘째 딸이니, 맏딸이 위에 있고 둘째 딸이 아래에 있어 그 바름을 얻었다"고 하니, 이 설명도 통한다.

심대윤(沈大允) 『주역상의점법(周易象義占法)』

程子曰, 女正則家道正矣.

정자가 말하였다: 여자가 바르게 하면 집안의 도가 바르게 된다.

오치기(吳致箕) 「주역경전증해(周易經傳增解)」

家人者, 一家之人也. 巽陰居四, 離陰居二, 巽以長女而在上, 離以中女而在下, 九五之剛, 則處外, 六二之柔, 則處內, 是皆一家之上下內外得正之象也. 二體皆陰, 而六四六二, 俱得正位, 故曰利女貞.

가인은 한 집안의 사람이다. 손괘의 음효가 사효에 있고 리괘의 음효가 이효에 있으며, 손괘는 맏딸로 위에 있고 리괘는 둘째 딸로 아래에 있다. 구오의 굳셈은 밖에 위치하고 육이의 부드러움은 아래에 위치하니, 모두 일가의 위아래와 안팎이 바름을 얻은 상이다. 두 몸체가 모두 음이면서 육사와 육이가 모두 바른 자리를 얻었으므로 "여자가 바르게 함이 이롭다"고 하였다.

○ 二柔爻爲成卦之主, 而皆不能居高位, 故不言亨.

---

27)『中庸』: 君子之道, 造端乎夫婦, 及其至也, 察乎天地.

부드러운 두 효가 전체 괘의 주인인데, 모두 높은 자리에 있을 수 없으므로 형통함을 말하지 않았다.

이진상(李震相) 『역학관규(易學管窺)』[28]

卦惟長女中女, 故曰利女貞, 四陽方盛, 非無男也. 況互坎男乎.

괘에는 맏딸과 둘째 딸 뿐이므로 "여자가 바르게 함이 이롭다"고 하였지만, 네 양이 성대하니 남자가 없는 것은 아니다. 하물며 호괘인 감괘(坎卦☵)가 남자임에랴?

이정규(李正奎) 「독역기(讀易記)」

家人卦辭, 但曰利女貞, 而不及他, 何也. 一家之親, 父子兄弟夫婦也, 而父子兄弟, 天定之親, 不暇言正不正. 夫婦以義合者, 故家道成敗, 亶在乎女之正不正. 非惟父子兄弟也, 以及六親三族, 和合睽違, 亦在於女之正不正, 女者, 一家之樞也歟.

가인괘의 괘사에 단지 "여자가 바르게 함이 이롭다"고 하고, 다른 것은 언급하지 않은 것은 어째서인가? 한 집안의 친함에는 부자간과 형제간과 부부간이 있는데, 부자간과 형제간은 하늘이 정해준 친함이니, 바름과 바르지 않음을 말할 필요가 없다. 부부간은 의리로 합친 것이므로 가도(家道)의 성패는 단지 여자의 바름과 바르지 않음에 달려 있다. 부자와 형제 뿐만 아니라 육친(六親)과 삼족(三族)에 이르기까지 화합과 괴리는 또한 여자의 바름과 바르지 않음에 달려 있으니, 여자는 한 집안의 중심인 것이다.

이병헌(李炳憲) 『역경금문고통론(易經今文考通論)』

女不貞則家道滅矣.

여자가 바르지 않으면 집안의 도리가 없어질 것이다.

---

28) 경학자료집성DB에는 가인괘(家人卦) 「단전」으로 분류하였으나, 내용에 따라 이 자리로 옮겨왔다.

象曰, 家人, 女正位乎內, 男正位乎外, 男女正, 天地之大義也.

「단전」에서 말하였다: 가인은 여자가 안에서 자리를 바르게 하고 남자가 밖에서 자리를 바르게 하니, 남자와 여자가 바르게 함은 천지의 큰 뜻이다.

‖中國大全‖

傳

象以卦才而言. 陽居五, 在外也, 陰居二, 處內也, 男女各得其正位也. 尊卑內外之道, 正合天地陰陽之大義也

「단전」은 괘의 재질로 말하였다. 양이 오효 자리에 있음은 밖에 있는 것이고 음이 이효 자리에 있음은 안에 처하는 것이니, 남자와 여자가 각각 바른 자리를 얻었다. 높고 낮음과 안과 밖의 도는 바로 천지와 음양의 큰 뜻에 부합한다.

本義

以卦體九五六二, 釋利女貞之義.

괘의 몸체와 구오・육이로 "여자가 바르게 함이 이롭다[利女貞]"는 뜻을 풀이하였다.

小註

雲峰胡氏曰, 家人離, 多由女之不正, 故言男之正, 必先以女正言之.
운봉호씨가 말하였다: 집안사람의 헤어짐[離]이 여자의 바르지 못함에 연유한 것이 많기 때문에 남자의 바름을 말하려면 반드시 먼저 여자의 바름을 말해야 한다.

○ 中溪張氏曰, 卦辭但言利女貞, 而象辭則曰男女正. 蓋離下巽上則爲家人, 在內卦

以六居二, 陰得陰位, 則女正位乎內也, 在外卦以九居五, 陽得陽位, 則男正位乎外也. 男女之位各得其正, 乃天地陰陽之大義也.

중계장씨가 말하였다: 괘사에서는 "여자가 바르게 함이 이롭다"고만 말했는데, 「단전」에서는 "남자와 여자가 바르게 함"이라고 말하였다. 리괘가 아래에 있고 손괘가 위에 있어 가인괘가 되었는데, 내괘에서는 육(六)이 이효 자리에 있어 음이 음의 자리를 얻었으니 여자가 안에서 자리를 바르게 하는 것이며, 외괘에서는 구(九)가 오효 자리에 있어 양이 양의 자리를 얻었으니 남자가 밖에서 자리를 바르게 하는 것이다. 남자와 여자의 자리가 각각 그 바름을 얻음이 바로 천지와 음양의 큰 뜻이다.

○ 馮氏去非曰, 經止言女正, 而孔子推明一家之人皆利於正, 有補世敎爲多. 又曰, 兼三才而兩之, 五天二地也.

풍거비[29]가 말하였다: 경에서는 '여자가 바르게 함'만을 말했는데, 공자는 한 집안의 사람들이 모두 바르게 함이 이롭다고 미루어 밝혔으니, 세상의 가르침에 도움이 많게 되었다. 또 말하였다: 삼재(三才)를 겸하여 두 번 하였으니, 오효는 하늘이고 이효는 땅이다.

▌韓國大全▐

조호익(曺好益) 『역상설(易象說)』

女正位乎內, 以六居二, 陰得陰位, 男正位乎外, 以九居五, 陽得陽位. 男女正, 天地之大義. 馮氏曰, 兼三才而兩之, 五天而二地也.

'여자가 안에서 자리를 바르게 함'은 육(六)이 이효의 자리에 있음이니 음이 음의 자리에 있는 것이고, '남자가 밖에서 자리를 바르게 함'은 구(九)가 오효의 자리에 있음이니 양이 양의 자리에 있는 것이다. 남자와 여자가 바르게 함은 천지의 큰 뜻이다. 풍씨는 "삼재를 겸비하여 두 번 하였으니, 오효는 하늘이고 이효는 땅이다"라고 하였다.

권만(權萬) 『역설(易說)』

家人, 中女長女之卦, 不可以男女言. 而其曰男正位, 女正位, 特就二五陰陽畫言之也.

---

29) 풍거비(1192~1272?): 자는 가천(可遷)이고, 호는 심거(深居)이다.

其曰父母, 亦然.

가인괘는 둘째 딸과 맏딸의 괘이니 남자와 여자로 말할 수 없다. 그런데 "남자가 자리를 바르게 하고 여자가 자리를 바르게 한다"고 한 것은, 특별히 이효와 오효의 음양의 획으로 말한 것이다. '부모'를 말한 것도 그러하다.

유정원(柳正源) 『역해참고(易解參攷)』[30]

王氏曰, 家人之義, 以內爲本, 故先說女也.

왕씨가 말하였다: 가인의 뜻은 안을 근본으로 하므로 먼저 여자를 말하였다.

○ 厚齋馮氏曰, 凡曰貞者, 不特正有固守之義. 女貞之義, 所該者廣, 孔子特以男女內外之位正言之.

후재풍씨가 말하였다: '바름'을 말한 것들은 다만 굳게 지킨다는 뜻만 있는 것이 아니다. 여자가 바르다는 뜻은 포괄하는 것이 넓지만, 공자는 다만 남녀와 내외의 자리가 바름으로 말하였을 뿐이다.

김상악(金相岳) 『산천역설(山天易說)』

以卦體釋卦辭. 女正位乎內謂二四, 男正位乎外謂三五. 卦辭但言利女正, 而象傳則以男女言者, 家人之本, 正雖在女, 能正之者, 在於丈夫. 男女正位乎內外, 乃天地之大義也.

괘의 몸체로 괘사를 해석하였다. "여자가 안에서 자리를 바르게 한다"는 이효와 사효를 말하고, "남자가 밖에서 자리를 바르게 한다"는 삼효와 오효를 말한다. 괘사에서 다만 "여자가 바르게 함이 이롭다"고 하였는데, 「단전」에서 남자와 여자로 말한 것은 가인의 근본이 바로 여자에게 있지만, 여자를 바르게 할 수 있는 것은 장부에게 있기 때문이다. 남자와 여자가 안과 밖에서 자리를 바르게 함이 바로 천지의 큰 뜻이다.

서유신(徐有臣) 『역의의언(易義擬言)』

卦以二四而言女貞, 象以二五而言女正位乎內, 男正位乎外也. 先言女正位, 釋女貞也, 復言男正位, 女貞之所由也. 天地之大義者, 造端乎夫婦, 察乎天地也.

---

30) 경학자료집성DB에서는 가인괘(家人卦) 괘사에 해당하는 것으로 분류했으나, 내용에 따라 이 자리로 옮겨왔다.

괘사에서는 이효와 사효로 여자가 바르게 함을 말하였고,「단전」에서는 이효와 오효로 여자가 안에서 자리를 바르게 하고 남자가 밖에서 자리를 바르게 함을 말하였다. 먼저 "여자가 자리를 바르게 한다"고 한 것은 '여자가 바르게 함'을 해석한 것이고, 다시 "남자가 자리를 바르게 한다"고 한 것은 여자가 바르게 함이 연유하는 것이다. "천지의 큰 뜻이다"는 단서가 부부에게서 시작되나 천지에 드러난다는 것이다.[31]

박문건(朴文健)『주역연의(周易衍義)』

此以卦體釋女貞之義, 而兼及於男貞也, 男女正, 天地之道也.
이는 괘의 몸체로 여자가 바르게 한다는 뜻을 해석하고, 겸하여 남자가 바르게 함을 언급하였으니, 남자와 여자가 바르게 함은 천지의 도(道)이다.
〈問, 女正位男正位之正, 與男女正之正, 其義有深淺, 男女之正由於正位歟. 曰, 然.
물었다: 여자가 자리를 바르게 하고 남자가 자리를 바르게 한다는 것의 '바르게 함'과 남자와 여자가 바르게 한다는 것의 '바르게 함'은 그 뜻에 깊고 얕음이 있으니, 남자와 여자의 바르게 함은 자리를 바르게 함에 연유하는 듯합니다.
답하였다: 그렇습니다.〉

김기례(金箕澧)「역요선의강목(易要選義綱目)」

男女正, 天地之大義也.
남자와 여자가 바르게 함은 천지의 큰 뜻이다.

天地卽陰陽, 陰陽卽男女, 男女正, 如天地正位. 卦辭但言女正, 象以爻位釋二五之正.
천지는 음양이고 음양은 남녀이니, 남자와 여자가 바르게 함은 하늘과 땅이 자리를 바르게 함과 같다. 괘사에서는 다만 여자가 바르게 함만을 말했는데,「단전」에서는 효의 자리로써 이효와 오효의 바르게 함을 해석하였다.

윤종섭(尹種燮)『경(經)-역(易)』

家人, 女正位乎內, 男正位乎外, 以爻言. 五以陽居尊爲男子, 二以陰居內爲宅母, 有正家之象.

---

31)『中庸』: 君子之道, 造端乎夫婦, 及其至也, 察乎天地.

"가인은 여자가 안에서 자리를 바르게 하고 남자가 밖에서 자리를 바르게 한다"는 효로서 말한 것이다. 오효는 양으로서 높은 자리에 있기에 남자가 되고, 이효는 음으로서 안에 있기에 집의 어머니가 되니, 집을 바르게 하는 상이 있다.

심대윤(沈大允) 『주역상의점법(周易象義占法)』

初女二婦三母, 女正位乎內也, 四子五夫上父, 男正位乎外也. 家人之道, 自內而及外, 刑[32]于寡妻, 以御于家邦, 是也. 故先女而後男也.

초효는 딸이고 이효는 부인이고 삼효는 어머니이니 여자가 안에서 자리를 바르게 함이고, 사효는 아들이고 오효는 남편이고 상효는 아버지이니 남자가 밖에서 자리를 바르게 함이다. 가인의 도는 안으로부터 밖에 미치니, "아내에게 모범이 되어서 집과 나라를 다스린다"[33]가 이것이다. 그러므로 여자를 먼저하고 남자를 뒤에 하였다.

최세학(崔世鶴) 「주역단전괘변설(周易彖傳卦變說)」

家人, 乾之二體變也, 二與四二爻爲主. 故象以家人女正位言之. 坤二來居於下體之中, 坤四往居於上體之下. 兩女以柔居柔, 長幼不失其序. 故卦辭只言利女正, 而彖辭推廣之.

가인괘(☲☴)는 건괘(乾卦☰)의 두 몸체가 변했으니, 이효와 사효, 두 효가 주인이 된다. 그러므로 「단전」에서 "가인은 여자가 자리를 바르게 한다"로 말하였다. 곤괘의 이효가 와서 하체의 가운데 있고, 곤괘의 사효가 가서 상체의 아래에 있다. 두 여자가 부드러움으로 부드러움의 자리에 있고, 연장자와 연소자가 그 순서를 바꾸지 않았다. 그러므로 괘사에서는 다만 "여자가 바르게 함이 이롭다"고 하였지만, 단사에서 의미를 미루어 넓혔다.

박문호(朴文鎬) 「경설(經說)・주역(周易)」[34]

卦辭只言女正, 而象傳竝及男正. 此與二南論后妃之德者, 必本於文王之化, 同意.

괘사에서는 다만 여자의 바름을 말하였는데, 「단전」에서는 남자의 바름을 아울러 언급하였다. 이것은 『시경』의 「주남(周南)」・「소남(召南)」에서 후비의 덕이 반드시 문왕의 교화에 근본한다고 한 것과 같은 의미이다.

---

32) 刑: 학자료집성DB에는 '形'으로 되어 있으나, 경학자료집성 영인본을 참조하여 '刑'으로 바로잡았다.
33) 『詩經・思齊』: 刑于寡妻, 至于兄弟, 以御于家邦.
34) 경학자료집성DB에서는 가인괘(家人卦) '단사'에 해당하는 것으로 분류했으나, 내용에 따라 이 자리로 옮겨왔다.

合天地陰陽之大義, 言合於天地陰陽之大義也. 主二五言, 則二五有夫婦之道, 主諸爻言, 則二五又有父母之象.

『정전』의 '합천지음양지대의(合天地陰陽之大義)'는 천지와 음양의 큰 뜻에 부합됨을 말한다. 이효와 오효를 위주로 말하면 이효와 오효에는 부부의 도가 있고, 여러 효를 위주로 말하면 이효와 오효에는 다시 부모의 상이 있다.

이병헌(李炳憲)『역경금문고통론(易經今文考通論)』

王曰, 內謂二, 外謂五也.

왕필이 말하였다: 안은 이효를 말하고 밖은 오효를 말한다.

家人, 有嚴君焉, 父母之謂也.

가인이 엄한 어른이 있으니, 부모를 말한다.

┃中國大全┃

傳

家人之道, 必有所尊嚴而君長者, 謂父母也. 雖一家之小, 无尊嚴則孝敬衰, 无君長則法度廢, 有嚴君而後家道正. 家者國之則也.

가인의 도는 반드시 존엄하면서 어른인 자가 있어야 하니, 부모를 말한다. 비록 한 집안이 작더라도 존엄함이 없으면 효도와 공경이 쇠퇴하고 어른이 없으면 법도가 무너지니, 엄한 어른이 있은 뒤에 집안의 도가 바르게 된다. 집안은 나라의 모범이다.

本義

亦謂二五.

또한 이효와 오효를 말한다.

小註

或問, 傳曰家人之道, 必有所尊嚴而君長者, 謂父母也, 如此則嚴君作兩字說, 然自舊諸家只作一字說, 未知如何. 朱子曰, 所尊嚴之君長也.

어떤 이가 물었다: 『정전』에서 "가인의 도는 반드시 존엄하면서 어른인 자가 있어야 하니, 부모를 말한다"고 하였습니다. 이와 같다면 '엄군(嚴君)'은 '엄(嚴)'과 '군(君)' 두 글자로 설명한 것인데, 예로부터 여러 학자들이 다만 한 글자로 설명하였으니 어떤지 모르겠습니다. 주자가 답하였다: 존엄한 바의 어른입니다.

○ 問, 家人彖辭不盡取象. 曰, 注中所以但取二五不及他象者, 但因象傳而言耳. 大抵象傳取象最精, 象中所取, 卻恐有假合處.

물었다: 가인괘의 단사에서 상을 다 취하지 않음은 어째서입니까?

답하였다: 주석 가운데 이효와 오효만 취하고 다른 효의 상을 언급하지 않은 까닭은 다만 「단전」에 근거하여 말했기 때문입니다. 대체로 상을 취한 것은 「단전」이 가장 정밀하고, 「상전」에서 취한 것은 도리어 임시로 합친 곳이 있는 듯합니다.

○ 涑水司馬氏曰, 家者, 治之至小者也, 然亦有嚴君之道焉. 嚴恭也, 知事親則知事君矣.

속수사마씨가 말하였다: 집안[家]은 다스림이 지극히 작은 것이지만, 또한 임금을 공경하는 도가 있다. '엄(嚴)'은 공경함이고, 어버이를 섬길 줄 알면 임금을 섬길 줄 안다.

○ 建安丘氏曰, 旣言男女之正, 至此又推本於父母之嚴, 故曰家人有嚴君焉. 君謂父母, 卽一家之君長也. 君長嚴則臣下肅, 父母嚴則家道齊, 必父母之嚴於其子, 如君之嚴於其臣, 則倫理一定尊卑截然, 无干名犯分之事, 而家道正, 家道旣正, 則天下莫不一於正矣.

건안구씨가 말하였다: 이미 남자와 여자가 바르게 함을 말하고, 여기에서 다시 부모의 엄함에 근본한다고 추론하였으므로 "가인이 엄한 어른이 있다"고 하였다. 어른[君]은 부모를 말하니, 바로 일가의 어른이다. 임금이 엄하면 신하가 정중하고 부모가 엄하면 집안의 도가 가지런해지니, 반드시 부모가 자식에게 엄하게 함을 임금이 신하에게 엄하게 하는 것과 같이 한다면 윤리가 일정(一定)하고 높고 낮음이 분명하여 명예를 구하거나 분수를 범하는 일이 없어 집안의 도가 바르게 되니, 집안의 도가 이미 바르면 천하가 바름에 한결같지 않음이 없을 것이다.

○ 趙氏曰, 父義母慈, 母何以亦稱嚴. 蓋母之不嚴, 家之蠹也. 瀆上下之分, 庇子弟之過, 亂內外之別, 嫚帷薄之儀, 父雖嚴, 有不能盡察者. 必父母尊嚴, 內外齊肅, 然後父尊子卑, 兄友弟恭, 夫制婦聽, 各盡其道而後家道正, 正家而天下定矣.

조씨가 말하였다: 아버지는 의롭고 어머니는 자애로운데 어머니를 어째서 또 엄하다고 일컬었는가? 어머니가 엄하지 않으면 집안의 좀이 된다. 위아래의 분한을 어지럽히고 자식과 아우의 허물을 비호하며 내외의 구별을 문란하게 하고 침실의 풍속을 음란하게 함은 아버지가 비록 엄하더라도 다 살피지 못하는 것이 있다. 반드시 부모가 존엄하고 내외가 정중한 연후에 아버지가 높고 자식이 낮으며 형이 우애하고 아우가 공경하며 남편이 제어하고 아내가 들어서 각각 그 도를 다한 뒤에 집안의 도가 바르게 되니, 집안을 바르게 함에 천하가 안정될 것이다.

○ 雲峰胡氏曰, 本義指二五, 言在男女則九五六二皆正, 在父母則九五之剛可謂之嚴, 六二之柔未必能嚴. 故夫子發象辭言外之意曰, 家人有嚴君焉, 父母之謂也, 其旨深哉.

운봉호씨가 말하였다: 『본의』에서 "이효와 오효를 가리킨다"고 했는데, 남녀에 있어서 말하면 구오와 육이가 모두 바르지만, 부모에 있어서는 구오의 굳셈은 엄하다고 할 수 있으나, 육이의 부드러움은 반드시 엄할 수 있는 것이 아니다. 그러므로 공자가 단사의 말 밖의 뜻을 드러내어 "가인이 엄한 어른이 있으니, 부모를 말함이다"라고 하였으니, 그 뜻이 깊다.

‖韓國大全‖

유정원(柳正源) 『역해참고(易解參攷)』35)

有嚴君.

엄한 어른이 있으니.

莆陽張氏曰, 國有嚴君, 則朝廷治, 家有嚴君, 則人倫正.

보양장씨가 말하였다: 나라에 엄한 임금이 있으면 조정이 다스려지고 집안에 엄한 어른이 있으면 인륜이 바르게 된다.

김규오(金奎五) 「독역기의(讀易記疑)」36)

釋象嚴君, 嚴自正字來, 所以二柔亦得爲嚴也.

「단전」의 ‘엄한 어른’을 해석하면 ‘엄함[嚴]’은 ‘바르게 함[正]’에서 왔으니, 부드러운 두 효도 엄할 수 있는 것이다.

서유신(徐有臣) 『역의의언(易義擬言)』

家道, 始於男女, 成於父子, 故父母爲嚴君也.

---

35) 경학자료집성DB에서는 가인괘(家人卦) ‘괘사’로 분류했으나, 내용에 따라 이 자리로 옮겨왔다.
36) 경학자료집성DB에는 가인괘(家人卦) ‘괘사’로 분류하였으나, 내용에 따라 이 자리로 옮겨왔다.

집안의 도는 남자와 여자에서 시작되어 부모와 자식에서 이루어지므로 부모가 '엄한 어른'이 된다.

강엄(康儼) 『주역(周易)』

象曰, 家人, 有嚴君.
「단전」에서 말하였다: 가인이 엄한 어른이 있으니.

本義, 亦謂二五.
『본의』에서 말하였다: 또한 이효와 오효를 말한다.

按, 二五之爻, 以內外相應而言之, 則爲男女之象, 以內外各主而言, 則爲父母之象, 故本義云亦謂二五. 然先儒, 以內三爻爲女子之事, 而九三爲母位, 外三爻爲男子之事, 而上六爲父位. 且九三之嗃嗃, 上六之威如, 皆有嚴君之義, 以此兩爻, 當父母之象, 似尤分曉.
내가 살펴보았다: 이효와 오효는 안과 밖이 서로 호응하는 것으로 말하면 남자와 여자의 상이 되고, 안과 밖이 각각 주장하는 것으로 말하면 부모의 상이 되므로 『본의』에서 "또한 이효와 오효를 말한다"고 하였다. 그러나 이전의 유학자가 내괘의 세 효를 여자의 일로 삼았으니 구삼이 어머니의 자리가 되고, 외괘의 세 효를 남자의 일로 삼았으니 상육이 아버지의 자리가 된다. 또한 구삼의 원망함과 상육의 위엄으로 함은 모두 엄한 어른의 뜻이 있으니, 구삼과 상육 두 효를 부모의 상에 해당시켜야 더욱 분명할 듯하다.

이지연(李止淵) 『주역차의(周易箚疑)』

父爲嚴君, 而母亦不可不嚴也. 摯任之貽敎, 孟母之三遷, 曷嘗不以嚴爲道乎. 程氏之母曰, 幼求稱欲, 長當如何, 徐徐而行, 安得有顚沛之患乎, 此皆以嚴爲務者也.
아버지는 엄한 어른이 되지만, 어머니도 엄하지 않으면 안 된다. 지임(摯任)[37]의 태교와 맹모(孟母)의 세 번 옮김이 어찌 엄함으로 도를 삼은 것이 아니겠는가? 정자의 어머님이 "어려서부터 제 입맛에 맞게 하면 자라서 장차 어떻게 하겠으며, 천천히 걸어가면 어찌 넘어질 근심이 있겠는가?"[38]라고 하였으니, 이는 모두 엄함으로 일을 삼은 것이다.

---

37) 지임(摯任): 문왕의 어머니이다.
38) 『근사록·가도』.

김기례(金箕澧) 「역요선의강목(易要選義綱目)」

父謂家嚴, 母亦釋音曰嚴, 蓋母不嚴, 則庶子過而養惡. 父母之於家, 如君之於國.

아버지는 집안의 엄함을 말하고, 어머니도 『석음』에서 '엄한 이'라고 하였으니, 대체로 어머니가 엄하지 못하면, 자식을 보호함이 지나쳐서 악을 키운다. 집안에 있어서의 부모는 나라에 있어서의 임금과 같다.

이정규(李正奎) 「독역기(讀易記)」

象傳有曰家人, 有嚴君焉, 父母之謂也, 此似是言外之旨, 而卦中无可取象者. 然以義推之, 風之生於火, 爲家人之象, 則家人之生, 亦在於父母也. 以取象, 未知何如.

「단전」에 "가인이 엄한 어른이 있으니 부모를 말한다"라고 한 것이 있는데, 이는 말 밖의 뜻이어서 괘에서는 취할만한 상이 없는 듯하다. 그러나 뜻으로 미루어 보면 바람이 불에서 나옴이 가인의 상이 되니, 가인의 발생은 또한 부모에게 달려 있다. 이렇게 상을 취한 것이 어떤지는 잘 모르겠다.

父父子子兄兄弟弟夫夫婦婦而家道正, 正家而天下定矣.

아버지는 아버지답고 자식은 자식답고 형은 형답고 아우는 아우답고 남편은 남편답고 아내는 아내다음에 집안의 도가 바르게 되니, 집안을 바르게 함에 천하가 안정될 것이다.

‖中國大全‖

傳

父子兄弟夫婦, 各得其道, 則家道正矣. 推一家之道, 可以及天下, 故家正則天下定矣.

아버지와 자식, 형과 아우, 남편과 아내가 각각 그 도리를 얻으면 집안의 도가 바르게 된다. 한 집안의 도를 미루면 천하에 미칠 수 있기 때문에 집안이 바르게 되면 천하가 안정될 것이다.

本義

上父初子, 五三夫, 四二婦, 五兄三弟, 以卦畫推之, 又有此象.

상효는 아버지이고 초효는 자식이며, 오효와 삼효는 남편이고 사효와 이효는 아내이며, 오효는 형이고 삼효는 아우이니, 괘의 획으로 미루면 또 이러한 상이 있다.

小註

雲峰胡氏曰, 齊家之道, 在篤恩義, 然以正倫理爲本. 上父初子, 上下分而父子之倫正矣. 五夫四婦, 五上四下也. 三夫二婦, 三上二下也. 五兄三弟, 五上三下也. 夫婦之上下分而夫婦正, 兄弟之上下分而兄弟正矣. 特父子之上下相去甚遠, 而其分嚴, 兄弟之相去甚近, 而其情親. 夫婦雖相比, 而亦未嘗无上下之分也. 卦惟以女正爲利, 夫子發言外之意, 則謂男女皆當正, 又謂父子兄弟夫婦皆當正. 本義又卽卦畫以推其象, 明且備矣.

운봉호씨가 말하였다: 집안을 가지런히 하는 도가 은혜와 의리를 돈독하게 함에 있지만, 윤리를 바르게 하는 것을 근본으로 삼는다. 상효는 아버지이고 초효는 자식이니, 위아래가 나뉘어 아버지와 자식의 차례가 바르게 된다. 오효는 남편이고 사효는 아내이니 오효가 위이고 사효는 아래이며, 삼효는 남편이고 이효는 아내이니 삼효가 위이고 이효가 아래이며, 오효는 형이고 삼효는 아우이니 오효가 위이고 삼효가 아래이다. 남편과 아내의 위아래가 나뉘어져 부부가 바르게 되고, 형과 아우의 위아래가 나뉘어져 형제가 바르게 된다. 특별히 아버지와 자식의 위아래는 서로 거리가 아주 멀어서 그 분한이 엄격하고, 형과 아우는 서로 거리가 아주 가까워 그 정이 친하다. 남편과 아내는 비록 서로 가깝지만, 또한 일찍이 위아래의 분한이 없을 수 없다. 괘가 오직 여자가 바르게 함을 이로움으로 삼았는데, 공자가 말 밖의 뜻을 드러내었으니, 남자와 여자가 모두 바르게 되어야 함을 말하며, 또 부자와 형제와 부부가 모두 마땅히 바르게 되어야 함을 말한다. 『본의』는 또 괘의 획으로 그 상을 미루었으니, 분명하고 또 갖추어졌다.

‖韓國大全‖

유정원(柳正源) 『역해참고(易解參攷)』[39]

案, 家人一卦, 內外正位, 尊卑安分. 以卦體言, 則二五男女之位也, 又爲父母之位也. 以六爻分言之, 則上父兄之位也, 初子弟之職也. 五夫二婦, 有內外之分. 四兄三弟, 有比肩之義, 而若乃四三, 剛柔之別焉. 故不可以兄弟取象, 而直以夫婦言之. 五三同是陽剛, 而有尊卑之序焉, 故以兄弟言之. 夫天下至大, 然其有父子兄弟夫婦, 則天下之所同也. 觀乎一家之父子兄弟夫婦, 而天下之家, 各盡其父子兄弟夫婦之則, 則非所謂天下之家正而天下平者乎. 傳曰, 推一家之道, 可以及天下, 是推一家之倫紀, 而竝及於天下也. 然自父而推之, 則凡父之昆弟宗族連姻, 族之族, 姻之姻, 凡係父之行輩者, 皆父之屬也. 自子而推之, 則凡子之從聯宗族連姻, 族之族, 姻之姻, 凡係子之行輩者, 皆子之屬也. 至於兄弟夫婦, 莫不皆然, 則是天下之人, 旡論尊卑老少男女, 旡不包於一家之父子兄弟夫婦之中. 一家正而天下定者, 恐當以此兼看.

---

39) 경학자료집성DB에서는 가인괘(家人卦) '괘사'에 해당하는 것으로 분류했으나, 내용에 따라 이 자리로 옮겨왔다.

내가 살펴보았다: 가인이라는 괘는 안과 밖이 자리를 바르게 하고 높음과 낮음이 분수를 편안히 한다. 괘의 몸체로 말하면 이효와 오효는 남자와 여자의 자리이며, 또한 부모의 자리가 된다. 여섯 효로 나누어 말하면 상효는 아버지와 형의 자리이고, 초효는 자식과 동생의 직분이다. 오효는 남편이고 이효는 아내로 안과 밖의 분수가 있다. 사효는 형이고 삼효는 동생으로 가까이 견준다는 뜻이 있지만, 사효와 삼효라면 굳셈과 부드러움이 구별된다. 그러므로 형과 동생으로 상을 취할 수 없어서 다만 남편과 아내로 말하였다. 오효와 삼효는 같이 굳센 양이지만, 높음과 낮음의 차례가 있으므로 형제로 말하였다. 천하가 지극히 크지만 부자와 형제와 부부에 있어서는 천하가 같은 것이다. 한 집안의 부자와 형제와 부부를 보고 천하의 집안이 각각 그 부자와 형제와 부부의 준칙을 극진히 하는 것이 이른바 천하의 집안이 바르게 되어 천하가 화평하다는 것이 아니겠는가? 『정전』에서 "한 집안의 도를 미루면 천하에 미칠 수 있다"고 한 것은 한 집안의 윤리와 기강을 미루어 천하에 미친다는 것이다. 그러나 아버지부터 미루면, 모든 아버지의 형제와 종족과 인척, 종족의 종족과 인척의 인척에서 아버지의 항렬과 연계된 자는 모두 아버지의 등속이다. 자식으로부터 미루면, 자식의 종적인 종족과 인척, 종족의 종족과 인척의 인척에서 자식의 항렬과 연계된 자는 모두 자식의 등속이다. 형제와 부부에 있어서도 모두 그렇지 않음이 없으니, 천하의 사람은 높고 낮음과 노소와 남녀를 막론하고 한 집안의 부자와 형제와 부부의 가운데 포함되지 않음이 없다. 한 집안이 바르게 됨에 천하가 안정된다는 것은 마땅히 이렇게 겸비해 보아야 할 듯하다.

김상악(金相岳) 『산천역설(山天易說)』

嚴君, 尊嚴之稱, 謂父母也. 父子兄弟夫婦, 各得其道, 則家道正, 而天下定矣.
엄한 어른은 존엄함을 칭함이니, 부모를 말한다. 부자와 형제와 부부가 각각 그 도를 얻으면, 집안의 도가 바르게 되어 천하가 안정될 것이다.

○ 巽木離火, 有父子象, 巽長女離中女, 兄弟之象. 五爲四之夫, 三爲二之夫, 夫婦之象. 以文王爲君, 以太姒爲妃, 以王季爲父, 以太任爲母, 以武王爲子, 以周公爲武王之弟. 所以家道正而天下定也.
손괘는 나무이고 리괘는 불이니 부자(父子)의 상이 있고, 손괘는 맏딸이고 리괘는 둘째 딸이니 형제의 상이다. 오효는 사효의 남편이고 삼효는 이효의 남편이니, 남편과 아내의 상이다. 문왕이 임금이 되고 태사가 왕비가 되며, 왕계가 아버지가 되고 태임이 어머니가 되며, 무왕이 아들이 되고 주공이 무왕의 아우가 된다. 그래서 집안의 도가 바르게 되어 천하가 안정된 것이다.

김규오(金奎五) 「독역기의(讀易記疑)」[40]

本義上父云云, 以例推之, 又可曰四姒二姊, 四姊二妹.

『본의』에서 "상효는 아버지이고" 운운하였는데, 예로 미루어보면 또한 "사효는 손윗동서이고 이효는 손아랫동서이며, 사효는 손윗누이이고 이효는 손아랫누이다"라고 할 수 있다.

서유신(徐有臣) 『역의의언(易義擬言)』

稱父父兼母母也, 父父子子, 家道之所由正, 而兄弟夫婦, 在其中也. 天下之人, 各如是正其家, 而天下正矣. 本義以卦畫推象儘妙.

"아버지는 아버지답다"고 한 것은 "어머니는 어머니답다"를 겸하고 있다. 아버지는 아버지답고 자식은 자식다우면 집안의 도가 말미암아 바르게 되니, 형제와 부부는 그 가운데 있다. 천하의 사람들이 각각 이와 같이 집안을 바르게 하면 천하가 바르게 될 것이다. 『본의』에서는 괘의 획으로 상에 미루어서 신묘함을 다하였다.

윤행임(尹行恁) 『신호수필(薪湖隨筆)·역(易)』

家焉而父父子子, 國焉而君君臣臣, 家國正矣, 孔子之對齊景公, 是也. 是時景公, 內有女嬖, 如九三之嘻嘻, 而不能爲初九之閑, 外有强臣, 異六二之无遂, 而不能知嚴君之道. 故孔子, 以家人之卦義告之, 而景公不能從也.

가정에서는 아버지는 아버지답고 자식은 자식다우며, 나라에서는 임금은 임금답고 신하는 신하다우면 가정과 국가가 바르게 될 것이니, 공자가 제나라 경공에게 답한 것이 이것이다.[41] 당시에 경공이 안으로 여인을 총애하여 구삼과 같이 희희덕거리고 초구와 같이 막을 수 없었으며, 밖으로 강한 신하가 있어 육이의 이룸이 없음과는 다르지만 엄한 임금의 도를 알 수가 없었다. 그러므로 공자가 가인괘의 뜻으로 알려주었으나 경공이 따를 수 없었다.

박문건(朴文健) 『주역연의(周易衍義)』

此以一家之人, 明家人之義, 而兼及於天下之人也.

이는 한 집안의 사람들로 가인의 뜻을 밝히고, 겸하여 천하의 사람을 언급한 것이다.

〈問, 嚴君. 曰, 嚴君, 尊嚴之君也, 君者, 尊之之辭也.

---

40) 경학자료집성DB에는 가인괘(家人卦) '괘사'로 분류하였으나, 내용에 따라 이 자리로 옮겨왔다.

41) 『論語·顔淵』: 齊景公, 問政於孔子, 孔子對曰, 君君臣臣, 父父子子.

물었다: '엄군(嚴君)'은 무슨 뜻입니까?

답하였다: 엄군은 존엄한 어른[君]이니, '군(君)'은 높이는 말입니다.〉

김기례(金箕澧) 「역요선의강목(易要選義綱目)」

正家而天下定矣.

집안을 바르게 함에 천하가 안정될 것이다.

卦爻上父初子, 五兄三弟, 四婦二母, 各正上下也. 但婦居母上者, 母主饋而仕內, 婦未幹家事者, 附兄室, 卽孟子所謂刑于寡妻, 至于兄弟, 以御于家邦者.

괘효에서 상효는 아버지이고 초효는 자식이며, 오효는 형이고 삼효는 동생이며, 사효는 부인이고 이효는 어머니이여서 각각 위와 아래를 바르게 한다. 다만 부인이 어머니의 위에 있는 것은 어머니는 음식을 주관하며 안을 살피고, 부인중에 아직 가사를 주관하지 못하는 자는 윗동서에 붙어있기 때문이니, 맹자의 이른바 "아내에게 모범이 되고 형제에 이르러서 집과 나라를 다스린다"[42]는 것이다.

심대윤(沈大允) 『주역상의점법(周易象義占法)』

天下之理, 无一統則亂. 是故國有君, 家有宗, 宗亦君也. 君不嚴則不尊, 不尊則不敬, 不敬則不順, 不順則家道傾矣. 父子兄弟夫婦, 各得其道, 而家齊, 萬物各得其分, 而天下平矣. 下經非義褊小者, 傳皆釋利, 而家人私黨也, 故不釋利也.

천하의 이치는 통일됨이 없으면 어지럽다. 이 때문에 나라에는 임금이 있고, 집안에는 어른이 있으니, 어른이 또한 임금이다. 어른이 엄격하지 않으면 존엄하지 않고, 존엄하지 않으면 공경하지 않고, 공경하지 않으면 따르지 않고, 따르지 않으면 집안의 도가 기울어진다. 부자와 형제와 부부가 각각 그 도를 얻음에 집이 가지런해지고, 만물이 각각 그 분수를 얻음에 천하가 평안해진다. 하경(下經)에서 뜻이 협소한 것이 아니라면, 「단전」에서는 모두 '이로움'을 해석하였는데, 가인은 사사로운 무리이므로 이로움을 해석하지 않았다.

오치기(吳致箕) 「주역경전증해(周易經傳增解)」

象曰, 家人, 女正位乎內, 男正位乎外,〈卦體二五.〉男女正, 天地之大義也. 家人, 有嚴

君焉, 父母之謂也. 父父子子兄兄弟弟夫夫婦婦而家道正, 正家而天下定矣.

「단전」에서 말하였다: 가인은 여자가 안에서 자리를 바르게 하고 남자가 밖에서 자리를 바르게 하니,〈괘의 몸체이니, 이효와 오효이다.〉남자와 여자가 바르게 함은 천지의 큰 뜻이다. 가인이 엄한 어른이 있으니, 부모를 말한다. 아버지는 아버지답고 자식은 자식답고 형은 형답고 아우는 아우답고 남편은 남편답고 아내는 아내다움에 집안의 도가 바르게 되니, 집안을 바르게 함에 천하가 안정될 것이다.

此以卦體釋卦名義, 而終又推廣家人之義也. 文王之經, 則以上下二陰之體, 止言女貞, 孔子之傳, 則以二五剛柔之位, 推明男女內外得正之義, 有補於世敎爲多矣. 餘詳見傳義馮氏去非說.

이는 괘의 몸체로 괘의 이름을 해석하고, 끝에서 다시 가인의 뜻을 미루어 넓힌 것이다. 문왕의 경문은 위아래의 두 음효의 몸체로 단지 여자가 바르게 함을 말하였지만, 공자의 「단전」은 굳세고 부드러운 이효와 오효의 자리로 남자와 여자가 안과 밖에서 바름을 얻는다는 뜻을 미루어 밝혔으니, 세상의 가르침에 도움이 많게 되었다. 나머지 자세한 것은 『정전』과 『본의』와 풍거비의 말에 보인다.

이진상(李震相) 『역학관규(易學管窺)』

此就爻上立義. 女正位以六二言, 男正位以九五言, 卽下所謂夫夫婦婦也. 本義以二五爲父母, 而又有上父四婦之言, 爻義雖變動不居, 此嚴君, 恐當以上爻爲父, 四爻爲母. 五在四上, 雖似違序, 而五乃克家之子, 較四則在外, 四乃傳家之母, 較五則居內, 恐無妨也. 三乃五之弟也, 初乃五之子也, 二乃五之婦也, 五乃三之兄也, 二之夫也, 如是則義例純, 而卦位正矣.

이것은 효에 나아가 뜻을 세웠다. 여자가 자리를 바르게 함은 육이로 말한 것이고, 남자가 자리를 바르게 함은 구오로 말한 것이니, 아래의 이른바 '남편은 남편답고 아내는 아내다움'이다. 『본의』에서 이효와 오효가 부모가 된다고 하고, 다시 상효는 아버지이고 사효는 부인이라는 말하였는데, 효의 뜻은 비록 변해 움직여 가만히 있지 않지만, 여기의 '엄한 어른'은 상효를 아버지로 하고 사효를 어머니로 해야 마땅한 듯하다. 오효가 사효의 위에 있어서 비록 차례가 어긋나는 것 같지만, 오효는 바로 집안을 잘 다스리는 아들이니 사효와 비교하면 밖에 있고, 사효는 바로 집안일을 도맡은 어머니이니 오효와 비교하면 안에 있기에 지장이 없을 듯하다. 삼효는 오효의 동생이고, 초효는 오효의 아들이고, 이효는 오효의 부인이며, 오효는 삼효의 형이면서 이효의 남편이니, 이와 같으면 뜻과 사례가 순수하여 괘의 자리가 바르게 될 것이다.

象曰, 風自火出, 家人, 君子以, 言有物而行有恒.

「상전」에서 말하였다: 바람이 불로부터 나옴이 가인이니, 군자가 그것을 본받아 말에 사실이 있고 행동에 일정함이 있다.

∥中國大全∥

傳

正家之本, 在正其身, 正身之道, 一言一動, 不可易也. 君子觀風自火出之象, 知事之由內而出, 故所言必有物, 所行必有恒也. 物, 謂事實, 恒, 謂常度法則也. 德業之著於外, 由言行之謹於內也, 言愼行脩, 則身正而家治矣.

집안을 바르게 하는 근본은 자신을 바르게 함에 있으며, 자신을 바르게 하는 도는 한 마디 말과 한 가지 행동도 쉽게 하지 않아야 한다. 군자가 바람이 불로부터 나오는 상을 살펴서 일이 안으로부터 나옴을 알기 때문에, 말하는 바에 반드시 사실이 있고 행하는 바에 반드시 일정함이 있다. 물(物)은 사실을 말하고 항(恒)은 일정한 법칙을 말한다. 덕(德)과 업(業)이 밖으로 드러남은 말과 행동을 안에서 삼갔기 때문이니, 말을 삼가고 행동을 닦으면 몸이 바르게 되어 집안이 다스려진다.

本義

身脩則家治矣.

몸이 닦여지면 집안이 다스려진다.

小註

朱子曰, 風自火出家人, 是火中有風. 如一堆火光, 此氣自熏蒸上出, 是也.

주자가 말하였다: "바람이 불로부터 나옴이 가인이다"는 불 속에 바람이 있는 것이다. 가령 한 덩어리의 불빛에서 이 기운이 저절로 덥혀져 솟아나는 것이 이것이다.

○ 問, 風自火出. 曰, 謂如一爐火, 必有氣衝上去, 便是風自火出. 然此只是言自內及外之意.

물었다: "바람이 불로부터 나온다"는 무슨 뜻입니까?

답하였다: "화롯불과 같이 반드시 열기가 위로 치솟음이 있으면 바로 바람이 불로부터 나오는 것이다"라고 하는 것입니다. 그러나 이는 다만 안에서부터 밖으로 미친다는 뜻을 말했을 뿐입니다.

○ 勉齋黃氏曰, 風自火出, 明內齊外之義. 今曰身脩家治, 則於風自火出之象, 有所未明. 火在內卦爲明, 內明, 身脩也. 風在外卦爲齊, 外齊, 家治也. 上九一爻, 是其義也.

면재황씨가 말하였다: '바람이 불로부터 나옴'은 안을 밝히고 밖을 가지런히 한다는 뜻이다. 지금 "몸이 닦여지면 집안이 다스려진다"고 한 것은 "바람이 불로부터 나온다"는 상에 대해서 분명하지 못한 바가 있다. 불은 내괘에 있으면서 밝음이 되니, 안이 밝아짐은 몸을 닦음이다. 바람은 외괘에 있으면서 가지런함이 되니, 밖이 가지런해짐은 집안이 다스려짐이다. 상구 한 효가 그 뜻이다.

○ 中溪張氏曰, 巽爲風, 離爲火. 蓋火熾則風生, 而火者風之母也. 君子知風自火出之象, 則知風化之本自家而出, 而家之本又自身而出也. 夫身之所出, 惟言與行. 物, 猶不誠无物之物, 謂事實也. 恒, 常度也. 言有物則非虛言, 行有恒則非僞行. 言行相顧則其身脩, 身脩則家齊國治天下平矣, 此知風之自也.

중계장씨가 말하였다: 손괘(巽卦☴)는 바람이 되고 리괘(離卦☲)는 불이 된다. 불이 타오르면 바람이 생기니, 불은 바람의 어머니이다. 군자가 바람이 불로부터 나오는 상을 알면 곧 교화의 근본이 집안에서 나오고, 집안의 근본이 또 자신에게서 나옴을 알 수 있다. 자신에게서 나오는 것이 오직 말과 행동이다. '물(物)'은 "참되지 않으면 사물이 없다[不誠无物]"[43]의 물(物)과 같으니, 사실을 말한다. 항(恒)은 일정한 법도이다. 말에 사실이 있으면 빈말이 아니며, 행동에 일정함이 있으면 거짓된 행동이 아니다. 말과 행동이 서로 돌아보면 그 몸이 닦여지고, 몸이 닦여지면 집안이 가지런해지고 나라가 다스려지며 천하가 화평하게 되니, 이것이 바람이 어디로부터 오는지를 아는 것이다.

○ 雲峰胡氏曰, 風自火出, 一家之化, 自吾言行出, 皆由內及外, 自然熏蒸而成者也.

운봉호씨가 말하였다: 바람이 불로부터 나오는 것과 한 집안의 교화가 자신의 언행에서 나오는 것은 모두 안에서부터 밖으로 미침이니, 자연스럽게 익어서 이루어지는 것이다.

---

43) 『中庸』: 誠者, 物之終始, 不誠無物. 是故君子, 誠之爲貴.

○ 西溪李氏曰, 風自火出, 橐籥之火也. 大凡鼓鑄, 須是鼓得許多風, 從火裏出, 故風自火出. 橐籥自有一箇戶庭閫奧, 家之象也. 就中必有模範, 風也火也金也器也, 皆有模範. 君子體之, 言有物, 行有恒, 正家以身, 言行, 身之模範也, 物恒, 其則也. 一身之模範, 一家之模範也, 一家之模範, 天下之模範也.

서계이씨가 말하였다: 바람이 불로부터 나옴은 풀무의 불과 같다. 무릇 주조할 때는 반드시 허다한 바람을 일으켜 불 속에서 나오게 해야 하기 때문에 바람이 불로부터 나오는 것이다. 풀무는 본래 집안의 요처에 있으니, 집안의 상이다. 그 가운데 반드시 모범이 있으니, 바람과 불과 쇠와 그릇에 모두 모범이 있다. 군자가 그것을 체득하여 말에 사실이 있고 행동에 일정함이 있으니, 몸으로 집안을 바르게 함에 언행은 몸의 모범이고, '사실[物]'과 '일정함[恒]'은 그 준칙이다. 한 몸의 모범이 한 집안의 모범이고, 한 집안의 모범이 천하의 모범이다.

‖ 韓國大全 ‖

조호익(曺好益) 『역상설(易象說)』

愚謂, 火者風之母, 身者家之本, 君子觀風自火出之象, 而先修其身. 言行者身之樞機, 有物有恒, 則身之修, 而家得治矣.

내가 살펴보았다: 불은 바람의 어머니이고 자신은 집안의 근본이니, 군자는 바람이 불로부터 나오는 상을 보고 먼저 그 몸을 닦는다. 말과 행동은 몸의 핵심 틀이니, 사실이 있고 일정함이 있으면 몸이 닦여져서 집안이 다스려질 것이다.

송시열(宋時烈) 『역설(易說)』[44]

大象與繫辭解中孚二爻, 意略相似, 覽者詳之. 自出二字, 言其出於人者, 言行也.

「대상전」과 「계사전」의 중부괘 이효에 대한 해석은 의미가 대략 서로 유사하니, 보는 자는 자세히 하여야 한다. "~로부터 나온대[自出]"는 말은 사람에게 나오는 것을 말함이니, 말과 행동이다.

---

44) 이 문장 전체는 경학자료집성DB에 누락되어 있으나, 경학자료집성 원문을 대조하여 보충하였다.

김도(金濤) 「주역천설(周易淺說)」

愚按, 本義下所釋朱子二條, 勉齋以下諸儒凡四條, 而皆合於大象之旨矣. 蓋言者自內出者也, 行者著於外者也, 言而不實, 則身不能治, 行而不慎, 則業不能常. 如此則何以正身而正家乎. 家人之卦, 離火在內, 巽風在外, 而火氣衝上, 則風因而發, 比之於人, 如言行之自內而出也. 是以君子體風自火出之象, 言出而必有物, 行謹而必有恒. 故身必修而家必齊矣. 大槪家之本在身, 而身之所以修治者, 惟在於言行之能謹耳. 孔子曰, 庸言之慎, 庸行之謹, 閑邪存其誠, 君子之事業, 莫大於斯二者矣. 況家者國之本也, 身者家之則也. 自古治天下國家者, 莫不以身先之. 故躬行之化, 自家而國, 而天下定矣. 然則爲人君者, 可不以言行之能謹 爲天下國家之模範也哉.

내가 살펴보았다:『본의』아래에 해석이 주자의 두 조목과 면재황씨부터 여러 학자의 네 조목인데, 모두「대상전」의 뜻에 맞는다. 대체로 말은 안으로부터 나오는 것이고, 행동은 밖으로 드러나는 것인데, 말이 사실이 아니라면 몸을 다스릴 수 없고, 행동이 신중하지 않으면 사업이 일정할 수 없다. 이와 같다면 무엇으로 몸을 바르게 하고 집안을 바르게 하겠는가? 가인괘는 불인 리괘(離卦☲)가 안에 있고 바람인 손괘(巽卦☴)가 밖에 있어서 불기운이 위로 솟으면 바람이 이 때문에 일어나니, 사람에게 비유하면 말과 행동이 안으로부터 나오는 것과 같다. 이 때문에 군자는 바람이 불로부터 나오는 상을 본받아, 말을 함에는 반드시 사실이 있게 하고 행동을 조심하여 반드시 일정함이 있게 한다. 그러므로 몸이 반드시 닦이고 집이 반드시 가지런해진다. 대체로 집의 근본은 자신에게 있고, 자신을 닦아 다스리는 것은 오직 말과 행동을 조심함에 달려 있을 뿐이다. 공자가 "평상시의 말을 삼가고, 평상시의 행동을 조심하며, 간사함을 막고 정성을 보존한다"[45]고 하였으니, 군자의 사업은 이 두 가지보다 큰 것이 없다. 하물며 집안은 나라의 근본이고 자신은 가정의 준칙임에랴! 예로부터 천하와 국가를 다스리는 자는 자신을 우선하지 않음이 없다. 그러므로 몸소 행하는 교화가 집으로부터 국가에 미쳐 천하가 안정된 것이다. 그렇다면 임금 된 사람이 말과 행동을 조심하는 것으로 천하와 국가의 모범을 삼지 않을 수 있겠는가?

이만부(李萬敷) 「역통(易統)・역대상편람(易大象便覽)・잡서변(雜書辨)」

傳曰, 正家之本, 在正其身, 正身之道, 一言一動, 不可易也. 君子觀風自火出之象, 知事之由內而出, 故所言必有物, 所行必有恒也. 物, 謂事實, 恒, 謂常度法則也. 德業之著於外, 由言行之謹於內也, 言愼行脩, 則身正而家治矣.

『정전』에서 말하였다: 집안을 바르게 하는 근본은 자신을 바르게 함에 있으며, 자신을 바르

---

45)『周易・文言傳』: 子曰, 龍德而正中者也, 庸言之信, 庸行之謹, 閑邪存其誠, 善世而不伐, 德博而化.

게 하는 도는 한 마디 말과 한 가지 행동을 쉽게 하지 않아야 한다. 군자가 바람이 불로부터 나오는 상을 살펴서 일이 안으로부터 나옴을 알기 때문에 말하는 바에 반드시 사실이 있고 행하는 바에 반드시 일정함이 있다. '물(物)'은 사실을 말하고 '항(恒)'은 일정한 법칙을 말한다. 덕(德)과 업(業)이 밖으로 드러남은 말과 행동을 안에서 삼갔기 때문이니, 말을 삼가고 행동을 닦으면 자신이 바르게 되어 집안이 다스려진다.

本義曰, 身修則家治矣.

『본의』에서 말하였다: 몸을 닦으면 집안이 다스려진다.

臣謹按, 由內而出者, 內卽本, 外卽末. 有本然後末擧也, 大學所謂齊其家, 在脩其身, 詩所謂刑于寡妻, 以御于家邦, 是也. 物實也, 所言者, 無所據實, 人不信服矣. 恒常度法則也, 所行者, 若不依於則度, 事多乖亂矣. 故古之聖賢, 一言一行, 必愼必戒, 未嘗少忽, 而身無不修, 家無不齊, 君之於言行, 豈不重歟.

신이 삼가 살펴보았습니다: 안으로부터 나오는 것은 안이 근본이고 밖이 말단입니다. 근본이 있는 뒤에야 말단을 들 수 있으니, 『대학』의 이른바 "그 집안을 가지런히 함은 그 몸을 닦음에 있다"와 『시경』의 이른바 "아내에게 모범이 되어서 집안과 나라를 다스린다"[46]는 것입니다. '물(物)'은 사실이니, 말한 것이 사실에 근거함이 없다면 사람들이 믿고 따르지 않을 것입니다. '항(恒)'은 일정한 법도이니, 행한 것이 만약 법도를 의거하지 않았다면 일에 어긋나 잘못됨이 많을 것입니다. 그러므로 옛날의 성현이 한마디 말과 하나의 행동에도 반드시 신중하고 반드시 경계하여 조금도 소홀한 적이 없어서, 몸이 닦이지 않음이 없고 집안이 가지런해지지 않음이 없었으니, 군자가 언행을 어찌 신중히 하지 않겠습니까?

이현익(李顯益) 「주역설(周易說)」[47]

朱子曰, 風自火出, 謂如一爐火, 必有氣衝上去, 又曰, 如一堆火光,[48] 此氣自薰蒸上出, 以此看風只是氣之謂. 中溪張氏謂火熾則風生, 而火者風之母, 似說得太深. 西溪李氏, 則以火爲橐籥之火, 謂鼓鑄得許多風從火裏出, 故風自火出, 此亦說得牽强. 況以此而以橐籥之有戶庭闥奧, 爲家之象, 則推之又遠也.

주자가 "바람이 불로부터 나옴은 화롯불과 같이 반드시 열기가 위로 치솟음이 있음을 말한다"고 하고, 또 "가령 한 덩어리 불빛에서 이 기운이 저절로 덥혀져 솟아나는 것과 같다"고

---

46) 『시경·사제』.
47) 경학자료집성DB에는 가인괘(家人卦) '괘사'로 분류하였으나, 내용에 따라 이 자리로 옮겨왔다.
48) 光: 경학자료집성DB와 영인본에는 모두 '在'로 되어 있으나, 『주자어류』 원문에 따라 '光'으로 바로잡았다.

하였으니, 이것으로 본다면 바람은 단지 기운을 말할 뿐이다. 중계장씨가 "불이 세게 타오르면 바람이 생기니, 불은 바람의 어머니이다"라고 한 것은 설명이 너무 지나친 것 같다. 서계이씨는 불을 풀무의 불로 간주하고, "주조할 때에 허다한 바람이 불 속에서 나오기 때문에 바람이 불로부터 나오는 것이다"라고 하였는데, 이것도 또한 억지 설명인 듯하다. 하물며 풀무가 집안의 요처에 있는 것을 집의 상으로 삼았으니, 추론한 것이 더욱 멀어졌다.

雲峯胡氏, 西溪李氏, 建安丘氏所言初女二婦三母四子五夫六父有未通. 初三之剛, 何以爲女與母, 四之柔, 何以爲子乎. 丘氏以象辭女正位于內男正位于外爲言, 然象辭程朱只以二五言, 則不必以初三亦爲女而四亦爲男矣. 易之取象, 雖曰不一, 大抵皆以剛柔推之. 而此說於剛柔, 不合如此, 只當如朱子上父初子三五夫四二婦五兄三弟之云矣.
운봉호씨와 서계이씨와 건안구씨가 초효는 여자이고 이효는 부인이고 삼효는 어머니이며, 사효는 아들이고 오효는 남편이고 육효는 아버지라고 한 것은 통하지 않는다. 초효와 삼효의 굳센 양이 어째서 여자와 어머니가 되겠으며, 사효의 부드러운 음이 어째서 아들이 되겠는가? 구씨가 「단전」의 "여자가 안에서 자리를 바르게 하고 남자가 밖에서 자리를 바르게 한다"는 것으로 설명하였지만, 「단전」을 정자와 주자는 단지 이효와 오효로 말했으니, 반드시 초효와 삼효가 여자가 되고, 사효가 남자가 되는 것은 아니다. 『주역』에서 상을 취한 것이 비록 한결같지 않다고는 하지만, 대체로 모두 굳센 양과 부드러운 음으로 유추하였다. 그런데 여기의 굳센 양과 부드러운 음에 대한 설명이 이와 같이 맞지 않으니, 단지 주자처럼 "상효는 아버지이고 초효는 아들이며, 삼효와 오효는 남편이고 사효와 이효는 부인이며, 오효은 형이고 삼효는 아우이다"라고 해야 할 것이다.

심조(沈潮) 「역상차론(易象箚論)」
象, 言行.
「상전」의 말과 행동.

言者, 雜兌之口也, 行者, 上巽之股也.
말은 섞인 태괘(☱)의 입이고, 행동은 상괘인 손괘(☴)의 허벅지이다.

유정원(柳正源) 『역해참고(易解參攷)』[49]
正義, 巽在離外, 是風從火出. 火出之初, 閃風方熾, 火旣炎盛, 還復生風, 內外相成,

---

49) 경학자료집성DB에는 가인괘(家人卦) '괘사'로 분류하였으나, 내용에 따라 이 자리로 옮겨왔다.

有似家人之義. 故曰風自火出, 家人也. 物事也, 言必有事, 卽口无擇言, 行必有常, 卽
身无擇行, 正家之義, 脩於近小. 言之與行, 君子樞機, 出身加人, 發邇見遠. 故擧言行,
以爲之誡.

『정의』에서 말하였다: 손괘가 리괘의 밖에 있음이 바람이 불로부터 나오는 것이다. 불이
처음 나올 때에는 바람이 있어야 타오르나, 불이 이미 불꽃이 성대하면 도리어 다시 바람을
일으키니, 안과 밖이 서로 이루는 것이 가인의 뜻과 유사함이 있다. 그러므로 "바람이 불로
부터 나옴이 가인이다"라고 하였다. '물(物)'은 사실이니, 말함에 반드시 사실이 있다면 입으
로 말을 선택함이 없으며, 행동에 반드시 일정함이 있다면 몸으로 행동을 선택함이 없어도,
집을 바르게 하는 뜻은 비근한 데에서 닦일 것이다. 말함과 행동은 군자의 핵심 틀로 자신에
게 나와서 남들에게 더해지고 가까이서 나타나 멀리서 드러난다. 그러므로 말과 행동을 들
어서 경계를 삼았다.

○ 白雲郭氏曰, 風外也, 火內也, 風自火出, 由內之外也. 脩身內也, 欲齊其家者, 先脩
其身, 是風自火出之道也. 言有物而行有恒, 君子之脩身也.
백운곽씨가 말하였다: 바람이 밖에 있고 불이 안에 있으니, 바람이 불로부터 나옴은 안으로
부터 벗어남이다. 자신을 닦음이 안이기에 그 집안을 가지런히 하려는 자는 먼저 자신을
닦아야 하니, 바람이 불로부터 나오는 도이다. 말에 사실이 있고 행동에 일정함이 있음이
군자가 자신을 닦음이다.

○ 厚齋馮氏曰, 物物則也, 恒度也. 齊家自修身始, 修身自言行始.
후재풍씨가 말하였다: 물(物)은 사물의 법칙이고 항(恒)은 법도이다. 집을 가지런히 함은
자신을 닦음에서 시작되고, 자신을 닦음은 말과 행동에서 시작된다.

小註, 西溪說橐籥.
소주에서 서계이씨가 풀무를 말하였다.
〈道德經, 天地之間, 其橐籥, 註橐籥冶鑄所用, 致風之器也. 橐者, 外之櫝, 所以受籥
者也, 籥者, 內之管, 所以鼓橐者也. 模範, 韻會範范, 通式也. 規模曰範, 以木曰模, 以
竹曰範.
『도덕경』에 "천지의 사이는 풀무[橐籥]와 같을 것이다"[50]라고 하고, 주석에서 "풀무는 주물
에 쓰이는 것으로 바람을 일으키는 도구이다. '탁(橐)'은 밖의 상자이니 관을 받아들이는
것이고, '약(籥)'은 안의 관이니 상자를 밀고 당기는 것이다"[51]라고 하였다. '모범'은 『운회』

---

50) 『道德經』: 天地之間, 其猶橐籥乎.

에서 본보기라 하니, 통용되는 방식이다. 규모(規模)를 모범이라 하는데, 나무로 하면 모(模)라 하고, 대나무로 하면 범(範)이라 한다.〉

김상악(金相岳) 『산천역설(山天易說)』

言者離象, 行者巽象. 離之口應五而皆得中, 故言能有物, 巽之股應初而皆得正, 故行能有恒也. 文中子書, 以明內而齊外爲義, 程子曰, 非取象之意也. 然齊外者, 齊乎巽也, 明內則身修, 齊外則家治, 身修於內, 家齊於外, 恐不悖於取象之意也. 蓋巽爲木爲風, 離爲日爲火, 而舍木取風, 舍日取火. 火本生於木, 木者火之父, 風還出於火, 火者風之母. 如家人夫婦父子, 相生而无已也.

말은 리괘(離卦☲)의 상이고 행동은 손괘의 상이다. 리괘의 입이 오효에 호응하여 모두 알맞음을 얻었으므로 말에 사실이 있을 수 있고, 손괘(巽卦☴)의 허벅지가 초효에 호응하여 모두 바름을 얻었으므로 행동에 일정함이 있을 수 있다. 문중자의 책에는 '안을 밝게 하고 밖을 가지런히 하는 것'으로 뜻을 삼았는데, 정자는 "상에서 취한 뜻은 아니다"라고 하였다. 그러나 밖을 가지런히 하는 것은 손괘(巽卦)에서 가지런히 하는 것이며, 안을 밝게 하면 몸이 닦여지고 밖을 가지런히 하면 집안이 다스려지니, 안으로 몸이 닦이고 밖으로 집이 가지런해짐은 상에서 취한 뜻과 어긋나지 않는 듯하다. 대체로 손괘(巽卦)는 나무가 되고 바람이 되며, 리괘(離卦)는 해가 되고 불이 되는데, 나무를 버리고 바람을 취하였고 해를 버리고 불을 취하였다. 불이 본래 나무에서 나오니 나무는 불의 아버지이고, 바람이 도리어 불에서 나오니 불은 바람의 어머니이다. 가인에서 부부와 부자가 서로 끊임없이 낳는 것과 같다.

서유신(徐有臣) 『역의의언(易義擬言)』

巽在外, 故曰出也. 風出於火, 而風噓則火益熾, 國本於家, 而國治則家益正. 言與行, 正家之本, 物與恒, 言行之本也. 言離象, 行巽象. 有物, 如火之必麗於物, 有恒, 如風之時候有常.

손괘는 밖에 있으므로 "나온다"고 하였다. 바람이 불에서 나오지만 바람이 불면 불은 더욱 타오르고, 나라는 가정에 근본 하지만 나라가 다스려지면 가정은 더욱 바르게 된다. 말과 행동은 가정을 바르게 하는 근본이고, 사실과 일정함은 언행의 근본이다. 말은 리괘의 상이고, 행동은 손괘의 상이다. '사실이 있음'은 불이 반드시 사물에 붙어있는 것과 같고, '일정함

---

51) 『老子翼』: 橐籥治鑄所用, 致風之器也. 橐者, 外之櫝, 所以受籥, 籥者, 內之管所以鼓橐也.

이 있음'은 바람이 절기마다 일정함이 있는 것과 같다.

박제가(朴齊家) 『주역(周易)』

大象, 風自火出,
「대상전」에서 말하였다: 바람이 불로부터 나온다.

傳, 由內而出, 自正.
『정전』의 "안으로부터 나온다"는 스스로 바르게 함이다.
西溪李氏曰, 風自火出, 橐籥之火也. 大凡皷鑄, 須是皷得許多風, 從火裏出.
서계이씨가 말하였다: 바람이 불로부터 나옴은 풀무의 불이다. 무릇 주조할 때에는 반드시 허다한 바람을 일으켜 불 속에서 나오게 해야 한다.

案, 橐籥, 所以皷風之物, 乃火自風出者矣. 凡火之附木, 自有風聲, 火體自搖, 而自生風, 所謂自內出者, 非涉人爲者也. 以火之不盛, 欲吹之使盛之爲橐籥, 則橐籥雖不置火, 而亦生風者也. 如搖扇生風, 何嘗自火出耶. 又曰, 橐籥自有戶庭闐奧, 家之象也. 就中必有模範, 風也火也金也器也, 皆有模範. 君子體之. 夫見風而思橐籥, 因橐籥而思闐奧, 因皷鑄而思模範, 因模範而屬之家人之大象, 則幾何而不爲乘車入穴之夢耶. 易但說風火取象, 橐籥已涉差舛, 又何金器模範之云耶. 不知永樂諸公, 何以收入大全.
내가 살펴보았다: 풀무는 바람을 일으키는 물건이니, 불이 바람으로부터 나오는 것이다. 무릇 불이 나무에 붙으면 저절로 바람 소리가 나고, 불의 몸체가 요동쳐서 저절로 바람이 생겨나니, 이른바 안으로 부터 나온다는 것으로 사람이 간섭할 수 있는 것이 아니다. 불이 성대하지 못해서 바람을 불어 넣어 성대하게 하는 것이 풀무이니, 풀무는 비록 불을 일으키지는 못하더라도 또한 바람을 나오게 하는 것이다. 만약 부채질을 해서 바람을 일으켰다면 어찌 일찍이 불로부터 나온 것이겠는가? 또 서계이씨는 "풀무는 본래 집안의 요처에 있으니 집안의 상이다. 그 가운데 반드시 모범이 있으니, 바람과 불과 쇠와 그릇에 모두 모범이 있다. 군자는 그것을 체득하였다"고 하였다. 바람을 보고 풀무를 생각하고 풀무로 인하여 깊숙한 곳을 생각하며, 주물로 인하여 본보기를 생각하고 본보기로 인하여 가인괘의 「대상전」에 귀속시켰으니, 어찌 수레를 타고 구멍에 들어가는 꿈이 되지 않겠는가? 『주역』에서는 다만 바람과 불을 말하여 상을 취했을 뿐이니, 풀무도 이미 어긋난 것이거늘 또 어찌 쇠와 그릇과 모범 등을 운운한단 말인가? 영락제 때의 여러 학자들이 어찌하여 『대전』에 수록하였는지 알지 못하겠다.

案, 此卦爻位正方, 辭旨明白, 先儒謂內卦三爻爲女子之事, 外卦三爻爲男子之事, 有以初閑爲未52)從人, 三爲人母, 故家人嗃嗃之說, 皆不通, 象傳男女之正位, 傳由二五而言故也. 故本義特言之. 又以上父初子五三夫四二婦五兄三弟, 歷歷說出甚確. 但九五王假之假, 訓至也, 亦從程訓. 然假與格同, 感格之義. 自我而感彼曰格, 大學之格物, 論語之有恥且格, 皆是也. 故象傳曰交相愛也, 交者, 有孚而格之謂. 詳見大學之53)說.

내가 살펴보았다: 이 괘는 효의 자리가 아주 반듯하고 말의 취지가 명백하다. 선유가 "내괘의 세 효는 여자의 일이 되고 외괘의 세 효는 남자의 일이 된다"고 하였고, "초효의 방비함은 사람을 따르지 않음이 되고 삼효는 사람의 어머니가 되므로 가인이 원망한다"고 한 설이 있지만 모두 통하지 않으니, 「단전」의 '남자와 여자가 자리를 바르게 함'을 『정전』에서 이효와 오효에 근거하여 말했기 때문이다. 그러므로 『본의』에서 특별히 언급하였다. 또 상효가 아버지이고 초효가 아들이며, 오효와 삼효가 남편이고 사효와 이효가 부인이며, 오효가 형이고 삼효가 동생이라고 일일이 말한 것이 매우 확실하다. 다만 구오의 '왕격(王假)'의 '격(假)'은 지극함으로 풀어야 하니, 또한 『정전』의 해석을 따른 것이다. 그러나 '격(假)'은 '격(格)'과 같아서 "감동하여 이른다"는 뜻이다. 나로부터 저를 감동시킴을 격(格)이라 하니, 『대학』의 격물이나 『논어』의 "부끄러워하며 또한 선에 이를 것이다"54)라고 한 것이 모두 그것이다. 그러므로 「상전」에서 "사귀어 서로 사랑함이다"라고 하였으니, '사귐[交]'은 믿어 이르게 됨을 이른다. 자세한 것은 『대학』의 설명에 보인다.

윤행임(尹行恁) 『신호수필(薪湖隨筆)・역(易)』

象象所指有同有不同. 咸爲男女相感之卦, 而象曰虛受者, 是象象不同也. 言有物而行有恒, 果爲修身然後齊家之義, 而君子見風自火出, 知言行之必愼. 言者由中而出, 行者在外而著, 蓋其取象於風火也.

「단전」과 「대상전」이 가리킨 것은 같은 것도 있고 같지 않은 것도 있다. 함괘(咸卦䷞)는 남자와 여자가 서로 감응하는 괘인데, 「대상전」에서 "마음을 비워 사람을 받아들인다"55)고 한 것은 「단전」과 「상전」이 같지 않은 것이다. 가인괘 「대상전」의 "말에 사실이 있고 행동에 일정함이 있다"는 결단코 자신을 닦은 뒤에야 집을 가지런히 한다는 뜻이 되고, 군자가 바람이 불로부터 나옴을 보고 말과 행동을 반드시 삼갈 줄을 아는 것이다. 말은 속으로부터 나오고 행동은 밖으로 드러나니, 바람과 불에서 상을 취한 것이다.

---

52) 未: 경학자료집성DB와 영인본에는 모두 '末'로 되어 있으나, 문맥을 살펴 '未'로 바로잡았다.
53) 之: 경학자료집성DB와 영인본에는 모두 '只'로 되어 있으나, 문맥을 살펴 '之'로 바로잡았다.
54) 『論語・爲政』: 道之以德, 齊之以禮, 有恥且格.
55) 『周易・咸卦』: 象曰, 山上有澤, 咸, 君子以, 虛受人.

강엄(康儼) 『주역(周易)』

象曰, 言有物而行有恒.[56]

「상전」에서 말하였다: 말에 사실이 있고 행동에 일정함이 있다.

按, 治家之道, 不一而足, 分而言之, 則卦辭及六爻盡之矣, 總而言之, 則大象言有物行有恒[57]盡之矣. 是乃修身之道, 治家之本, 如是而後, 可以使一家之人, 皆得其正, 而家道成矣. 然此非陽剛中正之君子, 何以及此愚. 故曰言有物行有恒,[58] 惟九五可以當之.

내가 살펴보았다: 집안을 다스리는 도는 하나로 충분치 않으니, 나누어 말하면 괘사 및 여섯 효에서 다하였고, 합쳐서 말하면 「대상전」에서 "말에 사실이 있고 행동에 일정함이 있다"고 하여 다하였다. 이는 바로 자신을 닦는 도이고 집을 다스리는 근본이니, 이와 같은 뒤에야 한 집안의 사람들에게 모두 바르게 할 수 있어서 집안의 도가 이루어질 것이다. 그러나 이는 굳센 양으로 알맞고 바른 군자가 아니라면 어떻게 이러한 우직함에 미치겠는가? 그러므로 "말에 사실이 있고 행동에 일정함이 있다"고 하였으니, 구오만이 이에 해당될 수 있다.

박문건(朴文健) 『주역연의(周易衍義)』

言出於內而有實理, 行成於外而有常度, 則身正而家治.

말이 안에서 나와서 실리가 있고, 행동이 밖에서 이루어져 상도가 있다면, 자신이 바르게 되고 집안이 다스려질 것이다.

〈問,[59] 風自火出, 家人. 曰, 風爲火子, 火爲風母, 則有家人之象. 故君子修言行者, 愼其自內出[60]外者也.

물었다: "바람이 불로부터 나옴이 가인이다"는 무슨 뜻입니까?

답하였다: 바람은 불의 아들이 되고, 불은 바람의 어머니가 되니, 가인의 상이 있습니다. 그러므로 군자가 말과 행동을 닦는 것이니, 그 안으로부터 밖으로 나오는 것을 삼가는 것입니다.〉

이지연(李止淵) 『주역차의(周易箚疑)』

風則自火而出. 物則自言而出, 恒則自行而出, 言與行則自德而出.

---

56) 恒: 경학자료집성DB와 영인본에는 모두 '怕'로 되어 있으나, 『주역』 원문에 따라 '恒'으로 바로잡았다.
57) 恒: 경학자료집성DB와 영인본에는 모두 '怕'로 되어 있으나, 『주역』 원문에 따라 '恒'으로 바로잡았다.
58) 恒: 경학자료집성DB와 영인본에는 모두 '怕'로 되어 있으나, 『주역』 원문에 따라 '恒'으로 바로잡았다.
59) 問: 경학자료집성DB와 영인본에는 모두 '門'으로 되어 있으나, 문맥을 살펴 '問'으로 바로잡았다.
60) 出: 경학자료집성DB와 영인본에는 모두 '由'로 되어 있으나, 문맥을 살펴 '出'로 바로잡았다.

바람은 불로부터 나온다. 사실은 말로부터 나오고, 일정함은 행동으로부터 나오며, 말과 행동은 덕으로부터 나온다.

김기례(金箕澧) 「역요선의강목(易要選義綱目)」

君子以, 言有物而行有恒.
군자가 그것을 본받아 말에 사실이 있고 행동에 일정함이 있다.

橐籥之風, 出於火, 治家之道, 本諸身.
풀무의 바람은 불에서 나오고 집안을 다스리는 도는 몸에 근본 한다.

○ 修齊治平, 由言實有行有常.
닦고 가지런히 하며 다스리고 태평하게 함은, 말이 실제로 있고 행동에 일정함이 있음을 말미암는다.

이항로(李恒老) 「주역전의동이석의(周易傳義同異釋義)」

傳, 正家之本, 在正其身, 正身之道, 一言一動, 不可易也. 言愼行修, 則身正而家治矣.
『정전』에서 말하였다: 집안을 바르게 하는 근본은 자신을 바르게 함에 있으며, 자신을 바르게 하는 도는 한마디 말과 한 가지 행동도 쉽게 하지 않아야 한다. 말을 삼가고 행동을 닦으면 몸이 바르게 되어 집안이 다스려진다.

本義, 身修則家治.
『본의』에서 말하였다: 몸이 닦여지면 집안이 다스려진다.

按, 火者, 明之麗乎中者也, 風者, 順之感於外者也. 譬之家, 則火內也, 風外也, 譬之人, 則火心也, 而風情也. 故言家道, 則未有內不正而外正者也, 言人道, 則未有心无實而事有實者也. 蓋至明之理, 積於中, 則至順之徵, 應於外, 猶影響之捷也, 惡亦如此. 所謂言有物行有恒者, 物與恒, 理之一定於內者也, 言與行, 理之發施於外者也. 言違乎物, 則是言之无物也, 行離乎恒, 則是行而无恒也. 言无物, 則詖淫邪遁之類, 是也. 雖極天下之惡, 其本不過曰言无物行无恒. 然言之有物與无物, 行之有恒與无恒, 是皆隱於內渚也. 風之感應於外者, 甚遠甚廣. 是以君子居其室, 一言善則千里之外應之, 一言惡則千里之外違之, 一行善則千里之外應之, 一行悖則千里之外違之, 言行君子之所以動天地也. 知此者, 其知風自火出之妙乎.

내가 살펴보았다: 불은 밝음이 가운데 걸린 것이고 바람은 유순함이 밖으로 감응한 것이다. 집에 비유하면 불은 안이고 바람은 밖이며, 사람에 비유하면 불은 마음이고 바람은 감정이다. 그러므로 집안의 도를 말하면 안이 바르지 못하면서 밖이 바른 경우는 없으며, 사람의 도로 말하면 마음에 참됨이 없이 일에 참됨이 있는 경우는 없다. 대체로 지극히 밝은 이치가 중심에 쌓이면 지극히 유순한 조짐이 밖으로 감응함이 그림자나 메아리와 같이 날래니, 악한 것도 이와 같다. 이른바 "말에 사실이 있고 행동에 일정함이 있다"에서 사실과 일정함은 이치가 안에서 한결같이 안정된 것이고, 말과 행동은 이치가 밖으로 펼쳐진 것이다. 말이 사실과 어긋나면 말을 해도 사실이 없으며, 행동이 일정함을 벗어나면 행동해도 일정함이 없다. 말에 사실이 없음은 치우쳐 음란하고 간사하게 회피하는 부류가[61] 이것이다. 비록 천하에 지극히 악한 것이라도 그 근본은 "말에 사실이 없고 행동에 일정함이 없다"고 하는 것에 불과하다. 그러나 말에 사실이 있음과 없음, 행동에 일정함이 있음과 없음은 모두 속 깊숙이 감춰져 있다. 바람이 밖으로 감응하는 것은 아주 멀고 넓다. 이 때문에 군자가 집에 머물지만 한 번 말을 선(善)하게 하면 천리의 밖에서도 호응하고, 한 번 말을 악(惡)하게 하면 천리 밖에서도 어기며,[62] 한 번 행동을 선하게 하면 천리의 밖에서도 호응하고, 한 번 행동을 어긋나게 하면 천리의 밖에서도 어기니, 말과 행동은 군자가 천지를 움직이는 것이다. 이것을 아는 자는 바람이 불로부터 나오는 신묘함을 알 것이로다.

박종영(朴宗永) 「경지몽해(經旨蒙解)·주역(周易)」

程傳曰, 物, 謂事實, 恒, 謂常度法則也. 德業之著於外, 由言行之謹於內, 言愼行修, 則身正而家治矣.

『정전』에서 말하였다: 물(物)은 사실을 말하고 항(恒)은 일정한 법칙을 말한다. 덕(德)과 업(業)이 밖으로 드러남은 말과 행동을 안에서 삼갔기 때문이니, 말을 삼가고 행동을 닦으면 몸이 바르게 되어 집안이 다스려진다.

심대윤(沈大允) 『주역상의점법(周易象義占法)』

風自火出, 言自內而及外也, 自身而家, 自家而國是已. 內卦獨變則有艮, 言有物, 明愼而不妄也. 巽爲行爲恒, 行有恒, 整齊而有常也. 言愼行正而家齊矣.

바람이 불로부터 나옴은 안으로부터 밖으로 미침을 말하니, 자신으로부터 집안에 이르고,

---

61) 『孟子·公孫丑』: 何謂知言. 曰, 詖辭, 知其所蔽, 淫辭, 知其所陷, 邪辭, 知其所離, 遁辭, 知其所窮.
62) 『周易·繫辭傳』: 子曰, 君子居其室, 出其言善, 則千里之外應之, 況其邇者乎. 居其室, 出其言不善, 則千里之外違之, 況其邇者乎.

집안으로부터 국가에 이르는 것일 뿐이다. 내괘가 홀로 변하면 간괘(艮卦☶)가 있으니, 말에 사실이 있으며 밝고 신중하여 함부로 하지 않는다. 손괘(巽卦☴)는 행동이 되고 일정함이 되는데, '행동에 일정함이 있음'은 가지런하여 일정함이 있음이다. 말이 신중하고 행동이 바르면 가정이 가지런해진다.

오치기(吳致箕) 「주역경전증해(周易經傳增解)」

卦體, 則離火在內, 巽風在外. 有風自火出之象, 而卽從內及外之意也. 卦義, 則離明在內者, 德明而身修也, 巽風在外者, 化行而家齊也. 故君子觀其象, 知齊家之道, 由內而出. 故所言, 必有物而不虛, 所行, 必有常而不僞, 言愼行修於內, 而身正家治於外矣. 物, 謂事實, 恒, 謂常度也.

괘의 몸체는 리괘(離卦☲)인 불이 안에 있고 손괘(巽卦☴)인 바람이 밖에 있다. 바람이 불로부터 나오는 상이 있으니, 바로 안으로부터 밖에 미친다는 뜻이다. 괘의 뜻은, 리괘(離卦)의 밝음이 안에 있는 것은 덕이 밝아 몸이 닦임이고, 손괘(巽卦)의 바람이 밖에 있는 것은 교화가 행해져 가정이 가지런해짐이다. 그러므로 군자가 이 상을 보고 집을 가지런히 하는 도(道)가 안으로부터 나옴을 안다. 그러므로 말한 것이 반드시 사실이 있어 헛되지 않고, 행한 것이 반드시 일정함이 있어 거짓되지 않으니, 안으로 말을 삼가고 행동을 닦음에 밖으로 몸을 바르게 하고 집을 다스리는 것이다. '물(物)'은 사실을 말하고, '항(恒)'은 일정한 법도를 말한다.

이진상(李震相) 『역학관규(易學管窺)』

言, 離象, 洪範言爲揚火, 是也. 行, 巽象, 如風行地上風行水上, 是也. 有物有恒, 互坎中實之象, 坎之習事, 物也, 常德, 恒也.

'말[言]'은 리괘(☲)의 상이니, 『서경·홍범』의 "말은 드러남이 되니 불이다"[63]가 이것이다. '행동[行]'은 손괘(☴)의 상이니, '바람이 땅 위를 지남'[64]과 '바람이 물 위에 붐'[65]과 같은 것이다. '사실[物]'이 있고 '일정함[恒]'이 있음은 호괘인 감괘(坎卦☵)의 가운데가 꽉 찬 상이니, 감괘의 거듭된 일이 '사실[物]'이고, 한결같은 덕이 '일정함[恒]'이다.

---

63) 『書經集傳·洪範』: 言, 揚, 火也.
64) 『周易·觀卦』: 象曰, 風行地上, 觀, 先王以, 省方觀民, 設敎.
65) 『周易·渙卦』: 象曰, 風行水上, 渙, 先王以, 享于帝, 立廟.

박문호(朴文鎬) 「경설(經說) · 주역(周易)」

常度法則, 言可常之度, 可法之則也.

『정전』에서 말한 '일정한 법칙'은 상도(常道)로 삼을 만한 법도와 본받을 만한 법칙을 말한다.

이병헌(李炳憲) 『역경금문고통론(易經今文考通論)』

風與火, 爲附麗之物. 風自火出, 非謂風自火而出, 謂風自能使火而出也.

바람과 불은 붙어서 매달린 물건이 된다. '풍자화출(風自火出)'은 바람이 불로부터 나온다는 것이 아니라, 바람이 스스로 불을 나오게 할 수 있음을 말한다.

初九, 閑有家, 悔亡.

정전 초구는 집안을 이룸에 방비하면 후회가 없어진다.
본의 초구는 집안을 이룸에 방비하니 후회가 없다.

中國大全

傳

初, 家道之始也. 閑, 謂防閑法度也. 治其有家之始, 能以法度爲之防閑, 則不至於悔矣. 治家者, 治乎衆人也, 苟不閑之以法度, 則人情流放, 必至於有悔. 失長幼之序, 亂男女之別, 傷恩義害倫理, 无所不至. 能以法度閑之於始, 則无是矣, 故悔亡也. 九剛明之才, 能閑其家者也, 不云无悔者, 群居必有悔, 以能閑, 故亡耳.

초효는 가도(家道)의 시작이다. 한(閑)은 막아서 방비하는 법도를 말한다. 그 집안을 다스리는 처음에 법도로 막아서 방비할 수 있다면 후회에 이르지 않을 것이다. 집안을 다스리는 것은 여러 사람을 다스리는 것이니, 만일 법도로 방비하지 않으면 인정이 마음대로 흘러 반드시 후회함에 이를 것이다. 장유(長幼)의 차례를 잃고 남녀의 분별을 어지럽혀 은혜와 의리를 손상시키고 윤리를 해쳐 저지르지 못하는 것이 없을 것이다. 그렇지만 법도로 처음에 방비할 수 있다면 이런 일이 없기 때문에 후회가 없어진다. 구(九)는 굳세고 밝은 재질로 집안을 방비할 수 있는 자인데도 "후회가 없다[无悔]"고 말하지 않은 것은, 여럿이 거처하면 반드시 후회가 있어서니, 방비할 수 있기 때문에 없어진 것이다.

本義

初九, 以剛陽處有家之始, 能防閑之, 其悔亡矣. 戒占者, 當如是也.

초구는 굳센 양으로 집안을 이루는 처음에 처하여 막아서 방비할 수 있으니, 그 후회가 없어진다. 점치는 자가 마땅히 이와 같이 하여야 함을 경계하였다.

小註

龜山楊氏曰, 禮始於謹. 夫婦爲宮室辨內外, 男位乎外, 女位乎內, 男不入, 女不出, 所以閑有家也, 所以謹始也. 始不閑, 終必亂矣.

구산양씨가 말하였다: 예(禮)는 조심함에서 시작한다. 남편과 아내가 집안에서 안과 밖으로 분변하여 남자는 밖에 자리하고 여자는 안에 자리하여 남자는 들어가지 않고 여자는 나오지 않기에, 집안을 이룸에 방비하는 것이며, 시작을 조심하는 것이다. 시작할 때에 방비하지 못하면 마칠 때에 반드시 어지러워진다.

○ 中溪張氏曰, 離外實中虛, 有家之象. 二爲家人之主, 初以剛明之才居其下, 得防閑之道於其始, 而群居紛爭之悔自亡矣.

중계장씨가 말하였다: 리괘(離卦☲)는 밖이 꽉 차고 안이 비었으니, 집안을 이루는 상이다. 이효는 가인괘(家人卦)의 주인이 되고, 초효는 굳세며 밝은 재질로 그 아래에 있으면서 처음에 막아서 방비하는 도를 얻었으니, 무리지어 살면서 다투는 후회가 자연 없어질 것이다.

○ 雲峰胡氏曰, 初之時當閑, 九之剛能閑. 三五以剛居剛而吉. 初以剛居剛, 而能防閑其家者也, 僅曰悔亡, 何哉. 家難而天下易, 能閑於初, 僅可免悔. 初之不閑, 悔將若何.

운봉호씨가 말하였다: 초효의 때에는 방비해야 하고, 구(九)의 굳셈이 방비할 수 있다. 삼효와 오효는 굳센 양으로 굳센 양의 자리에 있어 길하다. 초효는 굳센 양으로 굳센 양의 자리에 있어 집안을 막아서 방비할 수 있는데, 겨우 "후회가 없다"고만 한 것은 어째서인가? 집안을 다스리기는 어렵고 천하를 다스리기는 쉬우니, 처음에 방비할 수 있으면 겨우 후회를 면할 수 있다. 처음에 방비하지 못하면 후회가 장차 어떠하겠는가?

韓國大全

조호익(曺好益) 『역상설(易象說)』

初九, 閑有家.

초구는 집안을 이룸에 방비하면.

二虛中 初在下而連亘, 有閑之象.

이효가 비어서 가운데 있고 초효가 아래에서 이어져 뻗치니, 방비하는 상이 있다.

송시열(宋時烈) 『역설(易說)』

初九閑字, 從門從木作字. 以橫木加門, 區限內外之意. 初與四應而一陽居間, 有防閑之象, 正家之道如是, 則旡悔.

초구의 '한(閑)'자는 문(門)과 목(木)으로 글자가 이루어졌다. 횡목을 문에 더하는 것이니, 안과 밖을 구분지어 경계 짓는다는 뜻이다. 초효와 사효가 호응하는데 하나의 양이 사이에 있는 것으로 막아서 방비하는 상이 있으니, 집안을 바르게 하는 도를 이와 같이 하면 후회가 없게 된다.

심조(沈潮) 「역상차론(易象箚論)」

初九, 閑有家.

초구는 집안을 이룸에 방비하면.

前有偶, 故閑字從門, 陽爻橫亘, 有防閑之象.

앞에 음효[偶]가 있으므로 '한(閑)'자는 문(門)을 부수로 하고, 양효가 횡으로 뻗쳤으니, 막아서 방비하는 상이 있다.

유정원(柳正源) 『역해참고(易解參攷)』

王氏曰, 教在初而法在始, 家瀆而後嚴之, 志變而後治之, 則悔矣. 處家人之初, 爲家人之始, 故宜必以閑有家, 然後悔亡也.

왕필이 말하였다: 처음에 가르치고 시작할 때 다스려야 하니, 집안이 어지러운 뒤에 엄하게 하고, 뜻이 변한 뒤에 다스리면 후회할 것이다. 가인의 처음에 자리하여 가인의 시작이 되므로 반드시 "집안을 이룸에 방비한다"는 것으로 해야 하니, 그런 뒤에야 후회가 없게 된다.

○ 丹陽都氏曰, 九者, 剛之象, 閑之之道也, 初者, 始之象, 閑之之時也.

단양도씨가 말하였다: 구(九)는 굳셈을 상징하니 막아내는 도이고, 초효는 시작을 상징하니 방비하는 때이다.

○ 梁山來氏曰, 閑字, 以門從木. 木設于門, 所以防限也. 又變艮, 艮爲門, 又爲止, 亦門闔止防之意也. 初九, 以離明陽剛, 處有家之始, 離則有豫防先見之明, 陽剛則有整肅威如之吉. 故有閑其家之象.

양산래씨가 말하였다: '한(閑)'자는 '문(門)'자에다가 '목(木)'자를 붙였다. 나무를 문에 설치함이니, 막아서 제한하는 것이다. 또 간괘(艮卦☶)로 변하면, 간괘(艮卦)는 문이 되고 또 그침이 되니, 또한 문을 가로막아 저지한다는 뜻이다. 초구는 리괘의 밝음과 양의 굳셈으로 집안을 이루는 처음에 있으니, 리괘(離卦☲)에는 예방하여 미리 보는 밝음이 있고, 양의 굳셈에는 정숙하여 위엄으로 하는 길함이 있다. 그러므로 집안을 막는 상이 있다.

傳, 群居.

『정전』에서 말하였다: 여럿이 거처하다.

案, 群者, 一家之衆也.

내가 살펴보았다: 여럿은 한 집안의 무리이다.

김상악(金相岳) 『산천역설(山天易說)』

初, 家道之始也. 剛陽處離體之下, 比二應四, 閑之於始, 故其悔亡也.

초효는 가도(家道)의 시작이다. 군셈 양이 리괘(離卦☲)의 몸체의 아래에 있으면서 이효를 가까이 하고 사효와 호응하는데, 시작할 때에 방비하므로 후회가 없는 것이다.

○ 有家之始, 能以法度防閑, 則倫理正恩義篤, 而无瀆亂之失也. 閑字, 從門中有木. 離體中虛爲門, 而一陽橫亘于下, 閑之象, 男居外不入, 女居內不出, 閑之義也. 家者, 初上之象, 故五亦曰有家. 同人者, 天下之人也, 故曰同人于門, 家人者, 一家之人也, 故曰閑有家. 初變爲漸, 漸之義女歸吉, 而九三曰夫征, 不復, 婦孕, 不育, 失閑有家之義也. 故有禦寇之戒, 禦字與閑字義同. 悔者, 群居之悔也. 初之剛, 防閑而得宜者, 故能亡其悔, 三之剛, 治家而過嚴者, 故雖悔厲而吉也.

집안을 처음 이룸에 법도로 막아서 방비할 수 있다면, 윤리가 바르고 은혜와 의리가 돈독하여 어지럽고 혼란한 과실이 없을 것이다. '한(閑)'자는 '문(門)'에서 왔는데 가운데 나무[木]가 있다. 리괘(離卦☲)의 몸체에서 가운데가 빈 것이 문이 되고, 하나의 양(陽)이 횡으로 아래에서 뻗친 것이 방비하는 상이니, 남자가 밖에 있으면서 들어가지 못하고, 여자가 안에 있으면서 나오지 못함이 방비한다는 뜻이다. 집안은 초효와 상효의 상이므로 오효에도 "집안을 이룬다"고 하였다. 동인(同人)은 천하의 사람이므로 "사람들과 함께 하기를 문 밖에서 한다"[66]고 하였고, 가인은 한집안의 사람이므로 "집안을 이룸에 방비한다"고 하였다. 초효가

---

66) 『周易·同人卦』: 初九, 同人于門, 无咎.

변하면 점괘(漸卦☶)가 되고, 점괘의 뜻은 여자가 시집감이 길한 것인데, 구삼에서 "남편이 가면 돌아오지 않고, 부인은 잉태를 하더라도 훈육을 못한다"[67]고 하였으니, "집안을 이룸에 방비한다"는 뜻을 상실하였다. 그러므로 도적을 막는[禦寇] 경계가 있으니, 어(禦)자와 한(閑)자는 뜻이 같다. 후회는 여럿이 거처하는 후회이다. 초효의 굳셈은 막아서 방비함에 마땅함을 얻은 것이므로 후회를 없게 할 수 있고, 삼효의 굳셈은 집을 다스림에 엄격함이 지나친 것이니, 비록 엄격함에 후회하지만 길하다.

김규오(金奎五) 「독역기의(讀易記疑)」

初九, 悔亡.

초구는 후회가 없다.

凡言悔亡, 皆有悔能亡之意, 此无可悔之失, 未可知也. 傳群居必有悔, 以人事言耳, 非爻有是象也.

"후회가 없다"고 한 것은 모두 후회가 있지만 없게 할 수 있다는 뜻이니, 이것이 후회할 만한 과실이 없는 것인지는 알지 못하겠다. 『정전』의 "여럿이 거처하면 반드시 후회가 있다"는 사람의 일로 말하였을 뿐이지, 효에 이러한 상이 있다는 것은 아니다.

서유신(徐有臣) 『역의의언(易義擬言)』

家人之初, 而便塞其內, 是爲防閑象. 申禮防以自持也, 乃婦人之貞也. 陽剛, 非婦人之道, 是宜有悔, 而防閑之義. 不厭其剛, 故悔亡也.

가인의 처음에 그 안을 막으니, 이는 막아서 방비하는 상이 된다. 거듭 예로 방비하여 스스로를 지킴이 부인의 바름이다. 양의 굳셈은 부인의 도리가 아니지만, 이에 마땅히 후회하더라도 막아서 방비한다는 뜻이 있어야 한다. 그 굳셈을 싫어하지 않으므로 후회가 없어진다.

윤행임(尹行恁) 『신호수필(薪湖隨筆)·역(易)』

閑有家, 如童牛之牿, 制之於初, 其終也吉, 失之於前, 其後也悔. 夫婦之造端, 至於察天地, 而包費隱, 則嚴內外之分, 謹維持之法, 罔不在親迎之始, 而君子成敎之美, 於是焉基. 文王之所以爲文, 由於刑寡而始.

---

[67] 『周易·漸卦』: 九三, 鴻漸于陸, 夫征, 不復, 婦孕, 不育, 凶, 利禦寇.

'집안을 이룸에 방비함'은 '어린 소의 뿔에 가로 나무를 더함'[68]과 같으니, 처음에 제재하면 끝내는 길하고, 앞에서 잘못되면 뒤에는 후회한다. 부부에게서 단서가 시작되어 천지에 밝게 드러나서[69] 넓음과 은미함을 포괄함에 이르니, 안과 밖의 나뉨을 엄격히 함과 유지하는 법도를 삼감이 친히 맞이하는 처음에 있지 않음이 없으며, 군자가 교화를 이루는 아름다움도 여기에 기초한다. 문왕이 문왕된 까닭은 아내에게 모범됨을 말미암아 시작되었다.

하우현(河友賢) 『역의의(易疑義)』[70]

初九閑有家, 閑門限也. 离中畫虛, 有門限之象焉. 門限者, 入門之始也. 傳所謂治其有家之始, 能以法度爲之防閑者, 蓋防微正源之義也. 家人之道, 謹始如此, 寧有不謹其始, 而終能無悔者哉. 初之閑, 家道之始也. 五之假, 卽家道之成也.

초구는 집안을 이룸에 방비함이니, '방비함[閑]'은 문으로 제한함이다. 리괘의 가운데 획이 비어 있으니, 문으로 제한하는 상이 있다. 문으로 제한함은 문에 들어가는 시작이니, 『정전』에서 말한 "그 집안을 다스리는 처음에 법도로써 막아 방비할 수 있다"는 것이다. 작은데서 막아내어 근원을 바르게 한다는 뜻이다. 가인의 도는 처음을 삼가는 것이 이와 같으니, 어찌 처음을 삼가지 않고서 끝내 후회가 없을 수 있겠는가? 초효의 방비함은 가도의 시작이고, 오효의 지극함[假]은 가도의 완성이다.

박문건(朴文健) 『주역연의(周易衍義)』

謹守家節, 故有悔亡之象. 閑, 言以禮防閑也.

삼가 집안의 절도를 지키므로 후회가 없어지는 상이 있다. '한(閑)'은 예로서 막아 방비함을 말한다.

〈問, 閑有家悔亡. 曰, 初九與六四, 其執相敵, 未免悔存. 然能以禮防閑其身, 不失其正家之道, 而保有其家也. 故所以悔亡也.

물었다: "집안을 이룸에 방비하면 후회가 없어진다"는 무슨 뜻입니까?

답하였다: 초구와 육사는 그 맡은 일이 서로 비슷하여 후회 있음을 면하지 못합니다. 그러나 예로서 자신을 막아서 방비할 수 있으면 집안을 바르게 하는 도를 잃지 않아 집안을 보존할 수 있습니다. 그러므로 후회가 없는 것입니다.〉

---

68) 『周易 · 大畜卦』: 六四, 童牛之牿, 元吉.
69) 『中庸』: 君子之道, 造端乎夫婦, 及其至也, 察乎天地.
70) 경학자료집성DB에서는 서합괘 '초효'에 해당하는 것으로 분류했으나, 내용에 따라 이 자리로 옮겨왔다.

이지연(李止淵) 『주역차의(周易箚疑)』

男女七歲不同席, 親迎之初, 戒之以必敬, 必戒者, 卽閑有家之義也.

남녀가 일곱 살이 되면 같이 자리하지 않고, 친히 맞이하는 처음에 반드시 공경함으로 삼가야 하니, 반드시 삼감이 "집안을 이룸에 방비한다"는 뜻이다.

김기례(金箕澧) 「역요선의강목(易要選義綱目)」

以剛才處正家之始, 防閑於家人志未變之初, 初不至悔也.

굳센 양의 재질로 집안을 바르게 하려는 때에 있으며, 집 사람들의 뜻이 아직 변하지 않았을 때에 막아서 방비하니, 애초부터 후회함에 이르지 않는다.

○ 離體外實中虛, 有防閑之象.

리괘의 몸체는 밖이 꽉 차고 안이 텅 비었으니, 막아서 방비하는 상이 있다.

박종영(朴宗永) 「경지몽해(經旨蒙解)·주역(周易)」

傳曰, 治家之始, 能以法度爲之防閑, 則不至於悔矣.

『정전』에서 말하였다: 집안을 다스리는 처음에 법도로써 막아 방비할 수 있으면 후회에 이르지 않는다.

심대윤(沈大允) 『주역상의점법(周易象義占法)』

家人之爻位, 居剛, 嚴於禮法者也, 居柔, 寬於恩愛者也.

가인괘(家人卦)의 효의 자리는, 굳센 양의 자리에 있으면 예법에 엄한 것이고, 부드러운 음의 자리에 있으면 은혜와 의리에 너그러운 것이다.

家人之漸䷴, 進而未遽進也. 女待男行也, 初九, 女道也, 家道之始也. 以剛居剛, 嚴於禮律, 有應於四, 而爲九三所限, 不得輒進. 故曰閑有家, 閑, 防也, 有家, 家也. 家人易以褻狎而懈慢, 不以法度嚴爲之閑於治家之初, 則亂矣. 女子從人者也, 而必以禮節而從人, 家道親愛者也, 而必以法度而親愛. 是故能恒久而无敝也, 漸之義也. 庸齋趙氏曰, 敎婦初來, 敎子嬰孩.

가인괘가 점괘(漸卦䷴)로 바뀌었으니, 나가지만 선뜻 나가지는 못하는 것이다. 여자는 기다리고 남자는 행동하는데, 초구는 여자의 도리로 가도(家道)의 시작이다. 굳센 양으로 굳센 양의 자리에 있어 예법을 엄히 하면서 사효와 호응하지만 구삼에게 막혀서 쉽게 나아갈 수 없다. 그러므로 "집안을 이룸에 방비한다"고 하였으니, '한(閑)'은 방비함이고 '집안을 이룸'은 가정이다. 집안사람들은 친압하여 해이해지기 쉬우니, 집을 처음 다스릴 때에 법도로 엄하게 방비하지 않는다면 어지러워진다. 여자가 사람을 따름에는 반드시 예절로 사람을 따라야 하고, 집안의 도가 친애함에는 반드시 법도로 친애해야 한다. 이 때문에 오래하여도 폐단이 없을 수 있으니, 점차 한다는 의미이다. 용재조씨는 "며느리는 처음 왔을 때 가르치고, 아들은 어렸을 때 가르친다"고 하였다.

오치기(吳致箕) 「주역경전증해(周易經傳增解)」

初九, 剛明得正, 而當有家之初, 故戒. 言明能先見而豫防於其始, 剛能威如而禁止其不正, 則家道正始, 而能亡後悔也. 大義已備於程傳矣.

초구는 굳세고 밝으며 올바름을 얻었지만 처음 가정을 이룰 때이므로 경계한 것이다. 밝음으로 미리 알아 그 처음부터 예방할 수 있고, 굳셈으로 위엄 있게 하여 바르지 않음을 금지할 수 있다면, 집안의 도가 처음부터 바르게 되어 뒤에 후회함을 없앨 수 있다고 말한 것이다. 큰 뜻은 『정전』에 이미 갖추어져 있다.

○ 閑者, 防也止也. 古者設木於門, 防止其不當出入者, 而變艮爲門爲止也.

'한(閑)'은 방비하고 그치게 함이다. 옛날에는 문에 나무를 걸쳐서 출입하지 말아야 하는 자들을 방지하였으니, 간괘로 변하면 문이 되고 그치게 함이 된다.

이진상(李震相) 『역학관규(易學管窺)』

閑者, 門之橫木. 此爻變艮爲門, 又初九與四爲應而四爲門. 初以穉子爲四母之所抱愛. 初似有悔, 而剛陽得正, 終能不踰乎禮法之閑. 閑, 巽木象.

한(閑)은 문에 가로지른 나무이다. 이 효가 간괘로 변하면 문이 되며, 또 초구는 사효와 호응하는데 사효가 문이 된다. 초효는 어린 아들로서 사효인 어머니가 감싸 사랑하는 것이다. 초효는 후회가 있을 것 같지만 굳센 양이 바름을 얻어서 끝내 예법으로 방비함에서 벗어나지 않을 수 있다. '방비함[閑]'은 손괘인 나무의 상이다.

象曰, 閑有家, 志未變也.

「상전」에서 말하였다: "집안을 이룸에 방비함"은 뜻이 변하지 않은 것이다.

‖中國大全‖

傳

閑之於始, 家人志意, 未變動之前也. 正志未流散變動而閑之, 則不傷恩不失義, 處家之善也. 是以悔亡. 志變而後治, 則所傷多矣, 乃有悔也.

처음에 방비하는 것은 집안사람들의 뜻이 아직 변동하지 않았기 때문이다. 바른 뜻이 흩어지고 변동하지 않았을 때에 방비한다면, 은혜를 해치지 않고 의리를 잃지 않을 것이니, 집안을 잘 다스리는 것이다. 이 때문에 후회가 없어진다. 뜻이 변한 뒤에 다스리면 상하는 바가 많으니, 이에 후회가 있다.

本義

志未變而豫防之.

뜻이 아직 변하기 전에 미리 방비하는 것이다.

小註

庸齋趙氏曰, 閑於始, 則人心未變, 无傷恩害義之事. 故悔亡. 敎婦初來, 敎子嬰孩, 是也.

용재조씨가 말하였다: 처음에 방비하면 인심이 변하지 않아 은혜와 의리를 해치는 일이 없다. 그러므로 후회가 없다. "며느리는 처음 올 때 가르치고 아이는 어릴 때 가르친다"는 것이 이것이다

○ 中溪張氏曰, 防閑之道, 當謹其初也. 若待家瀆而後嚴之, 志變而後治之, 則敬戒之意失, 而有悔矣.

중계장씨가 말하였다: 막아서 방비하는 도는 마땅히 그 처음을 조심하여야 한다. 만약 집안이 어지러운 뒤에 엄하게 하고, 뜻이 변한 뒤에 다스린다면 공경하고 경계하는 뜻이 없어져 후회가 있을 것이다.

○ 雲峰胡氏曰, 家人志已變而防之者難, 未變而防之者易.

운봉호씨가 말하였다: 가인은, 뜻이 이미 변하고서 방비하기는 어렵고, 아직 변하지 않았을 때 방비하기는 쉽다.

▌韓國大全▐

송시열(宋時烈)『역설(易說)』

小象, 志未變者, 四不以三之雍土隔而變其志, 此初之法度已立, 豫防之以禮故也.

「소상전」의 "뜻이 변치 않은 것이다"는, 사효가 삼효의 막힌 흙으로 막는데도 그 뜻을 바꾸지 않았다는 것이니, 이것은 처음에 법도가 이미 세워져 예법으로 예방하기 때문이다.

김상악(金相岳)『산천역설(山天易說)』

凡所以防閑者, 貴在志未變之前, 若家潰而後嚴之, 志變而後治之, 則悔矣.

무릇 막아서 방비하는 것은 뜻이 변하지 않았을 때가 중요하니, 만약 집안이 문란한 뒤에 엄히 하고, 뜻이 변한 뒤에 다스린다면 후회할 것이다.

○ 志未變, 與中孚初九同辭, 家人之志在人, 中孚之志在我. 志未變, 故諸爻之吉, 皆由初而得也.

'뜻이 변하지 않음'은 중부괘(中孚卦☴☱) 초구의 「상전」[71]과 말이 같지만, 가인괘의 뜻은 남들에게 있고 중부괘의 뜻은 나에게 있다. 뜻이 변치 않았기 때문에 모든 효의 길함은 다 초효를 말미암아 얻은 것이다.

---

71)『周易 · 中孚卦』: 初九, 象曰, 初九虞吉, 志未變也.

김규오(金奎五) 「독역기의(讀易記疑)」

象, 志未變, 豈以初之應四, 理當專一, 而陽性上進, 或有不安於下之意耶.

「상전」의 "뜻이 변치 않은 것이다"는 아마도 초효가 사효와 호응함이 이치상 마땅히 전일해야 하는데, 양의 특성이 위로 나아가므로 혹 아래에서 편안하지 못하다는 뜻이 있는 것 같다.

서유신(徐有臣) 『역의의언(易義擬言)』

不應於四, 爲志不變之象也.

사효에 호응하지 않는 것이 뜻이 변하지 않는 상이 된다.

박문건(朴文健) 『주역연의(周易衍義)』

能以禮防閑, 而不失其道者, 從上之志未變也.

예(禮)로 막아서 방비할 수 있어서 그 도를 잃지 않을 수 있는 자는 윗사람을 따르려는 뜻을 변치 않는다.

심대윤(沈大允) 『주역상의점법(周易象義占法)』

有法度, 故可恒久而无敝也.

법도가 있으므로 오래도록 폐단이 없을 수 있다.

오치기(吳致箕) 「주역경전증해(周易經傳增解)」

早有防閑, 則家人之志, 終能不變, 而无後悔也.

미리 막아서 방비할 수 있으면, 집사람들의 뜻이 끝내 변하지 않아서 뒤에 후회함이 없을 것이다.

박문호(朴文鎬) 「경설(經說)・주역(周易)」

正志, 未流散變動, 正猶當也.

『정전』의 "바른 뜻이 흩어지고 변동하지 않는다"에서 '바른'은 마땅함과 같다.

이병헌(李炳憲) 『역경금문고통론(易經今文考通論)』

初九, 閑有家, 悔亡.

초구는 집안을 이룸에 방비하면 후회가 없어진다.

象曰, 閑有家, 志未變也.

「상전」에서 말하였다: "집안을 이룸에 방비함"은 뜻이 변하지 않은 것이다.

馬曰, 閑防也.

마융이 말하였다: '한(閑)'은 방비함이다.

荀曰, 閑習家事, 守之以正, 故悔亡而志未變也.

순상이 말하였다: '한(閑)'은 집안일을 익힘이니, 바름으로 지키므로 후회가 없고 뜻이 변하지 않는다.

六二, 无攸遂, 在中饋, 貞吉.

정전 육이는 이루는 바가 없고, 집안에서 먹이면 바르게 되어 길하다.
본의 육이는 이루는 바가 없고, 집안에서 먹이니 바르기 때문에 길하다.

中國大全

傳

人之處家, 在骨肉父子之間, 大率以情勝禮, 以恩奪義, 唯剛立之人, 則能不以
私愛失其正理, 故家人卦大要以剛爲善, 初三上是也. 六二以陰柔之才而居柔,
不能治於家者也. 故无攸遂, 无所爲而可也. 夫以英雄之才, 尚有溺情愛而不能
自守者, 況柔弱之人, 其能勝妻子之情乎. 如二之才, 若爲婦人之道則其正也,
以柔順處中正, 婦人之道也. 故在中饋則得其正而吉也. 婦人, 居中而主饋者也,
故云, 中饋.

사람이 집안에서 골육과 부자의 사이에 대체로 감정이 예절을 이기고 은혜가 의리를 빼앗으니, 오직
굳세게 선 사람만이 사사로운 사랑 때문에 바른 이치를 잃지 않을 수 있다. 그러므로 가인괘의 큰
요체가 굳셈을 선(善)으로 삼으니, 초효와 삼효와 상효가 이것이다. 육이는 음의 부드러운 재질로
부드러운 자리에 있어 집안을 다스릴 수 없는 자이다. 그러므로 이루는 바가 없으니, 일해도 옳게
되는 바가 없다. 영웅의 재질로도 오히려 정과 사랑에 빠져 스스로를 지키지 못하는 자가 있는데,
하물며 유약한 사람이 처자의 정을 이겨낼 수 있겠는가? 이효와 같은 재질로는 부인의 도를 행한다
면 바를 것이니, 유순함으로 중정한 데에 거처함은 부인의 도이다. 그러므로 집안에서 먹이면 그 바
름을 얻어 길하다. 부인은 집안에 있으면서 먹이는 것을 주관하는 자이기 때문에 "집안에서 먹인다
[中饋]"고 하였다.

本義

六二, 柔順中正, 女之正位乎內者也. 故其象占如此.

육이는 유순하고 중정하니, 여자가 안에서 자리를 바르게 하는 자이다. 그러므로 그 상과 점이 이와 같다.

小註

進齋徐氏曰, 六二以柔居中, 巽順應五, 婦之道也. 遂, 專成也. 婦人, 无所專成, 惟在主中饋而已, 所謂惟酒食是議者也. 貞吉者, 居中得正, 固守順道, 故吉也.

진재서씨가 말하였다: 육이는 부드러운 음으로 가운데 있고 공손하고 순종하여 오효에 호응하니 아내의 도이다. 수(遂)는 자기 마음대로 이룸이다. 아내는 자기 마음대로 이루는 바가 없고 오직 집안에서 먹임을 주관할 뿐이니, 이른바 "오직 술과 밥을 이에 의논한다"[72]는 것이다. "바르기 때문에 길하다"는 것은 가운데서 바름을 얻어 순종하는 도를 굳게 지키기 때문에 길하다는 것이다.

○ 漢上朱氏曰, 孟母曰, 婦人之禮, 精五飯, 羃酒漿, 養舅姑, 縫衣裳而已. 故有閨門之脩, 无境外之志, 是也.

한상주씨가 말하였다: 맹자 어머니가 "부인의 예는 오곡밥을 잘 짓고, 술과 장을 담그며, 시부모를 봉양하고, 의복을 짓는 일을 할 따름이다. 그러므로 집 안의 일을 열심히 할 뿐, 집 밖의 일에 마음 씀이 없다"[73]고 한 것이 이것이다.

○ 雲峰胡氏曰, 婦人无遂事, 從人而已. 六二正應九五, 從之者也, 故曰无攸遂, 居下卦之中, 故曰在中. 互坎, 故有飮食之象.

운봉호씨가 말하였다: 부인은 일을 이룸이 없고, 사람을 따를 뿐이다. 육이는 구오와 정응(正應)하여 그것을 따르므로 "이루는 바가 없다"고 하였고, 하괘의 가운데 있으므로 "집안에 있다"고 하였다. 호괘가 감괘(坎卦☵)이므로 음식의 상이 있다.

○ 雙湖胡氏曰, 采蘩采蘋之詩, 以公侯夫人奉祭祀爲不失職, 大夫妻共祭祀爲循法度, 祭祀蓋饋事之大者. 婦无遂事, 惟在中饋, 可見矣, 故六二貞吉, 惟以在中饋言, 象辭所謂利女貞者, 其六二當之歟.

쌍호호씨가 말하였다: 「채번(采蘩)」[74]과 「채빈(采蘋)」[75]의 시(詩)는 공·후의 부인이 제사

---

72) 『詩經·斯干』: 乃生女子, 載寢之地, 載衣之裼, 載弄之瓦. 無非無儀, 唯酒食是議, 無父母詒罹.
73) 『열녀전·모의전』.
74) 『詩經·召南』: 于以采蘩, 于沼于沚. 于以用之, 公侯之事. 于以采蘩, 于澗于沚. 于以用之, 公侯之宮.

를 받드는 것을 직분을 잃지 않음으로 여겼고, 대부의 처가 제사에 이바지 하는 것을 법도를 따름으로 여겼으니, 제사는 먹이는 일 가운데 큰 것이다. 아내는 일을 이룸이 없고, 집안에서 먹이는 것만을 알 수 있으므로 육이의 바르고 길함을 집안에서 먹이는 것으로 말하였으니, 단사에 이른바 "여자의 바름이 이롭다"는 것은 육이가 이에 해당될 것이다.

▌韓國大全▌

조호익(曺好益) 『역상설(易象說)』

六二, 无攸遂, 在中饋.

육이는 이루는 바가 없고, 집안에서 먹이니.

自初至三, 自三至五, 卦體重離, 有異宮之象. 二在下之婦, 四一家之母, 故二中饋, 四富家. 无攸遂, 陰無成之象, 居下卦之中, 故曰在中. 互坎, 有飲食之象.

초효부터 삼효까지와 삼효부터 오효까지의 괘의 몸체는 리괘(離卦☲)를 중첩하니, 궁을 달리하는 상이 있다. 이효는 아래에 있는 부인이고, 사효는 한집안의 어머니이므로 이효는 집안에서 먹이고, 사효는 집안을 부유하게 한다. '이루는 바가 없음'은 음효의 이룸이 없는 상이고, 하괘의 가운데 있으므로 '안에서'라고 하였다. 호괘인 감괘(坎卦☵)에 음식의 상이 있다.

송시열(宋時烈) 『역설(易說)』

重柔, 故無所成, 居內應外. 互有坎象, 坎爲酒食, 詩云, 無非無儀惟酒食是議, 六二之謂也. 其道貞正, 則志小象, 順而巽者, 離得坤順中爻, 巽爲潔齊也.

부드러움이 겹치므로 이루는 것이 없고 안에 있으면서 밖과 호응한다. 호괘에 감괘(坎卦☵)의 상이 있는데 감괘(坎卦)는 술과 음식이 되니, 『시경』에서 "잘못함도 없고 잘함도 없이 오직 술과 음식을 의논한다"[76]고 한 것이 육이를 말한다. 그 도가 곧고 바름은 뜻이 작은

---

75) 『詩經·召南』: 于以采蘋, 南澗之濱. 于以采藻, 于彼行潦.
76) 『시경·사간』.

상이며, '순종하여 공손함'은 리괘가 순응하는 곤괘(坤卦☷)의 가운데 효를 얻고, 손괘는 정결함이 되기 때문이다.

심조(沈潮) 「역상차론(易象箚論)」

六二, 中饋.

육이는 집안에서 먹이니.

中饋, 非但坎爲飮食, 坎離爲烹飪之象, 離中卽厨中之象.
'집안에서 먹임'은 감괘(坎卦☵)가 음식이 될 뿐만이 아니라, 감괘(坎卦)와 리괘(離卦☲)가 요리하는 상이 되고, 리괘(離卦)의 가운데가 부엌 안의 상이기 때문이다.

유정원(柳正源) 『역해참고(易解參攷)』

六二, [至] 中饋.

육이는 … 집안에서 먹이니.

王氏曰, 居內處中, 履得其位, 以陰應陽, 盡婦人之正義. 无所必遂, 職于中饋, 巽順而已.
왕필이 말하였다: 안의 가운데에 있고 제자리에 있으며, 음효로써 양효와 호응하여 부인의 바른 뜻을 다한다. 반드시 이루는 것은 없지만, 집안에서 먹임을 직분으로 하며 공손하고 순종할 뿐이다.

○ 漢上朱氏曰, 二主婦, 坎水離火應巽木, 烹飪主饋事也.
한상주씨가 말하였다: 이효는 주부이면서 감괘(坎卦☵)인 물과 리괘(離卦☲)인 불이 손괘인 나무와 호응함이니, 요리하여 먹이는 일을 주관한다.

○ 案, 婦人之无攸遂, 如地道之无成有終也. 婦人之職, 无他, 居中饋享而已, 房中之爼, 后夫人之禮也, 沼澗之毛, 大夫妻之事也. 以至五飯之精酒漿之冪, 皆是職分之所當爲, 而未嘗以賢知自居, 言不出外, 事不自專, 此女道之貞吉也. 諺解所釋是本義意, 恐非程傳本意, 蓋傳之意, 以二之才, 本是无攸遂者也.
내가 살펴보았다: 부인이 이루는 바가 없음은 땅의 도가 이뤄냄이 없지만 마침이 있는 것과 같다. 부인의 직분은 다른 것이 아니라, 집안에서 먹이고 제사지냄에 있을 뿐이니, 규방 안

의 적대(炙臺)는 후부인의 예이고, 못가와 시내가의 초목은 대부 부인의 일이다. 오곡밥을 잘 짓고 술과 장을 담그는 것까지 모두 직분에 해야 할 것이지만 어질고 지혜롭다고 자처한 적이 없으며, 말을 밖으로 나아가지 않게 하고 일을 스스로 독차지 하지 않으니, 이것이 여인의 도가 바르게 되어 길한 것이다. 언해에서 해석한 것은 『본의』의 뜻이지, 『정전』 본래의 뜻은 아닌 듯하다. 대체로 『정전』의 뜻은 이효의 재질이 본래 이루는 바가 없다는 것이다.

傳, 英雄, [至] 情愛.
『정전』에서 말하였다: 영웅의 재질로 … 정과 사랑에 빠져.
〈案, 如漢高愛戚姬趙王之類, 是也.
내가 살펴보았다: 한나라 고조가 척부인과 조왕을 사랑한 것과 같은 것이다.〉
小註, 漢上說孟母.
소주에서 한상주씨가 맹자의 어머니를 말하였다.
〈見列女傳.
『열녀전』에 나온다.〉

五飯.
오곡밥.
〈月令, 春食麥, 夏食菽, 夏季食稷, 秋食麻, 冬食黍.
『예기(禮記)·월령(月令)』에서 말하였다: 봄에는 보리를 먹고, 여름에는 콩을 먹고, 늦여름에는 수수를 먹고, 가을에는 삼을 먹고, 겨울에는 기장을 먹는다.〉

김상악(金相岳) 『산천역설(山天易說)』

六二, 女之正位乎內者也. 比三應五而居下, 故无攸遂. 離互坎體而得中, 故在中饋. 事无專成, 而修壼內之職, 得正而吉也.
육이는 여자가 안에서 자리를 바르게 하는 것이다. 삼효를 가까이 하고 오효와 호응하면서 아래에 있으므로 이루는 바가 없다. 리괘(離卦☲)와 호괘인 감괘(坎卦☵)의 몸체이면서 가운데 있으므로 집안에서 먹인다. 일을 전적으로 이룸이 없이 안에 힘쓰는 직분을 닦기에 바름을 얻어서 길하다.

○ 以爻位言, 四之母在上而主事, 故二之婦居下而无所遂. 饋, 餉也, 坎離象. 鼎之火, 亨飪于外, 故曰享帝養賢, 家人之火, 亨飪于內, 故曰在中饋. 順而巽, 家人之觀也, 觀六二有女貞之戒, 故此曰貞吉.

효의 자리로 말하면 사효인 어머니가 위에서 일을 주관하므로 이효인 부인은 아래에서 이루는 바가 없다. '먹임[饋]'은 음식을 줌이니, 감괘(坎卦☵)와 리괘(離卦☲)의 상이다. 정괘(鼎卦䷱)의 불은 밖에서 삶아 익히므로 "상제를 흠향하고 성현을 기른다"[77]고 하였고, 가인괘의 불은 안에서 삶아 익히므로 "집안에서 먹인다"고 하였다. 순종하여 공손함은 가인괘가 관괘(觀卦䷓)로 바뀐 것이니, 관괘(觀卦)의 육이에 "여자가 바르게 되어야 한다"[78]는 경계가 있으므로 여기에서 "바르게 되어 길하다"고 하였다.

서유신(徐有臣) 『역의의언(易義擬言)』

此, 女正位乎內者也. 无成者, 妻道也, 惟酒食是議, 婦人之職也. 在, 察也, 中饋, 壺內飲食之事也. 二互坎, 中饋象也.

이것은 여자가 안에서 자리를 바르게 하는 것이다. 이룸이 없음은 부인의 도이니, '오직 술과 음식을 이에 의론함'이 부인의 직분이다. '재(在)'는 살핌이고, '집안에서 먹임[中饋]'은 안으로 음식의 일에 전념함이다. 이효는 호괘가 감괘(坎卦☵)이니, 집안에서 먹이는 상이다.

박문건(朴文健) 『주역연의(周易衍義)』

恐其致疑, 故有无攸遂之象, 遂, 進也, 饋, 言饋養其上也.

의심할까 염려하기 때문에 나감이 없는 상이 있는 것이니, '수(遂)'는 나아감이고 '궤(饋)'는 위를 먹여 봉양함을 말한다.

〈問, 无攸遂以下. 曰, 六二以陰處內, 而應處外之剛. 故恐其致疑, 而不進其上, 但在下之中, 而饋養其上也. 然當用柔貞之道, 則必順於剛而有吉也. 取饋養之義者, 爲陽所含藏故也.

물었다: "나가는 바가 없다" 이하는 무슨 뜻입니까?

답하였다: 육이가 음효로 안에 있으면서 밖에 있는 굳센 양과 호응합니다. 그러므로 의심할까 염려하여 위로 나가지 않고, 다만 아래의 가운데 있으면서 위를 먹여 봉양할 뿐입니다. 그러나 부드러우며 바른 도를 써야만 하니, 반드시 굳센 양에게 순종하여야 길함이 있습니다. 먹여 봉양하는 뜻을 취한 것은 양에게 포함되어 감춰지기 때문입니다.〉

---

77) 『周易·鼎卦』: 象曰, 鼎, 象也, 以木巽火, 亨飪也, 聖人亨, 以享上帝, 而大亨, 以養聖賢.
78) 『周易·觀卦』: 六二, 闚觀, 利女貞.

이지연(李止淵) 『주역차의(周易箚疑)』

自二至四, 爲互坎, 坎酒食之象. 此六二一爻, 惟文王后妃當之. 柔順中正而明, 卽幽閑
貞靜之德也.

이효부터 사효까지는 호괘인 감괘(坎卦☵)가 되는데, 감괘는 술과 음식의 상이다. 지금 이
효는 오직 문왕의 후비만이 이에 해당된다. 유순하고 중정하며 밝으니, 그윽하며 방비하고
바르며 고요한 덕이다.

김기례(金箕澧) 「역요선의강목(易要選義綱目)」

柔順中正, 正位於內, 記所云無專制之理, 事在饋食者也.

유순하고 중정하여 안에서 자리를 바르게 함은 『예기』의 이른바 '멋대로 처리하는 이치가
없다'는 것이니, 밥을 먹임에 종사하는 것이다.

○ 胡雲峯曰, 二互坎, 有飮食之像.

호운봉이 말하였다: 이효의 호괘인 감괘(坎卦☵)에는 음식의 상이 있다.

이항로(李恒老) 「주역전의동이석의(周易傳義同異釋義)」

傳, 六二以陰柔之才而居柔, 不能治於家者也. 故无攸遂, 无所爲而可也.

『정전』에서 말하였다: 육이는 음의 부드러운 재질로 부드러운 자리에 있어 집안을 다스릴
수 없는 자이다. 그러므로 이루는 바가 없으니, 일해도 옳게 되는 바가 없다.

本義, 六二, 柔順中正, 女之正位乎內者也. 故其象占如此.

『본의』에서 말하였다: 육이는 유순하고 중정하니 여자가 안에서 자리를 바르게 하는 자이
다. 그러므로 상과 점이 이와 같다.

按, 此卦象辭, 專以女貞言, 象傳, 以女正位乎內釋之, 正指六二也. 恐不必越言丈夫之
事也.

내가 살펴보았다: 이 괘의 단사에서는 오로지 여자가 바르게 함으로 말하였고, 「단전」에서
는 여자가 안에서 자리를 바르게 함으로 해석하였는데, 바로 육이를 가리킨다. 지나치게
장부의 일을 말할 필요는 없을 듯하다.

심대윤(沈大允) 『주역상의점법(周易象義占法)』

家人之小畜䷈, 畜而无形也. 六二, 婦道也, 以中順居柔, 主於恩愛而得中道. 有正應于五, 承順丈夫, 附從於三, 恭聽姑訓, 故曰无攸遂, 在中饋, 坎离爲遂, 巽离爲在, 坎兌爲饋. 應五而限於三者, 有別也. 家道, 主於恩愛, 而不可煦煦沈溺, 貴得中也.

가인괘가 소축괘(小畜卦䷈)로 바뀌었으니, 쌓아도 형체가 없는 것이다. 육이는 부인의 도이니, 알맞고 유순하면서 부드러운 자리에 있고, 은애(恩愛)를 주로 하여 중도를 얻었다. 오효에 바로 호응하여 장부를 받들어 따르고, 삼효에 붙어서 따라 공손히 시어머니의 가르침을 듣는다. 그러므로 "이루는 바가 없고 집안에서 먹인다"고 하였으니, 감괘(坎卦☵)와 리괘(離卦☲)가 '이룸[遂]'이 되고, 손괘(巽卦☴)와 리괘(離卦)가 '안에서[在]'가 되고, 감괘(坎卦)와 태괘(兌卦☱)가 '먹임[饋]'이 된다. 오효에 호응하지만 삼효에 막힌 것이니 다름이 있다. 집안의 도는 은애를 주로 하지만 아첨하며 나쁜 습속에 빠져서는 안 되니, 중도를 얻는 것이 귀하다.

오치기(吳致箕) 「주역경전증해(周易經傳增解)」

六二, 柔得中正, 而上應九五之剛中, 乃女之正位乎內者也. 故有所助而无所專成. 惟在內而主中饋, 有閨門之修, 无境外之志. 其賢如此, 是以言正而吉.

육이가 부드러움으로 중정함을 얻고서 위로 굳세며 중정한 구오와 호응하니, 바로 여자가 안에서 자리를 바르게 하는 것이다. 그러므로 보조하는 것은 있지만, 자기 마음대로 이룸은 없다. 오직 안에 있으면서 집안에서 먹임만을 주관함이니, 부녀자의 일만 몰두하고 밖으로 향하려는 뜻은 없다. 그 어짊이 이와 같기 때문에 바르면서 길하다고 하였다.

○ 遂, 謂專成也, 中, 取於柔得中也. 饋, 如孟母之言精五飯羃酒漿者也, 互坎爲酒食之象, 故言饋也.

'이룸'은 자기 마음대로 이룸을 말하고, '집안[中]'은 부드러운 음이 가운데 있음에서 취하였다. '먹임[饋]'은 맹자 어머니가 '오곡밥을 잘 짓고 술과 장을 담근다'고 한 것과 같으니, 호괘인 감괘(坎卦☵)가 술과 음식의 상이 되므로 '먹임'을 말하였다.

이진상(李震相) 『역학관규(易學管窺)』

爻入互坎, 故有酒食中饋之象, 離火巽木, 又火風烹飪之象也. 无攸遂, 火內暗象.

효가 호괘인 감괘에 들어갔으므로 술과 음식을 안에서 먹이는 상이 있고, 리괘(離卦☲)인 불과 손괘(巽卦☴)인 나무는 또 불과 바람으로 삶아 익히는 상이다. '이루는 바가 없음'은 불의 안이 어두운 상이다.

박문호(朴文鎬) 「경설(經說)·주역(周易)」

无攸遂, 在中饋, 正婦人之事也, 而程子釋作假設之辭, 恐非經文本意也. 蓋欲明家人以剛爲善之意, 故如此釋之.

"이루는 바가 없고, 집안에서 먹인다"는 바로 부인의 일인데, 정자가 가설의 말로 해석하였으니 경문 본래의 뜻은 아닐 듯하다. 대체로 가인이 굳셈으로 선을 삼는다는 뜻을 밝히고자 하였기 때문에 이와 같이 해석하였다.

이병헌(李炳憲) 『역경금문고통론(易經今文考通論)』

鄭曰, 二爲陰爻, 得正於內. 饋, 酒食也, 无攸遂, 言婦人无敢自專也.

정현이 말하였다: 이효가 음효인 것이 안에서 바름을 얻음이다. '먹임[饋]'은 술과 음식이고, '이루는 바가 없음'은 부인이 감히 자기 마음대로 함이 없음을 말한다.

荀九家曰, 謂二居貞, 巽順於五, 則吉矣.

『순구가역』에서 말하였다: 이효가 바름에 있어서 오효에게 공손하고 순종하면 길하다고 한 것이다.

象曰, 六二之吉, 順以巽也.

「상전」에서 말하였다: "육이의 길함"은 순종하여 공손하기 때문이다.

‖中國大全‖

傳

二, 以陰柔居中正, 能順從而卑巽者也. 故爲婦人之貞吉也.

이효는 부드러운 음으로 중정한 자리에 있으니, 순종하고 낮출 수 있는 자이다. 그러므로 부인의 바르며 길함이 된다.

小註

中溪張氏曰, 六二, 得正而吉者, 以其能順從九五之正應而卑巽之也.

중계장씨가 말하였다: 육이가 바름을 얻어 길한 것은 정응하는 구오에 순종하고 낮출 수 있기 때문이다.

‖韓國大全‖

김상악(金相岳) 『산천역설(山天易說)』

順巽, 與蒙五漸四同辭, 三爻皆陰.

순종하여 공손함은 몽괘(蒙卦䷃)의 육오[79]와 점괘(漸卦䷴)의 육사[80]와 말이 같으니, 세 효가 모두 음효이다.

서유신(徐有臣) 『역의의언(易義擬言)』

以順應巽, 故順以巽也.

순응하면서 공손하기 때문에 순종하여 공손하다고 했다.

박문건(朴文健) 『주역연의(周易衍義)』

不進而養上者 順而巽之道也

나가지 않고 위를 봉양함이 순종하여 공손한 도이다.

오치기(吳致箕) 「주역경전증해(周易經傳增解)」

外事則无所專成, 惟主中饋, 而酒食是議, 卽順巽之德也.

밖의 일은 자기 마음대로 이룸이 없고, 오직 집안에서 먹임만을 주관하며 술과 음식을 의론할 뿐이니,[81] 바로 순종하고 공손한 덕이다.

---

79) 『周易·蒙卦』: 象曰, 童蒙之吉, 順以巽也.
80) 『周易·漸卦』: 象曰, 或得其桷, 順以巽也.
81) 『詩經·斯干』: 乃生女子, 載寢之地, 載衣之裼, 載弄之瓦. 無非無儀, 唯酒食是議, 無父母詒罹.

九三, 家人嗃嗃, 悔厲吉, 婦子嘻嘻, 終吝.

구삼은 가인이 원망하니 엄격함에 후회하지만 길하니, 부인과 자식이 희희덕거리면 마침내 부끄럽게 된다.

中國大全

傳

嗃嗃, 未詳字義. 然以文義及音意觀之, 與嗷嗷相類, 又若急束之意. 九三在內卦之上, 主治乎內者也. 以陽居剛而不中, 雖得正而過乎剛者也. 治內過剛則傷於嚴急, 故家人嗃嗃然. 治家過嚴, 不能无傷, 故必悔於嚴厲. 骨肉恩勝, 嚴過故悔也. 雖悔於嚴厲, 未得寬猛之中, 然而家道齊肅, 人心祗畏, 猶爲家之吉也. 若婦子嘻嘻, 則終至羞吝矣. 在卦非有嘻嘻之象, 蓋對嗃嗃而言, 謂與其失於放肆, 寧過於嚴也. 嘻嘻, 笑樂无節也. 自恣无節, 則終至敗家, 可羞吝也. 蓋嚴謹之過, 雖於人情不能无傷, 然苟法度立倫理正, 乃恩義之所存也. 若嘻嘻无度, 乃法度之所由廢, 倫理之所由亂, 安能保其家乎. 嘻嘻之甚則致敗家之凶, 但云吝者, 可吝之甚則至於凶. 故未遽言凶也.

'학학(嗃嗃)'은 글자의 뜻이 자세하지 않다. 그러나 글의 뜻과 음의 뜻으로 살펴보면 "원망한다[嗷嗷]"와 서로 유사하고, 또 급히 속박한다는 뜻과 같다. 구삼은 내괘의 위에 있으면서 안에서 다스림을 주장하는 자이다. 양으로 굳센 양의 자리에 있지만 가운데 있지 않으니, 비록 바름[正]을 얻었으나 지나치게 굳센 자이다. 안을 다스림에 지나치게 굳세면 엄하고 급함으로 상하기 때문에 가인이 원망하는[嗷嗷] 것이다. 집안을 다스리는데 지나치게 엄하면 상함이 없을 수 없기 때문에 반드시 엄격함을 후회한다. 골육간에는 은혜가 커야 하는데 엄함이 지나치기 때문에 후회하게 된다. 비록 엄격함을 후회하고 너그러움과 사나움의 중도를 얻지 못하였지만, 집안의 도가 엄숙하고 사람들이 두려워하니, 오히려 집안의 길함이 된다. 만약 부인과 자식이 희희덕거리면 끝내 부끄러움에 이르게 된다. 괘에 '희희덕거리는[嘻嘻]' 상이 있는 것은 아니지만, '원망함[嗃嗃]'에 상대하여 말했으니, 방자하여 잘못되는 것보다 차라리 지나치게 엄한 것이 낫다는 것이다. '희희덕거림[嘻嘻]'은 웃고 즐기며 절도가 없는 것이다. 스스로 방자하여 절도가 없으면 마침내 집안을 망치는데 이를 것이니, 부끄러운 일이다. 엄하고 조심함이 지나치면 비록 인정에는 상함이 없을 수 없으나, 진실로 법도가

서고 윤리가 바르게 되니, 바로 은혜와 의리가 보존된다. 만약 희희덕거려 절도가 없으면 법도가 이로 말미암아 폐지되고 윤리가 이로 말미암아 어지러워지니, 어떻게 그 집안을 보존할 수 있겠는가? 희희덕거림이 심하면 집안을 망치는 흉함을 이루는데 다만 "부끄럽다"고만 말한 것은, 부끄러움이 심해지면 흉함에 이르기 때문이다. 그러므로 갑자기 흉하다고 하지 않은 것이다.

以剛居剛而不中, 過乎剛者也. 故有嗃嗃嚴厲之象, 如是則雖有悔厲而吉也. 嘻嘻者, 嗃嗃之反, 吝之道也. 占者各以其德爲應, 故兩言之.

굳센 양으로 굳센 양의 자리에 있지만 가운데 있지 않으니, 지나치게 굳센 자이다. 그러므로 원망하고[嗃嗃] 엄격한 상이 있으니, 이와 같으면 비록 엄함을 후회함이 있지만 길하다. '희희덕거림[嘻嘻]'은 '원망함[嗃嗃]'의 반대이니, 부끄러운 도리이다. 점치는 자가 각각 그 덕에 따라 호응하기 때문에 두 가지로 말하였다.

小註

朱子曰, 禮本天下之至嚴, 行之各得其分則至和. 如家人嗃嗃悔厲吉, 婦子嘻嘻終吝, 都是此理.

주자가 말하였다: 예(禮)는 천하의 지엄함을 근본으로 하니, 이를 실행하여 각각 그 분한을 얻으면 화합함에 이른다. "가인이 원망하니 엄격함에 후회하지만 길하니, 부인과 자식이 희희덕 거리면 마침내 부끄럽게 된다"와 같은 것이 모두 이 이치이다.

○ 進齋徐氏曰, 九三以剛居剛而不中, 故有嗃嗃之象, 比乎二四兩柔之間, 故又有嘻嘻之象. 治家之道, 易以情勝義. 苟剛而不中, 雖過於嚴而有悔厲, 然而家道齊肅, 人心祗畏, 猶爲家之吉而未失道也. 若笑樂无節而情愛暱比之私勝, 則敗度喪禮, 失節亂倫, 家道所由以壞也, 豈不終可吝乎.

진재서씨가 말하였다: 구삼은 굳센 양으로 굳센 양의 자리에 있지만 가운데 있지 않기 때문에 원망하는[嗃嗃] 상이 있고, 부드러운 이효와 사효의 사이에서 가까이 하기 때문에 또 희희덕거리는[嘻嘻] 상이 있다. 집안을 다스리는 도는 감정이 의리를 이기기 쉽다. 참으로 굳세며 알맞지 않다면, 비록 엄함에 지나치고 엄함을 후회함이 있지만, 집안의 도가 엄숙하고 사람들이 두려워하여 도리어 집안이 길하고 도를 잃지 않게 된다. 만약 웃고 즐기며 절도가 없고 애정과 친근함의 사사로움이 기승한다면, 법도와 예의를 무너뜨리고 절도와 윤리를 어지럽

혀 집안의 도가 이로 말미암아 어그러질 것이니, 어찌 끝내 부끄럽지 않을 수 있겠는가?

○ 雲峰胡氏曰, 嗃嗃, 以義勝情, 雖悔厲而吉. 嘻嘻, 以情勝義, 終吝. 悔自凶而吉, 吝自吉而凶. 九三以剛居剛, 若能嚴於家人者, 比乎二柔, 又若易昵於婦子者. 三其在吉凶之間乎, 故悔吝之占兩言之.

운봉호씨가 말하였다: ‘원망함[嗃嗃]’은 의리가 감정을 이김이니, 비록 엄함을 후회하지만 길하다. ‘희희덕거림[嘻嘻]’은 감정이 의리를 이김이니, 마침내 부끄럽게 된다. 후회[悔]는 흉함에서 길하게 되는 것이고, 부끄러움[吝]은 길함에서 흉하게 되는 것이다. 구삼은 굳센 양이 굳센 양의 자리에 있으니 가인에게 엄할 수 있기도 하고, 부드러운 두 음과 가까이 하니 또 부인과 자식에게 쉽게 빠지기도 하는 것이다. 삼효는 그 길흉의 사이에 있으므로 ‘후회[悔]’와 ‘부끄러움[吝]’이라는 점사를 둘 다 말하였다.

○ 東萊呂氏曰, 此爻, 如對兩家而言. 且如入一家見其父子夫婦濟濟有禮, 可以知其必興, 見其嘻嘻然日以歌舞爲樂, 可以知其必敗.

동래여씨가 말하였다: 이 효는 두 집안을 상대하여 말함과 같다. 만약 한 집안에 들어가 그 아버지와 자식, 남편과 아내가 삼가고 예(禮)가 있음을 본다면 그 집안이 반드시 흥할 것을 알 수 있고, 희희덕거리며 날마다 가무(歌舞)를 즐기는 것을 본다면 그 집안이 반드시 무너질 것을 알 수 있다.

○ 雙湖胡氏曰, 六爻獨於九三稱家人, 以其當一卦之中介乎二陰之間, 有夫婦焉, 爲一家之主者也.

쌍호호씨가 말하였다: 여섯 효 가운데 구삼에서만 ‘가인’을 말한 것은 구삼이 한 괘 가운데서 두 음 사이에 끼인 것에 해당되기 때문이니, 남편과 아내가 있으면서 한 집안의 주인이 된 것이다.

┃韓國大全┃

권근(權近) 『주역천견록(周易淺見錄)』

家人九三, 家人嗃嗃, 悔厲吉, 婦子嘻嘻, 終吝, 程朱皆以嘻嘻爲喜笑之意. 嗃嗃之反,治家無度, 失於寬縱. 故終吝. 吳氏謂嘻嘻歎聲, 治家過嚴, 致婦子之間, 常聞愁恨之聲, 嘻嘻之象[82]. 故終吝, 與程朱正相反也. 愚謂九三以剛居剛, 治家過剛之象. 治家過嚴則傷恩, 故有悔厲之戒, 嘻嘻又過於寬縱, 故程子謂此卦非有此象. 若如吳說, 則嘻嘻亦爲過剛, 正與此爻相合. 然治家之患, 常在乎恩之掩義, 不在乎義之勝恩. 故家人一卦, 全主乎嚴威, 而正倫理. 其過剛而傷恩者, 悔厲之戒已明, 不必又戒以終吝也. 苟爲重戒其嚴, 則瀆慢易生, 而幾於亂倫矣. 蓋閨門之內, 恩常掩義, 嚴威難常, 而寬縱易肆, 若因爻象, 而但戒其剛, 則恐其必流於寬縱. 故旣戒其過剛, 而又戒其過寬, 雖無此象, 而發此義, 其慮遠矣. 嗃嗃言家人, 嘻嘻言婦子者, 項氏謂家人治家者, 婦子所治者, 愚恐未然. 家人如詩宜其家人, 統言一家之人, 僕妾之賤, 皆在其中, 婦子, 其最親也. 治家者, 常謹法度, 雖以婦子之至親, 不可過於寬縱而嘻嘻也, 況家人僕妾之賤者乎. 若以爲過剛之事, 則家人僕妾, 非獨嗃嗃而已, 至於婦子之親, 亦皆嘻嘻而愁恨, 則益可見剛暴傷恩之甚. 此於二說, 皆爲親切也.

가인괘 구삼에서 "가인이 원망하니[嗃嗃] 엄격함에 후회하지만 길하니, 부인과 자식이 희희덕거리면[嘻嘻] 마침내 부끄럽게 된다"고 하였는데, 정자와 주자가 모두 '희희[嘻嘻]'를 웃고 즐기는 뜻으로 여겼다. '원망함[嗃嗃]'의 반대이니, 집안을 다스림에 법도가 없고 너그럽게 방치하는 과실인 것이다. 그러므로 마침내 부끄럽게 된다. 오씨는 "'희희[嘻嘻]'는 탄식하는 소리이니, 집안을 다스림에 너무 엄격하여 부인과 자식의 사이에서 항상 수심의 소리가 들리는 것이 희희의 상이다. 그러므로 끝내는 부끄럽게 된다"고 하니, 정자나 주자와는 바로 반대된다. 내가 생각건대, 구삼은 굳센 양이 굳센 양의 자리에 있으니, 집안을 다스림에 지나치게 굳센 상이다. 집안을 다스림에 지나치게 엄격하면 은혜를 손상시키므로 엄격함을 후회한다고 경계하였고, '희희(嘻嘻)'는 또 너그럽게 방치함에 지나친 것이므로 정자가 "이 괘에 이러한 상이 있는 것은 아니다"라고 하였다. 오씨의 설과 같다면 '희희'도 지나치게 굳셈이 되니, 바로 이 효와 서로 부합한다. 그러나 집안을 다스리는 근심은 언제나 은혜가 의리를 가리기 때문이지, 의리가 은혜를 이기기 때문이 아니다. 그러므로 가인괘가 전적으로 위엄을 주로 하여 윤리를 바르게 하는 것이다. 그 굳셈이 지나쳐서 은혜를 해친 것에게 엄격함을 후회한다는 경계로 이미 밝혔다면, 다시 "마침내 부끄럽다"로 경계할 필요는 없다. 참으로 그 엄격함을 거듭 경계시킨다면, 쉽게 불경하게 되어 윤리를 어지럽히게 될 것이다. 대체로 집안에서는 은혜가 항상 의리를 가리기에 위엄을 유지하기는 어렵고 너그럽게 방치하기는 쉬우니, 만약 효의 상에 의거하여 다만 그 굳셈을 경계하였다면, 반드시 너그럽게 방치함으로 흐르는 것을 염려해야 한다. 그러므로 이미 그 지나치게 굳셈을 경계하고서 다

---

82) 嘻嘻之象: 경학자료집성DB와 영인본에는 모두 '□□之□'로 되어 있으나, 문맥을 살펴 '嘻嘻之象'으로 바로잡았다.

시 그 지나치게 너그러움을 경계한 것이니, 비록 이러한 상은 없지만 이러한 뜻을 펼쳐서 멀리 생각한 것이다. '원망함[嗃嗃]'에는 가인을 말하고, '희희덕거림[嘻嘻]'에는 부인과 자신을 말한 것에 대해, 항씨는 "가인은 집안을 다스리는 자이고, 부인과 자식은 다스려야 할 자이다"라고 하였는데, 내가 생각건대 그렇지 않은 듯하다. 가인은 『시경』의 "그 집안사람을 화순하게 하리라"[83]와 같이 한 집안의 사람을 총칭한 것이니, 하인이나 첩과 같은 아랫사람이 모두 그 안에 있는데, 부인과 자식이 가장 친근한 사람이다. 집안을 다스리는 자는 항상 법도를 준수해야 하니, 비록 부인과 자식처럼 아주 친근한 사람이라도 너그럽게 방치함에 지나쳐서 희희덕거리게 할 수 없거늘, 하물며 하인이나 첩과 같은 집안의 아랫사람이겠는가? 만약 오씨의 설과 같이 '희희(嘻嘻)'를 지나치게 굳센 일로 여긴다면, 하인이나 첩과 같은 집안사람이 원망할 뿐만이 아니라, 부인과 자식처럼 친한 사람도 모두 탄식하며[嘻嘻] 수심이 있는 것이니, 굳세고 사나워 은혜를 해침이 아주 심함을 더욱 알 수 있다. 이것은 두 설에 대하여 모두 친절하다.

조호익(曹好益) 『역상설(易象說)』

嗃嗃, 三在兩離之間, 離爲頤口象. 三危地, 故多言厲. 婦子, 指二四. 嘻嘻, 亦離口象, 又離火有聲象. 終三象.

'원망함[嗃嗃]'은 삼효가 두 리괘(離卦☲)의 사이에 있기 때문이니, 리괘(離卦)는 이괘(頤卦)인 입의 상이 된다. 삼효는 위태한 곳이므로 엄함을 말함이 많다. 부인과 자식은 이효와 사효를 가리킨다. '희희덕거림[嘻嘻]'도 리괘인 입의 상이며, 또한 리괘인 불에는 소리의 상이 있다. '마침내[終]'는 삼효의 상이다.

進齋徐氏曰, 九三, 以剛居剛而不中, 故有嗃嗃之象, 比乎二四兩柔之間, 故又有嘻嘻之象.

진재서씨가 말하였다: 구삼은 굳센 양으로 굳센 양의 자리에 있지만 가운데 있지 않기 때문에 원망하는 상이 있고, 부드러운 이효와 사효의 사이에서 가까이 하기 때문에 또 희희덕거리는 상이 있다.

송시열(宋時烈) 『역설(易說)』

重剛躁急, 故嗃嗃, 然嚴大其詳其道, 悔且厲. 然比之嘻嘻之笑樂無節, 猶爲吉也, 非大

---

83) 『詩經 · 周南』: 桃之夭夭, 其葉蓁蓁. 之子于歸, 宜其家人.

吉之道. □象云失之辭, 猶苟可之義.

굳셈이 거듭하여 조급하므로 원망하지만, 아주 심하게 그 도리를 상세히 하니 후회하면서 또한 엄격한 것이다. 그러나 희희덕거리면서 절도 없이 웃고 즐기는 것에 비해서 겨우 길한 것이니, 크게 길한 도는 아니다. 「소상전」에서 '잃음'이라는 말을 했으니, 겨우 괜찮다는 뜻이다.

이익(李瀷) 『역경질서(易經疾書)』

婦者指二, 子者指初也. 在婦則有夫, 在子則有父, 是指九三也. 不然, 此義又何以發諸此爻. 始知父子兄弟夫婦, 皆指下三爻言也.

부인은 이효를 가리키고 자식은 초효를 가리킨다. 부인에게는 남편이 있고 자식에게는 아버지가 있으니 구삼을 가리킨다. 그렇지 않다면 이러한 의미를 또한 어째서 이 효에서 펼쳤겠는가? 처음부터 아버지와 아들, 형과 동생, 남편과 부인이 모두 아래의 세 효를 가리켜 말한 것임을 알 것이다.

심조(沈潮) 「역상차론(易象箚論)」

九三, 嗃嗃, 嘻嘻.

구삼의 원망함[嗃嗃]과 희희덕거림[嘻嘻].

在下之上, 故從高, 在說體, 故從喜.

하괘의 위에 있으므로 '고(高)'자를 썼고, 기쁨의 몸체에 있으므로 '희(喜)'자를 썼다.

유정원(柳正源) 『역해참고(易解參攷)』

王氏曰, 以陽處陽, 剛嚴者也, 處下體之極, 爲一家之長者也. 行與其慢, 寧過乎恭, 家與其瀆, 寧過乎嚴. 是以家人雖嗃嗃悔厲, 猶得其道, 婦子嘻嘻, 乃失其節也.

왕필이 말하였다: 양으로 양의 자리에 있으니 굳세고 엄격한 자이며, 하체의 끝에 있으니 한집안의 어른인 자이다. 행실은 태만한 것보다는 차라리 공경에 지나친 것이 낫고, 집안은 버릇없는 것보다는 차라리 엄격함에 지나친 것이 낫다. 이 때문에 집사람들이 비록 원망하여 엄격함을 후회하더라도 오히려 그 도를 지킬 수 있지만, 부인과 자식이 희희덕거리면 바로 절도를 잃게 된다.

○ 雙湖胡氏曰, 水火相射而成聲, 有嗃嗃嘻嘻之象, 坎爲子離爲婦, 故又有婦子之象.
쌍호호씨가 말하였다: 물과 불이 서로 부딪쳐 소리를 이루었으니, 원망함과 희희덕거림의 상이 있고, 감괘(坎卦☵)는 자식이 되고 리괘는 부인이 되므로 다시 부인과 자식의 상이 있다.

김상악(金相岳) 『산천역설(山天易說)』

九三, 以剛居離體之上, 與二四相比, 故其象如此. 嗃嗃, 嚴厲之意, 治家過嚴, 雖悔厲而吉也. 嘻嘻, 笑樂貌, 嗃嗃之反也. 來註, 嘻嘻歎聲. 專以嗃嗃爲主, 而无惻怛聯屬之情, 使婦子不能堪, 至有嘻歎悲怨之聲, 則一家乖離, 反失處家之節, 亦通.
구삼은 굳센 양이 리괘(離卦☲) 몸체의 위에 있으면서 이효·사효와 서로 가까이 하므로 그 상이 이와 같다. '원망함[嗃嗃]'은 엄격하다는 뜻이니, 집안을 다스림에 엄격함이 지나치면 비록 엄격함을 후회하더라도 길하다. '희희덕거림[嘻嘻]'은 웃고 즐기는 모양이니 원망함의 반대이다. 래지덕의 주에 "희희(嘻嘻)는 탄식하는 소리이다. 오로지 엄격함을 위주로 하면 불쌍히 여기고 서로 이어지는 정감이 없어져, 부인과 자식이 감당치 못하여 탄식하고 원망하는 소리를 있게 하니, 한 집안이 괴리되어 도리어 집안을 다스리는 절도를 잃게 된다"고 하니, 또한 통한다.

○ 九三, 主卦於內, 與二陰相比. 故獨稱家人, 四爲婦而二爲子也. 漸九三之婦孕不育者, 至此而有子也. 離爲頤口, 而火无常形. 嗃嘻與離三之歌嗟相似, 互體重離, 故嗃嘻, 皆重二字. 如震初九曰, 震來虩虩, 笑言啞啞悔者, 自凶而趨吉也, 吝者, 自吉而向凶也. 蓋悔字從心, 吝字從口, 每心存故能悔而吉, 惟文口故終吝而已.
구삼은 안에서 괘를 주관하고 두개의 음효와 서로 가까이한다. 그러므로 홀로 '가인'이라 했으니, 사효는 부인이 되고 이효는 자식이 된다. 점괘(漸卦☶) 구삼효의 "부인이 잉태하더라도 양육을 못한다"[84]는 것이 여기에서 자식이 있는 것이다. 리괘(離卦☲)는 이괘(頤卦☶)의 입이 되고, 불은 일정한 형태가 없다. '엄함[嗃]·웃음[嘻]'은 리괘 삼효의 '노래[歌]·탄식[嗟]'[85]과 서로 유사한데, 호괘의 몸체가 리괘(離卦☲)를 중첩하므로 '엄함[嗃]'과 '웃음[嘻]'에 모두 글자를 중첩하였다. 진괘(震卦☳)의 초구에서 "우레가 올 때에 조마조마[虩虩]해야, 웃음과 말이 하하[啞啞]할 것이다"[86]라고 한 것과 같으니 흉함에서 길함으로 나아간

---

84) 『周易·漸卦』: 九三, 鴻漸于陸, 夫征, 不復, 婦孕, 不育, 凶, 利禦寇.
85) 『周易·離卦』: 九三, 日昃之離, 不鼓缶而歌, 則大耋之嗟, 凶.
86) 『周易·震卦』: 初九, 震來虩虩, 後, 笑言啞啞, 吉.

것이고, '부끄러움[吝]'은 길함에서 흉함으로 향한 것이다. 대체로 '뉘우침[悔]'은 '심(心)'자를 부수로 하고, '부끄러움[吝]'은 '구(口)'자를 부수로 하는데, 항상 마음을 보존하므로 뉘우쳐서 길할 수 있고, 오직 입만을 꾸미므로 끝내 부끄러울 뿐이다.

김규오(金奎五) 「독역기의(讀易記疑)」

九三小註, 朱子論禮之嚴和, 蓋謂嚴和之理, 未嘗相離耳, 非便以嘻嘻, 爲至和也.

구삼의 소주에서 주자가 예(禮)의 엄격함과 화합함을 논하였는데, 대체로 엄격함과 화합함의 이치가 일찍이 서로 떨어진 적이 없다고 한 것이지, 희희덕거림으로 지극히 화합함을 삼은 것이 아니다.

서유신(徐有臣) 『역의의언(易義擬言)』

家人, 猶云有家之道也. 嗃嗃, 丈夫用剛過嚴之貌也. 嘻嘻, 婦人用剛自恣之貌也. 九三, 有此兩象焉, 以陽爻則丈夫也, 以中女則婦人也. 嗃嗃嘻嘻, 重剛之象也, 嗃嗃, 必有悔且厲, 而吉在其中矣, 嘻嘻, 雖若和且豫, 而其終必吝矣.

가인은 집안을 이루는 도라고 말함과 같다. '원망함[嗃嗃]'은 장부가 굳셈을 지나치게 엄격하게 쓰는 모습이고, '희희덕거림[嘻嘻]'은 부인이 굳셈을 자기 마음대로 쓰는 모습이다. 구삼에는 이 두 가지의 상이 있으니, 양효이기 때문에 장부이고, 둘째 딸이기 때문에 부인인 것이다. '원망함[嗃嗃]'과 '희희덕거림[嘻嘻]'은 굳셈이 중첩된 상인데, 원망함은 반드시 후회하면서 엄격하기에 길함이 그 가운데 있고, 희희덕거림은 비록 화합하고 즐거운 것 같지만 마침내는 반드시 부끄럽게 된다.

하우현(河友賢) 『역의의(易疑義)』[87]

九三, 嗃嗃, 嘻嘻.

구삼의 '원망함[嗃嗃]'과 '희희덕거림[嘻嘻]'.

本義曰, 各以其德爲應, 故兩言之.

『본의』에서 말하였다: 점치는 자가 각각 그 덕에 따라 호응하기 때문에 두 가지로 말하였다.

---

87) 경학자료집성DB에서는 서합괘 '상구'에 해당하는 것으로 분류했으나, 내용에 따라 이 자리로 옮겨왔다.

蓋治家之道, 易於情勝, 故有嚴厲之象, 則所應者, 雖悔厲而有吉, 有暱比之德, 則所應, 終吝已矣. 此爻居二四之間, 比孚於二陰, 故有暱比之戒也.

집안을 다스리는 도는 정감이 기승하기 쉽기 때문에, 엄격히 하는 상이 있으면 호응하는 자가 비록 후회하고 어렵더라도 길함이 있고, 너무 친애하는 덕이 있으면 호응하는 자가 끝내 부끄러울 뿐이다. 이 효는 이효와 사효의 사이에 있어서 두 음을 가까이 하여 믿기 때문에 너무 친애하는 것에 대한 경계가 있다.

박문건(朴文健) 『주역연의(周易衍義)』

不失其道, 故有嗃嗃之象, 嗃嗃, 言出嚴整之貌也, 嘻嘻, 言出戲慢之貌[88]也.

그 도를 잃지 않으므로 원망하는 상이 있으니, '원망함[嗃嗃]'은 엄정한 모습을 나타내는 말이고, '희희덕거림[嘻嘻]'은 즐기며 태만한 모습을 나타내는 말이다.

〈問, 家人嗃嗃以下. 曰, 九三與上九, 其勢相敵, 故有此象也. 家人之言嗃嗃然則雖悔而厲必吉者, 正家道也, 婦子之言嘻嘻然則終必見侮而致吝者, 失家節也. 家人, 指男子之主家者也, 婦子, 指女子之主家者也.

물었다: "가인이 원망하니" 이하는 무슨 뜻입니까?

답하였다: 구삼은 상구와 형세가 서로 맞서므로 이러한 상이 있습니다. 가인에게 "원망하면 비록 후회하고 엄격하더라도 반드시 길하다"고 말한 것은 집안의 도를 바르게 하기 때문이고, 부인에게 "희희덕거리면 끝내는 반드시 멸시 당하여 부끄러움에 이른다"고 말한 것은 집안의 절도를 잃기 때문입니다. 가인은 집안을 주관하는 남자를 가리키고, 부인은 집안을 주관하는 여자를 가리킵니다.〉

이지연(李止淵) 『주역차의(周易箚疑)』

閨門之內, 肅如朝廷, 終不如雍雍在宮之美, 而寧可使不績其麻, 市也婆娑乎.

규방의 안이 조정과 같이 엄숙한 것이 끝내는 화목한 집안의 아름다움만 못하다고 해서, 어찌 길쌈을 하지 않고서 저자에서 춤추게 할 수 있겠는가?[89]

김기례(金箕澧) 「역요선의강목(易要選義綱目)」

過剛而居之上, 治家嚴急, 家人有嗷嗷之象. 雖悔厲而吉.

---

88) 之貌: 경학자료집성DB와 영인본에는 모두 '貌之'로 되어 있으나, 문맥을 살펴 '之貌'로 바로잡았다.

89) 『詩經·陳風』: 穀旦于差, 南方之原. 不績其麻, 市也婆娑.

지나치게 굳세면서 위에 있으니, 집안을 다스림에 엄격하고 조급하여 가인이 원망하는 상이 있다. 비록 엄격함을 후회하지만 길하다.

○ 介於二陰之間, 故戒, 或暱比, 則易致婦子嘻嘻, 而失家道也.
두 음효의 사이에 끼었으므로 경계하였으니, 혹 친밀히 가까이 한다면 쉽게 부인과 자식이 희희덕거리게 되어 집안의 도를 상실할 것이다.

심대윤(沈大允) 『주역상의점법(周易象義占法)』

家人之益䷩, 損上益下也, 敎訓是也. 九三母道也. 以剛居剛而无應, 能以禮法敎戒而无恩愛之私. 嗃嗃嚴責, 則雖有悔厲而吉. 以其介於二婦四子之間, 而居坎陷之體, 故戒其嘻嘻, 談笑以導之, 則終吝也. 嗃嗃, 震威怒象, 嘻嘻, 离互兌爲笑, 對恒有兌. 家道, 法度恩愛旣已竝行, 則當敎戒其所不及者, 而敎戒之道, 當嚴切而不當寬假也.
가인괘가 익괘(益卦䷩)로 바뀌었으니, 위를 덜어 아래에 보태는 것으로 가르침이 이것이다. 구삼은 어머니의 도이다. 굳센 양으로 굳센 양의 자리에 있으면서 호응함이 없으니, 예법으로 가르치고 경계시키켜서 사사로운 은혜와 사랑이 없게 할 수 있다. 가인이 엄격하게 책망함을 원망한다면, 비록 엄격함을 후회함이 있지만 길하다. 그것이 부인인 이효와 아들인 사효의 사이에 끼어서 감괘(坎卦☵)의 빠지는 몸체에 있으므로 희희덕거림을 경계시켰으니, 담소로 인도한다면 끝내는 부끄러울 것이다. '원망함[嗃嗃]'은 진괘(震卦☳)의 엄히 노하는 상이며, '희희덕거림[嘻嘻]'은 리괘(離卦☲)와 호괘인 태괘(兌卦☱)가 웃음이 되는데, 음양이 반대인 항괘(恒卦䷟)에 태괘(兌卦)가 있다. 가도(家道)에 법도와 은애가 이미 함께 행해진다면, 미치지 못하는 자를 가르쳐 경계시켜야 하는데, 가르쳐 경계시키는 방법은 아주 엄격하게 해야지 관대하게 해서는 안 된다.

오치기(吳致箕) 「주역경전증해(周易經傳增解)」

九三, 陽剛得正, 而以其過中, 故御家有嚴厲過度之悔. 然家道之齊整, 本乎謹嚴. 故可以得吉, 而若或反是, 專尙和樂, 无復法度, 則終至于吝, 故戒之如此.
구삼은 굳센 양이 바름을 얻었지만 알맞음을 지나쳤기 때문에 집안을 통제함에 엄격함이 지나친 후회가 있다. 그러나 집안의 도가 가지런해짐은 엄격함에 근본한다. 그러므로 길할 수 있는 것인데, 만약 이를 반대로 하여 화락함만을 숭상하고 다시 법도가 없다면 끝내 부끄러움에 이르므로 이와 같이 경계하였다.

○ 嗃嗃, 嚴厲太過之貌, 而取象於陽剛之過中. 嘻嘻, 和樂无節之貌, 而取象於陽陷二陰之間也. 婦取於離, 子取於變震也.

'원망함[嗃嗃]'은 엄격함이 너무 지나친 모습인데, 굳센 양이 알맞음을 지나친 것에서 상을 취하였다. '희희덕거림[嘻嘻]'은 즐기며 절도가 없는 모습인데, 양이 두개의 음효의 사이에 빠진 것에서 상을 취하였다. 부인은 리괘(離卦☲)에서 취하였고, 자식은 변한 진괘(震卦☲) 에서 취하였다.

이진상(李震相) 『역학관규(易學管窺)』

胡氏曰, 水火相射而成聲, 有嗃嗃嘻嘻之象, 坎爲子離爲婦, 又有婦子之象.

호씨가 말하였다: 물과 불이 서로 부딪쳐 소리를 이루었으니, 원망함과 희희덕거림의 상이 있고, 감괘(坎卦☵)는 자식이 되고 리괘(離卦☲)는 부인이 되기에 다시 부인과 자식의 상이 있다.

〈愚按, 此爻變震, 震爲聲, 嗃嗃, 猶其虩虩, 嘻嘻, 猶其啞啞也.

내가 살펴보았다: 이 효가 변하면 진괘(震卦☳)가 되고, 진괘(震卦)는 소리가 된다. 원망 함은 진괘(震卦☳) 초구의 '조마조마함[虩虩]'과 같고, 희희덕거림은 '하하함[啞啞]'[90]과 같다.〉

---

90) 『周易·震卦』: 初九, 震來虩虩, 後, 笑言啞啞, 吉.

象曰, 家人嗃嗃, 未失也, 婦子嘻嘻, 失家節也.

「상전」에서 말하였다: "가인이 원망함"은 잃음이 아니고, "부인과 자식이 희희덕거림"은 집안의
절도를 잃음이다.

‖中國大全‖

傳

雖嗃嗃, 於治家之道, 未爲甚失. 若婦子嘻嘻, 是无禮法, 失家之節, 家必亂矣.

비록 원망하지만 집안을 다스리는 도에는 심한 잘못이 되지 않는다. 만약 부인과 자식이 희희덕거리
면 이는 예법이 없어 집안의 절도를 잃은 것이니, 집안이 반드시 어지러워질 것이다.

小註

中溪張氏曰, 治家嚴急, 寧无傷恩之悔. 然猶未失治家之道也. 若夫婦子嘻嘻, 笑樂无
度, 豈不失治家之節乎.

중계장씨가 말하였다: 집안을 다스리는데 엄하고 급하면 어찌 은혜를 손상시키는 후회가
없겠는가? 그러나 오히려 아직 집안을 다스리는 도를 잃은 것은 아니다. 만약 부인과 자식이
희희덕거리면서 웃고 즐기며 절도가 없다면, 어찌 집안을 다스리는 절도를 잃지 않겠는가?

‖韓國大全‖

유정원(柳正源) 『역해참고(易解參攷)』

案, 諺解所釋, 未盡程傳, 雖字若字意.

내가 살펴보았다: 언해의 해석은 『정전』을 다 나타내지 못하였으니, 『정전』의 '수(雖)'자는 '약(若)'자의 의미이다.

김상악(金相岳) 『산천역설(山天易說)』

家節, 謂家法也. 九三, 雖得正而不中. 故以失未失爲辭.

'집안의 절도'는 가법(家法)을 말한다. 구삼은 비록 바름을 얻었지만 알맞지 못하다. 그러므로 잃음과 잃지 않음을 말하였다.

서유신(徐有臣) 『역의의언(易義擬言)』

未失也者, 未許可之辭也, 失家節也者, 大不可之辭也.

"잃음이 아니다"는 괜찮다고 허가하지 않는 말이고, "집안의 절도를 잃음이다"는 크게 안 된다는 말이다.

오치기(吳致箕) 「주역경전증해(周易經傳增解)」

嚴厲雖過而未失, 正家之道矣, 過於和樂, 則終失處家之節矣.

엄격함이 비록 지나쳐도 잃지 않는 것이 집안을 바르게 하는 도이니, 화락함에 지나치면 끝내 집안을 다스리는 절도를 잃게 된다.

이병헌(李炳憲) 『역경금문고통론(易經今文考通論)』

九三, 家人嗃嗃, 悔厲吉, 婦子嘻嘻, 終吝.

구삼은 가인이 원망하니 엄격함에 후회하지만 길하니, 부인과 자식이 희희덕거리면 마침내 부끄럽게 된다.

象曰, 家人嗃嗃, 未失也, 婦子嘻嘻, 失家節也.

「상전」에서 말하였다: "가인이 원망함"은 잃음이 아니고, "부인과 자식이 희희덕거림"은 집안의 절도를 잃음이다.

鄭曰, 嗃嗃, 苦熱之意, 嘻嘻, 驕佚喜笑之意.

정현이 말하였다: '원망함'은 몹시 상기됐다는 뜻이고 '희희덕거림'은 태만하게 즐긴다는 뜻

이다.

京曰, 治家之道, 於此分矣.
경방이 말하였다: 집안을 다스리는 도는 여기에서 나눠진다.

姚曰, 无應故悔厲.
요신이 말하였다: 호응함이 없으므로 엄격함을 후회한다.

惠棟曰, 得位故未失, 失正故失家節.
혜동이 말하였다: 자리를 얻었으므로 잃지 않고, 바름을 잃었으므로 집안의 절도를 잃는다.

按, 陽則得位, 陰則失正.
내가 살펴보았다: 양은 자리를 얻고 음은 자리를 잃는다.

六四, 富家, 大吉.

정전 육사는 집안이 부유하니, 크게 길하다.
본의 육사는 집안을 부유하게 하니, 크게 길하다.

‖中國大全‖

傳

六, 以巽順之體而居四, 得其正位, 居得其正, 爲安處之義. 巽順於事而由正道, 能保有其富者也. 居家之道, 能保有其富則爲大吉也. 四, 高位而獨云富者, 於家而言, 高位, 家之尊也. 能有其富, 是能保其家也, 吉孰大焉.

육(六)이 겸손[巽順]한 몸체로 사효의 자리에 있어 그 바른 지위를 얻었으니, 거처함이 그 바름을 얻음은 편안히 처하는 뜻이 된다. 일에 겸손하고 정도(正道)를 따르면 그 부유함을 보유할 수 있는 자이다. 집안에 거처하는 도가 그 부유함을 보유할 수 있으면 크게 길하게 된다. 사효는 높은 자리인데 다만 부유하다[富]고만 말한 것은 집안에 대해서 말한 것이니, 높은 자리는 집안의 높은 사람이다. 그 부유함을 가질 수 있으면 그 집안을 보존할 수 있으니, 길함 가운데 무엇이 이보다 크겠는가?

本義

陽主義, 陰主利, 以陰居陰而在上位, 能富其家者也.

양은 의리를 주장하고 음은 이익을 주장하니, 음으로 음의 자리에 있으면서 윗자리에 있다면 그 집안을 부유하게 할 수 있는 자이다.

小註

朱子曰, 占法, 陽主貴, 陰主富.
주자가 말하였다: 점법에서는 양은 귀함을 주장하고 음은 부유함을 주장한다.

○ 中溪張氏曰, 六四與初九爲正應, 又介乎九三九五之間, 以柔得剛, 以虛受實. 故能富盛其家, 而有大吉之占. 六四以巽順之道而在高位, 其一家之母歟. 記曰父子篤, 兄弟睦, 夫婦和, 家之肥也. 家之肥, 卽家之富也.

중계장씨가 말하였다: 육사는 초구와 정응이 되고, 또 구삼과 구오의 사이에 끼었으니, 부드러운 음으로 굳센 양을 얻고 빈 것으로 꽉 찬 것을 받아들인다. 그러므로 그 집안을 부유하고 성대하게 할 수 있으며, 크게 길하다는 점이 있다. 육사는 겸손[巽順]한 도로 높은 자리에 있으니, 한 집안의 어머니이다. 『예기』에서 "부모와 자식이 돈독하고, 형과 아우가 화목하며, 남편과 아내가 화합하면 집안이 살찐다"[91]고 하였으니, 집안의 살찜이 바로 집안의 부유함이다.

○ 雲峰胡氏曰, 小畜九五稱富, 泰六四[92]稱不富, 陽實而陰虛也. 家人六四陰也而稱富, 陽主義陰主利也. 卦二陰爻皆得正, 二之貞吉, 順以巽也, 四之大吉, 順在位也, 玩兩順字, 婦道盡矣. 二在下之婦也, 四之位, 其在上而主家之婦乎. 主家如此, 是宜其家之富而大吉也.

운봉호씨가 말하였다: 소축괘 구오에서 "부유하다[富]"고 말했고, 태괘 육사에서 "부유하지 않다"고 말한 것은 양은 꽉 차고 음은 텅 비었기 때문이다. 가인괘 육사는 음인데 "부유하다"고 말한 것은 양은 의리를 주장하고 음은 이익을 주장하기 때문이다. 괘의 두 음효가 모두 바름을 얻었으니, 이효의 바르고 길함은 순종하여 공손하기 때문이고, 사효의 크게 길함은 순종하여 제자리에 있기 때문이니, 두 개의 '순(順)'자를 완미하면 아내의 도가 지극해진다. 이효는 아래에 있는 부인이고, 사효의 자리는 그 위에 있으면서 집안을 주장하는 부인일 것이다. 집안을 주장함이 이와 같으니, 마땅히 그 집안이 부유하여 크게 길할 것이다.

○ 李氏開曰, 初閑之, 二饋之, 三治之, 四則享其富, 此治家之序也.

이개가 말하였다: 초효는 방비하여 막는 것이고, 이효는 먹이는 것이며, 삼효는 다스리는 것이고, 사효는 곧 그 부유함을 누리는 것이니, 이것이 집안을 다스리는 차례이다.

---

91) 『禮記‧禮運』: 四體旣正, 膚革充盈, 人之肥也, 父子篤, 兄弟睦, 夫婦和, 家之肥也, 大臣法, 小臣廉, 官職相序, 君臣相正, 國之肥也, 天子以德爲車, 以樂爲御, 諸侯以禮相與, 大夫以法相序, 上以信相考, 百姓以睦相守, 天下之肥也, 是謂大順.

92) 四: 경학자료집성DB와 영인본에는 모두 '五'로 되어 있으나, 문맥을 살펴 '四'로 바로잡았다.

韓國大全

송시열(宋時烈) 『역설(易說)』

巽爲近利市三倍, 來氏云, 乾爲金而巽消金爲入, 故爲富云云. 家者, 收卦, 家人之家字也. 大吉, 以家道言, 占亦如之. 小象, 亦以柔順之爻在陰位言之也.

손괘(巽卦☴)는 이익을 가까이하여 세 배를 남김이 되니, 래지덕은 "건괘(☰)는 쇠가 되고 손괘(☴)는 쇠를 녹여 들어오게 함이므로 부유하게 된다"고 운운했다. '가(家)'는 괘에서 가져왔으니, 가인의 '가(家)'자이다. "크게 길하다"는 집안의 도로 말한 것으로 점사도 또한 이와 같다. 「소상전」에서도 유순한 효가 음의 자리에 있는 것으로 말하였다.

이익(李瀷) 『역경질서(易經疾書)』

六四, 卿大夫之齊家也, 不言家節, 蒙上文也. 凡易文多如此, 其嗃嗃之悔厲, 嘻嘻之終吝, 四五爻獨不然. 其不同者, 只繫富家一節, 蓋國貧則亡, 家貧則敗, 其道一也. 故治家之道, 富居一焉. 富非殖貨財之謂也. 節儉禁費, 有以仰事俯育而無憾也, 此公子荊所以善居室而見稱於聖門也. 若但以富爲意, 豈有大吉之理乎, 論語曰, 君不君, 臣不臣, 父不父, 子不子, 雖有粟, 吾得以食諸, 有粟不食, 安在乎富. 故記曰, 父父子子, 兄兄弟弟, 夫夫婦婦, 家之富也, 可以相照. 且財非天降, 非有常祿, 則無以致之. 六四近君, 故曰順在位也.

육사는 경대부가 집안을 가지런히 함이니, 집안의 절도(節度)를 말하지 않음은 위의 문장을 이었기 때문이다. 『주역』의 문장은 이와 같은 것이 많으니, '원망하여 엄격함을 후회함'과 '희희덕거림의 끝내 부끄러움'이 사효와 오효에만 어찌 홀로 그렇지 않겠는가? 같지 않은 점은 다만 "집안을 부유하게 한다"는 구절을 내건 것이니, 대체로 나라가 빈곤하면 망함과 집안이 빈곤하면 없어짐이 도리는 동일하기 때문이다. 그러므로 집안을 다스리는 도에는 부유함이 첫 번째에 있다. 부유함은 재화를 늘림을 말하는 것이 아니다. 절약하고 소비를 금하여 위로 부모를 섬기고 아래로 처자를 양육할 수 있어서 유감이 없어야 하니, 이것이 공자(公子) 형(荊)이 살림살이를 잘한다고 공자(孔子)에게 칭찬을 받은 까닭이다.[93] 만약 다만 부유함만을 뜻한다면, 어찌 크게 길할 리가 있겠는가? 『논어』에 "임금이 임금답지 못하고 신하가 신하답지 못하며, 부모가 부모답지 못하고 자식이 자식답지 못하면, 비록 곡식이 있어도 내 그것을 먹을 수 있겠는가?"라고 하였으니, 곡식이 있어도 먹지 못하거늘 어찌

---

93) 『論語·子路』: 子謂衛公子荊, 善居室. 始有, 曰苟合矣, 少有, 曰苟完矣, 富有, 曰苟美矣.

부유함이 있겠는가? 그러므로 『예기』에 "부모가 부모답고 자식이 자식다우며, 형이 형답고 아우가 아우다우며, 남편이 남편답고 부인이 부인다운 것이 집안의 부유함이다"라고 하였으니, 서로 살필 수 있다. 또한 재물은 하늘이 내린 것이 아니고 일정한 복록이 있는 것이 아니라면, 그것을 이룰 수가 없다. 육사는 임금에 가깝기 때문에 「소상전」에서 "순종하여 제자리에 있다"고 하였다.

유정원(柳正源) 『역해참고(易解參攷)』

王氏曰, 能以其[94]富, 順而處位, 故大吉, 若但能富其家, 何足爲大吉.

왕필이 말하였다: 부유하게 할 수 있으면서 순종하고 제자리에 있으므로 크게 길하다. 만약 그 집안을 부유하게만 할 수 있을 뿐이라면, 어찌 크게 길하다고 할 수 있겠는가?

○ 正義, 富謂祿位昌盛也. 六四, 體柔處巽, 得位承五, 能富其家者也. 由其體巽, 承尊長保祿位, 吉之大者也.

『정의』에서 말하였다: '부유함[富]'은 봉록과 지위가 번성함을 말한다. 육사는 몸체가 부드러우며 손괘에 있고 제자리를 얻어서 오효를 받드니, 그 집안을 부유하게 할 수 있는 것이다. 그 몸체가 손괘이기 때문에 윗사람을 받들고 봉록과 지위를 보전하니 크게 길한 것이다.

○ 雙湖胡氏曰, 陽實爲富爲大, 陰虛爲貧爲小. 四承乘應皆陽, 有其富有其大耳.

쌍호호씨가 말하였다: 양의 꽉 참은 부유함이 되고 큼이 되며, 음의 텅 빔은 가난함이 되고 작음이 된다. 사효는 받들고 타고 호응하는 것이 모두 양이기에 부유함이 있고 큼이 있다.

○ 梁山來氏曰, 巽爲近利市三倍, 富之象也. 又變乾爲金爲玉, 亦富之象也. 承乘應皆陽, 則上下內外皆富矣.

양산래씨가 말하였다: 손괘는 이익을 가까이 하여 세 배를 남김이 되니, 부유함의 상이다. 또 변괘인 건괘(乾卦☰)는 쇠가 되고 옥이 되니, 또한 부유함의 상이다. 받들고 타고 호응하는 것이 모두 양이니, 위와 아래, 안과 밖이 모두 부유하다.

傳, 保有其富.

『정전』에서 말하였다: 그 부유함을 보유할 수 있다.

案, 此下一旡者也, 居家之道, 能保有其富, 十一字.

---

94) 其: 경학자료집성DB와 영인본에는 모두 '□'로 되어 있으나, 『주역정의』 원문에 따라 '其'로 바로잡았다.

내가 살펴보았다: 여기에 '일무[一无]'를 쓴다면, "집안에 거처하는 도가 그 부유함을 보유할 수 있으면[居家之道, 能保有其富]"과 열한 글자가 된다.

四, 高 [至] 之尊.

『정전』에서 말하였다: 사효는 높은 자리인데, … 집안의 높은 사람이다.

案, 繫辭曰, 崇高莫大乎富貴, 四之高位, 似當兼言富貴. 而以家言, 故獨言富.

내가 살펴보았다: 「계사전」에서 "숭고함은 부유함과 귀함보다 큰 것이 없다"고 하였으니, 사효의 높은 자리는 마땅히 부유함과 귀함을 겸비하여 말한 듯하다. 그런데 집안으로 말하였기 때문에 부유함만 말한 것이다.

김상악(金相岳) 『산천역설(山天易說)』

六四, 女之正位乎上者也. 處巽之下, 與初爲應, 而比三五之陽, 以虛受實. 故能富其家, 而大吉也.

육사는 여자가 위에서 자리를 바르게 함이다. 손괘(☴)의 아래에서 초효와 호응하며 구삼과 구오를 가까이 하여 빈 것으로 꽉 찬 것을 받아들인다. 그러므로 그 집안을 부유하게 할 수 있어서 크게 길한 것이다.

○ 巽爲市利三倍, 富之象, 記云, 父子篤, 兄弟睦, 夫婦和, 家之肥也, 肥字, 卽富之義也. 小畜之五, 居巽之中, 故曰富以其鄰, 小象曰, 不獨富也. 无妄之二, 未入巽位, 升之上, 居巽外. 故升曰不富, 无妄曰未富. 泰之四, 謙之五, 則非巽體, 故皆言不富. 象傳女正位乎內, 男正位乎外者, 謂二之與三, 四之與五, 而爻辭以二應五四應初者, 何也. 卦取天地之義, 爻取陰陽之交, 而應正而比不正. 故從應乎下, 得女貞之義也.

손괘(☴)는 세 배의 이익을 남김이 되니 부유함의 상이고, 『예기』에서 "부모와 자식이 돈독하고 형과 아우가 화목하고 남편과 부인이 화합함이 집안을 살찜[肥]이다"[95]라고 하니, '살찜[肥]'이 부유함의 뜻이다. 소축괘(小畜卦☴)의 오효는 손괘(巽卦☴)의 가운데 있으므로 "부유함을 그 이웃과 함께 한다"[96]고 하였고, 「소상전」에서 "홀로 부유하지 않는 것이다"[97]라고 하였다. 무망괘(☲)의 이효는 손괘(巽卦)의 자리에 들어가지 못하였고, 승괘(升卦☷☴)

---

95) 『禮記·禮運』: 四體旣正, 膚革充盈, 人之肥也, 父子篤, 兄弟睦, 夫婦和, 家之肥也, 大臣法, 小臣廉, 官職相序, 君臣相正, 國之肥也, 天子以德爲車, 以樂爲御, 諸侯以禮相與, 大夫以法相序, 士以信相考, 百姓以睦相守, 天下之肥也, 是謂大順.

96) 『周易·小畜卦』: 九五, 有孚, 攣如, 富以其鄰.

97) 『周易·小畜卦』: 象曰, 有孚攣如, 不獨富也.

의 상효는 손괘의 밖에 떨어져 있다. 그러므로 승괘(升卦)에서는 "부유하지 않는다"[98]고 하고, 무망괘에서는 "부유하지 않는 것이다"[99]라고 하였다. 태괘(泰卦䷊)의 사효와 겸괘(謙卦䷎)의 오효는 손괘의 몸체가 아니므로 모두 "부유하지 않다"고 말하였다.[100] 「단전」의 "여자가 안에서 자리를 바르게 하고, 남자가 밖에서 자리를 바르게 한다"는 이효가 삼효와 함께 하고, 사효가 오효와 함께 한다고 말한 것인데, 효사에서 이효는 오효와 호응하고 사효는 초효와 호응한다고 한 것은 어째서인가? 괘에서는 하늘과 땅의 뜻을 취하고, 효에서는 음과 양의 사귐을 취했으니, 호응하는 것이 바르지만 가까이한 것이 바르지 않기 때문이다. 그러므로 아래에서 호응하는 것을 따라야 여자가 바르다는 뜻을 얻는다.

김규오(金奎五) 「독역기의(讀易記疑)」

六四,[101] 富家.

육사는 집안을 부유하게 하니.

泰六四本義, 陽實陰虛, 故凡言不富者, 皆陰爻也, 蓋包謙五之不富小畜之五富而言耳. 以此例之, 陽可言富, 陰若不可復言富矣. 今此富家之云, 獨爲不然. 本義, 又以陰主利言之, 豈主虛主利, 隨時有義, 如中虛中實之俱爲有孚耶. 中溪, 以虛受實之說, 卻似可喜.

태괘(泰卦䷊) 육사의 『본의』에서 "양은 꽉 차고 음은 텅 비었으므로 '부유하지 않다'고 말한 것은 모두 음효이다"라고 하였는데, 대체로 겸괘(謙卦䷎) 오효의 '부유하지 않음'과 소축괘 오효의 '부유함'을 포함하여 말한 것이다. 이것으로 본다면 양효에는 부유함을 말할만하지만, 음효에는 다시 부유함을 말하지 말아야 할 듯하다. 그런데 지금 집안을 부유하게 한다고 운운하였으니, 홀로 그렇지 않게 되었다. 『본의』에서 다시 "음은 이익을 주장한다"고 하였으니, 어찌 텅 빔을 주로 하고 이익을 주로 함이 때에 따라 의미가 있어서, 가운데가 빈 것과 가운데가 찬 것이 모두 믿음 있음이 되는 것과 같지 않겠는가? 중계장씨의 "빈 것으로 찬 것을 받아들인다"는 설명은 도리어 괜찮은 듯하다.

---

98) 『周易·升卦』: 象曰, 冥升在上, 消不富也.
99) 『周易·无妄卦』: 象曰, 不耕穫, 未富也.
100) 『周易·泰卦』: 六四, 翩翩, 不富以其鄰, 不戒以孚. 『周易·謙卦』: 六五, 不富, 以其鄰, 利用侵伐, 无不利.
101) 四: 경학자료집성DB와 영인본에는 모두 '五'로 되어 있으나, 문맥을 살펴 '四'로 바로잡았다.

서유신(徐有臣) 『역의의언(易義擬言)』

富家, 巽有資財之象也. 富饒之家而有賢妻, 是爲大吉也. 二以察其飮食言, 四以保其資産言, 婦人之職, 惟此而已. 家人言其內政, 故柔爻之辭, 每如此也, 婦人能稱其任, 則家不貧乏矣. 富非必堆金積玉, 苟不至艱匱, 則是爲富, 洪範五福之富, 亦然也.

'집안을 부유하게 함[富家]'은 손괘(☴)에 재물의 상이 있어서이다. 부유한 집안에 현명한 부인이 있으니, 이에 크게 길하게 된다. 이효에서는 음식을 살피는 것으로 말하였고, 사효에서는 자산을 보존하는 것으로 말하였으니, 부인의 직분은 이것일 뿐이다. 가인괘는 집안을 다스리는 것을 말하므로 부드러운 효의 효사가 매번 이와 같으니, 부인이 그 소임을 다할 수 있으면 집안은 궁핍하지 않을 것이다. 부유함은 반드시 돈과 옥을 겹쳐 쌓은 것이 아니고, 가난하여 모자람에 이르지 않는다면 부유함이 되니, 「홍범」의 다섯 가지 복(福)의 부유함도 또한 그러하다.

박문건(朴文健) 『주역연의(周易衍義)』

用順旡喪, 故有富家之象, 富家, 言富盛之家也.

순종함을 써서 잃음이 없으므로 집안을 부유하게 하는 상이 있으니, 집안을 부유하게 함은 부유함이 성대한 집안을 말한다.

〈問, 富家大吉. 曰, 六四用順不往, 故不見喪於初九也, 所以有富家之象, 是以大吉也.

물었다: "집안을 부유하게 하니 크게 길하다"는 무슨 뜻입니까?

답하였다: 육사가 순종함을 쓰고 나가지 않으므로 초구에게 잃게 되지 않으니, 그래서 집안을 부유하게 하는 상이 있으며, 이 때문에 크게 길한 것입니다.〉

이지연(李止淵) 『주역차의(周易箚疑)』

近世家家有春帖詩曰, 和氣每多君子室, 春光先到吉人家, 爲是說者, 其知富家大吉之義乎. 此亦至理存焉.

근세에 집집마다 붙인 춘첩시에 "온화한 기운은 매번 군자의 집안에 더하고, 봄날의 햇볕은 먼저 길한 사람의 집안에 이른다"고 하니, 이를 말한 사람은 "집안을 부유하게 하니 크게 길하다"의 뜻을 알 것이로다. 여기에는 또한 지극한 이치가 담겨 있다.

김기례(金箕澧) 「역요선의강목(易要選義綱目)」

陰主利, 故曰富.

음은 이익을 주장하므로 부유함을 말했다.

○ 占法, 陽主貴, 陰主富, 以陰居陰而順正, 則記所云夫婦和而家肥.
점법(占法)에서는 양은 귀함을 주장하고 음은 부유함을 주장하는데, 음으로 음의 자리에 있으면서 순종하고 바르니, 『예기』에서 말하는 "남편과 부인이 화합하여 집안이 살찐다"[102]는 것이다.

이항로(李恒老) 『주역전의동이석의(周易傳義同異釋義)』

傳, 能保有其富也.
『정전』에서 말하였다: 그 부유함을 보유할 수 있다.

本義, 陽主義, 陰主利, 以陰居陰而在上位, 能富其家者也.
『본의』에서 말하였다: 양(陽)은 의리를 주장하고 음(陰)은 이익을 주장하니, 음으로 음의 자리에 있으면서 윗자리에 있다면, 그 집안을 부유하게 할 수 있는 자이다.

按, 易中言富者, 多皆於陰言. 唯小畜九五, 言富以其隣, 然亦以下合乎六四之陰而言也.
내가 살펴보았다: 『주역』에서 부유함을 말한 것은 모두 음효에서 말한 것이 많다. 다만 소축괘의 구오에서 "부유함을 그 이웃과 함께한다"[103]고 했지만, 또한 아래의 육사의 음효와 합하여 말한 것이다.

심대윤(沈大允) 『주역상의점법(周易象義占法)』

家人之同人䷌, 同類也. 六四, 子道也. 以柔居柔, 主於恩愛, 而應初比三, 上承五六, 友于兄弟, 睦于宗族, 以順父母. 故曰富家大吉. 類合則富, 分則貧, 乾爲畜聚, 對坤爲厚象. 曰富家, 道旣修於庭, 而及於門也.
가인괘가 동인괘(䷌)로 바뀌었으니, 같은 부류이다. 육사는 자식의 도이다. 부드러운 음이 부드러운 음의 자리에 있으면서 은혜와 사랑을 주로 하는데, 초효에 호응하고 삼효를 가까이 하며 위로 오효와 상효를 받들어 형제에게 우애 있고 종족에게 친목하여 부모에게 순종

---

102) 『禮記・禮運』: 四體旣正, 膚革充盈, 人之肥也, 父子篤, 兄弟睦, 夫婦和, 家之肥也, 大臣法, 小臣廉, 官職相序, 君臣相正, 國之肥也, 天子以德爲車, 以樂爲御, 諸侯以禮相與, 大夫以法相序, 士以信相考, 百姓以睦相守, 天下之肥也, 是謂大順.
103) 『周易・小畜卦』: 九五, 有孚, 攣如, 富以其鄰.

한다. 그러므로 "집안을 부유하게 하니 크게 길하다"고 하였다. 부류가 화합하면 부유하고
나뉘면 가난하게 되는데, 건괘(乾卦)는 축적해 모임이 되고, 음양이 반대인 곤괘(坤卦)는
두터운 무리가 된다. "집안을 부유하게 한다"고 했으니, 가도(家道)가 이미 뜰에서 닦여서
문에 미친 것이다.

오치기(吳致箕) 「주역경전증해(周易經傳增解)」

六四, 以柔居正, 下應初九之正, 而承乘皆得其正. 以巽順之德, 在衆正之位, 卽父子
篤, 兄弟睦, 夫婦和, 保有其家之肥者也. 故爲富家之象, 而大得其吉. 是以其辭如此.
육사는 부드러운 음이 바르게 자리하면서 아래로 바른 초구와 호응하고, 받드는 것과 타는
것이 모두 그 바름을 얻었다. 덕이 겸손[巽順]하면서 모두 바른 자리에 있으니, 부모와 자식
이 돈독하고 형과 아우가 화목하고 남편과 부인이 화합하여 그 집안의 살찜을 보존하는 것이
다. 그러므로 집안을 부유하게 하는 상이 되고 크게 길함을 얻었다. 이 때문에 그 점사가
이와 같은 것이다.

○ 富取於巽陰之得位也. 已見上諸卦.
'부유함'은 손괘(巽卦☴)의 음효가 제자리를 얻음에서 취하였는데, 이미 위의 여러 괘에 보
인다.

이진상(李震相) 『역학관규(易學管窺)』

巽爲近利三倍之卦. 故巽之六四, 田獲三品, 渙之六四, 聚財如丘, 此亦曰富家大吉. 蓋
陰雖不富不大, 而此爻承乘應皆陽, 是居在富厚之家也. 處於富家, 順以保之, 故有此
大吉之象.
손괘(巽卦☴)는 이익을 가까이 하여 세 배를 남기는 괘가 된다. 그러므로 손괘(巽卦䷸)의
육사에서 사냥하여 삼품의 짐승을 얻었고,[104] 환괘(渙卦䷺)의 육사에서 재물을 모음이 언
덕과 같으니,[105] 이것들도 또한 "집안을 부유하게 하니 크게 길하다"고 한 것이다. 대체로
음은 비록 부유하지도 않고 크지도 않지만, 이 효는 받들고 타고 호응하는 것이 모두 양효이
니, 이는 부유한 집안에 기거함이다. 부유한 집안에 있으면서 순종하여 보존하므로 이와
같이 크게 길한 상이 있는 것이다.

---

104) 『周易·巽卦』: 六四, 悔亡, 田獲三品.
105) 『周易·渙卦』: 六四, 渙, 其群, 元吉, 渙, 有丘, 匪夷所思.

象曰, 富家大吉, 順在位也.

정전 「상전」에서 말하였다: "집안이 부유하니 크게 길함"은 순종하여 제자리에 있기 때문이다.
본의 「상전」에서 말하였다: "집안을 부유하게 하니 크게 길함"은 순종하여 제자리에 있기 때문이다.

‖中國大全‖

傳

以巽順而居正位, 正而巽順, 能保有其富者也. 富, 家之大吉也.

겸손[巽順]함으로 바른 자리에 있으니, 바르고 겸손하여 그 부유함을 보유할 수 있는 자이다. 부유함
[富]은 집안의 큰 길함이다.

小註

建安丘氏曰, 女子之道以順爲正. 聖人於二之象曰順以巽, 於四之象曰順在位, 以言女
子未有不順其夫而家道得其正者. 故二象皆以順言之.

건안구씨가 말하였다: 여자의 도는 순종으로 바름을 삼는다. 성인이 이효의 「상전」에서는
"순종하여 공손하기 때문이다"라고 하고, 사효의 「상전」에서는 "순종하여 제자리에 있기 때
문이다"라고 하였으니, 여자가 그 남편을 따르지 않고서도 집안의 도가 바른 경우는 없다고
말한 것이다. 그러므로 두 효의 「상전」에서 모두 순종함을 말하였다.

○ 進齋徐氏曰, 富家者, 非必金帛寶玉而後爲富. 但父父子子兄兄弟弟夫夫婦婦, 各
安其位, 順而无逆, 能保有其家而不敗, 卽所謂富也, 吉莫大焉. 若父子兄弟夫婦之間
各失其道, 則家敗无日, 富可保乎.

진재서씨가 말하였다: 집안이 부유함은 반드시 금이나 비단, 보옥을 갖춘 뒤에야 부유하게
되는 것은 아니다. 다만 부모는 부모답고 자식은 자식다우며, 형은 형답고 아우는 아우다우
며, 남편은 남편답고 아내는 아내다워서, 각자가 자신의 지위에 편안하며 순종하여 거스름
이 없어서 그 집안을 보존하여 무너뜨리지 않는 것이 이른바 부유함이니, 길함이 이보다

큰 것이 없다. 만약 부모와 자식, 형과 아우, 남편과 아내의 사이에 각각 그 도를 잃게 되면 집안이 무너질 날이 머지않으니, 부유함을 보유할 수 있겠는가?

┃韓國大全┃

홍여하(洪汝河) 「책제(策題):문역(問易)·독서차기(讀書箚記)-주역(周易)」

家人, 六四象, 順在位也.

가인괘 육사 「소상」에서 말하였다: 순종하여 제자리에 있기 때문이다.

巽體六四, 多說位字.

손괘의 몸체로 육사이기에, '자리'를 말함이 많다.

김상악(金相岳) 『산천역설(山天易說)』

二女同居, 其志相得. 故在下者, 順而巽, 在上者, 順在位也.

두 여자가 같이 있으면서 뜻을 서로 얻었다. 그러므로 아래에 있는 자는 순종하여 공손하고, 위에 있는 자는 순종하여 제자리에 있는 것이다.

서유신(徐有臣) 『역의의언(易義擬言)』

順在位, 稱其職矣, 不須健婦幹家也.

순종하여 제자리에 있음은 그 직분에 걸맞는 것이니, 반드시 강건한 부인이 집안을 주관한다는 것은 아니다.

박문건(朴文健) 『주역연의(周易衍義)』

順在位, 言得其宜也.

'순응하여 제자리에 있음'은 그 마땅함을 얻었음을 말한다.

오치기(吳致箕) 「주역경전증해(周易經傳增解)」

巽順而得正, 故言順在位也. 卦中二陰爲主爻, 而二言貞吉順以巽, 四言大吉順在位, 觀於兩順字, 婦道盡矣.

겸손[巽順]하면서 바름을 얻었으므로 "순종하여 제자리에 있다"고 하였다. 괘에서 두 음효가 주효가 되는데, 이효에서는 '바르며 길함은 순종하여 공손하기 때문'이라 하고, 사효에서는 '크게 길함은 순종하여 제자리에 있기 때문'이라 하였으니, 두 개의 순종[順]이라는 말을 살핀다면 부인의 도를 다할 것이다.

이병헌(李炳憲) 『역경금문고통론(易經今文考通論)』

六四, 富家, 大吉.

육사는 집안을 부유하게 하니 크게 길하다.

象曰, 富家大吉, 順在位也.

「상전」에서 말하였다: "집안을 부유하게 하니 크게 길하다"는 순종하여 제자리에 있기 때문이다.

虞曰, 得位應初, 比據三陽, 故曰富家. 順在位, 謂順於五也.

우번이 말하였다: 자리를 얻어 초효에 호응하고 세 양효를 가까이 하여 의거하므로 "집안을 부유하게 한다"고 하였다. 순응하여 제자리에 있음은 오효에 순응함을 말한다.

九五, 王假有家, 勿恤, 吉.

정전 구오는 왕이 집안을 이룸에 지극하니, 근심하지 않아 길하다.
본의 구오는 왕이 집에 이르니, 근심하지 않아 길하다.

‖中國大全‖

傳

九五, 男而在外, 剛而處陽, 居尊而中正, 又其應順正於內, 治家之至正至善者
也. 王假有家, 五君位, 故以王言. 假, 至也, 極乎有家之道也. 夫王者之道, 脩身
以齊家, 家正而天下治矣. 自古聖王未有不以恭己正家爲本. 故有家之道旣至,
則不憂勞而天下治矣, 勿恤而吉也. 五, 恭己於外, 二, 正家於內, 內外同德, 可
謂至矣.

구오는 남자로 밖에 있고 굳세면서 양(陽)의 자리에 있으며, 높이 있으면서 중정하고 또 호응하는
것이 안에서 순종하고 바르니, 집안을 다스림에 지극히 바르고 지극히 선한 자이다. '왕이 집안을
이룸에 지극하니[王假有家]'는 오효가 임금 자리이기 때문에 왕으로 말하였다. '격(假)'은 지극함이
니, 집을 이루는 도를 지극히 하는 것이다. 임금의 도는 자기 몸을 닦아 집안을 가지런히 하니,
집안이 바르게 되면 천하가 다스려진다. 예로부터 성왕(聖王)은 자기를 조심하고 집안을 바르게 함
을 근본으로 삼지 않은 적이 없었다. 그러므로 집안을 이루는 도가 이미 지극해지면 근심하지 않아도
천하가 다스려지니, 근심하지 않아도 길한 것이다. 오효가 밖에서 자신을 조심하고 이효가 안에서
집안을 바르게 하여 내외가 덕을 함께 하니, 지극하다고 이를 만하다.

小註

蘭氏廷瑞曰, 剛中正爲家人之主, 而初二三四各當其位, 亦如人君正身齊家, 使父子兄
弟夫婦各正位乎內外而不相紊, 故不待憂恤而吉.

난정서가 말하였다: 오효가 굳세고 중정하여 가인의 주인이 되어서 초효, 이효, 삼효, 사효
가 각각 그 자리에 마땅하니, 또한 임금이 몸을 바르게 하고 집안을 가지런히 하여서 부모와
자식, 형과 아우, 남편과 아내가 각각 안팎에서 그 자리를 바르게 하고 서로 문란하지 않는

것과 같다. 그러므로 근심하지 않아도 길하다.

○ 建安丘氏曰, 三五陽剛, 皆主治家者也. 三, 剛而不中, 失之過嚴, 未免有悔厲之失. 五, 剛而得中, 威而能愛, 盡乎治家之道者. 故人无不化, 可以勿憂恤而吉也. 或曰, 治家之道尙嚴, 在象以嚴正爲吉, 五以相愛爲義, 何也. 曰, 嚴, 以分言, 正家之義也, 愛, 以情言, 假家之義也. 假有感格之義, 故象以相愛言之.

건안구씨가 말하였다: 삼효와 오효는 굳센 양으로 모두 집안 다스림을 주도하는 자이다. 삼효는 굳세지만 알맞지 않아서 지나치게 엄한 잘못이 있으니, 엄격함을 후회하는 실수를 면하지 못한다. 오효는 굳세면서 알맞음을 얻었고 위엄이 있으면서 사랑할 수 있으니, 집안을 다스리는 도를 극진히 한 자이다. 그러므로 사람들이 교화되지 않음이 없어 근심하지 않아도 길할 수 있다.

어떤 이가 물었다: 집안을 다스리는 도는 엄격함을 숭상하여 「단전」에서는 엄함과 바름을[106] 길한 것으로 여겼는데, 오효에서는 서로 사랑함으로 뜻을 삼은 것은 어째서입니까? 답하였다: '엄함[嚴]'은 분한으로 말했으니 집안을 바르게 한다는 뜻이고, '사랑함[愛]'은 감정으로 말했으니 집안을 지극히 한다는 뜻입니다. '격(假)'에는 감격한다는 뜻이 있기 때문에 「상전」에서 서로 사랑함으로 말했습니다.

○ 雙湖胡氏曰, 常人處家之道, 九三爻已盡之, 此又自王者事, 所謂刑于寡妻, 至于兄弟, 以御于家邦者, 是也. 然王者自可用初三上爻, 常人得五爻, 亦有有家之道也.

쌍호호씨가 말하였다: 일반 사람이 집안에 처하는 방법은 구삼 효에서 이미 다하였고, 여기서는 다시 왕의 일로부터 하였으니, 이른바 "아내에게 모범이 되고 형제에 이르러서 집과 나라를 다스린다"[107]는 것이다. 그러나 왕은 스스로 초효와 삼효와 상효를 쓸 수 있지만, 일반 사람은 오효를 얻으면 또한 집안을 이루는 방법이 있는 것이다.

本義

假, 至也, 如假于太廟之假. 有家, 猶言有國也. 九五剛健中正, 下應六二之柔順中正, 王者以是至于其家, 則勿用憂恤而吉可必矣. 蓋聘納后妃之吉占, 而凡有

---

106) 『周易·家人卦』: 象曰, 家人, 女正位乎內, 男正位乎外, 男女正, 天地之大義也. 家人, 有嚴君焉, 父母之謂也. 父父子子兄兄弟弟夫夫婦婦而家道正, 正家而天下定矣.

107) 『시경·사제』.

是德者遇之, 皆吉也.

'격(假)'은 이름이니, "태묘에 이른다[假于太廟]"의 '이름[假]'과 같다. '유가(有家)'는 '유국(有國)'이란 말과 같다. 구오가 강건하고 중정하며 아래로 유순하고 중정한 육이와 호응하니, 왕이 이로써 그 집안에 이르면 근심을 쓰지 않아도 반드시 길할 것이다. 이는 후비(后妃)를 맞아들이는 길한 점이고, 이러한 덕이 있는 자가 이를 얻는다면 모두 길하다.

小註

朱子曰, 王假有家, 言到這裏, 方具得許多物事, 有妻有妾, 方始成箇家.

주자가 말하였다: "왕이 집에 이르렀다"는 여기에 이르러야 허다한 사물을 갖출 수 있다고 말한 것이니, 아내도 있고 첩도 있어야 비로소 한 집안을 이루게 된다.

○ 有家之有, 只是如夙夜浚明有家, 亮采有邦之有, 謂三德者則夙夜浚明於其家, 有六德者則亮采於其邦. 有是虛字, 非如奄有四海之有也.

'유가(有家)'의 '유(有)'자는 단지 밤낮으로 '집[有家]'을 다스려 밝히며 '나라[有邦]'를 밝혀 다스린다는 '유(有)'와 같으니, 세 가지 덕이 있는 자는 밤낮으로 그 집안을 다스려 밝히고, 여섯 가지 덕이 있는 자는 그 나라의 일을 밝혀 다스림을 말한다.[108] '유(有)'는 뜻이 없는 글자이니, "온 세상을 소유한다[奄有四海]"[109]의 '유(有)'자와는 같지 않다.

○ 雲峰胡氏曰, 不曰有國有天下而曰有家, 卦名家人, 主卦而言也. 初九閑有家, 家道之始, 九五王假有家, 家道之成. 王者之有天下至此, 不必憂而吉可必矣.

운봉호씨가 말하였다: "나라를 이룬다"거나 "천하를 이룬다"고 하지 않고 "집안을 이룬다"고 한 것은 괘의 이름이 가인(家人)이기 때문이니, 괘를 주로 하여 말한 것이다. 초구의 '집안을 이룸에 방비함'[110]은 가도(家道)의 시작이고, 구오의 '왕이 집에 이름'은 가도의 완성이다. 왕이 천하를 지님이 이에 이른다면, 굳이 근심하지 않더라도 반드시 길할 것이다.

---

108) 『書經 · 皐陶謨』: 日宣三德, 夙夜, 浚明有家, 日嚴祗敬六德, 亮采有邦.
109) 『書經 · 大禹謨』: 益曰, 都. 帝德, 廣運, 乃聖乃神, 乃武乃文, 皇天, 眷命, 奄有四海, 爲天下君.
110) 『周易 · 家人卦』: 初九, 閑有家, 悔亡.

‖韓國大全‖

조호익(曹好益)『역상설(易象說)』

九五, 王假有家.

구오는 왕이 집에 이르니.

本義, 王指五, 君位, 家指下體, 離象, 假應二象. 〈假, 大也.〉

『본의』에서는 ‘왕’으로 오효를 가리켰으니 임금의 자리이고, ‘집[家]’으로 하체를 가리켰으니 리괘(☲)의 상이며, ‘격(假)’은 이효와 호응하는 상이다. 〈‘격(假)’은 큼이다.〉

송시열(宋時烈)『역설(易說)』

以陽剛居君位, 有家之象, 占取卦名, 蓋能假至於有家之道也. 與二爲正應, 中有互坎. 坎爲憂恤之象, 而此則無所憂恤, 而情愛交物, 家道之吉也. 然則父母其順乎, 兄弟夫婦, 皆可推之, 所謂家齊而國治也. 丘氏曰, 假字, 有感格之義, 故以相愛言之.

굳센 양으로 임금의 자리에 있으니 집안을 이룬 상이고, 점에서 괘의 이름을 취한 것은 집안을 이루는 도에 이를 수 있기 때문이다. 이효와 정응하면서 가운데 호괘인 감괘(坎卦☵)가 있다. 감괘는 근심하는 상이 되는데, 여기서는 근심하는 것이 없이 정감으로 사물과 사귀니, 가도가 길한 것이다. 그렇다면 부모가 유순한지라, 형제와 부부에도 모두 미룰 수 있으니, 이른바 “집안이 가지런하여 나라가 다스려진다”는 것이다. 구씨는 “‘격(假)’자에는 감격한다는 뜻이 있기 때문에 서로 사랑함으로 말했다”고 하였다.

석지형(石之珩)『오위귀감(五位龜鑑)』

臣謹按, 家人之九五, 以極乎有家之道, 爲治天下之本, 卽大學順推工夫. 而小象又曰, 交相愛也, 所謂相愛者, 非昵愛之謂也, 以德相愛也. 若論卦體, 則巽爲長女, 離爲中女, 家人之道, 利在女貞. 巽風居外, 離火居內, 風自火出, 治自內始. 故爲王假有家勿恤吉之象. 伏願殿下, 觀其象, 而盡其道焉.

신이 삼가 살펴보았습니다: 가인괘의 구오는 집을 이루는 도를 지극히 하는 것으로 천하를 나스리는 근본을 삼았으니, 『대학』의 미루어 나가는 공부입니다. 그리고 「소상전」에서 다시 “사귀어 서로 사랑한다”고 하였는데, 이른바 ‘서로 사랑함’은 허물없이 사랑함이 아니라, 덕으로 서로 사랑하는 것입니다. 괘의 몸체를 논한다면, 손괘(巽卦☴)는 큰 딸이 되고 리괘

(離卦☲)는 둘째 딸이 되니, 가인의 도는 이로움이 여자가 바르게 함에 있습니다. 손괘(巽卦)인 바람이 밖에 있고 리괘(離卦)인 불이 안에 있으니, 바람은 불로부터 나오고 다스림은 안으로부터 시작됩니다. 그러므로 '왕이 집안을 이룸에 지극히 하고 근심하지 않아 길한 상'이 됩니다. 엎드려 바라건대 전하께서는 그 상을 살피시어 그 도를 다하십시오.

이익(李瀷) 『역경질서(易經疾書)』111)

說卦云, 齊乎巽, 上巽有潔齊之義, 而九五中正得家人之君位, 則帝王之齊家也. 孝子所以事君, 悌者所以事長, 慈者所以使衆, 故曰不出家而成教於國, 此上行下效之道也. 下之風化, 咸繫於國, 上失家節, 家爲無本, 所謂正家而天下定, 卽指此也. 假, 中庸章句以感格爲釋, 卽家齊於上, 而教成於下也. 王格有家, 則諸爻皆包之矣. 是則王以國爲家也, 其所以假之者, 異乎匹庶之爲家. 必須上下相愛, 固結而不解, 是謂君仁則臣忠也. 汪應辰曰, 家人以勿恤爲相愛, 愛人不以姑息也, 若但以恩愛處之, 至於末梢之不能防閑, 則其不相感格必矣. 說見事文類聚.

「설괘전」에서는 "손괘(巽卦☴)에서 가지런하다"고 하였으니, 상괘인 손괘에는 깨끗하고 가지런하다는 뜻이 있으며, 구오는 중정하면서 가인괘의 임금 자리를 얻었으니, 제왕이 집안을 가지런히 함이다. 효자가 임금을 섬기는 것이며, 공손한 자가 어른을 섬기는 것이며, 자애로운 자가 무리를 이끄는 것이다. 그러므로 "집을 나가지 않고 나라에 가르침을 이룬다"112)고 하였으니, 이는 위에서 실행하여 아래에서 본받는 도이다. 아래의 풍속과 교화는 모두 나라에 걸려 있어서 위에서 집안의 절도를 잃으면 집안은 근본이 없게 되니, 이른바 "집안을 바르게 함에 천하가 안정된다"가 이것을 가리킨다. '왕격유가(王假有家)'의 '격(假)'을 『중용장구』에서는 '감동함[感格]'113)으로 해석하였으니, 집안이 위에서부터 가지런하여 가르침이 아래에서 이루어지는 것이다. 왕이 집에 이르면 모든 효들이 다 받아들일 것이다. 이렇다면 왕은 나라를 집안으로 삼는 것이니, 그 이르는 까닭이 필부가 집안을 다스림과 다르겠는가? 반드시 위와 아래가 서로 사랑하여 굳게 결합하고 풀지 말아야 하니, 이것을 "임금이 인애하면 신하가 충성한다"고 한다. 왕응진(汪應辰)114)이 "가인괘는 근심하지 않음으로 서로 사랑하고, 애인(愛人)을 고식적으로 하지 않는다"고 하였으니, 만약 사랑으로만 처리하여서 사소한 것도 막아서 방비할 수 없게 된다면, 반드시 서로 감동하지 못할 것이다.

---

111) 경학자료집성DB에서는 가인괘(家人卦) '육사에 해당하는 것으로 분류했으나, 내용에 따라 이 자리로 옮겼다.

112) 『大學』: 君子, 不出家而成教於國, 孝者, 所以事君也, 弟者, 所以事長也, 慈者, 所以使衆也.

113) 『中庸章句』: 承上文而遂及其效, 言 進而感格於神明之際, 極其誠敬, 無有言說而人自化之也.

114) 왕응진(汪應辰, 1118~1176): 송나라 옥산 사람으로 옥산선생(玉山先生)이라 불렸다. 여본중(呂本中), 장구성(張九成), 호안국(胡安國), 여조겸(呂祖謙), 장식(張栻) 등과 교유하였고, 의리(義理)에 정통했다고 함.

설명은 『사문유취』에 보인다.

유정원(柳正源) 『역해참고(易解參攷)』

林氏〈栗〉曰, 孝經[115]曰, 閨門之內, 其禮矣乎, 嚴父嚴兄, 妻子臣妾, 猶百姓徒役也, 然則古之聖人, 推一家之治, 以及乎天下, 如斯而已矣.

임률이 말하였다: 『효경』에서 "가정의 안에도 예(禮)가 있으니, 아비가 엄하고 형이 엄하면 처자나 신첩들은 백성이나 일꾼과 같다"고 하니, 그렇다면 옛날의 성인이 한 집안 다스림을 미루어 천하에 미침이 이와 같았을 것이다.

○ 案, 王者, 以天下爲家, 極其治家之道, 則是治天下之道也

내가 살펴보았다: 왕에게는 천하가 집안이니, 집을 다스리는 도를 지극히 한다면 천하를 다스리는 도가 된다.

김상악(金相岳) 『산천역설(山天易說)』

假, 至也, 有家, 猶言有國也. 九五, 剛中居尊, 應二柔中, 是聖賢之君, 聘納聖賢之后, 而四之比, 乃其滕妾也. 爲有家之主, 恩愛交孚, 故勿恤而吉.

'격(假)'은 이름이고, '유가(有家)'는 '유국(有國)'이라 함과 같다. 구오는 굳세고 알맞으며 존귀한 자리에 있고 부드럽고 알맞은 이효와 호응하니, 어진 임금이 어진 후비를 맞아들이는 것이고, 사효가 가까이 함은 바로 잉첩이다. 집안을 이루는 주인이 되어 은혜와 사랑으로 서로 믿으므로 근심하지 않고도 길하다.

○ 初之有家, 家道之始也, 五之有家, 家道之成也. 家人與歸妹卦義相似, 故家人曰, 王假有家, 歸妹曰, 帝乙歸妹. 陽之與陰相應者爲妻, 比者爲妾, 朱子曰, 有妻有妾, 方是成箇家, 是也. 家人者, 鼎之交也, 鼎初六曰, 得妾以其子, 故本爻之象如此. 恤者, 坎之加憂也, 五居互體之外, 故曰勿恤. 與豐象曰, 王假之, 勿憂, 同象.

초효의 '집안을 이룸[有家]'은 가도(家道)의 시작이고, 오효의 '집안을 이룸'은 가도의 완성이다. 가인괘는 귀매괘(歸妹卦☱)와 뜻이 서로 유사하므로 가인괘에서는 "왕이 집에 이른다"고 하고, 귀매괘에서는 "제을이 여동생을 시집보낸다"[116]고 하였다. 양효가 음효와 서로 호

---

115) 孝經: 경학자료집성DB와 영인본에는 모두 '傳'으로 되어 있으나, 『주역경전집해』 원문에 따라 '孝經'으로 바로잡았다.
116) 『周易·歸妹卦』: 六五, 帝乙歸妹, 其君之袂, 不如其娣之袂良, 月幾望, 吉.

응하는 것은 아내가 되고 가까이 하는 것은 첩이 되니, 주자가 "아내도 있고 첩도 있어야 비로소 집안을 이룬다"고 한 것이 이것이다. 가인괘는 정괘(鼎卦☲☲)의 상괘와 하괘가 바뀐 괘인데, 정괘(鼎卦)의 초육에서 "첩을 얻으면 그 자식을 돕는다"[117]고 하였으므로 본효의 상이 이와 같다. '근심함[恤]'은 감괘(坎卦☵☵)의 근심을 더함인데, 오효가 호괘의 몸체[감괘 ☵☵]에서 벗어나 있으므로 "근심하지 않는다"고 하였다. 풍괘(豊卦☲☲)의 단사에서 "왕이 이르러 근심하지 말라"[118]고 한 것과 상이 같다.

김규오(金奎五) 「독역기의(讀易記疑)」

九五, 丘氏說假有感格之義, 雖非傳義之意, 而恐不可廢.

구오에서 구씨가 "격(假)에는 감동한다는 뜻이 있다"고 한 것은, 비록 『정전』과 『본의』의 뜻은 아니지만, 버릴 수 없을 듯하다.

서유신(徐有臣) 『역의의언(易義擬言)』

此, 男正位乎外者也. 以中正應中正, 陽剛而陰柔, 兩得其道, 有家之至也. 風自火出, 家而國而天下, 自然之化, 勿恤而吉也.

이는 남자가 밖에서 자리를 바르게 하는 것이다. 중정하면서 중정한 것과 호응하여 양은 굳세고 음은 부드러워 둘 다 그 도(道)를 얻었으니, 집안을 이룸에 지극한 것이다. 바람이 불로부터 나오고, 집에서부터 국가와 천하로 자연히 교화되니, 근심하지 않아도 길하다.

윤행임(尹行恁) 『신호수필(薪湖隨筆)·역(易)』

王假有家, 陽剛處乎外, 順應正乎內, 家道齊而天下治, 惟我皇明, 高皇帝高皇后有之.

'왕이 집에 이름'은 굳센 양이 밖에 있고 유순한 것이 안에서 바르게 호응하여 가도가 가지런해지고 천하가 다스려짐이니, 명나라의 황제들 중에는 고황제와 고황후가 이러하였다.

박문건(朴文健) 『주역연의(周易衍義)』

勉其相愛, 故有勿恤之象, 假, 言極其中正之道也.

서로 사랑함에 힘쓰므로 근심하지 않는 상이 있고, '격(假)'은 중정한 도가 지극함을 말한다.

---

117) 『周易·鼎卦』: 初六, 鼎顚趾, 利出否, 得妾, 以其子, 无咎.
118) 『周易·豊卦』: 豊, 亨, 王假之, 勿憂, 宜日中.

〈問, 王假有家, 勿恤吉. 曰, 九五, 能極中正之道, 而保有其家也. 但勿憂在下之陰, 交相親愛, 則有吉也. 以剛當位而行中正, 故取王者之義也. 易之取王公之義不同, 或以位高取之, 或以勢彊取之, 或以德盛取之也.

물었다: "왕이 집안을 이룸에 지극하니, 근심하지 않아 길하다"는 무슨 뜻입니까?

답하였다: 구오는 중정한 도를 지극히 하여 그 집안을 보존할 수 있습니다. 다만 아래에 있는 음효를 근심하지 않더라도, 사귀어 서로 사랑하면 길함이 있습니다. 굳센 양으로 자리에 딱 맞고 중정함을 행하므로 왕의 뜻을 취했습니다. 『주역』에서 왕공의 뜻을 취함은 같지 않으니, 자리의 높음으로 취하기도 하고, 형세의 강함으로 취하기도 하고, 덕의 성대함으로 취하기도 합니다.〉

김기례(金箕澧) 「역요선의강목(易要選義綱目)」

剛中正而居尊, 故曰王.

굳센 양이 중정하면서 존귀한 자리에 있으므로 '왕'이라 하였다.

○ 假, 格也.

'격(假)'은 다다름이다.

○ 旣曰王, 不曰國, 和而曰有家, 主卦名而言.

이미 '왕'이라 하고서 '나라'라고 하지 않았으며, 조화시켜 '집'이라 했으니, 괘의 이름을 위주로 말한 것이다.

○ 九三, 常人處家之道, 九五, 王者處家之道. 若關雎之有家, 則不憂而吉.

구삼은 보통 사람이 집에서 지내는 도이고, 구오는 왕이 집에서 지내는 도이다. 좋은 짝이 집안을 이루면 근심하지 않아도 길할 것이다.

심대윤(沈大允) 『주역상의점법(周易象義占法)』

家人之賁☲☴, 文餙也. 九五, 夫道也. 以剛中居剛, 嚴於禮法而不苟, 應二而有三之限, 有恩愛而不狎. 居重离之上, 有以明附明之象, 而居坎之上, 有履蹈誠實之義. 五之明出於誠實, 猶賁之文附于質也. 家事之米鹽細瑣, 无不明察, 炎凉苦樂, 无不洞燭, 而處之以中. 故曰王假有家, 王言五之尊貴也. 假, 至也, 精神之屬也. 坎巽爲假, 以明五之非躬執瑣屑以自惱也, 但屬以精神而會之也. 家道必詳明而曲盡然後, 乃可了也, 不可漫不省也.

가인괘가 비괘(賁卦☶)로 바뀌었으니, 꾸미는 것이다. 구오는 남편의 도이다. 굳세고 알맞으며 굳센 자리에 있으니 예법에 엄격하지만 가혹하지 않고, 이효에 호응하면서 삼효에 제한되니 은혜와 사랑이 있지만 함부로 하지 않는다. 중첩한 리괘의 위에 있으니 밝음이 밝음에 붙어있는 상이 있고, 감괘(坎卦☵)의 위에 있으니 성실함을 실천한다는 뜻이 있다. 오효의 밝음이 성실함에서 나옴은 비괘(賁卦)의 꾸밈이 본질에 붙어 있음과 같다. 집안일의 쌀과 소금이나 소소한 것을 밝게 살피지 않음이 없고, 뜨겁고 참과 괴롭고 즐거움을 밝게 밝히지 않음이 없어 처리하기를 중도로 한다. 그러므로 "왕이 집안을 이룸에 지극하다"고 하였으니, '왕'은 오효의 존귀함을 말한다. '격(假)'은 지극함으로 정신적인 것에 속한다. 감괘(坎卦)와 손괘(巽卦☴)가 '지극함'이 되어서 오효가 몸소 소소한 것을 붙잡고서 스스로 번민하는 것이 아니라, 다만 정신적으로 회합할 뿐임을 밝혔다. 가도(家道)는 반드시 자세히 밝혀지고 일일이 다한 뒤에야 마칠 수 있으니, 태만하게 살피지 않아서는 안 된다.

오치기(吳致箕) 「주역경전증해(周易經傳增解)」

九五, 陽剛中正而居尊, 應六二之柔中, 外內以中正之道御家. 故能感格家人之心. 莫不愛悅而和順, 无復憂恤之事, 卽刑于寡妻, 至于兄弟, 以御于家邦者也. 故言吉.

구오는 굳센 양이 중정하며 존귀한 자리에 있고, 부드럽고 중정한 육이와 호응하니, 안과 밖이 중정한 도로 집안을 다스린다. 그러므로 가인의 마음을 감동시킬 수 있다. 사랑하고 순응하지 않음이 없어서 다시는 근심할 일이 없으니, "아내에게 모범이 되고 형제에게 이르러서 집과 나라를 다스린다"[119]는 것이다. 그러므로 길하다고 하였다.

○ 君位, 故言王也. 假格同, 言感格也. 勿取於變艮爲止. 恤憂也, 取應體互坎爲加憂, 而位得中正, 故言勿恤也.

임금의 자리이므로 '왕(王)'을 말하였다. '격(假)'은 '격(格)'과 같으니, 감격함을 말한다. '물(勿)'은 변괘인 간괘(艮卦☶)가 그침이 된다는 점을 취하였다. '휼(恤)'은 근심으로, 감응하는 몸체의 호괘인 감괘(坎卦☵)가 근심을 더함이 된다는 점을 취하였는데, 자리가 중정함을 얻었으므로 "근심하지 않는다"고 하였다.

이진상(李震相) 『역학관규(易學管窺)』

五王位, 尊之至也, 九王德, 順之至也. 故有是象. 愛, 仁之發, 巽木之順氣也.

---

119) 『시경·사제』.

'오(五)'는 왕의 지위이니 존귀함이 지극하고, '구(九)'는 왕의 덕이니 순응함이 지극하다. 그러므로 이러한 상이 있다. 사랑은 인(仁)의 발현이니, 손괘(巽卦☴)인 나무의 순응하는 기운이다.

박문호(朴文鎬) 「경설(經說)·주역(周易)」

爻辭凡言王, 皆指文王, 而此王假有家, 卽其御于家邦之事. 亦可因上文而謂之文王以之也.

효사에서 왕을 말한 것은 모두 문왕을 가리키지만, 여기의 "왕이 집에 이르렀다"는 집안과 나라를 다스리는 일이다. 또한 위의 글에 의거하여 문왕이 이러했음을 말했다고 할 수도 있다.

象曰, 王假有家, 交相愛也.

정전 「상전」에서 말하였다: "왕이 집안을 이룸에 지극함"은 사귀어 서로 사랑함이다.
본의 「상전」에서 말하였다: "왕이 집에 이름"은 사귀어 서로 사랑함이다.

中國大全

傳

王假有家之道者, 非止能使之順從而已, 必致其心化誠合, 夫愛其內助, 婦愛其刑家, 交相愛也. 能如是者, 文王之妃乎. 若身脩法立而家未化, 未得爲假有家之道也.

왕이 집안 이룸을 지극히 하는 도는 집안사람이 순종하게 할 뿐만이 아니라, 반드시 마음이 교화되고 정성이 화합하게 해야 하니, 남편은 안에서 돕는 이를 사랑하고 아내는 집안의 모범된 이를 사랑하여 사귀어 서로 사랑함이다. 이와 같이 할 수 있는 자는 문왕의 비(妃)일 것이다. 만일 몸이 닦여지고 가법이 섰는데도 집안이 교화되지 못했다면, 집안 이룸을 지극히 하는 도가 될 수 없다.

本義

程子曰, 夫愛其內助, 婦愛其刑家.

정자가 말하였다: 남편은 안에서 돕는 이를 사랑하고, 아내는 집안의 모범된 이를 사랑한다.

小註

童溪王氏曰, 以二五言之, 則二爻居相應之地. 二有內助之德而五愛之, 五有刑家之道而二愛之, 此謂交相愛也.

동계왕씨가 말하였다: 이효와 오효로 말하면 두 효는 서로 호응하는 곳에 있다. 이효에 내조

의 덕이 있어 오효가 그를 사랑하고, 오효에 집안의 모범이 되는 도가 있어 이효가 그를 사랑하니, 이것을 "사귀어 서로 사랑한다"고 말한다.

○ 雲峰胡氏曰, 二五皆中正, 其愛也非情欲之愛. 五愛二之柔順中正, 足以助乎五, 二愛五之剛健中正, 足以刑于二也.
운봉호씨가 말하였다: 이효와 오효가 모두 중정(中正)하니, 그 사랑함이 정욕의 사랑은 아니다. 오효는 이효가 유순하고 중정하여 충분히 오효를 도울 수 있기 때문에 사랑하며, 이효는 오효가 강건하고 중정하여 충분히 이효에게 본보기가 될 수 있기 때문에 사랑한다.

○ 誠齋楊氏曰, 以文王爲君, 以太姒爲妃, 以王季爲父, 以太任爲母, 以武王爲子, 以邑姜爲婦, 其不交相愛乎. 詩人歌之曰, 刑于寡妻, 至于兄弟, 以御于家邦, 此之謂矣.
성재양씨가 말하였다: 문왕을 임금으로 하고 태사(太姒)를 왕비로 하며, 왕계(王季)를 아버지로 하고 태임(太任)을 어머니로 하며, 무왕을 아들로 하고 읍강(邑姜)을 며느리로 하였으니, 사귀어 서로 사랑하지 않겠는가? 시(詩)로 사람들이 "아내에게 모범이 되고 형제에게 이르러서 집안과 나라를 다스린다"[120]고 노래한 것이 이를 말한다.

‖韓國大全‖

김상악(金相岳) 『산천역설(山天易說)』

交相愛者, 非謂其情欲之愛也. 剛柔相應, 愛好其中正之德也. 故子曰, 不愛不[121]親, 不敬不正, 愛與敬, 其政之本歟.
'사귀어 서로 사랑함'은 정욕으로 사랑함을 말하는 것이 아니다. 굳센 양과 부드러운 음이 서로 호응하여 그 중정한 덕을 좋아하는 것이다. 그러므로 공자는 "친하지 않은 이를 사랑하지 말고 바르지 않은 이를 공경하지 말아야 하니, 사랑함과 공경함은 바로 정치의 근본일 것이다"[122]라고 하였다.

---

120) 『시경 · 사제』.
121) 不: 경학자료집성DB와 영인본에는 모두 '其'로 되어 있으나, 문맥을 살펴 '不'로 바로잡았다.
122) 『禮記 · 哀公問』: 弗愛不親, 弗敬不正, 愛與敬, 其政之本與.

서유신(徐有臣) 『역의의언(易義擬言)』

交者, 孚應之謂也, 愛者, 親親之謂也, 父父子子兄兄弟弟夫夫婦婦之謂也.

사귐은 믿어 호응함을 말하고, 사랑함은 친한 이를 친애함을 말하니, 부모는 부모답고 자식은 자식다우며 형은 형답고 아우는 아우다우며 남편은 남편답고 부인은 부인다움을 말한다.

이지연(李止淵) 『주역차의(周易箚疑)』

上下內外, 各有中正之德, 恐不足於恩愛. 故發之以交相愛三字.

위아래와 안팎에 각각 중정한 덕이 있으니, 은혜와 사랑은 부족한 듯하다. 그러므로 "사귀어 서로 사랑한다[交相愛]"는 말을 펼쳤다.

심대윤(沈大允) 『주역상의점법(周易象義占法)』

丈夫之誠實, 不置家人於泛忘等間之地, 家人之承順, 不使丈夫親其煩瑣勞碌之事. 故曰交相愛也.

장부가 성실하여 집안사람들을 잊고서 등한시 하는 곳에 두지 않고, 집안사람들이 받들어 순종하여 장부가 친히 소소한 일로 번민하지 않게 한다. 그러므로 "사귀어 서로 사랑한다"고 하였다.

오치기(吳致箕) 「주역경전증해(周易經傳增解)」

感格于心, 故交相愛悅也, 謂夫愛其內助, 婦愛其刑家, 至于六親, 莫不心悅而相愛也.

마음에서 감격하므로 사귀어 서로 기쁘게 사랑하니, 남편이 안에서 돕는 이를 사랑하고 아내가 집의 모범이 되는 이를 사랑하여 육친(六親)에 이르기까지 기뻐하며 서로 사랑하지 않음이 없음을 말한다.

이병헌(李炳憲) 『역경금문고통론(易經今文考通論)』

九五, 王假有家, 勿恤, 吉,

구오는 왕이 집안을 이룸에 지극하니, 근심하지 않아 길하다.

象曰, 王假有家, 交相愛也.

「상전」에서 말하였다: "왕이 집안을 이룸에 지극함"은 사귀어 서로 사랑함이다.

陸曰, 假大也. 五得尊位, 據四應二, 以天下爲家. 故曰王. 假有家, 天下正. 故無所憂則吉.

육적이 말하였다: '격(假)'은 큼이다. 오효는 존귀한 자리를 얻고서 사효에 의거하고 이효에 호응하여 천하를 집으로 삼는다. 그러므로 '왕'이라 하였다. 집안을 이룸에 지극하여 천하가 바르게 되므로 근심하는 것이 없어도 길하다.

按, 家人始於嚴正, 化於仁愛.

내가 살펴보았다: 가인(家人)은 엄정함에서 시작되고, 사랑함으로 교화된다.

上九, 有孚威如, 終吉.

상구는 믿음을 갖고 위엄으로 하면 마침내 길하리라.

┃中國大全┃

傳

上, 卦之終, 家道之成也. 故極言治家之本. 治家之道, 非至誠不能也. 故必中有孚信則能常久, 而衆人自化爲善. 不由至誠, 己且不能常守也, 況欲使人乎. 故治家以有孚爲本. 治家者, 在妻孥情愛之間, 慈過則无嚴, 恩勝則掩義. 故家之患, 常在禮法不足而瀆慢生也, 長失尊嚴, 少忘恭順而家不亂者, 未之有也. 故必有威嚴則能終吉. 保家之終, 在有孚威如二者而已. 故於卦終言之.

상효는 괘의 끝이고 가도(家道)의 완성이다. 그러므로 집안을 다스리는 근본을 지극히 말하였다. 집안을 다스리는 도는 지극한 정성[至誠]이 아니면 할 수 없다. 그러므로 반드시 마음속에 믿음[孚信]이 있어야 항구할 수 있고, 여러 사람들이 스스로 교화되어 선하게 된다. 지극한 정성으로 하지 않는다면 자신조차도 항상 지킬 수 없는데, 하물며 남들도 그러하게 할 수 있겠는가? 그러므로 집안을 다스림은 믿음을 갖는 것으로 근본을 삼는다. 집안을 다스리는 자가 처자식과의 애정에 있어서 사랑이 지나치면 엄격함이 없고, 은혜가 승하면 의리를 가리게 된다. 그러므로 집안의 병통은 항상 예법이 부족하여 무례함이 생기는데 있으니, 어른이 존엄함을 잃고 젊은이가 공손함을 잃고서 집안이 어지럽지 않은 경우는 있지 않다. 그러므로 반드시 위엄이 있어야 마침내 길할 수 있다. 끝까지 집안을 보존함은 믿음을 갖고 위엄으로 하는 두 가지에 있을 뿐이다. 그러므로 괘의 끝에서 말하였다.

本義

上九, 以剛居上, 在卦之終. 故言正家久遠之道, 占者, 必有誠信嚴威則終吉也.

상구는 굳센 양으로 맨 위에 있으니, 괘에 있어서 끝이다. 그러므로 오래도록 집안을 바르게 하는 방법을 말했으니, 점치는 자가 반드시 정성과 위엄이 있다면 마침내 길할 것이다.

小註

進齋徐氏曰, 上九, 以陽剛居卦之終, 家道大成, 人信之矣. 故曰有孚. 然不以人信而或弛, 律身益嚴, 故曰威如. 身愈脩則家愈齊, 保家之道也. 故曰終吉.

진재서씨가 말하였다: 상구는 양의 굳셈으로 괘의 끝에 있으니, 집안의 도가 크게 이루어지고 사람들이 이를 믿는 것이다. 그러므로 "믿음을 갖는다"고 하였다. 그러나 집안사람이 믿지 않고 혹 게으르다면, 자신을 단속함에 더욱 엄해야 한다. 그러므로 "위엄으로 한다"고 하였다. 자신이 수양될수록 집안이 더욱 가지런해지니, 집안을 보전하는 방법이다. 그러므로 "마침내 길하다"고 하였다.

○ 涑水司馬氏曰, 上九以陽居上, 家之至尊者也. 家人望之以爲儀表. 苟其身正, 不令而行, 是以內盡至誠爲下所信. 然後有威如, 可畏而獲終吉也.

속수사마씨가 말하였다: 상구는 양으로 맨 위에 있으니, 집안의 지극히 높은 자이다. 집안사람이 그를 우러러보고 본보기로 삼는다. 진실로 그 몸이 바르면 명령하지 않아도 행해지니, 이 때문에 안으로 지극한 정성을 다해야 아랫사람이 믿게 된다. 그러한 뒤에 위엄으로 하면 두려워할 줄 알아 마침내 길함을 얻게 된다.

○ 縉雲馮氏曰, 爲人父者躬行之有素, 則家人无不孚之者矣. 其所謂躬行者, 豈飭厲以爲威哉. 正其衣冠, 尊其瞻視, 儼然人望而畏之, 非心罔念, 已潛消而黙化矣. 此威如之吉, 而象以爲反身之謂也.

진운풍씨가 말하였다: 아버지가 되어 평소에 몸소 행함이 있으면 집안사람이 믿지 않는 자가 없다. 이른바 몸소 행한다는 것이 어찌 훈계로 위엄을 삼는 것이겠는가? 의관(衣冠)을 바르게 하고 바라봄을 존엄하게 해서, 엄숙하게 사람들이 우러러보고 두려워하게 한다면,[123] 그릇된 마음과 잘못된 생각이 이미 모르는 사이에 사라져 묵묵히 교화될 것이다. 이것이 위엄으로 하는 길함인데, 「상전」에서는 "자신에게 돌이킴을 말한다"고 하였다.

○ 雲峰胡氏曰, 九三嗃嗃, 處家之過嚴, 上九威如, 律身之自嚴. 大有六五厥孚交如威如, 六陰柔, 以其不足於嚴而勉之. 家人有孚威如, 九陽剛, 以其能自律之嚴而許之也. 卦未有如家人皆吉者. 然始之吉易, 終之吉難, 故必有誠信威嚴則終吉矣. 卦以家人名一家之人也. 本義以卦推之, 上父, 初子, 五三夫, 二四婦, 五兄三弟. 或又以內外卦推之, 正位乎內, 則初女, 二婦, 三母, 母嚴, 婦順, 女當自閑. 故初三剛而二柔. 正位乎外,

---

則四子, 五夫, 上父, 父嚴, 夫義, 子順乎親. 故上與五剛而四柔, 易之曲暢旁通也如此.

운봉호씨가 말하였다: 구삼의 '원망함'은 집안을 다스림이 지나치게 엄하기 때문이고, 상구의 '위엄으로 함'은 자신을 단속함이 스스로 엄하기 때문이다. 대유괘(大有卦䷍) 육오의 '믿음으로 사귀니 위엄 있게 한다'는 육(六)이 유약한 음이어서 엄격함에 충분하지 못하기 때문에 격려한 것이다. 가인괘의 '믿음을 두고 위엄으로 함'은 구(九)가 굳센 양이어서 그것이 스스로 규율함이 엄하기 때문에 허락한 것이다. 괘 가운데 가인괘(家人卦)만큼 모두가 길한 것은 없다. 그러나 시작의 길함은 쉽지만 마침의 길함은 어렵기 때문에 반드시 정성과 위엄이 있어야 마침내 길할 것이다. 괘에서는 가인(家人)으로 한 집안의 사람을 명명하였다. 『본의』에서는 괘로 유추하였으니, 상효는 아버지이고 초효는 자식이며, 오효와 삼효는 남편이고 이효와 사효는 아내이며, 오효는 형이고 삼효는 아우이다. 혹 또 내괘와 외괘로 유추한다면, 안에서 자리를 바르게 하는 것은, 초효는 딸이고 이효는 며느리이고 삼효는 어머니이니, 어머니는 엄하고 며느리는 순종하며 딸은 스스로 방비해야 한다. 그러므로 초효와 삼효는 굳세고 이효는 부드럽다. 밖에서 자리를 바르게 하는 것은, 사효는 아들이고 오효는 남편이며 상효는 아버지이니, 아버지는 엄하고 남편은 의(義)로우며 아들은 어버이를 따른다. 그러므로 상효와 오효는 굳세고 사효는 유순하니, 『주역』의 조리가 분명하고 두루 통함이 이와 같다.

‖韓國大全‖

송시열(宋時烈) 『역설(易說)』

上下之情義相孚, 三在坎中, 坎爲孚象, 故曰有孚也. 威如者, 若嚴威之相加然, 家道之吉也. 此與大有六五相似, 然大有則戒其易而無備, 此以上九陽剛之德, 居高位善御家, 所謂正己而物正也. 人自嚴畏如威猛然, 卽反身而誠信交孚者也, 所以不同. 象曰, 家人有嚴君焉, 此爻可以當之.

위와 아래의 정의(情義)가 서로 믿음이니, 삼효가 감괘(坎卦☵)의 가운데 있고 감괘(坎卦)는 믿는 상이 되므로 "믿음이 있다"고 하였다. '위엄으로 함'은 엄격함과 위엄이 서로 더하는 것과 같으니 가도(家道)가 길하다. 이것은 대유괘(大有卦䷍)의 육오와 서로 유사하지만, 대유괘에서는 그 쉽게 하면서 대비함이 없음을 경계하였고,[124] 여기서는 상구의 굳센 양의 덕으로 높은 자리에 있으면서 집안을 잘 다스리니, 이른바 '자기를 바르게 하여 사물이 바르게 됨'[125]이다. 사람이 스스로 엄격하고 위엄 있기를 맹렬하게 하여 자신에게 돌이키고 성실과 믿음으로 서로 사귀는 것이니, 그래서 대유괘의 육오와 같지 않은 것이다. 「단전」에서 "가인이 엄한 어른이 있다"고 하니, 이 효가 해당된다고 할 수 있다.

이익(李瀷) 『역경질서(易經疾書)』

上九, 賓師之有威德, 佐王出治者也, 苟無反身之誠, 如何終吉. 家人之義, 專在下五爻得位也. 惟上失位, 故只有反身之威, 而不計其化也.

상구는 위엄을 갖춘 덕이 있는 초빙된 선생으로 왕을 도와서 다스림을 내는 자이니, 참으로 자신에게 돌이키는 정성이 없다면 어떻게 길함으로 마치겠는가? 가인의 뜻은 아래의 다섯 효가 제자리를 얻은 것에 펼쳐져있다. 오직 상효만이 자리를 잃었으므로 다만 자신에게 돌이키는 위엄만 갖추고 그 교화를 꾀하지 않는 것이다.

심조(沈潮) 「역상차론(易象箚論)」

上九, 威如.

상구는 위엄으로 한다.

威如者, 巽有威風也.

'위엄으로 함'은 손괘(巽卦☴)에 위엄을 갖춘 바람이 있기 때문이다.

유정원(柳正源) 『역해참고(易解參攷)』

王氏曰, 處家人之終, 居家道之成, 刑于寡妻, 以著於外者也. 故曰有孚.

왕필이 말하였다: 가인괘의 끝에 있으면서 가도(家道)를 이루고 있으니, 아내에게 모범이 되어 밖에 나타난 것이다. 그러므로 "믿음이 있다"고 하였다.

○ 勿軒熊氏曰, 初閑上威, 言終始貴乎嚴, 治家之道, 不貴寬也. 一卦四陽二陰, 陽以剛而主嚴, 陰以柔而主順, 正家之道, 若是而已.

물헌웅씨가 말하였다: 초효의 방비함과 상효의 위엄은 시종일관 엄격함을 귀하게 여김을 말한 것이니, 집안을 다스리는 도는 관대함을 귀하게 여기지 않는다. 한 괘에 양효가 넷이고

---

124) 『周易·大有卦』: 象曰, 厥孚交如, 信以發志也, 威如之吉, 易而無備也.
125) 『孟子·盡心』: 有大人者, 正己而物正者也.

음효가 둘인데, 양효는 굳셈으로 엄격함을 주관하고, 음효는 부드러움으로 순종함을 주관하니, 집안을 바르게 하는 도는 이와 같을 뿐이다.

김상악(金相岳) 『산천역설(山天易說)』

家人之終, 家道之成也. 體巽而用離, 无比應之私. 故不言而信, 不惡而嚴. 故家道能久遠, 而得終吉也.

가인괘의 끝은 가도의 완성이다. 몸체는 손괘(巽卦䷸)이면서 리괘(離卦䷝)를 쓰니, 사사로이 가까이 하거나 호응하는 것이 없다. 그러므로 말하지 않아도 믿고, 미워하지 않아도 엄격하다. 그러므로 가도(家道)가 오래갈 수 있으며 마침내 길할 수 있다.

○ 孚者, 誠信之在中者. 巽木在五行之中. 故巽體之卦, 多言孚. 威如離象, 見大有六五. 蓋有孚, 卽言有物也, 威如, 卽行有恒也. 故以反身釋象. 此有威如之吉, 故三曰家人嗃嗃悔厲吉. 大有曰厥孚交如威如, 以施於人而言也. 自五以下, 有子道焉, 故皆言其治家之道, 而上九曰有孚威如, 卽家人有嚴君焉者也. 故曰嚴威, 儼恪, 非所以事親也, 成人之道也. 諸爻皆言吉, 而上曰終吉, 以吉終也之義也.

'믿음[孚]'은 정성이 안에 있는 것이다. 손괘(巽卦䷸)인 나무는 오행에서 가운데에 있다. 그러므로 손괘(巽卦䷸)를 몸체로 하는 괘에는 자주 믿음을 말한다. '위엄으로 함[威如]'은 리괘(離卦䷝)의 상이니, 대유괘(大有卦䷍)의 육오에 보인다. 대체로 '믿음이 있음'은 '말에 사실이 있음'이고, '위엄으로 함'은 '행동에 일정함이 있음'이다. 그러므로 자신에게 돌이킴으로 상을 해석하였다. 여기에는 위엄으로 하는 길함이 있으므로 삼효에서 "가인이 원망하니 엄격함에 후회하지만 길하다"고 하였다. 대유괘에서 "그 믿음으로 사귀니, 위엄 있게 한다"[126)]고 한 것은 사람에게 시행함을 말한 것이다. 오효부터 아래로는 자식의 도가 있으므로 모두 집안을 다스리는 도를 말했지만, 상구에서는 "믿음을 갖고 위엄으로 한다"고 했으니 "가인이 엄한 어른이 있다"는 것이다. 그러므로 '엄한 위엄'이라고 했으니, 엄격함은 어버이를 섬기는 것이 아니고 성인(成人)의 도이다. 모든 효에서 다 길함을 말했지만, 상효에서 "마침내 길하다"고 했으니, 길함으로 마친다는 뜻이다.

서유신(徐有臣) 『역의의언(易義擬言)』

巽風之入, 爲有孚象, 離電之光, 爲威如象. 卦終而有此象, 故爲終吉, 謹終如始也. 威

---

126) 『周易·大有卦』: 六五, 厥孚交如, 威如, 吉.

如, 非嗃嗃之謂也.

손괘(巽卦☴)의 바람이 들어옴이 믿음이 있는 상이 되고, 리괘(離卦☲)의 번개가 빛남이 위엄으로 하는 상이 된다. 괘를 마침에 이와 같은 상이 있으므로 마침내 길하게 되니, 마침을 시작과 같이 삼감이다. '위엄으로 함'은 원망하지 않음을 말한다.

박문건(朴文健) 『주역연의(周易衍義)』

反身修則, 故有威如之象, 威, 威儀也.

자신에게 돌이켜서 준칙을 닦으므로 위엄으로 하는 상이 있으니, '위엄[威]'은 위의(威儀)이다.

〈問, 有孚威如, 終吉. 曰, 上九自當有孚於其下. 然修其可畏之則, 則終必有吉也, 若不謹其身, 則下必慢上也.

물었다: "믿음을 갖고 위엄으로 하면 마침내 길하리라"는 무슨 뜻입니까?

답하였다: 상구는 스스로 아래에게 믿음이 있어야만 합니다. 그러나 두려워할만한 준칙을 닦으면 마침내는 반드시 길하겠지만, 만약 자신을 삼가지 않는다면 아래에서 반드시 위를 무시할 것입니다.〉

이지연(李止淵) 『주역차의(周易箚疑)』

有孚威如, 卽溫而厲, 和而不流之謂也.

'믿음을 갖추고 위엄으로 함'은 온순하되 씩씩하고[127] 화합하되 흘러가지 않음[128]을 말한다.

김기례(金箕澧) 「역요선의강목(易要選義綱目)」

惠而不嚴, 非主家之道. 本義以上爲父, 當反身信嚴吉. 上居卦終, 故曰終吉.

은혜로우며 엄격하지 않음은 집안을 주관하는 도가 아니다. 『본의』에서 상효를 아버지로 간주했으니, 마땅히 자신에게 돌이켜서 미덥고 엄격해야 길하다. 상효는 괘의 끝에 있으므로 "마침내 길하다"고 하였다.

鄭合沙曰, 家人卦, 天理存焉.

정합사가 말하였다: 가인괘에는 천리가 담겨있다.

---

127) 『論語 · 述而』: 子, 溫而厲, 威而不猛, 恭而安.

128) 『中庸』: 故君子, 和而不流, 强哉矯.

贊曰, 余觀橐籥, 火而生風. 余觀家人, 儀自閨中. 余觀王史, 化自內宮. 百爾君子, 由內飭躬.

찬미하여 말한다: 내가 풀무를 보니 불에서 바람이 나오네. 내가 가인괘를 보니 의례(儀禮)는 안방에서 시작되네. 내가 왕사를 보니 교화는 내궁에서 시작되네. 여러 군자는 안으로 몸을 삼감에 연유하네.

박종영(朴宗永) 「경지몽해(經旨蒙解)·주역(周易)」

傳曰, 治家之道, 非至誠不能也. 故必中有孚信, 能常久, 而衆人自化爲善. 治家者, 在妻孥情愛之間, 慈過則無嚴, 恩勝則掩義. 故家之患, 常在禮法不足而瀆慢生也, 長失尊嚴, 少忘恭順, 而家不亂者, 未之有也. 故保家之終, 在有孚威如而已.

『정전』에서 말하였다: 집안을 다스리는 도는 지극한 정성이 아니면 할 수 없다. 그러므로 반드시 마음속에 믿음이 있어야 항구할 수 있고, 여러 사람들이 스스로 교화되어 선하게 된다. 집안을 다스리는 자가 처자식과의 애정에 있어서 사랑이 지나치면 엄격함이 없고, 은혜가 승하면 의리를 가리게 된다. 그러므로 집안의 병통은 항상 예법이 부족하여 무례함이 생기는데 있으니, 어른이 존엄함을 잃고 젊은이가 공손함을 잃고서 집안이 어지럽지 않은 경우는 있지 않다. 그러므로 끝까지 집안을 보존함은 믿음을 갖고 위엄으로 하는 두 가지에 있을 뿐이다.

심대윤(沈大允) 『주역상의점법(周易象義占法)』

家人之旣濟䷾, 家道之終也. 上九父道也, 以剛居柔而無應, 主於恩愛而無私. 居無事之地, 而下有五剛之隔, 有所不聞不見. 居尊而重离承之, 有擧家信奉之象. 故曰有孚威如終吉, 對解有震, 曰威. 家道雖貴明察, 而亦有癡聾之時也.

가인괘가 기제괘(旣濟卦䷾)로 바뀌었으니, 가도(家道)의 마침이다. 상구는 아버지의 도이니, 굳센 양으로 부드러운 음의 자리에 있으면서 호응함은 없고, 은혜와 사랑을 주로 하지만 사사로움이 없다. 일이 없는 곳에 있으면서 아래에 오효의 굳센 양에 막히어 듣지 못하고 보지 못하는 것이 있다. 존귀한 곳에 있고 거듭된 리괘가 받드니, 온 집안이 믿고 받드는 상이 있다. 그러므로 "믿음을 갖고 위엄으로 하면 마침내 길하다"고 하였고, 음양이 반대되는 해괘(解卦䷧)에 진괘(震卦☳)가 있으므로 '위엄'을 말하였다. 가도는 비록 밝게 살핌을 귀하게 여기지만 또한 어리석고 귀먹을 때가 있다.

오치기(吳致箕) 「주역경전증해(周易經傳增解)」

上九, 陽剛居上, 當家人之終. 故言其終始自修之道. 而以其有孚, 故至誠惻怛, 感格一家之心, 以其威如, 故齊整嚴肅, 振勵一家之事, 此所以至于終, 而久得其吉者也. 故其辭如此.

상구는 굳센 양이 위에 있으니, 가인의 끝에 해당된다. 그러므로 시종일관 스스로를 닦는 도를 말하였다. 그런데 믿음을 갖추었기 때문에 지성으로 불쌍히 여겨 온 집안사람들의 마음을 감동시키고, 위엄으로 하기 때문에 단정하고 엄숙하여 온 집안사람들의 일을 진작시키니, 이것이 끝에까지 이르고 오래도록 길하게 되는 까닭이다. 그러므로 그 말이 이와 같은 것이다.

○ 有孚取於變坎, 威如取陽剛之象也.

'믿음을 갖춤'은 변괘인 감괘(坎卦☵)에서 취하였고, '위엄으로 함'은 굳센 양의 상을 취한 것이다.

이진상(李震相) 『역학관규(易學管窺)』

爻變坎, 故言有孚, 陽極, 故言威, 卽家之嚴君.

효가 감괘(坎卦☵)로 변했으므로 '믿음이 있음'을 말하였고, 양이 지극하므로 '위엄'을 말했으니, 집안의 엄한 어른이다.

象曰, 威如之吉, 反身之謂也.

「상전」에서 말하였다: 위엄으로 하여 길함은 자신에게 돌이킴을 말한다.

‖中國大全‖

傳

治家之道, 以正身爲本. 故云反身之謂. 爻辭謂治家, 當有威嚴, 而夫子又復戒云當先嚴其身也, 威嚴, 不先行於己則人怨而不服. 故云威如而吉者, 能自反於身也, 孟子所謂身不行道, 不行於妻子也.

집안을 다스리는 도는 자신을 바르게 하는 것으로 근본을 삼는다. 그러므로 "자신에게 돌이킴을 말한다"고 하였다. 효사에서는 "집안을 다스림에는 위엄이 있어야 한다"고 했는데, 공자가 다시 경계하여 "먼저 자신에게 엄하게 해야 한다"고 하였으니, 위엄을 먼저 자신에게 행하지 않는다면 남이 원망하고 복종하지 않는다. 그러므로 "위엄으로 하여 길함은 스스로 자신에게 돌이킬 수 있기 때문이다"라고 하였으니, 맹자의 이른바 "몸소 도를 행하지 않으면 처자(妻子)에게 행해지지 않는다"[129]는 것이다.

本義

謂非作威也, 反身自治則人畏服之也.

위엄을 행하는 것이 아니고, 자기에게 돌이켜 스스로를 다스리면 남들이 두려워하고 복종함을 말한다.

---

129) 『맹자・진심』.

小註

南軒張氏曰, 居家人之上, 家人所瞻仰而視效者也. 身不脩則家不可齊, 此家人六爻, 卒歸於反身也. 反身謂何. 言有物而行有恒而已.

남헌장씨가 말하였다: 가인괘의 맨 위에 있으니, 집안사람이 우러러 본받는 사람이다. 자신을 수양하지 않으면 집안을 가지런히 할 수 없으니, 이에 가인괘 여섯효가 마침내 '자신에게 돌이킴'으로 돌아간 것이다. 자신에게 돌이킴은 무엇을 말하는가? 말에 사실이 있고 행동에 일정함이 있음일 뿐이다.

○ 雲峰胡氏曰, 未有不嚴於身而能嚴於家者. 九三嗃嗃之嚴, 有悔而吉. 上九反身之嚴, 終吉无悔.

운봉호씨가 말하였다: 자신에게 엄격하지 않으면서 집안에 엄격하게 할 수 있는 자는 없다. 구삼의 원망하는 엄격함은 후회가 있지만 길하다. 상구의 자신에게 돌이키는 엄격함은 마침내 길하고 후회가 없다.

○ 節齋蔡氏曰, 初與四, 二與五, 皆以柔應剛, 故有順德. 三與上, 以剛遇剛, 故三嗃嗃而上威如也.

절재채씨가 말하였다: 초효와 사효, 이효와 오효는 모두 부드러운 음으로 굳센 양과 호응하므로 순종하는 덕이 있다. 삼효와 상효는 굳센 양으로 굳센 양을 만났으므로 삼효는 원망하고 상효는 위엄으로 한다.

○ 西溪李氏曰, 卦中六爻, 不惟男女之定位, 剛柔之位亦不可易. 上父道, 三母道, 貴嚴, 五夫道貴義. 故以九居之. 四子道, 二婦道, 貴順. 故以六居之. 初女之道, 安得用剛. 蓋女子之未從人也, 當以禮自防. 不然則爲不有躬之女. 故亦以九居之. 剛柔皆當, 所以爲家道之善.

서계이씨가 말하였다: 괘 가운데 여섯 효가 남자와 여자의 자리가 정해졌을 뿐만 아니라, 굳센 양과 부드러운 음의 자리도 또한 바뀔 수 없다. 상효는 아버지의 도이고 삼효는 어머니의 도이니 엄함을 귀하게 여기고, 오효는 남편의 도이니 의리를 귀하게 여긴다. 그러므로 구(九)가 자리하고 있다. 사효는 자식의 도이고 이효는 아내의 도이니, 순함을 귀하게 여긴다. 그러므로 육(六)이 자리하고 있다. 초효는 딸의 도인데 어찌 굳셈을 쓰는가? 대체로 여자가 아직 남편을 따르지 않았기 때문이니, 마땅히 예로써 스스로를 방비해야 한다. 그렇지 않으면 몸을 지키지 못하는 여자가 된다. 그러므로 또한 구(九)가 자리하고 있다. 굳셈과 부드러움이 모두 마땅하니, 이 때문에 가도(家道)의 선함이 되는 것이다.

○ 建安丘氏曰, 家人一卦, 先儒謂內卦三爻, 女子之事也, 外卦三爻, 男子之事也. 女子之道, 始也爲人女, 故初閑有家, 中也爲人婦, 故二在中饋, 終也爲人母, 故三家人嗃嗃, 卽象辭女正位乎內也. 男子之道, 始也爲人子, 故四富家吉, 中也爲人夫, 故王假有家, 終也爲人父, 故上威如吉, 卽象辭男正位乎外也.

건안구씨가 말하였다: 가인괘 한 괘를 선유들은 내괘 세 효는 여자의 일이고, 외괘 세 효는 남자의 일이라고 하였다. 여자의 도는, 처음은 딸이 되므로 초효에서는 "집안을 이룸에 방비한다"고 하고, 중간은 아내가 되므로 이효에서는 "집안에서 먹인다"고 하고, 끝은 어머니가 되므로 삼효에서는 "가인이 원망한다"고 하니, 곧 「단전」의 '여자가 안에서 자리를 바르게 함'이다. 남자의 도는, 처음은 아들이 되므로 사효에서는 "집안을 부유하게 하니 길하다"고 하고, 중간은 남편이 되므로 "왕이 집에 이른다"고 하고, 끝은 아버지가 되므로 상효에서는 "위엄으로 하면 길하다"고 하니, 곧 「단전」의 '남자가 밖에서 자리를 바르게 함'이다.

▌韓國大全▐

유정원(柳正源) 『역해참고(易解參攷)』

趙氏曰, 世固有嚴於處家而未知所以反身者, 或至於上下胥怨, 而父子亦不用其情, 豈易之所謂威如哉.

조씨가 말하였다: 세상에는 참으로 집에서 지낼 때는 엄격하지만 자신에게 돌이킬 줄을 모르는 사람이 있어서, 간혹 위와 아래가 서로 원망하고 아버지와 자식도 그 정분을 쓰지 않게 되니, 어찌 『주역』의 이른바 위엄으로 하는 것이겠는가?

김상악(金相岳) 『산천역설(山天易說)』

反身自治, 則家人无不孚者矣.

자신에게 돌이켜 스스로 다스린다면, 집안사람들이 믿지 못함이 없을 것이다.

○ 家人, 睽之反也, 弦木爲弧, 剡木爲矢, 弧矢之利, 以威天下. 故爻曰威如. 象曰反身, 射儀, 射者仁之道也, 射求正諸己, 己正而發, 發而不中, 則不怨勝己者, 反求諸己者, 是也. 故蹇之象曰, 反身修德, 蹇又對睽也.

가인괘는 규괘(睽卦☲)가 반대로 된 괘인데, 규괘는 나무에 시위 걸어 활을 만들고 나무를 깎아서 화살을 만들어 활과 화살의 이로움으로 천하를 위협한다. 그러므로 효에서 '위엄으로 함'을 말하였다. 「상전」의 '자신에게 돌이킴'은, 『예기(禮記)·사의(射儀)』에서 "활쏘기는 인(仁)의 길이니, 활을 쏨에 자기에게서 바름을 구해야 한다. 자기가 바른 뒤에 쏘고 쏘아서 맞지 않아도 자기보다 나은 자를 원망하지 않고 돌이켜 자기에게서 찾는다"고 한 것이 이것이다. 그러므로 건괘(蹇卦☲)의 「대상전」에서 "자신에게 돌이켜서 덕을 닦는다"[130]고 하였으니, 건괘(蹇卦)는 다시 규괘(睽卦)가 음양이 바뀐 괘이다.

서유신(徐有臣) 『역의의언(易義擬言)』

夫子恐人之不達威字, 以嚴傷恩. 故訓之曰, 反身之謂也. 身者, 家之本也, 反身而正, 則不怒而威也. 身九三象, 在應位而得正也.

공자는, 사람들이 위엄[威]이라는 말을 이해하지 못하여 위엄으로 은혜를 해칠까 염려하였다. 그러므로 해석하여 "자신에게 돌이킴을 말한다"고 하였다. 자신은 집안의 근본이니, 자신에게 돌이켜서 바르다면 노하지 않아도 위엄이 있다. 몸은 구삼의 상이니, 호응하는 자리에 있으면서 바름을 얻었다.

이항로(李恒老) 『주역전의동이석의(周易傳義同異釋義)』

傳, 爻辭謂治家, 當有威嚴, 而夫子又復戒云當先嚴其身也.

『정전』에서 말하였다: 효사에서는 '집안을 다스림에는 위엄이 있어야 한다'고 했는데, 공자가 다시 경계하여 '먼저 자신에게 엄하게 해야 한다'고 하였다.

本義, 謂非作威也, 反身自治, 則人畏服之矣.

『본의』에서 말하였다: 위엄을 행하는 것이 아니고, 자기에게 돌이켜 스스로를 다스리면 남들이 두려워하고 복종함을 말한다.

按, 傳則謂威當先身 本義謂身修是威 二說小異 當詳之

내가 살펴보았다: 『정전』은 "위엄은 자신에게 먼저 해야 한다"고 하고, 『본의』는 "자신을 닦음이 위엄이다"라고 하였다. 두 설명이 조금 다르니, 자세히 보아야 한다.

---

130) 『周易·蹇卦』: 象曰, 山上有水, 蹇, 君子以, 反身脩德.

박종영(朴宗永) 「경지몽해(經旨蒙解)·주역(周易)」

傳曰, 威如而吉者, 能自反於身也, 孟子所謂身不行道, 不行於妻子也.
『정전』에서 말하였다: 위엄으로 하여 길한 것은 스스로 자신에게 돌이킬 수 있기 때문이니, 맹자의 이른바 "몸소 도를 행하지 않으면 처자에게도 행해지지 않는다"는 것이다.

噫, 治家乃脩身齊家之事, 天下治平, 必本於此, 其可忽諸.
아! 집안을 다스림은 몸을 닦아서 집안을 가지런히 하는 일이지만, 천하가 다스려지고 평안해짐은 반드시 여기에 근본 하니 소홀할 수 있겠는가?

심대윤(沈大允) 『주역상의점법(周易象義占法)』

反身而無不善. 故終得一家之尊信而敬畏之矣, 詳見大有與觀義, 坎巽, 皆自艮來, 反身者, 自反其本也.
자신에게 돌이켜서 선하지 않음이 없다. 그러므로 마침내 온 집안이 높여서 믿고 삼가 두려워하니, 자세한 것은 대유괘(大有卦☲☰)와 관괘(觀卦☴☷)의 뜻에 보인다. 감괘(坎卦☵)와 손괘(巽卦☴)는 모두 간괘(艮卦☶)에서 왔고, 자신에게 돌이킴은 스스로 근본을 돌이킴이다.

오치기(吳致箕) 「주역경전증해(周易經傳增解)」

反身而自治, 先嚴則家人有不威之畏矣.
자신에게 돌이켜서 스스로 다스림이니, 엄격함을 앞세운다면 집안사람들이 위엄이 없는데도 두려워함이 있을 것이다.

박문호(朴文鎬) 「경설(經說)·주역(周易)」

非作威, 言非作威於人也.
『본의』의 "위엄을 행하는 것이 아니다"는 사람들에게 위엄을 행하는 것이 아니라고 말한 것이다.

이병헌(李炳憲) 『역경금문고통론(易經今文考通論)』

上九, 有孚威如, 終吉.
상구는 믿음을 갖고 위엄으로 하면 마침내 길하리라.

象曰, 威如之吉, 反身之謂也.
「상전」에서 말하였다: 위엄으로 하여 길함은 자신에게 돌이킴을 말한다.

程傳曰, 中有孚信, 則能常久, 而衆人自化, 必有威嚴, 則能終吉.
『정전』에서 말하였다: 마음속에 믿음이 있어야 항구할 수 있고, 여러 사람들이 스스로 교화되며, 반드시 위엄이 있어야 마침내 길할 수 있다.

本義曰, 謂非作威也, 反身自治, 則人畏服之矣.
『본의』에서 말하였다: 위엄을 행하는 것이 아니고, 자신에게 돌이켜 스스로 다스리면 남들이 두려워하고 복종함을 말한다.

38

규괘

睽卦 ䷥

‖中國大全‖

傳

睽, 序卦, 家道窮必乖, 故受之以睽, 睽者乖也. 家道窮則睽乖離散, 理必然也, 故家人之後受之以睽也. 爲卦上離下兌, 離火炎上, 兌澤潤下, 二體相違, 睽之義也. 又中少二女, 雖同居而所歸各異, 是其志不同行也, 亦爲睽義.

규괘(睽卦)는 「서괘전」에 "집안의 도(道)가 다하면 반드시 어그러지므로 규괘로 받았으니, 규(睽)는 어그러짐이다"라고 하였다. 집안의 도가 다함에 어긋나 흩어짐은 이치가 반드시 그러하므로 가인괘(家人卦䷤)의 뒤에 규괘(睽卦䷥)로 받았다. 괘는 위가 리괘(離卦☲)이고 아래가 태괘(兌卦☱)이니, 리괘인 불은 타오르고 태괘인 못은 적시어 내려가서 두 몸체가 서로 어긋남이 규괘의 뜻이다. 또 둘째 딸과 막내딸이 비록 함께 있지만 시집가는 곳이 각각 다르니, 그 뜻이 함께 가지 않는 것이 또한 규괘의 뜻이 된다.

小註

沙龜程氏曰, 水火相違, 山澤通氣, 而火澤无相用之理, 故相遇則革, 不相遇則睽.

사구정씨가 말하였다: 물과 불은 서로 어기고 산과 못은 기운을 통하는데, 불과 못은 서로 쓰이는 이치가 없으므로 서로 만나면 혁괘(革卦䷰)가 되지만, 서로 만나지 못하면 규괘(睽卦䷥)가 된다.

‖韓國大全‖

김기례(金箕澧) 「역요선의강목(易要選義綱目)」[1]

睽, 乖也, 家道窮則睽乖離散, 火炎上澤潤下, 相違而睽.

䷥규는 어그러짐이니, 집안의 도는 다하면 어긋나 흩어진다. 불은 위로 타오르고 못은 아래

로 적시니, 서로 어긋나 어그러진다.

이진상(李震相) 『역학관규(易學管窺)』[2]

卦體, 家人之反也. 中女上而少女下, 又以服事於內.

괘의 몸체가 가인괘(家人卦☲☴)의 거꾸로 된 괘이다. 둘째 딸이 위에 있고 막내딸이 아래에 있으니, 또한 안에서 모시는 것이다.

---

[2] 경학자료집성DB에서는 규괘 '단사'에 해당하는 것으로 분류했으나, 내용에 따라 이 자리로 옮겨왔다.

睽, 小事, 吉.

규(睽)는 작은 일은 길하다.

|中國大全|

傳

睽者, 睽乖離散之時, 非吉道也, 以卦才之善, 雖處睽時而小事吉也.

규는 어긋나고 흩어지는 때이니 길한 도가 아니지만, 괘의 재질이 선하기 때문에 비록 어긋나는 때라도 작은 일은 길하다.

小註

程子曰, 睽卦不見四德, 蓋不容著四德. 繫言小事吉者, 止是方睽之時, 猶足以致小事之吉, 不成終睽而已, 須有濟睽之道.

정자가 말하였다: 규괘에 사덕이 나오지 않는 것은 사덕을 받아들이지 않기 때문이다. 괘사에서 "작은 일은 길하다"고 말한 것은 단지 어긋나려는 때에는 오히려 작은 일의 길함은 이룰 수 있어서 끝까지 어그러지지만 않을 뿐이니, 모름지기 어그러짐을 구제하는 도가 있어야 한다.

本義

睽, 乖異也. 爲卦上火下澤, 性相違異, 中女少女志不同歸, 故爲睽. 然以卦德言之, 內說而外明, 以卦變言之, 則自離來者, 柔進居三, 自中孚來者, 柔進居五, 自家人來者, 兼之. 以卦體言之, 則六五得中而下應九二之剛, 是以其占不可大事, 而小事尙有吉之道也.

‘규(睽)’는 어긋나 다름이다. 괘가 위는 불이고 아래는 못이어서 성질이 서로 어긋나 다르며, 둘째 딸과 막내딸의 뜻이 같은 곳으로 돌아가지 않으므로 어긋남이 된다. 그러나 괘의 덕으로 말하면 안은 기뻐하고 밖은 밝으며, 괘의 변화로 말하면 리괘(離卦☲)에서 온 것은 부드러운 음이 나아가 삼효 자리에 있고, 중부괘(中孚卦☲)에서 온 것은 부드러운 음이 나아가 오효 자리에 있으며, 가인괘(家人卦☲)에서 온 것은 이것을 겸하였다. 괘의 몸체로 말하면 육오가 가운데를 얻고 아래로 굳센 구이 와 호응하니, 이 때문에 그 점이 큰일은 할 수 없지만 작은 일에는 오히려 길한 도가 있다.

小註

建安丘氏曰, 小事吉, 柔爲卦主也, 凡卦陽剛爲主, 則可以大事. 睽合兌離成卦, 而柔進 乎五, 其才不能大有所爲. 故以之處小事, 則猶可得吉也.
건안구씨가 말하였다: 작은 일에 길한 것은 부드러운 음이 괘의 주인이 되기 때문이니, 굳센 양이 주인이 되는 괘들은 큰일을 할 수 있다. 규괘는 태괘(兌卦☱)와 리괘(離卦☲)가 합하 여 괘를 이루고, 부드러운 음이 오효의 자리에 나아갔으니, 그 재질이 크게 일을 행할 수는 없다. 그러므로 이것으로 작은 일에 대처하면 오히려 길함을 얻을 수 있다.

○ 孔氏曰, 大事, 謂興役動衆, 必須大同之世, 方可爲. 小事, 謂飮食衣服, 不待衆力, 雖睽而可. 故曰小事吉.
공씨가 말하였다: 큰일은 부역을 일으키고 대중을 움직이는 것을 말하니, 반드시 대동(大 同)의 세상이라야 할 수 있다. 작은 일은 음식과 의복을 말하니, 대중의 힘이 필요하지 않아 비록 어긋나더라도 할 수 있다. 그러므로 “작은 일은 길하다”고 하였다.

○ 雲峰胡氏曰, 中女少女志, 不同歸爲睽. 長女中女, 亦非同歸, 而曰家人, 何也. 家 人離之陰在二, 巽之陰在四, 女正者也. 睽則兌陰在三, 離陰在五, 不正矣. 女正, 家无 不正, 女不正, 此象之所以睽也. 睽小事吉者, 小過柔過乎剛, 故可小事, 不可大事, 睽 柔進而居剛, 故亦小事吉而已.
운봉호씨가 말하였다: 둘째 딸과 막내딸의 뜻이 같은 곳으로 돌아가지 않기 때문에 규괘(睽 卦)가 된다. 맏딸과 둘째 딸도 같은 곳으로 돌아가지 않는데, ‘가인(家人☲)’이라고 한 것은 어째서인가? 가인은 리괘(離卦☲)의 음이 이효의 자리에 있고, 손괘(巽卦☴)의 음이 사효 의 자리에 있으니, 여자가 바른 것이다. 규괘는 태괘(兌卦☱)의 음이 삼효의 자리에 있고, 리괘의 음이 오효의 자리에 있으니, 바르지 않다. 여자가 바르면 집안은 바르지 않음이 없지 만, 여자가 바르지 않기에 상이 어그러진 것이다. “규는 작은 일은 길하다”는, 소과괘(小過 卦☳)는 부드러운 음이 굳센 양보다 많으므로 작은 일은 할 수 있고 큰일은 할 수 없지만,

규괘는 부드러운 음이 나아가 굳센 양의 자리에 있으므로 또한 작은 일이 길한 것이다.

○ 中溪張氏曰, 離下兌上爲革, 兌下離上爲睽. 革以九居五而六居二, 剛柔得位. 故曰元亨利貞. 睽以六居五而九居二, 剛柔失位. 故曰小事吉. 若革之九五, 則可以大有爲矣, 湯武之革命, 順天而應人, 是也.

중계장씨가 말하였다: 리괘(離卦☲)가 아래에 있고 태괘(兌卦☱)가 위에 있으면 혁괘(革卦䷰)가 되고, 태괘가 아래에 있고 리괘가 위에 있으면 규괘(睽卦䷥)가 된다. 혁괘는 구(九)가 오효의 자리에 있고 육(六)이 이효의 자리에 있으니, 굳센 양과 부드러운 음이 제자리를 얻었다. 그러므로 "크게 형통하고 바름이 이롭다"고 하였다. 규괘는 육(六)이 오효의 자리에 있고 구(九)가 이효의 자리에 있으니, 굳센 양과 부드러운 음이 제자리를 잃었다. 그러므로 "작은 일은 길하다"고 하였다. 혁괘의 구오와 같은 것은 크게 일을 행할 수 있으니, 하늘을 따르고 사람의 마음에 부응한 탕임금과 무왕의 혁명이 이것이다.

韓國大全

송시열(宋時烈) 『역설(易說)』[3]

從目作字, 卦有兩離象, 兩目相睨爲睽. 乖卦爲睽, 則甚事可做, 而但有二五相應之義, 故小事則吉也.

'목(目)'자로부터 글자가 이루어졌고, 괘에 리괘(☲)의 상이 둘이 있으니, 두 눈이 서로 노려봄이 규괘(睽卦)가 된다. 어긋나는 괘가 규괘가 되니, 어떤 일을 할 수 있겠는가? 그렇지만 단지 이효와 오효가 서로 호응하는 뜻이 있으므로 작은 일은 길한 것이다.

이익(李瀷) 『역경질서(易經疾書)』

火性炎, 故燃則必上, 澤性潤, 故滲則必下. 纔動便爾, 則其未動之志可見. 然相背則害止於睽, 相息則滅, 故革甚於睽. 小過柔得中, 故可小事, 剛失位, 故不可大事. 其得中失位, 與此卦同, 而此不言不可大事者, 時也. 小過六爻, 凶三旡咎一勿用一, 其大事之

不可也定矣. 此卦雖无純吉, 而猶可以有事也. 雖非大事之必可爲 而其於事勢之不獲已, 猶可委曲處之, 如遇主于巷者也. 三女之卦, 巽爲長女, 故無巽不如有巽, 失序不如得序. 有巽而失序, 故鼎大過不如家人中孚也, 无巽故睽革皆不吉, 而失序故革甚於睽, 李光地所謂家有嫡長有所統率是也.

불은 타오르는 성질이 있으므로 불이 나면 반드시 올라가고, 못은 적시는 성질이 있으므로 스며들면 반드시 내려간다. 움직이자마자 바로 그러하니, 움직이지 않았을 때의 뜻도 알 수 있다. 그러나 서로 등진다면 해가 어긋남에 그치지만, 서로 없애버리면 소멸하므로 혁괘(革卦䷰)가 규괘(睽卦䷥)보다 심한 것이다. 소과괘(小過卦䷽)는 부드러운 음이 가운데 있으므로 작은 일을 할 수 있지만, 굳센 양은 제자리를 잃었으므로 큰 일을 할 수 없다. 부드러운 음이 가운데 있고 굳센 양이 제자리를 잃은 점은 규괘(睽卦䷥)도 같은데, 여기서는 큰일을 할 수 없다고 말하지 않은 것은 어긋나는 때이기 때문이다. 소과괘의 여섯 효는 흉한 것이 셋이고 허물없는 것이 하나이고 쓸 수 없는 것이 하나이니, 큰일을 할 수 없는 것이 정해졌다. 이 괘는 비록 순수하게 길함은 없지만, 여전히 일을 할 수는 있다. 비록 큰일을 반드시 행할 수 있는 것은 아니더라도, 일의 형세에 부득이한 경우에는 여전히 곡진하게 처리할 수 있으니 임금을 거리에서 만남과 같은 것이다. 딸을 뜻하는 세 개의 괘에서 손괘(巽卦☴)는 맏딸이 되므로 손괘가 없는 것은 손괘가 있는 것만 못하고, 차례를 잃은 것은 차례를 얻은 것만 못하다. 손괘가 있으면서 차례를 잃었기 때문에 정괘(鼎卦䷱)와 대과괘(大過卦䷛)가 가인괘(家人卦䷤)와 중부괘(中孚卦䷼)만 못하며, 손괘(巽卦☴)가 없기 때문에 규괘와 혁괘가 모두 길하지 않고, 차례를 잃었기 때문에 혁괘가 규괘보다 심하니, 이광지(李光地)의 이른바 "집안에 맏아들이 있어야 통솔됨이 있다"는 것이다.

유정원(柳正源) 『역해참고(易解參攷)』

隆山李氏曰, 睽革二卦, 以離兌相遇一也, 睽止曰小事吉, 革乃曰元亨利貞, 何也. 睽六居五九居二, 革九居五六居二, 睽剛柔失位, 而革剛柔得位故也.

융산이씨가 말하였다: 규괘(睽卦䷥)와 혁괘(革卦䷰)는 리괘(離卦☲)와 태괘(兌卦☱)가 서로 만났다는 점에서 같은데, 규괘에서는 단지 "작은 일은 길하다"고 하고, 혁괘에서는 이내 "크게 형통하고 곧아야 이롭다"라고 한 것은 어째서인가? 규괘는 육(六)이 오효의 자리에 있고 구(九)가 이효의 자리에 있으며, 혁괘는 구(九)가 오효의 자리에 있고 육(六)이 이효의 자리에 있어서, 규괘는 굳셈과 부드러움이 자리를 잃었고, 혁괘는 굳셈과 부드러움이 제자리를 얻었기 때문이다.

○ 雙湖胡氏曰, 睽以二陰爻成卦, 陰爲小, 又志不相合, 唯可施之於小事而已. 故曰小事吉. 睽者, 家人之反也, 以離遇巽者, 二變而爲以兌遇離矣. 風火相得, 離巽二女皆正, 故爲家人, 火澤不相爲用, 兌離二女皆不正, 故成睽異.

쌍호호씨가 말하였다: 규괘(睽卦䷥)는 두 개의 음효로 괘를 이루었는데, 음은 작은 것이 되고 또한 뜻이 서로 맞지 않으니, 오직 작은 일에만 시행할 수 있을 뿐이다. 그러므로 "작은 일은 길하다"고 하였다. 규괘는 가인괘(家人卦䷤)의 거꾸로 된 괘이니, 리괘(離卦☲)가 손괘(巽卦☴)를 만난 것[가인괘]에서 두 효가 변하여 태괘(兌卦☱)로 리괘(離卦☲)를 만나게 되었다. 바람과 불이 서로 얻으며 리괘와 손괘의 두 여자가 모두 바르기 때문에 가인이 되고, 불과 못이 서로 작용하지 않으며 태괘와 리괘의 두 여자가 모두 바르지 못하기 때문에 규괘의 다름을 이루었다.

○ 案, 象傳曰時用大, 卦辭曰小事吉, 以卦言則剛柔失位, 故小吉, 以理言則物異本同, 故用大.

내가 살펴보았다: 「단전」에서 "때와 쓰임이 크다"고 하고, 괘사에서 "작은 일은 길하다"고 하였는데, 괘로 말하면 굳센 양과 부드러운 음이 제자리를 잃었으므로 작은 일에 길하고, 이치로 말하면 사물이 다르지만 본래는 같으므로 쓰임이 크다.

김상악(金相岳) 『산천역설(山天易說)』

火澤相違, 所以成睽, 剛柔相應, 所以治睽也. 卦德內說而外明, 卦變柔進而應剛. 故雖處睽時, 而小事尙有吉之道也.

불과 못이 서로 어긋나기에 어긋남이 이루어지는 것이고, 굳센 양과 부드러운 음이 서로 호응하기에 어긋남이 다스려지는 것이다. 괘의 덕은 안에서는 기뻐하고 밖으로는 밝으며, 괘의 변화는 부드러운 음이 나아가 굳센 양과 호응한다. 그러므로 비록 어긋나는 때에 있어도, 작은 일에는 오히려 길한 도(道)가 있다.

○ 睽乖之時, 柔上行而得中. 故小事吉, 與小過同. 然不言不可大事者, 有剛中之應也. 故象傳言時用之大.

어긋난 때에 부드러운 것이 위에서 운행하며 알맞음을 얻었다. 그러므로 작은 일은 길하니, 소과괘(小過卦䷽)와 같다. 그러나 큰일을 행할 수 없다고 말하지 않은 것은 굳세고 알맞은 양과 호응함이 있기 때문이다. 그러므로 「단전」에서 '때와 쓰임이 큼'을 말하였다.

서유신(徐有臣) 『역의의언(易義擬言)』

火動澤動, 義則睽也, 剛中柔中, 志則通也. 厥象皆陰卦, 故其吉, 唯小事也.

불도 움직이고 못도 움직이니 의미로는 어긋나고, 굳센 양도 가운데 있고 부드러운 음도 가운데 있으니 뜻으로는 통한다. 그 상이 모두 음괘(陰卦)이기 때문에 그 길한 것이 오직 작은 일일 뿐이다.

박문건(朴文健) 『주역연의(周易衍義)』

剛柔雖乖, 居尊得中. 故小事爲吉.
굳셈과 부드러움이 비록 어긋나지만, 존귀한 자리에 있고 가운데 있다. 그러므로 작은 일에는 길하게 된다.

이지연(李止淵) 『주역차의(周易箚疑)』

君子之與小人, 不可不睽也, 善之與惡, 不可不睽也, 事多有睽而吉者.
군자와 소인은 어긋나지 않을 수 없으며, 선과 악은 어긋나지 않을 수 없으니, 일에는 어긋나서 길한 것이 많다.

김기례(金箕澧) 「역요선의강목(易要選義綱目)」

小事, 吉.
작은 일은 길하다.

中小二女, 異志同居, 則如興役動衆等大事不可同, 衣服飲食等小事可同.
둘째 딸과 막내딸이 뜻을 달리하며 함께 있으니, 부역을 일으키고 무리를 움직이는 것과 같은 큰일은 함께 할 수 없지만, 의복과 음식과 같은 작은 일은 함께 할 수 있다.

○ 陰居五, 陽居二, 剛柔失位. 故曰小事吉.
음은 오효의 자리에 있고, 양은 이효의 자리에 있어서 굳센 양과 부드러운 음이 제자리를 잃었다. 그러므로 "작은 일은 길하다"고 하였다.

심대윤(沈大允) 『주역상의점법(周易象義占法)』

凡事之小目, 不可不異, 而大綱, 不可不同. 故以睽之道, 治小事則吉也. 离爲小, 下卦之對有巽爲事.

모든 일에 작은 조목은 다르지 않으면 안 되지만, 큰 강목은 같지 않으면 안 된다. 그러므로 규괘(睽卦)의 도는 작은 일을 다스리면 길하다. 상괘인 리괘(離卦☲)는 작음이 되고, 하괘를 거꾸로 하면 손괘(巽卦☴)가 있으니 일이 된다.

오치기(吳致箕) 「주역경전증해(周易經傳增解)」

睽, 乖異也. 亦謂反目, 而人不相合則反目也. 火炎上而居于上, 澤潤下而居于下, 各以其性, 不相爲謀, 有睽乖之象. 二女居雖同, 而歸則異, 故亦有睽異之象也. 家人則巽陰居四, 離陰居二, 皆得正位, 而睽自家人反, 則兌陰居三, 離陰居五, 皆非當位, 亦有乖異之象也. 二體皆柔, 柔居尊而應剛, 故言小事吉.

규는 어긋나고 다름이다. 또한 반목함을 말하니, 사람들은 서로 화합하지 않으면 반목한다. 불이 위로 타올라 위에 있고 못이 아래를 적시어 아래에 있어서 각각 특성대로 하고 서로 도모하지 않으니, 어긋나 어그러지는 상이 있다. 두 여자가 비록 같은 곳에 있어도 돌아갈 곳은 다르므로 또한 어긋나 달라지는 상이 있다. 가인괘(家人卦☲)는 손괘(巽卦☴)의 음이 사효에 자리하고 리괘(離卦☲)의 음이 이효에 자리하여 모두 바른 자리를 얻었다. 그런데 규괘(睽卦☲)는 본래 가인괘와 반대여서 태괘(兌卦☱)의 음이 삼효에 자리하고 리괘(離卦☲)의 음이 오효에 자리하여 모두 마땅한 자리가 아니니, 또한 어긋나 달라지는 상이 있다. 두 몸체가 모두 부드럽고, 부드러운 음이 존귀한 자리에 있으면서 굳센 양과 호응하므로 "작은 일은 길하다"고 하였다.

○ 卦義睽乖, 故不言亨, 離兌俱失其正, 故不言貞.
괘의 뜻이 어긋남이므로 형통함을 말하지 않았고, 리괘(離卦☲)와 태괘(兌卦☱)가 모두 바른 자리를 잃었으므로 곧음을 말하지 않았다.

象曰, 睽, 火動而上, 澤動而下, 二女同居, 其志不同行.

「단전」에서 말하였다: 규(睽)는 불이 움직여 올라가고 못이 움직여 내려가며, 두 여자가 함께 있으나 그 뜻이 한 가지로 행해지지 않는다.

中國大全

傳

象先釋睽義, 次言卦才, 終言合睽之道, 而贊其時用之大. 火之性, 動而上, 澤之性, 動而下, 二物之性, 違異, 故爲睽義. 中少二女, 雖同居, 其志不同行, 亦爲睽義. 女之少也, 同處, 長則各適其歸, 其志異也. 言睽者, 本同也, 本不同, 則非睽也.

「단전」에서 먼저는 규(睽)의 뜻을 해석하고 다음에는 괘의 재질을 말하고 끝에는 어그러짐을 합하는 도를 말하여 때[時]와 쓰임[用]의 큼을 칭찬하였다. 불의 성질은 움직여 올라가고 못의 성질은 움직여 내려가서, 두 물건의 성질이 어긋나고 다르므로 규의 뜻이 된다. 둘째 딸과 막내딸이 비록 함께 있지만 그 뜻이 한 가지로 행해지지 않으니, 또한 규의 뜻이 된다. 여자가 어렸을 때에는 함께 거처하다가 크면 각자 시집을 가니, 그 뜻이 다르다. "어긋났다[睽]"고 하는 것은 본래는 같았던 것이니, 본래부터 같지 않았다면 어긋난 것이 아니다.

本義

以卦象, 釋卦名義.

괘의 상으로 괘의 이름을 해석하였다.

小註

臨川吳氏曰, 燎而麗于高上之處者火也, 流而潴于卑下之地者澤也. 故曰動而上, 動而下, 此二物之性, 睽異也. 婦人以嫁爲行, 少則同處, 長則各有夫家. 故曰同居不同行,此二女之志, 睽異也.

임천오씨가 말하였다: 빛나며 높게 위에 걸린 것이 불이고, 흘러가 낮게 아래에 고인 것이 못이다. 그러므로 "움직여 위로 올라가고 움직여 내려간다"고 하였으니, 이것은 두 물건의 성질이 어긋나고 다른 것이다. 부인(婦人)은 시집감이 행함이 되니, 어렸을 때는 함께 거처하지만 크면 각각 지아비의 집이 있다. 그러므로 "함께 있으나 한가지로 행해지지 않는다"고 하였으니, 두 여자의 뜻이 어긋나 다른 것이다.

○ 林氏栗曰, 離火兌澤, 同賦形於天地, 中女季女, 同鞠育於閨門, 其始未嘗不同也. 火性炎上, 澤性潤下, 中女儷坎, 季女妃艮, 其終未嘗不睽也.

임률이 말하였다: 리괘(離卦☲)인 불과 태괘(兌卦☱)인 못이 천지에서 함께 형체를 부여받고, 둘째 딸과 막내딸이 가정[閨門]에서 함께 훈육되니, 그 처음은 같지 않은 적이 없다. 불의 성질은 타오르고 못의 성질은 적셔 내려가며, 둘째 딸은 감괘(坎卦☵)와 짝하고 막내딸은 간괘(艮卦☶)와 짝하니 그 끝은 어긋나지 않음이 없다.

○ 中溪張氏曰, 火澤无相得之性, 二女有難和之情, 所以爲睽.

중계장씨가 말하였다: 불과 못은 서로 맞는 성질이 없고, 두 여자는 화합하기 어려운 정이 있으니, 이 때문에 어긋나게 된다.

‖韓國大全‖

유정원(柳正源) 『역해참고(易解參攷)』[4]

火動 [至] 同行.

불이 움직여 올라가고, … 한 가지로 행해지지 않는다.

周子曰, 家人離, 必起於婦人. 故睽次家人, 以二女同居而志不同行也. 堯所以釐降二女于嬀汭, 舜可禪乎吾玆試矣, 是治天下觀于家.

주자가 말하였다: 가인(家人)이 흩어짐은 반드시 부인에게서 기인한다. 그러므로 규괘(睽卦)가 가인괘(家人卦☲)에 다음 순서가 됨은 두 여자가 함께 있으나 뜻이 한 가지로 행해지지 않기 때문이다. 요임금이 두 딸을 규예에서 신하에게 시집보낸5) 것은 순(舜)에게 선양할 수 있는지를 시험함이니, 천하를 다스림에 집안을 살핀 것이다.

○ 案, 革鼎家人, 皆是二女同居, 而獨於睽言之, 何也. 世革則婦姑相繼, 鼎養則妻妾共務, 家人則各得其位, 二女同居, 固无所害, 而睽以乖異爲義, 所以取不同行之義也.
내가 살펴보았다: 혁괘(革卦☲)와 정괘(鼎卦☲)와 가인괘(家人卦☲)는 모두 두 여자가 함께 있는데, 규괘(睽卦)에서만 이를 말한 것은 어째서인가? 세상이 개혁되면 며느리와 시어머니가 서로 계승하고, 솥으로 기르면 부인과 첩이 함께 일하고, 가인괘는 각각 제자리를 얻어서 두 여자가 함께 있어도 참으로 해로운 것이 없지만, 규괘는 어긋나고 다르다는 의미이기 때문이니, "한 가지로 행해지지 않는다"는 뜻을 취한 것이다.

김상악(金相岳) 『산천역설(山天易說)』

彖曰, 睽, 火動而上, 澤動而下, 二女同居, 其志不同行.
「단전」에서 말하였다: 규(睽)는 불이 움직여 올라가고 못이 움직여 내려가며, 두 여자가 함께 있으나 그 뜻이 한 가지로 행해지지 않는다.

以卦象釋卦名義. 火燥炎上, 澤濕就下, 物性之睽異也. 中女儷坎, 少女配艮, 女志之睽異也.
괘의 상으로 괘의 이름을 해석하였다. 불의 건조함은 위로 타오르고 못의 습함은 아래로 나아가니, 사물의 성격이 어긋나서 다르다. 둘째 딸은 감괘(坎卦☵)에 짝하고 막내딸은 간괘(艮卦☶)에 짝하니, 여자의 뜻이 어긋나서 다르다.

○ 離上兌下, 是火澤之動而違異也, 離南兌西, 是二女之同居而不同行也.
리괘(離卦☲)는 위에 있고 태괘(兌卦☱)는 아래에 있으니, 불과 못의 움직여서 어긋나고 달라진 것이며, 리괘는 남쪽에 있고 태괘는 서쪽에 있으니, 두 여자가 함께 있으나 한 가지로 행해지지 않는 것이다.

---

5) 『書經·堯典』: 帝曰, 我其試哉. 女于時, 觀厥刑于二女, 釐降二女于嬀汭, 嬪于虞, 帝曰欽哉.

서유신(徐有臣) 『역의의언(易義擬言)』

睽, 火動而上, 澤動而下, 二女同居, 其志不同行.

규(睽)는 불이 움직여 올라가고 못이 움직여 내려가며, 두 여자가 함께 있으나 그 뜻이 한 가지로 행해지지 않는다.

此言同而睽也. 二體之睽, 生乎動, 二女之睽, 見乎志. 革變爲睽, 故曰動而上, 動而下也. 六三之志, 在於上九, 六五之志, 在於九二, 是爲不同行也.

이것은 같으면서 어긋남을 말한 것이다. 두 몸체의 어긋남은 움직임에서 생기고, 두 여자의 어긋남은 뜻에서 나타난다. 혁괘(革卦☳)가 변하여 규괘(睽卦☶)가 되었으므로 "움직여 올라가고 움직여 내려간다"고 하였다. 육삼의 뜻은 상구에 있고, 육오의 뜻은 구이에 있으니, 이것이 한 가지로 행해지지 않음이 된다.

박제가(朴齊家) 『주역(周易)』

象傳, 二女同居, 其志不同行.

「단전」에서 말하였다: 두 여자가 함께 있으나 그 뜻이 한 가지로 행해지지 않는다.

傳, 女之少也, 同處, 長則各適其歸.

『정전』에서 말하였다: 여자가 어렸을 때에는 함께 거처하다가 크면 각자 시집을 간다.

案, 在卦當論現在之睽, 不當說過去與將來. 旣曰同處, 則乃未嫁之女, 先有各適之志耳, 雖曰不同, 何至爲睽. 畢竟中女儷坎, 季女配艮, 後亦未必睽. 經之云者, 乃同事一夫之二女, 如妻妾之謂耳. 故曰同居女之相妬, 乃所謂睽也.

내가 살펴보았다: 괘에서는 현재의 어긋남을 논해야 마땅하지, 과거나 미래를 말하는 것은 마땅치 않다. 이미 "함께 거처한다"고 했으면 바로 시집가지 않은 여자가 먼저 각자에게 맞는 뜻을 가지고 있을 뿐이니, 비록 "같지 않다"고는 하더라도, 어찌 어긋남이 된다고 하겠는가? 마침내 둘째 딸은 감괘(坎卦☵)와 짝하고 막내딸은 간괘(艮卦☶)와 짝하니, 뒤에도 반드시 어긋나는 것은 아니다. 경전에서 말한 것은 바로 함께 한 남편을 섬기는 두 여자이니, 부인과 첩을 말함과 같을 뿐이다. 그러므로 "동거하는 여자가 서로 시기함이 이른바 어긋남이다"라고 하였다.

박문건(朴文健) 『주역연의(周易衍義)』

象曰, 睽, 火動而上, 澤動而下, 二女同居, 其志不同行.

「단전」에서 말하였다: 규(睽)는 불이 움직여 올라가고 못이 움직여 내려가며, 두 여자가 함께 있으나 그 뜻이 한 가지로 행해지지 않는다.

同居, 言同居一卦之內外也. 此以卦象釋卦名.
'함께 있음'은 한 괘의 안과 밖에 함께 있음을 말한다. 이것은 괘의 상으로 괘의 이름을 해석한 것이다.
〈問, 其志不同行. 曰, 中女其性麗而上, 少女其性說而降也.
물었다: "그 뜻이 한 가지로 행해지지 않는다"는 무슨 뜻입니까?
답하였다: 둘째 딸은 그 성격이 걸려서 올라가고, 막내딸은 그 성격이 기뻐하여 내려온다는 뜻입니다.〉

김기례(金箕澧) 「역요선의강목(易要選義綱目)」

二女同居, 其志不同行.
두 여자가 함께 있으나 그 뜻이 한 가지로 행해지지 않는다.

二女幼則同處, 長必各適. 故志睽而不同.
두 여자가 어리면 함께 있지만, 자라면 반드시 각자 시집간다. 그러므로 뜻이 어긋나 같지 않다.

이진상(李震相) 『역학관규(易學管窺)』

二女同居.
두 여자가 함께 있으나.

周子以堯之釐降二女, 明同居不同行之義, 程子以少也同處長則各歸爲言. 須兼兩義看, 而於志字義, 周說較襯. 夫睽體本同, 有可合之理, 而二女各適, 終於睽吳. 惟嫡媵妻妾之同居一室者, 有寔命不同之嘆, 希恩于寵之心, 此乃其志之不同行者也. 苟其循序而均愛, 則有可合之理, 堯之二女, 是也, 周家樛木之化, 亦可驗矣. 若各適其歸, 則不須言其志, 而勢自然耳.
주자(周子)는 '요임금이 두 딸을 신하에게 시집보낸 것'으로 "함께 있으나 그 뜻이 한 가지로 행해지지 않는다"는 뜻을 밝혔고, 정자(程子)는 '어렸을 때는 함께 거처하다가 크면 각각 시집가는 것'으로 설명했다. 두 의미를 겸해 보아야 하지만, '지(志)'자의 의미에는 주자의 설명이 비교적 가깝다. 어긋난 본체는 본래 같아서 화합할 수 있는 이치가 있지만, 두 여자가 각각 시집간다면 끝내 어긋나 친하지 않게 된다. 오직 본처와 시첩, 아내와 첩이 한 집에 함께 사는 경우에 참으로 운명이 같지 않다는 탄식과 사랑에 대한 은혜를 바라는 마음이 있으니, 이것이 바로 그 뜻이 한 가지로 행해지지 않는 것이다. 참으로 순서를 따라서 골고루 사랑한다면 화합할 수 있는 이치가 있으니, 요임금의 두 딸이 이러한 경우이며, 주나라의 규목(樛木)[6]의 교화로도 증험할 수 있다. 만약 각자 시집가는 것이라면, 그 뜻은 말할 필요도 없이 형세가 절로 그러할 뿐이다.

박문호(朴文鎬) 「경설(經說)・주역(周易)」[7]

暌者, 本同也, 本不同, 則非暌也, 此兩語竭盡暌義, 更無餘蘊, 二女未嫁在家之時, 是本同也.

『정전』의 "어긋난 것은 본래 같았던 것이니, 본래 같지 않았다면 어긋난 것이 아니다"라는 두 말은 규괘의 뜻을 모두 다하여 다시 남김이 없으니, 두 여자가 시집가지 않고 집에 있을 때는 본래 같은 것이다.

---

6) 규목(樛木): 『시경(詩經)・국풍(國風)・주남(周南)』에 나오는 시명(詩名)이다.
7) 경학자료집성DB에서는 규괘 '단사'에 해당하는 것으로 분류했으나, 내용에 따라 이 자리로 옮겨왔다.

說而麗乎明, 柔進而上行, 得中而應乎剛. 是以小事吉.

기뻐하며 밝음에 걸리고, 부드러운 음이 나아가 위로 가서 가운데를 얻어 굳센 양[剛]에 호응한다. 이 때문에 작은 일은 길한 것이다.

‖ 中國大全 ‖

傳

卦才如此, 所以小事吉也. 兌說也, 離麗也, 又爲明, 故爲說順而附麗于明. 凡離在上而象欲見柔居尊者, 則曰柔進而上行, 晉鼎是也. 方睽乖之時, 六五以柔居尊位, 有說順麗明之善, 又得中道而應剛. 雖不能合天下之睽, 成天下之大事, 亦可以小濟, 是於小事吉也. 五以明而應剛, 不能致大吉, 何也. 曰, 五陰柔, 雖應二而睽之時, 相與之道, 未能深固. 故二必遇主于巷, 五噬膚則无咎也, 天下睽散之時, 必君臣剛陽中正, 至誠協力, 而後能合也.

괘의 재질이 이와 같기에 작은 일은 길한 것이다. 태괘(兌卦☱)는 기뻐함이고 리괘(離卦☲)는 걸림이며 또 밝음이 되므로, 기뻐하며 순종하고 밝음에 걸리게 된다. 리괘(離卦)가 위에 있어서 「단전」에서 부드러운 음이 존귀한 자리에 있음을 나타내고자 한 경우에는 "부드러운 음이 나아가 위로 갔다"고 말하니, 진괘(晉卦☲)와 정괘(鼎卦☲)가 이것이다. 어긋나려는 때에는 육오가 부드러운 음으로 존귀한 자리에 있어 기뻐하며 순종하고 밝음에 걸리는 선(善)함이 있고, 또 중도(中道)를 얻어 굳센 양과 호응한다. 비록 천하의 어긋남을 화합하여 천하의 큰일을 이룰 수는 없지만, 또한 작은 것은 이룰 수 있으니, 이것이 작은 일에는 길한 것이다. 오효는 밝음으로 굳센 양에 호응하는데 크게 길함을 이루지 못함은 어째서인가? 오효는 부드러운 음이니, 이효에 호응하더라도 어긋나는 때에 서로 함께 하는 도가 깊고 견고할 수 없다. 그러므로 이효는 반드시 임금을 골목에서 만나고, 오효는 살을 깨물어야만 허물이 없으니, 천하가 어긋나고 흩어지는 때에는 반드시 임금과 신하가 굳센 양으로 중정하고 지극한 정성으로 협력한 뒤에야 화합할 수 있다.

本義

以卦德卦變卦體, 釋卦辭

괘의 덕과 괘의 변화와 괘의 몸체로 괘사(卦辭)를 해석하였다.

小註

臨川吳氏曰, 睽之時, 无所謂吉者. 觀其說而麗乎明, 進而上行, 得中而應剛, 皆柔之爲也. 柔豈能成大事哉. 故其吉者, 小事而已.

임천오씨가 말하였다: 어긋나는 때에는 이른바 길한 것이 없다. '기뻐하며 밝음에 걸리고 나아가 위로 가서 가운데를 얻어 굳센 양에 호응하는' 것을 보면 모두 부드러운 음이 하는 일이다. 부드러운 음이 어찌 큰일을 이룰 수 있겠는가? 그러므로 길한 것이 작은 일일 뿐이다.

○ 雲峰胡氏曰, 火性上動而愈上, 澤性下動而愈下, 此所以爲睽. 家人諸卦, 二女同居者多矣, 以卦體睽, 故以不同行明之. 柔進而上行, 得中而應乎剛, 皆主上離之中言之, 在鼎則曰是以元亨, 在睽則曰是以小事吉. 爻位同而事異, 學者不可不知時也.

운봉호씨가 말하였다: 불의 성질은 위로 움직여서 더욱 올라가고, 못의 성질은 아래로 움직여서 더욱 내려가니, 이것이 규괘(睽卦)가 되는 까닭이다. 가인괘(家人卦☲☴) 등의 여러 괘에 두 여자가 함께 있는 것이 많지만, 괘의 몸체가 어긋나기 때문에 '한가지로 행해지지 않는다'고 밝혔다. '부드러운 음이 나아가 위로 가서 가운데를 얻어 굳센 양[剛]에 호응함'은 모두 상괘인 리괘(離卦☲)의 가운데 효를 위주로 말했으니, 정괘(鼎卦☲☴)에서는 "이 때문에 크게 형통하다"[8]고 하였고, 규괘에서는 "이 때문에 작은 일은 길하다"고 하였다. 효의 자리는 같지만 일이 다르니, 배우는 자는 때를 알지 않으면 안 된다.

┃韓國大全┃

송시열(宋時烈) 『역설(易說)』[9]

象曰, 柔得中應剛, 然柔進而上[10]行云者, 與家人相綜, 家人之六二, 進於睽而爲六五也.

---

8) 『周易·鼎卦』: 象曰, 鼎, 象也, 以木巽火, 亨飪也, 聖人亨, 以享上帝, 而大亨, 以養聖賢. 巽而耳目聰明, 柔進而上行, 得中而應乎剛, 是以元亨.

9) 이 문장 전체는 경학자료집성DB에 누락되어 있으나, 한국경학자료집성 원문을 대조하여 보충하였다.

「단전」에서 "부드러운 음이 가운데 자리를 얻어 굳센 양과 호응한다"고 하였지만, "부드러운 음이 나아가 위로 간다"고 한 것은 가인괘(家人卦䷤)와 위와 아래가 거꾸로 된 괘가 되어 가인괘의 육이가 규괘에 나아가서 육오가 되기 때문이다.

유정원(柳正源) 『역해참고(易解參攷)』[11]

正義, 雖在乖違之時, 有此三德, 可以行小事而獲吉也.

『주역정의』에서 말하였다: 비록 어긋나는 때에 있지만, 이러한 세 가지의 덕이 있기에 작은 일을 행하여 길할 수 있다.

김상악(金相岳) 『산천역설(山天易說)』

以卦德卦變釋卦辭. 柔進上行, 謂六三六五也, 得中, 又主五而言. 說而麗明, 柔之應剛, 所以小事吉也.

괘의 덕과 괘의 변화로 괘사를 해석하였다. '부드러운 음이 나아가 위로 감'은 육삼과 육오를 말하고, '가운데를 얻음'은 또한 오효를 위주로 하여 말한 것이다. 기뻐하며 밝음에 걸리고 부드러운 음으로 굳센 양에 호응하기에 작은 일은 길한 것이다.

김규오(金奎五) 「독역기의(讀易記疑)」

釋彖, 說而麗乎明, 三也, 柔進而上行, 五也. 卦主二陰爻, 陰爲小, 故小事吉.

단사를 해석함에, '기뻐하며 밝음에 걸림'은 삼효이고, '부드러운 음이 나아가 위로 감'은 오효이다. 괘의 주인은 두 음효이고, 음은 작은 것이 되므로 작은 일은 길한 것이다.

서유신(徐有臣) 『역의의언(易義擬言)』

此言睽而同也. 二五之應, 乃其同也, 同故吉也.

이것은 어긋나면서 같음을 말한 것이다. 이효와 오효가 호응함이 바로 같음인데, 같기 때문에 길하다.

---

10) 上: 경학자료집성DB와 영인본에는 '近'으로 되어 있으나, 「단전」에 따라 '上'으로 바로잡았다.

11) 경학자료집성DB에서는 규괘 '단사'에 해당하는 것으로 분류했으나, 내용에 따라 이 자리로 옮겨왔다.

강엄(康儼) 『주역(周易)』

按, 其德內說而外明, 柔進上行, 得中應剛, 則雖大事, 可以得吉, 而只言小事吉者, 何也. 此在睽乖之時故也. 夫當睽[12]乖之時, 上下隔絶, 衆心不附, 而六五, 乃以陰柔居尊, 所與應者, 獨九二陽剛之臣而已, 其可以大有所爲, 如興師動衆之擧乎. 只當料理小事, 修補破敗, 以待大同之運而已. 所以只云小事吉者也.

내가 살펴보았다: 그 덕이 안으로는 기뻐하면서 밖으로는 밝으며, 부드러운 것이 위로 나아가 가운데를 얻어 굳센 양과 호응하니, 비록 큰일이라도 길할 수 있거늘 다만 작은 일에만 길하다고 한 것은 어째서인가? 이는 어긋나는 때에 있기 때문이다. 어긋나는 때에 있으면 위와 아래가 끊어지고 사람들의 마음이 붙어있지 않는데, 육오가 부드러운 음으로 존귀한 자리에 있으면서 함께 호응하는 것은 다만 굳센 양인 구이의 신하일 뿐이니, 크게 하는 것이 있더라도 군사를 일으키고 무리를 움직이는 거사와 같은 것이겠는가? 단지 요리와 같은 작은 일에 마땅하니 부서진 것을 수선하여 크게 같아지는 운세를 기다릴 뿐이다. 그래서 단지 '작은 일은 길하다'고 한 것이다.

박문건(朴文健) 『주역연의(周易衍義)』

明, 謂剛也. 此以卦德卦變卦體釋卦辭.

밝음은 굳센 양을 말한다. 이는 괘의 덕과 괘의 변화와 괘의 몸체로 괘사를 해석한 것이다. 〈問, 卦德卦變卦體, 皆指六五而言歟. 曰, 然. 曰, 有此德則能順剛, 有此位則能保己, 有此道則能得民, 雖大事亦吉. 曰, 以柔得中, 故取小事吉之義也.

물었다: 괘의 덕과 괘의 변화와 괘의 몸체는 모두 육오를 가리켜 말한 것입니까?

답하였다: 그러합니다.

물었다: 이러한 덕이 있으면 굳센 양에 순응할 수 있고, 이러한 지위가 있으면 자기를 보존할 수 있고, 이러한 도가 있으면 백성을 얻을 수 있으니, 비록 큰일이라도 길할 듯합니다.

답하였다: 부드러움으로 가운데를 얻었으므로 '작은 일은 길하다'는 뜻을 취하였습니다.〉

김기례(金箕澧) 「역요선의강목(易要選義綱目)」

說而麗乎明.

기뻐하며 밝음에 걸리고.

釋卦德.

---

12) 睽: 경학자료집성DB에는 '朕'으로 되어 있으나, 문맥을 살펴 '睽'로 바로잡았다.

괘의 덕을 해석하였다.

○ 言二以陽應五陰也.
이효가 양이면서 음인 오효와 호응함을 말하였다.

柔進而上行, 得中而應乎剛.
부드러운 음이 나아가 위로 가서 가운데를 얻어 굳센 양에 호응한다.
卦變自家人來. 六二往居三, 九三來居二而爲剛, 且六四進往居五, 得中而應九二, 應乎剛則剛柔失位, 不可大事.
괘의 변화가 가인괘(家人卦䷤)에서 왔다. 가인괘의 육이가 가서 삼효의 자리에 있고, 구삼이 와서 이효의 자리에 있어 굳센 양이 되었으며, 또한 육사가 나아가 오효의 자리에 있으면서 가운데를 얻어 구이와 호응하여 굳센 양과 호응하니, 굳센 양과 부드러운 음이 제 자리를 잃어서 큰일을 할 수 없다.

심대윤(沈大允) 『주역상의점법(周易象義占法)』

象曰, 睽, 火動而上, 澤動而下, 二女同居, 其志不同行. 說而麗乎明, 柔進而上行, 得中而應乎剛. 是以小事吉.
「단전」에서 말하였다: 규(睽)는 불이 움직여 올라가고 못이 움직여 내려가며, 두 여자가 함께 있으나 그 뜻이 한 가지로 행해지지 않는다. 기뻐하며 밝음에 걸리고, 부드러운 음이 나아가 위로 가서 가운데를 얻어 굳센 양[剛]에 호응한다. 이 때문에 작은 일은 길한 것이다.

六五, 柔中應剛, 而不當位. 故止於小事吉也.
육오는, 부드러운 음이 가운데 있으면서 굳센 양에 호응하지만 자리가 마땅하지 않다. 그러므로 작은 일이 길함에 그쳤다.

최세학(崔世鶴) 「주역단전괘변설(周易象傳卦變說)」

睽象曰, 睽火動而上, 澤動而下, 又曰, 柔進而上行, 得中而應乎剛.
규괘 「단전」에서 "규는 불이 움직여 올라가고 못이 움직여 내려간다"고 하고, 또 "부드러운 음이 나아가 위로 가서 가운데를 얻어 굳센 양에 호응한다"고 하였다.

睽, 乾之二體變也, 三與五二爻爲主. 故象以動而上下進而上行言之. 坤三來居於下體

之上, 是爲澤動而下於火. 坤五往居於上體之中, 是爲火動而上於澤, 又爲柔進得中而
應乎二剛.

규괘(䷥)는 건괘(☰)의 두 몸체가 변한 것이니, 삼효와 오효 두 효가 주인이 된다. 그러므로
「단전」에서 '움직여 올라가고 내려감'과 '나아가 위로 가는 것'으로 말하였다. 곤괘(坤卦䷁)
의 삼효가 와서 하괘 몸체의 위에 있으니, 이는 못이 움직여 불보다 아래로 내려감이 된다.
곤괘(坤卦)의 오효가 가서 상괘 몸체의 가운데에 있으니, 이는 불이 움직여 못보다 위로
올라감이 되고, 또한 부드러운 음이 나아가 가운데를 얻어 굳센 이효와 호응함이 된다.

박문호(朴文鎬) 「경설(經說)・주역(周易)」[13]

柔居尊者之者, 或是位字之誤耶.

『정전』의 '유거존자(柔居尊者)'에서 '자(者)'자는 혹시 '위(位)'자가 잘못된 것이 아닐까?

---

13) 경학자료집성DB에서는 규괘 '단사'에 해당하는 것으로 분류했으나, 내용에 따라 이 자리로 옮겨왔다.

天地, 睽而其事, 同也, 男女, 睽而其志, 通也, 萬物, 睽而其
事, 類也, 睽之時用, 大矣哉.

천지가 어긋나지만 그 일이 같으며, 남녀가 어긋나지만 그 뜻이 통하며, 만물이 어긋나지만 그
일이 유사하니, 규(睽)의 때와 쓰임이 크도다!

中國大全

傳

推物理之同, 以明睽之時用, 乃聖人合睽之道也. 見同之爲同者, 世俗之知也.
聖人則明物理之本同, 所以能同天下而和合萬類也. 以天地男女萬物明之, 天高
地下, 其體睽也, 然陽降陰升, 相合而成化育之事則同也. 男女異質, 睽也, 而相
求之志則通也. 生物萬殊, 睽也, 然而得天地之和稟陰陽之氣則相類也. 物雖異
而理本同. 故天下之大, 群生之衆, 睽散萬殊, 而聖人爲能同之. 處睽之時, 合睽
之用, 其事至大. 故云大矣哉.

사물의 이치가 같음을 미루어서 어긋남의 때와 쓰임을 밝혔으니, 성인이 어긋남을 화합하는 도이다.
같은 것을 같다고 보는 것은 세속의 지혜이다. 성인은 사물의 이치가 본래 같음을 밝혔으니, 천하를
같게 하여 온갖 부류를 화합할 수 있는 것이다. 천지와 남녀와 만물로 밝힌다면, 하늘은 높고 땅이
낮아서 몸체가 어긋나지만, 양이 내려오고 음은 올라가서 서로 합하여 화육(化育)의 일을 이룸은
같다. 남자와 여자가 성질이 달라서 어긋나지만, 서로 구하는 뜻은 통한다. 사물을 낳음이 만 가지로
달라서 어긋나지만, 천지의 화합을 얻고 음양의 기운을 받은 것은 서로 유사하다. 만물은 비록 다르
지만 이치는 본래 같다. 그러므로 거대한 천하와 수많은 여러 생물[群生]이 어긋나고 흩어져 만 가지
로 다르지만, 성인이 같게 할 수 있는 것이다. 어긋난 때에 대처하고 어긋난 쓰임을 화합함은 그 일이
지극히 크다. 그러므로 "크다[大矣哉]"고 말하였다.

本義

極言其理而贊之.

그 이치를 지극하게 말하여 칭찬하였다.

朱子曰, 睽, 皆言始異終同之理.

주자가 말하였다: 규괘는 모두 시작은 다르지만 끝은 같다는 이치를 말한 것이다.

○ 問, 程傳物雖異而理本同之旨. 曰, 天施地生, 男倡女隨, 此感彼應, 蓋不能以相无也. 非理之本同, 何以如此.

물었다: 『정전』의 "만물은 비록 다르지만 이치는 본래 같다"는 무슨 뜻입니까?

답하였다: 하늘이 펼치고 땅이 낳으며, 남자가 선창하고 여자는 따르며, 이것이 느끼고 저것은 호응하니, 대체로 서로 없을 수 없습니다. 이치가 본래 같지 않으면 어떻게 이와 같겠습니까?

○ 厚齋馮氏曰, 以三才推廣卦義, 且恐人以吉止小事, 故推時用之大者以明之, 天地初上也, 男女二五也, 萬物二三四五也. 天尊地卑睽矣, 而事同於覆載, 男陽女陰睽矣, 而志同於相應. 萬物群分睽矣, 其事各以類聚, 謂二與四類, 三與五類也. 當睽之時, 其用如此, 豈不大哉.

후재풍씨가 말하였다: 삼재(三才)로 괘의 뜻을 미루어 넓히고, 또 사람들이 길함은 작은 일에 그친다고 여길까 염려하였다. 그러므로 때와 쓰임이 큰 것을 미루어서 밝혔으니, 하늘과 땅은 초효와 상효이고, 남자와 여자는 이효와 오효이며, 만물은 이효·삼효·사효·오효이다. 하늘은 높고 땅이 낮아서 어긋나지만 덮고 싣는 일은 같고, 남자는 양이고 여자가 음이어서 어긋나지만 서로 호응하는 뜻은 같다. 만물이 무리로 나뉘어 어긋나지만 그 일이 각각 부류대로 모이니, 이효와 사효가 유사하고 삼효와 오효가 유사함을 말한다. 어긋나는 때에 그 쓰임이 이와 같으니, 어찌 크지 않겠는가!

韓國大全

이익(李瀷) 『역경질서(易經疾書)』

以天地之道言, 則雖異而同, 象辭是也, 以上火下澤言, 則雖同而異, 大象是也.

천지의 도로 말하면 비록 다르지만 같게 되니 「단전」의 말이 이것이고, 위는 불이고 아래는 못인 것으로 말하면 비록 같지만 다르게 되니 「대상전」이 이것이다.

유정원(柳正源) 『역해참고(易解參攷)』[14]

正義, 天高地卑, 其體懸隔, 是天地睽也, 而生成品物, 其事則同也. 男外女內, 分位有別, 是男女睽也, 而成家理事, 其志則通也. 萬物殊形, 各自爲象, 是萬物睽也, 而均於生長, 其事卽類. 故曰天地睽其事同, 男女睽其志通, 萬物睽其事類也. 旣明睽離合同之大, 又歎用睽之人, 其德不小. 睽離之時, 能建其用, 使合其通, 非大德之人, 則不可也.

『주역정의』에서 말하였다: 하늘은 높고 땅은 낮아서 몸체가 현격함은 천지의 어긋남이지만, 여러 사물을 생성하니 그 일은 같다. 남자는 밖에 있고 여자는 안에 있어 지위나 나뉘고 분별이 있음은 남녀의 어긋남이지만, 집안을 이루고 일을 다스리니 그 뜻은 통한다. 만물이 형체를 달리하여 각각 스스로의 상이 됨은 만물의 어긋남이지만, 똑같이 생장하니 그 일이 유사하다. 그러므로 "천지가 어긋나지만 그 일이 같으며, 남녀가 어긋나지만 그 뜻이 통하며, 만물이 어긋나지만 그 일이 유사하다"고 하였다. 어긋나 떨어져도 합쳐서 같아지는 큰일을 밝히고서 다시 어긋남을 쓰는 사람에게 감탄하였으니, 그 덕이 작지 않다. 어긋나 떨어지는 때에 그 쓰임을 세워서 그 통함을 부합하게 할 수 있는 것은, 큰 덕이 있는 사람이 아니라면 할 수 없을 것이다.

김상악(金相岳) 『산천역설(山天易說)』

極言其始異終同之理也. 大者小之所推也, 與旅卦曰小亨, 象傳曰時義大, 同.

그 시작은 다르지만 끝은 같다는 이치를 지극히 말하였다. 큰 것은 작은 것을 미룬 것이니, 려괘(旅卦☲☶)에서 괘사에서는 "조금 형통하다"[15]고 한 것과 「단전」에서 "때와 쓰임이 크다"[16]고 한 것은 같다.

서유신(徐有臣) 『역의의언(易義擬言)』

凡此三者, 不可不睽也, 不可不同也, 睽而同, 同而睽. 故睽之時用大矣, 天下事, 亦有當用睽之時也.

---

14) 경학자료집성DB에서는 규괘 '단사'에 해당하는 것으로 분류했으나, 내용에 따라 이 자리로 옮겨왔다.
15) 『周易·旅卦』: 旅, 小亨, 旅貞, 吉.
16) 『周易·旅卦』: 象曰, 旅小亨, 柔得中乎外而順乎剛, 止而麗乎明. 是以小亨旅貞吉也. 旅之時義, 大矣哉.

이 세 가지는 어긋나지 않을 수도 없고, 같지 않을 수도 없으니, 어긋나면서 같고 같으면서 어긋난다. 그러므로 규괘의 때와 쓰임이 큰 것이니, 천하의 일에는 또한 규괘를 써야할 때가 있다.

박문건(朴文健) 『주역연의(周易衍義)』

天地之睽, 陰陽也, 男女之睽, 剛柔也, 萬物之睽, 動植也. 然生育之道一也. 此贊睽用之大也.

천지의 어긋남은 음과 양이고, 남녀의 어긋남은 굳셈과 부드러움이고, 만물의 어긋남은 동물과 식물이다. 그러나 낳아 기르는 도는 하나이다. 이는 규괘의 쓰임이 큼을 기른 것이다.

김기례(金箕澧) 「역요선의강목(易要選義綱目)」

分上下卦, 定三才萬物之位, 上天初地, 五男二女, 三四爲萬物.

상괘와 하괘를 나누어 삼재와 만물의 자리를 정했으니, 상효는 하늘이고 초효는 땅이며, 오효는 남자이고 이효는 여자이며, 삼효와 사효는 만물이 된다.

○ 睽而同, 卽坤喪西南朋, 而從東北陽, 乃終有慶之意. 蓋天尊地卑則睽, 而終成配育而同, 男陽女陰則睽, 而終得唱隨之通. 以至卦體, 金忌火克, 而終成鑄陶則類也, 其用豈不爲大.

어긋나며 같음은 곤괘(坤卦)가 서남의 벗을 잃고 동북의 양(陽)을 따름이니, 끝내 경사가 있다는 뜻이다. 대체로 하늘은 높고 땅은 낮아서 어긋나지만 끝내는 짝지어 화육하여 같아지고, 남자가 양이고 여자가 음이어서 어긋나지만 끝내 선창하고 따르는 통함을 얻는다. 괘의 몸체에 있어서는 쇠가 자신을 이기는 불을 시기하지만 끝내 주조를 하면 유사하게 되니, 그 쓰임이 어찌 크지 않겠는가?

심대윤(沈大允) 『주역상의점법(周易象義占法)』

天地異能生物同, 男女分治成家同, 萬物殊塗而趨利同. 睽者其行事之異也, 非如同人大有之物體分合也. 以時之不同, 故行事異焉, 時者, 才與位也. 若天下之物, 皆同一用, 若天下之人, 皆同一事, 无以成大業也. 惟其人異事物異, 用有萬不同, 然後能大合而成天下之務也. 始異而終同, 小異而人同. 非常於異也, 故贊其時, 所以爲事業也, 故贊其用.

천지가 다르지만 만물을 낳을 수 있음은 같고, 남녀가 나누어 다스리나 집안을 이룸은 같고, 만물이 길을 달리하나 이로움을 추구함은 같다. 어긋남은 일을 행하는 다름이니, 동인괘(同人卦䷌)나 대유괘(大有卦䷍)와 같이 사물의 몸체가 나뉘고 합치는 것은 아니다. 때가 같지 않기 때문에 일을 행함이 다른 것이니, 때는 재질과 자리이다. 만약 천하의 사물이 모두 한 가지로 작용하고, 천하의 사람들이 모두 한가지로 일한다면 큰 사업을 이룰 수 없다. 사람마다 다르고 사물마다 달라서 작용이 만 가지로 같지 않은 뒤에야 크게 합하여 천하의 일을 이룰 수 있다. 처음은 다르지만 끝내는 같고, 작은 것은 다르지만 큰 것은 같다. 항상 다른 것은 아니므로 그 때를 찬사했으며, 그래서 사업을 하는 것이기 때문에 그 작용을 찬사했다.

오치기(吳致箕) 「주역경전증해(周易經傳增解)」

象曰, 睽, 火動而上, 澤動而下,〈卦象卦體〉二女同居,〈卦象〉其志不同行. 說而〈兌〉麗乎明,〈離〉柔進而上行,〈卦反〉得中而應乎剛.〈卦體〉是以小事吉. 天地, 睽而其事, 同也, 男女, 睽而其志, 通也, 萬物, 睽而其事, 類也, 睽之時用, 大矣哉.

「단전」에서 말하였다: 규(睽)는 불이 움직여 올라가고 못이 움직여 내려가며〈괘의 상과 괘의 몸체이다.〉두 여자가 함께 있으나〈괘의 상이다.〉그 뜻이 한 가지로 행해지지 않는다. 기뻐하며〈태괘(兌卦☱)〉밝음에 걸리고,〈리괘(離卦☲)〉부드러운 음이 나아가 위로 가서〈반대괘〉가운데를 얻어 굳센 양[剛]에 호응한다.〈괘의 몸체이다.〉이 때문에 작은 일은 길한 것이다. 천지가 어긋나지만 그 일이 같으며, 남녀가 어긋나지만 그 뜻이 통하며, 만물이 어긋나지만 그 일이 유사하니, 규(睽)의 때와 쓰임이 크도다!

此, 以卦象卦體, 釋卦名義, 以卦德卦反卦體, 釋卦辭也. 以卦反言, 則家人下體之離柔上, 而爲本卦上體, 居尊得中, 以應九二之剛. 故雖在睽乖之時, 而能得小事之吉. 然以柔居尊, 不若以剛得位. 故不能大事也. 始雖異而終同, 卽天地人物之理. 故終又極言時與用之大也, 程傳備矣, 餘見彖解.

이는 괘의 상과 괘의 몸체로 괘의 이름을 해석하였고, 괘의 덕과 반대괘와 괘의 몸체로 괘사를 해석하였다. 반대괘로 말하면 가인괘(家人卦䷤) 하괘의 몸체인 리괘(離卦☲)의 부드러운 음(陰)이 올라가 본괘(䷥) 상괘의 몸체가 되었는데, 존귀한 곳에 있으면서 가운데 자리를 얻어 굳센 구이와 호응한다. 그러므로 비록 어긋나는 때이지만 작은 일은 길할 수가 있다. 그러나 부드러운 것이 존귀한 곳에 있으니, 굳센 양이 제자리를 얻은 것만 못하다. 그러므로 큰일을 할 수 없다. 처음에는 비록 다르지만 끝내는 같음은 천지와 인물의 이치이다. 그러므로 끝에 다시 때와 쓰임의 큼을 지극히 말하였으니, 『정전』에 그 뜻이 갖추어져 있고, 나머지는 단사의 해석에 보인다.

박문호(朴文鎬) 「경설(經說) · 주역(周易)」[17]

見同之爲同者, 世俗之知也, 蓋言世俗之知, 但見同之爲同, 而不能見睽之爲同也.

『정전』에서의 "같은 것을 같다고 보는 것은 세속의 지혜이다"는 세속의 지혜는 다만 같은 것을 같다고 볼 뿐이지, 어긋난 것을 같다고 보지는 못함을 말한 것이다.

象傳言合睽者, 原始之論也, 萬殊之一本也. 大象言睽同者, 要終之論也, 一本之萬殊也.

「단전」의 『정전』에서 "어긋남을 화합한다"고 말한 것은 시작을 추원하는 논의이니, 만 가지로 다른 것의 동일한 근본이다. 「대상전」에서 어긋남과 같음을 말한 것은 끝을 알아차리는[18] 논의이니, 동일한 근본이 만 가지로 나뉨이다.

이병헌(李炳憲) 『역경금문고통론(易經今文考通論)』

鄭曰, 睽乖也. 火欲上, 澤欲下, 猶人同居而異志也.

정현이 말하였다: 규(睽)는 어긋남이다. 불은 올라가려 하고 못은 내려가려 하니, 사람이 함께 있으면서 뜻을 달리함과 같다.

虞曰, 小謂五, 陰稱小, 得中應剛, 故吉.

우번이 말하였다: 작음은 오효를 말하고 음효는 작음에 해당되는데, 가운데를 얻어 굳센 양과 호응하므로 길하다.

程傳曰, 處睽之時, 合睽之用, 其事至大.

『정전』에서 말하였다: 어긋난 때에 대처하고 어긋난 쓰임을 화합함은 그 일이 지극히 크다.

按, 乾坤之後, 惟行師建國, 爲最大之事, 咸恒之後, 惟室家睽通, 爲最大之事. 右一對 往來策數 準遯大壯.

내가 살펴보았다: 건괘(乾卦)와 곤괘(坤卦)의 뒤에는 오직 군사를 행하고 나라를 건국함이 가장 큰 일이 되고, 함괘(咸卦)와 항괘(恒卦)의 뒤에는 오직 집안의 어긋남과 통함이 가장 큰 일이 된다. 이상은 한 짝으로 왕래하는 책수는 돈괘(遯卦)와 대장괘(大壯卦)와 같다.

---

17) 경학자료집성DB에서는 규괘 '단사'에 해당하는 것으로 분류했으나, 내용에 따라 이 자리로 옮겨왔다.

18) 『周易·繫辭傳』: 易之爲書也, 原始要終, 以爲質也, 六爻相雜, 唯其時物也.

象曰, 上火下澤, 睽, 君子以, 同而異.

「상전」에서 말하였다: 위는 불이고 아래는 못인 것이 규(睽)이니, 군자가 그것을 본받아 같게 하면서도 다르게 한다.

中國大全

傳

上火下澤, 二物之性, 違異, 所以爲睽離之象. 君子觀睽異之象, 於大同之中而知所當異也. 夫聖賢之處世, 在人理之常, 莫不大同, 於世俗所同者, 則有時而獨異, 蓋於秉彝則同矣, 於世俗之失則異也. 不能大同者, 亂常拂理之人也, 不能獨異者, 隨俗習非之人也. 要在同而能異耳, 中庸曰和而不流, 是也.

위는 불이고 아래는 못이어서 두 사물의 성질이 어기고 다르기에 어긋나 떨어지는 상이 되는 것이다. 군자는 어긋나 달라지는 상을 관찰하여 크게 같은 가운데서 다르게 해야 할 것을 안다. 성현의 처세는 사람의 도리[人理]를 한결같이 함에 있어서 크게 같지 않음이 없고, 세속의 같은 것에는 때에 따라 홀로 다르게 하니, 대체로 타고난 천성[秉彝]에 대해서는 같지만 세속의 잘못에 대해서는 다르다. 크게 같을 수 없는 자는 상도와 천리를 어지럽히는 사람이고, 홀로 다를 수 없는 자는 세속을 따라 나쁜 것을 답습하는 사람이다. 요점은 같으면서 다를 수 있는데 달려있으니, 『중용』에서 "화합하면서도 흐르지 않는다"고 한 것이 이것이다.

本義

二卦合體, 而性不同.

두 괘가 몸체를 합하였으나 성질은 같지 않다.

小註

或問, 君子以, 同而異. 朱子曰, 此是取兩象合體爲同, 而其性各異, 在人則是和而不同之意. 蓋其趣則同, 而所以爲同則異, 如伯夷柳下惠伊尹三子所趣不同, 而其歸則一. 象辭言睽而同, 大象言同而異, 在人則出處語默雖不同, 而同歸於理, 講論文字爲說不同, 而同於求合義理, 立朝論事所見不同, 而同於忠君. 本義所謂二卦合體者, 言同也, 而性不同者, 言異也. 以同而異, 語意, 與用晦而明, 相似. 大凡讀易到精熟後, 顚倒說來皆合, 不然則是死說耳.

어떤 이가 물었다: "군자가 이것을 본받아 같게 하면서도 다르게 한다"는 무슨 뜻입니까? 주자가 답하였다: 이것은 두 상이 몸체를 합하여 같게 되지만 그 성질은 각기 다름을 취한 것이니, 사람에 있어서는 "화합하되 아첨하면서 함께 하지 않는다[和而不同]"[19]는 뜻입니다. 그 향함은 같지만 같게 되는 까닭은 다르니, 백이와 유하혜와 이윤, 세 사람이 가는 바는 같지 않지만 그 귀결이 같은 것과 같습니다.[20] 「단전」에서는 "어긋나지만 같다"고 하였고, 「대상전」에서는 "같게 하되 다르게 한다"고 하였으니, 사람에 있어서는 나가고 머물며 말하고 침묵하는 것이 비록 같지 않지만 이치로 귀결됨은 같고, 문자를 강론하여 주장을 세움은 같지 않지만 의리에 합치되기를 구한다는 점에서는 같으며, 조정에 들어가 일을 논하는데 소견은 같지 않지만 임금에게 충성하는 데에는 같습니다. 『본의』의 이른바 "두 괘가 몸체를 합하였다"는 같음을 말하고, "성질은 같지 않다"는 다름을 말합니다. "같게 하면서도 다르게 한다"의 말의 뜻은 "어둠을 써서 밝게 한다"[21]와 비슷합니다. 무릇 『주역』을 읽음이 정밀하여 완전하게 익힌 뒤에야 거꾸로 설명해도 모두 부합되니, 그렇지 않으면 쓸모없는 설명일 뿐입니다.

○ 問, 君子以, 同而異, 作理一分殊看, 如何. 曰, 理一分殊, 是理之自然如此, 這處又就人事之異同上說. 蓋君子有同處, 有異處, 如所謂周而不比, 群而不黨, 是也. 大抵易中六十四象下句, 皆是就人事之近處說, 不必深去求他. 此處伊川說得甚好.

물었다: "군자가 이것을 본받아 같게 하면서도 다르게 한다"는 "이치는 하나인데 나뉨은 다르다[理一分殊]"로 간주하면 어떻습니까?

답하였다: "이치는 하나인데 나뉨은 다르다"는 이치가 자연히 이와 같다는 것이고, 이것은 다시 인사(人事)의 다르고 같음에 나아가 설명한 것입니다. 군자는 같게 처리하는 경우도 있고 다르게 처리하는 경우도 있으니, 이른바 두루 하고 편당을 짓지 않으며[周而不比][22], 무리 짓더라도 편당을 만들지 않는다[群而不黨][23]는 것이 이 경우입니다. 대개 『주역』의

---

19) 『論語・子路』: 子曰, 君子, 和而不同, 小人, 同而不和.
20) 『맹자・고자』에서는 '추(趣)'가 같다고 하였으나 여기서는 '추(趣)'가 다르다고 하였으니, 서로 다른 점이 있다.
21) 『周易・明夷卦』: 象曰, 明入地中, 明夷, 君子以, 莅衆, 用晦而明.
22) 『논어・위정』.
23) 『논어・위령공』.

64개 「상전」 아래에 있는 구절들은 모두 인사의 비근한 것에서 설명하였으니, 심오한데서 구할 필요는 없습니다. 이곳은 이천의 설명이 매우 좋습니다.

○ 建安丘氏曰, 離火兌澤, 二陰同體, 而炎上潤下, 所性異趣, 睽之象也. 故君子體之以同而異. 同, 以理言, 異, 以事言也. 蓋天下无不同之理, 而有不同之事, 異其事而同其理, 所以同而異, 非苟異矣.
건안구씨가 말하였다: 리괘(離卦☲)는 불이고 태괘(兌卦☱)는 못이어서 두 괘가 음으로 몸체는 같지만, 불타오르고 젖어 내려가 본성은 취향을 달리하니, 어긋나는 상이다. 그러므로 군자가 그것을 체득하여 같게 하면서도 다르게 한다. '같음[同]'은 이치로 말하였고 '다름[異]'은 일로 말하였다. 천하에는 같지 않은 이치는 없지만 같지 않은 일이 있어서 그 일이 다르면서 그 이치가 같기에 같으면서 다른 것이지, 정말로 다른 것은 아니다.

○ 平菴項氏曰, 睽非善事, 然有當睽者, 同而異, 是也. 二女同居, 同也, 其志不同行, 異也, 此人道之當然. 其在君子, 則周而不比, 和而不同, 群而不黨, 皆同而異也.
평암항씨가 말하였다: 어긋남은 좋은 일은 아니지만, 마땅히 어긋나야 할 것이 있으니, 같게 하되 다르게 하는 것이 이 경우이다. 두 여자가 함께 있는 것은 같음이고, 그 뜻이 한가지로 행해지지 않음은 다름이니, 이것은 인도(人道)의 당연함이다. 군자에게 있어서는 두루 하고 편당을 짓지 않으며[周而不比], 화합하되 함께 하지 않으며[和而不同], 무리 짓더라도 편당을 만들지 않는다[群而不黨]는 것이 모두 같게 하되 다르게 하는 것이다.

○ 誠齋楊氏曰, 禹稷回同道而異趣, 夷惠同聖而異行, 未足爲同之異也. 孔子一孔子也, 而齊魯之去, 異遲速, 孟子一孟子也, 而今昔之餽, 異辭受, 此同而異也.
성재양씨가 말하였다: 우임금과 직(稷)과 안회(顔回)는 도는 같았지만 나아가기를 달리하였고, 백이(伯夷)와 유하혜(柳下惠)는 성인임에는 같았지만[24] 행동을 달리하였으니, 같으면서 다름이 되지는 못한다. 공자는 공자일 뿐이지만 제나라와 노나라를 떠나감에 더디고 빠름을 달리하였고, 맹자는 맹자일 뿐이지만 지금과 옛날에 물건을 줌[餽]에 사양하고 받음을 달리하였으니,[25] 이것이 같게 하면서도 다르게 함이다.

○ 雲峰胡氏曰, 當同於理而不同, 亂常拂理以爲異也. 當異於理而不異, 隨俗習非以爲同也. 同人類族辨物, 審異以致同, 此則於同而審異. 或曰, 同, 象兌澤之說, 異, 象

---

24) 『孟子 · 公孫丑』: 曰伯夷伊尹, 何如. 曰 不同道, … 皆古聖人也.
25) 이러한 내용은 『맹자 · 공손추』에 나온다.

離火之明.

운봉호씨가 말하였다: 이치상 같아야 하는데 같게 하지 않으면 상도와 천리를 어지럽혀서 상도와 다르게 되고, 이치상 달라야 하는데 달리 하지 않으면 세속을 따라 잘못을 답습하여 세속과 같게 된다. 동인괘(同人卦☰)의 '부류와 종족으로 사물을 분별함'[26]이 다름을 살펴 같음을 이루는 것이라면, 규괘는 같은 것에서 다름을 살피는 것이다.

어떤 이가 말하였다: 같음은 태괘(兌卦☱)인 못의 즐거움을 형상하고, 다름은 리괘(離卦☲)인 불의 밝음을 형상한다.

○ 隆山李氏曰, 孔子於象言睽中有合, 所以責君子濟睽之功, 象言同中有異, 所以論君子不苟同之性. 君子之性不苟於同, 而其出而同心協力, 以合天下之睽異者則同. 嗚呼, 安得不苟同之君子, 而與共議和同天人之事也哉.

융산이씨가 말하였다: 공자가 「단전」에서 어그러진 가운데 합함이 있다고 한 것은 군자에게 어그러짐[睽]을 다스리는 일을 요구한 것이고, 「상전」에서 같은 가운데 다름이 있다고 한 것은 군자의 구차하게 같게 하지 않는 특성을 논한 것이다. 군자의 특성은 구차하게 같게 하지 않지만 세상에 나와서는 한마음으로 협력하여 천하의 어긋나고 달리하는 것을 합하니, 곧 같게 하는 것이다. 아! 어찌해야 구차하게 같게 하지 않는 군자를 얻어 함께 하늘과 사람을 화합시키는 일을 의논할 수 있겠는가?

▌韓國大全▐

송시열(宋時烈) 『역설(易說)』[27]

火性之炎上, 澤泉之湧出. 始雖有同升之象, 而火則上進, 澤則下就, 終爲相背之道. 故曰同而異.

불은 성질이 타오르고 못은 샘솟아 나온다. 시작은 비록 함께 올라가는 상이 있지만, 불은 위로 나아가고 못은 아래로 나아가서 끝내는 서로 배척하는 도가 된다. 그러므로 "같으면서도 다르다"고 하였다.

---

26) 『周易·同人卦』: 象曰, 天與火同人, 君子以, 類族, 辨物.

27) 이 문장 전체는 경학자료집성DB에 누락되어 있으나, 경학자료집성 원문을 대조하여 보충하였다.

김도(金濤) 「주역천설(周易淺說)」

愚按, 本義下所釋, 朱子二條, 丘氏以下諸儒凡五條, 而皆得於大象之旨矣. 夫天下之事, 有可同者, 有不可同者, 可同者理也, 不可同者事也. 可同而不同, 則亂常者也, 不可同而同, 則苟同者也. 睽之爲卦, 中少二女, 合成一卦, 此則所同者也, 离火炎上, 澤水潤下, 此則所異者也. 是以君子觀二體異同之象, 可同者同之, 可異者異之, 君子同異之辨, 可謂明矣. 姑就至近, 而易見者喩之, 君臣父子, 人道之大綱, 而人皆曰當盡其忠孝, 見孺子入井, 而人皆有怵惕惻隱之心, 斯二者所同者也. 飮食宴樂, 聖凡之所同, 而君子則節以制度, 不至於喪德, 功名富貴, 衆人之所樂, 而君子則進退惟時, 不陷於非義, 斯二者所異者也. 以此推之, 則天下同異之事, 可不勞而辨矣. 況和而不流, 子思之言也, 群而不黨, 孔子之訓, 而正合於此象之義, 學者可不以此爲法哉. 大槪睽之爲卦, 本非睽離者也. 天地睽而其事同也, 男女睽而其志通也, 萬物睽而其事類也, 則其所以本同者, 於此可見矣, 學者不可不察也.

내가 살펴보았다:『본의』아래의 해석은 주자가 두 조목이고, 구씨부터 여러 유자들이 다섯 조목인데, 모두「대상전」의 뜻에 맞는다. 천하의 일은 같아야 하는 것도 있고, 같지 말아야 하는 것도 있으니, 같아야 하는 것은 이치이고, 같지 말아야 하는 것은 일이다. 같아야 하는 것을 같게 하지 않으면 상도를 어지럽히는 것이고, 같지 말아야 하는 것을 같게 한다면 구차하게 같게 하는 것이다. 규괘는 둘째 딸과 막내 딸이 합쳐서 하나의 괘가 되었으니 이것은 같은 것이고, 리괘(離卦☲)인 불이 위로 타오르고 못인 물이 아래를 적시니 이것은 다른 것이다. 이 때문에 군자가 두 몸체의 다르면서 같은 상을 보고, 같아야 할 것은 같게 하고 달라야 할 것은 다르게 하니, 군자가 같음과 다름을 분별함이 분명하다고 할 것이다. 우선 비근한 것에서 알기 쉬운 것으로 비유하면, 군신과 부자는 인도의 큰 강령이기에 사람들이 모두 "충과 효를 다해야 한다"고 하고, 어린아이가 우물에 빠지는 것을 보면 사람들이 모두 놀라고 측은한 마음을 지니게 되니, 이 두 가지는 같은 것이다. 음식과 잔치는 성인과 범인이 함께 하는 것이지만 군자는 제도로 절제하여 덕을 잃는 데에는 이르지 않고, 공명과 부귀는 뭇 사람이 좋아하는 것이지만 군자는 나감과 물러남을 오직 때에 맞추어 의롭지 못한 데에 빠지지 않으니, 이 두 가지는 다른 것이다. 이것으로 미루어보면 천하에 같거나 다른 일을 힘들이지 않고 분별할 수 있을 것이다. 하물며 "화합하면서도 흐르지 않는다"는 자사의 말과, "무리 짓더라도 편당을 만들지 않는다"는 공자의 가르침도 바로 여기의「상전」의 뜻과 부합하니, 학자가 이것으로 모범을 삼지 않을 수 있겠는가? 대체로 규괘는 본래 어긋나 떨어진 것이 아니다. "천지가 어긋나지만 그 일이 같으며, 남녀가 어긋나지만 그 뜻이 통하며, 만물이 어긋나지만 그 일이 유사하다"고 할 때에, 그 본래부터 같은 까닭을 여기에서 알 수 있으니, 학자가 살피지 않을 수 없다.

이만부(李萬敷) 「역통(易統)·역대상편람(易大象便覽)·잡서변(雜書辨)」

求賢.

어짊을 구함.

火澤.

불이 위에 있고 못이 아래에 있다.

傳曰, 上火下澤, 二物之性, 違異, 所以爲睽離之象. 君子觀睽異之象[28], 於大同之中而知所當異也. 夫聖賢之處世, 在人理之常, 莫不大同, 於世俗所同者, 則有時而獨異, 蓋於秉彛則同矣, 於世俗之失則異也. 不能大同者, 亂常拂理之人也, 不能獨異者, 隨俗習非之人也. 要在同而能異耳. 中庸曰和而不流, 是也.

『정전』에서 말하였다: 위는 불이고 아래는 못이어서 두 사물의 성질이 어기고 다르기에 어긋나 떨어지는 상이 되는 것이다. 군자는 어긋나고 달라지는 상을 관찰하여 크게 같은 가운데서 다르게 해야 할 것을 안다. 성현의 처세는 사람의 도리를 한결같이 함에 있어서 크게 같지 않음이 없고, 세속의 같은 것에는 때에 따라 홀로 다르게 하니, 대체로 타고난 천성[秉彛]에 대해서는 같지만 세속의 잘못에 대해서는 다르다. 크게 같을 수 없는 자는 상도와 천리를 어지럽히는 사람이고, 홀로 다를 수 없는 자는 세속을 따라 나쁜 것을 답습하는 사람이다. 요점은 같으면서 다를 수 있는데 달려있으니, 『중용』에서 "화합하면서도 흐르지 않는다"고 한 것이 이것이다.

本義曰, 二卦合體, 而性不同.

『본의』에서 말하였다: 두 괘가 몸체를 합하였으나 성질은 같지 않다.

臣謹按, 人若事事皆同, 則是同流合汙者也, 若事事皆異, 則是索隱行怪者也. 大同之中, 觀其獨異之賓, 其所存可知耳.

신이 삼가 살펴보았습니다: 사람이 만약 일마다 모두 아첨하여 함께 한다면 이는 시류와 함께 하여 더러움에 부합하는 자이고, 만약 일마다 모두 다르게 한다면 은밀한 것을 찾고 괴이하게 행동하는 자입니다. 크게 같은 가운데 그 홀로 다른 점을 본다면 품은 뜻을 알 수 있을 것입니다.

---

28) 象: 경학자료집성DB와 영인본에는 '象'자가 없지만, 『정전』에 따라 '象'자를 보충하였다.

이현익(李顯益) 「주역설(周易說)」[29]

睽, 厚齋馮氏, 以天地男女萬物, 分屬六爻, 非是同而異. 傳以人理之常之與世俗所同者言, 朱子以周而不比群而不黨言, 蓋皆就人事之異同上說, 而理自不外也. 建安丘氏之以同爲理異爲事非是.

규괘에서 후재풍씨는 천지와 남녀와 만물을 여섯 효에 분속시켰으니, '같게 하면서도 다르게 함'이 아니다. 『정전』에서는 사람의 도리를 한결같이 함과 세속의 같은 것으로 말하고, 주자는 '두루하고 편당을 짓지 않음'과 '무리 짓더라도 편당을 만들지 않음'으로 말했으니, 대체로 모두 인사의 다름과 같음에서 말한 것으로 이치에서 자연히 벗어나지 않는다. 건안구씨가 같은 것은 이치로 보고 다른 것은 일로 본 것은 옳지 않다.

심조(沈潮) 「역상차론(易象箚論)」[30]

象, 上火下澤, 睽, 睽字, 從目者離也, 〈上離互離.〉 從癸者坎兌也. 〈下兌互坎.〉[31]

「상전」의 "위는 불이고 아래는 못인 것이 규(睽)이다"에서 '규(睽)'자가 '목(目)'자를 따른 것이면 리괘(離卦☲)이고,〈상괘도 리괘이고, 호괘도 리괘이다.〉 '계(癸)'자를 따른 것이면 감괘(坎卦☵)와 태괘(兌卦☱)이다. 〈하괘는 태괘이고, 호괘는 감괘이다.〉

유정원(柳正源) 『역해참고(易解參攷)』[32]

上火 [至] 而異.

위는 불이고 아래는 못인 것이 … 같게 하면서도 다르게 한다.

王氏曰, 同於通理, 異於職事.

왕필이 말하였다: 이치에 통한다는 점에서 같고, 직분에 따른 일이라는 점에서 다르다.

○ 吉州張氏曰, 離兌同出於坤, 火澤同出於地, 一動而下, 一動而上, 其末異如此,

길주장씨가 말하였다: 리괘(離卦☲)와 태괘(兌卦☱)는 모두 곤괘(坤卦☷)에서 나오므로 불과 못은 모두 땅에서 나왔는데, 하나는 움직여 내려가고 하나는 움직여서 올라가니 그 말단의 다름이 이와 같다.

---

29) 경학자료집성DB에서는 규괘 '단사'에 해당하는 것으로 분류했으나, 내용에 따라 이 자리로 옮겨왔다.
30) 경학자료집성DB에서는 규괘 「단전」에 해당하는 것으로 분류했으나, 내용에 따라 이 자리로 옮겨왔다.
31) "從癸者坎兌也〈下兌互坎〉"는 '초효'에 해당하는 것으로 분류했으나, 내용에 따라 이 자리로 옮겨왔다.
32) 경학자료집성DB에서는 규괘 '단사'에 해당하는 것으로 분류했으나, 내용에 따라 이 자리로 옮겨왔다.

○ 雙湖胡氏曰, 同取二體皆陰義, 異取二象各動義. 以卦變言之, 自離來者柔進居三, 自中孚來者柔進居五, 自家人來者兼之.

쌍호호씨가 말하였다: '같음'은 두 몸체가 모두 음이라는 뜻에서 취하였고, '다름'은 두 상이 각각 움직인다는 뜻에서 취하였다. 괘의 변화로 말하면, 리괘(離卦☲)에서 온 것은 부드러운 음이 나아가 삼효의 자리에 있고, 중부괘(中孚卦☵)에서 온 것은 부드러운 음이 나아가 오효의 자리에 있고, 가인괘(家人卦☲)에서 온 것은 이를 겸한다.

김상악(金相岳) 『산천역설(山天易說)』

同以理言, 異以事言, 理同者, 陽之一也, 事異者, 陰之二也. 一故无不同之理, 二故有不同之事. 異其事而同其理, 所以同而異也. 同象兌澤之說, 異象離火之明也.

같음은 이치로 말한 것이고, 다름은 일로 말한 것이며, 이치가 같음은 양이 하나인 것이고, 일이 다름은 음이 둘인 것이다. 하나이므로 같지 않은 이치가 없고, 둘이므로 같지 않은 일이 있다. 그 일이 다르면서 그 이치가 같으니, 그래서 같게 하면서도 다르게 하는 것이다. '같음'은 태괘(兌卦☱)인 연못의 기쁨을 형상하고, '다름'은 리괘(離卦☲)인 불의 밝음을 형상한다.

서유신(徐有臣) 『역의의언(易義擬言)』

火在上而又炎上, 澤在下而又趨下, 是爲睽也. 同在一卦是同也, 其行各異是異也. 同而異, 君子之用睽也, 兌之說離之麗則同也, 兌之決離之分則異也.

불은 위에 있으면서 다시 위로 타오르고, 못은 아래에 있으면서 다시 아래로 내려가니, 어긋나게 된다. 함께 한 괘에 있음이 '같음'이고, 그 나아감이 각각 다름이 '다름'이다. 같게 하면서도 다르게 함은 군자가 어긋남을 씀이니, 태괘(兌卦☱)의 기쁨과 리괘(離卦☲)의 걸림은 같게 하는 것이고, 태괘의 떨어짐[33]과 리괘의 나뉨은 다르게 하는 것이다.

박제가(朴齊家) 『주역(周易)』

大象, 同而異.

「대상전」에서 말하였다: 같게 하되 다르게 한다.

---

[33] 『周易·說卦傳』: 兌, 爲澤, 爲少女, 爲巫, 爲口舌, 爲毀折, 爲附決. 其於地也, 爲剛鹵, 爲妾, 爲羊.

象傳, 通萬物而說, 故言異之同, 此從人說, 故曰同而異. 然曰同而異, 則異而同者, 在其中矣.

「단전」은 만물을 회통하여 말하였으므로 다름 속에서 같음을 말하였고, 이것은 사람으로부터 말하였으므로 "같게 하면서도 다르게 한다"고 하였다. 그러나 "같게 하면서도 다르게 한다"고 하였으니, '다르게 하면서도 같게 함'도 그 가운데 있을 것이다.

윤행임(尹行恁)『신호수필(薪湖隨筆)·역(易)』

上火下澤.

위는 불이고 아래는 못이다.

本義曰, 二卦合體, 而性不同, 以其水火之性不同也. 水火之性, 一則炎上, 一則潤下. 故謂之不同.〈睽〉水流濕火就燥, 雲從龍風從虎, 可以見睽而通, 同而異也.

『본의』에서 "두 괘가 몸체를 합하였으나 성질은 같지 않다"고 하였으니, 물과 불의 성질이 같지 않기 때문이다. 물과 불의 성질은 하나는 위로 타오르고 하나는 아래로 젖어들기 때문에 같지 않다고 하였다.〈어긋난다.〉물은 습한 곳으로 흐르고 불은 건조한 곳으로 나아가며, 구름은 용을 따르고 바람은 호랑이를 따르니, 어긋나면서 통하고 같으면서 다름을 알 수 있다.

麻冕之純, 所以同也, 拜下之禮, 所以異也, 同而異. 非聖人, 則易歸於鳥獸之群.[34]

면류관을 생사로 만드는 것은 세속과 같게 하는 것이고, 당(堂)의 아래에서 절을 하는 예(禮)는 세속과 다르게 하는 것이니,[35] 같게 하면서도 다르게 함이다. 성인이 아니라면,『주역』은 조수(鳥獸)의 무리에게 돌아갔을 것이다.

박문건(朴文健)『주역연의(周易衍義)』

體雖同, 志則異,

몸체가 비록 같지만 뜻은 다르다.

〈問, 同而異. 曰, 離火兌澤俱是陰也, 而其性則不同也.

물었다: "같게 하면서도 다르게 한다"는 무슨 뜻입니까?

답하였다: 리괘(離卦☲)인 불과 태괘(兌卦☱)인 못이 모두 음(陰)이지만, 그 성질은 같지

---

34) 경학자료집성DB에서는 규괘 '초효'에 해당하는 것으로 분류했으나, 내용에 따라 이 자리로 옮겨왔다.

35)『論語·子罕』: 子曰, 麻冕, 禮也, 今也純, 儉, 吾從衆. 拜下, 禮也, 今拜乎上, 泰也, 雖違衆, 吾從下.

않습니다.〉

이지연(李止淵)『주역차의(周易箚疑)』

大象之同而異者, 所同之中, 有不同者存焉.

「대상전」의 "같게 하면서도 다르게 한다"는 같은 가운데 같지 않은 것이 있는 것이다.

김기례(金箕澧)「역요선의강목(易要選義綱目)」

君子以, 同而異.

군자가 이것을 본받아 같게 하면서도 다르게 한다.

二陰同體, 炎潤異性.

둘 다 음이니 몸체가 같고, 타오르고 적시니 성질이 다르다.

○ 楊誠齋曰, 孔子魯齊之遲速, 孟子宋薛之辭受, 皆同而異者也.

양성재가 말하였다: 공자가 노나라와 제나라에서 천천히 함과 빨리 함, 맹자가 송나라와 설나라에서 사양함과 받음은 모두 같게 하되 다르게 한 것이다.

심대윤(沈大允)『주역상의점법(周易象義占法)』

同而異, 言同功而異事也, 君子和而不同. 故百工同於爲國而各獻可否, 萬物同於爲天下而各效技能, 不苟同而已也. 同故有異, 有異故能成其同也. 夫凡人之情, 惡異而好同, 通於睽之說者, 可以無是過矣夫.

'같게 하되 다르게 함'은 노력을 같게 하지만 일을 달리 함을 말하니, 군자가 화합하되 아첨하면서 함께 하지 않음이다. 그러므로 백공(百工)이 나라를 위함은 같지만 각각 찬성과 반대를 밝히고, 만물이 천하를 위함은 같지만 각각 재능을 드러내 구차하게 같게만 하지 않는다. 같으므로 다름이 있고, 다름이 있으므로 같음을 이룰 수 있다. 보통 사람의 감정은 다름을 미워하고 같음을 좋아하는데, 어긋남을 통하게 함을 즐기는 사람이라야 이러한 과실이 없을 수 있을 것이다.

오치기(吳致箕)「주역경전증해(周易經傳增解)」

離兌以體言, 則同是陰柔, 而以性言, 則火炎而上, 澤潤而下, 爲睽異之象. 故君子以之, 於大同之中, 亦有所異, 卽同其理而異其事也. 如禹稷顔淵, 同道而出處異, 殷之三仁, 同爲仁而去就死生異也, 大義程傳已備矣.

리괘(離卦☲)와 태괘(兌卦☱)는, 몸체로 말하면 같이 부드러운 음이지만, 성질로 말하면 불은 타면서 올라가고 못은 적시면서 내려가니, 어긋나 달라지는 상이 된다. 그러므로 군자는 이것을 본받아 크게 같게 하는 가운데 또한 다르게 하는 것이 있으니, 그 이치를 같게 하고 그 일을 달리하는 것이다. 우임금과 직과 안연은 도는 같았지만 나아가는 곳이 다르고, 은나라의 세 인자는 인(仁)을 함에는 같았지만 거취와 생사는 달리하였으니, 큰 뜻은『정전』에 이미 갖추어져 있다.

이진상(李震相)『역학관규(易學管窺)』

張氏曰, 離兌同出於坤, 火澤同出於地, 一動而上, 一動而下, 末異如此.

장씨가 말하였다: 리괘(離卦☲)와 태괘(兌卦☱)는 함께 곤괘(坤卦☷)에서 나오므로, 불과 못은 함께 땅에서 나오지만, 하나는 움직여 올라가고 하나는 움직여 내려가니, 말단의 다름이 이와 같다.

박문호(朴文鎬)「경설(經說)·주역(周易)」

性不同, 言火澤之性不同也.

『본의』의 "성질이 같지 않다"는 불과 못의 성질이 같지 않음을 말한다.

初九, 悔亡, 喪馬, 勿逐, 自復, 見惡人, 无咎.

정전 초구는 후회가 없어지니, 말[馬]을 잃고 좇지 않아도 스스로 돌아오니, 나쁜 사람을 만나면 허물이 없다.

본의 초구는 후회가 없어지니, 말[馬]을 잃고 좇지 않아도 스스로 돌아오니, 나쁜 사람을 만나야 허물이 없다.

中國大全

傳

九居卦初, 睽之始也. 在睽乖之時, 以剛動於下, 有悔可知, 所以得亡者, 九四在上, 亦以剛陽, 睽離无與, 自然同類相合. 同是陽爻, 同居下, 又當相應之位, 二陽本非相應者, 以在睽, 故合也, 上下相與, 故能亡其悔也. 在睽諸爻皆有應, 夫合則有睽, 本異則何睽. 唯初與四, 雖非應而同德相與, 故相遇. 馬者, 所以行也, 陽上行者也, 睽獨无與, 則不能行, 是喪其馬也. 四旣與之合, 則能行矣, 是勿逐而馬復得也. 惡人, 與己乖異者也, 見者, 與相通也. 當睽之時, 雖同德者, 相與, 然小人乖異者, 至衆, 若棄絶之, 不幾盡天下以仇君子乎. 如此則失含弘之義, 致凶咎之道也, 又安能化不善而使之合乎. 故必見惡人, 則无咎也, 古之聖王, 所以能化奸凶爲善良, 革仇敵爲臣民者, 由弗絶也.

구(九)는 괘의 처음에 있으니, 어긋남의 시작이다. 어긋나는 때에 굳센 양으로 아래에서 움직이니, 후회가 있음을 알 수 있으나, 없어지게 된 것은 구사가 위에 있으면서 또 굳센 양으로 어긋나 떨어져서 함께 하는 것이 없기 때문이니, 자연히 같은 부류끼리 서로 합하게 된다. 똑같이 양효(陽爻)이고 똑같이 아래에 있으며, 또 서로 호응하는 자리에 해당하니, 두 양은 본래 서로 호응하는 것이 아니지만 어긋남에 있기 때문에 합하는 것이고, 위아래가 서로 함께 하기 때문에 그 후회를 없앨 수 있다. 규괘에서 여러 효가 모두 호응함이 있는데, 합하면 어긋남이 있으나 본래 다르다면 어찌 어긋나겠는가! 초효와 사효만이 비록 호응은 아니지만, 같은 덕으로 서로 함께 하기 때문에 서로 만나는 것이다. 말[馬]은 나아가는 것이고 양(陽)은 위로 가는 것인데, 어긋나고 홀로 되어 함께 하는 것이 없으면 나아갈 수 없으니, 이는 그 말을 잃은 것이다. 사효가 이미 초효와 합했으면 나아갈 수가 있으니, 이는 좇지 않아도 다시 말을 얻는 것이다. 나쁜 사람은 자기와 어긋나고 다른 자이며, "만난다[見]"

는 함께 서로 통하는 것이다. 어긋나는 때에는 비록 덕이 같은 사람끼리 서로 함께 하더라도 어긋나고 달리하는 소인이 지극히 많으니, 만약 그들을 버리고 끊는다면 온 천하 사람들이 거의 다 군자를 원수(怨讐)로 삼지 않겠는가? 이와 같으면 널리 포용하는[含弘] 뜻을 상실하여 흉하고 허물이 있는 길에 이르게 될 것이니, 또 어떻게 불선(不善)한 자를 교화시켜 화합할 수 있겠는가? 그러므로 반드시 나쁜 사람을 만나야 허물이 없는 것이니, 옛날 성왕이 간사하고 흉악한 이를 교화시켜 선량한 사람을 만들고 원수를 바꾸어 신하와 백성으로 만들 수 있었던 것은 끊지 않았기 때문이다.

本義

上无正應, 有悔也, 而居睽之時, 同德相應, 其悔亡矣. 故有喪馬勿逐, 而自復之象. 然亦必見惡人, 然後可以辟咎, 如孔子之於陽貨也.

위로 정응이 없으니 후회가 있겠지만, 어긋나는 때에 같은 덕으로 서로 호응하여 후회가 없어진다. 그러므로 말[馬]을 잃고 좇지 않아도 스스로 돌아오는 상이 있다. 그러나 또한 반드시 나쁜 사람을 만난 뒤에야 허물을 피할 수 있으니, 공자가 양화(陽貨)에 대해서 한 것과 같다.

小註

朱子曰, 馬是行底物, 初間行不得, 後來卻行得. 大率睽之諸爻都如此, 多說先異而後同.
주자가 말하였다: 말[馬]은 나아가는 동물이지만, 처음엔 갈 수 없고 뒤에야 갈 수 있다. 대체로 규괘(睽卦)의 여러 효는 모두 이와 같아서 먼저는 다르고 뒤에는 같다고 말한 것이 많다.

○ 問, 睽見惡人, 其義何取. 曰, 以其當睽之時, 故須見惡人, 乃能无咎.
물었다: 규괘에서 "나쁜 사람을 만난다"는 그 뜻을 어디에서 취하였습니까?
답하였다: 어긋나는 때를 만났기 때문에 나쁜 사람을 만나야만 허물이 없다는 것입니다.

○ 趙氏秉曰, 无應, 悔也, 剛足以自守, 故悔亡. 又曰, 初四睽而同德, 終必相與, 睽極必通, 天下之常理也. 故有勿逐自復之象.
조병이 말하였다: 호응이 없어서 후회하는데, 굳센 양은 스스로를 지킬 수 있으므로 후회가 없어진다.
또 말하였다: 초효와 사효가 어긋나지만 덕이 같아 끝에 반드시 서로 함께 하니, 어긋남이 다하면 반드시 통함은 천하의 한결같은 도리이다. 그러므로 좇지 않아도 스스로 돌아오는

상이 있다.

○ 雙湖胡氏曰, 此爻以爻爲象, 悔亡爲占, 喪馬以下爲象, 見惡人以下爲占. 然象亦取占中, 六爻唯初九正, 時旣乖異, 辭亦艱險也.

쌍호호씨가 말하였다: 이 효는 효를 상으로 삼았으니, "후회가 없어진다"는 점이 되고, '말[馬]을 잃고' 부터는 상이 되며, '나쁜 사람을 만나야' 부터는 점이 된다. 그러나 상도 점의 가운데서 취했으니, 여섯 효에서 오직 초구만이 바르지만 때가 이미 어긋나고 달라져서 효사의 내용 또한 험난한 것이다.

○ 中溪張氏曰, 見者, 遇而勿絶之辭, 非必欲見之也.

중계장씨가 말하였다: '만남[見]'은 만나서 끊지 않는다는 말이니, 반드시 그것을 만나려는 것은 아니다.

○ 建安丘氏曰, 旣見惡人, 則非避矣. 唯初九不以避爲避而以見爲避, 化惡人而爲善人, 則終能合初四之睽而无咎也.

건안구씨가 말하였다: 이미 나쁜 사람을 만났다면 피하는 것이 아니다. 초구에서만 피하는 것을 피하는 것으로 여기지 않고 만나는 것을 피하는 것으로 여겼으니, 나쁜 사람을 변화시켜 착한 사람이 되게 하면 끝내는 초구와 사효의 어긋남을 화합하여 허물이 없을 수 있다.

○ 雲峰胡氏曰, 六五陰居陽故悔, 初九陽居陽亦曰悔者, 无正應故也. 雖无正應, 四同德相應, 其悔亡矣. 睽初九剛正, 故喪馬勿逐而自復, 旣濟六二柔正, 故喪茀勿逐而自得. 本義於彼以爲戒辭, 此則以爲象, 何也. 蓋此承上文悔亡之占而言也, 喪馬, 悔之象, 勿逐自復, 悔亡之象. 因占取象, 本義之釋經精矣. 見惡人, 謂睽之時, 初九雖正, 不可以彼之不正而絶之也.

운봉호씨가 말하였다: 육오는 음이 양의 자리에 있기 때문에 후회하지만, 초구는 양이 양의 자리에 있는데도 '후회'라고 말한 것은 정응이 없기 때문이다. 비록 정응이 없지만, 사효와 같은 덕으로 서로 호응하니, 그 후회가 없어진다. 규괘(睽卦)의 초구는 굳세고 바르기 때문에 말[馬]을 잃고 좇지 않아도 스스로 돌아오며, 기제괘(旣濟卦䷾)의 육이는 유순하고 바르기 때문에 그 가리개를 잃고 좇지 않아도 자연히 얻게 된다.[36] 그런데 『본의』에서 기제괘는 경계하는 말로 삼고, 규괘는 상으로 삼은 것은 어째서인가? 대체로 여기에서는 효사에서 앞에 있는 "후회가 없어진다"는 점사를 이어서 말했으니, '말을 잃음'은 후회하는 상이고,

---

36) 『周易·旣濟卦』: 六二, 婦喪其茀, 勿逐七日得.

'좇지 않아도 스스로 돌아옴'은 후회가 없어지는 상이다. 점에 따라 상을 취하였으니, 『본의』에서 경전을 해석한 것이 정밀하다. '나쁜 사람을 만남'은 어긋나는 때를 말하니, 초구가 비록 바르지만 사효가 바르지 않다고 해서 끊을 수는 없는 것이다.

韓國大全

조호익(曺好益) 『역상설(易象說)』

初九, 悔亡, 喪馬, 勿逐, 自復.

초구는 후회가 없어지니, 말[馬]을 잃고 좇지 않아도 스스로 돌아오니.

馬坎象. 初與四非應, 而四比三, 有喪馬之象. 入於坎陷, 故勿逐, 自復兌說象.

말[馬]은 감괘(坎卦☵)의 상이다. 초효는 사효와 호응하는 것이 아니고, 사효는 삼효와 비(比)의 관계에 있으니 말[馬]을 잃는 상이 있다. 감괘(坎卦)의 빠짐에 들어가므로 좇지 않는 것이고, 스스로 돌아옴은 태괘(兌卦☱)의 기뻐하는 상이다.

송시열(宋時烈) 『역설(易說)』

初九无悔, 先言占也. 內卦本乾, 乾爲馬, 而三爻上坼, 互爲坎, 坎爲寇, 是喪馬之象. 勿逐自復, 初雖不追逐往從, 而四爻亦應來求相合也. 彼以陽爻在坎暗之中, 此惡人也. 心跡不明, 但有剛戾之材, 我當不見, 而不見則怨咎必至, 我將以避咎之道, 見之耳. 蓋以剛遇, 情不相孚, 堇有交接之事而已, 占者如之.

'초구는 후회가 없어지니'는 먼저 점을 말한 것이다. 내괘[태괘(兌卦☱)]는 건괘(乾卦☰)에 근본하고 건괘는 말[馬]이 되는데, 건괘(乾卦)의 세 번째 효에서 갈라져 규괘의 호괘가 감괘(坎卦☵)가 되고 감괘는 도적이 되니, 말을 잃는 상이다. '좇지 않아도 스스로 돌아옴'은 초효가 비록 좇아가 따르지 않아도, 사효가 또한 호응해 와서 서로 화합함을 구해서이다. 저것이[사효가] 양효로 감괘의 어둠에 빠졌으니, 여기서의 나쁜 사람이다. 마음의 자취가 분명치 못하고 다만 굳세고 어긋나는 재질만 있어서 내가 만나지 말아야 하지만, 만나지 않는다면 반드시 원망과 허물이 이르게 되니, 내가 장차 허물을 피할 방법은 그를 만남에 있을 뿐이기 때문이다. 대체로 굳센 양끼리 만나서 정에 서로 믿지 못하여 서로가 겨우 접촉

하는 일만 있을 뿐이므로 점친 것이 이와 같다.

홍여하(洪汝河) 「책제(策題):문역(問易)·독서차기(讀書箚記)-주역(周易)」[37]

初九, 喪馬, 勿逐.

초구의 "말[馬]을 잃고 좇지 않는다."

化爲習坎, 是馬亦盜. 王抵良壁, 錯愕迎拜.

초구가 변하여 습감(習坎)이 되면, 말이고 또한 도적이다. 조성왕이 왕국량의 성벽에 이르자 왕국량이 놀라 맞이하여 절함이다.[38]

이현익(李顯益) 「주역설(周易說)」

本義以孔子之於陽貨, 爲見惡人, 蓋非以瞰其無言, 以遇諸塗而不避言. 誠齋楊氏謂, 見惡人, 孔子不見陽貨, 是也, 以不見爲見, 可乎.

『본의』에서 공자의 양화에 대한 것을 "나쁜 사람을 만남이 된다"고 여긴 것은 대체로 그가 없음을 살핀 것을 말한 것이 아니라, 길에서 만나서 피하지 않음을 말한 것이다. 성재양씨가 "나쁜 사람을 만남은 공자가 양화를 만나지 않음이 이것이다"[39]라고 하였는데, 만나지 않음을 만남으로 여기는 것이 가능하단 말인가?

이익(李瀷) 『역경질서(易經疾書)』

初九, 睽之未甚也. 馬者, 畜之蹄齧也, 亡而勿逐, 則不至傷人而自復矣. 惡人不善也, 見之則不至於怨毒, 而亦免咎害矣. 此戒其激成也. 於馬言自復, 則亦有來從之理, 安知不終爲吾用哉. 馬性奔逸, 吾得以蓄之者, 養之有術也. 均是人也, 惡非本性, 苟有以接之, 亦豈无向善之路. 聖人取譬切矣, 然習惡已久, 不可易以化. 故只云見, 項氏所謂, 往不追來不拒是也. 此亦小事可之意, 若虎兒出柙, 巨慝來過, 又如何勿逐而見之哉.

---

37) 경학자료집성DB에서는 규괘 「단전」에 해당하는 것으로 분류했으나, 내용에 따라 이 자리로 옮겨왔다.

38) 조성왕(曹成王)이 사신처럼 꾸미고서 왕국량(王國良)의 성벽에 이르러 량을 놀라게 한 일로 한유의 「조성왕비(曹成王碑)」에 나온다.

39) 『周易傳義大全·睽卦』 小註: 誠齋楊氏曰, 見惡人, 子見南子, 陳寔弔張讓, 是也. 若非辟咎, 則无事乎. 見惡人矣, 孔子不見陽貨, 是也.

초구는 어긋남이 아직 심하지 않은 것이다. 말[馬]은 차고 깨무는 가축이니, 잃고도 좇지 않으면 사람을 해치지 않고 스스로 돌아온다. 나쁜 사람은 선하지 않지만, 만난다면 몹시 원망하는 데에는 이르지 않아 또한 허물과 해를 모면할 것이다. 이것은 자극을 주어 반발하게 함을 경계함이다. 말[馬]에 대하여 스스로 돌아온다고 하였다면 또한 와서 따르는 이치가 있으니, 어찌 끝까지 나를 위해 쓰이지 않는다고 하겠는가? 말[馬]의 성질은 달아나는 것인데, 내가 그것을 기를 수 있는 것은 길러냄에 기술이 있기 때문이다. 똑같은 사람이고 악함은 본성이 아니니, 참으로 접촉함이 있다면 또한 어찌 선으로 나아갈 길이 없겠는가? 성인이 비유를 취함이 간절하지만, 그러나 악을 익힘이 이미 오래되었다면 쉽게 교화할 수 없다. 그러므로 단지 "만난다"고만 하였으니, 항씨의 이른바 "가는 것을 좇지 않고 오는 것을 막지 않는다"가 이것이다. 이것은 또한 작은 일에 할 수 있다는 뜻이니, 만약 호랑이나 뿔 소가 우리를 나오고, 아주 악한 사람이 다가온다면 또한 어찌 좇지 않고 만나볼 수 있겠는가?

심조(沈潮) 「역상차론(易象箚論)」

初九馬.
초구의 말[馬].

前有離午, 故稱馬, 馬又陽爻也.
앞에 리괘(離卦☲)인 오(午)가 있으므로 말[馬]이라 했으니, 말은 또한 양의 효이다.

유정원(柳正源) 『역해참고(易解參攷)』

初九, [至] 无咎.
초구는 후회가 없어지니 … 허물이 없다.

漢上朱氏曰, 四坎馬也. 四不與初, 以剛自守, 喪馬也, 四終求初, 勿逐自復也. 四不正, 惡人也.
한상주씨가 말하였다: 사효는 호괘인 감괘(坎卦☵)에 있으니 말[馬]이다. 사효가 초효와 함께하지 않고 굳셈으로 스스로 지키니 '말을 잃음'이고, 사효가 끝내는 초효를 구하니 '좇지 않아도 스스로 돌아옴'이다. 사효의 바르지 않음이 나쁜 사람이다.

○ 林氏栗曰, 喪牛, 喪其順也, 喪羊, 喪其狠也, 喪馬, 喪其健也. 四剛健矣, 介六三[40]六五之間, 宜逸而不可禁. 然五自應二, 三自應上, 四无所歸, 其勢自復, 勿逐可也.

임률이 말하였다: 소를 잃음은 그 유순함을 잃음이고, 양을 잃음은 그 사나움을 잃음이고, 말[馬]을 잃음은 그 강건함을 잃음이다. 사효는 강건한데, 육삼과 육오의 사이에 끼어서 달아나도 막을 수 없다. 그러나 오효는 자연히 이효와 호응하고, 삼효는 자연히 상효와 호응하여 사효는 돌아갈 곳이 없어서 그 형세가 스스로 돌아오니, 좇지 않아도 괜찮다.

○ 朱子曰, 明道言當與元豊大臣共政, 此事乃聖賢之用義理之正. 易於睽之初爻, 亦有不絕小人之說, 足以見此事自是當然, 非權譎之私也. 然亦須有明道如此廣大規模, 和平氣像, 而其誠心昭著, 足以感人然後, 有以盡其用耳.
주자가 말하였다: 명도가 "원풍때의 대신들과 함께 정사해야 한다"고 하였는데, 이 일이 바로 성현을 기용하고 의리를 바르게 하는 것이다. 『주역』의 규괘 초효에서도 소인을 끊지 말아야 한다는 설이 있으니, 이 일은 자연히 마땅한 것이지 권모술수의 사사로움이 아님을 알 수 있다. 그러나 또한 명도와 같이 규모가 광대하고 기상이 화평하여 참된 마음이 밝게 드러나 사람들을 감동시킨 뒤에야 그 역할을 다할 수 있을 것이다.

○ 李氏曰, 凡近非應而居前, 則宜其見掩而爲間. 故二有惡人之象.
이씨가 말하였다: 가까운 것이 호응이 아니면서 앞에 있으면, 당연히 가려지게 되고 끼어들게 된다. 그러므로 이효에는 나쁜 사람의 상이 있다.

○ 雙湖胡氏曰, 馬坎象, 无應故喪, 坎性就下, 故自復. 惡人指四, 互離爲見.
쌍호호씨가 말하였다: 말[馬]은 감괘(坎卦☵)의 상인데 호응이 없으므로 잃었으며, 감괘의 성질은 아래로 내려가므로 스스로 돌아온다. 나쁜 사람은 사효를 가리키고, 호괘인 리괘(離卦☲)가 '만남'이 된다.

○ 案, 初與四, 同德相應, 而三陰間之, 惡人, 恐指六三.
내가 살펴보았다: 초효와 사효는 같은 덕으로 서로 호응하는데 삼효인 음이 사이에 있으니, '나쁜 사람'은 육삼을 가리킨 듯하다.

見惡 [至] 咎也.
나쁜 사람을 만나야 허물이 없다.
單氏曰, 九二, 以剛在上而乘己, 近不相得, 惡人之象也. 惡人在上, 不以禮承之, 則害及矣. 故見之, 乃可以辟咎.

단씨가 말하였다: 구이가 굳센 양으로 위에 있으면서 나를 탔지만, 가까이 하면서 서로 얻지
못하니 나쁜 사람의 상이다. 나쁜 사람이 위에 있으니, 예로 받들지 않는다면 해가 미칠
것이다. 그러므로 만나야만 이내 허물을 피할 수 있다.

김상악(金相岳) 『산천역설(山天易說)』

卦變而失正應於上, 爲有悔, 得同德之應, 所以悔亡, 而四互坎體, 故有喪馬勿逐而自
復之象. 然當睽之時, 必見惡人而後, 可以辟咎也, 惡人謂三也.

괘가 변하여 위로 정응을 잃었기에 후회가 있게 되고, 같은 덕으로 호응함을 얻었기에 후회
가 없어졌는데, 사효는 호괘인 감괘(坎卦☵)의 몸체이므로 말을 잃고 좇지 않아도 스스로
돌아오는 상이 있다. 그러나 어긋나는 때에는 반드시 나쁜 사람을 만난 뒤에야 허물을 피할
수 있으니, 나쁜 사람은 삼효를 말한다.

○ 初之與四, 雖非正應, 陽與陽遇, 无睽孤之悔也. 故九四曰, 遇元夫交孚, 馬指四也.
四自互震而變, 又爲坎體, 震於馬爲善鳴, 坎爲亟心. 故始雖喪馬而自復也. 上卦自中
孚而變, 中孚則三四二陰, 異體相比. 故有馬匹亡絶類上之戒, 睽則初四二陽, 同德爲
應, 故有喪馬勿逐自復之象也. 又兌伏艮爲旅, 旅之上曰, 喪牛于易. 故此以喪馬爲象,
三曰其牛掣, 卽旅之所喪者也. 惡人與己乖異者也. 三之人, 以陰居兌上而掩二, 處坎
初而陷四, 皆惡人之象. 睽乖之時見之, 可以釋彼之疑忌而无咎也. 蓋睽字從目, 廣韻
目少精也, 說文目不相視曰睽. 故諸爻之見, 皆出於疑懼, 非眞見也. 故自初而見, 三則
爲惡人, 自上而見, 三則爲豕爲鬼, 三自見之, 則爲牛爲人, 皆猜疑難合之象也. 然睽之
爲義, 天地男女萬物, 始異而終同. 故六爻无凶, 初之喪馬自復, 四之遇元夫交孚, 二之
遇主于巷, 五之厥宗噬膚, 三之无初有終, 上之匪寇婚媾, 其義可見.

초효는 사효와 비록 정응은 아니지만, 양과 양이 만났으니 어긋나 홀로 되는 후회가 없다.
그러므로 구사에서 "착한 남편을 만나 서로 믿는다"고 하였으니, 말[馬]은 사효를 가리킨다.
사효는 호괘인 진괘(震卦☳)로부터 변해 와서 다시 감괘(坎卦☵)의 몸체가 된 것인데, 진괘
는 말[馬]에 있어서는 울기를 잘함이 되고 감괘는 성질이 급함이 된다. 그러므로 처음에는
비록 말을 잃지만 스스로 돌아온다. 상괘는 중부괘(中孚卦☲)로 부터 변해 왔는데, 중부괘
는 삼효와 사효의 두 음효가 몸체가 다르면서 서로 가까이 한다. 그러므로 '말[馬]이 짝을
잃음은 무리를 끊고 올라감'[41]이라는 경계가 있지만, 규괘(☲)는 초효와 사효의 두 양효가
같은 덕으로 호응하므로 말을 잃고 좇지 않아도 스스로 돌아오는 상이 있다. 또 태괘(兌卦

---

41) 『周易·中孚卦』: 象曰, 馬匹亡, 絶類, 上也.

☷)에 잠복한 간괘(艮卦☶)로 려괘(旅卦☲☶)가 되는데, 려괘의 상효에서 "소를 쉽게 함에 잃는다"[42]고 하였다. 그러므로 여기에서 말을 잃는 것으로 상을 삼았고, 삼효에서 "그 소가 들이댄다"고 한 것은 려괘에서 잃은 것이다. 나쁜 사람은 자기와 어긋나서 다른 자이다. 삼효의 사람이 음으로 태괘(兌卦☱)의 위에 있으면서 이효를 가리고, 감괘(坎卦☵)의 처음에 있으면서 사효에 빠지니, 모두 나쁜 사람의 상이다. 어긋나는 때에 저 사람을 만난다면 저의 의심과 시기를 풀어서 허물이 없을 수 있다. 대체로 규(睽)자는 '눈[目]'에서 왔는데, 『광운』에서는 '눈에 정기가 적음'을, 『설문』에서는 '눈으로 서로 보지 못함'를 '규(睽)'라고 하였다. 그러므로 여러 효에 나오는 '봄[見]'은 모두 의심과 두려움에서 나온 것이지, 참되게 봄이 아니다. 그러므로 초효의 입장에서 본다면 삼효는 나쁜 사람이 되고, 상효의 입장에서 본다면 삼효는 돼지가 되고 귀신이 되며, 삼효가 스스로를 본다면 소가 되고 사람이 되니, 모두 의심하여 화합하기 어려운 상이다. 그러나 규괘의 뜻은 천지와 남녀와 만물이 처음에는 다르지만 끝내는 같아지는 것이다. 그러므로 여섯 효에 흉함이 없으니, 초효의 '말[馬]'을 잃고 스스로 돌아옴'과 사효의 '착한 남편을 만나 서로 믿음'과 이효의 '임금을 골목에서 만남'과 오효의 '그 친족이 살을 깨물음'과 삼효의 '처음은 없고 끝이 있음'과 상효의 "도적이 아니라 혼구이다"에서 그 뜻을 알 수 있다.

김규오(金奎五) 「독역기의(讀易記疑)」

初九惡人, 雲峯以六三言之. 蓋以初與三同體, 自有可見之道, 而同體之切, 不若相應之襯. 不正之失, 三四又无異, 但四爲陽爻, 故難以陽謂之惡人. 然易亦何常之有, 四之元夫, 旣指初九, 則初之惡人, 亦似指九四耳. 丘氏化惡爲善之說, 恐得之矣. 三四皆人位, 又皆互离而有見象, 此則兩皆可通矣. 惡人本不可見, 而見以辟咎, 亦有悔能亡之意也.

초구의 나쁜 사람을 운봉호씨는 육삼으로 말하였다. 대체로 초효와 삼효는 몸체를 같이하고 스스로 만날 수 있는 길이 있지만, 몸체를 같이 하는 절실함은 서로 호응하는 가까움만 못하다. 바르지 못한 과실은 삼효와 사효가 또한 차이가 없는데, 다만 사효는 양효가 되므로 양을 나쁜 사람이라고 하기가 어렵다. 그러나 역에 어찌 변치 않음이 있겠는가? 사효의 '착한 남편'이 이미 초구를 가리킨다면, 초구의 '나쁜 사람'은 또한 구사만을 가리킨 듯하다. 구씨의 "악을 변화시켜 선하게 한다"는 설도 바른 뜻을 얻은 듯하다. 삼효와 사효는 모두 사람의 자리이고, 또한 모두 호괘가 리괘(離卦☲)여서 만난다는 상이 있으니, 이렇다면 둘 다 모두 통할 수 있다. 나쁜 사람은 본래 만나지 말아야 하는데 만나서 허물을 피하였으니, 또한 후회를 없게 할 수 있다는 뜻이 있다.

---

42) 『周易·旅卦』: 上九, 鳥焚其巢, 旅人, 先笑後號咷. 喪牛于易, 凶.

서유신(徐有臣) 『역의의언(易義擬言)』

先睽爲悔, 後同悔乃亡也. 馬與人, 皆指九四也. 喪馬, 無應而不能行也, 勿逐自復, 不相馳逐, 但自復於下也. 所謂喪馬, 非無馬也, 睽而不合, 故以爲失也, 所謂惡人, 非人惡也, 疑而不見, 故以爲惡也. 及其見之, 竟非惡人而无咎也. 夫疑惡人則喪馬, 見惡人則馬亦得矣. 相睽則相疑, 不疑則不睽也.

앞선 어긋남이 후회가 되고, 뒤에 같아짐은 후회는 없어짐이다. 말[馬]과 사람은 모두 구사(九四)를 가리킨다. '말을 잃음'은 호응이 없어서 나갈 수 없는 것이고, '좇지 않아도 스스로 돌아옴'은 서로 달려 따르지 않아도 스스로 아래로 돌아오는 것이다. 이른바 '말을 잃음'은 말이 없다는 것이 아니라 어긋나서 화합하지 못하므로 잃었다고 하는 것이며, 이른바 '나쁜 사람'은 사람이 나쁘다는 것이 아니라 의심하여 만나지 않으므로 나쁘다고 하는 것이다. 만나게 되면 필경은 나쁜 사람이 아니기에 허물이 없을 것이다. 나쁜 사람이라고 의심하면 말을 잃고, 나쁜 사람을 만나게 되면 말도 또한 얻게 된다. 서로 어긋나면 서로 의심하고, 의심하지 않으면 어긋나지 않는다.

박제가(朴齊家) 『주역(周易)』

初九見惡人无咎, 傳必見惡人則无咎也, 本義必見惡人然後, 可以辟咎, 如孔子之於陽貨. 案此皆由象傳以辟咎也之句而如此. 然象傳亦云當見而見, 何可必耶. 又何可曰見則无咎, 又何可曰見然後辟咎耶. 孟子陽貨先, 豈得不見, 則何必見陽貨, 然後爲辟咎耶. 然則孔子何必矙其無而必欲不見耶. 經之爲義, 但言雖見不善可厭之人, 不至爲咎, 此見非求見也. 或迫而見之, 或邂逅見之而不避, 所以爲辟咎之道也. 中溪張氏曰, 見者, 遇而勿絶之辭, 非必欲見之也, 此言爲是. 故不當不必字則字然後字. 誠齋楊氏, 以子見南子, 陳寔弔張讓, 爲辟咎, 而以孔子爲不見陽貨者, 爲是. 蓋初之時睽之情淺, 故先言物, 馬卽物也, 比人情淺者也. 旣失而自復, 則其睽之淺可知, 初故也. 惡人者, 常所仇惡相絶之人, 至此而見之, 則雖不渙, 然其情稍向合矣. 從睽之淺者而言, 故必曰惡人, 若相善之故人, 則懽然相合, 初不可以言睽, 而今之見, 便非睽之初矣.

초구의 "나쁜 사람을 만나야 허물이 없다"를 『정전』에서는 "반드시 나쁜 사람을 만나면 허물이 없다"고 하고, 『본의』에서는 "반드시 나쁜 사람을 만난 뒤에야 허물을 피할 수 있으니 공자가 양화에 대한 것과 같다"고 하였다. 내가 살펴보니, 이것은 모두 「상전」의 "허물을 피하기 때문이다"라는 구절 때문에 이와 같이 말한 듯하다. 그러나 「상전」에서는 또한 '만나야 해서 만남'을 말한 것이니, 어찌 반드시라고 할 수 있겠는가? 또 어찌 "만나면 허물이 없다"고 말할 수 있겠으며, 또 어찌 "만난 뒤에야 허물을 피할 수 있다"고 말할 수 있겠는가? 맹자는 '양화가 먼저 하였으면 어찌 만나지 않았겠는가?'[43]라고 하였으니, 어찌 반드시 양화를 만난 뒤에야 허물을 피하게 되겠는가? 그렇다면 공자가 어찌 반드시 그가 집에 없을 때를 살펴서 반드시 만나지 않으려 했겠는가? 경전의 뜻은 단지 선하지 않아 싫어할 만한 사람을 만나더라도 허물됨에 이르지 않는다고 말한 것이니, 이 만남은 만나기를 구한 것이 아니다. 혹 갑자기 만나고 혹 우연히 만나서 피하지 않음이니, 그래서 허물을 피하는 도가 되는 것이다. 중계장씨가 "만남은 만나서 끊지 않는다는 말이니, 반드시 만나려는 것은 아니다"라고 하니, 이 말이 옳다. 그러므로 "필요하지 않다[不必]"나 '한다면[則]'이나 '그런 뒤에야[然後]'라는 말은 마땅하지 않다. 성재양씨가, 공자가 남자(南子)를 만남과 진식이 자양을 조문함을 허물을 피함으로 간주하고, 공자가 애초에 양화를 보려하지 않았다고 여긴 것은 옳다. 대체로 처음에는 어긋남의 실정이 얕으므로 먼저 사물을 말했는데, 말이 곧 사물이니 인정에 비하여 얕은 것이다. 이미 잃었어도 스스로 돌아온다면 그 어긋남의 얕음을 알 수 있으니, 처음이기 때문이다. 나쁜 사람은 항상 미워하여 서로의 관계를 끊으려는 사람이니, 이러한 지경에서 만난다면 비록 풀리지는 않겠지만, 그 감정이 조금은 화합함으로 향할 것이다. 어긋남이 얕은 것에서 말했기 때문에 반드시 나쁜 사람이라고 했지만, 만약 서로 선한 옛사람이라면 기쁘게 서로 화합할 것이니 애초에 어긋남을 말할 수도 없고, 지금의 만남이 곧 어긋남의 시작은 아닐 것이다.

박문건(朴文健) 『주역연의(周易衍義)』

允而自得, 故有勿逐自復之象, 惡人, 謂九四也.

참으로 스스로 얻으므로 좇지 않아도 스스로 돌아오는 상이 있고, 나쁜 사람은 구사를 말한다.

〈問, 悔亡以下. 曰, 初九與九四, 其勢相敵, 然不失爲下之道, 故悔亡也. 欲進而喪所乘之馬, 雖勿追逐, 然必七日而而自反也, 莫以見喪爲慮. 往見惡人, 則无咎也, 惡人, 害己者之稱也.

물었다: "후회가 없어진다" 이하는 무슨 뜻입니까?

답하였다: 초구는 구사와 그 형세가 서로 대등하지만, 아랫사람이 되는 도를 잃지 않으므로 후회가 없습니다. 나아가고자 하였으나 타던 말을 잃었지만, 비록 좇지 않더라도 반드시 칠일 안에 스스로 돌아오니, 잃게 되어도 근심하지 않습니다. 가서 나쁜 사람을 만나면 허물이 없으니, 나쁜 사람은 자기를 해치는 자를 말합니다.〉

이지연(李止淵) 『주역차의(周易箚疑)』

初與四, 終非相睽者也, 我雖不逐, 而彼必自孚. 君子之見惡人, 本非无咎之事, 然而事

或有不得已, 而以避禍之道見之者, 如是而見, 則亦无咎也. 此所謂同而異者也.

초효와 사효는 끝내 서로 어긋나는 것이 아니니, 내가 비록 좇지 않아도 저가 반드시 스스로 믿는다. 군자가 나쁜 사람을 만남은 본래 허물이 없는 일은 아니지만, 일에 혹 어쩔 수 없어서 재난을 피하는 방도로 만나는 것이니, 이와 같이 만나면 또한 허물이 없을 것이다. 이것이 이른바 "같게 하면서도 달리 한다"는 것이다.

김기례(金箕澧) 「역요선의강목(易要選義綱目)」

初九, 悔亡, 喪馬, 勿逐, 自復,

초구는 후회가 없어지니, 말[馬]을 잃고 좇지 않아도 스스로 돌아오니,

馬指四. 四互坎, 故曰馬, 取行. 初陽欲上行, 而四亦陽爻无應. 故曰喪馬. 然睽離之時, 四居上體, 而孤以同德相應, 不待初之求而相合. 故曰勿逐自復, 自復則當悔而悔亡.

말[馬]은 사효를 가리킨다. 사효는 호괘가 감괘(坎卦☵)이므로 말이라고 하였으니, 나아감을 취한 것이다. 처음의 양효가 위로 나아가려 하지만, 사효가 또한 양효이기에 호응함이 없다. 그러므로 "말을 잃었다"고 하였다. 그러나 어긋나서 떨어지는 때에, 사효가 상괘의 몸체에 있으면서 홀로 같은 덕으로 서로 호응하니, 초효의 요구를 기다리지 않고서도 서로 화합한다. 그러므로 "좇지 않아도 스스로 돌아온다"고 했으니, 스스로 돌아온다면 후회해야 하지만 후회가 없어질 것이다.

見惡人, 无咎.

나쁜 사람을 만나야 허물이 없다.

初, 以陽居剛, 則正也.

초효는 양효가 굳센 양의 자리에 있으니 바른 것이다.

○ 以陰居剛者, 不正, 指三曰惡人. 三之不正, 无關於初, 而初當往四, 則勢將歷三, 而不宜恝視而反溺於多凶之陰. 故所以禮待而避咎, 本義曰, 如孔子見陽貨.

음이면서 굳센 양의 자리에 있는 것은 바르지 못하니, 삼효를 가리켜 '나쁜 사람'이라고 하였다. 삼효의 바르지 못함은 초효와 상관이 없지만, 초효가 사효에게 가려면 형세에 있어서 삼효를 거쳐야 하니, 무시하다가 도리어 흉함이 많은 음효에 빠지지 말아야 한다. 그러므로 예의로 상대하여 허물을 피하는 것이니, 『본의』에서는 "공자가 양화를 만나는 것과 같다"고 하였다.

심대윤(沈大允) 『주역상의점법(周易象義占法)』

睽之義, 同處而異事, 異事而同成. 故睽之爻位, 居剛同而異也, 居柔異而同也. 睽之爲卦, 應爻皆有剛爻之隔. 初三五剛隔, 近於我而違之, 爲同而異也, 二四上剛隔, 遠於我而舍之而就應, 爲異而同也, 違近難, 舍遠易也. 睽之未濟, 異而未盡就於同也. 初九, 以剛居剛, 近於二而志應於四, 睽以異而同爲成功者也, 故雖同物而亦取應也. 尙異者必有悔, 而終歸於同, 故曰悔亡. 近二而爲其所隔, 故曰喪馬. 兌坎爲喪, 馬指九四也. 應必相合, 故曰勿逐自復. 乾之變, 自兌退則爲乾, 乾爲復, 离進則爲震, 震爲逐. 初居兌而四居离, 以初之不逐四, 故從四以言, 以四之復於初, 故從初以言也. 初之與二志不同, 故曰見惡人, 离爲見, 兌爲惡, 乾爲人. 趨向雖殊, 而尙與之周旋容納也, 故曰无咎. 當睽之初, 居卑而无正應, 未敢顯然立異也.

규괘의 뜻은 함께 있어도 일이 다르고, 일이 달라도 같이 이루는 것이다. 그러므로 규괘의 효의 자리는 굳센 자리에 있으면 같으면서 달라지고, 부드러운 자리에 있으면 다르면서 같아진다. 규괘에서 호응하는 효는 모두 굳센 양의 효가 가로막고 있다. 초효와 삼효와 오효는 가로막는 굳센 양의 효가 나에게 가까워서 피하니 같으면서 달라지고, 이효와 사효와 상효는 가로막는 굳센 양의 효가 나에게서 멀리 있어 이를 버리고 호응하는 것에 나아가니 다르면서 같아지게 되는데, 가까운 것을 피하기는 어렵고, 먼 것을 버리기는 쉽다. 규괘가 미제괘(未濟卦䷿)로 바뀌었으니, 다르면서 아직 모두 같게 되지는 못한 것이다. 초구는 굳센 양이 굳센 양의 자리에 있으며, 이효를 가까이 하나 뜻은 사효와 호응하니, 규괘는 다르면서 같음을 성공으로 삼으므로 비록 같은 사물이라도 또한 호응을 취한다. 계속해서 다른 것은 반드시 후회가 있겠지만, 끝내 같음으로 돌아가므로 "후회가 없어진다"고 하였다. 이효를 가까이 하지만 그것에 가로막히게 되었으므로 "말을 잃었다"고 하였다. 태괘(兌卦☱)와 감괘(坎卦☵)는 '잃음'이 되고, 말은 구사를 가리킨다. 호응하면 반드시 서로 화합하므로 "좇지 않아도 스스로 돌아온다"고 하였다. 건괘(乾卦☰)로 바뀜은 두 번째 자리에 있는 태괘(兌卦☱)가 한 자리 물러나면 첫 번째 자리에 있는 건괘(乾卦)가 되니 건괘는 돌아옴이 되고, 세 번째 자리에 있는 리괘(離卦☲)가 한 자리 나아가면 네 번째 자리에 있는 진괘(震卦☳)가 되니 진괘는 좇아감이 된다. 초효는 태괘에 있고 사효는 리괘에 있는데, 초효가 사효를 좇지 않기 때문에 사효로부터 말하였고, 사효가 초효에게 돌아가기 때문에 초효로부터 말하였다. 초효가 이효와 뜻이 같지 않으므로 "나쁜 사람을 만난다"고 하였으니, 리괘는 만남이 되고, 태괘는 나쁨이 되고, 건괘는 사람이 된다. 나아감이 비록 다르지만 여전히 더불어 두루 용납하므로 "허물이 없다"고 하였다. 규괘의 처음을 맞아 비천한 곳에 있으면서 정응이 없기에 감히 다름을 분명하게 세우지 못하였다.

오치기(吳致箕) 「주역경전증해(周易經傳增解)」

初九, 陽剛在下, 上无應比, 宜若有悔, 而以其獨能居正, 故言悔亡. 然在睽之時, 无應无比, 故有喪馬之象, 而以剛得正, 與九四同德相應, 故有勿逐自復之象. 而喪者復, 則睽之合矣. 雖有不正之惡人, 與我相睽, 而若不見, 則乖異尤甚而爲咎. 故戒言見之然後爲无咎也.

초구는 굳센 양이 아래에 있으면서 위로 호응하는 것도 비(比)의 관계에 있는 것도 없으니 마땅히 후회가 있어야 하지만, 홀로 바른 자리에 있으므로 "후회가 없다"고 하였다. 그러나 어긋나는 때에 호응하는 것도 비(比)의 관계에 있는 것도 없으므로 말을 잃는 상이 있고, 굳센 양이 바른 자리를 얻어 구사와 같은 덕으로 서로 호응하므로 좇지 않아도 스스로 돌아오는 상이 있다. 잃은 것이 돌아오면 어긋났던 것이 화합하는 것이다. 비록 바르지 않은 나쁜 사람이 나와 서로 어긋남이 있더라도, 만약 만나지 않는다면 어긋나 달라짐이 더욱 심해져 허물이 된다. 그러므로 만난 뒤에야 허물이 없게 된다고 경계시켜 말하였다.

○ 喪者, 失也, 變坎爲馬之象, 應體互坎爲盜. 故言喪馬也. 勿取於對艮爲止, 逐取於交體之震, 而二五交易則成震也. 見取應離, 而睽以反目爲義. 故諸爻多言見也. 惡人指九四, 以不正而初不相應也. 睽之義在於始, 雖異而終同. 故此言見惡人无咎, 四言遇元夫无咎, 乃睽之合也.

'상[喪]'은 잃음이니, 초효가 변한 감괘(坎卦☵)가 말[馬]의 상이 되고, 호응하는 몸체이며 호괘인 감괘가 도적이 된다. 그러므로 "말을 잃는다"고 말하였다. '않음[勿]'은 음양이 반대되는 간괘(艮卦☶)가 그침이 됨에서 취하였고, '좇음[逐]'은 몸체를 바꾼 진괘(震卦☳)에서 취하였는데, 이효와 오효를 바꾸면 진괘(震卦)를 이룬다. '만남[見]'은 호응하는 리괘(離卦☲)에서 취하였는데, 규괘는 반목으로 뜻을 삼는다. 그러므로 여러 효에서 '봄[見]'을 말함이 많다. 나쁜 사람은 구사를 가리키니, 바르지 않으면서 초효와 서로 호응하지 않기 때문이다. 어긋남의 뜻은 처음에 있으니, 비록 달라져도 끝내는 같아진다. 그러므로 여기에서 "나쁜 남자를 만나야 허물이 없다"고 하고, 사효에서는 "착한 남편을 만나서 허물이 없다"고 하였으니, 바로 어긋남이 화합함이다.

이진상(李震相) 『역학관규(易學管窺)』

○ 喪馬勿逐.

말을 잃고 좇지 않는다.

初應在四, 而四乃坎體, 坎爲馬. 四以剛陽始與初睽, 喪馬之象也. 坎性就下, 終必求初, 勿逐自復之象也.

초효가 호응함은 사효에 있는데, 사효는 바로 감괘(坎卦☵)의 몸체이며, 감괘는 말[馬]이 된다. 사효가 굳센 양으로 처음부터 초효와 어긋나니, 말을 잃는 상이다. 감괘(坎卦)의 성질이 아래로 나아감이라서 끝내는 반드시 초효에게 구하니, 좇지 않아도 스스로 돌아오는 상이다.

○ 見惡人.

나쁜 사람을 만난다.

初之於四, 正應也, 而六三天劓之人逼近之, 如魯之有陽貨, 衛之有南子. 不歷六三, 則無以會於四, 不見此人, 則無以免於咎. 所以見惡人无咎也. 居亂邦見惡人, 非內守之確者, 未可遽言也. 前輩多以九四爲惡人, 四雖不中, 在初爲同德, 恐不可直謂惡人.

초효는 사효에게 정응이지만, 육삼의 머리가 깎이고 코가 베인 사람이 닥쳐서 가까이 하니 노나라에 양화가 있고, 위나라에 남자가 있음과 같다. 육삼을 거치지 않으면 사효와 회합할 수 없으니, 이 사람을 만나지 않는다면 허물을 면할 수 없다. 그래서 나쁜 사람을 만나야 허물이 없다는 것이다. 어지러운 나라에서 나쁜 사람을 만났으니, 안으로 지킴이 확고한 자가 아니라면 갑자기 말할 수 없다. 선배들이 대체로 구사를 나쁜 사람으로 간주하였는데, 구사가 비록 알맞지는 않더라도 초효와 같은 덕이 되니, 곧바로 나쁜 사람이라고 할 수는 없을 듯하다.

박문호(朴文鎬) 「경설(經說)·주역(周易)」

孔子未嘗見陽貨, 而遇諸塗則不避, 是亦不害爲見也.

공자가 일찍이 양화를 만나지 않았지만 길에서 만나서 피하지 않았으니, 이것도 또한 만남이 된다고 해도 지장이 없다.

象曰, 見惡人, 以辟咎也.

「상전」에서 말하였다: "나쁜 사람을 만남"은 허물을 피하기 때문이다.

‖ 中國大全 ‖

傳

睽離之時, 人情乖違, 求和合之, 且病其不能得也. 若以惡人而拒絕之, 則將衆仇於君子, 而禍咎至矣. 故必見之, 所以免辟怨咎也, 无怨咎則有可合之道.

어긋나서 떨어지는 때에는 인정이 어긋나니, 화합하기를 구해야 하며, 할 수 없음을 병으로 여겨야 한다. 만약 나쁜 사람이라고 거절한다면 사람들이 군자를 원수로 삼아 화와 허물이 이를 것이다. 그러므로 반드시 나쁜 사람을 만나야만 원망과 허물을 피할 것이니, 원망과 허물이 없으면 화합할 수 있는 방도가 있다.

小註

誠齋楊氏曰, 見惡人, 子見南子, 陳寔弔張讓, 是也. 若非辟咎, 則无事乎見惡人矣, 孔子不見陽貨, 是也.

성재양씨가 말하였다: 나쁜 사람을 만남은 공자가 남자(南子)를 만나고 진식이 장양을 조문한 것이 이런 경우이다. 만약 허물을 피하는 것이 아니라면 나쁜 사람을 만나볼 일이 없으니, 공자가 양화를 보지 않은 것이 이 경우이다.

○ 雲峰胡氏曰, 爻曰无咎, 象曰辟咎, 睽之時, 不得不辟也.

운봉호씨가 말하였다: 효사에서 "허물이 없다"고 하고 「상전」에서는 "허물을 피한다"고 하였으니, 어긋나는 때엔 피하지 않을 수 없다.

║韓國大全║

유정원(柳正源) 『역해참고(易解參攷)』

單氏曰, 九二, 以剛在上而乘己, 近不相得, 惡人之象也. 惡人在上, 不以禮承之, 則害及矣. 故見之, 乃可以辟咎.

단씨가 말하였다: 구이(九二)는 굳센 양으로 위에서 나를 타고 있고, 가까이 하지만 서로 얻지 못하니, 나쁜 사람의 상이다. 나쁜 사람이 위에 있으니, 예의로 받들지 않는다면 해가 미칠 것이다. 그러므로 만나야 이내 허물을 피할 수 있다.

김상악(金相岳) 『산천역설(山天易說)』

辟咎, 見離初九.

'허물을 피함[辟咎]'은 리괘(離卦☲)의 초구에 보인다.[44]

서유신(徐有臣) 『역의의언(易義擬言)』

見惡人, 以辟咎也.

'나쁜 사람을 만남'은 허물을 피하기 때문이다.

睽, 疑致咎之道也. 事審於始, 則遠害, 故離睽之初, 皆稱辟咎, 離睽, 亦有違避之義也.

규괘는 허물에 이를까 염려하는 도이다. 일을 처음부터 살핀다면 해를 멀리하므로 리괘(離卦☲)와 규괘의 초효에 모두 '허물을 피함[辟咎]'을 말하였으니, 리괘와 규괘에는 또한 어긋나 피한다는 뜻이 있다.

오치기(吳致箕) 「주역경전증해(周易經傳增解)」

若以惡人而不見, 則招怨而爲咎, 見之, 則睽合而无咎也.

만약 나쁜 사람이라고 만나지 않는다면 원망을 초래하여 허물이 되고, 만난다면 어긋남을 화합하여 허물이 없을 수 있다.

---

44) 『周易・離卦』: 象曰, 履錯之敬, 以辟咎也.

이병헌(李炳憲) 『역경금문고통론(易經今文考通論)』

本義曰, 上無正應, 有悔也, 而居睽之時, 同德相應, 其悔亡矣. 故有喪馬勿逐而自得之象. 然必見惡人, 可以辟咎.

『본의』에서 말하였다: 위로 정응이 없으니 후회가 있겠지만, 어긋나는 때에 같은 덕으로 서로 호응하니 후회가 없어질 것이다. 그러므로 말[馬]을 잃고 쫓지 않아도 스스로 돌아오는 상이 있다. 그러나 또한 반드시 나쁜 사람을 만나야 허물을 피할 수 있다.

按, 惡人, 指六三也. 三方輿曳牛掣, 見馬必貪, 有天且劓之罪惡, 彼自有應, 一見可辟咎矣.

내가 살펴보았다: 나쁜 사람은 육삼을 가리킨다. 삼효는 수레가 끌리고 소가 가로막으며 말을 보고 반드시 탐내어 머리가 깎이고 코가 베이는 죄악이 있지만, 저것과 자연히 호응함이 있으니 한번 만나야 허물을 피할 수 있을 것이다.

九二, 遇主于巷, 无咎.

정전 구이는 임금을 골목에서 만나면 허물이 없다.
본의 구이는 임금을 골목에서 만나야 허물이 없다.

║中國大全║

傳

二與五正應, 爲相與者也. 然在睽乖之時, 陰陽相應之道衰, 而剛柔相戾之意勝, 學易者識此, 則知變通矣. 故二五雖正應, 當委曲以相求也. 二以剛中之德居下, 上應六五之君, 道合則志行, 成濟睽之功矣. 而居睽離之時, 其交非固, 二當委曲求於相遇, 覬其得合也. 故曰遇主于巷, 必能合而後无咎. 君臣睽離, 其咎大矣. 巷者, 委曲之途也, 遇者, 會逢之謂也, 當委曲相求, 期於會遇, 與之合也. 所謂委曲者, 以善道宛轉將就, 使合而已, 非枉己屈道也.

이효는 오효와 정응이니 서로 함께하는 것이 된다. 그러나 어긋나는 때에 있어 음과 양이 서로 호응하는 도가 쇠퇴하고, 굳셈과 부드러움이 서로 어그러지는 뜻이 기승하니, 역을 배우는 자가 이것을 알면 변통(變通)을 알 것이다. 그러므로 이효와 오효가 비록 정응이나 마땅히 곡진하게 서로 구해야 한다. 이효가 굳세고 알맞은 덕으로 아래에 있고 위로 육오의 임금에게 호응하니, 도가 합하면 뜻이 행해져서 어긋남을 구제하는 일을 이룰 수 있다. 그런데 어긋나서 떨어지는 때에 있어 그 사귐이 견고하지 못하니, 이효가 마땅히 곡진하게 서로 만나기를 구하여 합하기를 바라야 한다. 그러므로 "임금을 골목에서 만난다"고 하였으니, 반드시 합한 뒤에야 허물이 없다. 임금과 신하가 어긋나서 떨어지면 그 허물이 크다. '골목[巷]'은 굽은 길이고 '만남[遇]'은 모임을 이르니, 마땅히 곡진하게 서로 구하고 만남을 기약해서 더불어 합해야 한다. 이른바 '곡진함[委曲]'은 선한 도(道)로 완곡하게 이루어서 합하게 할 뿐이니, 자신을 굽히고 도를 굽히는 것은 아니다.

本義

二五, 陰陽正應, 居睽之時, 乖戾不合, 必委曲相求而得會遇, 乃爲无咎. 故其象占, 如此.

이효와 오효는 음과 양의 정응이지만, 어긋나는 때에 있기에 어긋나고 합하지 못하니, 반드시 곡진하게 서로 구하여 만날 수 있어야 허물이 없게 된다. 그러므로 그 상과 점이 이와 같다.

小註

中溪張氏曰, 在睽之時, 唯九二獨遇六五之主, 故曰遇主于巷. 象所謂得中而應乎剛者, 指此爻也.

중계장씨가 말하였다: 어긋나는 때에는 구이만이 홀로 육오의 주인을 만나므로 "임금을 골목에서 만나야 한다"고 하였다. 「단전」에서 "가운데[中]를 얻어 굳센 양[剛]에 호응한다"고 한 것이 이 효를 가리킨다.

○ 西溪李氏曰, 二五, 君臣之位, 故言君臣之睽. 當事勢睽離之時, 君臣相求, 必欲拘堂陛之常分, 則賢者无自而進矣. 遇主于巷, 處睽之時則然.

서계이씨가 말하였다: 이효와 오효는 임금과 신하의 지위이기 때문에 임금과 신하의 어긋남을 말하였다. 일의 형세가 어긋나 떨어지는 때에, 임금과 신하가 서로 구하면서 반드시 임금과 신하의 정해진 분수를 지키려 한다면 어진 자가 스스로 나아갈 길이 없다. '임금을 골목에서 만남'은 어긋나는 때이기에 그러한 것이다.

○ 隆山李氏曰, 當睽之時, 上下乖隔, 道不得行, 不免委曲求合. 期於行道, 以救斯世, 唯二, 以剛中之才, 具和兌之性, 足以行之.

융산이씨가 말하였다: 어긋나는 때에는 위아래가 어긋나 막히고 도가 행해지지 못하니, 곡진하게 합함을 구하지 않을 수 없다. 도를 행할 것을 기약하여 세상을 구제하는 것은 이효뿐이니, 굳세고 알맞은 재질로 화합하고 기뻐하는 성질을 갖추었기에 이를 행할 수 있다. 분의(分義)

○ 雲峯胡氏曰, 坎四比五, 納約自牖, 睽二應五, 遇主于巷. 皆非所由之正. 坎險睽乖之時, 不得不委曲相求, 如此也. 委曲求合, 乃君賢達節之事, 非狷介避世者之所知, 唯二之才剛而得中, 足以行之. 爻言无咎者, 當睽之時, 必如此然後无咎也.

운봉호씨가 말하였다: 감괘(坎卦䷜)의 사효는 오효를 가까이 하는데 맺음을 들이되 통하는 것으로 하고,[45] 규괘의 이효는 오효와 호응하는데 임금을 골목에서 만나야 한다. 모두 연유

---

45) 『周易·坎卦』: 六四, 樽酒簋貳, 用缶, 納約自牖, 終无咎.

한 바가 바르지 않아서니, 감괘는 험난하고 규괘는 어긋나는 때여서 할 수 없이 곡진하게
서로 구함이 이와 같은 것이다. 곡진하게 합함을 구함은 바로 성현이 분수에 알맞은 도리에
맞는 일로 굳은 절개로 세상을 피하는 자가 알 수 있는 바는 아니니, 이효만이 재질이 굳세
고 가운데를 얻었기에 이를 행할 수 있다. 효사에서 "허물이 없다"고 한 것은 어긋나는 때에
는 반드시 이와 같이 한 후에야 허물이 없다는 것이다.

┃韓國大全┃

조호익(曺好益) 『역상설(易象說)』

九二, 遇主于巷.
구이는 임금을 골목에서 만난다.

主指五君位, 巷陰偶象. 因卦義取遇象.
'주(主)'는 오효인 임금의 자리를 가리키고, '골목'은 음인 짝수의 상이다. 괘의 뜻에 의거하
여 만난다는 상을 취하였다.

○ 遇非應故取象.
만남은 호응함이 아니기 때문에 상에서 취하였다.

이익(李瀷) 『역경질서(易經疾書)』

巷, 如達巷委巷之巷, 非大路而亦可以行者也. 此卦皆前睽後合之象. 初九君子小人之
睽而容之也, 九二君臣之睽而遇之也, 六三宗族之睽而宜之也, 九四朋友之睽而遇之
也, 六五與六三同上九, 男女之睽而合之也. 惟三與五合言之者, 卦中惟有兩陰故, 五
爲君位, 而三乃國之宗戚也.
'항(巷)'은 달항(達巷)[46]이나 꼬불꼬불한 길[委巷]의 '항(巷)'과 같으니, 큰 길은 아니지만 또
한 나닐 수 있는 것이다. 이 괘는 모두 앞서는 어긋나고 뒤에는 화합하는 상이다. 초구는

---

46) 『論語·子罕』: 達巷黨人曰, 大哉. 孔子. 博學而無所成名.

군자와 소인이 어긋났다가 받아들이는 것이고, 구이는 임금과 신하가 어긋났다가 만나는 것이며, 육삼은 종족이 어긋났다가 화목한 것이고, 구사는 벗들이 어긋났다가 만나는 것이며, 육오와 육삼은 상구와 같으니, 남녀가 어긋났다가 화합하는 것이다. 오직 삼효와 오효에서 이를 합하여 말한 것은 괘 가운데 음효가 오직 둘이 있기 때문이니, 오효는 임금의 자리가 되고 삼효는 나라의 종친이 된다.

유정원(柳正源) 『역해참고(易解參攷)』

九二 [至] 于巷.

구이는 임금을 … 골목에서 만난다.

王氏曰, 處睽失位, 將无所安, 然五亦失位, 俱求其黨, 出門同趣, 不期而遇. 故曰遇主于巷也.

왕필이 말하였다: 구이는 어긋나는 때에 있어 제자리를 잃어 장차 안주할 곳이 없는데 오효도 제자리를 잃었으니, 모두 그 무리를 구하여 문을 나서며 뜻을 같이 하므로, 기약하지 않아도 만난다. 그러므로 "임금을 골목에서 만난다"고 하였다.

傳, 宛轉.

『정전』에서 말하였다: 완곡하게 하다.

案, 如孔子遜語, 孟子論好貨好色之類.

내가 살펴보았다: 공자의 겸손한 말이나 맹자가 '재화를 좋아함과 여색을 좋아함'[47]과 같은 부류를 논의한 것과 같다.

김상악(金相岳) 『산천역설(山天易說)』

巷, 街巷, 里巷也, 塗之有傍歧者. 九二以剛居下, 比三應五, 雖疑貳睽乖, 然從三則蔽於陰, 從五則麗乎明. 故有遇主于巷之象. 處睽而不失其遇, 无咎之道也.

'항(巷)'은 거리의 골목이나 마을의 골목이니, 곁으로 갈라진 길이다. 구이가 굳센 양으로 아래에 있으면서 삼효와 비(比)의 관계에 있고 오효와 호응하는데, 비록 의심하고 어긋나더라도 삼효를 따른다면 음에 가려지고 오효를 따른다면 밝음에 걸린다. 그러므로 임금을 골목에서 만나는 상이 있다. 어긋나면서도 그 만남을 잃지 않으니, 허물이 없는 도이다.

○ 兌二離三遇之象. 又兌爲附決, 決必有所遇. 故四又言遇. 離爲日而五居尊位, 主之

象, 兌伏艮徑路, 巷之象. 遇主于巷, 謂不在廟堂之上, 而在巷道之中也. 睽異之世, 際遇之道, 不拘堂陛之分, 必委曲求合而後, 可以有遇. 二曰遇主, 四曰遇元夫, 與豐初四曰遇其配主夷主相似. 小過之義, 可小事不可大事, 故六二曰不及其君遇其臣, 睽則雖小事吉, 說而麗明, 剛中而應, 故曰遇主于巷. 又與蹇爲對, 蹇之二曰王臣蹇蹇, 非躬之故, 五曰大蹇朋來, 故本爻之象如此. 處睽者, 不遇則孤, 故諸爻之得遇者, 吉或无咎也. 五則雖不言遇, 噬膚亦遇之象, 上九曰遇雨, 陰陽之和也. 故曰群疑亡也.

두 번째의 태괘(兌卦☱)와 세 번째의 리괘(離卦☲)가 만나는 상이다. 또 태괘는 붙었다가 떨어짐이 되니[48], 떨어지면 반드시 만나는 것이 있어야 한다. 그러므로 사효에서 다시 만남을 말하였다. 리괘는 해가 되고 오효는 존귀한 자리에 있으니, 임금의 상이고, 태괘(兌卦☱)에 잠복한 간괘(艮卦☶)가 작은 길이니 골목의 상이다. ‘임금을 골목에서 만남’은 조정에 있지 않고, 골목 가운데 있음을 말한다. 어긋나 달라지는 세상에서 임금과 신하가 뜻이 잘 맞는 도는 임금과 신하의 분수에 구속되지 말아야 하니, 반드시 곡진하게 합하기를 구한 뒤에야 만날 수 있을 것이다. 이효의 “임금을 만난다”와 사효의 “착한 남편을 만난다”는 풍괘(豐卦)의 초효와 사효에서 “짝이 되는 주인과 평등한 주인을 만난다”[49]고 한 것과 서로 유사하다. 소과괘(小過卦)의 뜻은 작은 일에는 좋고 큰일에는 좋지 않으므로 육이에서 “임금에게 미치지 못하고 신하를 만난다”[50]고 하였는데, 규괘가 비록 작은 일에는 길하지만 기뻐하며 밝음에 걸리고 굳세면서 알맞게 호응하므로 “임금을 골목에서 만난다”고 하였다. 또 건괘(蹇卦☵)와는 음양이 반대 되는데, 건괘의 이효에서 “왕의 신하가 어렵고 어려움이 자신 때문이 아니다”[51]라고 하고, 오효에서 “크게 어려움에 벗이 온다”[52]고 하였으므로 본효의 상이 이와 같다. 어긋난 자는 만나지 않으면 외롭게 되므로 만남을 얻은 효들은 길하거나 혹은 허물이 없다. 오효는 비록 만남을 말하지는 않았지만 살을 깨물음이 또한 만남의 상이고, 상구에서 “비를 만난다”고 한 것도 음양이 화합함이다. 그러므로 (「소상전」에서) “모든 의심이 없어진다”고 하였다.

서유신(徐有臣) 『역의의언(易義擬言)』

遇主于巷, 先睽後合也. 九二, 乃六五之正應, 而在於巷, 是相睽也. 二, 非田野之氓, 又非丘園之士, 特不遇, 故不在朝廷, 而在陋巷耳. 巷, 非遇主之地, 而其君下求, 是以

---

48) 『周易·說卦傳』: 兌, 爲澤, 爲少女, 爲巫, 爲口舌, 爲毀折, 爲附決. 其於地也, 爲剛鹵, 爲妾, 爲羊.
49) 『周易·豐卦』: 初九, 遇其配主, 雖旬, 无咎, 往, 有尙. 九四, 豐其蔀, 日中見斗, 遇其夷主, 吉.
50) 『周易·小過卦』: 六二, 過其祖, 遇其妣, 不及其君, 遇其臣, 无咎.
51) 『周易·蹇卦』: 六二, 王臣蹇蹇, 匪躬之故.
52) 『周易·蹇卦』: 九五, 大蹇, 朋來.

相遇也, 六五所謂往何咎者, 往求於巷也. 二與五, 互旣濟, 爲相逮之象. 二剛中和說,
五柔中文明, 自有相感之理. 詩云鶴鳴于九皐, 聲聞于天, 九二有之. 君臣之際, 睽則爲
咎, 遇則吉. 始遇, 故无咎而已, 上九, 方言吉也.

임금을 골목에서 만남은 먼저 어긋났다가 뒤에 화합함이다. 구이는 바로 육오의 정응이면서
골목에 있으니 서로 어긋난 것이다. 이효는 들판의 백성도 아니고, 초야의 선비도 아니며,
다만 만나지 못했기 때문에 조정에 있지 않고 누추한 골목에 있는 것이다. 골목은 임금을
만나는 곳이 아니지만 임금이 아래로 구하기에 서로 만나는 것이니, 육오의 이른바 '감에
무슨 허물이 있으리오'는 골목에 나아가 구함이다. 이효와 오효는 호괘가 기제괘(旣濟卦☵☲)
이니, 서로 붙잡는 상이 된다. 이효는 굳센 양으로 알맞고 기뻐하고 즐거워하며, 오효는 부
드러운 음으로 알맞고 빛나고 밝으니 저절로 서로 감응하는 이치가 있다. 『시경』에 "학이
구고에서 울거든 소리가 하늘에 들리도다"[53]라고 하였는데, 구이에게 이것이 있다. 임금과
신하의 사이는 어긋나면 허물이 되고 만나면 길하다. 처음 만났으므로 허물이 없을 뿐이고,
상구에서야 비로소 길함을 말할 수 있다.

박제가(朴齊家) 『주역(周易)』

九二, 遇主于巷.

구이는 임금을 골목에서 만난다.

巷, 邑中道也, 字從邑與術通. 離騷五子用失于家術, 詩巷伯巷[54]宮中道也, 秦漢謂之
永巷者也. 論語在陋巷, 蓋巷之陋者, 非巷爲本陋. 大抵如今之衚衕, 雖非四通五達之
衢, 而亦非委曲之謂. 主者, 凡婦人之於夫, 家臣之於其大夫, 皆通謂之, 非必專指君
臣. 二之於五, 亦當通上下, 此云遇巷, 暫相失而得之, 不遠之辭. 況所遇者乃主也, 則
喜可知, 由二五之正應故也. 比初稍深而正, 故曰主. 象傳曰未失道者, 謂失之未遠而
遇諸門巷之近也, 若曰委曲, 則正與未失道相反. 惟失路, 故紆廻宛轉以相求, 則睽已
久而非二矣.

'항(巷)'은 마을에 있는 도로이니, 글자는 '읍(邑)'자를 부수로 하고, 거리[術]와 통한다. 이
소[55]에서 '다섯 아들이 집과 거리[家術]를 잃었다'고 하고, 『시경·항백』에서 하는 '항(巷)'은
궁안의 길이니, 진한시대에 영항(永巷)이라고 하던 것이다.[56] 『논어』의 '누항에 있다'는 골

---

53) 『詩經·鶴鳴』: 鶴鳴于九皐, 聲聞于天. 魚在于渚, 或潛在淵.
54) 巷: 경학자료집성DB와 원전에는 모두 '口'로 되어 있으나, 『시경』에 따라 '巷'으로 바로잡았다.
55) 이소(離騷): 초나라 굴원(屈原)이 지은 부(賦)의 이름으로, 근심을 만난다는 의미를 지닌다.
56) 『시경·항백』 주석.

목 중에 누추한 곳이니, 골목이 본래 누추하다는 것은 아니다. 대체로 지금의 골목길[術衕]이니, 비록 사통팔달의 거리는 아니지만 또한 굽은 길을 말하는 것은 아니다. '주(主)'는 부인이 남편에 대해서나 가신이 대부에 대해서 모두 공통으로 쓰는 말이니, 반드시 임금과 신하만을 가리키는 것은 아니다. 이효가 오효에 대해서는 또한 위아래가 통해야 하는데, 여기에는 "골목에서 만난다"고 하였으니, 잠시 서로 잃었지만 머지않아 만나게 된다는 말이다. 하물며 만나는 사람이 임금이라면 기쁜 것임을 알 수 있으니, 이효와 오효가 정응이 되기 때문이다. 초효에 비하여 조금 깊어지고 바르기 때문에 '임금'이라고 하였다. 「상전」에서 "도를 잃지 않은 것이다"라고 한 것은 잃음이 오래되지 않아서 마을의 입구 근처에서 만남을 말하니, 만약 '곡진하다'고 한다면, 바로 '도를 잃지 않음'과는 서로 반대된다. 다만 길을 잃었을 뿐이므로 우회하여 완곡하게 서로 구하는 것이니, 어긋남이 이미 오래되어 둘이 아닌 것이다.

윤행임(尹行恁) 『신호수필(薪湖隨筆)·역(易)』

遇主于巷.
임금을 골목에서 만난다.

李泌, 處人君父子之間, 其委曲開導, 惻怛丁寧, 有足感人者, 庶幾近之.
이필[57]이 임금의 부자(父子) 사이에 있으면서 곡진하게 인도하고 간곡하게 측은해 하여 사람을 감동시킨 것이 거의 이것에 가깝다.

박문건(朴文健) 『주역연의(周易衍義)』

進後其主, 故有遇主于巷之象, 巷, 村巷也.
나아감에 임금의 뒤에 있으므로 임금을 골목에서 만나는 상이 있는 것이니, '골목[巷]'은 마을의 골목이다.
〈問, 遇主于巷, 无咎. 曰, 九二有所疑, 故其行後於其主也, 所以遇於家巷也. 雖後於主人, 不失進遇之道, 故致无咎也.
물었다: "임금을 골목에서 만나면 허물이 없다"는 무슨 뜻입니까?
답하였다: 구이가 의심하는 것이 있기 때문에 나아감에 임금의 뒤에 있는 것이니, 그래서 집 앞의 골목에서 만나는 것입니다. 비록 임금의 뒤에 있지만 나아가 만나는 도를 잃지 않았으므로 허물이 없게 됩니다.〉

---

57) 이필: 당나라 현종(玄宗)·숙종(肅宗)·덕종(德宗) 때의 사람으로 출사와 은둔을 반복했던 명재상이다.

이지연(李止淵) 『주역차의(周易箚疑)』

九二, 遇主于巷, 无咎.

구이는 임금을 골목에서 만나면 허물이 없다.

象曰 遇主于巷 未失道也.

「상전」에서 말하였다: "임금을 골목에서 만남"은 도를 잃지 않은 것이다.

无初有終. 初則欲无睽而不可得也, 間於剛之故也, 終則欲睽而又不可得也, 遇其剛之故也.[58]

처음에는 없지만 끝에는 있다. 처음에는 어긋남이 없고자 해도 할 수 없었으니 굳센 양이 끼어있기 때문이고, 끝에는 어긋나고자 해도 할 수 없으니 굳센 양을 만났기 때문이다.

김기례(金箕澧) 「역요선의강목(易要選義綱目)」

主指五. 五互坎, 則睽爲溝瀆. 故曰巷, 言乖離之時, 雖正易[59]應而違. 故如水之開道, 委曲相求, 期於相遇, 卽象所云未失道也.

임금은 오효를 가리킨다. 오효는 호괘인 감괘(坎卦☵)에 있으니 어긋나서 개천과 도랑이 된다. 그러므로 '골목'이라 하였으니, 어긋나서 떨어지는 때에는 비록 바르고 쉽게 응하더라도 어긋남을 말한다. 그러므로 물이 길을 여는 것처럼 곡진하게 서로 구하여 서로 만나기를 기약해야 하니, 바로 「상전」에서 말한 도를 잃지 않음이다.

○ 如坎四納約自牖同.

감괘(坎卦) 사효의 "맺음을 들이되 통하는 것으로 한다"[60]와 같다.

심대윤(沈大允) 『주역상의점법(周易象義占法)』

睽之噬嗑䷔, 噬而合也. 九二, 以剛中居柔, 尙同者也. 有正應于五, 而九四隔之, 必去之而後合也. 九二進于三則爲巽, 六五來于四則爲艮, 巽爲遇, 艮爲主. 兩垣之間, 隱僻之地, 爲巷. 九四坎體, 而爲兩离之交, 二居震, 坎爲隱僻, 离爲垣, 震爲塗, 曰巷. 五居

58) "終則欲睽而又不可得也 遇其剛之故也"는 경학자료집성DB에서는 규괘 '삼효'에 해당하는 것으로 분류했으나, 내용에 따라 이 자리로 옮겨왔다.

59) 易: 경학자료집성DB와 영인본에는 모두 '昜'으로 되어 있으나, 문맥을 살펴 '易'으로 바로잡았다.

60) 『周易·坎卦』: 六四, 樽酒簋貳, 用缶, 納約自牖, 終无咎.

四之上, 故曰遇主于巷, 言通巷之委曲隱蔽而遇之也. 處睽之道, 必委曲宛轉, 以去隔蔽, 然後乃合也. 故曰无咎.

규괘가 서합괘(噬嗑卦䷔)로 바뀌었으니, 씹어서 합치는 것이다. 구이는 굳센 양으로 알맞으면서 부드러운 음의 자리에 있으니 같아지려는 것이다. 오효와 정응이 되는데 구사가 가로막으니, 반드시 이를 제거한 뒤에 합치게 된다. 구이가 삼효로 나아가면 (호괘가) 손괘(巽卦☴)가 되고, 육오가 사효로 내려오면 호괘가 간괘(艮卦☶)가 되는데, 손괘는 만남이 되고 간괘는 임금이 된다. 두 담장의 사이에 구석진 곳이 '골목[巷]'이 된다. 구사는 감괘(坎卦☵)의 몸체로 두 개의 리괘(離卦☲)가 교차하는 곳이 되며 이효는 진괘(震卦☳)에 있는데, 감괘는 구석이 되고 리괘는 담장이 되고 진괘는 길이 되기에 '골목'이라 하였다. 오효가 사효의 위에 있으므로 "골목에서 임금을 만난다"고 하였으니, 굽고 은폐된 골목을 통과하여 만남을 말한다. 어긋남에 대처하는 도는 반드시 곡진하게 돌아서 막힌 것을 제거한 뒤에야 합할 수 있다. 그러므로 "허물이 없다"고 하였다.

오치기(吳致箕) 「주역경전증해(周易經傳增解)」

九二陽剛得中, 而上應六五柔中之君. 情志相合, 以濟睽乖, 而當人心睽異之時, 君臣相遇, 不拘堂陛之常分, 而會合於里巷之中, 此非枉道逢迎者也. 故言无失正之咎.

구이는 굳센 양으로 알맞음을 얻어 위로 육오의 부드럽고 알맞은 임금에 호응한다. 정과 뜻이 서로 합쳐져 어긋남을 구제하지만, 인심이 어긋나고 다르게 하는 때이기에 임금과 신하가 서로 만남이 임금과 신하의 정해진 분수에 구속되지 않고 마을의 골목에서 회합하니, 이는 도리를 굽히면서 맞이하는 것이 아니다. 그러므로 바름을 잃는 허물이 없다고 말하였다.

○ 巷者, 里巷徑路也, 取於爻變互艮, 主指六五也. 此言遇主于巷, 五言厥宗噬膚, 亦睽之合也.

골목은 마을 골목의 지름길로 효가 변한 것의 호괘인 간괘(艮卦☶)에서 취하였고, 임금은 육오를 가리킨다. 여기에서 '임금을 골목에서 만난다'고 한 것과 오효에서 '친족이 살을 깨물 듯이 한다'고 한 것도 어긋난 것이 화합함이다.

이진상(李震相) 『역학관규(易學管窺)』

○ 遇主于巷.

임금을 골목에서 만난다.

巷如陋巷委巷之間, 坎象也. 賢者處於陋巷, 而人君枉駕來顧, 自賢者言之, 乃適然相遇, 遂定魚水之契者也. 似未必委曲求合之意.

골목[巷]은 누추한 골목과 좁고 지저분한 뒷골목과 같은 공간이니, 감괘(坎卦☵)의 상이다. 현자가 좁은 골목에 있는데 임금이 왕림하여 돌아봄이니, 현자의 측면에서 말한다면 마침 서로 만나 드디어 고기와 물이 결합한 것과 같은 관계가 정해진 것이다. 반드시 곡진하게 합침을 구한다는 뜻은 아닌 듯하다.

○ 九二, 遇主于巷, 无咎.

구이는 임금을 골목에서 만나면 허물이 없다.

變震爲塗, 而處互坎之下, 乃巷象也. 主六五象, 遇者, 本睽而邂逅也. 乃人君枉顧委巷賢人, 際會風雲之象. 恐非委曲以求合也.

구이가 변한 진괘(震卦☳)가 길이 되어 호괘인 감괘(坎卦☵)의 아래에 있으니, 바로 골목의 상이다. 임금은 육오의 상이고, 만남은 본래는 어긋났다가 해후함이다. 바로 임금이 자신을 굽혀 뒷골목의 현인을 돌아봄이니, 바람과 구름이 딱 만나는 상이다. 곡진하게 해서 합침을 구한다는 것은 아닌 듯하다.

박문호(朴文鎬)「경설(經說)·주역(周易)」

陰陽相應, 是易之常也, 剛柔相戾, 是其罕例也. 在此卦, 男女睽之義爲多, 故取相戾之義.

음과 양이 서로 호응함은『주역』의 상도이고, 굳센 양과 부드러운 음이 서로 어그러짐은 드문 사례이다. 이 괘에는 남녀가 어긋난다는 뜻이 많으므로 서로 어그러진다는 뜻을 취하였다.

이정규(李正奎)「독역기(讀易記)」

睽之象傳及九二爻辭, 可見聖人惻怛之眞情也. 天理元自同中有異, 異中有同也, 恐人只見睽之爲睽, 而不用和同之誠, 任他睽之自睽, 終无濟睽之功. 故曰天地睽而其事同也, 男女睽而其志通也, 萬物睽而其事類也. 且以道事君, 不可則止, 言不聽計不用則去, 道之常也. 然上下隔絶, 宗社生靈之憂, 在於目前, 而不思納約自牖之忠, 委曲求合之誠, 只諉之睽異, 而悻悻然不顧, 則是豈仁人之心乎. 故曰遇主于巷无咎, 遇非禮數之備也, 巷非堂陛之正也. 似未免苟且, 而小象曰未失道也, 且孔子之於定哀, 孟子之於齊梁, 雖不枉道, 苟合其委曲求合之誠, 非无也, 於此可見至誠.

규괘의 단전과 구이의 효사에서 성인의 가엾게 여기는 진실한 마음을 볼 수 있다. 천리는 원래 자연히 같은 가운데 다름이 있고 다른 가운데 같음이 있는데, 사람들이 어긋남의 어긋남이 됨만을 보고 화합하여 함께하려는 정성을 기울이지 않으며, 어긋남이 자연히 어긋나게 됨에 맡기고는 끝내 어긋남을 구제하려는 노력이 없을까 염려하였다. 그러므로 "천지가 어긋나지만 그 일이 같으며, 남녀가 어긋나지만 그 뜻이 통하며, 만물이 어긋나지만 그 일이 유사하다"고 하였다. 또한 도리로 임금을 섬기다가 불가하면 그치고, 말해도 듣지 않고 계획해도 쓰지 않으면 떠나는 것이 상도이다. 그러나 위아래가 떨어져서 종묘와 사직과 백성의 근심이 눈앞에 닥쳤는데도, "맺음을 들이되 통한 곳으로부터"[61] 하는 충성이나 곡진하게 합하기를 구하는 정성을 생각하지 않고, 다만 어긋나 달라졌다고 핑계를 대면서 발끈하여 돌아보지 않는다면 어찌 인자의 마음이겠는가? 그러므로 "임금을 골목에서 만나야 허물이 없다"고 하였으니, '만남'은 예의와 격식을 갖춘 것이 아니고, '골목'은 임금과 신하의 분수가 바르게 되는 자리가 아니다. 구차함을 모면하지 못한 것 같지만 「소상전」에서 "도를 잃지 않은 것이다"라고 하였으니, 또한 공자의 정공과 애공에 대한 것과 맹자의 제나라와 양나라에 대한 것이, 도리를 굽히지 않으면서도 참으로 그 곡진하게 합하기를 구하는 정성에 합치됨이 없지 않으니, 여기에서 지극한 정성을 볼 수 있다.

이병헌(李炳憲) 『역경금문고통론(易經今文考通論)』

九二, 遇主于巷, 无咎.
구이는 임금을 골목에서 만나야 허물이 없다.

象曰, 遇主于巷, 未失道也.
「상전」에서 말하였다: "임금을 골목에서 만남"은 도를 잃지 않은 것이다.

程傳曰, 二以剛中之德, 上應六五之君, 當委曲以相遇. 故曰遇主于巷, 巷者, 委曲之道, 非必謂失道也.
『정전』에서 말하였다: 이효는 굳세고 알맞은 덕으로 위로 육오의 임금과 호응하니, 마땅히 곡진하게 하여 서로 만나야 한다. 그러므로 "임금을 골목에서 만난다"고 하였는데, 골목은 곡진한 도이지, 반드시 도를 잃음을 말하는 것은 아니다.

---

61) 『周易・坎卦』: 六四, 樽酒簋貳, 用缶, 納約自牖, 終无咎.

象曰, 遇主于巷, 未失道也.

「상전」에서 말하였다: "임금을 골목에서 만남"은 아직 도를 잃지 않은 것이다.

中國大全

傳

當睽之時, 君心未合, 賢臣在下, 竭力盡誠, 期使之信合而已. 至誠以感動之, 盡力以扶持之, 明義理以致其知, 杜蔽惑以誠其意, 如是宛轉, 以求其合也. 遇, 非枉道迎逢也. 巷, 非邪僻曲徑也. 故夫子特云遇主于巷, 未失道也. 未, 非必也, 非必謂失道也.

어긋나는 때에는 임금의 마음이 합하지 않으니, 아래에 있는 어진 신하는 힘과 정성을 다하여 믿어 합하기를 기약할 뿐이다. 정성을 지극히 하여 감동시키고 힘을 다하여 부축하며, 의리를 밝혀서 앎을 이루고 미혹됨을 막아서 뜻을 정성스럽게 함이니, 이와 같이 완곡하게 하여서 합하기를 구해야 한다. '만남[遇]'은 도를 굽혀 영합하는 것이 아니다. '골목[巷]'은 간사하고 궁벽한 지름길이 아니다. 그러므로 공자는 특별히 "임금을 골목에서 만남이 도를 잃은 것이 아니다"고 하였다. '아니다[未]'는 반드시 그런 것은 아니니, 반드시 도를 잃음을 말하는 것은 아니다.

小註

南軒張氏曰, 遇主于巷, 巷者委曲之途也. 或謂諫君者, 當盡其委曲之義, 非也. 伊川云, 至誠以感動之, 盡力以扶持之, 明義理以致其知, 杜蔽惑以誠其意, 如是宛轉將就之, 期於明信而後已, 此其所以謂之委曲也. 故孟子謂引君以當道.

남헌장씨가 말하였다: "임금을 골목에서 만난다"에서 '골목[巷]'은 굽은 길이다. 어떤 이는 "임금에게 간(諫)하는 자가 그 곡진한 뜻을 다해야 한다는 것이다"라고 하는데, 그르다. 이천이 "정성을 지극하게 하여 감동시키고 힘을 다하여 부축하며, 의리를 밝혀서 앎을 이루고 미혹됨을 막아서 뜻을 정성스럽게 함이니, 이와 같이 완곡하게 하여 성취시킨다"고 하였으니, 밝음과 믿음을 기약한 뒤에 그치는 것을 곡진하다고 하는 것이다. 그러므로 맹자는 "그

임금을 이끌어 도에 맞도록 한다"[62]고 하였다.

本義

本其正應, 非有邪也.

본래 그것의 정응이니, 간사함이 있는 것은 아니다.

小註

建安丘氏曰, 二五正應, 乖戾不合, 在二必委曲求與五應. 象以爲未失事君之道者, 當睽之時故也.

건안구씨가 말하였다: 이효와 오효가 정응인데 어긋나 합하지 않으니, 이효의 입장에서 반드시 곡진하게 구하여 오효와 호응하여야 한다. 「상전」에서 임금을 섬기는 도를 잃은 것은 아니라고 여긴 것은 어긋나는 때에 해당하기 때문이다.

○ 雲峰胡氏曰, 不期而會曰遇. 遇本非正也. 二與五本正應而亦曰遇者, 非有邪也, 睽之時不得不如此也. 上曰遇雨, 三曰遇剛, 三與上本正應也. 睽而未遇, 彼此不无不見之疑, 疑之旣亡, 彼此又若一旦之遇.

운봉호씨가 말하였다: 기약하지 않고 모인 것을 '만남[遇]'이라 하니, 우연한 만남은 본래 바른 것이 아니다. 이효는 오효와 본래 정응인데도 '(우연히) 만난다'고 한 것은 사특함이 있다는 것이 아니고, 어그러지는 때여서 부득이하게 이와 같은 것이다. 상효에서 "비[雨]를 만난다"고 하고, 삼효에서 "굳센 양을 만난다"고 하였는데, 삼효는 상효와 본래 정응이다. 어긋나서 만나지 못한다면 피차간에 만나지 못함에 대한 의심이 없을 수 없으며, 의심이 없어지면 피차간에 또 삽시간에 만남과 같다.

---

62) 『맹자·고자』.

‖韓國大全‖

김상악(金相岳) 『산천역설(山天易說)』

在睽之時, 二之遇主, 不于朝而于巷, 未爲失道也.

어긋나는 때여서 이효가 임금의 만남을 조정에서 하지 않고 골목에서 하지만, 도를 잃지는 않은 것이다.

오치기(吳致箕) 「주역경전증해(周易經傳增解)」

以中德相交, 欲濟睽乖, 而非以枉道逢迎, 故未失其道也.

알맞은 덕으로 서로 사귀어 어긋남을 구제하려 함이니, 도를 굽히면서 맞이하는 것이 아니므로 도를 잃지 않는다.

六三, 見輿曳, 其牛掣, 其人天且劓, 无初有終.

육삼은 수레가 끌리고 소가 가로막으며, 그 사람이 머리가 깎이고 또 코가 베임을 보니, 처음은 없고 끝이 있다.

┃中國大全┃

傳

陰柔於平時, 且不足以自立, 況當睽離之際乎. 三居二剛之間, 處不得其所安, 其見侵陵, 可知矣. 三以正應在上, 欲進與上合志, 而四阻于前, 二牽於後. 車牛, 所以行之具也. 輿曳, 牽於後也, 牛掣, 阻於前也. 在後者, 牽曳之而已, 當前者, 進者之所力犯也, 故重傷於上, 爲四所傷也. 其人天且劓, 天, 髡首也, 劓, 截鼻也. 三從正應而四隔止之, 三雖陰柔, 處剛而志行, 故力進以犯之, 是以傷也. 天而又劓, 言重傷也. 三不合於二與四, 睽之時, 自无合義, 適合居剛守正之道也. 其於正應則睽極, 有終合之理, 始爲二陽所戹, 是无初也, 後必得合, 是有終也. 掣, 從制從手, 執止之義也.

음의 유약함은 평시에도 스스로 설 수가 없는데, 하물며 어긋나고 떨어지는 때에 있어서랴. 삼효는 굳센 두 양효(陽爻)의 사이에 있고 거처가 편안하지 못하니, 침해되고 능멸됨을 알 수 있다. 삼효는 정응이 위에 있어서 나아가 상효와 뜻을 합하고자 하지만, 사효가 앞에서 가로막고 이효가 뒤에서 끌어당긴다. 수레와 소는 나가게 하는 도구인데, '수레가 끌림[輿曳]'은 뒤에서 끌어당김이고, '소가 가로막음[牛掣]'은 앞에서 가로막음이다. 뒤에 있는 것은 끌어당길 뿐이지만, 앞에 있는 것은 나아가는 자가 힘써 침범하기 때문에 윗사람에게 거듭 손상되니, 사효에게 상하게 된다. "그 사람이 머리가 깎이고 또 코가 베인다[其人天且劓]"에서 '천(天)'은 머리를 깎는 것이고 '의(劓)'는 코를 베는 것이다. 삼효가 정응을 따르려 하나 사효가 가로막아 멈추게 하고, 삼효가 비록 음으로 유약하지만 굳센 양의 자리에 있어 뜻이 가는 데에 있다. 그러므로 힘써 나아가 침범하니, 이 때문에 손상되는 것이다. 머리가 깎이고 또 코가 베임은 거듭 손상됨을 말한다. 삼효가 이효나 사효와 합하지 않음은 어긋나는 때여서 스스로 합하려는 뜻이 없기 때문이니, 굳센 자리에 있으면서 바름[正]을 지키는 도에 딱 부합한다. 정응에 대해서는 어긋남이 다되어 끝내는 합하는 이치가 있으니, 처음에 두 양에게 곤액(困厄)을 당함은 처음이 없는 것이고, 뒤에 반드시 합함을 얻음은 끝이 있는 것이다. '철(掣)'은 '수(手)'자를 부수로 하고 '제(制)'자를 썼으니, 잡아서 그치게 하는 뜻이다.

本義

六三上九, 正應而三居二陽之間, 後爲二所曳, 前爲四所掣, 而當睽之時, 上九
猜狠方深, 故又有髡劓之傷. 然邪不勝正, 終必得合, 故其象占, 如此.

육삼과 상구는 정응이지만, 삼효가 두 양 사이에 있어서 뒤로는 이효에게 끌리고 앞으로는 사효에게
가로막히며, 어긋나는 때여서 상구의 시기(猜忌)가 마침 깊으므로 또 머리가 깎이고 코가 베이는
손상이 있다. 그러나 그릇[邪]은 바름[正]을 이기지 못하기에 끝내는 반드시 합함을 얻으므로 그 상
과 점이 이와 같다.

小註

朱子曰, 天合作而, 剃鬚也. 篆文天作而, 而作而.
주자가 말하였다: ‘천(天)’은 마땅히 ‘이(而)’로 해야 하니, 수염을 깎음이다. 전자(篆字)에서
는 천(天)도 이(而)라 하고, 이(而)도 이(而)라 하였다.

○ 平庵項氏曰, 天, 去髮之刑, 劓, 去鼻之刑.
평암항씨가 말하였다: 천(天)은 머리털을 제거하는 형벌이고, 의(劓)는 코를 제거하는 형벌
이다.

○ 中溪張氏曰, 三與上本爲正應, 非睽者也. 但三以孤陰而處於二剛之間, 則睽我者
二與四也. 輿, 所以載己者也, 牛, 所以引車者也. 六三居不當位, 欲進而應乎上, 則九
二曳之於後, 九四掣之於前. 前者掣之而不得行, 後者曳之而不得上, 進退齟齬, 間而
未合. 故上乃刑之使服, 其人且有髡劓之傷. 无初, 謂與上睽也, 有終, 謂與上合也. 以
三應上, 以柔遇剛, 睽極自有復合之理也.
중계장씨가 말하였다: 삼효는 상효와 본래 정응이 되니, 어긋나는 것은 아니다. 다만 삼효는
외로운 음(陰)으로 굳센 두 양 사이에 있으니, 나를 어긋나게 하는 것은 이효와 사효이다.
수레[輿]는 삼효 자신을 싣는 것이고, 쇠[牛]는 수레[車]를 끄는 것이다. 육삼이 마땅하지 않은
자리에 있으니 나아가 상효와 호응하려 한다면, 구이가 뒤에서 끌어당기고 구사가 앞에서
가로막는다. 앞에 있는 것이 막아서 나갈 수 없고, 뒤에 있는 것이 끌어당겨 올라갈 수 없으
니, 나아가고 물러남이 어긋나고 틈이 생겨 합하지 못한다. 그러므로 상효가 이에 벌을 주어
복종하게 하니, 그 사람은 또 머리가 깎이고 코가 베이는 손상이 있다. “처음은 없다”는 상효
와 어긋남을 말하고, “끝이 있다”는 상효와 합함을 말한다. 삼효로 상효에 호응하고 부드러운
음으로 굳센 양을 만남은 어긋남이 다하면 저절로 회복하여 합하는 이치가 있기 때문이다.

○ 雲峰胡氏曰, 見, 離目象. 輿在下, 二在三下, 見有輿曳象, 牛在前, 四在三前, 見有牛掣象. 天與劓, 傷於上, 見上有傷之象. 三上兩爻, 皆提起一見字, 意見之見, 非眞見也. 火澤之睽生於動, 三上之睽生於見. 本无輿曳, 本无牛掣, 本无天且劓, 疑故其見如此耳. 其見如此, 故无初, 正理本不如此, 故有終.

운봉호씨가 말하였다: ‘견(見)’은 리괘(離卦☲)인 눈의 상이다. 수레가 아래에 있고 이효가 삼효의 아래에 있기에 수레가 끌리는 상이 있다고 생각하고, 소가 앞에 있고 사효가 삼효의 앞에 있기에 소가 가로막는 상이 있다고 생각한 것이다. 머리가 깎이고 코가 베임은 상효에게 상처를 받음이니, 상효에는 상처를 주는 상이 있다고 생각한 것이다. 삼효와 상효의 두 효에는 모두 ‘견(見)’자를 썼는데, 소견(所見)의 ‘견’자이지, 참으로 보는 것은 아니다. 불과 못의 어긋남은 움직임에서 생겨나고, 삼효와 상효의 어긋남은 소견에서 생겨난다. 본래는 수레가 끌림도 없고, 본래는 소가 가로막음도 없으며, 본래는 머리가 깎이거나 코가 베이는 것도 없는데, 의심하기 때문에 그 소견이 이와 같은 것이다. 그 소견이 이와 같기 때문에 처음은 없고, 바른 이치는 본래 이와 같지 않기 때문에 끝이 있다.

○ 雙湖胡氏曰, 六爻中, 唯此爻辭最險, 蓋以不正之陰, 乘承應, 又皆不正之陽. 當此睽時, 故進退无據而受刑傷, 特以陰陽配偶, 終當有合, 其亦可憐, 不足恤者矣.

쌍호호씨가 말하였다: 여섯 효 가운데 오직 이 효사만 가장 험하니, 대체로 바르지 못한 음이 탄 것과 받드는 것과 호응하는 것이 또 모두 바르지 못한 양이기 때문이다. 어긋나는 때이므로 나가고 물러남에 의거할 데가 없어 형벌과 상처를 받지만, 다만 음양으로 짝하였기에 끝에는 당연히 합함이 있다. 또한 이웃할 만하지만, 구휼할 수 없는 것이다.

▌韓國大全▐

조호익(曺好益) 『역상설(易象說)』

三互坎, 坎爲輿. 三介二剛之間, 下制於二, 有輿曳之象, 又坎爲曳. 上阻於四, 四離體, 離爲牛, 有牛掣之象. 天髡首, 劓截鼻. 坎爲刑, 兌爲毁折之象. 朱子曰, 天合作而, 剃鬚也, 愚謂離爲頤口象, 三附離下, 鬚象而兌象. 或曰兌巽之反, 巽爲寡髮, 有天象, 兌伏艮, 艮鼻伏而兌毁折, 有劓象. 終三終象, 初對終之辭.

삼효는 호괘가 감괘(坎卦☵)인데 감괘는 수레가 된다. 삼효는 굳센 두 양의 사이에 끼어서 아래로 이효에 제제되어 수레가 끌리는 상이 있는데, 또 감괘가 끌림이 된다. 위로는 사효에 막히는데, 사효는 리괘(離卦☲)의 몸체이고 리괘는 소가 되니 소가 가로막는 상이 있다. '천(天)'은 머리를 깎음이고 '의(劓)'는 코를 벰이다. 감괘는 형벌이 되고 태괘(兌卦☱)는 훼손되는 상이 된다. 주자가 "천(天)은 '이(而)'로 해야 마땅하니 수염을 깎음이다"라고 하였는데, 내가 살펴보니 리괘(離卦☲)는 턱과 입의 상이 되고 삼효는 리괘의 아래에 붙어 있으니, 수염의 상이면서 태괘의 상이다. 어떤 이는 "태괘(兌卦☱)는 손괘(巽卦☴)가 거꾸로 된 괘인데 손괘는 머리털이 적음이 되니 머리를 깎는[天] 상이 있고, 태괘에는 간괘(艮卦☶)가 잠복하는데 간괘는 코를 낮춤이고 태괘는 훼손함이니 코를 베는[劓] 상이 있다. '끝[終]'은 삼효가 끝의 상이고, '처음[初]'은 끝에 상대하는 말이다"라고 하였다.

김장생(金長生) 『주역(周易)』

睽六三天且劓, 天恐而字之誤. 而音奈, 剃鬚也. 篆文而天字相近也,〈篆而作而天作而.〉

규괘 육삼의 "머리가 깎이고[天] 또 코가 베임[劓]"에서 '천(天)'은 '이(而)'자가 잘못된 것 같다. '이(而)'는 음이 '내(奈)'이니, 머리를 깎음이다. 전문(篆文)에서 '이(而)'자와 '천(天)'자는 서로 유사하다.〈전문으로는 '이(而)'도 이(而)로 하고 '천(天)'도 이(而)로 하였다.〉

송시열(宋時烈) 『역설(易說)』

坎爲輪爲曳, 互有坎象, 故見輿曳也. 離爲牛而掣者, 阻隔於前也, 言下互卦爲離, 而四爻製隔於前. 故曰其牛掣也. 其人者, 三爻爲人位也, 天者, 傳云髡首, 胡氏曰天當作而字, 古文相類, 後人誤寫, 然漢法有罪髡髮謂之而, 周禮梓人爲筍簴作而, 亦髡其鬢髮之謂也云云. 以象言之, 兌綜則爲巽, 巽爲寡髮也, 兌錯則爲艮, 艮爲鼻而互離爲戈兵. 若割其鼻而不見也, 蓋三爻不見, 合於二四, 爲二四之陽所厄. 天且劓者, 重傷之病人也. 卦本乾而上爻刑傷, 坼而爲兌之象也. 爻柔故始無所成, 而遇剛爻, 爻來應然後, 可以有終也. 來氏云, 坎車, 前牛離牛, 三在車中, 二曳其車, 四掣其牛云云, 未知何如. 小象位不當, 以陰爻居陽位, 而蓋三非正位也. 遇剛者, 說見上.

감괘(坎卦☵)는 수레가 되고 끌림이 되는데, 호괘에 감괘(坎卦)의 상이 있으므로 수레가 끌림이 본다. 리괘(離卦☲)가 소가 되어 가로막는 것은 앞에서 가로막는 것이니, 아래의 호괘가 리괘가 되고 사효가 앞에서 가로막음을 말한다. 그러므로 "소가 가로막는다"고 하였다. '그 사람'은 삼효가 사람의 자리이기 때문이며, '천(天)'은 『정전』에서 머리를 깎음이라고 하였는데, 호씨는 "천(天)은 이(而)자로 해야 하니, 고문에서 서로 유사하여 후인들이 잘못 베꼈다. 그러나 한나라 법에 죄가 있어서 머리를 깎는 것을 '이(而)'라 하였고, 『주례』에는 재인이 형틀을 만들어 형벌[而]을 가했다고 했는데 또한 그 머리털을 깎는다는 말이다"라고 운운하였다. 상으로 말하면 태괘(兌卦☱)가 거꾸로 되면 손괘(巽卦☴)가 되는데 손괘는 머리털이 적음이 되며, 태괘(兌卦☱)가 음양이 바뀌면 간괘(艮卦☶)가 되는데 간괘는 코가 되고 호괘인 리괘(離卦☲)는 병기가 된다. 만약 코를 베이는데 보지 못한다고 한다면 대체로 삼효가 보지 못함이니, 이효·사효와 합쳐짐에 이효·사효인 양효에게 피해를 당한 것이다. 머리가 깎이고 또 코가 베인 자는 거듭 손상된 병약한 사람이다. 괘가 건괘(乾卦☰)에 근본 하지만 위의 효가 손상되어서 갈라져 태괘(兌卦☱)의 상이 되었다. 효가 부드러운 음이기 때문에 애초에 이루려는 것이 없는데 굳센 효를 만났으니, 효가 와서 호응한 뒤에야 끝이 있을 수 있다. 래지덕이 "감괘는 수레이고 앞에 있는 소는 리괘의 소이니, 삼효가 수레 가운데 있는데 이효가 그 수레를 끌어당기고 사효가 그 소를 가로막음이다"라고 하였는데 어떠한지는 알지 못하겠다. 「소상전」의 "자리가 마땅치 않기 때문이다"는 음의 효가 양의 자리에 있어서니, 대체로 세 번째는 바른 자리가 아니다. "굳센 양을 만났기 때문이다"는 설명이 위에 보인다.

홍여하(洪汝河) 「책제(策題):문역(問易)·독서차기(讀書箚記)-주역(周易)」[63]

六三, 見輿曳, 其牛掣.
육삼은 수레가 끌리고 소가 끌며, … 보니.

坎輿旣曳, 離牛且掣, 有人自西, 載鬼旡首.
감괘(坎卦☵)인 수레가 이미 끌리고 리괘(離卦☲)인 소가 또한 가로막으니, 사람이 서쪽에서 옴에 싣고 있는 귀신이 머리가 없음이다.

이현익(李顯益) 「주역설(周易說)」

雲峯胡氏謂, 本無輿曳, 本無牛掣, 本無天且劓, 疑故其見如此, 此非本旨. 見豕負塗, 載鬼一車, 固是疑此, 則未見其爲疑.
운봉호씨가 '본래는 수레가 끌림도 없고 본래는 소가 가로막음도 없으며, 본래는 머리가 깎이거나 코가 베이는 것도 없는데, 의심하기 때문에 그 소견이 이와 같은 것이다'라고 한 것

---

63) 경학자료집성DB에서는 규괘 '단사'에 해당하는 것으로 분류했으나, 내용에 따라 이 자리로 옮겨왔다.

은 본 효사의 본래 뜻이 아니다. '돼지가 흙을 짊어진 것과 귀신을 한 수레에 실은 것을 봄'이 참으로 이렇다고 의심한 것이니, 그 의심한 것을 보지 못한 것이다.

이익(李瀷) 『역경질서(易經疾書)』

說卦云, 坎爲曳, 其於輿也, 爲多眚, 三是互坎. 故有輿曳遇灾之象. 左傳昭公四年云, 純离爲牛, 上离有牛象. 掣拂也, 曳之者牛也, 而掣則遇灾也. 坎險而位不當, 故有難進之象. 天髡也. 周之法, 王之同族, 不處宮刑, 是不剪其類也, 但髡頭而已. 至漢文除肉刑, 當黥者髡, 非古制也. 三與五非應, 而卦惟兩陰, 五爲君位, 則三是君之同族, 而位不當, 故有犯刑之象. 六五噬膚之厥宗, 厥字帖本爻, 則宗者何謂. 卽指六三, 天劓非五有此象也. 噬嗑噬膚滅鼻, 以滅趾滅耳, 校勘則滅趾爲刖, 滅耳爲刵,[64) 則滅鼻之爲劓定矣. 行不中則刖, 聰不明則刵, 食不擇則劓, 亦其例也. 劓者貪饕之刑, 食者, 舌辨其味, 鼻辨其臭, 舌不可刑, 故割其鼻. 六五爲卦主, 故卦辭小事吉, 卽此爻之象. 不必得言小吉, 而大未必吉, 故只言悔亡. 彼云厥宗噬膚, 此云天劓. 天旣施於厥宗者, 而劓又噬膚之刑, 而又以噬嗑爲證, 天劓之爲厥宗噬膚定矣. 三雖天劓之厥宗, 而所以行此刑者, 五也, 彼云往者, 往而斷行也. 然六三與上九之剛陽爲正應, 非寇而婚媾, 所以有終. 故傳乃釋之曰, 遇剛也. 或曰, 家人睽爲反對之卦. 巽變爲兌, 巽爲寡髮, 兌爲附決. 故有天劓之象, 更詳之.

「설괘전」에서 "감괘는 끄는 것이 되며 수레에 있어서는 하자가 많음이 된다"고 했는데, 삼효는 호괘가 감괘(坎卦☵)이다. 그러므로 수레가 끌리고 재앙을 만나는 상이 있다. 「좌전」의 소공 4년에 "순수한 리괘는 소가 된다"고 하였으니, 위의 리괘(離卦☲)에는 소의 상이 있다. '가로막음[掣]'은 거스름이며 끌리는 것은 소이며, 가로막힘은 재앙을 만남이다. 감괘에 있어서 험난하고 자리가 마땅치 않으므로 어렵게 나아가는 상이 있다. '천(天)'은 머리를 깎는 것이다. 주나라의 법에서 임금의 동족에게 궁형(宮刑)을 가하지 않음은 그 부류를 없애지 않음이니, 다만 머리를 깎을 뿐이다. 한나라 문제에 이르러 육체의 형벌을 없애고 묵형(墨刑)에 해당하는 자도 머리를 깎은 것은 옛 제도가 아니다. 삼효와 오효는 호응하는 것이 아니지만 괘에 있는 단 두 개의 음효이니, 오효가 임금의 자리가 된다면 삼효는 임금의 동족이지만 자리가 마땅치 않으므로 법을 어기는 상이 있다. 육오는 살을 깨무는 친족[厥宗]이니, '궐(厥)'자가 본래의 효를 나타낸다면 '종(宗)'은 무엇을 말하겠는가? 육삼을 가리킨 것이니, 머리가 깎이고 코가 베임은 오효에 이런 상이 있는 것이 아니다. 서합괘(噬嗑卦䷔)에서는 살을 깨물어 코를 없애고서[65) 발꿈치를 없애고[66) 귀를 없애는데,[67) 교감한다면 발꿈치

---

64) 刵: 경학자료집성DB와 원전에는 '刖'로 되어 있으나, 문맥을 살펴 '刵'로 바로잡았다.

를 없앰은 월형(刖刑)이 되고 귀를 없앰은 이형(刵刑)이 되니 코를 없앰은 의형(劓刑)으로 정해질 것이다. 걸음을 불편하게 하는 것이 월형이고, 소리를 잘 듣지 못하게 하는 것이 이형이고, 음식을 분별하지 못하게 하는 것이 의형이니, 또한 그 예이다. 의형은 탐욕에 대한 형벌이니, 음식은 혀로 그 맛을 분별하고 코로 그 냄새를 분별하는데, 혀에는 형벌을 가할 수 없으므로 그 코를 자르는 것이다. 육오는 괘의 주인이 되므로 괘사의 '작은 일은 길하다'는 이 효의 상이 된다. 작은 길함이라고 반드시 말할 수는 없지만 큰일에도 반드시 길한 것은 아니므로 단지 '후회가 없어진다'고 말하였을 뿐이다. 저기서는 '친족이 살을 깨문다'고 하고, 여기서는 '머리가 깎이고 코가 베인다'고 하였다. 머리를 깎음은 이미 친족에게 시행된 것이고, 코를 없앰도 살을 깨무는 형벌로 또한 서합괘가 증거가 된다. 머리를 깎고 코를 자름은 친족이 살을 깨무는 것임이 분명하다. 삼효가 비록 머리가 깎이고 코가 베이는 친족이지만 이 형벌을 실행하는 것은 오효이니, 저기에서 '간다'고 한 것이 가서 단행함이다. 그러나 육삼과 상구의 굳센 양이 정응이 되니, 도적이 아니라 혼구이기에 마침이 있는 것이다. 그러므로 「상전」에서 이를 해석하여 "굳센 양을 만났다"고 하였다. 어떤 이가 "가인괘(家人卦☲)와 규괘(睽卦)는 거꾸로 된 괘이다. 손괘(巽卦☴)가 변하여 태괘(兌卦☱)가 되는데, 손괘는 머리가 적음이 되고 태괘는 붙었다가 떨어짐이 된다. 그러므로 머리가 깎이고 코가 베이는 상이 있다"고 하였는데 다시 살펴야 한다.

권만(權萬) 『역설(易說)』

六三, 掣, 古文易作觢, 或作挈音치. 劓作劕音이. 天刑名剌, 鑿其額曰天剌也.

육삼의 '철(掣)'은 고문에서는 '서(觢)'라고도 하고 '서(挈)'라고도 했는데 음은 '치'이다. '의(劓)'는 '의(劕)'라고 했는데 음은 '이'이다. 천형은 '자(剌)'라고 하는데 이마에 새기는 것을 '천자(天剌)'라고 하였다.

심조(沈潮) 「역상차론(易象箚論)」

六三, 輿曳, 牛掣, 天劓, 輿曳牛掣, 其象甚妙. 三乃互坎之初, 而坎爲車輪, 爲二所牽者, 非輿之曳乎. 四乃上离之初, 而離爲牝牛, 爲四所阻者, 非牛之掣乎. 天劓, 離爲戈兵之象也.

육삼의 '수레가 끌리고 소가 가로막음'과 '머리가 깎이고 코가 베임'에서 '수레가 끌리고 소가

---

65) 『周易·噬嗑卦』: 六二, 噬膚滅鼻, 无咎.
66) 『周易·噬嗑卦』: 初九, 屨校滅趾, 无咎.
67) 『周易·噬嗑卦』: 上九, 何校滅耳, 凶.

가로막음'은 그 형상이 매우 미묘하다. 삼효는 호괘인 감괘(坎卦☵)의 초효이고 감괘는 수레가 되니, 이효에게 끌리는 바가 된 것이 수레가 끌리는 것이 아니겠는가? 사효는 상괘인 리괘(離卦☲)의 초효이고 리괘는 암소가 되니, 사효에게 막히는 바가 된 것이 소가 가로막음이 아니겠는가? '머리가 깎이고 코가 베임'은 리괘가 창과 병기가 되기 때문이다.

유정원(柳正源) 『역해참고(易解參攷)』

正義, 刺額爲天, 截鼻爲劓. 旣處二四之間, 皆不相得其爲人也. 四從上刑之, 故刺其額, 二從下刑之, 又截其鼻, 故曰其人天且劓.

『주역정의』에서 말하였다: 이마에 새겨 넣음이 '천(天)'이 되고, 코를 베어 냄이 '의(劓)'가 된다. 이미 이효와 사효의 사이에 있으면서 모두 서로 사람노릇을 못하였다. 사효가 위에서부터 형벌을 가하므로 그 이마에 새겨 넣고, 이효가 아래서부터 형벌을 가하고 또 그 코를 베어 냈으므로 "그 사람이 머리가 깎이고 또 코가 베였다"고 하였다.

○ 節齋蔡氏曰, 與上爲應, 而三睽未合. 故上刑之而使服也. 无初, 與上睽也, 有終, 與上合也.

절재채씨가 말하였다: 상효와 호응하지만 삼효가 어긋나서 화합하지 못한다. 그러므로 상효가 벌하여 복종시킨 것이다. '처음이 없음'은 상효와 어긋남이고, '끝이 있음'은 상효와 화합함이다.

○ 潛齋胡氏曰, 互離爲心, 髮屬焉離, 受傷則天其髮. 體兌爲肺, 鼻屬焉兌, 受傷則劓其鼻.

잠재호씨가 말하였다: 호괘인 리괘(離卦☲)는 마음이 되고 머리도 리괘에 속하니, 손상되면 그 머리를 깎이는 것이다. 몸체인 태괘(兌卦☱)는 폐가 되고 코도 태괘에 속하니, 손상되면 그 코를 베이는 것이다.

○ 雙湖胡氏曰, 互離爲見, 互坎爲輿, 上離爲牛. 三位爲人, 其人就三言. 三自見輿曳牛掣, 其人又爲上所天劓也. 曳掣, 二自後牽挽之象, 二才動變, 互成艮故也.

쌍호호씨가 말하였다: 호괘인 리괘는 보는 것이 되고, 호괘인 감괘는 수레가 되며, 상괘인 리괘는 소가 된다. 삼효의 자리는 사람이 되니, '그 사람'은 삼효에 나아가 말한 것이다. 삼효 스스로 수레가 끌리고 소가 가로막음을 보며, 그 사람이 또한 상효에게 머리가 깎이고 코가 베이게 된다. 끌리고 가로막음은 이효가 뒤로부터 끌어당기는 상이니, 이효가 움직여 변하자마자 호괘가 간괘(艮卦☶)가 되기 때문이다.

○ 案, 牛輿, 天劓, 不必穿鑿說.

내가 살펴보았다: 소와 수레, 머리가 깎이고 코가 베임은 천착해서 말할 필요가 없다.

김상악(金相岳) 『산천역설(山天易說)』

輿曳者, 二也, 牛掣者, 四也. 當睽之時, 三欲從應於上, 而爲二陽所戹, 離互坎體, 故見其曳掣, 而上之猜疑, 且有割鼻之刑矣. 然睽極當合, 故无初而有終也.

수레가 끌리는 것은 이효이고, 소가 가로막음은 사효이다. 어긋나는 때에 삼효가 상효를 따라서 호응하려 하지만 두 양효에게 곤액을 당하니, 리괘(離卦☲)와 호괘인 감괘(坎卦☵)의 몸체이므로 끌리고 가로막힘을 보고 상효의 의심을 받게 되니 또한 코가 베이는 형벌이 있다. 그러나 어긋남이 다하면 당연히 화합하므로 처음은 없고 끝이 있는 것이다.

○ 輿與曳, 皆坎象, 牛離象. 前後曳掣, 進退絓礙. 故不得上進也. 三變爲大有, 大有之二, 則得中而應五, 故曰大車以載. 凡言車輿者, 皆在乾坎之卦, 詳見大有. 牛指四也, 牛掣者, 爲四所掣也. 三四易位, 則爲大畜, 大畜之四曰, 童牛之牿, 禁於未發. 故无牛掣之患也. 三爲人位, 上居天位. 劓者, 兌伏艮鼻, 而上絶也, 與困五同象. 无初者, 爲天所刑也, 有終者, 與上相合也. 蓋兌金之數爲九, 離火之數爲七. 故圖書易七九之位, 以見其相生相克之妙. 故造化不可无生, 亦不可无克. 不生則或幾乎熄矣, 不克則亦无以成就之也. 以本卦言, 兌離同卦, 金遇火克, 是无初也, 終能鎔金合土, 是有終也.

수레와 끌림은 모두 감괘의 상이고 소는 리괘의 상이다. 앞과 뒤에서 끌리고 가로막아 나아가고 물러남이 걸리고 막혔다. 그러므로 올라 갈 수 없다. 삼효가 변하면 대유괘(大有卦☲)가 되는데, 대유괘의 이효는 가운데 자리를 얻어서 오효와 호응하므로 "큰 수레로써 실었다"고 했다. 무릇 수레를 말한 것은 모두 건괘(乾卦☰)나 감괘(坎卦☵)가 있으니, 자세한 것은 대유괘에 보인다. 소는 사효를 가리키니, 소가 가로막음은 사효에게 가로막힌 것이다. 삼효와 사효가 자리를 바꾸면 대축괘(大畜卦☲)가 되는데, 대축괘의 사효에서 '송아지에게 고삐를 맨다'고 했으니, 자라지 않았을 때에 금지시킴이다. 그러므로 소가 가로막는 어려움이 없게 된다. 삼효는 사람의 자리가 되고 상효에는 하늘의 자리에 있다. '코가 베임[劓]'은 태괘(兌卦☱)에 잠복한 간괘(艮卦☶)가 코이고 위가 끊어지기 때문이니, 곤괘(困卦☲)의 오효와 상이 같다. '처음이 없음'은 하늘에게 벌 받기 때문이고, '끝이 있음'은 상효와 서로 화합하기 때문이다. 태괘인 쇠의 수는 구(九)가 되고 리괘인 불의 수는 칠(七)이 된다. 그러므로 「하도」와 「낙서」에서 칠과 구의 자리를 바꾸어 그것들이 서로 낳고 서로 이기는 묘리를 나타냈다. 그러므로 조화에는 '낳음[生]'이 없을 수 없고 '이김[克]'이 없을 수 없다. 낳지 않으면 혹 거의 없어질 것이고, 이기지 않는다면 성취할 수 없을 것이다. 규괘를 가지고 말하면 태괘와 리괘가 한 몸인 괘이니, 쇠가 불의 이김을 만남이 '처음은 없음'이고, 끝내 쇠를 녹여서 흙과 합쳐짐이 '끝이 있음'이다.

김규오(金奎五) 「독역기의(讀易記疑)」[68]

三下互离, 故曰見曰牛曰天, 天剠須. 上互坎, 故曰輿曰曳, 而自上視三, 則曰豕曰鬼曰車曰弧曰寇曰雨, 輿車一爾. 輿以軫中而言, 三爲二所載也, 車以全體而言, 竝指坎體三爻也.

삼효는 아래의 호괘가 리괘(離卦☲)이므로 '봄'을 말하고 '소'를 말하고 '천(天)'을 말하였는데, '천(天)'은 수염을 깎음이다. 위의 호괘가 감괘(坎卦☵)이므로 '수레[輿]'를 말하고 '끌림'을 말하였지만, 상효에서 삼효를 본다면 돼지라 하고, 귀신이라 하고, 수레[車]라 하고, 활줄이라 하고, 도적이라 하고, 비[雨]라 하니, 수레[輿]와 수레[車]는 하나일 뿐이다. '수레[輿]'는 수레의 가운데를 말한 것이니 삼효가 이효에게 실린 것이고, 수레[車]는 전체를 말한 것이니 감괘의 몸체인 세 효 전체를 가리킨다.

○ 雲峯以三上之見, 同爲意見之見. 然輿卽三所處之地也, 牛卽三欲進之意也, 人又三之本體也, 豈有不被曳掣天剠, 而自疑曳掣天剠之理也. 卦中三見字, 似各不同, 初之見, 接見之見也, 三之見, 見抑見傷之見也, 上之見, 意見之見也. 恐不必合而一之.

운봉은 삼효와 상효의 '견(見)'자를 모두 의견의 견(見)자로 간주하였다. 그러나 수레는 삼효가 위치한 자리이고, 소는 삼효의 나아가려는 의지이며, 사람은 또한 삼효의 본래 몸체이니, 어찌 끌리고 막히며 머리가 깎이고 코가 베이지 않는데도 끌리고 막히며 머리가 깎이고 코가 베인다고 스스로 의심할 리가 있겠는가? 괘에 있는 세 개의 견(見)자는 각각 같지 않는 듯하니, 초효의 '견(見)'은 접견한다는 견이고, 삼효의 '견'은 억제와 손상을 당한다는 견이고, 상효의 '견'은 의견의 견이다. 반드시 합쳐서 하나로 할 필요는 없는 듯하다.

○ 天剠, 傳爲四所傷, 而義不取者, 如傳說, 則上九之意, 只見於有終也. 蓋以天剠爲上九所爲, 然後六三之遍厄於三陽可見, 而无初有終, 方爲其通釋故也. 傷者, 离爲戈兵之象.

머리가 깎이고 코가 베임을 『정전』에서는 사효에게 손상되었다고 여겼으나 『본의』에서는 이를 취하지 않은 것은 『정전』의 설명과 같다면 상구의 뜻은 단지 '끝이 있음'에만 나타나기 때문이다. 머리가 깎이고 코가 베임을 상구가 한 것으로 보아야 하니, 그런 뒤에야 육삼이

---

68) 경학자료집성DB에서는 규괘 '초효'에 해당하는 것으로 분류했으나, 내용에 따라 이 자리로 옮겨왔다.

세 개의 양효에게 두루 어려움을 겪음을 알 수 있어 처음은 없고 끝이 있음이 바야흐로 통하는 풀이가 되기 때문이다. 손상은 리괘가 창과 병기의 상이기 때문이다.

서유신(徐有臣) 『역의의언(易義擬言)』

見者, 見其輿, 見其牛, 見其人也. 輿互坎象也, 牛與人, 皆上九也. 曳言其怠緩也, 掣言其橫走也. 天言其高亢也, 劓言其貌醜也. 所見者, 非眞然也, 疑而惑也. 睽終則合, 故曰无初有終, 應於上九, 爲有終也.

'견(見)'은 그 수레를 보고 그 소를 보고 그 사람을 봄이다. 수레는 호괘인 감괘(坎卦☵)의 상이고, 소와 사람은 모두 상구이다. '끌림[曳]'은 그 나태함을 말하고, '가로막음[掣]'은 그 가로지름을 말한다. '천(天)'은 그 높음을 말하고, '의(劓)'는 그 추함을 말한다. 본다는 것은 참으로 그러한 것이 아니라, 의심하여 현혹됨이다. 어긋남이 끝나면 합쳐지므로 "처음은 없고 끝이 있다"고 하였는데, 상구와 호응함이 '끝이 있음'이 된다.

박제가(朴齊家) 『주역(周易)』

六三, 其人, 天且劓.

육삼은 … 그 사람이 머리가 깎이고 또 코가 베인다.

朱子曰, 天合作而者, 是也, 而去髮之刑本作耏. 傳及本義, 皆謂三之自傷, 然經曰其人, 則乃三之見其如此之人. 如曰其牛, 非三之自牛, 乃見其牛也. 雲峯胡氏曰, 見字意見之見, 非眞見也, 本无輿, 本无牛, 本无天劓, 疑故其見如此, 案此說得儱侗. 蓋睽字從目, 猶反目之義. 故初見惡人, 三見輿曳, 上見豕鬼, 不人冷視者也. 負塗之豕, 醜不可近者也, 載車之鬼, 不忍正視者也, 輿曳而牛掣, 塞路而旁視者也. 又其刑人, 卽所謂惡人者, 則皆見之睽者. 字義之與卦義相通, 益可見矣.

주자가 "천(天)은 마땅히 이(而)로 해야 한다"고 한 것은 맞지만, 머리털을 깎는 형벌은 본래 '내(耏)'를 써야 한다. 『정전』과 『본의』에서는 모두 삼효 자신이 손상됨을 말했지만, 경전에서 '그 사람'이라고 했으니 삼효가 이와 같은 사람을 보는 것이다. 예를 들어 '그 소'라고 말하면, 삼효 자신이 소인 것이 아니라 그 소를 본다는 것이다. 운봉호씨가 "견(見)자는 의견의 견이니, 참으로 보는 것이 아니다. 본래는 수레도 없고 본래는 소도 없으며, 본래는 머리가 깎이고 코가 베임도 없는데, 의심하기 때문에 그 의견이 이와 같은 것이다"라고 하였는데, 내가 살펴보니 이 설명은 분명하지 않다. 대체로 규(睽)자는 목(目)자를 부수로 하는데, 반목한다는 뜻과 같다. 그러므로 초효에서는 악인을 보고, 삼효에서는 수레가 끌림을 보고, 상효에서는 돼지와 귀신을 보니 사람이 냉정하게 보지 못하는 것이다. 진흙을 짊어진 돼지는 추하여 가까이 할 수 없는 것이고, 수레에 실린 귀신은 차마 바로 보지 못하는 것이며, 수레가 끌리고 소가 가로막음은 길이 막혀서 옆으로 보는 것이다. 또 그 형벌 받는 사람은 이른바 악인이니, 모두 미워하면서 보는 자이다. 글자의 뜻이 괘의 뜻과 서로 통해야 더욱 알 수 있을 것이다.

강엄(康儼) 『주역(周易)』

按, 其人, 天且劓, 程傳謂爲四所傷, 本義謂上九所傷. 張氏所謂上乃刑之使服, 其人且有髡劓之傷者, 卽本義之意也. 或曰, 上九猜狼, 而六三被髡劓之傷, 如今俗庶人, 其妻不有躬, 則其夫猜狼, 或施以髡首哉, 鼻之刑是也, 此雖俚語, 足爲一證.

내가 살펴보았다: "그 사람이 머리가 깎이고 또 코가 베인다"를 『정전』에서는 사효에게 손상된 것이라고 하고, 『본의』에서는 상구에게 손상된 것이라 하였다. 장씨가 "상효가 이에 벌하여 복종하게 하니, 그 사람은 또한 머리가 깎이고 코가 베이는 손상이 있다"고 한 것은 바로 『본의』의 뜻이다. 어떤 이가 "상구가 시기하여 육삼이 머리가 깎이고 코가 베이는 상처를 입는 것은 지금 세속의 사람 중에 부인이 몸을 지키지 못하면 남편이 시기하고 사나워져 머리를 깎기도 하는 것과 같으니 비형이 이것이다"라고 하는데, 이것이 비록 세속의 말이지만 하나의 증거가 되기에 충분하다.

박문건(朴文健) 『주역연의(周易衍義)』

用剛突來, 故有曳其牛之象. 輿謂上九也, 掣亦曳也. 牛駕輿之牛, 人挽輿之人也. 劓截鼻, 施怨謗者之刑也.

굳셈을 써서 갑자기 나오므로 그 소를 끄는 상이 있다. 수레는 상구를 말하고, '철(掣)'도 또한 끌어당김이다. 소는 수레를 짊어진 소이고, 사람은 수레를 당기는 사람이다. '의(劓)'는 코를 끊음이니, 원망하고 비방하는 사람에게 가하는 형벌이다.

〈問, 見輿曳其牛, 掣其人以下. 曰, 六三見傷於上九, 而又災自外至, 故有此象也, 見輿之曳其牛, 掣其人而突進, 又天降截鼻之災也. 始雖傷而无初, 後有合而有終也. 牛與人, 在輿前輿傍者, 而反出輿後, 輿之突進可知也, 又天截其鼻, 災之自外可知也. 失意而怨謗者, 必蹙頞, 故施劓刑也, 天與大有上自天祐之之天, 義同也. 始疑後信, 故取无初有終之義也.

물었다: "수레가 그 소를 끌고, 그 사람을 끌어당김을 당한다" 이하는 무슨 뜻입니까?

답하였다: 육삼이 상구에게 손상을 당하고 또 재난이 밖에서 닥쳤으므로 이러한 상이 있으

니, 수레가 그 소를 끌고 그 사람을 끌어당겨서 갑자기 나아감을 당하고, 또 하늘이 코를 끊는 재난을 내린 것입니다. 시작은 손상되어 처음이 없지만, 뒤에는 합쳐져 마침이 있습니다. 소와 사람은 수레의 앞과 수레의 옆에 있는 것인데, 도리어 수레의 뒤로 물러났으니 수레가 갑자기 나아갔음을 알 수 있고, 또 하늘이 그 코를 끊었으니 재난이 밖으로부터 왔음을 알 수 있습니다. 실의하여 원망하고 비방하는 자는 반드시 눈살을 찌푸리므로 의형(劓刑)을 행하는 것이고, 하늘은 대유괘(大有卦䷍) 상효의 "하늘로부터 돕는다"의 하늘과 뜻이 같습니다. 처음에는 의심하다가 뒤에 믿으므로 "처음은 없고 끝이 있다"는 뜻을 취했습니다.〉

김기례(金箕澧) 「역요선의강목(易要選義綱目)」

曳指二, 掣指四. 三介於二陽間爲互離, 離爲牝牛, 故曰牛, 互坎故取坎輿. 蓋三本不正, 承乘應亦皆不正. 雖欲上應而進, 二曳之, 若挽欲行之輿, 四掣之, 若阻欲去之牛, 不得進也. 其人謂上九. 天髡刑,[69] 劓截鼻刑, 自上故曰天且劓. 三以孤陰爲二陽所阻, 而當睽時, 上九猜狠, 不能來求. 又嫉滯阻, 方欲重刑, 所見極皆最險. 特以配偶正應之理, 雖有初險, 終必上合. 故曰无初有終.

끌어당김은 이효를 가리키고, 가로막음은 사효를 가리킨다. 삼효가 두 양효의 사이에 끼어서 호괘인 리괘(離卦☲)가 되었는데, 리괘는 암소가 되므로 소를 말하였고, 호괘가 감괘(☵)이므로 감괘의 수레를 취하였다. 대체로 삼효는 본래 바르지 못하고, 받드는 것과 타는 것과 호응하는 것도 모두 바르지 못하다. 비록 위로 호응하여 나아가려 하지만, 이효가 끌어당김이 나가려는 수레를 당김과 같고, 사효가 가로막음이 나가려는 소를 제지함과 같으니, 나아갈 수 없다. '그 사람'은 상구를 말한다. '천(天)'은 머리를 깎는 형벌이고, '의(劓)'는 코를 자르는 형벌인데, 위로부터이므로 "머리를 깎고 또 코를 자른다"고 하였다. 삼효가 외로운 음(陰)으로 두 양효에게 막혀 있고, 어긋나는 때여서 상구가 시기하니 와서 구원할 수 없다. 또 막혀있음을 시기하여 막 형벌을 거듭하려 하니, 보이는 것이 모두 가장 위험하다. 다만 정응하는 이치로 짝하였기에 비록 처음에는 위험함이 있지만 끝내는 반드시 상효와 합한다. 그러므로 "처음은 없고 끝이 있다"고 하였다.

이항로(李恒老) 「주역전의동이석의(周易傳義同異釋義)」

傳, 在後者, 牽曳之而已, 當前者, 進者之所力犯也, 故重傷於上, 爲四所傷也.

『정전』에서 말하였다: 뒤에 있는 것은 끌어당길 뿐이지만, 앞에 있는 것은 나아가는 자가

---

69) 刑: 경학자료집성DB에는 '形'으로 되어 있으나, 경학자료집성 영인본을 참조하여 '刑'으로 바로잡았다.

힘써 침범하기 때문에 윗사람에게 거듭 손상되니, 사효에게 상하게 된다.

本義, 當睽之時, 上九猜狠方深, 故又有髡劓之傷.
『본의』에서 말하였다: 어긋나는 때를 당하여 상구의 시기가 깊기 때문에 또 머리가 깎이고 코가 베이는 상함이 있다.

按, 六三與上九爲正應, 所謂睽不睽者, 正指此也. 二曳四掣, 非睽也, 乃不當合而求合者也. 上九之始疑於六三者, 見二曳四掣之象故也. 上九所謂見豕負塗載鬼一車者, 卽六三見輿曳其牛掣也, 先張之弧, 卽其人天且劓也, 遇雨吉, 卽无初有終也. 三上二爻爲睽之終, 故互言始睽終合之義. 若以天且劓謂見傷於四, 則恐失本旨.
내가 살펴보았다: 육삼과 상구는 정응이 되니, 이른바 어긋남과 어긋나지 않음은 바로 이를 가리킨다. 이효가 끌고 사효가 가로막음은 어긋남이 아니라, 바로 합칠 수 없어서 합침을 구하는 것이다. 상구가 처음에 육삼을 의심하는 것은 이효가 끌고 사효가 가로막는 상을 보았기 때문이다. 상구의 이른바 "돼지가 진흙을 짊어진 것과 귀신이 한 수레 실려 있음을 본다"는 바로 육삼의 "수레가 끌리고 소가 가로막음을 본다"는 것이며, "먼저 활줄을 당긴다"는 바로 "그 사람이 머리가 깎이고 코가 베인다"는 것이며, "비를 만나면 길하다"는 바로 "처음은 없고 끝이 있다"는 것이다. 삼효와 상효, 두 효는 어긋남의 끝이 되므로 처음은 어긋나지만 끝내는 합친다는 뜻을 번갈아 말하였다. 만약 "머리가 깎이고 코가 베임"을 사효에게 손상된 것이라 한다면 본래의 뜻을 잃을 것이다.

심대윤(沈大允) 『주역상의점법(周易象義占法)』

睽之大有䷌. 六三, 才柔不中, 而居剛尙巽. 上有正應, 而隔于四, 近於四而下又有二陽, 莫適所從. 有大有與衆[70]公共之義, 與公共而莫適所從, 是爲尙巽也. 离變乾, 有圜視遠瞻之象, 故曰見輿曳其牛掣, 言後曳於初二, 前掣於四上也. 乾輿离牛, 麗於後爲曳, 麗於前爲掣. 柔暗而尙巽, 左右望而无適從, 傷之者至矣. 故曰其人天且劓, 天髡首也, 劓截鼻也, 言重傷也. 乾首坎髮, 互兌割爲髡, 言失其所戴. 兌口上連离目, 對比有艮, 互兌刑爲劓, 言絶其氣息之所通也. 上九, 陽德居上, 而爲之正應, 三之所宜戴也. 而乃與四二通其氣息, 天且劓者, 不從于上而得罰也. 以其正應終必合, 故曰无初有終, 坎爲初, 對比有坤爲終. 睽之立巽者, 皆有悔, 而三不言者, 傷重於悔也.
규괘가 대유괘(大有卦䷌)로 바뀌었다. 육삼은 재질이 부드러우며 가운데 있지 않고 굳센

---

70) 衆: 경학자료집성DB에는 '象'으로 되어 있으나, 경학자료집성 영인본을 참조하여 '衆'으로 바로잡았다.

양의 자리에 있으니 달라지려 한다. 위로 정응이 있지만 사효에 막히고, 사효를 가까이 하지만 아래에 또한 두 개의 양효가 있어서 딱히 좋을 것이 없다. 대유괘의 "무리와 더불어 두루 함께한다"는 뜻이 있지만, 더불어 두루 함께 하여도 딱히 좋을 것이 없기에 달라지려 하는 것이다. 리괘(離卦☲)가 건괘(乾卦☰)로 변하면 두루 보고 멀리 보는 상이 있으므로 "수레가 끌리고 소가 가로막음을 본다"고 했으니, 뒤로는 초효와 이효에게 끌리고 앞으로는 사효와 상효에게 가로 막혔음을 말한다. 건괘는 수레이고 리괘는 소인데, 뒤에 걸렸으면 끌림이 되고 앞에 걸렸으면 가로막음이 된다. 유약하고 어두우며 달라지려 하기에 좌우를 둘러봐도 딱히 좋을 것이 없고 해치려는 것이 이른다. 그러므로 "그 사람이 천형[天] 받고 또 의형[劓] 받는다"고 했는데, '천형[天]'은 머리를 깎음이고 '의형[劓]'은 코를 자름이니, 거듭 손상됨을 말한다. 건괘는 머리이고 감괘(坎卦☵)는 머리털이며, 호괘인 태괘(兌卦☱)는 자름으로 머리를 자름이 되니, 머리에 이어야 할 것을 잃음을 말한다. 태괘인 입이 위로 리괘인 눈과 이어지고, 음양을 반대로 하여 견주면 간괘(艮卦☶)가 있으며, 호괘인 태괘의 형벌이 의형이 되니, 호흡의 소통을 끊음을 말한다. 상구가 양의 덕을 지니고 위에 있으면서 정응(正應)이 되어 주니, 삼효가 마땅히 받들어야 할 것이다. 그런데 사효·이효와 호흡을 소통하니, '천형 받고 의형 받음'은 위를 따르지 않아서 벌을 받은 것이다. 정응과 끝내는 반드시 합하므로 "처음은 없고 끝이 있다"고 했으니, 감괘가 처음이 되고 음양을 반대로 하여 견주면 곤괘(困卦☱)가 있으니 끝이 된다. 규괘에서 맞지 않은 곳에 자리한 것에는 모두 '뉘우침'이 있는데, 삼효에서 말하지 않은 것은 손상됨이 뉘우침보다 심하기 때문이다.

오치기(吳致箕) 「주역경전증해(周易經傳增解)」

六三, 柔失中正, 而應上九不正之剛, 當睽之時, 見疑於上九. 以其猜心見之, 則九二曳輿於後, 九四掣牛於前, 六三之可惡, 如髡劓之人. 其見疑如此, 而旣爲正應, 睽終必合, 故言雖其无初, 乃能有終也.

육삼은 부드러운 음이 중정을 잃고서 바르지 못하며 굳센 양인 상구와 호응하지만, 어긋나는 때여서 상구에게 의심받는다. 시기하는 마음으로 바라보면 구이가 뒤에서 수레를 끌어당기고 구사가 앞에서 소를 가로막으니, 육삼의 미워할만 함은 머리가 깎이고 코가 베인 사람과 같다. 그 의심받음이 이와 같지만 이미 정응이 되고, 어긋남은 끝내는 반드시 합치하므로 비록 그 처음은 없지만 끝이 있을 수 있다고 하였다.

○ 輿曳, 皆取於互坎, 牛取互離, 爲牝牛也. 掣者, 挽也, 對艮爲手挽之象也. 其人指三也, 變乾爲首, 而髡首曰天, 對艮爲鼻, 而截鼻曰劓. 兌爲毁折, 故言天且劓, 而謂六三之見惡於上九如此, 非眞有是事也. 无初, 言不合而睽也, 有終, 言合而不睽也. 此言旡初有終, 上言遇雨則吉, 亦睽之合也.

수레와 끌림은 모두 호괘인 감괘(坎卦☵)에서 취하였고, 소는 호괘인 리괘(離卦☲)에서 취하였으니 암소가 된다. '철(掣)'은 당김이니, 음양이 반대되는 간괘(艮卦☶)가 손으로 당기는 상이 된다. '그 사람'은 삼효를 가리키니, 건괘(乾卦☰)로 변하면 머리가 되는데 머리를 깎음을 '천형'이라 하며, 음양이 반대되는 간괘가 코가 되는데 코를 베어냄을 '의형(劓刑)'이라 한다. 태괘가 훼손하고 꺾음이 되므로 '머리가 깎이고 코가 베인다'고 하였는데, 육삼이 상구에게 미움을 받음이 이와 같음을 말하는 것이지 참으로 이러한 일이 있는 것은 아니다. '처음은 없다'는 화합하지 못하고 어긋남을 말하고, '끝이 있다'는 화합하여 어긋나지 않음을 말한다. 여기서는 "처음은 없고 끝이 있다"고 하였고, 상효에서는 "비를 만나면 길하다"고 하였으니 또한 어긋난 것이 화합함이다.

이진상(李震相) 『역학관규(易學管窺)』

輿曳牛掣.

수레가 끌리고 소가 가로막다.

輿坎象, 牛離象. 兌輿則伏艮, 故劓其鼻, 三變則化乾, 故髡其首.

수레는 감괘(坎卦☵)의 상이고 소는 리괘(離卦☲)의 상이다. 태괘(兌卦☱)가 흥하면 간괘(艮卦☶)가 잠복하므로 그 코를 베는 것이고, 삼효가 변하면 건괘(乾卦☰)가 되므로 그 머리를 깎는 것이다.

○ 六三, 見輿 [至] 有終.

육삼은 수레가 끌리고 소가 가로막으며, 그 사람이 머리가 깎이고 또 코가 베임을 보니, 처음은 없고 끝이 있다.

坎爲曳爲輿多眚. 離爲見而四曳於前, 離爲牛而二掣於後. 兌本伏艮, 二興則變艮, 爲手爲止故也. 三變則成乾, 而兌以毀之, 故髡其首, 兌興則伏艮, 而離以傷之, 故劓其鼻. 離爲戈兵, 坎爲寇盜, 用刑之道也. 旡初有終, 初掣於二曳於四, 而終合於上九也.

감괘(坎卦☵)는 끄는 것이 되고 하자가 많은 수레가 된다. 리괘(離卦☲)가 보는[見] 것이 되면 사효가 앞에서 끌며, 리괘가 소가 되면 이효가 뒤에서 당긴다. 태괘(兌卦☱)에는 본래 간괘(艮卦☶)가 잠복하는데, 이효가 일어나면 간괘로 변하니 손[手]이 되고 그침이 되는 까닭이다. 삼효가 변하면 건괘(乾卦☰)가 되는데 태괘(兌卦☱)로 이를 훼손하므로 그 머리를 깎는 것이고, 태괘가 일어나면 간괘가 잠복하는데 리괘로 이를 손상시키므로 그 코를 베는 것이다. 리괘는 창과 무기가 되고 감괘는 도적이 되니 형벌을 쓰는 도이다. '처음은 없고 끝이 있음'은 처음에는 이효에 당겨지고 사효에 끌리지만, 마침내 상구와 화합함이다.

채종식(蔡鍾植) 「주역전의동귀해(周易傳義同歸解)」

睽六三, 其人天且劓, 傳謂爲四所傷, 本義謂爲上九所傷. 蓋六三以陰居剛, 陰女象也, 剛志剛也. 三之正應在上九, 四乃强暴也, 三志剛. 故欲進與上合, 而四掣阻於前. 三義不苟合, 四乃劓劓之, 此程傳之義也. 四方掣阻於三, 三雖不從上九, 疑之而生猜狠之心, 遂劓劓之以服其心, 此朱子之義也. 然上之所以劓劓之者, 由其四之掣阻, 則其刑雖上之所爲, 而无異四之爲也. 然則兩說, 自不相妨耳.

규괘 육삼의 "그 사람이 머리가 깎이고 또 코가 베인다"를 『정전』에서는 사효에게 손상된 것이라고 하고, 『본의』에서는 상구에게 손상된 것이라고 하였다. 대체로 육삼은 음이 굳센 양의 자리에 있는데, 음은 여자의 상이고 굳셈은 뜻의 굳셈이다. 삼효는 정응이 상구에 있는데, 사효가 아주 사납고, 삼효는 뜻이 굳세다. 그러므로 나아가 상효와 합하려 하지만 사효가 앞에서 가로막는다. 삼효의 의리가 구차히 합치하지 않기에 사효가 이내 머리를 깎고 코를 베어낸다는 것이 『정전』의 뜻이다. 사효가 막 삼효를 가로막아서 삼효가 상구를 따르지 못하였는데도 상구가 이를 의심하여 시기하는 마음을 일으켜 드디어 머리를 깎고 코를 베어 그 마음을 복종시킨다는 것이 주자의 뜻이다. 그러나 상효가 머리를 깎고 코는 베는 것은 사효가 가로막기 때문이니, 비록 그 형벌을 상효가 행하였더라도 사효가 하는 것과 다름이 없다. 그렇다면 두 설명이 자연 서로 문제되지 않을 것이다.

박문호(朴文鎬) 「경설(經說)・주역(周易)」

三不合於二與四, 睽之時, 自無合義, 言諸卦三本不與二四相合, 而在睽之時, 尤無合義也. 適合之合, 與上下合字不同, 適合猶言正當也.

『정전』의 "삼효가 이효나 사효와 화합하지 않음은 어긋나는 때여서 스스로 화합하려는 뜻이 없기 때문이다"는 여러 괘의 삼효는 본래 이효나 사효와 서로 화합하지 않지만, 어긋나는 때에는 더욱 화합하는 뜻이 없다고 말한 것이다. 『정전』의 '적합하다'의 합(合)은 위와 아래가 화합한다는 뜻과 같지 않으니, '적합하다'는 '정당하다'고 말함과 같다.

三與上, 相因而取義, 故本義取上九猜很刑人之義. 猜很刑人, 卽九弧寇之事也.

삼효와 상효는 서로 원인하여 뜻을 취하므로 『본의』에서는 상구가 죄인을 시기한다는 뜻을 취하였다. 죄인을 시기함은 상구의 활줄과 도적의 일이다.

이병헌(李炳憲) 『역경금문고통론(易經今文考通論)』

鄭作劈, 集韻劓通, 或作劈.

정현은 '서(劈)'를 '서(劈)'로 썼는데, 『집운』에서는 '체(劓)'와 통용하면서 혹은 '서(劈)'를 썼다.

象曰, 見輿曳, 位不當也, 无初有終, 遇剛也.

「상전」에서 말하였다: "수레가 끌림"은 자리가 마땅하지 않기 때문이고, "처음은 없고 끝이 있음"은 굳센 양을 만나기 때문이다.

‖中國大全‖

傳

以六居三, 非正也. 非正則不安, 又在二陽之間, 所以有如是艱厄, 由位不當也. 无初有終者, 終必與上九, 相遇而合, 乃遇剛也. 不正而合, 未有久而不離者也, 合以正道, 自无終睽之理, 故賢者, 順理而安行, 智者, 知幾而固守.

육(六)이면서 삼효의 자리에 있으니 바른 것[正]이 아니다. 바른 것이 아니니 편안치 못하고, 또 두 양효의 사이에 있으니, 이와 같은 어려움과 곤액이 있는 것이니 자리가 마땅하지 않기 때문이다. "처음은 없고 끝이 있다"는 끝에는 반드시 상구와 서로 만나 합하기 때문이니, 바로 굳센 양[剛]을 만나기 때문이다. 바르지 못하면서 합하면 오래도록 떠나지 않는 자가 없지만, 바른 도로써 합한다면 자연히 끝내 어긋나는 이치가 없다. 그러므로 어진 자는 이치에 따라서 편안하게 행하고, 지혜로운 자는 기미를 알아서 굳게 지킨다.

‖韓國大全‖

김상악(金相岳) 『산천역설(山天易說)』

剛謂上九也.

'굳센 양[剛]'은 상구를 말한다.

서유신(徐有臣) 『역의의언(易義擬言)』

位不當則疑亦不當也. 无初, 六三之失也, 有終, 上九之力也. 苟使兩柔相遇, 必無釋疑之日也, 遇主于巷, 遇元夫, 往遇雨, 皆剛爻也.

자리가 마땅하지 않으면 의심하는 것도 또한 마땅하지 않다. '처음은 없다'는 육삼의 잘못이고, '끝이 있다'는 상구의 노력이다. 참으로 두 개의 부드러운 음효를 서로 만나게 한다면 반드시 의심이 풀릴 날이 없으니, '임금을 골목에서 만남'과 '착한 남편을 만남'과 '가서 비를 만남'은 모두 굳센 양의 효이기 때문이다.

박문건(朴文健) 『주역연의(周易衍義)』

位不當, 言所處之時不當也.

'자리가 마땅하지 않음'은 머무는 때가 마땅하지 않음을 말한다.

김기례(金箕澧) 「역요선의강목(易要選義綱目)」

位不當.

자리가 마땅하지 않음.

陰居剛而陷陽. 故雖有强進之意, 未免曳掣之困.

음이 굳센 양의 자리에 있으면서 양에 빠졌으므로 비록 힘써 나아가려는 뜻이 있어도, 끌리고 가로막히는 곤란을 면하지 못한다.

遇剛.

굳셈을 만남.

位剛, 故强進而遇剛.

자리가 굳세므로 힘써 나아가 굳셈을 만난다.

심대윤(沈大允) 『주역상의점법(周易象義占法)』

才柔而居剛, 介于二陽之間曰, 位不當也, 遇剛, 言遇上也.

재질이 부드러우며 굳센 자리에 있고, 두 양효의 사이에 끼어 있음을 '자리가 마땅하지 않다'고 하고, '굳센 양을 만남'은 상효를 만남을 말한다.

오치기(吳致箕) 「주역경전증해(周易經傳增解)」

居失其正, 而在二剛之間, 所以位不當而見疑也, 上有正應, 而剛柔必相和, 所以終遇剛而睽合也.

거처함에 바름을 잃고 굳센 두 양효의 사이에 있기에 자리가 마땅하지 않고 의심을 당하는 것이고, 위에 정응이 있어서 굳센 양과 부드러운 음이 반드시 서로 화합하기에 끝내는 굳센 양을 만나 어긋남이 화합하는 것이다.

이병헌(李炳憲) 『역경금문고통론(易經今文考通論)』

程傳曰, 輿曳, 牽於後, 四阻於前, 二牽於後也.

『정전』에서 말하였다: 수레가 끌림은 뒤에서 당김이니, 사효가 앞에서 가로막고 이효가 뒤에서 당기는 것이다.

孟曰, 觢一角仰也, 劓削鼻也.

맹희가 말하였다: '서(觢)'는 하나의 뿔을 쳐듦이고, '의형[劓]'은 코를 벰이다.

虞曰, 黥額爲天, 割鼻爲劓.

우번이 말하였다: 이마에 새김이 '천형[天]'이 되고, 코를 베어냄이 '의형[劓]'이 된다.

本義曰, 六三上九, 終必得合.

『본의』에서 말하였다: 육삼과 상구는 끝내는 반드시 화합하게 된다.

按, 無初, 謂無曳於初也, 有終, 謂終遇於上也.

내가 살펴보았다: "처음은 없다"는 초효에게 끌림이 없음을 말하고, "끝이 있다"는 끝내는 상효와 만남을 말한다.

九四, 睽孤, 遇元夫, 交孚, 厲无咎.

정전 구사는 어긋남에 외로워 착한 남편을 만나 서로 믿으니, 위태하나 허물이 없다.
본의 구사는 어긋남에 외로워 착한 남편을 만나 서로 믿으니, 위태하게 하여야 허물이 없다.

┃中國大全┃

傳

九四, 當睽時, 居非所安, 无應而在二陰之間, 是睽離孤處者也. 以剛陽之德, 當睽離之時, 孤立无與, 必以氣類相求而合. 是以遇元夫也, 夫, 陽稱, 元, 善也. 初九, 當睽之初, 遂能與同德而亡睽之悔, 處睽之至善者也. 故目之爲元夫, 猶云善士也. 四則過中, 爲睽已甚, 不若初之善也. 四與初, 皆以陽處一卦之下, 居相應之位, 當睽乖之時, 各无應援, 自然同德相親. 故會遇也. 同德相遇, 必須至誠相與, 交孚, 各有孚誠也. 上下二陽, 以至誠相合, 則何時之不能行, 何危之不能濟. 故雖處危厲而无咎也. 當睽離之時, 孤居二陰之間, 處不當位, 危且有咎也, 以遇元夫而交孚, 故得无咎也.

구사는 어긋나는 때에 거처가 편안한 곳이 아니며, 호응이 없고 두 음의 사이에 있으니, 이는 어긋나 떨어져서 외롭게 지내는 자이다. 굳센 양의 덕으로 어긋나 떨어지는 때를 맞아 고립되어 함께 하는 자가 없으니, 반드시 마음이 통하는 사람[氣類]을 서로 구하여 화합해야 한다. 이 때문에 '착한 남편[元夫]'을 만나는 것이니, '남편[夫]'은 양을 말하고, '원(元)'은 착함[善]이다. 초구는 처음 어긋나는 때에 덕이 같은 구사와 함께 할 수 있어서 어긋남의 후회를 없앨 수 있으니, 어긋남의 대처를 지극히 잘한 자이다. 그러므로 지목하여 '착한 남편[元夫]'이라고 하였으니, 착한 선비[善士]라고 하는 것과 같다. 사효는 알맞음이 지나쳐서 어긋남이 이미 심하니, 초효의 착함만은 못하다. 사효와 초효는 모두 양으로 한 괘의 아래에 있으면서 서로 호응하는 자리에 있고, 어긋나 괴리하는 때에 각각 호응하여 도와주는 것이 없기에 자연스럽게 덕이 같은 자끼리 서로 친애하게 되었다. 그러므로 모여서 만나는 것이다. 덕이 같은 것과자와 서로 만남은 반드시 지극한 정성으로 서로 함께 해야 하니, '서로 믿음[交孚]'은 각각 성실함[孚誠]이 있기 때문이다. 위아래의 두 양효가 지극한 징싱으로 서로 합하니, 어느 때인들 행하지 못할 것이며, 어떤 위험인들 구제하지 못하겠는가? 그러므로 비록 위태함[危厲]에 처하나 허물이 없다. 어긋나 떨어지는 때에 두 음의 사이에 외롭게 있고, 마땅하지 않은 자리에 있어서 위험하고 또 허물이 있지만, 착한 남편을 만나 서로 믿기 때문에 허물이 없을 수 있다.

本義

睽孤, 謂无應, 遇元夫, 謂得初九, 交孚, 謂同德相信. 然當睽時, 故必危厲, 乃得无咎, 占者, 亦如是也.

'어긋남에 외로움[睽孤]'은 호응이 없음을 말하고, '착한 남편을 만남[遇元夫]'은 초구를 얻음을 말하며, '서로 믿음[交孚]'은 덕이 같은 자와 서로 믿음을 말한다. 그러나 어긋나는 때이기에 반드시 위태하게 하여야 이에 허물이 없을 수 있으니, 점치는 자도 이와 같아야 한다.

小註

雲峰胡氏曰, 元夫, 初九象. 六三, 以柔居剛不正, 故謂之惡人, 初九, 以剛居剛得正, 故謂之元夫. 元善也, 惡之反也. 初見惡人而不害其爲元夫, 如夫子見陽貨而不害其爲夫子也. 交孚, 初與四皆剛實之象, 爻唯四與初无應, 故謂之孤. 兼之九本居五, 則二九相比不孤, 今九來居四, 則上孤而四亦孤矣. 故皆有孤象. 他爻睽而合者, 剛柔相遇也. 四與初睽而合者, 剛遇剛也. 彼此以剛實相交, 可无咎. 必厲无咎者, 他卦三危地, 故多言厲, 睽之四, 非危地也, 然當睽之時, 必以危處之, 乃得无咎也.

운봉호씨가 말하였다: '착한 남편[元夫]'은 초구의 상이다. 육삼은 부드러운 음으로 굳센 양의 자리에 있어서 바르지 않으므로 '나쁜 사람'이라 하였고, 초구는 굳센 양으로 굳센 양의 자리에 있어서 바름을 얻었으므로 '착한 남편'이라 하였다. '원(元)'은 착함이니, 나쁨의 반대이다. 초효는 나쁜 사람을 보지만 착한 남편이 되기에 지장이 없으니, 공자가 양화를 만났어도 공자가 되기에 지장이 없는 것과 같다. '서로 믿음'은 초효와 사효가 모두 꽉 찬 굳센 상이기 때문이고, 효에서는 사효와 초효만 호응이 없기 때문에 외롭다고 하였다. 게다가 구(九)가 본래부터 오효의 자리에 있다면 두 양효[九]가 서로 가까워 외롭지 않겠지만, 지금은 양효가 내려와 사효의 자리에 있으니 상효도 외롭고 사효도 외롭다. 그러므로 모두 외로운 상이 있는 것이다. 다른 효에서 어긋났다가 합쳐지는 것은 굳센 양과 부드러운 음이 서로 만나는 것이지만, 사효가 초효와 어긋났다가 합쳐지는 것은 굳센 양이 굳센 양과 만나는 것이다. 초효와 사효가 꽉 찬 굳셈으로 서로 사귀니 허물이 없을 듯하다. 그런데 반드시 '위태롭게 하여야 허물이 없다'고 한 것은, 다른 괘는 삼효의 자리가 위험하므로 삼효에서 위태롭게 함을 말함이 많고, 규괘는 사효의 자리가 위험한 곳은 아니지만 어긋나는 때에는

반드시 위험한 듯 대처해야 이에 허물이 없을 수 있기 때문이다.

○ 建安丘氏曰, 初九陽之陽, 九四陽之陰, 故四目初爲元夫.
건안구씨가 말하였다: 초구는 양이 양의 자리에 있고, 구사는 양이 음의 자리에 있기 때문에 사효가 보기에는 초효는 '착한 남편'이 된다.

○ 李氏曰, 情以疑而相睽, 唯剛則足以去疑而相合, 故四終於遇元夫, 而上終於遇雨也.
이씨가 말하였다: 심정으로 의심하여 서로 어긋나니, 굳센 양(陽)만이 의심을 없애고 서로 합할 수 있다. 그러므로 사효는 착한 남편을 만남에서 마치고, 상효는 비를 만남에서 마친다.

▌韓國大全▐

송시열(宋時烈) 『역설(易說)』

九四孤者, 無應獨處之意. 元者, 善也, 夫[71]者, 應也. 指初陽, 正應之人也. 交孚, 相合之意也. 以剛遇剛, 其道危厲. 然其志可行, 无咎之道也. 史稱諸葛亮與法正, 趨尙不同, 而以公義相用 此爻之謂也.
구사의 '외롭다[孤]'는 호응하는 것이 없이 홀로 지낸다는 뜻이다. '원(元)'은 착함이고, '부(夫)'는 호응하는 것이니, 초효의 양이 바르게 호응하는 사람임을 가리킨다. '서로 믿음[交孚]'은 서로 합친다는 뜻이다. 굳센 양으로 굳센 양을 만나서 그 도가 위태롭지만, 그 뜻을 실행할 수 있으니, 허물이 없는 도이다. 역사에서 제갈량과 법정을 일컬음에 '취향은 같지 않아도 공공의 의로움을 서로 사용했다'는 것이 이 효를 말한다.

이현익(李顯益) 「주역설(周易說)」[72]

雲峯胡氏之以惡人爲六三, 以上九睽孤爲九來居四之故, 皆非傳義之旨.
운봉호씨가 악인을 육삼으로 여기고, 상구의 '어긋남에 외로움'을 구(九)가 와서 사효의 자

---

71) 夫: 경학자료집성DB와 영인본에는 '天'으로 되어 있으나, 문맥을 살펴서 '夫'로 바로잡았다.
72) 이 문장 전체는 경학자료집성DB에 누락되어 있으나, 경학자료집성 원문을 대조하여 보충하였다.

리에 있기 때문이라고 여긴 것은 모두 『정전』과 『본의』의 뜻이 아니다.

이익(李瀷) 『역경질서(易經疾書)』

睽孤, 朋友之睽也, 遇元夫, 得善士而交歡也. 四與初雖應, 而兩陽有睽孤之象. 然若遇正大君子, 則雖不及剛柔相濟, 亦有受益之道, 所以爲厲无咎. 友所以輔仁, 過剛勝於善柔, 雖危厲, 而其求友之志, 則行矣.

'어긋나 외로움[睽孤]'은 벗끼리 어긋남이고, '좋은 이를 만남[元夫]'은 착한 선비를 만나 기쁨을 나눔이다. 사효와 초효는 비록 호응하지만, 두 양효에는 어긋나 외로운 상이 있다. 그러나 만약 바르고 큰[正大] 군자를 만난다면, 비록 굳센 양과 부드러운 음이 서로 구제하는 것에는 미치지 못하더라도, 또한 유익한 도가 있기에 위태해도 허물이 없게 되는 것이다. 벗끼리 어짊을 보완함[73]에는 아주 굳세게 하는 것이 부드럽게 하는 것보다 좋으니, 비록 위태하더라도 벗을 구하려는 뜻이 행해질 것이다.

유정원(柳正源) 『역해참고(易解參攷)』

正義, 元夫, 初九也, 處於卦始, 故云元也. 夫者, 蓋是丈夫之夫, 非夫婦之夫也.

『주역정의』에서 말하였다: '첫째 장부[元夫]'는 초구이니, 괘의 처음에 있으므로 '첫째[元]'라고 하였다. '부(夫)'는 '장부(丈夫)' 할 때의 '부(夫)'이지 '부부(夫婦)' 할 때의 '부(夫)'가 아니다.

○ 童溪王氏曰, 在四目初曰元夫, 貴初也, 在初目四曰惡人, 愧四也, 此易獎善疾惡之微旨也.

동계왕씨가 말하였다: 사효에서는 초효를 지목하여 '첫째 장부[元夫]'라 하였으니 초효를 귀하게 여긴 것이고, 초효에서는 사효를 지목하여 '나쁜 사람'이라 하였으니 사효를 부끄럽게 여긴 것이다. 이것이 『주역』의 착함을 장려하고 악함을 미워하는 숨은 뜻이다.

小註, 雲峯說, 九本 [至] 不孤.

소주에서 운봉이 말하였다: 양효[九]가 본래 … 서로 가까워 외롭지 않다.

案, 睽之卦變, 自中孚而來. 九來居四, 六上居五, 故象曰柔進而上行也. 九本居五而爲中孚, 則九五上九, 相比不孤也.

내가 살펴보았다: 규괘(䷥)의 변화는 중부괘(中孚卦䷼)로부터 왔다. 구(九)가 내려와 사효

---

73) 『論語·顔淵』: 曾子曰, 君子, 以文會友, 以友輔仁.

의 자리에 있고, 육(六)이 올라가 오효의 자리에 있으므로 「단전」에서 "부드러운 음이 나아가 위로 갔다"고 하였다. 구(九)가 본래의 오효 자리에 있어서 중부괘가 된다면, 구오와 상구가 서로 가까이 하여 외롭지 않다.

김상악(金相岳) 『산천역설(山天易說)』

卦變而失陽剛之比, 處二陰之間, 爲睽孤也. 元夫謂初也. 當睽之時, 同德相信, 以合于五, 則志可以行. 然水火之際, 必危厲得无咎也.

괘가 변하여 굳센 양효가 비(比)의 관계가 됨을 상실하고 두 음효의 사이에 있기에 어긋나 외롭게 되었다. '착한 장부[元夫]'는 초효를 말한다. 어긋나는 때에 덕을 같이하며 서로 믿어서 오효에 합치하니 뜻을 행할 수 있다. 그러나 물과 불의 경계이니, 반드시 위태하게 하여야 허물이 없을 수 있다.

○ 元善也, 惡之反也. 三之陰爲間於初四相遇之路, 故初曰見惡人, 陽已上, 不爲其所阻, 而與初相遇, 故四曰遇元夫. 又兌西離南, 有西南得朋之象也. 火澤動而相違, 而兩陽相遇, 必危厲而處之. 然上下皆孚, 則睽者可合, 孤者有朋. 故得无咎也. 離火生於巽木, 反其所由生, 而爲中孚. 中孚二五, 同德相應, 故五曰有孚攣如而无咎, 同占所以六爻獨言孚. 〈交字與攣字同意.〉

'원(元)'은 착함이니, 악함의 반대이다. 세 번째의 음효가 초효와 사효가 서로 만나는 길을 막고 있으므로 초효에서 "악한 사람을 본다"고 하였고, 양효가 이미 올라가서 막히지 않게 되어 초효와 서로 만나므로 사효에서 "착한 장부를 만난다"고 하였다. 또 태괘(兌卦☱)는 서쪽이고 리괘(離卦☲)는 남쪽이니, 서남쪽에서 벗을 얻는 상이 있다. 불과 못이 움직여 서로 어긋나면서 두 양효가 서로 만나기에 반드시 위태롭게 대처해야 한다. 그러나 위아래가 모두 믿으니, 어긋난 것이 화합할 수 있고, 외로운 것이 벗이 있게 된다. 그러므로 허물이 없을 수 있다. 리괘(離卦☲)인 불은 손괘(巽卦☴)인 나무에서 나오니, 연유하여 나오는 것으로 복귀하면 상괘인 리괘(離卦)가 손괘(巽卦)가 되어 중부괘(中孚卦䷼)가 된다. 중부괘의 이효와 오효는 덕을 같이하며 서로 호응하므로 오효에서 "구오는 미더움이 있는 것이 잡아당기듯 하니, 허물이 없을 것이다"[74]고 하여 점사가 같으니, 규괘의 여섯 효 가운데서 홀로 믿음을 말한 것이다. 〈'사귐[交]'과 '당김[攣]'은 뜻이 같다〉.

---

74) 『周易·中孚卦』: 九五, 有孚攣如, 无咎

김규오(金奎五)「독역기의(讀易記疑)」[75]

四自中孚九五而下. 孚五之於三互艮, 艮爲鼻. 今下爲九四, 失其艮體, 故曰劓. 然卦
之所以爲睽, 實四之爲也, 二之所以由巷, 五之所以噬膚, 三之所以見傷, 上之所以群
疑, 皆因四爲坎主而阻其中半耳. 固可謂之惡人, 而初九能與之交孚, 化而爲善. 四旣
爲善, 則卦中之睽, 皆可得以合, 是又合睽之責, 專在於初九矣. 雲峯以自二至上爲有
噬嗑象, 則其可噬而合者, 亦在於四耳.

사효는 중부괘(中孚卦☲☱)의 구오로부터 내려왔다. 중부괘 오효에서 삼효까지는 호괘인 간
괘(艮卦☶)이니, 간괘는 코가 된다. 지금 내려와 구사가 되어서 그 간괘의 몸체를 상실하였
으므로 '코가 베인다'고 하였다. 그러나 괘가 규괘가 된 까닭은 실제로 사효때문이니, 이효의
골목을 말미암음과 오효의 살을 깨물음과 삼효의 손상을 당함과 상효의 여러 의심을 받음은
모두 사효가 감괘(坎卦☵)의 주인이 되어 그 가운데의 반을 막기 때문이다. 참으로 '나쁜
사람'이라고 할 수 있지만, 초구가 사효와 서로 믿어서 교화시켜 착하게 만들었다. 사효가
이미 착하게 되면 괘 가운데의 어긋남은 모두 화합할 수 있으니, 또한 어긋남을 화합하는
책임은 오로지 초구에 있다. 운봉이 이효부터 상효까지를 서합괘(噬嗑卦☲☳)의 상이 있는
것으로 여겼는데,[76] 씹어서 합할 수 있는 것은 또한 사효에 있을 뿐이다.

○ 九四, 雲峯說四多懼, 安可謂之非危地也. 但爻自不正, 故雖已化於元夫, 而未可忘
畏厲也.

구사에 대해 운봉은 사효는 두려움이 많다고 하였으니, 어찌 다시 '위험한 곳이 아니다'라고
할 수 있겠는가? 다만 효가 스스로 바르지 못하므로 비록 착한 남편에게 교화되었더라도
두려워하고 위태롭게 생각하기를 잊을 수 없다는 것이다.

서유신(徐有臣)『역의의언(易義擬言)』

無應與, 睽而孤也. 均是睽也, 而初二兩剛相比, 故不稱孤, 三五陰耦, 故不稱孤也. 元,
元應也, 夫, 敵剛也. 遇初九而交孚, 始孤而終不孤也, 睽而厲, 遇而无咎也.

호응하여 함께하는 것이 없기에 어긋나 외로운 것이다. 함께 어긋나지만 초효와 이효는 두
개의 굳센 양이 서로 가까이 하므로 '외롭다'고 하지 않았고, 삼효와 오효는 음효로 짝이
되므로 '외롭다'고 하지 않았다. '원(元)'은 첫 번째의 호응이고, 부(夫)는 대등한 굳센 양이
다. 초구를 만나서 서로 믿으니, 처음은 외로워도 끝내는 외롭지 않고, 어긋나 위태해도 만

---

75) 경학자료집성DB에서는 '초효'에 해당하는 것으로 분류했으나, 내용에 따라 이 자리로 옮겨왔다.
76) 규괘, 육오효의 소주에 나온다.

나서 허물이 없다.

박제가(朴齊家) 『주역(周易)』

九四遇元夫, 謂正應之陽. 本義但曰得初九, 不言程傳以元爲善之云者, 蓋初有元義, 又不欲必與後夫作對說出, 而得失自可見矣. 雲峯胡氏曰, 元善也, 惡之反也, 胡氏深於易而從本義者也, 豈猶未達耶. 又曰, 初見惡人而不害爲元夫, 如夫子見陽貨而不害爲夫子, 恐非所宜言矣.

구사의 '착한 남편을 만남'은 바르게 호응하는 양효를 말한다. 『본의』에서 다만 "초구를 얻음을 말한다"고 하고, 『정전』에서 '원(元)은 착함이 된다'고 한 것을 언급하려고 하지 않은 것은 처음에는 원(元)의 뜻이 있기에, 또한 반드시 뒤의 '남편'과 상대시켜 말하지 않더라도 득실을 저절로 알 수 있기 때문이다. 운봉호씨가 "원(元)은 착함이니 악함의 반대이다"라고 하였는데, 호씨는 『주역』을 탐구하면서 『본의』를 따른 자이니, 어찌 오히려 몰라서이겠는가? 또 "초효는 나쁜 사람을 보지만 착한 남편이 되기에 지장이 없으니, 공자가 양화를 만났어도 공자가 되기에 지장이 없는 것과 같다"고 하였는데, 타당한 말은 아닌 듯하다.

박문건(朴文健) 『주역연의(周易衍義)』

始疑終信, 故有遇元夫之象. 元夫, 稱夫之辭, 猶言良人也.

처음에는 의심하고 나중에 믿으므로 남편을 만나는 상이 있다. '원부(元夫)'는 남편을 칭하는 말이니, 좋은 사람이라고 말하는 것과 같다.

〈問, 睽孤以下. 曰, 九四疑初九, 故其情相睽而孤處也, 若釋疑而往, 遇元夫交相孚信, 則雖有厲道, 終必无咎也.

물었다: "어긋남에 외롭다" 이하는 무슨 뜻입니까?

답하였다: 구사가 초구를 의심하므로 그 실정이 서로 어긋나서 홀로 지내지만, 만약 의심을 풀고 나아가 착한 남편을 만나 서로 믿는 다면, 비록 위태로운 길이 있더라도 끝내는 반드시 허물이 없다는 것입니다.〉

이지연(李止淵) 『주역차의(周易箚疑)』

四則陽而居陰, 邪正相半者也, 初則陽而居陽, 无邪有正之人也, 故謂之元夫. 邪之遇正, 可謂志行也.

사효는 양으로 음의 자리에 있으니 바르지 못함과 바름이 서로 반쯤 되는 것이고, 초효는 양으로 양의 자리에 있으니 바르지 못함은 없고 바름만 있는 사람이다. 그러므로 '착한 남편'

이라고 하였다. 바르지 못한 것이 바른 것을 만났으니, '뜻이 행해진다'고 할만하다.

김기례(金箕澧) 「역요선의강목(易要選義綱目)」

四无正應, 陷於二陰, 則孤矣. 不能獨立於睽時, 就同德而遇初.

사효는 정응이 없고 두 음효에 빠졌으니 외롭다. 어긋나는 때에 홀로 설 수 없기에 덕이 같은 자에게 나가서 초효를 만난다.

○ 初爲正[77]陽, 故曰元夫, 如善士之謂. 以實相交, 故孚而危且无咎.

초효는 바른 양이 되므로 '착한 남편'이라 하였으니, '좋은 선비'라고 함과 같다. 진실로 서로 사귀므로 믿어서 위태해도 허물이 없다.

이항로(李恒老) 「주역전의동이석의(周易傳義同異釋義)」

傳, 雖處危厲而无咎也.

『정전』에서 말하였다: 비록 위험에 처하나 허물이 없다.

本義, 當睽時, 故必危厲, 乃得无咎.

『본의』에서 말하였다: 어긋나는 때이기에 반드시 위태하게 하여야 이에 허물이 없을 수 있다.

按, 易中凡例, 用厲字有二義. 居危地一也, 如乾三厲无咎之類, 是也. 用危道一也, 如蠱初厲終吉之類, 是也. 蓋此九四以陽居陰, 無過剛之危, 居上卦之下, 無亢高之危, 而睽極之餘, 以同德遇元夫而交孚, 則有相得之喜, 而無可虞之艱矣. 故勉之以危厲, 本義之釋以此也.

내가 살펴보았다: 『주역』의 범례에서 '려(厲)'자를 씀에는 두 가지 뜻이 있다. 하나는 위험한 곳에 거처함이니, 건괘(乾卦☰) 삼효의 "위태하나 허물이 없다"와 같은 부류이다. 하나는 위태로운 도를 씀이니, 고괘(蠱卦☶) 초효의 "위태롭게 하여야 마침내 길할 것이다"[78]와 같은 부류이다. 대체로 이 괘의 구사는 양으로 음의 자리에 있으니 지나친 굳셈의 위험이 없고, 상괘의 아래에 있으니 지나치게 높은 위험이 없으며, 어긋남이 다한 뒤여서 같은 덕으로 착한 남편을 만나 서로 믿으니, 서로 얻는 기쁨이 있고 근심할만한 어려움이 없다. 그러

---

77) 正: 경학자료집성DB에는 '五'으로 되어 있으나, 경학자료집성 영인본을 참조하여 '正'으로 바로잡았다.
78) 『周易·蠱卦』: 初六, 幹父之蠱. 有子, 考无咎. 厲, 終吉.

므로 위태로움으로 힘쓰게 하였으니, 『본의』와 같은 해석은 이 때문이다.

심대윤(沈大允) 『주역상의점법(周易象義占法)』

睽之損☲, 損下益上也. 九四居大臣位, 取於民情, 而立異於君, 有其義也. 九四以剛居柔, 才足以立異, 而乃尙同. 介于二陰之間, 而无係戀之心, 應于初九, 而非私悅也. 九二雖爲之隔, 而初九非二之所欲, 故无爭奪之心焉. 坎爲孤, 睽孤者, 言四之遠於陽也. 有陰之比近而言孤者, 陽不從陰也, 三五二陰, 獨處而不言孤者, 陰從于陽也. 凡陰爻不言隔, 而陽爻獨言隔者, 陽實而陰虛也. 初九陽剛曰元. 對咸有巽爲遇, 坎爲夫. 以初之來從于四, 故從四以言也. 巽爲交, 坎爲孚, 非其正應 故厲, 志同故无咎. 初九之應四, 亦非正應, 而不言厲, 何也. 以其尙異而不遽合也.

규괘가 손괘(損卦☲)로 바뀌었으니, 아래를 덜어서 위로 보태는 것이다. 구사는 대신의 지위에 있으니, 백성의 실정을 취합하여 임금과 입장을 달리함에 그 의의가 있다. 구사는 굳센 양이 부드러운 음의 자리에 있으니, 재질로는 입장을 달리하기에 충분하지만 이내 같아지려 한다. 두 음효의 사이에 끼었어도 사랑에 얽매이는 마음이 없고, 초구와 호응하지만 개인적 기쁨을 위함이 아니다. 구이가 비록 가로막지만, 초구는 이효가 욕심내는 것이 아니므로 싸워서 빼앗으려는 마음이 없다. 감괘(坎卦☵)가 외로움이 되니, '어긋남에 외로움'은 사효가 양효에서 멀리 있음을 말한다. 음효가 옆에서 가까이 하는데 외롭다고 말한 것은 양이 음을 따르지 않아서고, 삼효와 오효 두 음은 홀로 있는데도 외롭다고 말하지 않은 것은 음이 양을 따라서다. 무릇 음효에는 가로막음을 말하지 않고, 양효에만 가로막음을 말하는 것은 양은 꽉 차있고 음은 텅 비었기 때문이다. 초구의 굳센 양을 '원(元)'이라 한다. 본 효가 바뀐 괘 손괘(損卦☲)의 음양이 바뀐 함괘(咸卦☵)에는 손괘가 있으니 만남이 되고, 감괘(坎卦)는 남편이 된다. 초효가 와서 사효를 따르기 때문에 사효를 따르는 것으로 말하였다. 손괘(巽卦☴)는 사귐이 되고 감괘(坎卦)는 믿음이 되는데, 그것이 정응이 아니므로 위태롭고, 뜻을 같이 하므로 허물이 없다. 초구가 사효와 호응함도 또한 정응이 아닌데, 위태로움을 말하지 않은 것은 어째서인가? 초효는 여전히 달리하고 갑자기 화합하지 않기 때문이다.

오치기(吳致箕) 「주역경전증해(周易經傳增解)」

九四剛不得正, 而无應與, 當睽乖之時, 孤立而无助. 然性本剛明, 能知初九之剛正在當應之地. 故乃以同德相遇, 心志交孚, 可以濟睽. 而惟其居失中正, 宜若有咎, 故戒言惕厲其心, 則能无其咎也.

구사는 굳세면서 바르지 못하고 호응하여 함께하는 것이 없으니, 어긋나 떨어지는 때에 홀로 있으면서 도움이 없는 것이다. 그러나 성질이 본래 굳세고 밝기에 굳세며 바른 초구가 호응해야 하는 곳에 있음을 알 수 있다. 그러므로 이내 같은 덕으로 서로 만나고, 마음으로 서로 믿어서 어긋남을 구제할 수 있다. 다만 그 거처가 중정함을 잃어서 마땅히 허물이 있을 것 같기에 마음을 두려워하고 위태롭게 할 것으로 경계하였으니 허물이 없을 수 있다.

○ 睽則勢孤, 故言睽孤, 上九倣此. 元者, 大也, 夫者, 陽之稱也, 以初九爲大陽者, 以其陽剛而獨得其正也. 孚取於互坎.

어긋나면 형세가 외롭기 때문에 '어긋남에 외롭다'고 하였으니, 상구도 이와 비슷하다. '원(元)'은 큼이고, '부(夫)'는 양을 일컫는데, 초구가 큰 양이 되는 것은 그 양이 굳세면서 홀로 바름을 얻었기 때문이다. '믿음[孚]'은 호괘인 감괘(坎卦☵)에서 취하였다.

이진상(李震相) 『역학관규(易學管窺)』

卦中二五上皆應, 而四獨无應, 又處二陰之中, 故有孤象. 元夫初九, 初故曰元, 九故曰夫, 非配故曰遇. 四坎故孚, 初兌故交.

괘에서 이효와 오효와 상효는 모두 호응하는데 사효만 홀로 호응이 없고, 또 두 음효의 가운데 있으므로 외로운 상이 있다. '원부[元夫]'는 초구이니, 처음이므로 '원(元)'이라 하였고, 구(九)이므로 '부(夫)'라 하였고, 짝이 아니므로 '만난다[遇]'고 하였다. 사효는 감괘(坎卦☵)이므로 믿음이고, 초효는 태괘(兌卦☱)이므로 사귐이다.

이병헌(李炳憲) 『역경금문고통론(易經今文考通論)』

程傳曰, 九四居非所安, 在二陰之間, 無應孤處, 初九同德, 故爲元夫.

『정전』에서 "구사가 거처가 편안한 곳이 아니며, 두 음효의 사이에 있다"고 하니 호응이 없는 외로운 곳이고, 초구가 덕을 같이 하므로 '착한 남편'이 된다.

象曰, 交孚无咎, 志行也.

「상전」에서 말하였다: "서로 믿어 허물이 없음"은 뜻이 행해지는 것이다.

中國大全

傳

初四, 皆陽剛君子, 當睽乖之時, 上下以至誠相交, 協志同力, 則其志可以行, 不止无咎而已. 卦辭但言无咎, 夫子又從而明之, 云可以行其志, 救時之睽也. 蓋以君子陽剛之才, 而至誠相輔, 何所不能濟也. 唯有君則能行其志矣.

초효와 사효는 모두 양으로 굳센 군자이니, 어긋나 괴리하는 때를 맞아 위아래가 정성을 다하여 서로 사귀며 뜻을 합하고 힘을 함께 한다면 그 뜻이 행해질 것이니, 허물없음에 그칠 뿐이 아니다. 괘사에서는 '허물이 없다[无咎]'고만 했는데, 공자가 또 이어 밝히어 "그 뜻을 행할 수 있다"고 하였으니, 당시의 어긋남을 구제하는 것이다. 군자의 굳센 양의 재질로 정성을 다하여 서로 도우면 무엇인들 구제하지 못하겠는가? 다만 군자가 있어야 그 뜻을 행할 수 있을 것이다.

小註

建安邱氏曰, 四與初, 同德相與, 一誠交孚, 則孤者合, 厲者安, 豈唯无咎, 而二陽之志, 得以行矣.

건안구씨가 말하였다: 사효와 초효가 같은 덕으로 서로 함께 하고, 한결같은 정성으로 서로 믿는다면 외로운 자가 화합하고 위태한 자가 편해질 것이니, 어찌 허물만 없겠는가? 두 양효의 뜻도 행해질 수 있을 것이다.

‖韓國大全‖

김장생(金長生) 『주역(周易)』

九四象, 傳卦辭, 卦辭恐作爻辭.

구사의 「상전」에 대한 『정전』에서 '괘사'라고 했는데, '괘사'는 '효사'라고 해야 할 듯하다.

유정원(柳正源) 『역해참고(易解參攷)』

志行也.

뜻이 행해지는 것이다.

案, 如諸呂之亂, 陳平爲相, 交結絳庚, 卒成安劉之功, 是之謂志行也.

내가 살펴보았다: 여러 여씨(呂氏)의 난에 진평이 재상이 되어서 결탁하고 강등시켜[79] 마침내 유씨를 편안히 하는 공을 이룸과 같으니, 이를 뜻이 행해졌다고 한다.

傳, 卦辭.

『정전』의 '괘사'라고 한 것.

案, 卦當作爻.

내가 살펴보았다: 괘는 효라고 해야 한다.

김상악(金相岳) 『산천역설(山天易說)』

志卽濟睽之志也.

뜻은 어긋남을 구제하려는 뜻이다.

김규오(金奎五) 「독역기의(讀易記疑)」[80]

象傳卦辭之卦, 疑爻之訛.

소상전의 『정전』에 나오는 '괘사'의 '괘(卦)'자는 '효(爻)'자가 잘못된 듯하다.

---

79) 진평(陳平)과 주발(周勃)이 결탁하여 여씨들의 난을 평정하고 서로 공적을 양보하여 벼슬을 낮춘 일이다.

80) 경학자료집성DB에서는 '초효'에 해당하는 것으로 분류했으나, 내용에 따라 이 자리로 옮겨왔다.

서유신(徐有臣) 『역의의언(易義擬言)』

應與之志, 得行也.

호응하여 함께 하려는 뜻이 행해짐이다.

박문건(朴文健) 『주역연의(周易衍義)』

〈問, 志行. 曰, 相遇, 故其志得行也, 志行, 猶言得志也.

물었다: '뜻이 행해짐'은 무슨 뜻입니까?

답하였다: 서로 만났기 때문에 그 뜻이 행해질 수 있으니, '뜻이 행해짐'은 뜻을 얻었다고 말함과 같습니다.〉

오치기(吳致箕) 「주역경전증해(周易經傳增解)」

同德相孚而无咎, 則濟睽之志, 可以行矣.

같은 덕으로 서로 믿어서 허물이 없다면, 어긋남을 구제하려는 뜻이 행해질 수 있을 것이다.

박문호(朴文鎬) 「경설(經說)·주역(周易)」

九四象傳, 傳卦辭之卦, 是爻之誤.

구사 소상전의 『정전』에 나오는 '괘사'의 '괘(卦)'자는 '효(爻)'자가 잘못된 것이다.

이병헌(李炳憲) 『역경금문고통론(易經今文考通論)』

程傳曰, 上下以至誠相交, 則其志可行.

『정전』에서 말하였다: 위아래가 지극한 정성으로 서로 사귄다면 그 뜻이 행해질 것이다.

六五, 悔亡, 厥宗, 噬膚, 往, 何咎.

정전 육오는 후회가 없어지니, 그 친족이 살을 깨물면 감에 무슨 허물이 있겠는가?
본의 육오는 후회가 없어지니, 그 친족이 살을 깨무니, 감에 무슨 허물이 있겠는가?

中國大全

傳

六以陰柔, 當睽離之時, 而居尊位, 有悔, 可知. 然而下有九二剛陽之賢, 與之爲應, 以輔翼之, 故得悔亡. 厥宗, 其黨也, 謂九二正應也. 噬膚, 噬齧其肌膚而深入之也, 當睽之時, 非入之者深, 豈能合也. 五雖陰柔之才, 二輔以陽剛之道而深入之, 則可往而有慶, 復何過咎之有. 以周成之幼稚, 而興盛王之治, 以劉禪之昏弱, 而有中興之勢, 蓋由任聖賢之輔, 而姬公孔明, 所以入之者深也.

육(六)은 부드러운 음으로 어긋나 떨어지는 때를 맞아 존귀한 자리에 있으니, 후회가 있음을 알 수 있다. 그러나 아래에 구이인 굳센 양의 어진 이가 있어 더불어 호응하여 돕기 때문에 후회가 없을 수 있다. '그 친족[厥宗]'은 그 무리[黨]이니, 구이의 정응을 말한다. '살을 깨물음[噬膚]'은 그 살갗[肌膚]을 깨물어 깊이 들어가는 것이니, 어긋나는 때를 맞아 들어가는 것이 깊지 않으면 어찌 합할 수 있겠는가? 오효가 비록 부드러운 음의 재질이지만, 이효가 굳센 양의 도(道)로 도와서 깊이 들어간다면 나아가 경사가 있을 것이니, 다시 무슨 허물이 있겠는가? 주(周)나라 성왕(成王)이 어렸음에도 성대한 왕의 정치를 이룩하였고, 유선(劉禪)이 어리석고 나약했어도 중흥의 형세가 있었으니, 성현의 보필에 맡겨 희공(姬公)[81]과 공명(孔明)이 들어감이 깊었기 때문이다.

本義

以陰居陽, 悔也, 居中得應, 故能亡之. 厥宗, 指九二, 噬膚, 言易合. 六五有柔中

---

81) 희공(姬公): 주공(周公)을 가리킨다.

之德, 故其象占, 如是.

음으로 양의 자리에 있기에 후회하지만, 가운데 있고 호응함을 얻었기 때문에 후회를 없앨 수 있다. '그 친족[厥宗]'은 구이를 가리키고, '살을 깨물음[噬膚]'은 쉽게 합함을 말한다. 육오에는 부드럽고 알맞은 덕이 있기 때문에 그 상과 점이 이와 같다.

小註

朱子曰, 宗, 如同人于宗之宗.

주자가 말하였다: 종(宗)은 '사람들과 함께 하기를 친족끼리 함[同人于宗]'[82]의 친족[宗]과 같다.

○ 誠齋楊氏曰, 厥宗者, 五與二應, 而二爲宗臣也.

성재양씨가 말하였다: '그 친족[厥宗]'은 오효가 이효와 호응함에 이효가 동족의 신하[宗臣]가 되기 때문이다.

○ 雲峰胡氏曰, 宗, 二象. 噬膚, 五與二易入象. 噬嗑六二曰噬膚, 睽六五以九二爲厥宗噬膚, 睽二變卽噬嗑也. 或曰二至上有噬嗑象. 初與五先言悔亡而後言象. 睽本有悔, 悔之所以亡者, 以其有合之象也. 同人六二以九五爲宗, 睽六五以九二爲宗, 皆以離中陰爻言之, 陰從陽, 支子從宗子也. 二五剛柔得中. 故五以二爲宗, 其合也如噬膚之易, 二以五爲主, 其合也有于巷之遭. 宗, 親之也, 上當以情親下也, 主, 尊之也, 下當以分嚴上也.

운봉호씨가 말하였다: 친족[宗]은 이효의 상이다. '살을 깨물음[噬膚]'은 오효와 이효가 쉽게 들어가는 상이다. 서합괘(噬嗑卦䷔) 육이에서는 "살을 깨문다"고 하고, 규괘(睽卦䷥) 육오에서는 구이를 그 친족이 살을 깨무는 것으로 여겼으니, 규괘의 이효가 변하면 곧 서합괘가 되기 때문이다. 어떤 이는 "이효부터 상효까지에는 서합괘의 상이 있다"고 하였다. 초효와 오효에서 먼저 '후회가 없어진다'고 하고 뒤에 상을 말했는데, 규괘에는 본래 후회가 있고 후회가 없어지는 까닭은 화합하는 상이 있기 때문이다. 동인괘(同人卦䷌) 육이에서 구오를 친족으로 여기고, 규괘(睽卦) 육오에서 구이를 친족으로 여긴 것은 모두 리괘(離卦☲)의 음효로 말한 것이니, 음은 양을 따르고 지손(支孫)은 종손(宗孫)을 따른다. 이효와 오효는 굳센 양과 부드러운 음이 알맞음을 얻었다. 그러므로 오효가 이효를 친족으로 여김은 그 합함이 살을 깨무는 듯이 쉽고, 이효가 오효를 주인으로 여김은 그 화합함에 골목에서 만남

---

82) 『周易·同人卦』: 六二, 同人于宗, 吝.

이 있다. 친족[宗]은 친애해야 하니, 윗사람은 정감으로 아랫사람을 친애해야 하며, 임금[主]은 높여야 하니, 아랫사람은 분수대로 윗사람에게 엄격해야 한다.

○ 隆山李氏曰, 所謂噬膚, 猶噬嗑, 噬以求合也. 夫君臣相應, 當太平之時, 精神交際, 志協義從, 堯舜皐夔之遇合也. 不幸當睽之時, 兩兩間隙相疑, 而至於相噬以求合, 可謂德之下衰也矣. 然不如是以通其相應之志, 則彼此之情, 轉相乖隔, 而天下之睽, 无時可合也.

융산이씨가 말하였다: 이른바 '살을 깨물음'은 서합(噬嗑)과 같으니, 깨물어 합하기를 구하는 것이다. 임금과 신하가 서로 호응함은, 태평의 때를 만난다면 정신으로 교제(交際)하여 뜻으로 협력하고 의(義)로써 따르니, 요임금과 고요(皐陶), 순임금과 기(夔)가 만나서 합함이 이것이다. 불행하게 어긋나는 때를 만난다면 양자에게 틈이 생겨나 서로 의심하기에 서로 깨물어 합하기를 구하는 지경에 이를 것이니, 덕이 쇠락하였다고 할 만하다. 그러나 이와 같이 서로 호응하려는 뜻을 통하게 하지 않는다면 피차의 정감이 더욱 서로 어그러져 천하의 어긋남이 합할 날이 없게 된다.

‖韓國大全‖

조호익(曺好益) 『역상설(易象說)』

六五, 往何咎.

육오는 감에 무슨 허물이 있겠는가?

往, 柔上行象, 五自四進, 居中得應. 故往无咎.

'감[往]'은 부드러운 음이 올라가는 상이니, 오효가 사효로부터 나아가서 가운데 자리하고 호응을 얻음이다. 그러므로 감에 허물이 없는 것이다.

송시열(宋時烈) 『역설(易說)』

无悔, 先言占也. 厥宗者, 其黨也, 指九二也. 噬膚與嗑六二同辭, 下[83]兌爲口噬之象. 噬其皮膚之淺而深入者, 其心相孚也. 雖往何咎, 小象所謂有慶也.

'후회가 없어짐'은 먼저 점사를 말한 것이다. '그 친족[厥宗]'은 그 무리이니, 구이를 가리킨다. '살을 깨물음'은 서합괘(噬嗑卦) 육이의 효사[84]와 같으며, 하괘인 태괘(兌卦☱)가 입으로 깨무는 상이 된다. 그 얇은 피부를 깨물어 깊이 들어가는 것은 그 마음이 서로 믿기 때문이다. 비록 가더라도 "무슨 허물이 있겠는가"는 소상전의 이른바 '경사가 있음'이다.

석지형(石之珩) 『오위귀감(五位龜鑑)』

臣謹按, 睽之六五, 以卦之九二變爲六二, 則爲噬嗑, 所以發噬膚之義. 而五乃陰柔, 二則陽剛, 宗爲親黨, 膚是身體, 以親黨之剛, 噬身體之柔, 其入也必深, 其合也必易. 蓋以類相親, 貴同氣也, 以道相噬, 非苦肉也. 是以深而无間, 睽而必合, 人君能體此道, 受賢臣之噬, 則雖在睽乖之世, 奚爲而不可濟哉. 伏願殿下宗賢, 而勿厭其深焉.

신이 삼가 살펴보았습니다: 규괘의 육오는, 괘의 구이가 변하여 육이가 되면 서합괘가 되기 때문에, 서합괘 육이의 '살을 깨문다'는 뜻을 펼쳤습니다. 오효는 부드러운 음이고 이효는 굳센 양이며, '친족[宗]'은 친한 무리가 되고 '살[膚]'은 신체여서 친한 무리의 굳셈으로 신체의 부드러움을 깨물었으니, 들어옴이 반드시 깊고 합쳐짐이 반드시 쉽습니다. 대체로 부류끼리 서로 친애함에는 형제 자매를 귀하게 여기고, 도리로 서로 깨물음은 육신을 괴롭힘이 아닙니다. 이 때문에 깊이 들어와 틈이 없고 어긋나도 반드시 합쳐지니, 임금께서 이 도리를 체득하여 현명한 신하의 깨물음을 받아들인다면 비록 어긋나 괴리되는 때라도 어찌하여 구제할 수 없겠습니까? 엎드려 바라건대 전하께서는 현인을 높이시어 그 깊음을 싫어하지 마십시오.

이익(李瀷) 『역경질서(易經疾書)』

六五, 悔亡, 乃小事吉, 五爲卦主, 故不言也. 惟小事吉, 大或未吉, 故只云悔亡. 厥宗噬膚, 謂六三有貪饕之過, 若然者, 卽往而斷行, 在國爲有慶也.

육오의 '후회가 없어짐'이 바로 괘사에서 말한 "작은 일은 길하다"인데, 오효는 괘의 주인이 되므로 말하지 않았다. 다만 작은 일에만 길하고, 큰 것에는 혹 길하지 못하므로 단지 "후회가 없어진다"고 하였다. "그 친족이 살을 깨문다"는 육삼에 탐욕의 과실이 있음을 말하니, 그와 같은 자에게 곧바로 가서 결단하여 행한다면 나라에 경사가 있게 된다는 것이다.

---

83) 下: 경학자료집성DB와 영인본에는 모두 '不'로 되어 있으나, 문맥을 살펴 '下'로 바로잡았다.
84) 『周易·噬嗑卦』: 六二, 噬膚, 滅鼻, 无咎.

심조(沈潮) 「역상차론(易象箚論)」

六五, 噬膚,

육오는 살을 깨물면.

膚陰象, 此爻亦有兌口象, 故稱噬.

'살[膚]'은 음의 상이고, 이 효에는 또한 태괘(兌卦☱)인 입의 상이 있으므로 '깨문다'고 하였다.

유정원(柳正源) 『역해참고(易解參攷)』

正義, 宗, 主也, 謂二也, 噬膚, 謂噬三也. 三雖隔二, 二之所噬. 故曰厥宗噬膚也. 三是陰爻, 故以膚爲譬, 言柔脆也.

『주역정의』에서 말하였다: '종(宗)'은 주인이니 이효를 말하고, '살을 깨물음'은 삼효를 깨물음을 말한다. 삼효는 비록 이효를 막고 있지만, 이효가 깨물기 때문에 "그 주인이 살을 깨문다"고 하였다. 삼효는 음효이기 때문에 살로 비유하였으니 부드럽고 연함을 말한다.

○ 西溪李氏曰, 古人有噬臂相盟者, 噬膚是也.

서계이씨가 말하였다: 옛 사람 중에는 팔을 깨물어 서로 맹세하는 경우가 있었으니, '살을 깨물음'이 이것이다.

○ 胡氏曰, 二兌體有噬象.

호씨가 말하였다: 이효는 태괘(兌卦☱)의 몸체이니, 깨무는 상이 있다.

○ 案, 九二剛中, 一卦之宗也, 膚, 陰物也, 六五之謂也. 言九二之德, 深入於六五, 如噬膚然也.

내가 살펴보았다: 구이는 굳세며 가운데 있으니 한 괘의 주인이고, '살[膚]'은 부드러운 음의 사물이니 육오를 말한다. 구이의 덕이 육오에게 깊이 들어감이 살을 깨무는 것과 같다고 말한 것이다.

김상악(金相岳) 『산천역설(山天易說)』

柔進居五, 宜若有悔. 然處二陽之中, 以麗乎明, 故得亡之. 又應二而交, 故有厥宗噬膚之象, 以是而往, 有何咎哉.

부드러운 음이 나아가 오효의 자리에 있기에 당연히 후회가 있을 듯하지만, 두 양효의 가운데 있어 밝음에 걸려 있으므로 이를 없앨 수 있다. 또한 이효와 호응하여 사귀므로 친족이 살을 깨무는 상이 있으니, 이로써 나간다면 무슨 허물이 있겠는가?

○ 卦變而得離體之中, 故先言悔亡, 與晉五同. 宗黨也, 見同人六二. 當睽之時, 二言主, 尊之也, 五言宗, 親之也. 君臣相遇, 得治睽之道也. 噬膚者, 噬齧其肌膚, 而深入之也. 五有柔中之德, 而二輔以陽剛之道, 如噬膚之, 易噬而嗑, 則睽者可合, 卦辭之柔進應剛者此也. 二爲治睽之主, 而與噬嗑爭九六, 故取象如此. 往卽上行也, 曰何咎者, 初无可咎也.

중부괘(中孚卦䷽)에서 규괘(睽卦䷥)로 변하여 리괘(離卦☲) 몸체의 가운데를 얻었으므로 먼저 '후회가 없어짐'을 말했으니, 진괘(晉卦䷢)의 오효와 같다.[85] '친족[宗]'은 무리이니, 동인괘(同人卦䷌)의 육이에 보인다. 어긋나는 때에 이효는 '임금[主]'을 말하여 그를 높이고, 오효는 친족을 말하여 그를 친애한다. 임금과 신하가 서로 만나 어긋남을 다스리는 도를 얻었다. '살을 깨물음[噬膚]'은 피부를 깨물어 깊이 들어가는 것이다. 오효에 부드럽고 알맞은 덕이 있어서 이효가 굳센 양의 도리로 보좌함이 살을 깨물어 쉽게 깨물어 합치는 것과 같이 한다면 어긋난 것을 화합시킬 수 있으니, 「단전」의 "부드러운 것이 나아가 굳센 양과 호응한다"[86]는 것이 이것이다. 이효는 어긋남을 다스리는 주인이 되어 서합괘(噬嗑卦䷔)와 더불어 구(九)과 육(六)을 다투기 때문에 상을 취함이 이와 같다. '감[往]'은 올라감이고, "무슨 허물이 있겠는가"라고 한 것은 애초에 허물할만한 것이 없다는 것이다.

서유신(徐有臣) 『역의의언(易義擬言)』

悔亡之義, 與初九同也, 厥宗者, 九二也. 噬者, 二噬之也, 膚者, 五之膚也, 噬膚者, 藥其柔懦之病也. 始苦其噬膚而睽, 終利其噬膚而合. 往而應之, 何咎之有哉, 決疑之辭也.

후회가 없어진다는 뜻은 초구와 같고, '그 친족[厥宗]'은 구이이다. '깨물음[噬]'은 이효가 깨무는 것이고, '살[膚]'은 오효의 살이며, 살을 깨물음[噬膚]은 그 유약한 병에 약을 쓰는 것이다. 처음에는 그 살을 깨물음을 괴롭게 여겨 어긋나지만, 끝내는 그 살을 깨물음을 이롭게 여겨 화합한다. 가서 호응하면 무슨 허물이 있겠는가는 의심을 푸는 말이다.

박제가(朴齊家) 『주역(周易)』

九五, 噬膚.

---

85) 『周易·晉卦』: 六五, 悔亡, 失得勿恤, 往吉, 无不利.
86) 『周易·睽卦』: 象曰, … 說而麗乎明, 柔進而上行, 得中而應乎剛. 是以小事吉.

구오는 살을 깨물면.

因自二至上卦象之同, 而用噬嗑卦中語.
이효부터 상효까지의 괘상이 같기 때문에 서합괘(噬嗑卦☲)에 있는 말을 사용하였다.

박문건(朴文健) 『주역연의(周易衍義)』

剛柔相敵, 故有厥宗噬膚之象, 宗, 宗黨也.
굳센 양과 부드러운 음이 서로 대적하므로 그 친족이 살을 깨무는 상이 있으니, '친족[宗]'은 친족의 무리이다.

〈問, 悔亡以下. 曰, 六五與九二, 其勢相敵, 未免悔存, 然居尊用中, 故其悔亡也. 厥宗雖噬肌膚而見傷, 然往而相遇, 則何咎之有哉.
물었다: '후회가 없어지니' 이하는 무슨 뜻입니까?
답하였다: 육오와 구이가 그 세력이 서로 대등하여 후회가 있음을 면하지 못하지만, 존귀한 자리에 있으면서 중도(中道)를 쓰므로 그 후회가 없어집니다. 그 친족이 비록 피부를 깨물어 손상을 받지만, 가서 서로 만나면 무슨 허물이 있겠습니까?〉

이지연(李止淵) 『주역차의(周易箚疑)』

九二之陽, 來合于五, 則可謂中正, 六五之陰, 去合于二, 則亦可謂中正. 故有噬膚之象, 言其吻合无間也.
구이의 양(陽)이 와서 오효와 화합하니 중정(中正)할 수 있고, 육오의 음(陰)이 가서 이효와 화합하니 또한 중정할 수 있다. 그러므로 살을 깨무는 상이 있으니, 꼭 맞아서 틈이 없음을 말한다.

김기례(金箕澧) 「역요선의강목(易要選義綱目)」

陰居尊位, 睽則當悔, 二爲宗親而來合, 故悔亡.
음효가 존귀한 자리에 있으니 어긋나면 후회해야 마땅하지만, 이효가 종친(宗親)이 되어 와서 화합하므로 후회가 없어진다.

○ 噬膚, 見噬, 噬言五二應之易入.
'살을 깨물음[噬膚]'은 깨물리는 것이니, 깨물음은 오효와 이효가 호응하여 쉽게 들어감을 말한다.

○ 同人六二, 以九五謂宗, 睽六五, 以九二爲宗, 蓋陰從陽, 如支子從宗子.

동인괘(同人卦䷌)의 육이는 구오를 종친이라고 하고, 규괘(睽卦䷥)의 육오는 구이를 종친으로 했으니, 대체로 음효가 양효를 따름이 지손(支孫)이 종손(宗孫)을 따름과 같다.

○ 時泰則君臣不求而合, 時睽則陰陽相間. 故相疑而以至噬而合, 往求而合, 則何其咎.

시절이 태평하면 임금과 신하가 구하지 않아도 화합하고, 시절이 어긋나면 음과 양이 서로 떨어진다. 그러므로 서로 의심하지만 깨물어 화합하게 되니, 가서 구하여 화합한다면 무슨 허물이 있겠는가?

이항로(李恒老) 「주역전의동이석의(周易傳義同異釋義)」

或問, 六五, 當睽之時, 悔亡有慶, 何也. 曰, 易中凡例, 中爲重, 正次之. 五二居中, 而五爲君位, 二爲臣位. 九居五而六居二, 則得中得正, 固无不利. 若六居五九居二, 則未得其正, 而似有悔咎. 然中重於正, 而君以柔順之德, 下應乎臣, 臣以剛明之才, 上輔于君, 上下交泰, 剛柔相濟, 則何往而不利, 何危之不亨. 是以六五九二之相應者, 凡十六, 而類无大咎. 況此卦有始揆終合之象. 蓋物情睽然後合, 不睽則何合. 旣睽而合, 故合尤堅固, 此固常理也.

어떤 이가 물었다: 육오가, 어긋나는 때에 있으면서 후회가 없고 경사가 있음은 어째서입니까?

답하였다: 『주역』의 범례에서 '알맞음[中]'이 중요하고, '바름[正]'은 그 다음입니다. 오효와 이효는 알맞은 자리에 있으면서 오효는 임금의 자리가 되고, 이효는 신하의 자리가 됩니다. 구(九)가 오효의 자리에 있고, 육(六)이 이효의 자리에 있으면, 알맞음을 얻고 바름을 얻음이니 참으로 이롭지 않음이 없습니다. 만약 육(六)이 오효의 자리에 있고, 구(九)가 이효의 자리에 있으면, 바름을 얻지 못하여 후회나 허물이 있을 듯합니다. 그러나 알맞음이 바름보다 중요하니, 임금이 유순한 덕을 가지고 아래로 신하와 호응하고, 신하가 굳세고 밝은 재질을 가지고 위로 임금을 보좌하여 위아래가 서로 태평하고 굳센 양과 부드러운 음이 서로 구제한다면, 어디를 간들 이롭지 않겠으며, 어떤 위태로움이라도 형통하지 않겠습니까? 이 때문에 육오와 구이가 서로 상응하는 것이 모두 16괘인데 대체로 큰 허물이 없습니다. 하물며 이 괘에 처음에 어긋났다가 뒤에 화합하는 상이 있음에랴. 대체로 사물의 실정은 어긋난 뒤에야 합쳐지니, 어긋나지 않는다면 어찌 합쳐지겠습니까? 이미 어긋났다가 합쳐지므로 합쳐짐이 더욱 견고하니, 이는 참으로 항상 된 이치입니다.

심대윤(沈大允) 『주역상의점법(周易象義占法)』

睽之履䷉, 禮也, 所以辨上下也. 六五, 以柔居剛, 尙異而得中, 同於可同, 而異於可異者也. 介于二陽而應二, 能辨之於錯然之中而得其正, 從以其尙異而終同, 故悔亡. 乾爲宗, 厥宗, 言爲二所宗也. 故從五以言. 兌爲噬, 离爲膚, 膚言切[87]近也, 厥宗噬膚, 言應于宗我之二, 而舍四上也. 巽离爲往, 往何咎, 言從應之善也. 五與三, 同地而不同, 占者以得中也.

규괘가 리괘(履卦䷉)로 바뀌었으니, 예(禮)이므로, 위와 아래를 분별하는 것이다. 육오는 부드러운 음이 굳센 양의 자리에 있어서 달리하려 하지만 알맞음을 얻어, 같이할 만한 것과 같이하고, 달리할 만한 것과 달리한다. 두 양효의 사이에 끼었으나 이효와 호응하니, 섞여 있는 가운데 분별하여 그 바름을 얻을 수 있고, 그 달리하려는 하지만 끝내는 같은 것으로 좇으므로 후회가 없어진다. 건괘(乾卦☰)는 친족이 되니, '그 친족[厥宗]'은 이효가 친족이 됨을 말한다. 그러므로 오효를 좇는 것으로 말하였다. 태괘(兌卦☱)는 '깨물음'이 되고, 리괘(離卦☲)는 '살[膚]'이 되는데 '살[膚]'은 아주 가까운 것을 말하니, "그 친족이 살을 깨물었다"는 나를 종주(宗主)로하는 이효와 호응하고, 사효와 상효를 버림을 말한다. 손괘(巽卦☴)와 리괘(離卦☲)는 '감[往]'이 되는데, "감에 무슨 허물이 있겠는가?"는 호응하는 것을 좇는 것이 좋음을 말한다. 오효와 삼효가 같으면서 같지 않음은 점치는 자가 적당함을 얻었기 때문이다.

오치기(吳致箕) 「주역경전증해(周易經傳增解)」

六五, 柔失其正, 乘剛而處尊, 當睽之時, 宜若有悔. 然以柔中文明之德, 下有九二剛中之臣. 故言悔亡而睽將濟矣. 剛柔相合, 成功甚易, 有厥宗噬膚之象, 以此而往, 无睽異之咎. 故其辭如此.

육오는, 부드러운 음이 그 바름을 상실하였고 굳센 양을 타고 존귀한 곳에 있으니, 어긋나는 때를 맞아 당연히 후회가 있을 듯하다. 그러나 부드러운 음으로 문명한 덕에 맞고 아래로 구이라는 굳세며 알맞은 신하가 있다. 그러므로 후회가 없어지고 어긋남이 구제될 것이라고 하였다. 굳센 양과 부드러운 음이 서로 화합하여 공적을 이루기는 매우 쉽고, 그 친족이 살을 깨무는 상이 있으니, 이것으로 나간다면 어긋나 달라지는 허물이 없을 것이다. 그러므로 그 말이 이와 같다.

○ 宗, 主也, 如魯論有子之言因不失其親亦可宗之宗, 而以六五柔君, 資輔於剛臣, 故

---

87) 切: 경학자료집성DB와 영인본에는 '功'로 되어 있으나, 문맥을 살펴 '切'로 바로잡았다.

指二曰宗也. 噬膚, 言其易, 而卦有噬嗑之象, 故言噬, 而膚取於柔位也.

'종(宗)'은 종주(宗主)로 노나라 『논어』에서 유자가 "그 친함을 잃지 않으면 또한 종주로 삼을 만하다"[88]고 한 종주와 같은데, 육오의 부드러운 임금이 굳센 신하의 보좌에 의지하므로 이효를 가리켜 종주라고 하였다. '살을 깨물음[噬膚]'은 그 쉬움을 말하는데, 괘에 서합괘(噬嗑卦䷔)의 상이 있으므로 깨물음을 말하였고, '살[膚]'은 부드러운 음의 자리에서 취하였다.

이진상(李震相) 『역학관규(易學管窺)』

厥宗噬膚.

그 친족이 살을 깨물면.

或曰, 九二剛中, 一卦之宗, 而六三隔之, 不能合於五. 故二噬之浹入其膚, 三是陰爻, 故以膚爲譬. 往何咎, 言三旣被噬, 往必有合也. 或曰, 六五[89]與六三, 爲同宗之象, 三乃惡人, 而五又陰脆. 苟其撞着, 必見噬膚之患, 舍之而往, 得二而相合, 何咎之有. 兩說皆通, 而傳義竝謂二噬五膚, 深入相合, 未敢質言.

어떤 이는 "구이는 굳세고 알맞으며 한 괘의 주인인데, 육삼이 가로막아 오효와 화합할 수 없다. 그러므로 이효가 깨물어 그 살을 깊이 파고 들었는데, 삼효가 음효이므로 살로 비유하였다. '감에 무슨 허물이 있겠는가?'는 삼효가 이미 깨물렸으니, 나아가면 반드시 화합함이 있음을 말한다"고 하였고, 어떤 이는 "육오와 육삼은 같은 종족의 상이 되는데, 삼효는 악인(惡人)이고, 오효는 또한 부드러운 음이다. 만약 서로 맞부딪치면 반드시 살을 깨무는 환난의 당할 것이니, 이를 버리고 나아가서 이효를 얻어 서로 화합한다면 무슨 허물이 있겠는가?"라고 하였다. 두 설명이 모두 통하지만, 『정전』과 『본의』에서는 모두 '이효가 오효의 살을 깨물어 깊이 파고들어 서로 화합한다'고 하니, 감히 딱 잘라 말하지 못하겠다.

○ 二張口, 則全卦有噬嗑之象. 兌爲口, 亦噬象也, 兌伏艮, 艮爲膚, 噬膚之意也. 五之於二, 正應當合, 而六三間之. 陰邪不腴, 膚淺之人也. 厥宗, 九二之宗也. 陽與陽同宗, 而上九張弧以射之, 九二噬其首, 九四劓其鼻, 初九亦以惡人待之. 故曰厥宗噬膚. 三旣見噬, 則往與二合, 不難矣.

이효가 입을 벌리면 전체의 괘에는 서합괘(噬嗑卦䷔)의 상이 있다. 태괘(兌卦☱)는 입이 되니 또한 깨무는 상이며, 태괘(兌卦☱)에는 간괘(艮卦☶)가 잠복하고 간괘(艮卦)는 살이 되니 살을 깨문다는 뜻이다. 오효는 이효와 바로 호응하여 화합함이 마땅하지만 육삼이 가

---

88) 『論語·學而』: 有子曰, 信近於義, 言可復也, 恭近於禮, 遠恥辱也, 因不失其親, 亦可宗也.

89) 五: 경학자료집성DB에는 '王'으로 되어 있으나, 문맥을 살펴 '五'로 바로잡았다.

로막았다. 그런데 육삼은 바르지 않은 음이 두텁지 않으니 살갗이 얇은 사람이다. '그 친족[厥宗]'은 구이의 친족이다. 양과 양은 같은 친족이여서 상구는 활을 당겨서 쏘려고 하고, 구이는 그 머리를 깎고, 구사는 그 코를 베어내고, 초구도 또한 악인으로 상대한다. 그러므로 "그 친족이 살을 깨문다"고 하였다. 삼효가 이미 깨물렸다면 가서 이효와 화합함에 어려움이 없을 것이다.

박문호(朴文鎬)「경설(經說)·주역(周易)」

噬膚, 程傳以深入釋之, 本義以易合釋之, 蓋膚有淺義, 當以易合爲定論.
'살을 깨물음'을 『정전』에서는 '깊이 들어감'으로 해석하였고, 『본의』에서는 '쉽게 화합함'으로 해석하였는데, 대체로 살에는 얇다는 뜻이 있으니 마땅히 쉽게 화합함으로 정론을 삼아야 한다.

盛王之王, 當讀如旺, 旺亦盛也.
『정전』에 나오는 '성대한 왕[盛王]'의 '왕[王]'은 마땅히 '왕성함[旺]'으로 이해해야 하니, '왕성함'이 또한 '성대함[盛]'이다.

이용구(李容九)「역주해선(易註解選)」

六五, 以周成之幼穉, 而興盛王之治, 以劉禪之昏弱, 而有中興之勢, 蓋有任聖賢之輔也.
육오는 주(周)의 성왕(成王)이 어렸음에도 성대한 왕의 정치를 흥기시키고, 유선(劉禪)이 어리석고 나약해도 중흥의 형세를 이룬 것이니, 대체로 보좌하는 성현에 맡겼기 때문이다.

이병헌(李炳憲)『역경금문고통론(易經今文考通論)』

六五, 悔亡, 厥宗, 噬膚, 往, 何咎.
육오는 후회가 없어지니, 그 친족이 살을 깨물면 감에 무슨 허물이 있겠는가?

象曰, 厥宗噬膚, 往有慶也.
「상전」에서 말하였다: "그 친족이 살을 깨물음"은 감에 경사가 있는 것이다.

王曰, 非位悔也, 有應故亡. 厥宗, 謂二也, 噬膚, 齧柔也.
왕필이 말하였다: 제 자리가 아니어서 후회하지만, 호응함이 있기 때문에 그 후회가 없어진다. '그 친족[厥宗]'은 이효를 말하고, '살을 깨물음[噬膚]'은 부드러운 것을 깨물음이다.

姚曰, 天子及士, 祭畢, 皆於宗室, 有噬膚之事.

요신이 말하였다: 천자부터 선비까지 제사를 마치고는 모두 종실에서 살을 깨무는 일을 하였다.

詩曰, 爾殽旣將, 莫怨[90]有慶.

『시경』에 말하였다: 네 안주를 이미 올렸더니, 누구도 원망하지 않고 경축을 하는구나.[91]

按, 六五往九二之巷而相遇, 則小事吉.

내가 살펴보았다: 구오가 구이의 골목에 가서 서로 만났으니 작은 일은 길하다.

---

90) 怨: 경학자료집성DB와 영인본에는 모두 '遠'으로 되어 있으나, 『시경』에 따라 '怨'으로 바로잡았다.
91) 『시경 · 북산지십』.

象曰, 厥宗噬膚, 往有慶也.

「상전」에서 말하였다: "그 친족이 살을 깨물음"은 감에 경사가 있는 것이다.

‖中國大全‖

傳

爻辭, 但言厥宗噬膚, 則可以往而无咎, 象復推明其義, 言人君, 雖己才不足, 若能信任賢輔, 使以其道, 深入於己, 則可以有爲, 是往而有福慶也.

효사에서는 단지 "그 친족(親族)이 살을 깨물면 감에 허물이 없을 수 있다"고만 했는데, 「상전」에서 다시 그 뜻을 미루어 밝혀서 "임금이 비록 자신의 재주가 부족하더라도 어진 이의 보필을 신임하여 그가 가진 도로써 자신에게 깊이 들어오게 하면 큰일을 할 수 있다"고 했으니, 가서 복과 경사가 있는 것이다.

小註

臨川吳氏曰, 二剛噬五之柔, 則陰陽相合而有慶矣.

임천오씨가 말하였다: 굳센 이효가 부드러운 오효를 깨물었으니, 음과 양이 서로 화합하여 경사가 있을 것이다.

▌韓國大全▐

김상악(金相岳) 『산천역설(山天易說)』

往則有慶, 何止无咎.

나가면 경사가 있으니, 어찌 허물이 없을 뿐이겠는가?

○ 四指初爲元夫, 五指二爲宗臣, 而噬膚之象, 與交孚之義相似. 在睽之時, 非得中得正之剛, 何能得志行而有慶也.

사효는 초효를 가리켜 '착한 남편'이라 하고, 오효는 이효를 가리켜 동족의 신하라고 하였으니, 오효의 살을 깨무는 상은 사효의 서로 믿는다는 뜻과 서로 유사하다. 어긋나는 때이니 알맞고 올바른 굳센 자가 아니라면, 어찌 뜻이 행해지고 경사가 있을 수 있겠는가?

서유신(徐有臣) 『역의의언(易義擬言)』

爻曰往, 象曰往, 義在往字也. 爻曰何咎, 象曰有慶, 則不止爲无咎, 明其往[92]之爲宜也.

효에서 '감[往]'을 말하고, 소상에서 '감[往]'을 말했으니, 의미는 '감[往]'에 있다. 효에서 "무슨 허물이 있겠는가"라고 하고, 소상에서 "경사가 있다"고 하였다면, 허물이 없을 뿐만이 아니니, 그 '감[往]'이 마땅함을 밝힌 것이다.

오치기(吳致箕) 「주역경전증해(周易經傳增解)」

信任賢輔成功之易, 如噬膚肉. 故往有福慶也.

현인의 보좌를 신임하여 성공하는 것의 쉬움은 살코기를 씹는 것과 같다. 그러므로 감에 경사가 있는 것이다.

---

92) 往: 경학자료집성DB와 영인본에는 모두 '迬'으로 되어 있으나, 문맥을 살펴 '往'으로 바로잡았다.

上九, 睽孤, 見豕負塗, 載鬼一車. 先張之弧, 後說之弧, 匪寇, 婚媾, 往遇雨則吉.

상구는 어긋남에 외로워 돼지가 진흙을 짊어진 것과 귀신이 한 수레 실려 있음을 본다. 먼저 활줄을 당겼다가 뒤에 활줄을 풀어놓으니, 도적이 아니라 혼구(婚媾)이다. 가서 비를 만나면 길하다.

中國大全

傳

上, 居卦之終, 睽之極也, 陽剛居上, 剛之極也, 在離之上, 用明之極也. 睽極則 乖戾而難合, 剛極則躁暴而不詳, 明極則過察而多疑. 上九, 有六三之正應, 實 不孤, 而其才性如此, 自睽孤也. 如人雖有親黨, 而多自疑猜, 妄生乖離. 雖處骨 肉親黨之間, 而常孤獨也. 上之與三, 雖爲正應, 然居睽極, 无所不疑. 其見三如 豕之汚穢, 而又背負泥塗, 見其可惡之甚也. 旣惡之甚, 則猜成其罪惡, 如見載 鬼滿一車也. 鬼本无形, 而見載之一車, 言其以无爲有, 妄之極也. 物理, 極而必 反, 以近明之, 如人適東, 東極矣, 動則西也, 如升高, 高極矣, 動則下也. 旣極則 動而必反也, 上之睽乖, 旣極, 三之所處者, 正理. 大凡失道, 旣極, 則必反正理, 故上於三, 始疑而終必合也. 先張之弧, 始疑惡而欲射之也. 疑之者, 妄也, 妄安 能常. 故終必復於正, 三實无惡, 故後說弧而弗射. 睽極而反, 故與三非復爲寇 讎, 乃婚媾也. 此匪寇婚媾之語, 與他卦同而義則殊也. 陰陽交而和暢, 則爲雨. 上於三, 始疑而睽, 睽極則不疑而合, 陰陽合而益和, 則爲雨. 故云往遇雨則吉, 往者, 自此以往也, 謂旣合而益和, 則吉也.

상효은 괘의 끝에 있으니 어긋남이 지극하고, 굳센 양이 맨 위에 있으니 굳셈이 지극하며, 리괘(離卦 ☲)의 맨 위에 있으니 밝음을 씀이 지극하다. 어긋남이 지극하면 어그러져 합하기 어렵고, 굳셈이 지극하면 조급하여 상세하지 못하며, 밝음이 지극하면 지나치게 살펴 의심이 많다. 상구는 육삼이라 는 정응이 있어서 실상 외롭지 않지만, 그 재주와 성질이 이와 같아 스스로 어긋나고 외롭다. 만약 사람 중에 친근한 무리[親黨]가 있더라도, 스스로 의심하고 시기함이 많기에 망념이 생기고 어긋나 서 떨어지니, 비록 골육(骨肉)과 친근한 무리의 사이에 있더라도 항상 고독할 것이다. 상효가 삼효와 비록 정응이 되지만, 어긋남이 지극한 데에 있어 의심하지 않는 바가 없다. 삼효를 더럽고 게다가 등에 진흙을 짊어진 돼지처럼 보니, 그 미워함이 심함을 알 수 있다. 이미 미워함이 심하니 시기(猜忌)함이 죄악을 이루어 귀신이 한 수레 가득 실린 것처럼 본다. 귀신은 본래 형체가 없는데 한 수레에 실린 것처럼 본다는 것은 없는 것을 있는 것으로 생각함을 말하니, 망령됨이 지극한 것이다. 사물의 이치는 지극하면 반드시 돌아오니, 가까운 일로써 밝히면 마치 사람이 동쪽으로 나아가 동쪽이 다하였을 때에는 움직이면 서쪽이고, 만약 높이 올라가 높음이 다하였을 때에는 움직이면 내려오는 것과 같다. 이미 지극하면 움직임에 반드시 돌아오니, 상효의 어긋나 괴리함이 이미 지극하고 삼효가 머무는 것도 바른 이치[正理]이기 때문이다. 대개 도를 잃음이 이미 지극하면 반드시 바른 이치로 돌아오므로 상효가 삼효에 대하여 처음에는 의심하지만 끝내는 반드시 화합한다. '먼저 활줄을 당김'은 처음에 의심하고 미워하여 쏘고자 하는 것이다. 의심함은 망령된 것이니, 망령됨이 어찌 항상 그럴 수 있겠는가? 그러므로 끝내는 반드시 바름[正]을 회복한다. 삼효는 실상 죄악이 없으므로 뒤에 활줄을 풀어놓고 쏘지 않는다. 어긋남이 지극하여 돌아왔으므로 삼효와는 다시 원수[寇讐]가 되지 않으니, 바로 혼구(婚媾)이다. 여기의 '도적이 아니라 혼구이다[匪寇婚媾]'라는 말은 다른 괘와 말은 같지만 뜻은 다르다. 음과 양이 사귀어 화창(和暢)하면 비가 된다. 상효가 삼효에 대하여 처음에는 의심하여 어긋나지만, 어긋남이 지극하면 의심하지 않고 화합하니, 음과 양이 합하고 더욱 화합하여 곧 비가 된 것이다. 그러므로 "가서 비를 만나면 길하다"고 하였으니, '간다[往]'는 여기로부터 나아감으로 이미 합하고 더욱 화합하면 길함을 말한 것이다.

程子曰, 睽之上九, 離也. 離之爲德, 在諸卦莫不以爲明, 獨於睽便變爲惡. 以陽在上則爲亢, 以剛在上則爲狠, 以明在上, 變而爲察, 以狠以察, 所以爲睽之極也. 故曰見豕負塗, 載鬼一車, 皆自任己察之所致. 然往而遇雨則吉, 遇雨者, 睽解也. 睽解有二義, 一是物極則必反, 故睽極則必通, 若睽極不通, 卻終於睽而已. 二是所以能解睽者, 卻是用明之功也.

정자가 말하였다: 규괘의 상구는 리괘(離卦☲)이다. 리괘(離卦)의 덕은 여러 괘에서 '밝음[明]'으로 여겨지지 않은 적이 없는데, 규괘에서만 변하여 악(惡)이 되었다. 양으로 맨 위에 있으면 지나침[亢]이 되고, 굳셈으로 맨 위에 있으면 사나움이 되고, 밝음으로 맨 위에 있으면 변하여 살핌이 되는데, 사나움으로 하고 살핌으로 하기에 어긋남이 지극하게 되는 것이다. 그러므로 "돼지가 진흙을 짊어진 것과 귀신이 한 수레 실려 있음을 본다"고 하였으니, 모두 자신이 살핀 결과를 스스로 신임하는 것이다. 그러나 가서 비를 만나면 길하니, '비를 만남'은 어긋남이 풀어지는 것이다. 어긋남이 풀어짐에는 두 가지 뜻이 있으니, 하나는 사물이 지극하면 반드시 되돌아가므로 어긋남이 지극하면 반드시 통한다는 것이니, 만약 어긋남이 지극하고도 통하지 않는다면 도리어 어긋남에서 끝날 뿐이다. 다른 하나는 어긋남을 풀수 있는 것이니, 바로 밝음을 쓴 공효이다.

本義

睽孤, 謂六三爲二陽所制, 而已以剛處明極睽極之地, 又自猜狠而乖離也. 見豕
負塗, 見其汚也, 載鬼一車, 以无爲有也. 張弧, 欲射之也, 說弧, 疑稍釋也. 匪寇
婚媾, 知其非寇而實親也. 往遇雨則吉, 疑盡釋而睽合也, 上九之與六三, 先睽
後合, 故其象占, 如此.

'어긋남에 외로움'은 육삼이 두 양에게 제재를 당했는데, 상구가 굳센 양으로 밝음이 지극하고 어긋
남이 지극한 자리에 있으면서, 또 스스로 시기하여 괴리되고 떨어짐을 말한다. "돼지가 진흙을 짊어
진 것을 봄"은 더럽다고 보는 것이고, "귀신이 한 수레 실려 있다"는 없는 것을 있다고 여기는 것이
다. '활줄을 당김'은 쏘려고 하는 것이며, '활줄을 풀어놓음'은 의심이 조금 풀어진 것이다. "도적이
아니라 혼구(婚媾)이다"는 그가 도적이 아님을 알아서 실제로 친애하는 것이다. "가서 비를 만나면
길하다"는 의심이 모두 풀려 어긋남이 화합함이니, 상구가 육삼과 먼저는 어긋났다가 뒤에 합쳐지므
로 그 상과 점이 이와 같다.

小註

朱子曰, 載鬼一車等語, 所以差異者, 爲他這般事是差異底事, 所以卻把世間差異底明
之. 世間自有這般差異底事.

주자가 말하였다: "귀신이 한 수레 실려 있다"는 등의 말이 괴이한 것은 그 일들이 괴이한
일이기 때문에 세간의 괴이한 것들로 설명한 것이다. 세간에는 본래 이렇게 괴이한 일들이
있다.

○ 小畜之上九曰, 旣雨旣處, 睽之上九曰, 往遇雨則吉者, 畜極則通, 睽極則和, 陰陽
之氣, 至是而方暢也.

소축괘(小畜卦䷈) 상구에서 "이미 비가 오고 이미 그친다"고 하고, 규괘(睽卦䷥) 상구에서
"가서 비를 만나면 길하다"고 한 것은, 쌓임이 지극하면 통하고 어긋남이 지극하면 화합하기
때문이니, 음양의 기운은 여기에 이르러 바야흐로 통하게 된다.

○ 建安丘氏曰, 上本與三應, 不孤也, 睽極而疑生, 不孤而以爲孤. 故亦曰睽孤. 豕鬼,
皆指三也. 上睽疑而未敢親近乎三, 如見豕背之負泥塗, 疑其汚我也, 又如載鬼滿于一
車之中, 疑其崇我也. 豕猶有之, 鬼則妄矣. 始焉致疑, 則張弧, 終焉釋疑, 則說弧, 知
其非爲寇讐, 乃我之婚媾也. 自此以往, 上與三合, 陰陽和暢, 遇雨則吉. 向之疑心群起
者, 至此盡冰釋而亡矣.

건안구씨가 말하였다: 상효는 본래 삼효와 호응하여 외롭지 않지만, 어긋남이 지극하여 의심이 생겨서 외롭지 않아도 외롭다고 여긴다. 그러므로 또 "어긋남에 외롭다"고 하였다. 돼지와 귀신은 모두 삼효를 가리킨다. 상효는 어긋나고 의심하여 함부로 삼효를 가까이 하지 않으니, 만약 돼지가 등에 진흙을 짊어진 것을 본다면 그것이 나를 더럽힐까 의심하고, 또 만약 귀신을 수레 안에 가득 싣고 있다면 그것이 나에게 모일까 의심한다. 돼지는 그래도 있는 것이지만 귀신은 없는 것이다. 처음에 의심을 하면 활줄을 당겼다가, 끝에 의심이 풀어지면 활줄을 풀어놓으니, 삼효가 도적이 되지 않고 바로 나의 혼구(婚媾)임을 아는 것이다. 이로부터 가면 상효가 삼효와 화합하고 음과 양이 화창(和暢)하니 비를 만나 곧 길할 것이다. 지난번에 일어났던 많은 의심들은 여기에 이르러 결국 얼음이 풀리듯 없어질 것이다.

○ 開封耿氏曰, 凡物之情, 信然後合, 合則愈信, 疑然後睽, 睽則愈疑.
개봉경씨가 말하였다: 만물의 실정은 믿은 뒤에야 화합하는데 화합하면 더욱 믿게 되며, 의심한 뒤에야 어긋나는데 어긋나면 더욱 의심하게 된다.

○ 雲峰胡氏曰, 上與三取象相應, 三在二之上, 見二有輿曳之象, 故上見二載三, 有載鬼一車之象. 三在四之下, 見四有牛掣之象. 故上見三負四, 有豕負塗之象. 弦木爲弧, 本取睽象. 匪寇婚媾凡三出, 程傳解此獨與本義同. 疑者, 小人之道, 聖人无疑也, 睽成卦, 本自二女, 小人之象明矣, 故上九極言其疑. 四與上, 皆言睽孤者, 四无應故孤, 上有應, 而自猜狠以至於孤也. 三之見二四或曳或掣, 疑也, 上見二四之於三或載或負, 亦疑也. 三疑而見上, 猶以爲人之有傷也, 上疑而見三, 則以爲豕, 且以爲鬼矣. 始疑爲豕, 理或有之, 及其甚也, 无是理而以爲有矣. 見其爲豕爲鬼而張之弧, 疑也, 後說之弧, 疑漸亡矣. 匪寇婚媾, 往遇雨則吉, 至是則疑盡亡而睽可合矣. 凡易之道, 卦吉者, 必於諸爻戒之, 卦不吉者, 必於諸爻反之. 睽初與四, 二與五, 三與上, 皆先睽後合, 而三上之睽尤甚. 故其辭亦險怪之甚, 中心疑者其辭枝, 此之謂乎.
운봉호씨가 말하였다: 상효와 삼효는 상을 취한 것이 서로 호응하니, 삼효가 이효의 위에 있으면서 이효에 수레가 끌리는 상이 있다고 생각하므로 상효는 이효가 삼효를 실은 것에 귀신이 한 수레 실려 있다고 생각한다. 삼효가 사효의 아래에 있으면서 사효에 소가 가로막는 상이 있다고 생각하므로 상효는 삼효가 사효를 짊어짐에 돼지가 진흙을 짊어진 상이 있다고 생각한다. 나무를 휘어 활을 만드는 것은 본래 규괘에서 상을 취하였다. '도적이 아니라 혼구(婚媾)이다'는 『주역』에서 모두 세 번 나오는데, 『정전』의 이에 대한 해석은 유독 『본의』와 같다. 의심힘은 소인의 방법이고 성인은 의심함이 없는데, 규괘(䷥)는 본래 두 여자에게서 와서 소인의 상이 분명하므로 상구에서 그 의심을 극언(極言)하였다. 사효와 상효에서 모두 '어긋남에 외로움'을 말한 것은, 사효는 호응이 없기 때문에 외롭고, 상효는

호응이 있어도 스스로 시기하여 외로움에 이르기 때문이다. 이효와 사효가 혹은 끌고 혹은 가로막는다는 삼효의 견해는 의심이고, 이효와 사효가 삼효에 대해 혹은 싣고 혹은 짊어진 다는 상효의 견해도 의심이다. 삼효가 의심하여 상효를 보았기에 여전히 사람이 해침이 있다고 여기는 것이고, 상효가 의심하여 삼효를 보았기에 곧 돼지로 여기고 또 귀신으로 여기는 것이다. 처음에 돼지라고 의심한 것은 그러한 이치가 혹 있기도 하지만, 심하게 되어 이러한 이치가 없는데도 있다고 여긴 것이다. 돼지가 되고 귀신이 된다고 보고 활줄을 당김은 의심함이고, 뒤에 활줄을 풀어놓음은 의심이 점차 없어지는 것이다. "도적이 아니라 혼구(婚媾)이니 가서 비를 만나면 길하다"는 것에 이르면 의심이 모두 없어져 어긋남이 합쳐질 수 있다. 『주역』의 도는 괘가 길한 것은 반드시 여러 효에서 그것을 경계하였고, 괘가 길하지 않은 것은 반드시 여러 효에서 그것을 반대하였다. 규괘의 초효와 사효, 이효와 오효, 삼효와 상효는 모두 앞에서는 어긋나고 뒤에서는 합하는데, 삼효와 상효는 어긋남이 매우 심하다. 그러므로 그 말이 또한 심하게 험하고 괴이하니, "속마음이 의혹된 자는 그 말이 갈라진다"[93]는 이를 말한 듯하다.

‖韓國大全‖

조호익(曺好益) 『역상설(易象說)』

睽孤, 九四. 胡氏說見離目象, 豕坎象, 塗坎象, 三在坎體之下, 有負塗之象. 鬼坎象, 坎幽陰之方, 有鬼象. 車坎象, 三在坎體之內, 有載鬼之象. 弧取全體象, 又坎弓象. 雙湖曰, 兌爲巽木之反, 有弓象, 巽繩爲弦象. 雨坎象.

'어긋남에 외로움[睽孤]'은 구사이다. 운봉호씨는 '봄[見]'은 리괘(離卦☲)인 눈의 상이라고 하였고, '돼지[豕]'는 감괘(坎卦☵)의 상이고, '진흙[塗]'도 감괘(坎卦)의 상이다. 삼효는 감괘(坎卦)의 몸체 아래에 있기에 진흙을 짊어진 상이 있다. '귀신'은 감괘(坎卦)의 상이니, 감괘(坎卦)는 그윽한 음(陰)의 방위여서 귀신의 상이 있다. '수레'는 감괘(坎卦)의 상인데, 삼효가 감괘의 몸체 안에 있기에 귀신을 실은 상이 있다. '활줄[弧]'은 괘 전체의 상에서 취하였고, 또 감괘(坎卦)는 활의 상이다. 쌍호 호씨는 "태괘(兌卦☱)는 손괘(巽卦☴)인 나무의

---

93) 『주역 · 계사전』.

반대가 되니 활의 상이 있고, 손괘(巽卦)의 먹줄이 활시위의 상이 된다"고 하였다. '비[雨]'는 감괘(坎卦)의 상이다.

김장생(金長生) 『주역(周易)』

本義, 己以剛處極明, 己音紀, 指上九而言之.

『본의』의 '상구[己]가 굳센 양으로 지극히 밝은 데에 있다[己以剛處極明]'에서 '기(己)'는 '기(紀)'로 읽어야 하니, 상구를 가리켜 말한 것이다.

송시열(宋時烈) 『역설(易說)』

與三爲應, 不孤也, 而睽之極, 疑反生. 故謂孤, 丘氏說得矣. 豕者, 坎豕也, 又坎爲水土. 豕之性, 好負塗泥, 此醜穢之象也. 坎爲車輪, 鬼, 幽陰不見之物, 此坎疑之象也. 坎數爲一, 故曰載鬼一車. 上九見六三處二陽之間, 昵比相近, 一遍醜惡其行如豕之負塗, 一遍疑信積中如載鬼一車. 先張以弧矢, 而欲射之, 弧爲離象, 矢爲兌象, 見繫辭, 蓋取諸睽. 末乃設其弧矢, 而不射之, 蓋其疑心漸釋. 坎爲寇, 故以寇言之, 言非寇我也, 卽與我婚媾者也. 往者, 下從也. 坎爲雨象, 遇雨者, 陰氣之結盡釋也. 故吉小象. 群疑亡也, 言豕鬼張弧等疑, 如雨之解也.

삼효와 호응하여 외롭지 않지만, 어긋남이 지극하여 도리어 의심이 생겼다. 그러므로 '외롭다'고 하였으니, 구씨의 설명이 좋다. 돼지는 감괘(坎卦☵)의 돼지이고, 또 감괘(坎卦)는 젖은 흙이 된다. 돼지의 성질이 등에 진흙 묻히기를 좋아하니, 이는 추하고 더러운 상이다. 감괘(坎卦)는 수레가 되고, 귀신은 그윽한 음(陰)으로 볼 수 없는 것이니, 이는 감괘(坎卦)의 의심하는 상이다. 감괘(坎卦)의 수는 일(一)이 되므로 "귀신이 한 수레 실렸다"고 하였다. 육삼이 두 양효의 사이에 있으면서 친애하고 가까이 하는 것을 상구가 보고는, 한편으로는 그 행실을 돼지가 진흙을 짊어진 것과 같이 미워하고, 한편으로는 쌓인 중에 귀신이 한 수레 실려 있다고 반신반의 하였다. 먼저는 활줄과 화살을 당겨 쏘려고 하였는데, 활줄은 리괘(離卦☲)의 상이고 화살은 태괘(兌卦☱)의 상이니 「계사전」에 나오듯이 대체로 규괘에서 취한 것이다. 끝내는 그 활줄과 화살을 설치하고도 쏘지 않았으니, 대체로 그 의심이 점차 풀림이다. 감괘(坎卦)가 도적이 되므로 도적으로 말했는데, 나를 해치는 자가 아니라 나에게 혼인을 구하는 자라고 말한 것이다. '감[往]'은 아래로 좇아감이다. 감괘(坎卦)는 비의 상이 되는데, '비를 만남[遇雨]'은 맺힌 음의 기운이 모두 풀림이다. 그러므로 작은 일에 길한 상이다. '뭇 의심이 없어짐'은 돼지나 귀신, 활줄을 당김과 같은 의심이 비와 같이 풀어짐을 말한 것이다.

홍여하(洪汝河) 「책제(策題):문역(問易)・독서차기(讀書箚記)-주역(周易)」[94]

上九, 載鬼一車.

상구는 귀신이 한 수레 실려 있음.

互坎爲豕爲鬼爲寇. 弧威取睽, 往而遇雨.

호괘인 감괘(坎卦☵)가 돼지가 되고 귀신이 되고 도적이 된다. 활줄의 위엄은 규괘에서 취하였고, 나아가면 비를 만난다.

강석경(姜碩慶) 「역의문답(易疑問答)」

睽之六三曰, 見輿曳, 其牛掣, 其人天且劓, 无初有終, 上九曰, 見豕負塗, 載鬼一車, 先張之弧, 後脫之弧, 匪寇婚媾, 往遇雨則吉. 其辭意之怪險差異, 實無其比, 而先儒之說, 又不歸一, 今從何說而可通其義乎.

규괘의 육삼에서 "수레가 끌리고 소가 가로막으며 그 사람이 머리가 깎이고 또 코가 베임을 보니 처음은 없고 끝이 있다"고 하고, 상구에서 "돼지가 진흙을 짊어진 것과 귀신이 한 수레 실려 있음을 본다. 먼저 활줄을 당겼다가 뒤에 활줄을 풀어놓으니, 도적이 아니라 혼구이다. 가서 비를 만나면 길하다"고 하였다. 그 말뜻의 괴이함이 실로 견줄 것이 없고, 선유의 설명도 또한 한결같지 않으니, 이제 어느 설명을 따라야 그 의미를 통할 수 있겠는가?

曰, 此兩爻大意, 皆言睽極生疑, 意見非眞之謂也. 其中其人天且劓一句, 尤見三猜疑虛妄之意見, 而傳義之解, 皆失其本旨. 或謂三爲四所傷, 或謂三爲上所刑, 此所以文理不屬而不成說話也. 余則以爲睽卦正體互體, 俱有离, 离爲目, 故三上兩爻, 皆從見字起義. 三之見, 連輿曳牛掣其人天且劓三句而言之也, 上之見, 通豕負塗載鬼一車二句而言之也.

이 두 효의 대의는 모두 어긋남이 지극하여 의심이 발생함을 말한 것이니, 생각이지 진실이 아님을 말한다. 그 가운데 '그 사람이 머리가 깎이고 또 코가 베였다'는 구절에서 더욱 삼효의 시기하고 허망한 생각을 알 수 있는데, 『정전』과 『본의』의 해석은 모두 그 본래의 뜻을 잃었다. 어떤 이는 '삼효는 사효에게 손상된다'고 하고, 어떤 이는 '삼효가 상효에게 벌을 받는다'고 하는데, 이것이 문리에 맞지 않고 말이 되지 않는 것이다. 내가 생각하기에는 규괘는 본래의 몸체와 호괘의 몸체에 모두 리괘(離卦☲)가 있고, 리괘(離卦☲)는 눈이 되므로 삼효와 상효, 두 효는 모두 '봄[見]'을 가지고 뜻을 세웠다. 삼효의 '봄[見]'은 "수레가 끌리고

---

94) 경학자료집성DB에서는 규괘 '단전'에 해당하는 것으로 분류했으나, 내용에 따라 이 자리로 옮겨왔다.

소가 가로막으며, 그 사람이 머리가 깎이고 코가 베인다"는 세 구절을 이어서 말한 것이고, 상효의 '봄[見]'은 "돼지가 진흙을 짊어짐과 귀신이 한 수레 실려 있음"의 두 구절을 함께 말한 것이다.

見生於睽, 極而猜疑, 則見乃意見之見, 不是眞見之見也. 三上之見, 皆言自己猜疑之妄見, 非謂他人之見己也. 以三爲主, 言其所見, 則所謂其人者, 據三指客之辭, 決非自道之言也. 言自己受刑, 而曰見其人天且劓, 則是亦可以成說話乎. 且勇者不能自擧, 明者不能自見, 則三何以見自己之髠劓乎. 夫睽乖之極, 人無可信. 不但隣比, 相知之間, 有所猜疑, 雖至親交密之際, 疑惡又極. 故三介二四兩剛之間, 義當合於上九, 而三見二之載於下, 則以爲輿曳, 見四之阻於前, 則以爲牛掣, 見上之應於己, 則又以爲人之髠劓者, 而惡與之合. 此實三之猜疑妄見.

'봄[見]'은 어긋남에서 생겨나고 지극하여 의심함이니, '봄[見]'은 소견의 의미이지 참으로 본다는 의미가 아니다. 삼효와 상효의 '봄[見]'은 모두 스스로 의심하는 허망한 생각을 말하지, 타인의 자기에 대한 생각을 말하는 것이 아니다. 삼효를 위주로 하면 소견을 말함이니, 이른바 '그 사람'은 삼효의 측면에서 손님을 지칭하는 말이지 결코 스스로를 일컫는 말이 아니다. 자기가 형벌 받음을 말하여 "그 사람이 머리를 깎고 또 코를 베임을 본다"고 했다면, 또한 말이 된다고 할 수 있는가? 또한 용감한 자도 스스로 들 수는 없고 밝은 자도 스스로 볼 수는 없으니, 삼효가 어떻게 자기의 머리가 깎임과 코가 베임을 볼 수 있겠는가? 어긋나고 괴리됨이 지극하면 사람이 믿을 수가 없다. 이웃뿐만이 아니라 서로 아는 사이라도 의심하는 것이 있다면, 비록 지극히 친밀한 사이라도 의심하여 미워함이 또한 지극해질 것이다. 그러므로 삼효가 굳센 이효와 사효의 사이에 끼어서 의리로는 상구와 합치해야 하지만, 삼효는 이효가 아래에서 신고 있음을 보고는 수레가 끌린다고 여기고, 사효가 앞에서 가로막는 것을 보고는 소가 가로막는다고 여기고, 상효가 자기와 호응하는 것을 보고는 또 사람이 머리를 깎고 코를 베어낸다고 여기니, 어찌 더불어 화합할 수 있겠는가? 이것은 실로 삼효의 의심하는 허망한 생각이다.

至於上九, 處睽之極, 疑惡又甚於三. 見三之負乎四, 則以爲負塗之豕, 見三之載乎二, 則以爲載車之鬼. 豕之負塗, 則疑其汚我, 而思所以遠之, 鬼之載車, 則恐其祟我, 而思所以避之, 其肯親近而求與之合乎. 此亦上之猜疑妄見而然也. 然而古有彎弧於湛樂, 剚刃於慈愛者, 只因疑心之激, 而有不自知也, 三上之疑, 何足怪乎. 及其疑心盡釋, 終至好合而回看, 前日所見之物, 元不是眞有之實事, 而皆成於猜疑之妄見也, 象所謂群疑亡者, 此之謂也. 雲峰胡氏如此說來, 而諺釋從之, 其有所見矣.

상구에 이르면 지극히 어긋나는 곳에 있으니, 의심하고 미워함이 또한 삼효보다 심하다.

삼효가 사효를 짊어짐을 보고는 진흙을 짊어진 돼지라고 여기고, 삼효가 이효에 실려 있음을 보고는 수레에 실린 귀신으로 여긴다. 진흙을 짊어진 돼지에 대해서는 그것이 나를 더럽힐까 의심하여 멀리할 것을 생각하고, 수레에 실려 있는 귀신에 대해서는 그것이 나에게 모일까 두려워하여 피할 것을 생각하니, 기꺼이 가까이하여 함께 합치기를 구할 수 있겠는가? 이것도 또한 상효의 의심하는 허망한 생각 때문에 그런 것이다. 그러나 옛날에 담담히 즐기는 자에게 활줄을 당기고 자애로운 자에게 칼을 꽂음이 있는 것은 단지 의심이 격렬하여 스스로 알지 못하기 때문이니, 삼효와 상효의 의심이 어찌 가장 괴이한 것이겠는가? 그 의심이 모두 풀려서 마침내 합치기를 좋아함에 이르러 돌아보면, 이전에 보았던 사물은 원래 참으로 있는 실제의 일이 아니고 모두 의심하는 허망한 생각 때문에 생겨난 것이니, 「소상전」의 이른바 '뭇 의심이 없어짐'은 이것을 말한 것이다. 운봉호씨가 이와 같이 설명하였고 언해의 해석이 이를 따랐으니, 소견이 있는 것이다.

이익(李瀷) 『역경질서(易經疾書)』

九四之睽孤, 與初睽也, 上九之睽孤, 與三睽也. 車曳牛掣, 行而遇灾也. 三旣失位, 而當互坎險阻之初, 故行必曳掣, 且遇天劓之刑. 上九居睽之極, 群疑滿腹, 故見輿而疑其載鬼之車, 見牛而疑其負塗之豕, 見刑人而疑其鬼物. 始疑其爲寇, 故欲張弧而射之, 是爲睽孤也. 左傳僖公十五年云, 歸妹睽孤寇張之弧, 註遇寇而有弓矢之警者, 是也. 睽極則解, 而三爲正應, 故知其非寇而乃婚媾也. 張弧未發, 而旋又說之, 群疑皆亡故也. 左傳歸妹之睽, 又云震之離, 亦離之震, 爲雷爲火, 古之占筮, 有如此也. 上九卽睽之歸妹, 故有婚媾之象, 而火變爲雷, 有遇雨之象. 歸妹之上, 不言八而言六, 睽之上, 不言七而言九, 則變在其中. 遇雨而解, 乃所以群疑亡也. 蓋豕乃奔突之獸, 負如虎負嵎之負, 澤有塗泥之象. 旣在睽孤之中, 故多疑至此, 此皆虛象非實有也. 鬼者, 乘氣而行, 縱有車, 誰得以載之. 苟有之, 卽鬼之眩幻, 非人之所載也, 以是知負塗之豕, 亦非實象也. 上與二爲應, 彼輿則此車, 彼牛則此豕, 彼刑人則此鬼, 而傳云群疑亡也, 其始之非眞可知. 凡人情, 合則無所不信, 睽則無所不疑, 此又垂戒之意也.

구사의 '어긋남에 외로움'은 초효와 어긋남이고, 상구의 '어긋남에 외로움'은 삼효와 어긋남이다. 수레가 끌리고 소가 가로막음은 나아감에 재난을 만남이다. 삼효가 이미 제자리를 잃었고 호괘인 감괘(坎卦☵)의 험난하고 막히는 시초에 해당되므로 나아감에 반드시 끌리고 막히며, 또한 머리가 깎이고 코가 베이는 형벌을 만난다. 상구는 어긋남이 지극한 곳에 있어서 여러 의심이 속에 꽉 찼으므로 수레를 보고는 귀신을 실은 수레라고 의심하고, 소를 보고는 진흙을 짊어진 돼지라고 의심하고, 형벌 받는 사람을 보고는 괴물이라고 의심한다. 처음에는 도적이 된다고 의심하므로 화살을 당겨서 쏘려고 하니 이는 어긋나 외롭기 때문이다. 『좌전』 희공 15년에 "귀매괘(䷵)의 상효가 변하여 규괘가 되어 외로우니 도적을 만남에 활줄을 당긴다"고 하고, 주석에서 '도적을 만나서 활과 화살의 경계가 있다'고 한 것이 이것이다. 어긋남이 지극하면 풀어지고, 삼효와 정응이 되므로 그것이 도적이 아니라 혼구인 것을 안다. 활줄을 당겼으나 쏘지 않고 돌려서 다시 풀어놓음은 뭇 의심이 모두 없어졌기 때문이다. 『좌전』의 귀매괘가 규괘로 됨을, 또 "상괘인 진괘(震卦☳)가 리괘(離卦☲)가 되고, 또한 리괘(離卦)가 진괘(震卦)가 되어 우뢰가 되고 불이 된다"고 하였으니, 옛날의 점치는 법에는 이와 같은 것이 있다. 상구라면 곧 규괘가 귀매괘가 되는 것이므로 혼구(婚媾)의 상이 있고, 불이 변하여 우뢰가 되었으니 비를 만나는 상이 있다. 귀매괘의 상효에서 팔(八)을 말하지 않고 육(六)을 말했으며, 규괘의 상효에서 칠(七)을 말하지 않고 구(九)를 말하였으니, 변화가 그 가운데 있다. 비를 만나서 풀어져야 이내 뭇 의심이 없어지는 것이다. 대체로 '돼지[豕]'는 돌진하는 짐승이고, '짊어짐[負]'은 '호랑이가 산모퉁이를 등지고 있다'의 등짐과 같으며, 못에는 진흙의 상이 있다. 이미 어긋나 외로운 가운데 있으므로 수많은 것을 의심하게 되었으니, 이것은 모두 허상이지 실제로 있는 것이 아니다. '귀신[鬼]'은 기운을 타고 다니니, 설령 수레가 있더라도 누가 실을 수 있겠는가? 참으로 있다면 귀신의 장난이지 사람이 실은 것이 아니니, 이것으로 진흙을 짊어진 돼지도 또한 실제의 상이 아님을 알 수 있다. 상효와 삼효가 호응하니, 삼효의 수레[輿]는 상효의 수레[車]이고, 삼효의 소는 상효의 돼지이고, 삼효의 형벌 받는 사람은 상효의 귀신인데, 「소상전」에서 "뭇 의심이 없어짐이다"라고 하였으니, 애초부터 참으로 있는 것이 아님을 알 수 있다. 사람의 감정은 합쳐지면 믿지 못하는 것이 없고, 어긋나면 의심하지 않는 것이 없으니, 이것이 또한 훈계를 내리려는 뜻이다.

심조(沈潮) 「역상차론(易象箚論)」

上九, 見豕負塗, 載鬼一車, 張弧說弧, 遇雨.
상구는 돼지가 진흙을 짊어진 것과 귀신이 한 수레 실려 있음을 본다. 먼저 활줄을 당겼다가 뒤에 활줄을 풀어놓으니, 비를 만나다.

豕與鬼與車與塗與雨與弧, 皆坎象, 出坎外, 故稱說弧.
돼지와 귀신과 수레와 진흙과 비와 활줄은 모두 감괘(坎卦☵)의 상인데, 감괘(坎卦)의 밖으로 벗어났으므로 활줄을 풀어놓는다고 하였다.

유정원(柳正源) 『역해참고(易解參攷)』

童溪王氏曰, 上視三, 鄙其行之汚醜, 故有是象. 車人所乘也, 鬼非人也, 而載之一車,載非其人也.

동계왕씨가 말하였다: 상효가 삼효를 볼 때에 그 행실의 더럽고 추함을 더럽게 여기므로 이러한 상이 있다. 수레는 사람이 타는 것이고, 귀신은 사람이 아닌데도 한 수레에 실려 있으니, 사람이 아닌 것을 실은 것이다.

○ 西溪李氏曰, 初與四, 合朋友之睽, 二與五, 合君臣之睽, 三與上, 合夫婦之睽.

서계이씨가 말하였다: 초효와 사효는 친우의 어긋남을 화합함이고, 이효와 오효는 임금과 신하의 어긋남을 화합함이고, 삼효와 상효는 부부의 어긋남을 화합함이다.

○ 雙湖胡氏曰, 九四无應而孤, 上九以睽極而孤. 曰豕塗鬼車弧冠雨, 皆因互坎取象. 以三互坎初爻, 上欲應三, 下爲坎所隔. 故致疑如此.

쌍호호씨가 말하였다: 구사는 호응이 없어서 외롭고, 상구는 어긋남이 지극하여 외롭다. '돼지·진흙·귀신·수레·활줄·도적·비'라고 한 것은 모두 호괘인 감괘(坎卦☵)에 의거하여 상을 취하였다. 삼효는 호괘인 감괘(坎卦)의 초효이기에, 상효가 삼효와 호응하려 하지만 아래로 감괘에게 막히게 된다. 그러므로 의심함이 이와 같은 것이다.

○ 案, 易之取義, 所貴乎陰陽相合, 而在睽乖之時, 我剛彼柔, 則猜狠而不信, 我柔彼剛, 則齟齬而難合. 故三則輿曳牛掣, 上則豕負鬼載. 然剛柔正應, 天下之常理也, 又況物極必反, 此理之不可誣者乎. 故曰遇雨吉. 方其未[95]雨, 天地乖戾, 人物壅閼, 而及其旣雨, 乖戾者交如, 壅閼者油然. 莫不有舒泰底意, 睽之始離, 終合有如是夫.

내가 살펴보았다: 『주역』에서 뜻을 취함은 음과 양이 서로 합함을 귀하게 여기는데, 어긋나 괴리하는 때에는 내가 굳세고 저가 부드러우면 시기하여 믿지 않고, 내가 부드럽고 저가 굳세면 틀어져서 합치기 어렵다. 그러므로 삼효는 수레가 끌리고 소가 가로막으며, 상효는 돼지가 짊어지고 귀신이 실린다. 그러나 굳센 양과 부드러운 음이 바르게 호응함은 천하의 한결같은 이치이고, 또한 사물은 지극하면 반드시 돌아오니, 이 이치는 거짓되지 않을 것이다. 그러므로 "비를 만나면 길하다"고 하였다. 비가 내리지 않을 때에는 천지가 괴리하고 인물이 막히지만, 이미 비가 내리게 되었다면 괴리된 것이 사귀고 막혔던 것이 유동한다. 편안하고 태평하다는 뜻이 있지 않음이 없으니, 규괘는 처음에는 어긋나지만 끝내 이와 같이 합쳐질 것이다.

---

95) 未: 경학자료집성DB와 영인본에는 '末'로 되어 있으나, 문맥을 살펴서 '未'로 바로잡았다.

김상악(金相岳)『산천역설(山天易說)』

卦變而失九四之比, 爲睽孤也. 有三五之爲承應者, 然睽乖之時, 從應爲正, 而離互坎體, 三在兌上. 故其象如此. 見豕負塗, 惡其汚我也, 載鬼一車, 恐其崇我也. 張弧, 疑欲射也, 說弧, 疑漸亡也, 故知其非寇, 乃我之婚媾也, 故往. 遇雨則吉, 雨者, 陰陽之和也.

괘가 변하여 구사와 나란히 함을 잃었기에 어긋나 외롭게 되었다. 삼효와 오효가 받들어 호응함이 있지만, 어긋나 괴리하는 때여서 따르고 호응함이 바르더라도 리괘(離卦☲)가 호괘인 감괘(坎卦☵)의 몸체이고, 삼효는 태괘(兌卦☱)의 위에 있다. 그러므로 그 상이 이와 같다. "돼지가 진흙을 짊어짐을 봄"은 그것이 나를 더럽힘을 미워함이고, "귀신이 한 수레 실려 있음"은 그것이 나에게 모일까 두려워함이다. '활줄을 당김'은 의심하여 쏘려 함이고, '활줄을 풀어놓음'은 의심이 점차 없어짐이므로 그것이 도적이 아니라 바로 나의 혼구임을 알기 때문에 다가간다. "가서 비를 만나면 길함"은 비가 음과 양의 화합이기 때문이다.

○ 豕與塗, 鬼與車, 皆坎象. 見三之牛掣, 則以爲負塗之豕, 見其曳輿, 則以爲載鬼之車, 所以其人天且劓也. 張弧說弧, 離有彎弧之象, 所以弦木爲弧取之于睽也. 寇者, 坎之盜也, 而三爲正應, 故曰非寇. 六陽三陰, 婚媾之象, 又凡言婚媾者, 皆坎離之卦, 見屯六二. 往者, 往從于三也, 屯六四曰, 求婚媾往, 是也. 上變則爲歸妹, 歸妹之士女, 未成爲夫婦, 故變爻之象如此. 雨坎象, 又三居兌澤之上, 乃雨也, 見夬九三. 朱子曰, 小畜之上九曰, 旣雨旣處, 睽之上九曰, 遇雨則吉, 畜極則通, 睽極則和也. 然小畜以巽畜乾, 故旣雨, 而猶有婦貞厲君子征凶之戒, 睽則陰陽相應, 故以婚媾言, 而又有遇雨之吉, 雖與小畜相類, 實相反也.

돼지와 진흙, 귀신과 수레는 모두 감괘(坎卦☵)의 상이다. 삼효에서 소가 가로막음을 보고는 진흙을 짊어진 돼지로 여기고, 수레가 끌림을 보고는 귀신을 실은 수레로 여기기에 그 사람이 머리가 깎이고 또 코가 베이는 것이다. 활을 당김과 활을 풀어놓음은 리괘(離卦☲)에 활을 당기는 상이 있어서, "나무에 시위를 걸어서 활을 만드는 것은 규괘에서 취하였다"[96]고 한 까닭이다. 도적은 감괘(坎卦)의 도둑인데, 삼효는 정응이 되므로 도적이 아니라고 하였다. 육효인 양(陽)과 삼효인 음(陰)이 혼구의 상이고, 또 혼구를 말한 것은 모두 다 감괘(坎卦)와 리괘(離卦)로 된 괘이니 준괘(屯卦䷂) 육이에 나온다.[97] '감[往]'은 가서 삼효를 좇음이니, 준괘(屯卦) 육사의 "혼구를 찾아서 간다"[98]는 것이 이것이다. 상효가 변하면

---

96) 『周易·繫辭傳』: 弦木爲弧, 剡木爲矢, 弧矢之利, 以威天下, 蓋取諸睽.

97) 『周易·屯卦』: 六二, 屯如邅如, 乘馬班如, 匪寇, 婚媾. 女子貞, 不字, 十年, 乃字.

98) 『周易·屯卦』: 六四, 乘馬班如, 求婚媾, 往, 吉, 无不利.

귀매괘(歸妹卦☲☱)가 되는데, 귀매괘의 남자와 여자는 아직 부부가 되지 않았으므로 변효의 상이 이와 같다. '비[雨]'는 감괘(坎卦)의 상이고, 또 삼효가 태괘(兌卦☱)인 연못의 위에 있음이 바로 비이니, 쾌괘(夬卦☱)구삼에 나온다.[99] 주자는 "소축괘(小畜卦☴) 상구에서 '이미 비가 오고 이미 그친다'고 하고, 규괘(睽卦☲) 상구에서 '가서 비를 만나면 길하다'고 한 것은, 쌓임이 지극하면 통하고 어긋남이 지극하면 화합하기 때문이다"라고 하였다. 그러나 소축괘(小畜卦)는 손괘(巽卦☴)를 가지고 건괘(乾卦☰)에 쌓았으므로 이미 비가 내렸는데도 여전히 '아내가 곧더라도 위태롭고 군자가 나아가면 흉하다'[100]는 경계가 있고, 규괘는 음과 양이 서로 호응하므로 혼구로 말하고 다시 비를 만나는 길함이 있으니, 비록 소축괘와 서로 유사하지만 실제로는 서로 반대된다.

김규오(金奎五) 「독역기의(讀易記疑)」

上九之寇, 蓋連張弧爲義. 然屯賁之匪寇婚媾, 皆見於坎體, 坎固爲盜, 而疑亦有婚媾之象.

상구의 도적은 대체로 활줄을 당김과 이어지는 의미이다. 그러나 준괘(屯卦☵)와 비괘(賁卦☲)의 "도적이 아니라 혼구이다"는 모두 감괘(坎卦☵)의 몸체에서 나타나니, 감괘(坎卦)는 참으로 도적이 되지만, 아마도 또한 혼구의 상도 있는 듯하다.

○ 五上之往, 皆言往與二三合也.

오효와 상효의 '감[往]'은 모두 가서 이효·삼효와 합침을 말한다.

조유선(趙有善) 『경의-주역본의(經義-周易本義)』

上九匪寇婚媾, 傳義所解, 皆與屯六二不同. 然從屯卦說, 恐亦可通. 蓋屯六二之寇, 卽指初陽, 非此則當與九五爲婚媾矣. 睽上九之寇, 卽指二四二陽, 非此則當與六三爲婚媾矣. 此是屯六二傳, 而本義則以爲初非二之寇, 乃求爲婚媾, 恐不如傳說之平順. 推之此卦, 可作一義看, 而傳義俱立別說, 此爲未詳.

상구의 "도적이 아니라 혼구이다"는 『정전』과 『본의』의 해석이 모두 준괘(屯卦☵) 육이와는 같지 않다. 그러나 준괘(屯卦)를 좇아서 설명하여야 아마도 또한 통할 것이다. 대체로 준괘(屯卦) 육이의 '도적'은 초효인 양효를 가리키니, 이것이 아니라면 구오와 혼인해야 한

---

99) 『周易·夬卦』: 九三, 壯于頄, 有凶, 獨行遇雨, 君子, 夬夬, 若濡有慍, 无咎.

100) 『周易·小畜卦』: 上九, 旣雨旣處, 尙德, 載, 婦貞, 厲. 月幾望, 君子征凶.

다. 규괘 상구의 '도적'은 이효와 사효인 두 양효를 가리키니, 이것이 아니라면 육삼과 혼인해야 한다. 이것이 준괘(屯卦) 육이에 대한 『정전』의 설명인데, 『본의』에서는 "초효는 이효의 도적이 아니라 혼인하기를 구하는 것"이라고 여겼으니, 『정전』의 설명처럼 순탄하지는 않은 것 같다. 규괘에 유추하면 하나의 뜻으로 간주할 수 있는데, 『정전』과 『본의』가 모두 별도의 설명을 세웠으니, 이는 자세하게 알지 못하겠다.

서유신(徐有臣) 『역의의언(易義擬言)』

疑六三也. 見豕負塗, 穢惡也, 見鬼盈車, 驚怪也, 睽極而疑甚也. 先見其張弧, 而懼其爲寇, 後見其說弧, 而喜其婚媾, 始疑而漸釋也. 終合則遇雨而吉也. 豕塗鬼車, 皆互坎象. 負, 坎有背象也, 張弧說弧, 坎爲弓, 離爲矢也.

육삼을 의심함이다. 돼지가 진흙을 짊어졌다고 보고 더러움을 미워하고, 귀신이 수레에 가득 찼다고 보고 괴이함에 놀람이니, 어긋남이 지극하여 의심이 심해진 것이다. 앞서 활줄을 당기는 것을 보고 그것이 도적이 됨을 두려워하지만, 뒤에 활줄을 풀어놓는 것을 보고 그것이 혼구임을 기뻐하니, 처음에 의심하다가 점차 풀어짐이다. 마침내 합쳐진다면 비를 만나서 길할 것이다. 돼지와 진흙과 귀신과 수레는 모두 호괘인 감괘(坎卦☵)의 상이다. '짊어짐[負]'은 감괘(坎卦)에 등의 상이 있기 때문이고, '활줄을 당김'과 '활줄을 풀어놓음'은 감괘(坎卦)가 활이 되고 리괘(離卦☲)가 화살이 되기 때문이다.

강엄(康儼) 『주역(周易)』

按, 天下之事, 不能常合, 而必有睽, 亦理勢之自然也. 然睽[101]而不合, 則雖聖賢, 亦无以有爲於天下. 故六爻之辭, 皆始睽[102]而終合. 如初九之見惡人, 九二之遇主于巷, 尤見其眷眷於合睽, 所以爲天地立心, 爲生民立極, 爲萬世開太平之意, 愚於睽卦見之也. 或曰, 聖人之心, 旣若是, 則同人何以同人于宗爲吝, 咸何以朋從爾思爲戒乎. 曰, 此乃聖人所以防睽之道也, 夫同人于宗, 朋從爾思, 爲偏私之合, 非公正之合也. 天下之睽[103], 生於偏私, 戒其偏私, 所以導天下於公正之合, 而不使有睽離之患也.

내가 살펴보았다: 천하의 일은 늘 화합할 수는 없고 반드시 어긋남이 있음이 또한 자연스러운 이치의 형세이다. 그러나 어긋나서 합쳐지지 않으면 비록 성현이라도 또한 천하에 큰일을 할 수 없다. 그러므로 여섯 효사가 모두 처음에는 어긋나지만 끝내는 화합한다. 초구의 "악인을 봄"과 구이의 "골목에서 임금을 만남"과 같은 것에는 어긋난 것을 화합함에 힘쓰는

---

101) 睽: 경학자료집성DB와 영인본에 모두 '暌'으로 되어 있으나, 문맥을 살펴 '睽'로 바로 잡았다.
102) 睽: 경학자료집성DB와 영인본에 모두 '暌'으로 되어 있으나, 문맥을 살펴 '睽'로 바로 잡았다.
103) 睽: 경학자료집성DB와 영인본에 모두 '暌'으로 되어 있으나, 문맥을 살펴 '睽'로 바로 잡았다.

모습이 더욱 나타나기에, "천지를 위하여 마음을 세우고 백성을 위하여 표준을 세우고 만세를 위하여 태평을 여는"[104] 뜻을 나는 규괘에서 볼 수 있다. 어떤 이가 "성인의 마음이 이미 이와 같다면 동인괘(同人卦☲☰)에서는 어째서 '사람들과 함께하기를 친족끼리 하는 것'[105]을 부끄럽다 하고, 함괘(咸卦☱☶)에서는 어째서 '벗들만 너의 생각을 따른다'[106]고 경계하였습니까?"라고 묻기에, "규괘는 바로 성인이 어긋남을 방비하는 도이고, '사람들과 함께 하기를 친족끼리 함'과 '벗들만 너의 생각을 따름'은 치우친 사사로운 화합이지 공정한 화합이 아닙니다. 천하의 어긋남은 사사로운 치우침에서 발생하니, 사사로운 치우침을 경계시킴은 천하를 공정한 화합으로 인도하여 어긋나 떨어지는 근심을 없게 하려는 것입니다"라고 대답하였다.

박문건(朴文健) 『주역연의(周易衍義)』

群疑滿腹, 故有載鬼一車之象. 豕與雨, 謂六三也, 鬼, 妄誕之物也.
뭇 의심이 뱃속에 가득 찼으므로 귀신이 한 수레 실려 있는 상이 있다. 돼지와 비는 육삼을 말하고, 귀신은 허망하고 거짓된 사물이다.
〈問, 睽孤以下. 曰, 上九疑六三, 故其情相睽, 而孤處也. 見豕負塗泥, 恐其穢己. 故群疑滿腹, 是載鬼一車也. 言載者, 取在上之象也. 是以先張弧而欲射, 後說弧而不射也, 說弧, 有負塗非穢己也. 彼亦畏上之有害, 而以防侵逼之患, 故所以不射也. 匪寇婚媾也, 若釋疑而往遇雨, 則有吉也. 氣聚則成雨, 六三无升進之志, 故取雨象也.
물었다: '어긋남에 외로움' 이하는 무슨 뜻입니까?
답하였다: 상구가 육삼을 의심하므로 그 정감이 서로 어긋나 외롭게 지내는 것입니다. 돼지가 진흙을 짊어진 것을 보고는 그것이 자기를 더럽힐까 두려워합니다. 그러므로 뭇 의심이 뱃속에 가득 찼으니, 귀신이 한 수레 실려 있는 것입니다. '실음[載]'을 말한 것은 위에 있는 상을 취한 것입니다. 이 때문에 먼저는 활줄을 당겨서 쏘려고 하다가 뒤에는 활줄을 풀어놓고 쏘지 않았으니, 활줄을 풀어놓음은 진흙을 짊어졌어도 자기를 더럽히는 것이 아니기 때문입니다. 저것도 또한 상효가 해칠까 두려워해서 핍박되는 환난을 방비하였으므로 쏘지 않는 것입니다. 도적이 아니라 혼구이니, 만약 의심을 풀고 가서 비를 만난다면 길함이 있을 것입니다. 기운이 모이면 비를 이루고, 육삼에게는 올라가려는 뜻이 없으므로 비의 상을 취하였습니다.〉

---

104) 이러한 내용은 『근사록』에 보인다.
105) 『周易·同人卦』: 六二, 同人于宗, 吝.
106) 『周易·咸卦』: 九四, 貞, 吉, 悔亡, 憧憧往來, 朋從爾思.

이지연(李止淵) 『주역차의(周易箚疑)』

天且劓者, 非鬼狀耶. 六三在互坎之下, 坎爲豕故也, 睽之極也. 睽極則合, 如否之傾否者也.

머리가 깎이고 코가 베인 것은 귀신의 형상이 아니겠는가? 육삼이 호괘인 감괘(坎卦☵)의 아래에 있고 감괘(坎卦)는 돼지가 되기 때문이니, 어긋남이 지극함이다. 어긋남이 지극하면 화합하니, 비괘(否卦䷋)의 '비색한 것이 기울어짐'[107]과 같다.

김기례(金箕澧) 「역요선의강목(易要選義綱目)」

上九, 睽孤.

상구는 어긋남에 외롭다.

處明極而睽極, 正應亦爲二四所阻, 故曰孤.

지극히 밝은 곳에 있으면서 지극히 어긋났고, 정응이 있어도 이효와 사효에게 막히게 되었으므로 '외롭다'고 하였다.

見豕負塗.

돼지가 진흙을 짊어짐을 본다.

三爲上之應, 而爲四所隔, 而互坎則坎爲豕. 故自上視三之附四, 如泥塗附豕.

삼효는 상효와 호응하는 것이지만 사효에게 막히게 되고, 호괘가 감괘(坎卦☵)인데 감괘(坎卦)는 돼지이다. 그러므로 상효의 입장에서는 삼효가 사효에 붙어 있는 것을 진흙이 돼지에게 붙어 있는 것처럼 본다.

載鬼一車.

귀신이 한 수레 실려 있다.

三以多凶之位乘剛, 則上猜狠而怒, 視之如鬼載車. 車指三互坎.

삼효가 흉함이 많은 자리에서 굳센 양을 타고 있으니, 상효가 시기하고 분노하여 이를 귀신이 수레에 실린 것처럼 본다. 수레는 삼효의 호괘인 감괘(坎卦☵)를 가리킨다.

先張之弧, 後說之弧.

먼저 활줄을 당겼다가 뒤에 활줄을 풀어놓는다.

上見三如豕塗鬼車, 而張弓欲射, 竟知其正應而不射. 故脫弧. 離爲戈兵, 故曰弧.

---

107) 『周易·否卦』: 上九, 傾否, 先否, 後喜.

상효가 삼효를 진흙 묻힌 돼지나 귀신 실은 수레처럼 보고 활을 당겨 쏘려고 하지만, 끝내는 그것이 정응임을 알아서 쏘지 않으므로 외로움을 벗어난다. 리괘(離卦☲)는 무기가 되므로 '활'이라 하였다.

匪寇婚媾.
도적이 아니라 혼구이다.
睽極而反, 故知其正應而匪初見之疑者.
어긋남이 지극하면 돌아오므로 그것이 정응이지 처음에 의심한 것이 아님을 안다.
○ 三爲互坎, 故曰寇.
삼효는 호괘가 감괘(坎卦☵)가 되므로 '도적'이라 하였다.

往遇雨則吉.
가서 비를 만나면 길하다.
陰陽旣交, 和而成雨, 上與三合. 故自此以往則吉.
음양이 이미 사귀어서 화합하여 비를 이루고 상효와 삼효가 화합한다. 그러므로 이로부터 간다면 길한 것이다.
○ 睽則難合, 故卦中二五曰噬膚, 上三曰天劓. 獨四初以剛相遇, 故曰雖无刑, 亦有喪馬惡人之戒, 而畢竟則有相合之理. 故曰遇元夫, 曰遇主, 曰遇雨, 蓋極則必通.
어긋나면 화합하기 어려우므로 괘 가운데 이효와 오효에서 "살을 깨문다"고 하고, 상효와 삼효에서 "머리가 깎이고 코가 베인다"고 하였다. 다만 사효와 초효는 굳센 양이 서로 만나므로 "비록 형벌이 없지만 또한 말을 잃음과 나쁜 사람이라는 경계가 있다"고 했지만, 끝내는 서로 화합하는 이치가 있다. 그러므로 "착한 남편을 만난다"고 하고, "임금을 만난다"고 하고, "비를 만난다"고 하였으니, 대체로 지극하면 반드시 통한다.

贊曰, 上火下澤, 用異體同. 二剛五柔, 小能成功. 先睽後合, 物理无窮. 遇主于巷, 誠心相通.
찬미하여 말한다: 위가 불이고 아래가 연못이니, 작용은 다르면서 몸체는 같네. 이효가 굳센 양이고 오효가 부드러운 음이니, 조금은 공을 이룰 수 있네. 먼저 어긋났다가 뒤에 화합하니, 사물의 이치는 다함이 없네. 골목에서 임금을 만났으니, 참된 마음은 서로 통하네.

심대윤(沈大允) 『주역상의점법(周易象義占法)』

睽之歸妹䷵, 有所歸也. 歸妹, 事人之道, 无所自遂, 各効其不同, 而无自遂之心, 故能

成其同也. 上九, 以剛居柔, 尙同而睽孤. 有正應於三, 而九四隔之, 以其處睽之極, 求
同之驟焉. 故不擇適從, 而屬意於九四, 妄生群疑. 故曰見豕負塗, 載鬼一車. 离艮爲
麗於背曰負, 艮土坎水, 互离麗爲塗. 坎爲豕爲鬼爲一爲車爲弧爲寇, 坤爲載. 九四變
爲陰, 則爲艮爲坤, 以言上九之疑四爲匹, 故變四也. 坎爲先, 震爲張, 先張之弧, 言屬
意於四也. 离爲後, 兌爲說, 後說之弧, 言舍四而取三也. 匪寇婚媾, 言不於寇而婚媾
也. 對巽爲遇, 兌互坎爲雨澤. 以上之求同太驟, 而憂疑尤甚, 故特言則也. 以其才剛,
故終得三之歸也. 睽之時, 初立異也, 二委曲求同也, 三莫適從也, 四可否也, 五明辨而
得中也, 六歸結也.

규괘가 귀매괘(歸妹卦䷵)로 바뀌었으니, 돌아갈 곳이 있는 것이다. 귀매는 사람을 섬기는
도리로 스스로 이루려는 바가 없고, 각각 같지 않은 것에 힘쓰지만 스스로는 이루려는 마음
이 없으므로 그 같음을 이룰 수 있다. 상구는 굳센 양으로 부드러운 음의 자리에 있으니,
같아지려 하지만 어긋나 외롭다. 삼효와 바르게 호응하지만 구사가 막고 있고, 어긋남이
지극한 자리에 있으면서 갑자기 같아짐을 구한다. 그러므로 좇아가야 할 것을 가리지 않고,
구사에 마음을 두어 함부로 뭇 의심을 일으킨다. 그러므로 "돼지가 진흙을 짊어진 것과 귀신
이 한 수레 실려 있음을 본다"고 하였다. 리괘(離卦☲)와 간괘(艮卦☶)는 등에 붙어 있음이
되기에 '짊어짐'이라 하였고, 간괘(艮卦)인 흙과 감괘(坎卦☵)인 물에 호괘인 리괘(離卦)에
붙어서 진흙이 되었다. 감괘(坎卦)는 돼지가 되고 귀신이 되고 하나가 되고 수레가 되고
활이 되고 도적이 되며, 곤괘(坤卦☷)는 실음이 된다. 구사가 변하여 음효가 되면 간괘(艮
卦☶)가 되고 곤괘(坤卦☷)가 되니, 사효가 짝이 된다는 상구의 의심 때문에 사효가 변했음
을 말한 것이다. 감괘(坎卦)는 앞이 되고 진괘(震卦☳)는 당김이 되니, "먼저 활줄을 당김"
은 뜻을 사효에게 둠을 말한다. 리괘(離卦)는 뒤가 되고 태괘(兌卦☱)는 풀어놓음이 되니,
"뒤에 활줄을 풀어놓음"은 사효를 버리고 삼효를 취함을 말한다. "도적이 아니라 혼구이다"
는 도적에 대한 것이 아니라 혼구임을 말한다. 음양이 반대되는 손괘(巽卦☴)는 만남이 되
고, 태괘(兌卦)와 호괘인 감괘(坎卦)는 비와 연못이 된다. 상효가 같아짐을 구함이 너무
급박하며, 근심하고 의심함이 더욱 심하므로 특별히 '-면[則]'을 말했다. 그것의 재질이 굳세
므로 끝내는 삼효가 돌아오게 된다. 어긋나는 때에, 초효는 다름을 내세우고, 이효는 간곡하
게 같아짐을 구하고, 삼효는 좇아가야 할 것이 없고, 사효는 막힐 수 있고, 오효는 밝게 분별
하여 알맞음을 얻고, 육효는 맺음으로 돌아간다.

오치기(吳致箕) 「주역경전증해(周易經傳增解)」

上九, 陽剛不正, 而處睽之極, 與六三相睽而孤立. 方其猜疑之時, 見之如泥豕之或汚
我, 鬼車之或祟我. 先欲張弧而射之, 然本爲正應, 終不可睽, 故後乃說弧而不射, 始知

匪我之寇讎, 乃我之婚媾. 快釋始疑, 而陰陽相和, 是以言往遇雨而則吉也.

상구는 굳센 양이 바르지 않아서 지극히 어긋난 곳에 있고, 육삼과 서로 어긋나서 홀로 있다. 그 시기하고 의심하는 때에는, 진흙 묻은 돼지가 혹 나를 더럽히고, 수레에 실린 귀신이 혹 나를 높이는 것처럼 육삼을 본다. 먼저 활줄을 당겨서 쏘려고 하였으나, 본래 정응이 되어 끝내 어긋날 수 없으므로 뒤에 활줄을 풀어놓고 쏘지 않으니, 비로소 나의 도적과 원수가 아니라 바로 나의 혼구임을 안 것이다. 재빨리 처음의 의심을 풀고 음과 양이 서로 화합하니, 이 때문에 "가서 비를 만나면 길하다"고 하였다.

○ 互坎爲豕爲塗爲鬼爲車爲弧爲寇爲雨之象, 對艮爲背負之象. 離之中虛外剛, 爲張弧之象. 說與脫同, 取於應兌也. 易中凡言不雨者, 謂陰陽不和也, 言旣雨及遇雨者, 謂陰陽相和也.

호괘인 감괘(坎卦☵)는 돼지·진흙·귀신·수레·활줄·도적·비의 상이 되고, 음양이 반대되는 간괘(艮卦☶)가 등에 짊어지는 상이 된다, 리괘(離卦☲)는 가운데가 비고 밖이 굳세니, 활줄을 당기는 상이 된다. '풀어놓음[說]'은 '벗어냄[脫]'과 같으니 호응하는 태괘(兌卦☱)에서 취하였다. 『주역』에서 '비가 오지 않음'을 말한 것은 음양이 화합하지 않음을 말하고, '이미 비가 내림'과 '비를 만남'을 말한 것은 음양이 서로 화합함을 말한다.

이진상(李震相) 『역학관규(易學管窺)』

上九, 睽孤.

상구는 어긋남에 외롭다.

豕塗鬼車弧寇雨, 皆因互坎取象. 三是互坎初爻, 上欲應三, 而爲坎所隔, 故疑之如此.

돼지·진흙·귀신·수레·활·도적·비는 모두 호괘인 감괘(坎卦☵)에서 상을 취하였다. 삼효는 호괘인 감괘(坎卦)의 초효이고, 상효가 삼효와 호응하려 하지만 감괘(坎卦)에게 막히게 되므로 의심함이 이와 같다.

○ 上九, 睽孤, [至] 雨則吉.

상구는 어긋남에 외로워 돼지가 진흙을 짊어진 것과 귀신이 한 수레 실려 있음을 본다. 먼저 활줄을 당겼다가 뒤에 활줄을 풀어놓으니, 도적이 아니라 혼구(婚媾)이다. 가서 비를 만나면 길하다.

上與三, 雖應而皆不正, 六五惡之, 九四間之, 不能相合. 故睽極而孤. 三在坎體之初, 而上居離體之終, 水火相射. 故自離. 見坎以爲負塗之豕載鬼之車受弧之寇, 豕塗鬼車弧寇雨, 皆坎象. 兌爲少女, 三乃人位, 而始疑於獸, 中疑於鬼, 終疑於盜, 睽孤極矣.

張弧離象, 說弧兌象. 說弧則知其非寇, 遇雨則群疑自亡. 坎之中男, 正當昏媾於離之中女矣, 又上九才剛志柔之夫, 六三志剛才柔之女.

상효와 삼효는 비록 호응하지만 모두 바르지 않으며, 육오가 미워하고 구사가 이간질하여 서로 화합할 수 없다. 그러므로 어긋남이 지극하여 외롭다. 삼효는 감괘(坎卦☵) 몸체의 처음에 있고, 상효는 리괘(離卦☲) 몸체의 끝에 있으니, 물과 불이 서로 공격함이다. 그러므로 자연히 떨어진다. 감괘(坎卦)를 보고는 진흙을 짊어진 돼지, 귀신을 실은 수레, 활줄을 당기 맞히려고 하는 도적으로 간주하였으니, 돼지·진흙·귀신·수레·활줄·도적·비는 모두 감괘(坎卦)의 상이다. 태괘(兌卦☱)는 소녀가 되고 삼효는 사람의 자리인데, 처음에는 짐승으로 의심하고, 중간에는 귀신으로 의심하고, 끝에는 도적으로 의심하였으니, 어긋나 외로움이 지극한 것이다. '활줄을 당김'은 리괘(離卦)의 상이고, '활줄을 풀어놓음'을 태괘(兌卦)의 상이다. 활줄을 풀어놓으면 그것이 도적이 아님을 알고, 비를 만나면 뭇 의심이 절로 없어진다. 감괘(坎卦)인 둘째 아들은 바로 리괘(離卦)인 둘째 딸에게 혼인해야 하는데, 상구는 재주가 굳세고 뜻이 부드러운 장부이고, 육삼은 뜻이 굳세고 재질이 부드러운 여자이다.

박문호(朴文鎬) 「경설(經說)·주역(周易)」

群疑, 指見豕負塗載鬼一車等事.

'뭇 의심'은 돼지가 진흙을 짊어지고 귀신이 한 수레 실려 있다고 보는 일을 가리킨다.

이정규(李正奎) 「독역기(讀易記)」

觀睽之上九, 可知理之不可誣也. 蓋火非水, 則爲无根之火也, 无根之火, 其明非實, 故多疑多惑. 自妻子至於族戚朋友人物, 无不疑之, 而切近則疑之甚而惡之甚. 故面目可惡, 言語可惡, 行動可惡, 是豕負塗汚我之象也. 疑之極, 惡之極, 必至於以无爲有. 故不盜而爲盜, 不淫而爲淫, 是載鬼一車, 而害我之象也. 睽之爲卦, 火上而炎上, 澤下而流下. 爲无根之火, 而爲明極剛極, 上九之疑六三, 不亦宜乎. 然終必合, 而脫弧者, 明故也.

규괘의 상구를 보면 이치는 속일 수 없음을 알 수 있다. 대체로 불은 물이 아니면 뿌리가 없는 불이 되는데, 뿌리가 없는 불은 그 밝음이 실하지 않으므로 의혹이 많은 것이다. 처자로부터 친척이나 붕우나 인물에 이르기까지 의심하지 않음이 없고, 아주 가까우면 더욱 의심하고 더욱 미워한다. 그러므로 면목을 미워할 수도 있고 언어를 미워할 수도 있고 행동을 미워할 수 있으니, 돼지가 진흙을 짊어지고 나를 더럽히는 상이다. 의심이 지극하고 미워함이 지극하면 반드시 없는 것을 있다고 여기게 된다. 그러므로 훔치지 않았어도 도적이라고 하고, 음란하지 않아도 음란하다고 하니, 귀신을 한 수레 싣고 나를 해치는 상이다. 규괘는 불이 위에서 타오르고 못이 아래에서 흘러 내려간다. 뿌리 없는 불이 되면서 밝음이 지극하고 굳셈이 지극하니, 상구의 육삼에 대한 의심도 또한 당연하지 않겠는가? 그러나 끝내 반드시 화합하고 외로움을 벗어나는 것은 밝기 때문이다.

이병헌(李炳憲) 『역경금문고통론(易經今文考通論)』

按,[108]弧釋文云本亦作壺,[109] 京馬鄭集解本同. 惠棟曰, 禮說云說與設通, 謂張弧者, 拒之如外寇, 設壺者, 禮之若內賓.

내가 살펴보았다: '활[弧]'은 『석문』에 "본래는 또한 '투호[壺]'로 되어 있다"고 하였는데, 경방(京房)·마융(馬融)·정현(鄭玄)의 집해본도 같다. 혜동은 "예설에서 '설(說)'과 설(設)은 통용한다'고 하니, 활을 당기는 것은 막기를 외적과 같이 함이고, 투호를 행하는 것은 예(禮)로 맞이하기를 내빈과 같이 함을 말한다"고 하였다.

---

108) 按: 경학자료집성DB와 영인본에는 '佞'으로 되어 있으나, 문맥을 살펴 '按'으로 바로잡았다.
109) 壺: 경학자료집성DB에는 '虛'로 되어 있으나, 경학자료집성 영인본을 참조하여 '壺'로 바로잡았다.

象曰, 遇雨之吉, 群疑亡也.

「상전」에서 말하였다: "비를 만나는 길함"은 뭇 의심이 없어짐이다.

║中國大全║

傳

雨者, 陰陽和也. 始睽而能終和, 故吉也, 所以能和者, 以群疑盡亡也. 其始睽也,
无所不疑, 故云群疑, 睽極而合, 則皆亡也.

비[雨]는 음과 양이 화합한 것이다. 처음에는 어긋나지만 끝내는 화합할 수 있으므로 길하니, 화합할 수 있는 까닭은 뭇 의심이 다 없어졌기 때문이다. 처음 어긋날 때에는 의심하지 않는 것이 없으므로 '뭇 의심'이라고 했는데, 어긋남이 다하여 화합하면 모두 없어진다.

小註

一作則疑皆亡矣.

"모두 없어진대[則皆亡也]"는 어떤 판본에는 "의심이 모두 없어진대[則疑皆亡矣]"로 되어있다.

○ 朱子曰, 孔子不說象如見豕負塗載鬼一車之類, 只說群疑亡也. 便見得上面許多,
皆是狐惑可疑之事而已. 到後人解說, 多牽强.

주자가 말하였다: 공자는 상(象)을 '돼지가 진흙을 짊어짐과 귀신이 한 수레 실려 있음을 보는 것'과 같은 것으로 설명하지 않고 다만 뭇 의심이 없어짐으로 설명하였다. 곧 위의 허다한 일들이 모두 의심할 만한 의혹일 뿐임을 알 수 있다. 뒷사람이 풀어 해석함에 견강부회한 것이 많다.

○ 雙湖胡氏曰, 夫子讀易, 象已了然於未贊之先, 及其贊易, 只以一二字點掇過, 雖不
說象而義理自著. 然其爲象, 固已備具於說卦中矣.

쌍호호씨가 말하였다: 공자는 『주역』을 읽을 적에, 아직 「역전」을 편찬하기 이전에도, 상

(象)이 이미 분명하였다. 「역전」을 편찬함에도 다만 한 두 글자로 점철하였을 뿐이니, 비록 상을 말하지 않았어도 의리가 저절로 드러났다. 그러나 상은 괘를 설명하는 가운데 참으로 이미 갖추어져 있다.

○ 或問, 睽卦无正應, 而同德相應者, 何. 朱子曰, 无正應, 所以爲睽, 當睽之時, 當合者旣離, 其離者卻合也.

어떤 이가 물었다: 규괘(睽卦)는 정응이 없는데 "같은 덕으로 서로 호응한다"고 한 것은 어째서입니까?

주자가 답하였다: 정응이 없기에 어긋나는 것이니, 어긋나는 때여서 합쳐져야 하는 것이 이미 떨어졌다면, 그 떨어졌던 것은 도리어 합쳐질 것입니다.

○ 問, 睽卦本不好, 爻中所取卻好. 如六五對九二, 處非其位, 九四對初九, 本非相應, 都成好爻, 不知何故. 曰, 易之取爻, 多爲占者而言. 占法取變爻, 便是到此處變了. 所以困卦雖是不好, 然其間利用祭祀之屬卻都好. 問, 此正與見群龍无首吉, 利永貞一般. 曰, 然. 卻是變了, 故如此.

물었다: 규괘는 본래 좋지 않은데 효에서 취한 것은 오히려 좋습니다. 가령 육오가 구이를 상대함에 그 제자리가 아닌 곳에 있고, 구사가 초구를 상대함에 본래 서로 호응하는 것이 아닌데도 모두 좋은 효가 되니, 무슨 까닭인지 모르겠습니다.

답하였다: 『주역』에서 효를 취하는 것은 점치는 자를 위해 말한 것이 많습니다. 점법에서 변효(變爻)를 취하던 것이 바로 여기에 이르러 변한 것입니다. 그래서 곤괘(困卦䷮)가 비록 좋지 않지만, 그 사이의 "제사를 지냄이 이롭다"[110]는 따위는 도리어 모두 좋습니다.

물었다: 이는 바로 "여러 용을 보되 머리함이 없으면 길하다"[111]나 "오래하고 곧게 함이 이롭다"[112]는 것과 같습니까?

답하였다: 그렇습니다. 도리어 변했기 때문에 이와 같습니다.

○ 節齋蔡氏曰, 睽乖之時, 疑而難合. 然在柔爲尤疑. 二與五應而五柔, 故必待噬膚而二遇巷也. 三與上應而三柔, 故必待其天且劓而上遇雨也. 獨初與四皆剛, 故其相遇有不待刑者. 然初有喪馬勿逐見惡人之戒, 蓋居睽之初, 而四非正應, 故初宜援其接之之道, 而四乃交孚也.

절재채씨가 말하였다: 어긋나 괴리하는 때에는 의심하기에 합하기 어렵다. 그러나 부드러운

---

110) 『周易·困卦』: 九五, 劓刖, 困于赤紱, 乃徐有說, 利用祭祀.
111) 『周易·乾卦』: 用九, 見群龍, 无首, 吉.
112) 『周易·坤卦』: 用六, 利永貞.

음의 자리에 있으면 더욱 의심하게 된다. 이효와 오효는 호응하는데, 오효가 부드러운 음이므로 반드시 '살을 깨물음'을 기다려야 이효가 골목에서 만난다. 삼효와 상효는 호응하는데, 삼효가 부드러운 음이므로 "그 머리가 깎이고 또 코가 베임"을 기다려야 상효가 비를 만난다. 초효와 사효만이 모두 굳센 양이므로 서로 만남에 형벌을 기다리지 않는다. 그러나 초효에는 "말[馬]을 잃고 좇지 않으며, 나쁜 사람을 만난다"는 경계가 있으니, 어긋나는 처음에 있고 사효가 정응이 아니므로 초효가 마땅히 그 사귀는 도를 취해야 사효가 이에 사귀어 믿게 된다.

○ 縉雲馮氏曰, 內卦皆睽而有所待, 外卦皆反而有所應. 初喪馬勿逐, 至四遇元夫, 而初四合矣. 二委曲以求遇, 至五往何咎, 而二五合矣. 三輿曳牛掣, 至上遇雨, 而三上合矣. 天下之理, 固不能久合, 亦未有終睽也.

진운풍씨가 말하였다: 내괘는 모두 어긋나 기다리는 바가 있고, 외괘는 모두 돌아가서 호응하는 바가 있다. 초효의 "말[馬]을 잃고 좇지 않음"은 사효의 "착한 남편을 만남"에 이르러 초효와 사효가 화합한다. 이효의 곡진함으로 만남을 구함은 오효의 "감에 무슨 허물이 있겠는가"에 이르러 이효와 오효가 화합한다. 삼효의 "수레가 끌리며 소가 가로막음"은 상효의 "비를 만남"에 이르러 삼효와 상효가 화합한다. 천하의 이치는 참으로 오래도록 화합할 수 없지만, 또한 끝까지 어긋남도 있지 않다.

○ 隆山李氏曰, 睽之爲卦, 初觀其象, 疑若不可一矣, 而六爻之辭, 或遇主于巷, 或遇元夫而交孚, 或往遇雨而終吉. 其始之睽者, 要之, 終皆有遇, 其所以合天下乖違之情, 而使之不至於終窮而无所歸者乎.

융산이씨가 말하였다: 규괘는, 처음에 그 상을 본다면 의심하여 하나가 될 수 없을 것 같지만, 여섯 효의 효사가 혹은 골목에서 임금을 만나고, 혹은 착한 남편을 만나 서로 믿으며, 혹은 가서 비를 만나 끝내 길하다. 그 처음에 어긋난 것이 요컨대 끝내는 모두 만남이 있으니, 천하의 어그러진 실정을 합하여 끝내는 다하여 돌아갈 바가 없음에는 이르지 않게 한 것이다.

▌韓國大全▐

조호익(曺好益)『역상설(易象說)』

群疑, 非豕以爲豕, 非鬼以爲鬼之類.

'뭇 의심'은 돼지가 아닌 것을 돼지라고 여기고, 귀신이 아닌 것을 귀신이라 여기는 따위이다.

강석경(姜碩慶) 「역의문답(易疑問答)」[113]

或問於朱子, 曰, 睽卦本不好, 而爻中所取卻好. 不知何故. 朱子曰, 易之取爻, 多爲占者而言. 占法取變爻, 便是到此處變了, 所以吉也. 此說何如. 曰, 恐未必然, 如占得乾之初爻, 則當變爲姤, 而占說潛龍, 不說羸豕, 占得姤之初爻, 則當變爲乾, 而占說羸豕, 不說潛龍. 又如得坤之初, 而不爲來復之吉, 得復之初, 而未見履霜之占. 蓋占法取變爻者, 只爲占者所取看而言其爻也, 非謂所變卦之吉凶也. 故占法主貞, 而不主乎悔. 若至占得之卦, 動多靜少, 如乾之坤, 乾之復, 則乃主乎悔, 豈以一爻遇九六, 而都變了卦之善惡耶.

물었다: 어떤 이가 주자에게 "규괘는 본래 좋지 않은데 효에서 취한 것은 도리어 좋습니다. 무슨 까닭인지 모르겠습니다"라고 묻자, 주자가 "『주역』에서 효를 취하는 것은 점치는 자를 위해 말한 것이 많습니다. 점법에서 변효(變爻)를 취하던 것이 바로 여기에 이르러 변하였으니, 그래서 길한 것입니다"라고 하였는데, 이 설명은 어떠합니까?

답하였다: 반드시 그렇지는 않을 듯합니다. 예컨대 점쳐서 건괘(乾卦䷀)의 초효를 얻었다면 마땅히 변하여 구괘(姤卦䷫)가 되는데, 점에서는 '잠겨있는 용'을 말하지 여윈 돼지를 말하지 않으며, 점쳐서 구괘(姤卦)의 초효를 얻었다면 당연히 변하여 건괘(乾卦)가 되는데, 점에서는 여윈 돼지를 말하지 '잠겨있는 용'을 말하지 않습니다. 또한 예컨대 곤괘(坤卦䷁)의 초효를 얻었어도 와서 회복하는 길함이 되지 않으며, 복괘(復卦䷗)의 초효를 얻었어도 "서리를 밟는다"는 점사를 볼 수 없습니다. 대체로 점치는 법에서 변효를 취하는 것은 다만 점치는 자가 취해서 보기 위하여 그 효를 말하였을 뿐이지, 변괘의 길흉을 말하는 것이 아닙니다. 그러므로 점법에는 곧음[貞]을 주로 하지 뉘우침[悔]을 주로 하지 않습니다. 만약 점쳐서 얻은 괘가 움직임이 많고 고요함이 적다면, 예컨대 건괘(乾卦䷀)가 곤괘(坤卦䷁)가 되고, 건괘(乾卦)가 복괘(復卦䷗)가 되었다면, 이내 뉘우침을 주로 하니 어찌 하나의 효가 구(九)나 육(六)을 만났다고 모두 괘의 선악이 변하겠습니까?

김상악(金相岳) 『산천역설(山天易說)』

亡者, 自有而无也. 三爻陰曰遇剛, 上爻陽曰遇雨, 陰陽相遇而雨, 所以和合而疑亡也.

'없어짐[亡]'은 있다가 없어짐이다. 음인 삼효의 「상전」에서 "굳센 양[剛]을 만난다"고 하고, 양인 상효에서 "비를 만난다"고 한 것은 음양이 서로 만나 비가 내림이니, 그래서 화합하여 의심이 없어지는 것이다.

---

113) 이 문장 전체는 경학자료집성DB에 누락되어 있으나, 경학자료집성 원문을 대조하여 보충하였다.

서유신(徐有臣) 『역의의언(易義擬言)』

豕也鬼也張弧也, 都得消亡也.

돼지나 귀신이나 활줄을 당김이 모두 사라져 없어지게 된다.

심대윤(沈大允) 『주역상의점법(周易象義占法)』

睽之尙異者, 皆有悔有傷, 而上九之求同獨吉. 君子非好異也, 蓋不得已也. 故雖无苟同, 而亦不截然背馳, 以立表幟而自高, 勉與之從容周旋也. 非異无以治天下之事, 非同无以成天下之功也.

규괘(睽卦)에서 달라지려 하는 것은 모두 후회가 있고 손상이 있으며, 상구처럼 같아지려 하는 것만 홀로 길하다. 군자는 다름을 좋아한 것이 아니라, 어쩔 수 없기 때문이다. 그러므로 비록 구차하게 같게 함도 없지만, 또한 분명하게 반대로 표식을 세워서 스스로 높이지도 않고, 그와 더불어 가만히 주선하기를 힘쓴다. 다름이 아니라면 천하의 일은 다스릴 수 없고, 같음이 아니라면 천하의 일은 이뤄낼 수 없다.

오치기(吳致箕) 「주역경전증해(周易經傳增解)」

陰陽和而得吉者, 以其始之群疑, 終至于盡亡也.

음양이 화합하여 길하게 됨은 처음의 뭇 의심이 마침내 모두 없어지게 되었기 때문이다.

이병헌(李炳憲) 『역경금문고통론(易經今文考通論)』

王曰, 已居炎極, 三處澤盛. 以文明之極, 觀至穢殊怪. 先將攻害, 而後睽怪通也. 匪冦婚媾, 陰陽旣和, 群疑亡也.

왕필이 말하였다: 상효는 불꽃이 지극한 곳에 있고, 삼효는 못이 성대한 곳에 있다. 지극한 문명으로 지극히 더럽고 괴이한 것을 봄이다. 먼저 공격해 해치려다가 뒤에 어긋남과 괴이함이 통하였다. 도적이 아니라 혼구이니, 음양이 이미 화합하여 뭇 의심이 없어진다.

按, 人之在世, 能練天下之故, 則最拂戾於吾心者, 反所以玉成我也, 始知睽離者, 保合之原則也. 睽之象, 最爲複雜, 而聖人只以群疑亡三字斷之, 蓋歸納于一誠字矣.

내가 살펴보았다: 사람이 세상에서 천하의 일로 연마할 수 있으면, 가장 내 마음에 어긋나는 것이 도리어 나를 훌륭하게 만드는 것이니, 애초에 어긋나 떨어진 것이 보존하려는 원칙을 보존하고 있음을 알 수 있다. 규괘의 상은 아주 복잡하지만, 성인이 단지 '뭇 의심이 없어짐[群疑亡]'으로 판단하였으니, 대체로 하나의 '성(誠)'자로 귀납될 것이다.

39

건괘
蹇卦 ䷦

中國大全

傳

蹇, 序卦, 睽者, 乖也, 乖必有難, 故受之以蹇, 蹇者, 難也. 睽乖之時, 必有蹇難, 蹇所以次睽也. 蹇險阻之義, 故爲蹇難. 爲卦, 坎上艮下, 坎險也, 艮止也. 險在前而止, 不能進也. 前有險陷, 後有峻阻, 故爲蹇也.

건괘(蹇卦)는 「서괘전」에서 "규(睽)는 어긋남이며, 어긋나면 반드시 어려움이 있으므로 건괘로 받았으니, 건(蹇)은 어려움이다"라고 하였다. 어긋나는 때에는 반드시 어려움이 있으니, 건괘가 그래서 규괘(睽卦)에 다음하는 것이다. 건(蹇)은 험하게 막혔다[險阻]는 뜻이므로 어려움[蹇難]이 된다. 괘 됨이 감괘(坎卦☵)가 위에 있고, 간괘(艮卦☶)가 아래에 있는데, 감괘는 험함이고 간괘는 그침이다. 험한 것이 앞에 있어서 그친 것이니, 나아갈 수 없다. 앞에는 험함에 빠짐이 있고, 뒤에는 높게 막힘이 있으므로 건괘(蹇卦)가 되었다.

小註

程子曰, 蹇便是處蹇之道, 困便是處困之道, 道无時不可行.
정자가 말하였다: 건괘(蹇卦)는 어려움에 대처하는 도이고, 곤괘(困卦)는 곤란함에 대처하는 도이니, 도는 언제라도 행해지지 않는 때가 없다.

○ 隆山李氏曰, 震坎艮相遇爲蹇解, 而坎常在焉, 二卦皆以坎爲義. 艮下坎上, 則是止乎險中, 故爲蹇, 坎下震上, 則是動而出乎險中, 故爲解. 命名大率以出險與不出險爲義也. 又曰, 坎配諸卦凡十有四, 大半皆險難之謂. 其間遇難而不救者, 无如困, 遇難而不行者, 莫如蹇. 蓋困則有澤而无水之象, 蹇則具天下山川之至險.
융산이씨가 말하였다: 진괘(震卦☳)・감괘(坎卦☵)・간괘(艮卦☶)가 서로 만나 건괘(蹇卦☶)와 해괘(解卦☳)가 되는데, 감괘가 항상 여기에 있기에 두 괘는 모두 감괘(☵)로 뜻을 삼는다. 간괘가 아래에 있고 감괘가 위에 있으면 험한 가운데 그치는 것이므로 건괘(蹇卦)가 되고, 감괘가 아래에 있고 진괘가 위에 있으면 움직여 험함에서 벗어나는 것이므로 해괘(解卦)가 된다. 이름을 붙임에 대체로 험함에서 벗어나느냐 벗어나지 못하느냐를 가지고 뜻을 삼았다.
또 말하였다: 감괘가 여러 괘와 짝이 되는 것이 모두 열 넷인데, 대부분 모두 험난함을 말한다. 그 가운데 어려움을 만나 구제되지 못하는 것은 곤괘(困卦☵)만한 것이 없으며, 어려움을 만나 행하지 못하는 것은 건괘(蹇卦)만한 것이 없다. 대체로 곤괘는 못(☱)은 있는데 물(☵)이 없는 상이고, 건괘는 천하의 지극히 험한 산천을 갖추고 있다.

蹇利西南, 不利東北, 利見大人, 貞, 吉.

건(蹇)은 서남이 이롭고 동북은 이롭지 않으며, 대인을 보는 것이 이로우니, 곧으면 길하리라.

‖中國大全‖

傳

西南, 坤方, 坤地也, 體順而易, 東北, 艮方, 艮山也, 體止而險. 在蹇難之時, 利
於順處平易之地, 不利止於危險也, 處順易則難可紓, 止於險則難益甚矣. 蹇難
之時, 必有聖賢之人, 則能濟天下之難. 故利見大人也. 濟難者, 必以大正之道而
堅固其守. 故貞則吉也. 凡處難者, 必在乎守貞正, 設使難不解, 不失正德, 是以
吉也. 若遇難而不能固其守, 入於邪濫, 雖使苟免, 亦惡德也, 知義命者, 不爲也.

서남은 곤괘(坤卦☷)의 방위이고 곤괘는 땅이니, 몸체가 유순하고 평이하며, 동북은 간괘(艮卦☶)
의 방위이고 간괘는 산이니, 몸체가 멈춰있고 험하다. 어려운[蹇難] 때에는 평이한 곳에 가만히 거처
함이 이롭고 위험한 곳에 머무름이 이롭지 않으니, 평이한 곳에 거처하면 어려움을 풀 수 있으나
험한 곳에 머무르면 어려움이 더욱 심해질 것이다. 어려운 때라도 반드시 성현이 있다면, 곧 천하의
어려움을 구제할 수 있다. 그러므로 대인을 봄이 이로운 것이다. 어려움을 구제함은 반드시 크게 바
른 도로 그 지킴을 견고히 해야 한다. 그러므로 곧으면 길하다. 어려움에 처한 자가 반드시 곧고 바
름을 지키고 있다면, 설사 어려움이 풀리지 않더라도 바른 덕을 잃지 않을 것이니, 이 때문에 길하게
된다. 만약 어려움을 만나서 지킴이 견고하지 못하여 사특하고 참람함에 들어간다면, 비록 구차히
어려움을 면하더라도 악한 덕이니, 의리와 천명을 아는 자는 하지 않는다.

本義

蹇難也, 足不能進, 行之難也. 爲卦, 艮下坎上, 見險而止, 故爲蹇. 西南平易, 東
北險阻, 又艮方也. 方在蹇中, 不宜走險, 又卦, 自小過而來, 陽進則往居五而得
中, 退則入於艮而不進. 故其占曰利西南而不利東北. 當蹇之時, 必見大人然後,

可以濟難, 又必守正然後, 得吉, 而卦之九五, 剛健中正, 有大人之象, 自二以上
五爻, 皆得正位, 則又貞之義也. 故其占, 又曰利見大人貞吉. 蓋見險者, 貴於能
止, 而又不可終於止, 處險者, 利於進, 而不可失其正也.

건(蹇)은 어려움이니, 발이 나갈 수 없어서 가기가 어려운 것이다. 괘 됨이 간괘가 아래에 있고 감괘
가 위에 있어 험함을 보고 멈추기 때문에 건괘가 되었다. 서남은 평이한데, 동북은 험하게 막혔으며
또 간괘의 방위이다. 어려운 가운데 있을 때는 험한 곳으로 감이 마땅하지 않으며, 또 괘가 소과괘
(小過卦䷽)로부터 와서 양(陽)이 나아가면 오효의 자리에 나가서 알맞음을 얻고, 물러나면 간괘로
들어가 나아가지 못한다. 그러므로 점에서 "서남이 이롭고 동북은 이롭지 않다"고 하였다. 어려운
때에는 반드시 대인을 보아야만 어려움을 구제할 수 있고, 또 반드시 바름을 지켜야만 길할 수 있는
데, 괘의 구오가 강건(剛健)하고 중정하여 대인의 상이 있고, 이효로부터 위의 다섯 효가 모두 바른
자리를 얻었으니, 또한 곧다는 뜻이다. 그러므로 점에서 다시 "대인을 보는 것이 이로우니, 곧으면
길하다"고 하였다. 험함을 본 자는 그칠 수 있음이 귀하지만 또 끝까지 그칠 수는 없으며, 험함에
처한 자는 나아감이 이롭지만 그 바름을 잃어서는 안 된다.

小註

朱子曰, 艮下坎上, 其卦爲蹇. 蹇, 難也. 西南陰方, 平易之地, 東北陽方, 險阻之處, 當
蹇之時, 利趨平易, 而不利走阻險. 又利見大人以濟蹇, 而守正則吉. 故筮得此卦, 其占
如此.

주자가 말하였다: 간괘(艮卦☶)가 아래에 있고 감괘(坎卦☵)가 위에 있으면, 그 괘는 건괘
(蹇卦䷦)가 된다. 건(蹇)은 어려움이다. 서남은 음의 방위로 평이한 땅이며, 동북은 양의
방위로 험하게 막힌 곳이니, 어려운 때에는 평이한 곳으로 가는 것이 이롭고 막혀 험한 곳으
로 가는 것은 이롭지 않다. 또 대인을 만나 어려움을 구제함이 이롭고, 바름을 지키면 길하
다. 그러므로 점을 쳐서 이 괘를 얻으면 그 점이 이와 같은 것이다.

○ 蹇利西南, 是說坤卦分曉, 但不知從何揷入這坤卦來. 此須是箇變例, 聖人到這裏,
看見得有箇做坤底道理. 大率陽卦多自陰來, 陰卦多是陽來, 震是坤第一畫變, 坎是第
二畫變, 艮是第三畫變. 易之取象, 不曾確定了他. 據卦體, 艮下坎上, 无坤, 而繫辭言
地者, 往往只取坎中爻變, 變則爲坤矣. 沈存中論五姓, 自古无之. 後人旣如此呼喚, 卽
便有義可推.

"건(蹇)은 서남이 이롭다"는 곤괘(坤卦䷁)를 말함이 분명하지만, 어떤 근거로 곤괘를 삽입
한 것인지는 모르겠다. 이것은 반드시 변형된 사례이니, 성인은 여기에서 곤괘의 도리가
있다고 보았던 것이다. 대체로 양괘(陽卦)는 음에서 온 것이 많고, 음괘(陰卦)는 양에서
온 것이 많으니, 진괘(震卦☳)는 곤괘의 첫째 획이 변한 것이고, 감괘(坎卦☵)는 둘째 획이

변한 것이고, 간괘(艮卦☶)는 셋째 획이 변한 것이다. 『주역』에서는 상을 취함에 일찍이 그것을 확정하지는 않는다. 괘의 몸체에 의거해도 간괘(☶)가 아래에 있고 감괘(☵)가 위에 있어서 곤괘(☷)가 없는데, 괘사[繫辭]에서 '땅[地]'을 말한 것은 종종 감괘의 가운데 효가 변한 것을 취하였을 뿐이니, 변한다면 곤괘가 된다. 심존중1)이 오성(五姓)을 논한 것은 옛날에는 없었다. 뒷사람이 이미 이와 같이 불렀다면, 곧 유추할만한 의미가 있을 것이다.

○ 進齋徐氏曰, 卦合艮坎而爲蹇. 坎北方也, 艮東北方也, 而乃利西南, 不利東北, 何耶. 蓋處蹇難之時, 當適他方, 所以利於坤西南之平易也. 不宜止於危險之地, 所以不利於坎艮東北之險阻也. 大人, 指九五也, 當蹇厄之時, 利見大德之人以濟大蹇之難. 難由正濟, 故曰貞吉, 處難失正, 其能吉乎.

진재서씨가 말하였다: 괘는 간괘(艮卦☶)와 감괘(坎卦☵)를 합하여 건괘(蹇卦䷦)가 된다. 감괘는 북쪽이고 간괘는 동북쪽인데, 이에 서남이 이롭고 동북은 이롭지 않다는 것은 어째서인가? 어려운 때에는, 다른 방향으로 가야 하기에 곤괘(☷)인 평이한 서남방이 이로운 것이고, 위험한 곳에 머무르지 말아야 하기에 감괘와 간괘인 험하게 막힌 동북방이 이롭지 않은 것이다. 대인은 구오를 가리키니, 어렵고 불행한 때에는 큰 덕이 있는 사람을 만나 크게 어려운 환난을 구제함이 이롭다. 환난은 바름으로 구제하므로 "곧으면[貞] 길하다"고 하였으니, 재난에 처하여 바름을 잃는다면 길할 수 있겠는가?

○ 雙湖胡氏曰, 後天八卦方位, 艮坎東北卦, 與西南坤離卦爲對. 艮坎合爲蹇, 故不利東北, 則坤離合爲晉, 是爲利西南矣. 是以蹇爲難而晉爲進也. 蹇卦无西南, 文王姑卽東北對方言之, 不必卦內有取於西南也. 況二陽盡變而之坤, 則亦有離東北而就西南之象乎. 艮坎成蹇, 卦體雖爲不利, 而九五以剛健中正君於上, 六二以柔順中正臣於下, 二五互離目爲見, 又有人臣利見大人之象焉. 大人謂五, 見謂二, 二五剛柔皆正, 故吉. 又睽盡變爲蹇, 睽取目有所見象, 重離在前也, 蹇取足不能進象, 重坎在前也, 名義甚巧.

쌍호호씨가 말하였다: 「후천팔괘방위도」에서 간괘(艮卦)·감괘(坎卦)는 동북방이니 서남방인 곤괘(坤卦)·리괘(離卦)와 반대되고, 간괘와 감괘가 합쳐져 건괘(蹇卦䷦)가 된다. 그러므로 동북이 이롭지 않은 것이니, 곤괘와 리괘가 합하여 진괘(晉卦䷢)가 된다면 서남이 이롭게 될 것이다. 이 때문에 건괘(蹇卦)는 어려움이 되고, 진괘(晉卦)는 나아감이 된다.

건괘에는 서남쪽이 없지만 문왕은 일부러 동북과 상대되는 쪽으로 말한 것이니, 반드시 괘안에 서남쪽을 취한 근거가 있어야 하는 것은 아니다. 하물며 두 양이 모두 변하여 곤괘(坤卦䷁)가 되면, 또한 동북을 떠나 서남으로 나아가는 상이 있음에랴. 간괘와 감괘가 건괘를 이루어서 괘의 몸체가 비록 이롭지는 못하지만, 구오는 강건하고 중정함으로 위에서 임금노릇을 하고 육이는 유순하고 중정함으로 아래에서 신하노릇을 하며, 이효와 오효의 호괘인 리괘(離卦☲)의 '눈[目]'이 보는 것이 되기에 또 신하가 대인을 보아 이로운 상이 있다. 대인은 오효를 말하고, '봄[見]'은 이효를 말하는데, 이효와 오효의 굳셈과 부드러움이 모두 바르기 때문에 길하다. 또 규괘(睽卦䷥)의 음양이 모두 변하면 건괘(蹇卦䷦)가 되는데, 규괘에서 눈[目]에 소견의 상이 있는 것을 취함은 중첩된 리괘(☲)가 앞에 있기 때문이고, 건괘에서 발[足]이 나아갈 수 없는 상을 취함은 중첩된 감괘(☵)가 앞에 있기 때문이니, 괘의 이름이 매우 교묘하다.

○ 雲峰胡氏曰, 屯困蹇同爲難, 入屯之初, 爲難方微而未深, 困之爲難, 絶援而難救, 蹇之爲難, 遇險而不進. 蓋前有水之陷, 後有山之阻, 足不能進, 行之難也. 坤西南, 艮東北, 坤言西南得朋, 是矣, 又言東北喪朋, 取艮與坤對也. 蹇下艮, 言不利東北, 是矣, 又言利西南, 取坤與艮對也. 蓋以對待言, 則此爲得, 彼爲喪. 此爲不利, 知彼爲利. 蹇難之時, 去難爲利, 處蹇不可无其人, 故以見五爲利, 處蹇不可无其道, 故以蹇難而不失其正者爲吉.

운봉호씨가 말하였다: 준괘(屯卦䷂)·곤괘(困卦䷮)·건괘(蹇卦䷦)는 같이 어려움이 되는데, 초입인 준괘는 어려움이 미미하여 아직 깊지 않음이며, 곤(困)의 어려움은 도움이 끊어져 구하기 어려움이며, 건(蹇)의 어려움은 험함을 만나 나아가지 못함이다. 앞에는 물에 빠짐이 있고, 뒤에는 산의 막음이 있어 발이 나아갈 수 없어서 가기가 어려운 것이다. 곤괘(坤卦☷)는 서남방이고, 간괘(艮卦☶)는 동북방이니, 곤괘(坤卦)에서 "서남에서는 벗을 얻는다"[2]고 한 것이 이것이고, 또 "동북은 벗을 잃는다"고 한 것은 간괘가 곤괘와 상대됨을 취한 것이다. 건괘(蹇卦)는 하괘가 간괘(艮卦☶)니, "동북은 이롭지 않다"고 한 것이 이것이고, 또 "서남이 이롭다"고 한 것은 곤괘가 간괘와 상대됨을 취한 것이다. 대체로 상대하고 있는 것으로 말하였으니, 여기에서 얻게 되면 저기서는 잃게 된다. 여기에서 이롭지 않았다면 저기에서 이롭게 됨을 알 수 있다. 어려운 때엔 어려움을 없애는 것이 이로움이 되고, 어려움에 처하더라도 그 사람이 없을 수 없기 때문에 오효를 보는 것으로 이로움을 삼으며, 어려움에 처하더라도 그 도가 없을 수 없기 때문에 어렵더라도 그 바름을 잃지 않는 것으로 길함을 삼는 것이다.

---

2) 『周易·坤卦』: 坤, … 西南, 得朋, 東北, 喪朋, 安貞, 吉.

‖韓國大全‖

송시열(宋時烈) 『역설(易說)』

人之步病跛蹇曰蹇. 坎爲險, 艮爲止, 見險亂止. 如人之發足將步而還止, 則其象如蹇人, 故曰蹇. 又蹇難, 難行之象. 坎艮爲東北之卦, 往于西南, 則得中而應, 所謂利也, 往于東北, 則無應而窮, 所謂不利也. 利見大人, 二爻見九五之大人則利也. 其道貞正則吉也, 以象觀之, 九五當君位而貞正, 貞吉, 以九五之道言之也.[3]

사람의 걷는 데 문제가 있어 절뚝임을 ‘건(蹇)’이라 한다. 감괘는 험함이 되고 간괘는 그침이 되니, 험난함을 보고 그침이다. 마치 사람이 발을 들어 걸으려 하다가 돌려서 그침과 같으니, 그 형상이 절뚝거리는 사람과 같으므로 ‘건(蹇)’이라 하였다. 또 건은 어려움이니, 가기가 어려운 상이다. 감괘와 간괘는 동북방의 괘가 되기에 서남방으로 간다면 가운데를 차지하여 호응하니 이른바 ‘이로움’이고, 동북방으로 간다면 호응이 없이 다하니 이른바 ‘이롭지 않음’이다. ‘대인을 보는 것이 이롭다’는 이효가 구오의 대인을 보면 이롭다는 뜻이다. 도가 곧고 바르면 길한데, 「단전」으로 본다면 구오가 임금의 자리에 해당되고 곧으며 바르니, ‘곧으면 길함’은 구오의 도로 한 말이다.

홍여하(洪汝河) 「책제(策題):문역(問易)・독서차기(讀書箚記)-주역(周易)」[4]

蹇, 彖辭, 利西南.
건괘 「단전」에서 말하였다: 서남이 이롭다.

蹇解二卦, 皆以二剛爻而成卦. 一變而爲坤, 俱變則爲純坤, 故二卦皆取利西南之義. 於解不言東北者, 卦無艮也.

건괘(☵☶)와 해괘(☳☵)는 모두 두개의 굳센 효로 괘가 이루어졌다. 하나가 변하면 곤(☷)이 되고, 둘이 변하면 순곤(☷☷)이 되므로 두 괘에서 모두 서남방이 이롭다는 뜻을 취하였다. 해괘에서 동북을 말하지 않은 것은 괘에 간괘(☶)가 없기 때문이다.

---

3) 위의 문장 전체는 경학자료집성DB에 누락되어 있으나 경학자료집성 영인본을 대조하여 보충하였다.
4) 경학자료집성DB에서는 건괘 「단전」에 해당하는 것으로 분류했으나, 내용에 따라 이 자리로 옮겼다.

이현익(李顯益) 「주역설(周易說)」

利見大人, 不但二見之五爻, 皆見之上, 亦言利見大人, 此可見也. 雙湖胡氏說未然, 以此見字爲三五互離之象, 則乾二五利見大人, 亦以有互離之象耶. 卦固有互體之可言, 而如此處, 亦必如此說, 則牽强.

'대인을 보는 것이 이롭다'는 이효가 오효를 보는 것뿐만 아니라, 위를 바라보는 모든 것에 또한 '대인을 보는 것이 이롭다'고 한 것임을 여기에서 알 수 있다. 쌍호호씨의 설명은 이와 같지 않아서, 여기의 '봄[見]'을 삼효와 오효의 호괘인 리괘의 상으로 여겼으니, 건괘(乾卦) 이효[5]와 오효[6]의 '대인을 보는 것이 이롭다'에도 또한 호괘인 리괘의 상이 있단 말인가? 괘에 대해서는 호괘의 몸체를 말할 수 있지만, 이와 같은 곳에서 또한 반드시 이와 같이 설명한다면 견강부회가 된다.

이익(李瀷) 『역경질서(易經疾書)』

坤索三陰, 列於西南, 乾索三陽, 列於東北. 故西南者, 在坤爲得朋, 在陽卦爲利於從陰也. 三陽相配者六卦, 屯蒙頤蹇解小過也, 六卦中得坎者四卦, 屯蒙蹇解也, 下篇之蹇解, 如上篇之有屯蒙. 坎[7]者, 險也, 順之反也. 故四卦皆有險難之義, 而長小不得其序. 與屯蒙別者, 惟蹇解是也, 二卦中, 解有長男, 有所統率, 蹇只中少二男. 所以尤貴於從陰, 而不利於從陽. 故曰其道窮也. 解之利西南與蹇同, 但動而免乎險, 故不至於不利東北也. 蹇傳云往得中, 解傳云來復得中, 皆主坎而言也. 蹇坎居上, 故曰往, 解坎居下, 故曰來. 坎者, 乾索中爻而得者也. 狀蹇之得中者, 正也君也, 解之得中者, 不正也臣也, 蹇難之際, 苟無中正之君, 何以得濟此. 所以利見大人, 而解則不狀也. 象既言之, 爻辭中, 又特著利見大人者, 惟乾與此卦, 此聖人之志也.

곤괘(☷)는 세 음효를 구하여 서남에 늘어서고, 건괘(☰)는 세 양효를 구하여 동북에 늘어선다. 그러므로 서남은 곤괘에 있어서는 벗을 얻음이 되고, 양괘에 있어서는 음을 좇는 이로움이 된다. 세 개의 양괘[8]가 서로 짝하는 여섯 괘는 준괘(䷂)·몽괘(䷃)·이괘(䷚)·건괘(䷦)·해괘(䷧)·소과괘(䷽)이고, 여섯 괘에서 감괘(☵)를 얻은 네 괘는 준괘·몽괘·건괘·해괘인데, 하편의 건괘·해괘는 상편에 준괘·몽괘가 있음과 같다. 감괘는 험함으로 순함의 반대이다. 그러므로 네 괘에는 모두 험난하다는 뜻이 있어 길고 짧음이 차례를 정할수 없다. 준괘·몽괘와 구별되는 것은 다만 건괘·해괘인데, 두 괘에서 해괘는 장남이 있어

---

5) 『周易·乾卦』: 九二, 見龍在田, 利見大人.
6) 『周易·乾卦』: 九五, 飛龍在天, 利見大人.
7) 坎: 경학자료집성DB와 영인본에는 모두 '坤'으로 되어 있으나, 문맥을 살펴 '坎'으로 바로잡았다.
8) 세 양괘는 장남인 진괘(☳)와 중남인 감괘(☵)와 소남인 간괘(☶)를 말한다.

서 통솔하는 바가 있지만, 건괘는 단지 중남(中男)과 소남(少男) 뿐이다. 그래서 더욱 음(陰)을 좇는 것을 귀하게 여기고, 양(陽)을 좇는 것을 이롭게 여기지 않았다. 그러므로 "그 도가 다하기 때문이다"라고 하였다. 해괘도 서남이 이로움은 건괘와 같지만 움직여서 위험을 벗어나므로 동북이 이롭지 않음에는 이르지 않는다. 건괘의 「단전」에서 "가서 알맞음을 얻었기 때문이다"라고 하고, 해괘의 「단전」에서 "와서 회복함은 알맞음을 얻었기 때문이다"라고 한 것은 모두 감괘를 위주로 한 말이다. 건괘에는 감괘가 위에 있으므로 '간다'고 하였고, 해괘에는 감괘가 아래에 있으므로 '온다'고 하였다. 감괘는 건(乾)이 가운데 효를 구하여 얻은 것이다. 그러나 건괘에서 알맞음을 얻은 것은 바름이며 임금이고, 해괘에서 알맞음을 얻은 것은 바르지 않음이며 신하이니, 어려운 때에 알맞고 바른 임금이 없다면 어떻게 이를 구제할 수 있겠는가? 그래서 대인을 보는 것이 이로운 것인데 해괘는 그렇지 않다. 단사에서 이미 말했는데도 효사에서 다시 '대인을 보는 것이 이롭다'를 특별히 드러낸 것은 오직 건괘(乾卦)와 건괘(蹇卦) 뿐이니, 이는 성인의 뜻이다.

凡易言往者, 皆行之義. 卦中多言往來, 惟九五卦主, 故不言往而稱朋來. 譽及連碩, 非九五所來之朋, 而何卦以蹇爲名. 當蹇難之時, 惟宜相與緊集, 奉上自守, 肰後可免於危禍. 若先圖作爲, 徒益其蹇, 故重戒其往蹇. 如所謂不利有攸往在蹇, 故曰往蹇也. 苟來輔於九五之主, 則雖有大蹇之災, 群朋竝力, 得其可措之節, 豈不可以弭其亂耶. 易擧正三反字皆作正, 雖曰反, 亦反正之義. 故曰反身之謂也.

무릇 『주역』에서 '감[往]'을 말한 것은 모두 간다는 뜻이다. 건괘(蹇卦)에는 가고 오는 것을 말함이 많은데, 구오는 괘의 주인이기 때문에 '감[往]'을 말하지 않고, '벗이 옴[朋來]'을 말하였다. 초효의 '명예로움'과 사효의 '이어짐'과 육효의 '큼'은 구오에게 오는 벗이 아닌데, 어째서 괘를 건(蹇)이라 했겠는가? 어려운 때에는 오직 서로 돕고 급히 모여서 위를 받들고 스스로 지켜야 하니, 그런 뒤에야 재난에서 벗어날 수 있다. 만약 먼저 일을 도모한다면 단지 어려움을 더할 뿐이므로 "가면 어렵다"고 거듭 경계하였다. 이른바 가는 바를 둠이 이롭지 않다는 것이 건괘에 있으므로 "가면 어렵다"고 하였다. 와서 구오의 주인을 보좌한다면 비록 크게 어려운 재난이 있더라고 뭇 벗들이 함께 힘써서 조치할 수 있을 것이니, 어찌 그 험난함을 제거할 수 없겠는가? 『주역거정』에는 삼효의 '반(反)'자를 모두 '정(正)'자로 썼는데, 비록 '돌아온다[反]'고 하더라도, 또한 바름으로 돌아간다는 뜻이다. 그러므로 "자신에게 돌이킴을 말한다"고 하였다.

유정원(柳正源) 『역해참고(易解參攷)』

東觀漢紀, 明帝永平五年少雨. 上御雲闕, 自以周易占之得蹇, 其繇曰, 蟻封穴大, 雨將至. 以問沛獻王輔, 輔善京房易, 曰艮爲山, 坎爲水, 山出雲爲雨. 蟻穴居知雨將至. 故以蟻爲雨兆.

『동관한기』에서 말하였다: 명제 영평 오년에 비가 적게 내렸다. 왕이 운궐에 거동하여 스스로 『주역』으로 점쳐서 건괘(蹇卦)를 얻었는데, 점괘에 "개밋둑 구멍이 크니 비가 장차 내릴 것이다"라고 하였다. 왕이 이것으로 패헌왕 보에게 물었는데, 보가 경방역에 능통하여 "간괘는 산이 되고 감괘는 물이 되며, 산에서는 구름이 나와 비가 됩니다. 개미는 구멍에 기거하지만 비가 장차 내릴 것을 압니다. 그러므로 개미로 비의 전조를 삼습니다"라고 하였다.

○ 王氏曰, 西南地也, 東北山也. 以難之平, 則難解, 以難之山, 則道窮. 爻皆當位, 各履其正, 居難履正, 正邦之道也. 正道未否, 難由正濟. 故貞吉.

왕씨가 말하였다: 서남은 평지이고 동북은 산이다. 어려울 때에 평지로 가면 어려움이 풀어지고, 어려울 때에 산으로 가면 길이 막힌다. 효가 모두 자리가 마땅하고 각각 바름을 행하니, 어려움에 있어도 바름을 행함이 나라를 바르게 하는 도이다. 바른 도는 막히지 않고, 어려움은 바름에 의하여 구제된다. 그러므로 곧으면 길하다.

○ 案, 蹇卦揷入這坤卦來是變例. 然蹇者, 險難之地也, 而坎者, 陷於險中也, 變爲陰畫, 則出乎險中, 而爲平易, 是坤卦也.

내가 살펴보았다: 건괘(蹇卦)에 곤괘(坤卦)가 삽입된 것은 변형된 사례이다. 그러나 건(蹇)은 험난한 땅이고 감(坎)은 험난함에 빠짐인데, 변하여 음의 획이 되면 험난함에서 벗어나 평이하게 되니, 이것이 곤괘(坤卦)이다.

小註朱子說五姓.

소주에서 주자가 오성(五姓)을 말하였다.

〈案, 陰陽家, 以五姓分屬五音, 在脣舌齒, 調之舌居中者爲宮, 口開張者爲商, 舌縮卻者爲角, 舌掛齒者爲徵, 脣撮聚者爲羽, 如趙周爲角, 李鄭爲徵之類. 此蓋謂卦象之有變例, 雖若无義, 而以陰陽變革取象, 卽便有義可推, 如姓氏之以脣舌五音分屬也.

내가 살펴보았다: 음양가가 다섯 성씨를 오음에 분속시킨 것은 입술과 혀와 치아에 있어서 조절하는 혀가 가운데 있는 것은 궁(宮)이 되고, 입을 열어 크게 한 것은 상(商)이 되며, 혀를 오무려 물러나게 한 것은 각(角)이 되고, 혀가 치아에 걸린 것은 치(徵)가 되며, 입술을 모은 것이 우(羽)가 되는데, 조(趙)씨와 주(周)씨를 각(角)으로 하고 이(李)씨와 정(鄭)씨를 치(徵)로 하는 것과 같은 부류이다. 이것은 대체로 "괘상에 변형된 사례가 있는 것이 비록 아무런 뜻이 없는 것 같지만, 음양의 변혁으로 상을 취했다면 곧 유추할만한 뜻이 있을 것이니, 성씨를 입술과 혀의 오음으로 분속한 것과 같다"고 말한 것이다.〉

김상악(金相岳) 『산천역설(山天易說)』

西南坤方, 東北艮方. 卦變, 九往居五, 得坤之中. 故利西南. 卦體, 艮止于下, 而不進. 故不利東北. 大人謂五也, 利見者二也. 當蹇之時, 必見大人, 而後能有濟, 而二五得中正之德. 故貞吉.

서남은 곤괘의 방위이고, 동북은 간괘의 방위이다. 괘의 변화로는 양[九]이 가서 오효의 자리에 있으니 곤괘의 가운데를 얻음이다. 그러므로 서남이 이로운 것이다. 괘의 몸체로는 간괘가 아래에 머무르며 나가지 못한다. 그러므로 동북이 이롭지 않은 것이다. 대인은 오효를 말하고, 봄이 이로운 것은 이효이다. 어려운 때에는 반드시 대인을 본 뒤에야 구제할 수 있는데, 이효와 오효는 알맞고 바른 덕을 얻었다. 그러므로 곧으며 길한 것이다.

○ 坎之成數爲坤, 而得先天坤位. 故繫辭言地者, 只取坎中爻變. 以本卦言, 坎之陽, 由四而往, 將出坎而爲坤. 故利西南. 艮則與坤爲對, 止於險阻. 故不利東北. 蹇解二卦, 坎月生於西南, 而艮震分居上下, 爲終始. 詳見坤卦. 蹇之大人. 對睽之惡人. 如師之丈人. 對比之匪人.

감괘의 성수는 곤괘가 되어 선천도의 곤괘 자리를 차지한다. 그러므로 괘사[繫辭]에서 땅을 말한 것은 단지 감괘의 가운데 효가 변한 것을 취하였을 뿐이다. 건괘(蹇卦)로 말하면 감괘의 양은 사효를 거쳐서 올라왔고 장차 감괘를 벗어나 곤괘가 된다. 그러므로 서남이 이롭다. 간괘는 곤괘와 반대되어 험하고 막힌 곳에 머물고 있다. 그러므로 동북이 이롭지 않다. 건괘(☳)와 해괘(☳)는 감괘(☵)의 달이 서남에서 발생함에 간괘(☶)와 진괘(☳)가 위와 아래에 나뉘어 있으니 마침과 시작이 된다. 자세한 것은 곤괘(坤卦)에 보인다. 건괘(蹇卦)의 대인은 규괘(睽卦)의 악인과 상대되니, 사괘(師卦)의 '장인(丈人)'이 비괘(比卦)의 '도와주지 않을 사람[匪人]'과 상대됨과 같다.

김규오(金奎五) 「독역기의(讀易記疑)」

本義, 足不能進, 蓋釋字義, 而卦无震體, 取名爲蹇, 何也. 小過之震, 已變而不可見矣. 或以艮之反體而言耶, 震則其足當進, 今反而爲艮, 故不能進也.

『본의』의 '발이 나아갈 수 없다'는 대체로 글자의 뜻을 해석한 것이고, 괘에 진괘(☳)의 몸체가 없는데 이름을 '건(蹇)'이라 한 것은 어째서인가? 소과괘(☳)의 진괘(☳)가 이미 변해버려 볼 수 없는 것이다. 혹 간괘(☶)의 뒤집힌 몸체로 말하였다면, 진괘는 그 발이 나아가야 하는데, 지금은 반대로 간괘가 되었으므로 나아갈 수 없다.

○ 利西南, 朱子以爲不知從何揷入坤來, 終以爲只取坎中爻變, 蓋以五實卦之主險之主, 若變而爲坤, 則无復險意, 而平易坦蕩故也. 以釋象往得中見之, 又似謂坎之中爻, 往得坤之中位, 今雖爲坎, 而本體是坤, 故利在於復其本體爾. 是皆就五位上自說本爻耳, 不復跟尋其移自某爻所謂卦變之象例. 然往是自此適彼之意, 非尋常交變之謂, 則此兩說俱未甚通. 若小過之變, 則初震後坎, 无所當於坤. 朱子後來, 亦不深主, 惟雙湖自升來之說, 最似完好, 而以象爲證, 亦有疑端. 升之九二已自得中, 何必待變爲蹇五耶. 抑以中往得中, 尤所可稱耶. 升之二陽, 九二則上入坤體, 故往而利, 九三則不能遷變, 故窮而不利矣.

'서남이 이롭다'에 대해, 주자는 "어디로부터 곤괘(☷)를 삽입했는지 알지 못하겠다"고 하고, 끝내는 "단지 감괘의 가운데 효가 변한 것을 취했을 뿐이다"라고 하였는데, 대체로 감괘의 가운데 효인 오효는 실제로 괘의 주인이고 위험의 주인이기에 만약 변하여 곤괘가 된다면 다시 위험의 의미가 없이 평이하고 평탄하기 때문이다. 「단전」에서 "가서 가운데 자리를 얻었기 때문이다"로 해석한 것으로 살핀다면, 또한 "감괘의 가운데 효가 가서 곤괘의 가운데 자리를 얻었다"고 한 듯하니, 지금은 비록 감괘가 되었지만 본체는 곤괘이므로 이로움이 본체를 회복함에 있다는 뜻이다. 이것들은 모두 오효의 자리에 나아가서 스스로 본효를 설명하였을 뿐이지, 다시 그것이 어떤 다른 효에서 왔다는 사안, 즉 괘가 변한 「단전」의 예를 철저히 탐구하지는 않은 것이다. 그러나 '감往]'은 여기에서 저기로 간다는 뜻이지 일상적인 바뀜을 말하는 것이 아니니, 감괘가 곤괘로 변하였다는 두 설명은 모두 통하지 못한다. 만약 소과괘가 변했다면 처음에는 진괘였다가 뒤에는 감괘인 것이니, 곤괘에는 해당되는 것이 없다. 주자의 뒤로는 또한 깊이 주의하지 않았고, 오직 쌍호호씨의 승괘(升卦☷)로부터 왔다는 설명만이 아주 좋은 듯하지만, 「단전」으로 증명하면 또한 의심할 단서는 있다. 승괘의 구이는 이미 스스로 가운데 자리를 차지하고 있는데, 어찌 반드시 변화를 기다려 건괘의 오효가 된단 말인가? 아니면 가운데 자리에 있다가 올라가서 가운데 자리를 얻은 것이 더욱 칭송할 만하단 말인가? 승괘의 두 양효에서 구이는 올라가 곤괘의 몸체에 들어가므로 가면 이롭고, 구삼은 옮겨 변할 수 없으므로 다하여 이롭지 않다.

조유선(趙有善) 『경의-주역본의(經義-周易本義)』[9]

蹇, 利西南.

건(蹇)은 서남은 이롭다.

本義, 見險者, 貴於能止, 處險者, 利於進, 見險指內卦, 處險指外卦耶.

『본의』의 "험함을 본 자는 그칠 수 있음이 귀하고, 험함에 처한 자는 나아감이 이롭다"에서 험함을 본 자는 내괘를 가리키고, 험함에 처한 자는 외괘를 가리키는 것인가?

서유신(徐有臣) 『역의의언(易義擬言)』

艮爲東北, 坎爲北, 蹇之難, 在於東北. 故宜往於西南無難之地, 不宜轉往於東北也. 苟或妄行不已, 至於道窮, 則惡在其見險而能止哉. 大人, 九五也, 利見者, 六二也. 自二以上, 諸爻皆得正位. 故貞吉也.

간괘는 동북이 되고 감괘는 북쪽이 되니, 건괘의 어려움은 동북방에 있다. 그러므로 마땅히 서남방의 어려움이 없는 땅으로 가야지, 동북방으로 돌아가서는 안 된다. 만약 혹시라도 계속 함부로 행동하여 도가 다함에 이른다면, 어찌 위험을 보고도 멈출 수 있겠는가? 대인은 구오이고 봄이 이로운 것은 이효이다. 이효로부터 위로는 모든 효가 바른 자리를 얻었다. 그러므로 곧아서 길한 것이다.

강엄(康儼) 『주역(周易)』

本義, 蓋見險者 [止] 失其正也.

본의에서 말하였다: 대체로 험함을 본 자는 … 그 바름을 잃어서는 안 된다.

按, 見險者貴於能止, 應見險而止故爲蹇之義也, 又不可以終於止, 應利西南不利東北之義也. 處險者利於進, 以利見大人言也, 不可失其正者, 以貞吉言也. 其以見險處險, 相對說者. 見險, 以入險之始言, 入險之始, 貴於能止, 而又不可終於止. 止乃艮也, 終於艮方, 則入乎險阻之地也. 處險, 以入險之後言, 旣入于[10]險, 則不可終於止而不進. 故必利於見大人. 然亦不當枉道而于[11]進, 故曰不可失其正也.

내가 살펴보았다: "험함을 본 자는 그칠 수 있음이 귀하다"는 "험함을 보고 그치기 때문에 건괘가 되었다"는 의미와 호응하고, 또 "끝까지 그칠 수는 없다"는 "서남이 이롭고 동북은 이롭지 않다"는 의미와 호응한다. "험함에 처한 자는 나아감이 이롭다"는 "대인을 보는 것이 이롭다"를 말한 것이고, "그 바름을 잃어서는 안 된다"는 "곧으면 길하다"를 말한 것이다. '험함을 봄'과 '험함에 처함'은 상대적으로 말한 것이다. 험함을 봄은 험함에 들어가는 처음을 말하니, 험함에 들어가는 처음에는 그칠 수 있음이 귀하지만 또 끝까지 그칠 수는 없다.

---

10) 于: 경학자료집성DB에는 '子'로 되어 있으나, 경학자료집성 영인본을 참조하여 '于'로 바로잡았다.
11) 干: 경학자료집성DB에는 '于'로 되어 있으나, 경학자료집성 영인본을 참조하여 '干'로 바로잡았다.

그침은 곧 간괘이고 간괘의 방위에서 끝남은 험하게 막힌 땅으로 들어간 것이다. '험함에 처함'은 험함에 들어간 뒤를 말하니, 이미 험함에 들어갔다면 끝까지 그치고 나가지 않을 수는 없다. 그러므로 반드시 대인을 보는 것이 이롭다. 그러나 또한 도를 굽혀서 나아감을 구하지 말아야 하므로 "그 바름을 잃어서는 안 된다"고 하였다.

박문건(朴文健)『주역연의(周易衍義)』

西南則得衆, 東北則喪衆也. 雖利人之見己, 用貞則必吉.

서남에서는 무리를 얻고 동북에서는 무리를 잃는다. 비록 사람들이 자기를 봄에 이롭게 여기더라도, 곧음을 쓴다면 반드시 길하다.

〈問, 利西南以下. 曰, 九五, 居尊得中, 而統上下二陰者也. 故於西南, 則得衆而相與, 於東北, 則喪衆而孤立也. 雖利二陰之見己, 用剛貞, 則禦侮而致吉也.

물었다: "서남이 이롭다" 이하는 무슨 뜻입니까?

답하였다: 구오는 높이 있으며 알맞음을 얻어서 위아래의 두 음효를 통솔하는 자입니다. 그러므로 서남방에서는 무리를 얻어 서로 함께 하지만, 동북방에서는 무리를 잃어 홀로 지냅니다. 비록 두 음효가 자기를 봄에 이롭게 여기더라도, 굳셈과 곧음을 쓴다면 모욕을 막아내어 길함에 이를 것입니다.〉

이지연(李止淵)『주역차의(周易箚疑)』

利西南, 不利東北.

서남은 이롭고 동북은 이롭지 않다.

主九五六二而言之. 九五一爻在坤之中, 而爲大蹇朋來之象, 六二一爻在於艮之中, 而爲王臣蹇蹇之象.

구오와 육이를 위주로 말하였다. 구오의 한 효가 곤괘(☷)의 가운데 있기에 크게 어려움에 벗이 오는 상이 되고, 육이의 한 효가 간괘(☶)의 가운데 있기에 왕의 신하가 어렵고 어려운 상이 된다.

김기례(金箕澧)「역요선의강목(易要選義綱目)」

乖必有難.

어긋나면 반드시 어려움이 있다.

○ 險在前而止, 故蹇.
험함이 앞에 있어 그치므로 어렵다.

西南坤, 東北艮. 坤順艮阻, 則言蹇艱之時, 利在平順, 不利險阻. 宜趨平易之地, 不宜
止險而自阻. 艮坎皆東北, 而艮上畫變則爲坤, 坎中畫變則爲坤, 必有大人之中正者,
則可以濟. 蓋取其變動之意也, 難故曰利見. 貞吉, 指六二往應九五也.
서남방은 곤괘이고 동북방은 간괘이다. 곤괘는 순탄하고 곤괘는 막혔으니, 어려운 때에는
순탄한 데 있음이 이롭고, 험하게 막힌 곳이 이롭지 않다고 말한 것이다. 마땅히 평이한
곳으로 나가야지 험한데 그쳐서 스스로 막히지 말아야 한다. 간괘(☶)와 감괘(☵)는 모두
동북방인데, 간괘는 위의 획이 변하면 곤괘(☷)가 되고, 감괘는 가운데 획이 변하면 곤괘가
되니, 반드시 알맞고 바른 대인이 있다면 구제할 수 있다. 대체로 변동의 뜻을 취한 것이니,
어렵기 때문에 "보는 것이 이롭다"고 한 것이다. '곧으면 길함'은 육이가 가서 구오와 호응함
을 가리킨다.

심대윤(沈大允) 『주역상의점법(周易象義占法)』

剛入坤之中爻而爲坎, 入坤之上爻而爲艮, 艮坎合而爲蹇. 西南坤也, 卑而順, 東北艮
也, 峻而阻, 水之性, 避峻阻而就卑順. 故曰利西南不利東北, 水合則流益盛, 子曰知者
知人, 知人而合謀, 君子之大知也. 故曰利見大人. 乾之中爻, 入坤爲坎, 而蹇之義, 阻
險而未進. 故以坎互乾曰大人, 言猶在乾也. 知與信合曰貞, 知者異乎正, 而不失其正
也. 故曰貞吉.
굳센 것이 곤괘(☷)의 가운데 효로 들어가면 감괘(☵)가 되고, 곤괘의 상효로 들어가면 간괘
(☶)가 되는데, 간괘와 감괘가 합쳐지면 건괘(蹇卦)가 된다. 서남방은 곤괘로 낮고 순탄하
며, 동북방은 간괘로 험하고 막혔는데, 물의 성질은 험하고 막힌 것을 피하여 낮고 순탄한
곳으로 나아간다. 그러므로 "서남이 이롭고 동북은 이롭지 않다"고 하였으니, 물은 합쳐지면
흐름이 더욱 성대하며, 공자가 "지혜로운 자는 사람을 안다"고 했으니, 사람을 알아서 함께
도모함이 군자의 큰 지혜이다. 그러므로 "대인을 보는 것이 이롭다"고 하였다. 건괘(☰)의
가운데 효가 곤괘(☷)에 들어가 감괘(☵)가 되고, 건괘(蹇卦)의 뜻은 험함에 막혀 나아가지
못함이다. 그러므로 감괘로 건괘(☰)를 아울러서 '대인'이라 하였으니, 여전히 건괘가 있다
고 말한 것이다. 앎과 믿음이 합친 것을 '곧음'이라 하는데, 지혜로운 자는 바름을 달리해도
그 바름을 잃지는 않는다. 그러므로 "곧으면 길하다"고 하였다.

오치기(吳致箕) 「주역경전증해(周易經傳增解)」

蹇, 難也, 水之險在前, 山之限在後, 爲蹇難之象. 外險而內止, 有見險能止之象也. 西南謂坤方, 而坎一陽, 得中於坤體. 故曰利西南, 卽象傳所言往得中也. 東北謂艮方, 而艮一陽居上, 爲陽之窮. 故曰不利東北, 卽象傳所言其道窮也. 九五, 陽剛中正而居尊. 故言利見大人, 而謂濟蹇有功也. 坎艮二陽, 俱得正位. 故言貞, 又言吉.

건(蹇)은 어려움이니, 물의 험함이 앞에 있고 산의 막음이 뒤에 있어 어려운 상이 된다. 밖으로는 험하고 안으로는 그쳤으니, 험함을 보고 그치는 상이 있다. 서남은 곤괘의 방위를 말하는데, 감괘의 한 양이 곤괘의 몸체에서 가운데 자리를 얻었다. 그러므로 "서남이 이롭다"고 했으니, 곧 「단전」에서 말한 '가서 가운데 자리를 얻음'이다. 동북은 간괘의 방위를 말하는데, 간괘의 한 양이 위에 있어 양이 다함이 된다. 그러므로 "동북이 이롭지 않다"고 했으니, 곧 「단전」에서 말한 '그 도가 다함'이다. 구오가 굳센 양으로 알맞고 바르면서 높이 있다. 그러므로 '대인을 보는 것이 이롭다'고 했으니, 어려움을 구제하여 공이 있음을 말한다. 감괘와 간괘의 두 양이 함께 바른 자리를 얻었다. 그러므로 곧음을 말하고, 또 길함을 말하였다.

○ 見險而內止, 知難而不進, 故不言亨.
험함을 보고 안으로 그치고, 어려움을 알아서 나가지 않으므로 형통함을 말하지 않았다.

이진상(李震相) 『역학관규(易學管窺)』

利西南.
서남은 이롭다.

坤蹇解三卦, 皆言西南之利, 而一部易中, 竝無利東[12]北不利西南之卦, 何也. 陽饒陰乏, 故陽用全, 陰用半, 陽無往不利, 而陰實有不利之處也. 蓋西南者, 陰生之方, 而陰生者, 陰之利也, 東北者, 陽生之方, 而陽生, 則陰必消. 所以多陰之卦利在西南也. 且西南周土, 東北商地, 患難之至, 每由於東北, 而危亂之兆, 已見於氣數. 羑里演易, 又是蹇難未解之時也, 觀象玩占之際, 每見其氣數之如此. 故有感於心, 而筆之於象, 後人不達, 傅會其義, 移易方位, 因以爲文王所定耳. 但先天圖, 坎居蹇之西右, 艮居蹇之北左, 右則爲南, 左則爲東, 此謂利於出坎, 而不利於艮止也. 是以九五爲坎體, 而象傳曰往得中, 九三爲艮體, 而象傳曰其道窮, 此其義也. 以諸爻言, 則利[13]止而不利往, 以

---

12) 東: 경학자료집성DB에는 '更'으로 되어 있으나, 경학자료집성 영인본을 참조하여 '東'으로 바로잡았다.
13) 利: 경학자료집성DB에는 '相'으로 되어 있으나, 경학자료집성 영인본을 참조하여 '利'로 바로잡았다.

全卦言, 則利往而不利止, 二五亦然. 蓋爻動卦靜, 動當知止, 靜則尙往也. 主蹇而言, 則艮固東北, 而天定之方, 則山峙西北, 不可得以易也.

곤괘(坤卦☷☷)·건괘(蹇卦☵☶)·해괘(解卦☳☵), 세 괘에서 모두 서남방이 이로움을 말했는데, 한편의 『주역』에서 결코 동북방이 이롭고 서남방이 이롭지 않은 괘가 없는 것은 어째서인가? 양은 풍요롭고 음은 부족하므로 양에는 전체를 쓰고 음에는 반을 쓰니, 양은 가서 이롭지 않음이 없고, 음은 실로 이롭지 않은 곳이 있다. 대체로 서남은 음이 나오는 방위로 음이 나오는 곳은 음에게 이로우며, 동북은 양이 나오는 방위로 양이 나오면 음은 반드시 사라진다. 그래서 음이 많은 괘는 이로움이 서남에 있는 것이다. 또한 서남방은 주(周)나라 영토이고, 동북방은 상(商)나라 지역이며, 환난이 이름은 매번 동북방에서 연유하고, 환난의 조짐은 이미 기수(氣數)에 나타난다. 유리에서 『주역』을 편찬할 때는 또한 어려움이 풀리지 않은 시기이고, 상(象)을 살피고 점사를 완미하는 즈음에는 매번 그 기수(氣數)가 이와 같음을 살폈다. 그러므로 마음에 느낌이 있으면 단사에 기록하였는데, 후인이 알지 못하고 의미를 억지로 해석하여 역의 방위를 옮기고는 문왕이 정한 것이라고 여겼다. 다만 선천도에서 감괘는 건괘의 서쪽 오른편에 있고, 간괘는 건괘의 북쪽 왼편에 있는데, 오른편은 남쪽이 되고 왼편은 동쪽이 되니, 이는 '감괘를 벗어남이 이롭고, 간괘에 멈춰있음이 이롭지 않음'을 말한다. 이 때문에 구오를 감괘의 몸체로 삼아 「단전」에서 "가서 가운데 자리를 얻었다"고 하고, 구삼을 간괘의 몸체로 삼아 「단전」에서 "그 도가 다하였다"고 하였으니, 이것이 그 의미이다. 여러 효로 말하면 그침이 이롭고 나감이 이롭지 않지만, 전체의 괘로 말하면 나감이 이롭고 그침이 이롭지 않으니, 이효와 오효도 또한 그러하다. 대체로 효가 움직이면 괘는 고요하니, 움직이면 마땅히 그칠 줄을 알아야 하고, 고요하면 더욱 나가야 한다. 건괘(蹇卦)를 위주로 말하면, 간괘는 참으로 동북이고 하늘이 정한 방위이니, 산이 서북방과 대치함은 바꿀 수 없는 것이다.

利見大人.
대인을 보는 것이 이롭다.

蹇難之際, 貴得地利人和, 利見大人, 人之和也. 大人指九五, 而互離爲見.
어려울 때에는 지세의 이익과 사람의 화합을 얻는 것을 귀하게 여기는데, '대인을 보는 것이 이로움'은 사람의 화합이다. 대인은 구오를 가리키고 호괘인 리괘(☲)가 봄이 된다.

○ 此卦坎險艮止, 而傳義皆以艮爲險可疑. 本義, 謂方在蹇中, 不宜走險, 而又謂見險, 不可終止, 處險者, 利於進, 其說似相牴牾.
이 괘(☵☶)의 감괘(☵)는 험함이고 간괘(☶)는 그침인데, 『정전』과 『본의』에서 모두 간괘를 험함으로 여긴 것은 의심할 만하다. 『본의』에서 "어려운 가운데 있을 때는 험한 곳으로 감이 마땅하지 않다"고 하고, 다시 "험함을 보는 자는 끝까지 그칠 수는 없으며, 험함에 처한 자는 나아감이 이롭다"고 하였으니, 그 설명이 서로 어긋나는 것 같다.

박문호(朴文鎬) 「경설(經說)·주역(周易)」

西南平易, 東北險阻, 以中國地勢言也. 雖然中國地勢, 實東南平易, 西北險阻. 故又言艮方, 以明險阻之爲山. 其不言坤方者, 省文也.

서남방이 평이하고, 동북방이 험함에 막힘은 중국의 지세로 말한 것이다. 비록 그렇지만 중국의 지세는 실로 동남방이 평이하고, 서북방이 험하게 막혔다. 그러므로 다시 간괘의 방위를 말하여 험하게 막힌 것이 산[山]임을 밝혔다. 곤괘의 방위를 말하지 않은 것은 문장을 생략한 것이다.

入於艮而不進, 此於卦變未詳, 其說更商之.

『본의』의 "간괘로 들어가 나가지 못한다"는 이것은 괘의 변화에 자세하지 않으니, 그 설명은 다시 생각해야 한다.

이정규(李正奎) 「독역기(讀易記)」

蹇之爲卦, 前險後阻, 進退不得, 天下之難, 无過於處蹇之難. 然其卦才, 則諸爻皆當正位, 有往有功. 貞吉之象, 猶有可爲者也, 可爲者何也. 大象所謂反身修德也. 上則君臣皆在中正之位矣, 反身修德, 則可以濟蹇, 而往有功也, 下則有位无位者, 各反身修德, 以俟時, 則貞吉也.

건괘는 앞은 험하고 뒤는 막혀서 나가거나 물러설 수 없으니, 천하의 어려움이 건괘에 있는 어려움보다 더한 것이 없다. 그러나 괘의 재질은 모든 효가 다 바른 자리에 있으니, '가서 공이 있음'이 있다. 곧아서 길한 상으로도 오히려 이룰만한 것이 있으니, 이룰 수 있는 것은 무엇인가? 「대상전」의 이른바 '자신에게 돌이켜 덕을 닦음'이다. 위로는 임금과 신하가 모두 중정(中正)한 자리에 있으면서 자신에게 돌이켜 덕을 닦기에 어려움을 구제하여 나가서 공이 있을 수 있으며, 아래로는 지위가 있거나 없거나 각각 자신에게 돌이켜 덕을 닦아서 때를 기다리니 곧아서 길한 것이다.

象曰, 蹇, 難也, 險在前也,

「단전」에서 말하였다: 건(蹇)은 어려움이니, 험함이 앞에 있음이다.

∥中國大全∥

傳

蹇, 難也, 蹇之爲難, 如乾之爲健. 若易之爲難, 則義有未足, 蹇有險阻之義. 屯亦難也, 困亦難也, 同爲難而義則異. 屯者, 始難而未得通, 困者, 力之窮, 蹇, 乃險阻艱難之義, 各不同也. 險在前也, 坎險在前, 下止而不得進, 故爲蹇.

건(蹇)은 어려움이니, 건(蹇)이 어려움이 된 것은 건(乾)이 강건함이 됨과 같다. 만약 ‘건(蹇)’자를 바꾸어 ‘난(難)’자로 한다면 뜻에 부족함이 있을 것이니, 건에는 험하게 막혔다[險阻]는 뜻이 있다. 준괘(屯卦)도 또한 어려움이고, 곤괘(困卦)도 또한 어려움이어서, 똑같이 어려움이 되지만 뜻은 다르다. 준괘는 처음에 어려워서 통하지 못함이고, 곤괘는 힘이 다함이고, 건괘(蹇卦䷦)는 험하게 막혀서 어렵다는 뜻이니, 각각 같지 않다. ‘험함이 앞에 있다[險在前也]’는 감괘(坎卦☵)의 험함이 앞에 있어서 아래에서 그치고 나아가지 못함이다. 그러므로 건괘가 되었다.

∥韓國大全∥

하우현(河友賢) 『역의의(易疑義)』

象蹇難也, 傳如乾之爲健. 若易之爲難, 則義有未足言.

「단전」의 ‘건은 어려움이니’에 대해, 『정전』에서는 “건(乾)이 강건함이 됨과 같다. 만약 ‘건(蹇)’자를 바꾸어 ‘난(難)’자로 한다면, 뜻에 말하지 못한 것이 있을 것이다”라고 하였다.

윤종섭(尹鍾燮)『경-역(經-易)』[14]

蹇, 險在前. 不利有往, 往則蹇, 而來則吉. 艮在下, 止而不動. 上之利見大人, 五以陽剛得中, 是謂大人, 凡言利見大人, 皆主五爻.

건(蹇)은 '험함이 앞에 있음'이다. 가는 것이 이롭지 않으니, 가면 어렵고 오면 길하다. 간괘가 아래에 있어 머무르고 움직이지 않는 것이다. 상효의 '대인을 보는 것이 이로움'은 오효가 굳센 양으로 알맞음을 얻은 것을 '대인'이라 하니, "대인을 보는 것이 이롭다"고 말한 것은 모두 오효를 위주로 하였다.

박문호(朴文鎬) 「경설(經說)・주역(周易)」[15]

易之爲難, 言以難字易蹇字而名卦也.

『정전』의 '역지위난(易之爲難)'은 '난(難)'자로 '건(蹇)'자를 바꾸어 괘에 이름을 말한다.

---

14) 경학자료집성DB에서는 건괘 단사에 해당하는 것으로 분류했으나, 내용에 따라 이 자리로 옮겼다.
15) 경학자료집성DB에서는 건괘 단사에 해당하는 것으로 분류했으나, 내용에 따라 이 자리로 옮겼다.

見險而能止, 知矣哉.

험함을 보고 그칠 수 있으니 지혜롭다.

中國大全

傳

以卦才, 言處蹇之道也. 上險而下止, 見險而能止也. 犯險而進, 則有悔咎, 故美其能止爲知也, 方蹇難之時, 唯能止爲善. 故諸爻, 除五與二外, 皆以往爲失, 來爲得也.

괘의 재질로 어려움에 대처하는 방도를 말하였다. 위는 험함이고 아래는 그침이니, 험함을 보고 그칠 수 있음이다. 험함을 거슬러 나간다면 후회와 허물이 있게 되므로 그 그칠 수 있음을 지혜롭다고 찬미하였으니, 어려운 때에는 그칠 수 있음이 최선이 된다. 그러므로 여러 효에서, 오효와 이효를 제외하고는 모두 '감[往]'을 과실로 여기고, '옴[來]'을 이득으로 여겼다.

本義

以卦德, 釋卦名義而贊其美.

괘의 덕으로 괘의 이름을 해석하고 그 아름다움을 찬양하였다.

小註

中溪張氏曰, 蹇之所以爲難者, 以其險之在前也. 見坎險之難, 而明艮止之義, 非智者, 孰能識之.

중계장씨가 말하였다: 건괘(蹇卦)가 어려움이 되는 까닭은 험함이 앞에 있기 때문이다. 감괘(☵)의 험난한 어려움을 보고서 간괘(☶)의 그친다는 뜻을 밝힘이니, 지혜로운 자가 아니라면 누가 알 수 있겠는가?

○ 丹陽都氏曰, 險在下, 可行而乃止焉, 非知險者也. 此卦所以爲蒙, 有不明之義. 險在前, 知其不可進而止焉, 可謂知險矣. 此卦所以爲蹇, 而蹇則知者之事, 所以反乎蒙也.

단양도씨가 말하였다: 험함이 아래에 있어서 행할 수 있는데도 그친다면, 험함을 아는 것이 아니다. 이것이 몽괘(蒙卦䷃)가 된 까닭이니, 밝지 못하다는 뜻이 있다. 험함이 앞에 있음에 그 나아갈 수 없음을 알아서 그친다면, 험함을 안다고 할 수 있다. 이것이 건괘(蹇卦䷦)가 된 까닭이니, 건괘는 곧 지혜로운 자의 일로 몽괘에 반대되는 것이다.

○ 雲峰胡氏曰, 蹇上下體易則爲蒙, 蒙曰險而止, 止於外也. 蹇曰見險而止, 止於內也. 內險莫能安, 外止莫能進, 所以爲蒙. 見外之險而內能止, 所以爲知. 知者蒙之反也.

운봉호씨가 말하였다: 건괘(蹇卦䷦)의 상체와 하체가 바뀌면 몽괘(蒙卦䷃)가 되니, 몽괘의 "험하여 그친다"는 밖으로 그침이고, 건괘의 "험함을 보고 그친다"는 안으로 그침이다. 안이 험하면 편안할 수 없고, 밖으로 그쳤다면 나아갈 수 없기에 어리석음이 된 것이고, 밖의 험함을 보고 안으로 그칠 수 있기에 지혜로움이 된 것이니, 지혜로움은 어리석음의 반대이다.

韓國大全

조호익(曺好益) 『역상설(易象說)』

見險而能止.

험함을 보고 그칠 수 있다.

坎在外, 艮在內, 互離在中, 有見險而止之象. 內坎外艮, 中無離體, 所以爲蒙.

감괘(☵)가 밖에 있고 간괘(☶)가 안에 있으며 호괘인 리괘(☲)가 가운데 있으니, 험함을 보고 그치는 상이 있다. 내괘가 감괘이고 외괘가 간괘이며, 중간에 리괘의 몸체가 없기에 몽괘(蒙卦䷃)가 된다.

유정원(柳正源) 『역해참고(易解參攷)』[16]

正義, 蹇者, 有難而不進, 能止而不犯. 坎[17]在其外, 是險在前也, 有險在前, 所以爲難. 若冒險而行, 或罹其害. 艮居其內, 止而不往, 相時而動, 非知不能. 故曰見險而能止, 知矣哉.

『주역정의』에서 말하였다: 건은 어려움이 있어 나가지 않음이고, 머무르고 거스르지 않음이다. 감괘가 밖에 있음이 험함이 앞에 있음이니, 험함이 앞에 있기에 어렵게 된 것이다. 만약 험함을 무릅쓰고 나간다면 혹 재해를 당할 것이다. 간괘가 안에 있음이 머무르고 나가지 않음이니, 때를 살펴서 움직임은 지혜로운 자가 아니면 할 수 없다. 그러므로 "험함을 보고 그칠 수 있으니 지혜롭다"고 하였다.

김상악(金相岳) 『산천역설(山天易說)』

以卦德釋卦名義, 而贊其美. 見險之在前而能止, 不冒其險, 乃其知也.

괘의 덕으로 괘의 이름을 해석하고 그 아름다움을 찬양하였다. 험함이 있음을 보고 그칠 수 있음은 그 험함을 무릅쓰지 않음이니, 지혜이다.

○ 五行之德, 惟水爲知, 天之陽交於地之中而生水, 自陰而變乎陽爲知也. 知者, 蒙之反也, 見蒙卦.

오행의 덕에서 오직 물[水]만이 지혜가 되는데, 하늘의 양(陽)이 땅 속에서 사귀어 물이 나온다. 본래 음(陰)이었다가 양(陽)으로 변한 것은 지혜가 된다. 지혜는 몽매함의 반대이니 몽괘에 나온다.

김규오(金奎五) 「독역기의(讀易記疑)」

釋象見險能止, 釋上下二體, 而卦下義分, 言見險處險. 夫見險者, 見之耳, 非險之當體, 似指初三四上也, 處險者, 卽險之本體, 指五而包二也. 象中旣欲其止, 而又欲其往, 何也. 雖止而意未嘗不欲行也. 東北, 艮之本方, 必捨而之西南. 然後可安, 徐氏所謂當適他方, 是也. 然則其所謂止者, 待時而不遽進爾, 非終於止也, 初六象宜待, 是也.

『본의』에서는 「단전」의 "험함을 보고 그칠 수 있다"를 해석하고, 상괘와 하괘의 몸체를 해석함에 괘의 아래에서 의미를 구분하여 '험함을 봄'과 '험함에 처함'을 말하였다. 험함을 보는

---

16) 경학자료집성DB에서는 건괘 단사에 해당하는 것으로 분류했으나, 내용에 따라 이 자리로 옮겼다.

17) 坎: 경학자료집성DB에는 '故'로 되어 있으나, 경학자료집성 영인본을 참조하여 '坎'으로 바로잡았다.

자는 그것을 볼 뿐이지 험함에 해당되는 몸체가 아니니, 초효·삼효·사효·상효를 가리키
는 듯하고, 험함에 처한 자는 험난한 본래의 몸체이니, 오효를 가리키며 이효를 포함한다.
「단전」에서는 이미 그치고자 했는데, 다시 가려고 하는 것은 어째서인가? 비록 그쳤어도 뜻
은 일찍이 가려고 아니함이 없기 때문이다. 동북은 간괘의 본래의 방위이니, 반드시 버리고
서남방으로 가야 한다. 그런 뒤에야 편안할 수 있으니, 서씨가 말한 '마땅히 다른 방위로 가
야한다'는 것이 이것이다. 그렇다면 이른바 '그침[止]'은 때를 기다리고 갑자기 나아가지 않는
것이지 끝까지 그치는 것이 아니니, 초육 「소상전」의 "마땅히 기다려야 한다는 것이다"가
이것이다.

서유신(徐有臣) 『역의의언(易義擬言)』

險在前, 非蹇也, 險在前故, 止而不進, 是爲蹇也. 見險而不知止, 則豈徒曰蹇而已哉.
當蹇而蹇得其時宜, 故曰知矣哉.

험함이 앞에 있음이 '건(蹇)'이 아니라, 험함이 앞에 있기에 머무르고 나아가지 못함이 '건
(蹇)'이 된다. 험함을 보고 그칠 줄을 모른다면, 어찌 '건(蹇)'이라고만 하겠는가? 어려움을
직면해도 어려움이 그 때에 마땅함을 얻었으므로 '지혜롭다'고 하였다.

강엄(康儼) 『주역(周易)』

按, 需象傳曰, 險在前也, 剛健而不陷, 其義不困窮矣, 此曰, 險在前也, 見險而能止,
知矣哉. 彼言義, 此言知者, 義是剛立之稱, 而乾體剛健而不險, 故特說義, 知是明哲之
謂, 而艮體篤實而輝光, 故特說知. 或曰其義之義, 非四德之義, 只是義理之謂, 其義不
困窮, 言人能遇險而不陷, 則於義理, 自當不困窮矣.

내가 살펴보았다: 수괘의 「단전」에서는 "험함이 앞에 있다. 강건하나 빠지지 않으니, 그 의
리가 곤궁하지 않을 것이다"[18]라고 하고, 여기서는 "험함이 앞에 있음이다. 험함을 보고 그
칠 수 있으니 지혜롭다"고 하였다. 저기서는 의리를 말하고 여기서는 지혜를 말한 것은, 의
리는 굳세게 섬을 일컫는데 건괘(乾卦☰)의 몸체가 강건하여 빠지지 않으므로 특별히 의리
를 말한 것이고, 지혜는 명철함을 말하는데 간괘(艮卦☶)의 몸체가 독실하여 빛나기 때문에
특별히 지혜를 말한 것이다. 어떤 이는 "그 의리의 '의(義)'자는 사덕의 '의(義)'가 아니라,
단지 의리를 말할 뿐이니, '그 의리가 곤궁하지 않음'은 사람이 험함을 만나 빠지지 않을
수 있다면 의리에 스스로 곤궁하지 않을 수 있음을 말한 것이다"라고 하였다.

---

18) 『周易·需卦』: 象曰, 需, 須也, 險在前也. 剛健而不陷, 其義不困窮矣.

박문건(朴文健)『주역연의(周易衍義)』

此以卦德釋卦名, 而贊其知也.

이것은 괘의 덕으로 괘의 이름을 해석하고 그 지혜로움을 찬양한 것이다.

〈問, 此亦人事上說, 而非主爻上說. 曰, 然.

물었다: 이것은 또한 인사(人事)를 가지고 말한 것이지, 주효(主爻)를 가지고 말한 것이 아닌 듯합니다.

답하였다: 그러합니다.〉

김기례(金箕澧)「역요선의강목(易要選義綱目)」

謂坎險在前, 以明艮止之義. 卦中有可止可往之不同者, 取爻辭而言. 水遇山而止, 蓋水爲五行之智. 故曰知矣.

감괘의 험함이 앞에 있음을 말하여 간괘의 그친다는 뜻을 밝혔다. 괘에 그칠 수 있음과 갈 수 있음이 다른 것은 효사를 취하여 말했기 때문이다. 물은 산을 만나서 그치니, 물은 오행에서 지혜가 된다. 그러므로 "지혜롭다"고 하였다.

심대윤(沈大允)『주역상의점법(周易象義占法)』

屯行乎險中也, 蹇見險而不進也, 義雖殊而爲難同也. 屯艸木之始生也, 蹇水泉之始流也, 屯勇力也, 蹇知謀也. 君子知世事之多難, 敬愼畏懼, 而好謀能成, 小人輕易泛忽, 力征而多敗也. 見險而能止, 故流行不息也. 軍志曰, 守而必固者, 守其所不攻也, 攻而必取者, 攻其所不守也, 若犯險而强進, 則雖以舜禹之知, 賁育之勇, 亦有所困窮也.

준괘(屯卦䷂)는 험한 가운데 행하고, 건괘(蹇卦䷦)는 험함을 보고 나아가지 않으니, 의미는 비록 다르지만 어렵다는 점에는 동일하다. 준괘는 초목이 처음 나옴이고, 건괘는 물의 샘이 처음 흐름이며, 준괘는 과감하게 힘씀이고, 건괘는 지혜로 도모함이다. 군자는 세상일에 어려움이 많음을 알아서 삼가고 두려워하며 도모하기를 좋아하니 성공할 수 있고, 소인은 가볍고 쉽게 여기고 대충대충 소홀히 하니 힘써 나가도 실패함이 많다. 험함을 보고 그칠 수 있으므로 흘러감이 그치지 않는다. 『손자병법』에 "지키기를 반드시 견고히 하는 자는 그 공격하지 못할 바를 지키고, 공격하여 반드시 취하는 자는 그 지키지 못할 바를 공격한다"고 하니, 만약 위험을 무릅쓰고 억지로 나간다면, 비록 순임금과 우임금처럼 지혜롭고, 맹분과 하육처럼 용감해도 또한 곤궁함이 있을 것이다.

이진상(李震相) 『역학관규(易學管窺)』

見險而能止.

험함을 보고 멈출 수 있다.

此則通衆爻言.

이것은 뭇 효를 함께 말한 것이다.

蹇利西南, 往得中也, 不利東北, 其道窮也,

"건은 서남이 이로움"은 가서 알맞음을 얻기 때문이고, "동북이 이롭지 않음"은 그 도가 다하기 때문이며,

▍中國大全▍

傳

蹇之時, 利於處平易, 西南坤方, 爲順易, 東北艮方, 爲險阻. 九上居五, 而得中正之位, 是往而得平易之地. 故爲利也. 五居坎險之中, 而謂之平易者, 蓋卦本坤, 由五往而成坎. 故但取往而得中, 不取成坎之義也. 方蹇, 而又止危險之地, 則蹇益甚矣. 故不利東北. 其道窮也, 謂蹇之極也.

어려운 때에는 평이한 데에 거처함이 이로운데, 서남쪽인 곤괘의 방위는 순조롭고 평이하며, 동북쪽인 간괘의 방위는 험하게 막혀있다. 양효[九]가 올라가 오효의 자리에 있으면서 중정(中正)한 자리를 얻었으니, 이는 가서 평이한 땅을 얻은 것이다. 그러므로 이롭게 된다. 오효가 감괘의 험한 가운데 있는데도 평이하다고 한 것은, 괘는 본래가 곤괘(坤卦䷁)이고, 오효가 가서 감괘(坎卦☵)로 되었기 때문이다. 그러므로 다만 가서 알맞음을 얻은 것만 취하고, 감괘가 된다는 뜻은 취하지 않았다. 어려우면서 또 위험한 곳에 머무르면 어려움이 더욱 심해질 것이다. 그러므로 동북은 이롭지 않은 것이다. '그 도가 다하다'는 어려움이 지극함을 말한다.

小註

中溪張氏曰, 往得中, 指五也. 夫以乾剛之才, 由四而往, 居坤之五以爲坎, 位得其中, 將出坎而爲坤, 此西南所以利也. 其道窮, 指三也. 三爲艮體之主, 止而不進, 則常在險中, 其道窮矣, 此東北之所以不利也.

중계장씨가 말하였다: '가서 알맞음을 얻었다'는 오효를 가리킨다. 건(乾)의 굳센 재질로 사효를 거쳐 올라가 곤괘의 오효 자리를 차지하여 감괘(坎卦☵)가 되었으니 자리가 그 알맞음을 얻음이고, 감괘를 벗어나 곤괘(坤卦)가 되려 하니, 이것이 서남이 이로운 까닭이다. '그

도가 다한다'는 삼효를 가리킨다. 삼효는 간괘(艮卦☶) 몸체의 주인이 되는데, 머무르고 나아가지 못한다면 항상 험한 가운데 있어서 그 도가 다할 것이니, 이것이 동북이 이롭지 못한 까닭이다.

○ 童溪王氏曰, 五寔坎體, 而謂之利西南者, 蓋坎體本坤, 九往居中而成坎. 夫九以剛明之才而往, 處坤之中位, 非利西南往得中之義乎. 若不知西南之爲利, 而反其所詣焉, 則有所不利矣. 故易於此, 指其所之, 而避其所忌, 而以利不利明告之.
동계왕씨가 말하였다: 오효는 감괘의 몸체인데 '서남이 이롭다'고 한 것은, 감괘의 몸체가 곤괘에 근본하기 때문이니, 양효[九]가 가서 가운데에 있어 감괘가 된 것이다. 구(九)가 굳세고 밝은 재질로서 가서 곤괘의 가운데 자리에 있으니, 서남이 이로움은 가서 알맞음을 얻었다는 뜻이 아니겠는가? 만약 서남이 이롭다는 것을 알지 못하여 나가는 바를 반대로 한다면, 이롭지 못함이 있게 된다. 그러므로 『주역』이 여기에서 그 나갈 바를 가리키고 꺼리는 것을 피하게 함에 이로움과 이롭지 못함으로 분명하게 알려 주었다.

▌韓國大全▌

홍여하(洪汝河) 「책제(策題):문역(問易)·독서차기(讀書箚記)-주역(周易)」

象傳, 往得中也.
「단전」에서 말하였다: 가서 알맞음을 얻었기 때문이다.

離爲日, 坎爲月, 故象傳於坎離, 每以往來言之, 取日月往來之意也. 於震亦以來言之, 雷風相薄, 亦有往來之義. 蹇之五往而得中, 則三之來反可知, 解之二來而得中, 則解之四往得中可知也.
리괘(離卦)는 해가 되고 감괘(坎卦)는 달이 되므로 감괘와 리괘의 「단전」에서 매번 왕래(往來)로 말하였으니, 해와 달이 왕래한다는 뜻을 취한 것이다. 진괘(震卦)에서도 '옴[來]'으로 말하였으니, 우뢰와 바람이 서로 가까이하여 또한 왕래한다는 뜻이 있다. 건괘(蹇卦)의 오효가 가서 알맞음을 얻었다면 삼효가 돌아옴을 알 수 있고, 해괘(解卦)의 이효가 와서 알맞음을 얻었다면 해괘의 사효는 가서 알맞음을 얻었음을 알 수 있다.

이현익(李顯益) 「주역설(周易說)」[19]

利西南.

서남이 이롭다.

傳則從五之未往成坎之前而言, 本義則以成坎而中爻變者言. 中溪張氏謂將出坎而爲坤, 亦本義之旨. 〈以其道窮, 專指三, 未見其然. 其道窮, 似只以互體言.〉

『정전』은 오효가 아직 감괘를 이루지 않았을 때로 말하였고, 『본의』는 감괘가 이루어지고 가운데 효가 변하는 것으로 말하였다. 중계장씨는 "감괘를 벗어나 곤괘(坤卦)가 되려 한다"고 했으니, 또한 『본의』의 뜻이다. 〈'그 도가 다함'은 삼효만을 가리킨다고 하지만 아직 그러함이 보이지 않는다. '그 도가 다함'은 단지 호괘의 몸체로 말한 듯하다.〉

권만(權萬) 『역설(易說)』

蹇利西南, 往得中, 言二陰往外卦, 遇九五爲應, 故爲往爲得中也.

"건은 서남이 이로움은 가서 알맞음을 얻었기 때문이다"는 이효의 음(陰)이 외괘로 가서 구오를 만나 호응하므로, '감'이 되고 '알맞음을 얻음'이 된다.

○ 不利東北, 其道窮. 艮爲後天東北位, 而陽居下體之上而止, 爲窮也. 更思之, 此卦本自坤來, 坤居西南, 東北陽方, 不利於坤. 故曰道窮.

동북이 이롭지 않음은 그 도가 다하기 때문이다. 간괘는 후천에서 동북의 자리이고, 양이 하체(下體)의 위에 있으면서 그쳤으니 다함이 된다. 다시 생각하니, 이 괘는 본래 곤괘에서 왔고 곤괘는 서북에 있으니, 동북의 양(陽)의 방위는 곤괘에 이롭지 않다. 그러므로 "도가 다한다"고 하였다.

서유신(徐有臣) 『역의의언(易義擬言)』

六二九五, 有得中不過之象也, 九三上六, 有過中見窮之象也.

육이와 구오에는 알맞음을 얻어 지나치지 않는 상이 있고, 구삼과 상육에는 알맞음을 지나쳐 다하게 되는 상이 있다.

---

19) 경학자료집성DB에서는 건괘 단사에 해당하는 것으로 분류했으나, 내용에 따라 이 자리로 옮겼다.

박문건(朴文健) 『주역연의(周易衍義)』

此以卦變卦體釋卦辭.

이것은 괘의 변화와 괘의 몸체로 괘사를 해석한 것이다.

〈問, 往得中, 其道窮. 曰, 往得中, 言解反爲蹇也, 其道窮, 言陰消陽孤也, 道, 卽陽剛之道也.

물었다: '가서 알맞음을 얻음'과 '그 도가 다함'은 무슨 뜻입니까?

답하였다: '가서 알맞음을 얻음'은 해괘(解卦)의 반대가 건괘(蹇卦)가 됨을 말한 것이고, '그 도가 다함'은 음(陰)이 사라져 양(陽)이 외로움을 말한 것이니, 도(道)는 굳센 양의 도입니다.〉

이진상(李震相) 『역학관규(易學管窺)』

往得中.

가서 알맞음을 얻었다.

此一段, 指九五九三兩爻而言, 卦變自小過. 四往居五, 陽進而得中, 本義已明. 程傳曰, 卦本坤, 由五往而成坎, 又曰, 九上居五, 尤所未曉. 坤是純陰, 則五從何往, 九從何來. 若謂乾坤之互變, 則非徒五往, 亦應三來, 而成坎則平易, 成艮則危險, 又何故也. 中溪謂乾剛由四往, 五出坎爲坤. 然後天之位, 乾居西北, 出坎則便成艮, 安得硬回作坤耶.

이 단락은 구오와 구삼 두 효를 가리켜 말한 것인데, 괘의 변화는 소과괘(䷽)에서 왔다. 사효가 가서 오효의 자리에 있음이 양효가 나아가 가운데 자리를 얻음이니, 『본의』에서 이미 밝혔다. 『정전』에서 "괘가 본래 곤괘이고, 오효가 가서 감괘를 이루기 때문이다"라고 한 것과 또 "구(九)가 올라가 오효의 자리에 있다"고 한 것은 더욱 알지 못하겠다. 곤괘(坤卦)는 순음괘이니, 오효는 어디로부터 가고 양효는 어디로부터 온단 말인가? 만약 건괘(乾卦)와 곤괘(坤卦) 서로간의 변화라고 한다면, 오효가 갈 뿐만 아니라 또한 삼효도 와야 하는데, 오효가 가서 감괘를 이루면 평이하고, 삼효가 와서 간괘를 이루면 위험한 것은 또한 무슨 까닭인가? 중계는 "건괘의 굳셈이 사효를 거쳐 올라가고, 오효가 감괘는 벗어나 곤괘가 되었다"고 하였다. 그러나 후천의 자리는 건괘(乾卦)는 서북에 있어서 감괘를 벗어나면 다시 간괘가 되니, 어찌 억지로 돌려 곤괘로 할 수 있겠는가?

최세학(崔世鶴) 「주역단전괘변설(周易彖傳卦變說)」

蹇, 坤之二體變也, 三與五二爻爲主. 故彖以得中道窮言之. 乾三來居於下體之上, 爲後天之艮而止, 道窮之象也, 乾五往居於後天之坤中, 是往得中也.

건괘(蹇卦)는 곤괘(坤卦)의 두 몸체가 변한 것이니, 삼효와 오효 두 효가 주인이 된다. 그러므로 「단전」에서 '알맞음을 얻음'과 '도가 다함'으로 말하였다. 건괘(乾卦)의 삼효가 와서 하괘 몸체의 위에 있으면 후천의 간괘(艮卦)가 되어 그치니 도가 다하는 상이고, 건괘의 오효가 가서 후천의 곤괘 가운데 있는 것이 '가서 알맞음을 얻음'이다.

利見大人, 往有功也, 當位貞吉, 以正邦也,

"대인을 보는 것이 이로움"은 가서 공이 있음이고, 자리에 마땅하여 곧고 길함은 나라를 바르게 함이니,

▌中國大全▐

傳

蹇難之時, 非聖賢, 不能濟天下之蹇, 故利於見大人也. 大人當位, 則成濟蹇之功矣, 往而有功也. 能濟天下之蹇者, 唯大正之道, 夫子又取卦才而言. 蹇之諸爻, 除初外, 餘皆當正位. 故爲貞正而吉也. 初六, 雖以陰居陽, 而處下, 亦陰之正也. 以如此正道, 正其邦, 可以濟於蹇矣.

어려운 때에 성현이 아니라면 천하의 어려움을 구제할 수 없으므로 대인을 보는 것이 이로운 것이다. 대인은 지위가 마땅하면 어려움을 구제하는 공(功)을 이룰 것이니, '가서 공(功)이 있음'이다. 천하의 어려움을 구제할 수 있는 것은 크게 바른 도뿐이니, 공자가 또 괘의 재질을 취하여 말하였다. 건괘(蹇卦)의 여러 효는, 초효를 제외하고는 나머지가 모두 바른 자리에 해당된다. 그러므로 곧고 바르게 되어 길하다. 초육은 비록 음으로 양의 자리에 있지만, 아래에 있으니 또한 음(陰)의 바름이다. 이와 같은 바른 도로 나라를 바르게 한다면 어려움에서 구제할 수 있을 것이다.

小註

童溪王氏曰, 利見大人, 往有功也, 此六二往應九五 而有濟蹇之功也.

동계왕씨가 말하였다: "대인을 보는 것이 이로움은 가서 공(功)이 있음이다"라고 것은 육이가 가서 구오와 호응하여 어려움을 구제하는 공이 있는 것이다.

○ 中溪張氏曰, 二五各當陰陽之位, 故得正而吉, 可以正邦國也.

중계장씨가 말하였다: 이효와 오효는 각각 음과 양의 자리에 마땅하므로 바름을 얻어서 길하니, 나라를 바르게 할 수 있다.

║韓國大全║

권만(權萬) 『역설(易說)』

利見大人, 往有功, 言六二往外, 見九五大人也.

"대인을 보는 것이 이로움은 가서 공이 있음이다"는 육이가 밖으로 나가서 구오의 대인을 보는 것을 말한다.

○ 當位貞吉, 言九五當君位, 以正邦也, 六二處下, 爻得位助五, 而正邦也. 然蹇之九五, 處坎之中, 爲亂世賢君, 六二居艮之中, 爲守正不輕進之賢臣. 昭烈武侯似之歟.

'자리에 마땅하여 곧으며 길함'은 구오가 임금의 자리에 마땅하여 나라를 바르게 하고, 육이가 아래에서 효가 제자리를 얻어 오효를 도와서 나라를 바르게 함을 말한다. 그러나 건괘(蹇卦䷦)의 구오는 감괘(☵)의 가운데 있으니 난세의 어진 임금이 되고, 육이는 간괘(☶)의 가운데 있으니 바름을 지키고 가볍게 나가지 않는 어진 신하가 된다. 소열과 무후가 이와 유사할 듯하다.

유정원(柳正源) 『역해참고(易解參攷)』[20]

正義, 二三四五爻, 皆當位, 所以得正而吉. 居難守正, 正邦之道.

『주역정의』에서 말하였다: 이효・삼효・사효・오효가 모두 자리에 마땅하니, 그래서 바름을 얻어 길한 것이다. 어려움에 있으면서 바름을 지킴이 나라를 바르게 하는 도이다.

서유신(徐有臣) 『역의의언(易義擬言)』

二五相應, 故往有功也, 二三四五, 得其正位而相與, 故以正邦也.

이효와 오효가 서로 호응하므로 가서 공이 있는 것이고, 이효・삼효・사효・오효가 바른 자리를 얻어서 서로 함께 하므로 나라를 바르게 한다.

김기례(金箕澧) 「역요선의강목(易要選義綱目)」

蹇蒙之反. 蒙陰在內而止, 非知利西南, 往得中也. 卦變自小過來, 九四往居五而得中.

---

20) 경학자료집성DB에서는 건괘 단사에 해당하는 것으로 분류했으나, 내용에 따라 이 자리로 옮겼다.

건괘(蹇卦䷦)와 몽괘(蒙卦䷃)는 반대된다. 몽괘는 음이 안에서 그침이니, 서남방이 이로움을 알고 가서 알맞음을 얻는 것이 아니다. 괘의 변화는 소과괘(小過卦䷽)에서 왔으니, 구사가 올라가 오효의 자리에 있으면서 가운데 자리를 얻은 것이다.

○ 朱子曰, 坤茅二畫變爲坎, 而陽居坤體之中, 以剛明之才, 順地道而往. 故曰利西南, 得中指五. 不利東北, 其道窮也, 指三, 爲艮體之主, 止而不進, 則其道窮也. 利見大人, 往有功也, 當位貞吉, 以正邦也, 五往居中而當位, 則有大人濟蹇之象.
주자가 말하였다: 곤괘 띠의 두 번째 획이 변하여 감괘가 되면, 양효가 곤괘의 몸체 가운데 있으면서 굳세고 밝은 재질로 땅의 도(道)에 순응하여 간다. 그러므로 '서남이 이롭다'고 했으니, 알맞음을 얻음은 오효를 가리킨다. "동북이 이롭지 않음은 그 도가 다하기 때문이다"는 삼효를 가리키는데, 간괘 몸체의 주인이 되어서 그치고는 나아가지 않으니, 그 도가 다하는 것이다. "대인을 보는 것이 이로움은 가서 공이 있음이고, 자리에 마땅하여 곧으며 길함은 나라를 바르게 함이다"는 오효가 가서 가운데 자리에 있어서 자리에 마땅하다면 대인이 어려움을 구제하는 상이 있다는 것이다.

○ 利見者, 二應五而陰陽各得位以正, 君臣之當位, 可以正邦國.
'보는 것이 이로움'은 이효가 오효와 호응하면서 음과 양이 각각 자리를 얻어서 바르게 함이니, 임금과 신하의 마땅한 자리는 나라를 바르게 할 수 있다.

심대윤(沈大允)『주역상의점법(周易象義占法)』

蹇利西南, 往得中也, 不利東北, 其道窮也, 利見大人, 往有功也, 當位貞吉, 以正邦也. 得中, 言九五之剛中也. 如水之有誠實果行之才, 而見險能止, 然後爲得中也. 若但畏縮, 而不敢行, 則非所謂知也, 聖人之知, 中庸而已也. 當位, 言九五以剛得位也. 知也者, 所以成其事業也, 故曰正邦也.
'알맞음을 얻음'은 구오의 굳세며 알맞음을 말하니, 물이 성실하고 과감한 재질이 있어 험함을 보고 그칠 수 있은 뒤에야 알맞음을 얻게 되는 것과 같다. 만약 위축되기만 하여 과감하게 가지 못한다면 이른바 지혜가 아니니, 성인의 지혜는 중용일 뿐이다. '자리에 마땅함'은 구오가 굳세면서 자리를 얻음을 말한다. 지혜는 사업을 이루는 것이므로 "나라를 바르게 한다"고 하였다.

이진상(李震相)『역학관규(易學管窺)』

當位貞吉.

자리에 마땅하여 곧으면 길하다.

此卦濟蹇之功, 惟在九五, 而六二次之. 諸爻之不利往者, 安能有正邦之功.
이 괘에서 어려움을 구제하는 공은 구오에 있을 뿐이며, 육이는 다음이 된다. 나머지 효는 감이 이롭지 않으니, 어찌 나라를 바르게 하는 공이 있을 수 있겠는가?

蹇之時用, 大矣哉.

건(蹇)의 때와 쓰임이 크도다!

║中國大全║

傳

處蹇之時, 濟蹇之道, 其用至大, 故云大矣哉, 天下之難, 豈易平也. 非聖賢, 不能, 其用, 可謂大矣. 順時而處, 量險而行, 從平易之道, 由至正之理, 乃蹇之時用也.

어려운 때에 처했어도 어려움을 구제하는 도가 그 쓰임이 매우 크기 때문에 '크다[大矣哉]'고 하였다. 천하의 어려움이 어찌 쉽게 평탄해지겠는가? 성현이 아니라면 할 수 없으니, 그 쓰임이 크다고 할만하다. 때에 순응하여 거처하고 험함을 헤아려 행하며 평이한 도를 좇고 지극히 바른 이치를 따르는 것이 바로 건(蹇)의 때와 쓰임이다.

本義

以卦變卦體釋卦辭, 而贊其時用之大也.

괘의 변화와 괘의 몸체로 괘사(卦辭)를 해석하고, 그 때와 쓰임이 큼을 찬양하였다.

小註

雙湖胡氏曰, 利西南, 往得中, 論卦變也. 蹇本升卦, 坤上巽下. 坤乃西南平易之方, 自升九二上往得坤體之中, 是爲利西南而往得中矣. 升九二旣往五, 則下體成艮. 艮正東北方卦, 所謂不利東北其道窮也. 大人, 九五也. 九二之往爲九五, 可謂有功矣. 九五剛中, 當位貞吉, 可以正邦矣. 當蹇之時, 而成其用之大有如此者. 本義釋卦辭謂蹇自小過來, 而象傳則分明自升來, 或自旣濟來, 則皆有往西南之象耳.

쌍호호씨가 말하였다: "서남이 이로움은 가서 알맞음을 얻음이다"는 괘의 변화를 논한 것이다. 건괘(蹇卦☷☵)는 승괘(升卦☷☴)에 근본하니, 곤괘(☷)가 위이고 손괘(☴)가 아래이다. 곤괘는 서남의 평이한 방위인데, 승괘의 구이가 위로 올라가 곤괘 몸체의 가운데를 얻었으니, 이것이 서남이 이로운 것이며 '가서 가운데를 얻음'이 된다. 승괘의 구이가 오효의 자리로 갔다면, 하체(下體)는 간괘(☶)가 된다. 간괘는 동북방의 괘이니, 이른바 '동북이 이롭지 않음은 그 도가 다하기 때문이며'이다. 대인은 구오인데 구이가 가서 구오가 되었으니, 공이 있다고 할만하고, 구오가 군세고 알맞아 자리에 마땅하여 곧으며 길하니, 나라를 바르게 할 수 있을 것이다. 어려운 때를 당하여 그 쓰임의 큼을 이룸에 이와 같다. 『본의』에서는 괘사를 해석함에 '건(蹇)은 소과괘(小過卦☶☳)에서 왔다'고 하였고, 「단전」으로는 분명히 승괘(升卦☷☴)에서 왔거나, 혹은 기제괘(旣濟卦☵☲)에서 왔으니, 모두 서남방으로 가는 상이 있다.

○ 雲峰胡氏曰, 坎睽蹇, 皆非順境, 夫子以爲雖此時亦有可用者. 故皆極言贊之. 但坎睽釋卦辭後, 復從天地人物極言之, 以贊其大, 蹇則釋卦辭以贊之而已. 蓋上文所謂往得中有功正邦, 卽其用之大者也.

운봉호씨가 말하였다: 감괘(坎卦☵☵)·규괘(睽卦☲☱)·건괘(蹇卦☵☶)가 모두 순조로운 처지는 아니지만, 공자는 이러한 때라도 또한 쓸 수 있는 것이 있다고 여겼다. 그러므로 모두 지극한 말로 찬양하였다. 다만 감괘와 규괘는 괘사를 해석한 뒤에, 다시 천지와 인물을 좇아서 이를 극진히 말하여 그 큼을 찬양하였고, 건괘에서는 괘사를 해석하여 찬양했을 뿐이다. 앞 문장에서 말한 '가서 알맞음을 얻음이다'와 '공(功)이 있음이다'와 '나라를 바르게 함이다'가 곧 그 쓰임이 큰 것이다.

‖韓國大全‖

이현익(李顯益) 「주역설(周易說)」[21]

此卦卦變, 本義以小過言, 而雙湖胡氏以升旣濟言. 以升旣濟言者, 謂二與五初與五變也, 此變, 非朱子卦變之例. 況旣濟則五爻本剛, 何以爲初之變乎.

---

21) 경학자료집성DB에서는 건괘 단사에 해당하는 것으로 분류했으나, 내용에 따라 이 자리로 옮겼다.

이 괘에 대한 괘의 변화를 『본의』에서는 소과괘로 말하였고, 쌍호호씨는 승괘와 기제괘로 말하였다. 승괘와 기제괘로 말함은 이효와 오효, 초효와 오효가 변함을 말하는 것인데, 이러한 변화는 괘의 변화에 대한 주자의 예가 아니다. 하물며 기제괘는 오효가 본래 굳센 양이니, 어찌 초효가 변한 것이 되겠는가?

유정원(柳正源) 『역해참고(易解參攷)』[22]

蹇之時用.

건(蹇)의 때와 쓰임.

案, 他卦皆言時義, 而此言時用, 蓋有功正邦, 用蹇之道也.

내가 살펴보았다: 다른 괘는 모두 때와 뜻을 말하였는데 여기서는 때와 쓰임을 말했으니, 대체로 '공이 있음'과 '나라를 바르게 함'이 건괘(蹇卦)의 도를 씀이다.

小註, 雙湖說, 旣濟 [至] 之象.

소주에서 쌍호호씨 말하였다: 기제괘에서 왔으니 … 상이 있다.

案, 此說未詳. 上言自升來, 二往爲五, 則二變爲陰, 五變爲陽. 雖比本義自小過來之說, 爲隔礙兩爻, 而亦可以明往得中義. 至謂自旣濟來, 則初爻陽變爲陰而已. 以啓蒙卦變圖觀之, 雖自有此例, 而上體本坎, 未見五往得中之象, 且何以謂之往西南之象耶. 恐或旣濟是明夷字之誤歟. 明夷初九往居五, 則成蹇, 然中間三爻太闊遠, 亦未詳.

내가 살펴보았다: 이 설명은 자세하지 않다. 위에서 승괘(升卦䷭)로부터 왔다고 한 것은 이효가 가서 오효가 됨이니, 이효가 음으로 변하고 오효가 양으로 변한 것이다. 『본의』의 소과괘(小過卦䷽)에서 왔다는 설명과 비교하더라도, 두 효를 서로 통하지 못하게 하였지만 또한 "가서 알맞음을 얻었다"는 뜻을 밝힐 수 있다. 기제괘(旣濟卦䷾)에서 왔다고 한 것은 초효인 양효가 변하여 음이 될 뿐이다. 『역학계몽』의 괘변도로 보더라도, 비록 본래 이러한 예는 있지만, 위의 몸체가 본래 감괘여서 오효가 가서 알맞음을 얻는 상이 보이지 않으니, 또한 어찌 이것을 서남으로 가는 상이라고 하겠는가? 아마도 기제(旣濟)는 명이(明夷)를 착각한 것이 아닐까 한다. 명이괘(明夷卦䷣)의 초구가 가서 오효의 자리에 있다면 건괘(蹇卦)는 이루지만, 중간에 삼효가 너무 광활하니, 또한 자세하지 않다.

---

22) 경학자료집성DB에서는 건괘 단사에 해당하는 것으로 분류했으나, 내용에 따라 이 자리로 옮겼다.

김상악(金相岳) 『산천역설(山天易說)』

以卦變卦體釋卦辭而贊之. 往得中者, 九五之往得坤之中也, 其道窮者, 九三處艮之終也. 利見大人, 當位貞吉者, 二五之中正也. 故遇險者, 往有功也, 在險者, 以正邦也, 所以蹇之時用爲大.

괘의 변화와 괘의 몸체로 괘사를 해석하고 찬양하였다. '가서 알맞음을 얻음'은 구오가 가서 곤괘의 가운데 자리를 얻은 것이고, '그 도가 다함'은 구삼이 간괘의 끝에 있는 것이다. '대인을 보는 것이 이로움'과 '자리에 마땅하여 곧으며 길함'은 이효와 오효의 알맞고 바름이다. 그러므로 험함을 만난 자는 가서 공이 있게 되고, 험함에 있는 자는 나라를 바르게 하니, 건괘의 때와 쓰임이 크게 되는 까닭이다.

○ 五之往, 已然之利, 二之往, 將然之功也. 位, 陰陽之位也. 蹇六爻皆正, 初之以陰居下, 亦爲正也. 坎互離體, 故二得坎之往有功, 五得離之正邦也.

오효의 감은 기왕의 이익이고, 이효의 감은 장차 그러할 공이다. 자리는 음양의 자리이다. 건괘의 여섯 효는 모두 바르니, 초효가 음으로 아래에 있는 것도 바름이 된다. 감괘는 호괘인 리괘의 몸체이므로, 이효는 감괘의 '가서 공이 있음'을 얻고, 오효는 리괘의 '나라를 바르게 함'을 얻는다.

서유신(徐有臣) 『역의의언(易義擬言)』

蹇之時, 宜用蹇也.

건(蹇)의 때에는 마땅히 건의 도리를 써야 한다.

박제가(朴齊家) 『주역(周易)』[23]

利西南.

서남이 이롭다.

本義, 自小過而來.

『본의』에서 말하였다: 소과괘에서 왔다.

朱子曰, 是說坤卦分曉, 但不知從何挿入這坤卦來. 此須是變例, 聖人看見得有箇做坤

---

23) 경학자료집성DB에서는 건괘 단사에 해당하는 것으로 분류했으나, 내용에 따라 이 자리로 옮겼다.

底道理. 據卦體, 无坤, 而繫辭言地者, 往往只取坎中爻變, 變則爲坤. 引沈存中論五姓, 自古無之. 後人旣如此呼喚, 卽便有義可推.

주자가 말하였다: 곤괘(坤卦☷)를 말함이 분명하지만, 어떤 근거로 곤괘를 삽입한 것인지는 모르겠다. 이것은 반드시 변형된 사례이니, 성인이 곤괘의 도리가 있다고 보았던 것이다. 괘의 몸체에 의거해도 곤괘(☷)가 없는데, 괘사[繫辭]에서 '땅[地]'을 말한 것은 종종 감괘의 가운데 효가 변한 것을 취하였을 뿐이니, 변한다면 곤괘가 된다. 심존중이 오성(五姓)을 논한 것을 보니 옛날에는 이것이 없었다. 뒷사람이 이미 이와 같이 불렀다면, 곧 유추할만한 의미가 있을 것이다.

案, 雙湖胡氏曰, 蹇本升卦, 坤上巽下. 升九二上往, 得坤體之中, 是爲利西南, 而往得中矣. 九二旣往五, 則下體成艮, 艮正東北方, 卦所謂不利東北. 大人, 九五也, 九二之往爲九五, 可謂有功矣, 九五剛中, 當位貞吉, 可以正邦矣. 本義謂自小過, 而象傳則分明自升來, 或自旣濟來, 則皆有往西南之象. 此說確甚, 此便是揷入坤處不知. 朱子極力推究如上云云, 而猶有未及覺悟者, 何也. 蓋朱子推卦變, 只以一爻互換轉移, 无那隔驀兩爻底, 說見渙.

내가 살펴보았다: 쌍호호씨는 "건괘(☰)는 승괘(䷭)에 근본하니, 곤괘(☷)가 위이고 손괘(☴)가 아래이다. 승괘의 구이가 올라가 곤괘 몸체의 가운데를 얻었으니, 이는 서남이 이롭고 '가서 가운데를 얻음'이 된다. 구이가 이미 오효의 자리로 갔다면 아래의 몸체는 간괘(☶)가 되는데, 간괘는 바로 동북방이니, 괘의 이른바 동북이 이롭지 않다는 것이다. 대인은 구오인데 구이가 가서 구오가 되었으니, '공이 있다'고 할 만하고, 구오가 굳세고 알맞아 자리에 마땅하여 곧으며 길하니 나라를 바르게 할 수 있을 것이다. 『본의』에서는 소과괘(小過卦䷽)에서 왔다고 하였는데, 「단전」으로는 분명히 승괘에서 왔거나, 혹은 기제괘(旣濟卦䷾)에서 왔으니, 모두 서남방으로 가는 상이 있다"고 하였다. 이 설명이 매우 확실하지만, 이것이 바로 곤괘가 삽입된 곳인지는 알지 못하겠다. 주자가 힘써서 추구하여 위와 같이 말하고도, 깨우침에 미치지 못함이 있는 것은 어째서인가? 대체로 주자는 괘의 변화를 유추함에, 단지 하나의 효가 서로 옮겨가서 두 효가 서로 통하지 않음이 없게 하였을 뿐이기 때문이니, 설명이 환괘에 보인다.

박문건(朴文健) 『주역연의(周易衍義)』

此亦以卦變卦體釋卦辭 而贊其用之大也.

이것은 또한 괘의 변화와 괘의 몸체로 괘사를 해석하고 그 쓰임의 큼을 찬양한 것이다. 〈問, 往有功, 以正邦. 曰, 往進則有利邦之功, 貞正則有正邦之吉也, 貞吉, 指九五而

言也.

물었다: '가서 공이 있음'과 '나라를 바르게 함'은 무슨 뜻입니까?

답하였다: 나아가면 나라를 이롭게 하는 공이 있고, 곧으며 바르면 나라를 바르게 하는 길함이 있다는 것이니, '곧으며 길함'은 구오를 가리켜 말한 것입니다.〉

〈○ 問, 何以贊蹇之時用. 曰, 雖當蹇難之時, 有尙賢之道, 正邦之德, 故贊其用之大也.

물었다: 어째서 건의 때와 쓰임을 찬양한 것입니까?

답하였다: 비록 어려운 때를 만났어도, 현인을 숭상하는 도(道)와 나라를 바르게 하는 덕(德)이 있으므로 그 쓰임의 큼을 찬양한 것입니다.〉

심대윤(沈大允)『주역상의점법(周易象義占法)』

睽異而終同, 蹇知而終直, 不常用也. 故贊其時用.

규괘는 다르지만 끝내는 같아지고 건괘는 지혜롭지만 끝내는 곧으니, 항상 쓰이지는 않는다. 그러므로 그 때와 쓰임을 찬양하였다.

오치기(吳致箕)「주역경전증해(周易經傳增解)」

象曰, 蹇, 難也, 險〈坎〉在前也.〈卦體〉 見險而能止,〈艮〉 知矣哉. 蹇利西南, 往得中也, 不利東北, 其道窮也,〈卦反〉 利見大人, 往有功也, 當位〈卦體〉貞吉, 以正邦也, 蹇之時用, 大矣哉.

「단전」에서 말하였다: 건(蹇)은 어려움이니, 험함〈감괘〉이 앞에 있음이다〈괘의 몸체〉. 험함을 보고 그칠 수 있으니〈간괘〉, 지혜롭다. '건(蹇)은 서남이 이로움'은 가서 얻음이 있기 때문이고, '동북이 이롭지 않음'은 그 도가 다하기 때문이며〈반대괘〉, '대인을 보는 것이 이로움'은 가서 공이 있음이고, 자리에 마땅하여〈괘의 몸체〉 곧으며 길함은 나라를 바르게 함이니, 건의 때와 쓰임이 크도다!

此以卦德卦體釋卦名義, 以卦反卦體釋卦辭也. 方蹇難之時, 唯能止爲善, 故諸爻除五與二而其外, 皆以往爲失, 以來爲得也. 以卦反言, 則解卦下體之坎, 往而爲本卦上體, 而剛得其中, 解卦上體之震, 反爲本卦下體之艮, 而剛窮於終也. 終又言處蹇之時, 濟蹇之道, 其用甚大, 欲人之審思也. 餘見象解.

이것은 괘의 덕과 괘의 몸체로 괘의 이름을 해석하고, 반대괘와 괘의 몸체로 괘사를 해석한 것이다. 어려운 때에는 그칠 수 있음이 최선이 되기 때문에 오효와 이효를 제외한 모든 효에서 다 '감[往]'을 과실로 여기고, '옴[來]'을 이득으로 여겼다. 반대괘로 말하면 해괘(䷧)의 하체인 감괘(☵)가 가서 본괘(䷃)의 상체가 되었으니 굳센 것이 그 알맞음을 얻게 되고, 해괘의 상체인 진괘(☳)가 뒤집혀서 본괘의 하체인 간괘(☶)가 되었으니 굳센 것이 끝내 다하게 된다. 끝으로 다시 어려움에 처한 때와 어려움을 구제하는 도가 그 쓰임이 매우 큼을 말하여 사람들에게 깊이 생각하게 하였다. 나머지는 단사의 해석에 보인다.

이진상(李震相)『역학관규(易學管窺)』

象傳下雙湖說.

「단전」 아래에 있는 쌍호호씨의 주장에 대하여.

謂蹇本升卦, 九二上往[24]得坤, 稍似精矣, 而隔蓁[25]兩爻, 終不若自小過之爲得. 至於旣濟, 則上體本坎, 烏在其五往得中乎.

"건괘(蹇卦)는 승괘(升卦䷭)에 근본하니, 구이가 올라가서 곤괘를 얻었다"고 한 것은 조금 정밀하나 두 효가 서로 통하지 못하고, 끝내는 소과괘(小過卦䷽)로부터 왔다는 것의 타당함만 못하다. 기제괘(旣濟卦䷾)라면 상체가 본래 감괘(☵)이니, 어찌 오효가 가서 알맞음을 얻음이 있겠는가?

○ 通桉[26]西南之爲坤, 相傳無異論. 今以蹇卦言之, 必待三五盡變, 而後爲坤. 然占法六爻俱靜, 則占本卦象辭, 而此乃象經也. 元非變爻之所占, 則利西南不利東北, 蹇之本象然也, 非有待於成坤. 且坤居西南, 旣非天定之位, 而卦又純陰, 君子不之貴焉, 則聖人扶陽之意, 何必厚抑二陽, 使就純陰耶. 自蹇入坤, 乃値難身死者之象也.

통상적으로 보면 서남방이 곤괘가 됨은 서로 전해져 이론이 없다. 지금 건괘(蹇卦䷦)로 말하면 반드시 삼효와 오효가 모두 변하기를 기다린 뒤에야 곤괘가 된다. 그러나 점치는 법에 여섯 효가 모두 고요하다면 점은 괘의 단사에 근본 하니, 이것이 바로 단경(象經)이다. 원래 변효를 점친 것이 아니라면, '서남이 이롭고 동북은 이롭지 않음'은 건괘(蹇卦) 본연의 상으로, 곤괘가 이루어지기를 기다려야 하는 것이 아니다. 또한 곤괘가 서남에 있음은 이미 하늘이 정한 자리가 아니고, 괘도 또한 순음이어서 군자가 귀하게 여기지 않으니, 성인이 양을 붙들려고 뜻하면서 어찌 반드시 두 양효를 두텁게 억눌러 순음으로 나아가게 하였겠는가? 건괘로부터 곤괘로 들어감은 바로 어려움을 만나서 몸이 죽는 자의 상이다.

---

24) 往: 경학자료집성DB에는 '仕'로 되어 있으나, 경학자료집성 영인본을 참조하여 '往'으로 바로잡았다.
25) 蓁: 경학자료집성DB에는 '騫'으로 되어 있으나, 경학자료집성 영인본을 참조하여 '蓁'으로 바로잡았다.
26) 桉: 경학자료집성DB에는 '按'으로 되어 있으나, 경학자료집성 영인본을 참조하여 '桉'으로 바로잡았다.

박문호(朴文鎬) 「경설(經說) · 주역(周易)」[27]

知[28]矣大矣兩賛, 始見於此.
'지혜롭다'와 '크다'는 두 찬양은 여기에서 처음으로 나타난다.

이병헌(李炳憲) 『역경금문고통론(易經今文考通論)』

荀曰, 西南坤也. 乾動往居坤五, 故得中也. 東北艮也. 艮在坎下, 見險而止. 故其道窮也.
순상이 말하였다: 서남은 곤괘이다. 건괘가 움직여 가서 곤괘의 오효에 있으므로 적당함을 얻은 것이다. 동북은 간괘이다. 간괘가 감괘의 아래에 있으면서 험함을 보고 멈추므로 그 도가 다하는 것이다.

姚曰, 坎得坤地而流, 故利西南.
요신이 말하였다: 감괘(☵)가 곤괘(☷)인 땅을 얻어 흘러가므로 서남쪽이 이로운 것이다.

虞曰, 大人謂五, 二得位應五, 故利見大人, 五多功, 故往有功也.
우번이 말하였다: 대인은 오효를 말하고, 이효가 자리를 얻어 오효와 호응하므로 대인을 보는 것이 이로운 것이고, 오효에 공이 많으므로 가서 공이 있다.

按, 時以止與往而言. 東北窮乎艮三, 故不利, 蹇之時用, 卽險之時用也.
내가 살펴보았다: 때는 그침과 감으로 말한 것이다. 동북은 감괘의 삼효에서 다하므로 이롭지 않고, '건의 때와 쓰임'은 험함의 때와 쓰임이다.

---

27) 경학자료집성DB에서는 건괘 단사에 해당하는 것으로 분류했으나, 내용에 따라 이 자리로 옮겼다.
28) 知: 경학자료집성DB와 영인본에는 모두 '至'로 되어 있으나, 경문에 따라 '知'로 바로잡았다.

象曰, 山上有水, 蹇, 君子以, 反身脩德.

「상전」에서 말하였다: 산 위에 물이 있는 것이 건(蹇)이니, 군자가 그것을 본받아 자신에게 돌이켜 덕을 닦는다.

┃中國大全┃

傳

山之峻阻, 上復有水, 坎水, 爲險陷之象, 上下險阻. 故爲蹇也. 君子, 觀蹇難之象, 而以反身脩德, 君子之遇艱阻, 必反求諸己而益自脩. 孟子曰行有不得者, 皆反求諸己. 故遇艱蹇, 必自省於身, 有失而致之乎, 是反身也. 有所未善則改之, 无歉於心則加勉, 乃自脩其德也, 君子, 脩德以俟時而已.

산이 높게 막혀있고 위에 다시 물이 있는데, 감괘(坎卦☵)인 물은 험함에 빠지는 상이 되니, 위아래가 험하게 막혀 있는 것이다. 그러므로 건괘(蹇卦䷦)가 되었다. 군자는 어려운 상을 보고도 자신에게 돌이켜 덕을 닦으니, 군자가 험한 어려움을 만난다면 반드시 자신에게 돌이켜 구하여 더욱 스스로 닦을 것이다. 맹자는 "행하고도 얻지 못함이 있으면 모두 자기에게 돌이켜 구해야 한다"[29]고 하였다. 그러므로 어려움을 만난다면 반드시 스스로 자신에게서 살펴보아야 하니, '과실이 있어 이리 되었는가?'하는 것이 자신에게 돌이킴이다. 잘하지 못한 것이 있으면 고치고, 마음에 흡족함이 없으면 더욱 힘쓰는 것이 바로 스스로 덕을 닦음이니, 군자는 덕을 닦아서 때를 기다릴 뿐이다.

小註

或問, 蹇與困相似, 君子致命遂志, 與君子反身脩德, 亦一般. 朱子曰, 不然. 澤无水困, 是盡乾燥. 處困之極, 事无可爲者, 故只得致命遂志. 若山上有水蹇, 則猶可進步, 如山上之泉, 曲折多艱阻, 然猶可行. 故敎以反身脩德, 豈可與困爲比. 只觀澤无水困與山上有水蹇兩句, 便全然不同.

---

29) 『孟子·離婁』: 行有不得者, 皆反求諸己, 其身正而天下歸之.

어떤 이가 물었다: 건괘(蹇卦☵☶)는 곤괘(困卦☱☵)와 서로 비슷하니, '군자가 목숨을 바쳐 뜻을 이룸'[30]은 '군자가 자신에게 돌이켜 덕을 닦음'과 또한 일반인 듯합니다.

주자가 답하였다: 그렇지 않습니다. 못에 물이 없는 것이 곤괘(困卦)니, 이것은 물이 다 말라버린 것입니다. 지극한 곤궁함에 처하여 할 수 있는 일이 없으므로 다만 목숨을 바쳐 뜻을 이룰 수 있을 뿐입니다. 산 위에 물이 있는 것인 건괘(蹇卦)라면 여전히 나아갈 수 있으니, 산 위의 샘이 굽이굽이 어려움이 많지만 여전히 갈 수 있는 것과 같습니다. 그러므로 자신에게 돌이켜 덕을 닦는 것으로 가르쳤으니, 어찌 곤괘(困卦)와 비교할 수 있겠습니까? 단지 못에 물이 없다는 곤괘와 산 위에 물이 있다는 건괘의 두 구절만 보더라도 전혀 같지 않습니다.

○ 雙湖胡氏曰, 反身, 卽思不出其位之義, 艮象也. 脩德, 卽常德行之義, 坎象也. 坎在艮下爲蒙, 而稱君子以果行育德, 坎在艮上爲蹇, 而稱君子以反身脩德, 蓋反身如山不動, 而脩德如水滋潤乎山之象也.

쌍호호씨가 말하였다: '자신에게 돌이킴'은 곧 생각이 그 지위를 벗어나지 않는다는 뜻이니, 간괘(艮卦☶)의 상이다. '덕을 닦음'은 곧 덕과 행실을 한결같이 한다는 뜻이니, 감괘(坎卦☵)의 상이다. 감괘가 간괘의 아래에 있어 몽괘(蒙卦☵☶)가 되면 "군자가 그것을 본받아 과감히 행하며 덕을 기른다"[31]고 일컫고, 감괘가 간괘의 위에 있어 건괘(蹇卦☵☶)가 되면 "군자가 그것을 본받아서 자신에게 돌이켜 덕을 닦는다"고 일컬으니, 대체로 '자신에게 돌이킴'은 산이 움직이지 않음과 같고, '덕을 닦음'은 물이 산을 윤택하게 함과 같은 상이다.

○ 中溪張氏曰, 山上有水者, 澗谷之泉, 土石礙而止之, 不能流行, 其象爲蹇. 孟子曰, 行有不得者, 皆反求諸己, 此君子所以反身脩德也. 反身, 取艮之背, 脩德, 取坎之心.

중계장씨가 말하였다: 산 위에 물이 있는 것은 산골짜기의 샘을 흙과 돌이 가로막아 멈추게 하여 흘러 갈 수 없는 것이니, 그 상이 건(蹇)이 된다. 맹자가 "행하고도 얻지 못함이 있으면 모두 자기에게 돌이켜 구해야 한다"[32]고 하였으니, 이는 군자가 자신에게 돌이켜 덕을 닦는 까닭이다. '자신에게 돌이킴'은 간괘(艮卦)의 등[背]에서 취하였고 '덕을 닦음'은 감괘(坎卦)의 마음[心]에서 취하였다.

○ 雲峰胡氏曰, 水之蹇也, 止而不流, 君子之蹇也, 反而自脩.

---

30) 『周易·困卦』: 象曰, 澤无水困, 君子以, 致命遂志.
31) 『周易·蒙卦』: 象曰, 山下出泉, 蒙, 君子以, 果行育德.
32) 『맹자·이루』.

운봉호씨가 말하였다: 물은 어려우면 멈추어 흐르지 않고, 군자는 어려우면 돌이켜서 스스로 닦는다.

○ 白雲郭氏曰, 夫蹇利得朋, 而象言反身脩德者, 蓋君子愛人不親, 反其仁, 治人不治, 反其智, 禮人不答, 反其敬, 反而求之, 則皆不出於吾身, 其身正而天下歸之. 故得朋之道, 莫要於反身脩德也.

백운곽씨가 말하였다: 건(蹇)은 벗을 얻음이 이로운데, 「상전」에서 "자신에게 돌이켜 덕을 닦는다"고 한 것은 대체로 '군자가 사람을 사랑해도 친해지지 않거든 자신의 인(仁)을 돌이켜 보며, 사람을 다스려도 다스려지지 않거든 자신의 지혜를 돌이켜 보며, 남에게 예로 대해도 답례하지 않거든 자신의 공경을 돌이켜 보아야 하니, 돌이켜서 구하면 모두가 내 몸에서 벗어나지 않아서 그 몸이 바르게 되면 천하가 돌아온다'[33]는 것이다. 그러므로 벗을 얻는 도는 자신에게 돌이켜 덕을 닦는 것보다 요긴한 것이 없다.

韓國大全

권근(權近) 『주역천견록(周易淺見錄)』

水自山土之下涌出, 而在山上, 又反流, 而注漑於下, 以漸潤山土, 而草木長茂, 去益深蔚也. 然水性潤下, 涌出而上, 其進不易, 又其注下, 山多險阻而難通, 有蹇之象. 君子觀此, 當其蹇難之際, 無不反求諸身, 以謹其言行之出於己者, 以修其身之德也. 蓋言行之出于其身, 如水之出於山, 反身而致謹於言行, 以修其德, 亦如水之反流, 而滋益於山也. 君子言行, 常無所不謹, 而當蹇難之時, 益致其謹也.

물은 산과 흙의 아래에서 솟아나지만, 산의 위에 있다가 다시 반대로 흘러 아래에 물을 대주어 점차 산과 흙을 윤택하게 하니, 초목이 무성하게 자라고 갈수록 더욱 성대해진다. 그러나 물의 성질은 아래를 적시고는 솟아나와 올라가니 그 진행이 쉽지 않고, 또한 아래를 적심에 산에는 험하게 막힘이 많아서 통행하기 어려우니 어려움이 있는 상이다. 군자가 이것을 보고는 어려울 때를 당해서는 자신에게 돌이켜 구하여 자기가 행하는 언행을 삼가지 않음이

없으니, 자신의 덕을 닦는 것이다. 대체로 언행이 자신에게서 나옴은 물이 산에서 나옴과 같고, 자신에게 돌이켜 언행을 삼가서 그 덕을 닦음은 또한 물이 반대로 흘러서 산에 유익함을 더함과 같다. 군자의 언행은 항상 삼가지 않을 수 없지만, 어려운 때에 닥쳐서는 더욱 그 삼감을 다해야 한다.

송시열(宋時烈) 『역설(易說)』

大象反身修德, 以見險能止³⁴⁾言也. 反身艮象, 修德坎象, 亦可分看.³⁵⁾

「대상전」의 '자신에게 돌이켜 덕을 닦음'은 '험함을 보고 그칠 수 있음'으로 말한 것이다. '자신에게 돌이킴'은 간괘의 상이고, '몸을 닦음'은 감괘의 상이니, 또한 나누어 볼 수 있다.

김도(金濤) 「주역천설(周易淺說)」

愚按, 程傳下所釋, 朱子惟一條, 胡氏以下凡四條, 而皆得於大象之旨矣. 蓋君子自修之道, 固非其一, 而所以益自致力者, 險難之時也. 困於心橫於慮而後作, 徵於色發於聲而後喩, 則其爲遇艱阻而自修者, 何如哉. 蹇之爲卦, 山上有泉, 而曲折多艱, 則固非順地, 而乃逆境也. 遇逆境者, 豈可順以自治也. 必自反而求諸己, 然後身不失義, 而德益光顯, 其所以體驗於身心者, 可謂至矣. 大槪爲卦, 艮土在下, 坎水在上, 而水能滋潤, 土能受潤, 則此君子德充而潤身之象也. 苟能修德, 而以至於光明正大之域, 則終必有濟難之慶, 豈不善哉. 太公之東海, 終遇文王之獵, 傳說之板築, 竟遭高宗之夢, 學者, 不可以遇蹇難之時, 而自止其修德之功也.

내가 살펴보았다: 『정전』 아래의 해석은 주자는 오직 한 조목이고 호씨 등이 모두 네 조목인데, 모두 「대상전」의 뜻에 맞는다. 대체로 군자가 스스로를 닦는 도는 참으로 하나가 아니지만, 더욱 스스로 힘쓰기를 다하는 것은 험난한 때이기 때문이다. '마음에 막히고 생각에 걸린 뒤에 분발하며, 안색에 비춰지고 음성에 나타난 뒤에 깨닫는 것'³⁶⁾이니, 험한 어려움을 만나서 스스로 닦는 것이 어떠하겠는가? 건괘는 산 위에 물이 있어 굽이굽이 어려움이 많음이니, 참으로 순탄한 처지가 아니고 바로 거슬리는 경우이다. 역경을 만난 자가 어찌 순조롭게 스스로를 다스릴 수 있겠는가? 반드시 스스로 돌이켜서 자기에게 찾은 뒤에야 몸이 의리를 잃지 않고 덕이 더욱 빛날 것이니, 그 몸과 마음에 체험한 것이 지극하다고 할 만하다. 대체로 괘의 성격이 간괘인 흙이 아래에 있고 감괘인 물이 위에 있어서, 물이 윤택하게 할

---

34) 止: 경학자료집성DB와 영인본에는 모두 '正'으로 되어 있으나, 문맥을 살펴 '止'로 바로잡았다.

35) 위의 문장 전체는 경학자료집성DB에 누락되어 있으나, 경학자료집성 영인본을 대조하여 보충하였다.

36) 『孟子·告子』: 人恒過然後, 能改, 困於心, 衡於慮然後, 作, 徵於色, 發於聲而後, 喩.

수 있고 흙이 윤택하게 함을 받아들일 수 있으니, 이는 군자가 덕이 가득 차서 몸이 윤택해 지는 상이다. 참으로 덕을 닦아서 밝고 환하며 바르고 큼에 이를 수 있다면 끝내는 반드시 어려움을 구제하는 경사가 있을 것이니, 어찌 좋지 아니한가? 태공이 동해에서 끝내는 문왕 의 사냥함을 만나고, 부열이 담을 쌓다가 끝내는 고종의 꿈을 만났으니, 학자가 어려운 때를 만났다고 스스로 덕을 닦는 공부를 그쳐서는 안 될 것이다.

이만부(李萬敷) 「역통(易統)・역대상편람(易大象便覽)・잡서변(雜書辨)」

脩德.

덕을 닦음.

蹇之象曰, 山上有水, 蹇, 君子以, 反身修德.

건괘의 「대상전」에서 말하였다: 산 위에 물이 있는 것이 건이니, 군자가 그것을 본받아 자신 에게 돌이켜 덕을 닦는다.

傳曰, 山之峻阻, 上復有水, 坎水, 爲險陷之象, 上下險阻. 故爲蹇也. 君子觀蹇難之象, 而以反身修德, 君子之遇艱阻, 必反求諸己而益自修.

『정전』에서 말하였다: 산이 높게 막혀있고 위에 다시 물이 있는데, 감괘(坎卦☵)인 물은 험함에 빠지는 상이 되니, 위아래가 험하게 막혀 있는 것이다. 그러므로 건괘(蹇卦☶☵)가 되었다. 군자는 어려운 상을 보고도 자신에게 돌이켜 덕을 닦으니, 군자가 험한 어려움을 만난다면 반드시 자신에게 돌이켜 구하여 더욱 스스로 닦을 것이다.

臣謹按, 蹇難之於人非一, 而其在國家, 則或天灾洊臻, 人情憂懼, 或凶歉連仍, 民生困 瘁, 或盜賊間發, 徵討不息, 或綱紀廢弛, 百務乖亂, 凡此之類, 莫不爲蹇難於國者. 然 則目今時世, 豈亦非聖明反身修德之時乎. 朱子曰, 澤無水困, 是盡乾燥, 事無可爲者. 若山上有水蹇, 則猶可進步, 如山上之泉, 曲折多艱阻, 然猶可行. 故教以反身脩德. 蓋 滕以至小之國, 間於齊楚, 朝夕被兵, 不可復振. 故孟子教以守正而受命, 困卦之象, 所 謂致命遂志者, 是也. 若殷之高宗, 周之宣王, 當國步中衰之日, 克致中興之業者, 只以 其反身而脩德也, 朱子之訓, 豈不信然. 今我殿下反身修德, 若如高宗宣王, 則高宣之 業, 不難致矣, 伏願聖上, 念哉念哉.

신이 삼가 살펴보았습니다: 사람에게 어려운 것은 하나가 아니지만, 국가에 있어서는 혹은 하늘의 재앙이 이르러 사람들이 두려워하고, 혹은 흉년이 잇달아 이어져 생활이 궁핍하고, 혹은 도적이 간간이 발생하여 모집해 정벌함이 그치지 않고, 혹은 기강이 폐지되어 온갖 일이 문란한 것이니, 모든 이와 같은 부류는 국가를 어렵게 하지 않는 것이 없습니다. 그렇다면 눈앞의 시세가 어찌 또한 임금의 밝음으로 자신에게 돌이켜서 덕을 닦을 때가 아니겠습니까? 주자는 "못에 물이 없음은 물이 모두 마름이니, 할 수 있는 일이 없다. 산 위에 물이 있는 건괘(蹇卦)라면 여전히 나아갈 수 있으니, 산 위의 샘이 굽이굽이 어려움이 많지만 여전히 나갈 수 있는 것과 같다. 그러므로 자신에게 돌이켜 덕을 닦는 것으로 가르쳤다"고 했습니다. 대체로 등(滕)은 아주 작은 나라로 초나라와 제나라의 사이에서 조석으로 침공당해 다시 일어설 수 없었습니다. 그러므로 맹자께서 '바름을 지켜 천명을 받드는 것'으로 가르쳤으니, 곤괘의 「대상전」에서 말한 '목숨을 바쳐 뜻을 이룬다'[37]는 것이 이것입니다. 은(殷)나라의 고종과 주(周)나라의 선왕이 나라의 운세가 쇠퇴하는 때에 부흥시키는 일을 해낼 수 있었던 것은 단지 자신에게 돌이켜 덕을 닦았기 때문이니, 주자의 가르침을 어찌 믿지 못하겠습니까? 지금 우리 전하께서 자신에게 돌이켜 덕을 닦기를 고종이나 선왕과 같이 하신다면, 그들의 사업을 어렵지 않게 이룰 것이니, 엎드려 원하건대 임금께서는 생각하고 생각하시기 바랍니다.

○ 又按, 自此以下, 臣敢以愚意上下移易. 各以類從, 而略有序次, 臣無任僭[38]越之至.
다시 살펴보았습니다: 여기서 부터는 제가 감히 저의 생각대로 올리고 내리며 옮기고 바꾸었습니다. 각각 부류를 따르고 대략 순서를 두었으나, 제가 임의로 마음대로 한 것은 없습니다.

심조(沈潮) 「역상차론(易象箚論)」

象, 山上有水, 蹇.
「대상전」에서 말하였다: 산 위에 물이 있는 것이 건(蹇)이다.

震之反而爲艮, 故曰蹇.
진괘(☳)가 뒤집히면 간괘(☶)가 되므로 '건(蹇)'이라 하였다.

김상악(金相岳) 『산천역설(山天易說)』

反身, 象艮之背, 修德, 象坎之心.
'자신에게 돌이킴'은 간괘의 등을 상징하고, '덕을 닦음'은 감괘의 마음을 상징한다.

---

37) 『周易 · 困卦』: 象曰, 澤无水困, 君子以, 致命遂志.
38) 僭: 경학자료집성DB에는 '潛'으로 되어 있으나, 경학자료집성 영인본을 참조하여 '僭'으로 바로잡았다.

○ 蒙之果行者, 泉之上出, 蹇之反身者, 山之厚下也. 果行育德, 則水動流, 而山不能阻, 反身修德, 則山靜止, 而水不能難也.

몽괘의 '과감하게 행함'은 샘이 솟아남이고, 건괘의 '자신에게 돌이킴'은 산이 아래를 두터이 함이다. 과감하게 행하여 덕을 기르면 물이 활기차게 흘러서 산이 막을 수 없고, 자신에게 돌이켜 덕을 닦으면 산이 고요하게 멈추어서 물이 어려울 수 없다.

유정원(柳正源) 『역해참고(易解參攷)』[39]

陸氏〈績〉曰, 水在山上, 失流通之性. 故曰蹇. 通水流下, 今在山上, 不得下流, 蹇之象. 水本應在山下, 今在山上, 終應反下. 故曰反身.

육적이 말하였다: 물이 산 위에 있음은 거침없이 흐르는 특성을 상실한 것이다. 그러므로 '건(蹇)'이라 하였다. 보통 물은 아래로 흐르는데, 지금은 산 위에 있어서 흐르지 않을 수 없으니, 건괘(蹇卦)의 상이다. 물은 본래 산 아래에 있어야 하는데 지금은 산 위에 있으니, 끝내는 아래로 돌아가야만 한다. 그러므로 '자신에게 돌이킴'을 말하였다.

○ 厚齋馮氏曰, 艮爲躬在內. 故有反身之象. 坎水象德, 蒙之育德, 亦坎也.

후재풍씨가 말하였다: 간괘는 몸이 되니 안에 있다. 그러므로 자신에게 돌이키는 상이 있다. 감괘의 물[水]이 덕(德)을 상징하니, 몽매한 자가 덕을 기름도 또한 감괘이다.

○ 案, 山上有水, 固多艱阻. 然自上就下, 水之性也, 沛然孰能禦之. 君子之處蹇也, 反身以求之, 脩德以俟之, 則於濟蹇乎何有.

내가 살펴보았다: 산 위에 물이 있으니 참으로 험한 어려움이 많다. 그러나 위로부터 아래로 감은 물을 성질이니, 세참을 누가 막을 수 있겠는가? 군자가 어려움에 처하여 자신에게 돌이켜서 구하고, 덕을 닦아서 기다리니, 어려움을 구제함에 무슨 문제가 있겠는가?

서유신(徐有臣) 『역의의언(易義擬言)』

山上有澤, 山上有水, 主於山之辭也. 山上有[40]水, 則山之高止, 於是而不加進矣, 是爲蹇也. 君子遇蹇, 反身而自省而已, 修德而待時而已, 山之體止而不遷, 有反求象, 水之性流而不息, 有自脩象.

'산 위에 못이 있다'와 '산 위에 물이 있다'는 산을 위주로 한 말이다. 산 위에서 물이 있다면

---

39) 경학자료집성DB에서는 건괘 단사에 해당하는 것으로 분류했으나, 내용에 따라 이 자리로 옮겼다.
40) 有: 경학자료집성DB와 영인본에는 모두 '遇'로 되어 있으나, 문맥을 살펴 '有'로 바로잡았다.

산이 높게 막아서 이에 나아갈 수 없음이니, 이것이 건(蹇)이 된다. 군자는 어려움을 만나면, 자신에게 돌이켜서 스스로 반성하고, 덕을 닦아서 때를 기다릴 뿐이다. 멈춰서 옮기지 못하는 산의 몸체에는 돌이켜 구하는 상이 있고, 쉬지 않고 흐르는 물의 성질에는 스스로를 닦는 상이 있다.

박제가(朴齊家) 『주역(周易)』

傳曰, 上下險阻, 故爲蹇也. 君子之遇艱阻, 必反求諸己, 程先生之說, 平易極好. 雙湖胡氏曰, 反身如山不動, 修德如水滋潤, 鑿之甚矣. 中溪張氏曰, 山上有水者, 澗谷之泉, 土石礙而止之, 不能流行云, 則全失經義. 此之卦象, 雖若曰滄海在泰山之上, 亦不過爲極險而止, 亦豈必眞以滄海踰泰山而流, 然後謂之山上之水耶. 澗谷之水, 何蹇而不可往之有, 將謂一丘一壑者, 皆蹇耶. 夫象有直象有意象, 直象之中, 又有因卦盡之後爲象者, 有原盡卦之前爲象者. 意象之中, 又有因象意說者, 有以自意立象者, 有全體者, 有半邊取去者, 巧妙不可以方物. 此蹇之爲義, 但可平說, 時當險阻, 求在我者而已. 如是看足矣, 本義不重釋, 以程傳無餘蘊故也. 釋經之道, 當如是矣. 如蒙之象曰, 山下出泉, 此說蒙之處, 故引小泉初出. 若曰水上有山, 則必曰海島, 六鰲所戴, 然後爲水上之山耶.

『정전』에서 "위아래가 험하게 막혀 있으므로 건괘가 된다. 군자가 험한 어려움을 만난다면 반드시 자기에게 돌이켜 구한다"고 하였는데, 정선생의 설명이 평이하면서도 아주 좋다. 쌍호호씨가 "자신에게 돌이킴은 산이 움직이지 않음과 같고, 덕을 닦음은 물이 윤택하게 함과 같다"고 한 것은 심하게 천착한 것이다. 중계장씨가 "산 위에 물이 있다는 것은 산골짜기의 샘을 흙과 돌이 가로막아 멈추게 하여 흘러 갈 수 없는 것이다"라고 운운 한 것은 경전의 뜻을 아주 상실하였다. 여기의 괘상은 비록 '창해가 태산의 위에 있다'고 하더라도, 결국은 '아주 험하여 그쳐있다'고 한 것에 불과하니, 또한 어찌 반드시 참으로 창해가 태산을 넘어 흐른다고 하겠으며, 그런 뒤에야 산 위의 물이라고 하겠는가? 산골짜기의 물은 왜 막혀서 갈 수 없으며, 장차 하나하나의 언덕과 골짜기라 한 것도 모두 건(蹇)이란 말인가? 대체로 상에는 직접적인 상[直象]이 있고 생각해낸 상[意象]이 있다. 직접적인 상에는 다시 괘가 끝난 뒤를 의거하여 상을 삼은 것도 있고, 괘가 다하기 이전을 추원하여 상을 삼은 것도 있다. 생각해낸 상에는 다시 상의 의미에 의거하여 말한 것이 있고, 자의로 상을 세운 것이 있고, 전체적인 것도 있고, 반쪽을 취하거나 버린 것도 있으니, 교묘하여 사물에 비길 수 없다. 이 건괘의 의미는 단지 평범하게 말할 수 있을 뿐이니, 때가 어려운 때라면 자기에게서 구해야 한다는 것이다. 이와 같이 보면 충분하기에 『본의』에서도 거듭 해석하지 않았으니, 『정전』에 미진함이 없기 때문이다. 경전을 해석하는 방법은 마땅히 이와 같아야 하니,

몽괘의 「대상전」의 "산 아래에 샘이 나옴이다"[41]와 같은 것은 몽괘의 처지를 설명한 것이므로 작은 샘이 처음 나옴을 인용한 것이다. 만약 '물 위에 산이 있다'고 한다면, 반드시 '바다의 섬'이라고 해야 하니, 여섯 거북이 싣고 있다고 한 뒤에야 물 위의 산이 된다는 것이겠는가?

윤행임(尹行恁) 『신호수필(薪湖隨筆)·역(易)』

蹇者, 險阻艱難之時也, 人而蹇則躓, 世而蹇則亂. 六爻皆無凶咎, 至於上六, 往蹇來碩者, 何也. 蔽一言曰, 反身修德也. 號泣旻天, 大舜之蹇也, 負罪引慝, 瞽瞍底豫, 則蹇而通也. 衣著蘆花, 閔子之蹇也, 一寒二單, 後母止慈, 則蹇而喜也. 否之傾也, 屯之濟也, 蹇之止也, 睽之和也, 革之順也, 坎之亨也, 困之變也, 莫不有反身修德之義, 君子其黙察而猛省哉.

건은 험하게 막혀서 어려운 시기이니, 사람은 어려우면 넘어지고, 세상은 어려우면 어지럽다. 여섯 효에는 모두 흉함이나 허물이 없는데, 상육에 이르러 '가면 어렵고 오면 크다'고 한 것은 어째서인가? 한 마디로 말하면, 자신에게 돌이켜서 덕을 닦기 때문이다. 하늘에 울부짖음은 순임금의 어려움인데, 과실을 짊어지고 사특함을 인도하여 고수(瞽瞍)가 기쁨에 이르렀으니, 어렵다가 통함이다. 옷에 갈대꽃을 드리움은 민자건의 어려움인데, 한 명은 추워도 둘은 한 벌의 옷을 입는다하여 뒤에 계모가 자애롭게 됐으니,[42] 어렵다가 기뻐함이다. 비괘(否卦)의 기울음, 준괘(屯卦)의 구제함, 건괘(蹇卦)의 그침, 규괘(睽卦)의 화합함, 혁괘(革卦)의 유순함, 감괘(坎卦)의 형통함, 곤괘(困卦)의 변화함에는 자신에게 돌이켜 덕을 닦는 의미가 있지 않음이 없으니, 군자는 묵묵히 살펴서 크게 반성해야 할 것이다.

박문건(朴文健) 『주역연의(周易衍義)』

反身脩德, 處蹇之道.

자신에게 돌이켜 덕을 닦음은 어려움에 대처하는 도이다.

〈問, 山上有水蹇. 曰, 山上有水, 則迷其所歸之路也. 故有蹇難之象, 是以君子不屑坎坷之行, 而隱匿深藏, 反身自脩而已. 反身之反, 與反其仁反其故之反, 同也.

---

41) 『周易·蒙卦』: 象曰, 山下出泉, 蒙, 君子以, 果行育德.

42) 민자건의 계모는 자신의 두 친아들에게는 솜옷을 입히고, 민자건에게는 갈대를 넣은 옷을 입혔다고 한다. 아버지가 이를 발견하고 계모를 내쫓으려 하자, 민자건은 어머니가 계시면 한명은 추워도 두 사람은 따뜻하지만, 어머니가 없으면 셋 다 춥다고 아버지를 설득하였다고 한다. 계모가 그 말을 듣고 감화(感化)되어 이후로는 세 아들을 꼭 같이 대했다고 한다.

물었다: '산 위에 물이 있는 것이 건(蹇)이다'는 무슨 뜻입니까?
답하였다: 산 위에 물이 있음은 그 돌아갈 길에 미혹한 것입니다. 그러므로 어려움의 상이 있으니, 이 때문에 군자는 힘들게 나아감을 달갑게 여기지 않고, 숨기고 깊이 저장하여 자신에게 돌이켜 스스로 닦을 뿐입니다. '자신에게 돌이킨다'의 '돌이킴[反]'은 '그 인을 돌이켜 본다'나 "그 연고를 돌이켜 본다"의 '돌이켜 봄'과 같습니다.〉

이지연(李止淵)『주역차의(周易箚疑)』

水者, 行而不停之物也. 水之在於山也, 先潤其山之土, 然後次次流行, 如德之充積於中, 然後英華發外, 漸漸施去.
물은 흐르고 멈추지 않는 사물이다. 물이 산에 있으면, 먼저 그 산의 흙을 적신 뒤에 점차 흘러가니, 마치 덕이 마음에 가득 찬 뒤에 아름다운 모습이 밖으로 피어나 점차 퍼져 가는 것과 같다.

김기례(金箕澧)「역요선의강목(易要選義綱目)」

君子以, 反身修德.
군자가 그것을 본받아 자기 몸에 돌이켜 덕을 닦는다.

水蹇, 則止而不流.
물은 험함에 막히면 멈추고 흐르지 않는다.

○ 君子蹇, 則反而自修.
군자는 험함에 막히면 돌이켜서 스스로 닦는다.

박종영(朴宗永)「경지몽해(經旨蒙解)·주역(周易)」

蹇卦象之象曰, 山上有水, 蹇, 君子以, 反身脩德.
건괘 단사의 상전에서 말하였다: 산 위에 물이 있는 것이 건(蹇)이니, 군자가 그것을 본받아 자신에게 돌이켜 덕을 닦는다.

程傳曰, 君子遇艱阻, 必反求諸己而益自脩. 孟子曰, 行有不得者, 皆反求諸己, 有所未善則改之, 无極於心則加勉, 乃自脩其德也.
『정전』에서 말하였다: 군자는 험한 어려움을 만나면, 반드시 자신에게 돌이켜 구하여 더욱 스스로 닦는다. 맹자가 "행하고도 얻지 못함이 있으면 모두 자기에게 돌이켜 구해야 한다"[43]
고 하였으니, 잘하지 못한 것이 있으면 고치고, 마음에 흡족함이 없으면 더욱 힘쓰는 것이
바로 스스로 그 덕을 닦음이다.

심대윤(沈大允) 『주역상의점법(周易象義占法)』

水之不流, 增其源泉則行矣. 君子行有所不得, 反身修德, 德進則行矣. 愛人不親, 反其
仁, 治人不治, 反其知, 禮人不答, 反其敬, 不責於人, 而求諸己, 不勉於末, 而務其本,
知之大者也. 艮爲反, 坎艮爲身爲修德.

물이 흐르지 않을 때는 그 원천을 불린다면 나갈 것이다. 군자가 행하고도 얻지 못함이 있으
면 자신에게 돌이켜 덕을 닦아야 하니, 덕이 진작되면 행할 수 있을 것이다. 사람을 사랑해
도 친해지지 않거든 자신의 인(仁)을 돌이켜 보며, 사람을 다스려도 다스려지지 않거든 자
신의 지혜를 돌이켜 보며, 남에게 예로 대해도 답례하지 않거든 자신의 공경을 돌이켜 보아
야 하니, 사람을 책망하지 말고 자기에게 구하며 말단에 힘쓰지 말고 근본에 힘쓰는 것이
지혜의 큰 것이다. 간괘는 '돌이킴[反]'이 되고, 감괘와 간괘는 '몸[身]'이 되고 '덕을 닦음[修
德]'이 된다.

오치기(吳致箕) 「주역경전증해(周易經傳增解)」

艮山旣阻于下, 而坎水又險於上, 爲蹇之象, 而君子以之, 遇蹇難之時, 不怨天不尤人,
乃反求諸己, 益脩其德, 以俟時而已也. 反身取象乎艮, 脩德取象乎坎也.

간괘인 산이 이미 아래를 막고 있고, 감괘인 물이 다시 위에서 험난한 것이 건괘(蹇卦)의
상이 되는데, 군자가 이것을 본받아서 어려운 때를 만나도 하늘을 원망하지 않고 사람을
탓하지 않으니, 바로 자기에게 돌이켜 구하여 더욱 덕을 닦아서 때를 기다릴 뿐이다. '자신
에게 돌이킴'은 간괘에서 상을 취하였고, '덕을 닦음'은 감괘에서 상을 취하였다.

이진상(李震相) 『역학관규(易學管窺)』

反身艮象, 修德坎象.

'자신에게 돌이킴'은 간괘의 상이고, '덕을 닦음'은 감괘의 상이다.

---

43) 『孟子·離婁』: 行有不得者, 皆反求諸己, 其身正而天下歸之.

박문호(朴文鎬) 「경설(經說)·주역(周易)」[44]

象傳言前後之象, 大象則言上下之象, 合此兩象, 其義始備.

「단전」에서는 앞과 뒤의 상을 말하였고, 「대상전」에서는 위와 아래의 상을 말하였으니, 여기의 두 상을 합쳐야 그 뜻이 비로소 갖춰질 것이다.

이병헌(李炳憲) 『역경금문고통론(易經今文考通論)』

陸曰, 水在山上, 失流通之性. 故蹇. 終應反下, 故曰反身.

육적이 말하였다: 물이 산 위에 있음은 거침없이 흐르는 특성을 상실한 것이다. 그러므로 건(蹇)이다. 끝내는 아래로 돌아가야만 한다. 그러므로 "자신에게 돌이킨다"고 하였다.

---

44) 경학자료집성DB에서는 건괘 「단전」에 해당하는 것으로 분류했으나, 내용에 따라 이 자리로 옮겼다.

初六, 往蹇, 來譽.

초육은 가면 어렵고 오면 명예롭다.

║中國大全║

傳

六, 居蹇之初, 往進則益入於蹇, 往蹇也. 當蹇之時, 以陰柔无援而進, 其蹇可知. 來者, 對往之辭, 上進則爲往, 不進則爲來. 止而不進, 則有見幾知時之美, 來則有譽也.

음효[六]가 건괘(蹇卦)의 처음에 있어서 나아가면 더욱 어려움으로 들어가니, 가면 어려운 것이다. 어려움을 당면한 때에 부드러운 음이 도움이 없이 나아가니 그 어려움을 알 수가 있다. '옴[來]'은 '감[往]'과 반대되는 말로, 위로 나아감은 '감'이 되고 나아가지 않음은 '옴'이 된다. 그치고 나아가지 않으면 기미를 보고 때를 아는 아름다움이 있으니, 오면 명예가 있는 것이다.

本義

往, 遇險, 來, 得譽.

가면 험함을 만나고, 오면 명예를 얻는다.

小註

或問, 往蹇來譽. 朱子曰, 來往二字, 唯程傳言上進則爲往, 不進則爲來, 說得極好. 今人或謂六四往蹇來連, 是來就三, 九三往蹇來反, 是來就二, 上六往蹇來碩, 是來就五, 亦說得通. 但初六來譽, 則位居最下, 无可來之地, 其說不得通矣. 故不若程傳好, 只是不往爲佳耳. 不往者, 守而不進, 故不進則爲來.

어떤 이가 물었다: '가면 어렵고 오면 명예롭다'는 무슨 뜻입니까?

주자가 답하였다: '감'과 '옴' 두 글자를 오직 『정전』에서만 "위로 나아감은 '감'이 되고 나가지 않음은 '옴'이 된다"고 했는데, 말한 것이 매우 좋습니다. 지금 어떤 이는 "육사의 '가면 어렵고 오면 연합한다'는 와서 삼효 자리에 나아가는 것이고, 구삼의 '가면 어렵고 오면 돌아온다'는 와서 이효 자리에 나아가는 것이고, 상육의 '가면 어렵고 오면 크다'는 와서 오효 자리에 나아가는 것이다'라고 하였는데, 또한 말이 통합니다. 다만 초육의 '오면 명예롭다'는 자리가 맨 아래에 있어서 온다고 할 만한 곳이 없으니, 그 설명이 통할 수 없습니다. 그러므로 『정전』만큼 좋지는 못하고, 다만 가지 않음이 아름답게 됩니다. 가지 않음은 지키고 나아가지 않음이므로 나가지 않음이 '옴'이 됩니다.

○ 沙隨程氏曰, 六非濟蹇之才, 初非濟蹇之位, 往則犯難, 來則獲見險能止之譽.

사수정씨가 말하였다: 음효[六]는 어려움을 구제하는 재질이 아니고, 초효는 어려움을 구제하는 자리가 아니니, 가면 어려움을 거스르고, 오면 험함을 보고 그칠 수 있는 명예를 얻게 된다.

○ 雲峰胡氏曰, 六爻, 除二五外, 皆貴於見險而止, 故曰往而進則蹇, 來而止則不蹇. 譽反連碩四字不同, 各有攸當. 初位卑分微, 未能有譽, 故聖人特許其來則譽也.

운봉호씨가 말하였다: 여섯 효는, 이효와 오효를 제외하고는 모두 험함을 보고서 멈춤을 귀하게 여긴다. 그러므로 '나아가면 어렵고 와서 멈추면 어렵지 않다'고 하였다. 명예[譽]·돌아옴[反]·연합함[連]·큼[碩]이라는 네 글자는 같지 않아서 각각 마땅한 바가 있다. 초효는 자리가 낮고 신분이 미미하여 명예로움이 있을 수 없다. 그러므로 성인이 특별히 '오면 명예롭다'고 허락한 것이다.

○ 隆山李氏曰, 古人生居亂世, 无官守言責者, 類皆高蹈隱淪 以待天下之淸, 卒之身名俱高, 傳播萬世, 夫是之謂往蹇來譽, 與夫履富貴而蹈危機, 以致名位俱仆, 爲後代之指笑者, 有間哉.

융산이씨가 말하였다: 옛사람이 난세에 살면서 벼슬함이 없이 말의 책임을 지키는 자는 그 무리가 모두 초연히 은둔하고서 천하의 맑음을 기다렸다. 죽어서도 몸과 명예가 모두 높아져 만세에 전해졌으니, 이것을 일러 '가면 어렵고 오면 명예롭다'고 한다. 저 부귀를 밟고 위기에 따라서 명예와 지위가 함께 뒤집어져 후대의 웃음거리가 되는 자와는 차이에 있다.

‖韓國大全‖

조호익(曺好益) 『역상설(易象說)』

往則入險, 故蹇, 來者, 不往之謂. 艮體篤實輝光, 致譽之本.

가면 험함에 들어가므로 어렵고, 옴은 가지 않음을 말한다. 간괘의 몸체는 독실하게 빛나니, 명예를 이루는 근본이다.

송시열(宋時烈) 『역설(易說)』

往者進, 進則險. 故蹇, 蹇者凶也. 來者退則止, 故蹇者吉也.

'감'은 나아감이니, 나아가면 험하다. 그러므로 어렵다 했으니, 어려움은 흉함이다. '옴'은 물러남이니 곧 그침이다. 그러므로 어려움이 길해진다.

유정원(柳正源) 『역해참고(易解參攷)』

王氏曰, 處難之始, 居止之初, 獨見前識, 覩險而止, 以待其時. 宜待也.

왕필이 말하였다: 어려움의 시작에 처하고 그침의 처음에 머물면서 홀로 보고 앞서 알아 어려움을 보고 그쳐서 그 때를 기다림이니, 마땅히 기다려야 한다.

正義, 旣往則遇險, 宜止以待時也.

『주역정의』에서 말하였다: 이미 갔다면 어려움을 만남이니, 마땅히 그쳐서 때를 기다려야 한다.

김상악(金相岳) 『산천역설(山天易說)』

蹇者, 足不能行進之難也. 故以往來爲象. 居艮之初, 應坎下之六. 故往則遇險而益蹇, 來則知止而有譽也. 程子曰, 不進則爲來.

'어려움[蹇]'은 발이 나아갈 수 없는 어려움이다. 그러므로 감과 옴으로 상을 삼았다. 간괘(☶)의 처음에 있으면서 감괘(☵) 아래의 음효와 호응한다. 그러므로 가면 험함을 만나 더욱 어렵고, 오면 그칠 줄을 알아 명예로움이 있다. 정자는 "나가지 않음은 '옴'이 된다"고 하였다.

○ 大象曰, 反身修德, 故初三四上, 皆取來, 反之義也. 又艮之德, 時止則止, 時行則行,動靜不失其時, 而初之居下, 得時止之義, 故曰往蹇來譽, 艮之初曰, 艮其趾无咎, 是也. 初變爲旣濟, 旣濟曰, 曳其輪, 濡其尾, 故本爻之象如此. 譽者, 離口之文明也, 凡言譽者, 多在離體之卦. 豊六五應離之二曰, 有慶譽, 旅之五居離之中曰, 終以譽命, 蠱之五蹇之初, 中互離體, 故蹇曰來譽, 蠱曰用譽, 坤六四大過九五, 全體无離, 故皆曰无譽.

「대상전」에 "자신에게 돌이켜 덕을 닦는다"고 하였으므로 초효·삼효·사효·상효에서 모두 '옴[來]'을 취하였으니, '돌이킴[反]'의 의미이다. 또한 간괘(☶)의 덕은 그쳐야 할 때는 그치고 행해야 할 때는 행하여 움직임과 고요함이 그 때를 잃지 않는데, 초효가 아래에 있으면서 그쳐야 할 때의 뜻을 얻었으므로 "가면 어렵고 오면 명예롭다"고 하였으니, 간괘(艮卦☶)의 초효에서 "그 발꿈치에 그침이어서 허물이 없다"[45]고 한 것이 이것이다. 초효가 변하면 기제괘가 되는데, 기제괘에서 "수레바퀴를 뒤로 끌며 꼬리를 적신다"[46]고 하였으므로 본효의 상이 이와 같다. '명예[譽]'는 리괘(☲)인 입이 밝게 빛남이니, 명예를 말한 모든 것에는 리괘의 몸체가 있는 괘가 많다. 풍괘(豊卦䷶)의 육오는 리괘의 이효와 호응하니 "경사와 명예가 있다"[47]고 하였고, 려괘(旅卦䷷)의 오효는 리괘의 가운데 있으니 "끝내 명예와 복록으로써 한다"[48]고 하였으며, 고괘(蠱卦䷑)의 오효와 건괘(䷦)의 초효는 가운데 호괘가 리괘의 몸체이므로 건괘에서는 '오면 명예롭다'고 하고, 고괘에서는 '명예롭게 된다'[49]고 하였으며, 곤괘(坤卦)의 육사와 대과괘(大過卦䷛)의 구오는 전체의 몸체에 리괘가 없으므로 모두 '명예가 없다'[50]고 하였다.

서유신(徐有臣) 『역의의언(易義擬言)』

往者屈也, 來者伸也. 曰往曰來, 猶云運去時至也. 初六運往, 故蹇而止矣, 時來則有聲譽也. 曷以爲時來, 九五之大人來也. 曷以爲譽名, 著於外而聞於五也.

'감[往]'은 굽힘이고, '옴[來]'은 폄이다. '간다'고 하고 '온다'고 한 것은 옮겨 가야 할 때가 이르렀다고 말함과 같다. 초육은 옮겨 가므로 어렵고 그치는 것이니, 올 때라면 명성과 명예가 있다. 어떻게 올 때가 되는가? 구오의 대인이 오기 때문이다. 어떻게 이름이 명예롭게 되는가? 밖으로 드러나 오효에게 알려지기 때문이다.

---

45) 『周易·艮卦』: 初六, 艮其趾. 无咎, 利永貞.
46) 『周易·旣濟卦』: 初九, 曳其輪, 濡其尾, 无咎.
47) 『周易·豊卦』: 六五, 來章, 有慶譽, 吉.
48) 『周易·旅卦』: 六五, 射雉一矢亡. 終以譽命.
49) 『周易·蠱卦』: 六五, 幹父之蠱, 用譽.
50) 『周易·坤卦』: 六四, 括囊, 无咎, 无譽. / 『周易·大過卦』: 九五, 枯楊, 生華, 老婦, 得其士夫, 无咎无譽.

박문건(朴文健) 『주역연의(周易衍義)』

退不犯上, 故有來譽之象, 譽令譽也.

물러나 위를 침범하지 않으므로 '오면 명예롭다'는 상이 있으니, 명예는 아름답게 기림이다.

〈問, 往蹇來譽. 曰, 進往其上, 則有蹇難之道, 退來其位, 則有令譽之應也, 蓋不犯上
而得譽者也. 進往則應必有疑, 故四爻俱取往蹇之義也.

물었다: "가면 어렵고 오면 명예롭다"는 무슨 뜻입니까?

답하였다: 위로 나아간다면 어려운 길이 있고, 물러나 제 자리로 내려오면 명예로운 호응이
있다는 것이니, 대체로 위를 침범하지 않아서 명예를 얻은 것입니다. 나아가면 호응하는
것이 반드시 의심하므로 사효에서도 똑같이 "가면 어렵다"는 뜻을 취하였습니다.〉

이지연(李止淵) 『주역차의(周易箚疑)』

往則人皆曰愚哉, 不知其蹇者也. 來則人皆曰知哉, 能知其蹇者也.

가면 사람들이 모두 "어리석다"고 하니, 그것이 어려운 줄 알지 못하는 사람이기 때문이다.
오면 사람들이 모두 "지혜롭다"고 하니, 그것이 어려운 줄 알 수 있는 사람이기 때문이다.

김기례(金箕澧) 「역요선의강목(易要選義綱目)」

初非濟蹇之位, 陰非濟難之才. 无位无才, 往則犯難. 來者, 往之對, 不往則是來也. 見
險而以待, 蹇極而變, 則孰不爲譽.

초효는 어려움을 구제하는 자리도 아니고, 음효는 어려움을 구제하는 재질도 아니다. 자리
도 없고 재질도 없으니, 나아가면 어려움에 부딪친다. '옴[來]'은 '감[往]'의 반대이니, 가지
않음이 '옴'인 것이다. 험함을 보고서 기다리고 어려움이 다하여 변한다면, 누가 명예롭다고
하지 않겠는가?

심대윤(沈大允) 『주역상의점법(周易象義占法)』

蹇, 山上之水, 不能沛然直行, 而東洄西折, 屈曲艱澁, 如躄之左傾右側, 而僅乃得行. 故
名卦以蹇也. 水之流行, 而必有合, 愈行而愈合, 不合于此, 則合于彼. 人之知謀, 而必有
從, 愈知而愈從, 不以我從人, 則以人從我. 蹇之爻位, 居剛, 人從我也, 居柔, 我從人也.

건은 산위의 물이 거침없이 곧바로 갈 수 없고 이리저리 돌고 꺾임이니, 굴곡지고 어려움이
마치 앉은뱅이가 좌우로 기울어서 겨우 갈 수 있음과 같다. 그러므로 괘명을 '건(蹇)'으로
하였다. 물이 흘러감에는 반드시 합침이 있는데, 갈수록 더욱더 합쳐지며 여기에서 합쳐지

지 않으면 저기에서 합쳐진다. 사람의 지혜로운 생각에도 반드시 따름이 있는데, 지혜로울 수록 더욱더 따라오고, 내가 남들을 따르지 않으면 사람들이 나를 따라온다. 건괘(蹇卦)의 효의 자리는 굳센 자리에 있으면 사람들이 나를 따르고, 부드러운 자리에 있으면 내가 사람들을 따른다.

蹇之旣濟☲☵, 水之旣盡盈科而後進也, 人之旣盡修德而求合也. 初六居剛, 以人從我者也, 而才柔居初, 无應而獨遠於陽, 姑安而待之也. 君子之知, 待價而後沽, 待求而後與, 得價與求者, 以有譽也. 故曰譽, 艮爲言, 离爲著顯, 曰譽. 往蹇, 言行而有難也, 來, 言薄於險阻而囬來也, 往來者, 象水之東洄西折也, 知之曲達旁通也.

건괘가 기제괘(☲☵)가 바뀌었으니, 물이 이미 웅덩이를 모두 채운 뒤에 나아가는 것이고, 사람이 이미 덕을 모두 닦은 뒤에 합쳐지기를 구하는 것이다. 초육은 굳센 자리에 있으니 사람들이 나를 따르는 것이고, 부드러운 재질로 처음에 있고 호응이 없이 홀로 양에서 멀리 있으니 잠시 편안하게 기다리는 것이다. 군자의 지혜는 가치가 정해진 뒤에 팔고, 구함을 기다린 뒤에 함께 하니, 가치와 구함을 얻은 것은 명예가 있기 때문이다. 그러므로 '명예'라고 하였으니, 간괘가 말[言]이 되고 리괘가 드러남이 되기에 '명예'라고 한 것이다. '가면 어렵다'는 행함에 어려움이 있음을 말하고, '옴'은 험하게 막힌 것에서 엷아져 돌아옴을 말하니, '감과 옴[往來]'은 물이 이리저리 돌고 꺾이고 지혜가 이리저리 이르고 통함을 형상한다.

离巽爲往, 离震爲來. 初六无位, 變以有位乃進, 故取變卦. 剛爻進于二則爲巽, 九三進于四則爲巽, 內卦之對, 皆有震. 六四之變卦爲巽, 上卦之對艮爲震, 上六之變卦爲巽, 巽之對爲震. 往爲愚, 淺近可見. 故只取本變之卦, 而初三位卑可進也, 四上位高不可進也. 來爲知, 深遠不可見. 故取本變二卦之對也. 知運於內. 故只取所居之卦, 而不變全卦也.

리괘와 손괘는 '감'이 되고, 리괘와 진괘는 '옴'이 된다. 초육은 지위가 없고, 변해서 지위가 있어야 이내 나아가므로 변화된 괘(☲☵)를 취하였다. 굳센 효가 이효의 자리에 나아가면 손괘(☴)가 되고, 구삼이 사효의 자리에 나아가면 손괘가 되니, 내괘의 음양을 반대로 하면 모두 진괘가 있다. 육사가 변한 괘는 호괘가 손괘가 되고, 상괘의 음양을 반대로 한 간괘(☶)가 진괘(☳)가 되며, 상육이 변한 괘는 손괘가 되고 손괘가 음양을 반대로 하면 진괘가 된다. '감'은 어리석음이 되니 얕아서 알 수 있다. 그러므로 단지 본괘와 변한 괘를 취하였으니, 초효와 삼효는 지위가 낮아서 나아갈 수 있고, 사효와 상효는 지위가 높아서 나아갈 수 없다. '옴'은 지혜가 되니 심원하여 알 수 없다. 그러므로 본괘와 변괘(變卦), 두 괘의 음양을 반대로 한 것을 취하였다. '지혜'는 안에서 움직인다. 그러므로 단지 자리하고 있는 괘에서 취하였고 온전한 괘를 변화시키지는 않았다.

오치기(吳致箕) 「주역경전증해(周易經傳增解)」

初六, 陰柔在下, 而上无應援, 當蹇之時, 无位而才弱, 不能濟難者也. 故戒言往進則冒
險而蹇難, 來止則待時而得譽也.

초육은 부드러운 음이 아래에 있으면서 위로 호응하여 도와주는 이가 없고, 어려운 때에
직면하여 지위가 없고 재질이 유약하니, 어려움을 구제할 수 없는 자이다. 그러므로 경계하
여 '나아가면 험함을 무릅써서 어렵게 되고, 돌아와 그치면 때를 기다려서 명예를 얻는다'고
하였다.

○ 往, 謂往于外而險在外, 故戒其往也, 來, 謂來于內而止在內, 故勉其來. 卽見險能
止之義, 而他爻同也. 稱善之謂譽, 而取於對兌. 已見蠱五.

'감'은 밖으로 가서 위험이 밖에 있음을 말하므로 그 감을 경계하였고, '옴'은 안으로 와서
그침이 안에 있으므로 그 옴을 권면하였다. 곧 험함을 보고 그칠 수 있다는 뜻이니 다른
효도 같다. 선하다고 일컬음을 명예라 하는데, 음양이 반대되는 태괘(☱)에서 취하였으니,
이미 고괘(蠱卦) 오효에 나온다.

이진상(李震相) 『역학관규(易學管窺)』

無應於上, 故往蹇, 自守則好, 故來譽. 蓋艮體貴止, 坎險難進. 象體靜, 故往則得中,
爻體動, 故往則必蹇. 譽變離象.

위로 호응이 없으므로 가면 어렵고, 스스로 지키면 좋으므로 오면 명예롭다. 대체로 간괘의
몸체는 그침을 귀하게 여기고, 감괘는 험함이니 나아가기 어렵다. 괘의 몸체는 고요하므로
가면 알맞음을 얻고, 효의 몸체는 움직이므로 가면 반드시 어렵다. '명예[譽]'는 변괘인 리괘
(☲)의 상이다.

박문호(朴文鎬) 「경설(經說)·주역(周易)」

初六, 本義, 以往遇險三字, 釋往蹇, 而冠之至後三爻, 不復釋之.

초육의 『본의』에서 '가면 험함을 만난다'로 '가면 어렵다'를 해석하였는데, 뒤의 세 효에까지
에 적용하여 다시 해석하지 않았다.

蹇往而善來, 言以往爲蹇, 以來爲善也.

감이 어렵고 옴이 좋음은, 감을 어렵다고 여기고 옴을 좋다고 여김을 말한다.

象曰, 往蹇來譽, 宜待也.

「상전」에서 말하였다: "가면 어렵고 오면 명예로움"은 마땅히 기다려야 한다는 것이다.

▌中國大全▌

傳

方蹇之初, 進則益蹇, 時之未可進也, 故宜見幾而止, 以待時可行, 而後行也. 諸爻, 皆蹇往而善來, 然則无出蹇之義乎. 曰, 在蹇而往則蹇也, 蹇終則變矣, 故上己有碩義.

어려움의 처음에는 나아가면 더욱 어려워지니, 아직 나아갈 수 없는 때이다. 그러므로 마땅히 기미를 보고 그쳐서 행할 수 있는 때를 기다린 뒤에 행해야 한다. 여러 효가 모두 가면 어렵고 오면 좋다고 하니, 그렇다면 어려움을 벗어나려는 뜻이 없는 것인가? 말하자면, 어려움에 있기에 가면 어렵지만, 어려움이 끝나면 변할 것이다. 그러므로 상효에 이미 크다는 뜻이 있다.

小註

潘氏曰, 往則入險, 不如有所待也.

반씨가 말하였다: 가면 험함에 들어가니, 기다리고 있는 것만 못하다.

▌韓國大全▌

송시열(宋時烈) 『역설(易說)』

小象宜待者 言勿往而待時可也.

「소상전」의 '마땅히 기다려야 함[宜待]'은 가지 말고 때를 기다리는 것이 좋다고 말한 것이다.

이익(李瀷) 『역경질서(易經疾書)』

初六居最下, 不與五爲應, 須有六四近君之臣牽連, 而進之方可. 故曰宜待也, 謂宜待四之牽連也. 夫肰後不負名譽, 而有輔于九五之大蹇, 不肰有媒進妄動之失, 不足以有譽矣.

초육은 가장 아래에 있으면서 오효와 호응하지 않으니, 반드시 임금을 가까이 하는 신하인 육사의 이끌어 연결함이 있어야만 나아감이 비로소 가능하다. 그러므로 '마땅히 기다려야 한다'고 하였으니, 마땅히 사효의 이끌어 연결함을 기다려야 한다고 한 것이다. 그런 뒤에야 명예에 구애되지 않고 구오의 큰 어려움을 보좌할 수 있으니, 그렇지 않고서 올라가기 위하여 함부로 움직이는 과실이 있다면 명예는 있을 수 없을 것이다.

김상악(金相岳) 『산천역설(山天易說)』

見險而止, 待時而行, 與需同義.

험함을 보고 그치고 때를 기다려 행하니, 수괘(需卦䷄)와 뜻이 같다.

서유신(徐有臣) 『역의의언(易義擬言)』

宜待者, 待其來也. 然則諸爻所謂來, 皆待來也.

"마땅히 기다려야 한다"는 '옴[來]'을 기다림이다. 그렇다면 모두 효에서 말한 '옴'은 모두 옴을 기다리는 것이다.

박문건(朴文健) 『주역연의(周易衍義)』

宜其有待者, 勉其退而得譽也.

'마땅히 기다림이 있어야 한다'는 물러나서 명예를 얻는 데 힘을 씀이다.

오치기(吳致箕) 「주역경전증해(周易經傳增解)」

宜待其可行之時而往也.

마땅히 그 행할 만한 때를 기다려 감이다.

이병헌(李炳憲) 『역경금문고통론(易經今文考通論)』

初六, 退無可退. 故以來爲止, 止所以待也. 待則爲解, 二來爲譽.

초육은 물러나려 해도 물러설 수 없다. 그러므로 '옴'을 그침으로 삼았으니, 그침은 기다리는 것이다. 기다리면 풀리게 되니, 이효가 와서 명예롭게 된다.

六二, 王臣蹇蹇, 匪躬之故.

육이는 왕의 신하가 어렵고 어려움이 자신 때문이 아니다.

中國大全

傳

二以中正之德, 居艮體, 止於中正者也, 與五相應, 是中正之人, 爲中正之君所信任. 故謂之王臣. 雖上下同德, 而五方在大蹇之中, 致力於蹇難之時, 其艱蹇, 至甚. 故爲蹇於蹇也, 二雖中正, 以陰柔之才, 豈易勝其任. 所以蹇於蹇也. 志在濟君於蹇難之中, 其蹇蹇者, 非爲身之故也. 雖使不勝, 志義可嘉, 故稱其忠蓋, 不爲己也. 然其才不足以濟蹇也, 小可濟, 則聖人當盛稱以爲勸矣.

이효는 중정(中正)한 덕으로 간괘(艮卦䷳)의 몸체에 거처하여 중정함에 그친 것이고 오효와 서로 호응하니, 중정한 사람이 중정한 임금에게 신임을 받게 된 것이다. 그러므로 '왕의 신하[王臣]'이라 하였다. 비록 위와 아래가 덕이 같지만, 오효가 마침 크게 어려운 가운데 있어서 어려운 때에 힘을 다하니, 그 어려움이 지극히 심하다. 그러므로 어려움 때문에 어렵게 된 것이니, 이효가 비록 중정하지만 부드러운 음(陰)의 재질로 어찌 쉽게 그 소임을 감당할 수 있겠는가? 그래서 어려움 때문에 어렵게 되는 것이다. 뜻이 어려운 가운데 임금을 구제함에 있으니, 그 어려움으로 어렵게 된 것은 자신 때문이 아니다. 비록 감당하지는 못하더라도 뜻과 의리가 아름답다고 할 수 있으므로 그 충심으로 나아감이 자기 때문이 아니라고 일컬었다. 그러나 그 재질이 어려움을 구제하기에는 부족하니, 조금이라도 구제할 수 있었다면 성인이 마땅히 매우 칭찬하여 권장하였을 것이다.

本義

柔順中正, 正應在上, 而在險中, 故蹇而又蹇, 以求濟之, 非以其身之故也. 不言吉凶者, 占者, 但當鞠躬盡力而已, 至於成敗利鈍, 則非所論也.

유순(柔順)하고 중정(中正)하지만, 위에 있는 정응(正應)이 험한 가운데 있으므로 어렵고 또 어려워서 구제하는 것이니, 자신 때문이 아닌 것이다. 길흉을 말하지 않은 것은, 점치는 자가 다만 몸을 굽혀 힘을 다해야 할 뿐이지, 성공과 실패나 영리함과 어리석음에 대해서는 논할 바가 아니기 때문이다.

小註

容齋洪氏曰, 外卦一坎, 諸爻所同, 而自六二推之, 上承九三六四, 又互坎體, 是一卦之中, 已有二坎. 言蹇蹇者, 猶言坎坎也.

용재홍씨가 말하였다: 외괘(外卦)가 하나의 감괘(坎卦☵)임은 여러 효에게 같은 것이지만, 육이로부터 보면 위로 구삼과 육사가 이어져 다시 호괘가 감괘의 몸체이니, 한 괘의 안에 이미 두 개의 감괘(坎卦)가 있는 것이다. '건건(蹇蹇)'이라고 말한 것은 감감(坎坎)이라고 말한 것과 같다.

○ 節齋蔡氏曰, 王臣, 爲五之臣也, 蹇蹇, 入難之深也, 匪躬之故, 爲王之事也.

절재채씨가 말하였다: '왕의 신하'는 오효의 신하이기 때문이고, '건건(蹇蹇)'은 어려움에 깊이 들어가기 때문이며, '자신 때문이 아니다'는 왕의 일이기 때문이다.

○ 誠齋楊氏曰, 諸爻, 聖人皆不許其往, 唯六二九五, 无不許其往之辭者, 二爲王者之大臣, 五履大君之正位, 復不往以濟, 而誰當任乎.

성재양씨가 말하였다: 여러 효에서 성인이 모두 '감[往]'을 허락하지 않았는데, 육이와 구오에만 '감'을 허락하지 않는 말이 없는 것은 이효가 임금의 대신이 되고 오효가 대군(大君)의 바른 지위를 가지고 있어서니, 다시 가서 구제하지 않는다면 누가 그 소임을 맡겠는가?

○ 雲峰胡氏曰, 坎互坎, 蹇蹇象. 匪躬, 艮其背, 不獲其身之象. 凡二皆王臣, 而蹇獨稱之者, 平時未足以見臣節, 蹇之時方見之. 五位蹇中, 王之蹇也, 主憂臣辱, 亦二之蹇也. 他爻戒其往蹇, 二應五, 故稱其蹇蹇, 事君能致其身者也. 復六四中行獨復, 不言吉, 本義引董子明道不計功正誼不謀利之說, 以爲理所當然, 吉凶非所論. 此不言吉, 則引孔明之言曰鞠躬盡力, 死而後已, 成敗利鈍則非所論, 烏庠必如此, 而後義利之界限明矣. 天下事, 固當論是非, 不當論成敗也.

운봉호씨가 말하였다: 감괘(坎卦☵)에 호괘가 감괘이니 어렵고 어려움[蹇蹇]의 상이다. '자신이 아니대[匪躬]'는 등에 그쳐서 그 몸을 얻지 못하는 상이다.[51] 이효는 모두 왕의 신하인데, 건괘(蹇卦)에서만 유독 말한 것은 평시엔 신하의 충절을 볼 수 없다가 어려운 때에 비로

---

51) 『周易·艮卦』: 艮其背, 不獲其身, 行其庭, 不見其人, 无咎.

소 볼 수 있기 때문이다. 오효가 어려운 가운데 있으니 왕의 어려움이지만, 임금이 근심하면 신하가 욕되기에 또한 이효의 어려움도 된다. 다른 효에서는 가면 어렵다고 경계하였는데, 이효는 오효와 호응하기 때문에 어렵고 어렵다고 일컬었으니, 임금을 섬김에 자신을 바칠 수 있는 자이다. 복괘(復卦䷗) 육사의 "중도로써 행하되 홀로 회복한다"에서 길함을 말하지 않자, 『본의』에서 동중서의 '도를 밝힘에는 그 공을 계산하지 않고, 마땅함을 바르게 함에는 이익을 꾀하지 않는다'는 설명을 인용하였으니, 이치가 마땅히 그러한 것이고 길흉은 논할 바가 아니라고 여긴 것이다. 여기서 길함을 말하지 않자, 곧 제갈공명이 말한 "몸을 굽히고 힘을 다하여 죽은 뒤에야 그만두니, 성공과 실패나 영리함과 어리석음은 논할 바가 아니다"를 인용하였으니, 아! 반드시 이와 같은 뒤에 의리(義理)와 이익(利益)의 경계가 분명해질 것이다. 천하의 일은 참으로 옳고 그름을 논하는 것은 온당하지만, 성공과 실패를 논하는 것은 온당치 않다.

‖韓國大全‖

김장생(金長生) 『주역(周易)』

下蹇, 人君之蹇也, 上蹇, 人臣之致力於蹇也.

뒤의 어려움은 임금의 어려움이고, 앞의 어려움은 신하가 어려운 가운데 힘을 다하는 것이다.

傳, 忠蓋.

『정전』의 충심으로 나아감.

詩曰, 蓋臣,[52] 呂氏曰, 忠愛之篤, 進之無已.

『시경』에서 '충성된 신하'라고 하자, 여씨는 "충심이 돈독하여 나아감에 자기가 없다"고 하였다.

송시열(宋時烈) 『역설(易說)』

五爲王, 二爲臣, 連有二坎之象. 故疊蹇字曰, 蹇蹇也. 匪躬者, 不有其身也. 艮之象, 止而不動, 艮云不獲其身, 蓋取此意.

---

52) 『詩經·大雅』: 王之蓋臣, 無念爾祖.

오효가 임금이 되고 이효가 신하가 되는데, 두 감괘(☵)의 상이 이어져 있다. 그러므로 '건(蹇)'자를 겹쳐서 '어렵고 어렵다[蹇蹇]'고 하였다. '자신 때문이 아니다'는 그 자신을 위하지 않기 때문이다. 간괘(☶)의 상은 그쳐서 움직이지 않음인데, 간괘(艮卦䷳)에서 "그 몸을 얻지 못한다"고 하였으니, 대체로 이 의미를 취한 것이다.

이익(李瀷) 『역경질서(易經疾書)』

六二與九五, 爲中正相應, 蹇蹇不避. 故不必言往來, 而其義自明.

육이와 구오는 중정하면서 서로 호응하니, 어렵고 어려움을 피하지 못한다. 그러므로 굳이 '감'과 '옴'을 말하지 않더라도, 그 뜻이 절로 분명하다.

유정원(柳正源) 『역해참고(易解參攷)』

正義, 王謂五也, 臣謂二也. 九五居於王位, 尙在難中, 六二是五之臣, 往應於五. 履正居中, 志匡王室, 能涉蹇難, 而往濟蹇. 故曰王臣蹇蹇也.

『주역정의』에서 말하였다: 임금은 오효를 말하고, 신하는 이효를 말한다. 구오가 임금의 자리에 있지만 여전히 어려운 가운데 있고, 육이는 오효의 신하로 가서 오효와 호응한다. 바름을 밟고 알맞은 자리에 있으면서 왕실을 돕는 것에 뜻을 두고 어려움을 넘길 수 있기에 가서 어려움을 구제한다. 그러므로 "왕의 신하가 어렵고 어렵다"고 하였다.

○ 龜山楊氏曰, 二臣位, 當濟天下之蹇, 五君位, 當濟天下之蹇. 故不言往來.

구산양씨가 말하였다: 이효는 신하의 자리이니 마땅히 천하의 어려움을 구제해야 하며, 오효는 임금의 자리이니 마땅히 천하의 어려움을 구제해야 한다. 그러므로 오고 감을 말하지 않았다.

○ 雙湖胡氏曰, 躬艮象. 六二當重坎之初, 有蹇蹇象.

쌍호호씨가 말하였다: 몸은 간괘의 상이다. 육이는 거듭되는 감괘(☵)의 처음에 해당되니 어렵고 어려운 상이 있다.

○ 案, 匪躬之故, 猶言不有其身也, 盡忠所事, 安敢有其身乎. 二之陰柔, 固不能濟蹇, 然時當危險, 忘身殉國, 武矦之鞠躬盡瘁, 張巡之男兒死耳者, 此也.

내가 살펴보았다: '자신 때문이 아니다'는 그 자신을 위하지 않는다고 말함과 같으니, 충성을 다하여 섬김에 어찌 감히 자신을 위할 수 있겠는가? 이효는 부드러운 음으로 참으로 어려움

을 구제할 수는 없지만, 위험한 때를 직면하여 자신을 잊고 나라에 목숨을 바침이니, 무후가
몸을 굽혀 심력을 다함과 장순이 남자답게 죽은 것이 이것이다.

김상악(金相岳) 『산천역설(山天易說)』

五王二臣, 五在坎中, 二又互坎而居艮. 故其象如此. 主憂臣辱, 蹇而又蹇, 非爲躬之故
也. 然比三之反, 終必有濟也.

오효는 임금이고 이효는 신하인데, 오효는 감괘(☵)의 가운데 있고, 이효도 호괘가 감괘이면
서 간괘(☶)에 있다. 그러므로 그 상이 이와 같다. 임금이 근심하면 신하가 욕되기에 어렵도
또 어렵지만, 자신 때문이 아닌 것이다. 그러나 삼효의 '돌아옴[反]'을 가까이 하니, 끝내 반
드시 구제함이 있다.

○ 坎艮, 皆一君二民, 而卦變自小過而來. 小過之二曰, 遇其臣, 不及其君, 故此曰王
臣. 又與睽爲對, 睽遇巷之主, 又値蹇難之時. 故曰王臣蹇蹇, 上蹇王之蹇, 下蹇臣之蹇
也. 躬艮象, 匪躬之故者, 爲王之事, 而不有其身也. 蠱之上九, 則艮體居終, 處事之外.
故曰不事王侯, 高尙其事. 初上三四, 皆不許其往, 惟六二九五, 无不許其往之詞者, 二
之大臣, 應五之大君矣, 君臣復不往以濟難, 則誰當往乎.

감괘(☵)와 간괘(☶)는 모두 한 임금에 두 백성이며, 괘의 변화가 소과괘(小過卦䷽)에서
왔다. 소과괘의 이효에 "신하를 만나고 임금에게 미치지 못한다"[53]고 했으므로 여기에서 '임
금과 신하'를 말하였다. 또 규괘(睽卦䷥)와는 음양이 반대되는데, 규괘의 '골목에서 만나는
임금'[54]이 다시 어려운 시기에 놓여있다. 그러므로 "왕의 신하가 어려움으로 어렵다"고 하였
으니, 앞의 어려움은 임금의 어려움이고, 뒤의 어려움은 신하의 어려움이다. '자신[躬]'은 간
괘의 상이고, '자신 때문이 아니다'는 임금을 위한 일이지 그 자신을 위하지 않음이다. 고괘
(蠱卦䷑)의 상구는 간괘의 몸체가 끝에 있어서 섬김을 벗어나 있다. 그러므로 "왕후를 섬기
지 않고, 그 일을 높이 숭상한다"[55]고 하였다. 초효·상효·삼효·사효에서 모두 '감[往]'을 허락
하지 않았는데, 육이와 구오에서만 감을 허락하지 않는 말이 없는 것은 이효의 큰 신하가
오효의 큰 임금과 호응해서이니, 임금과 신하가 다시 가서 어려움을 구제하지 않는다면 누
가 가는 것이 마땅하겠는가?

---

53) 『周易·小過卦』: 六二, 過其祖, 遇其妣, 不及其君, 遇其臣, 无咎.
54) 『周易·睽卦』: 九二, 遇主于巷, 无咎.
55) 『周易·蠱卦』: 上九, 不事王侯, 高尙其事.

서유신(徐有臣) 『역의의언(易義擬言)』

中正而應於五, 故曰王臣也, 互坎而重險, 故曰蹇蹇也. 許身於君, 身非已有. 故曰匪躬也. 王臣之蹇蹇, 職由於不有其躬故也. 不言往[56]來, 夷險不暇擇也, 不言吉凶, 利鈍非所論也.

중정하면서 오효와 호응하므로 '왕의 신하'라고 하였고, 호괘가 감괘여서 험함이 거듭되므로 '어렵고 어렵다'고 하였다. 몸을 임금에게 바쳤으니, 몸은 자기의 소유가 아니다. 그러므로 '자신이 아니다'라고 하였다. '왕의 신하가 어렵고 어려움'은 일이 그 몸을 위하지 않음에서 연유하기 때문이다. 왕래(往來)를 말하지 않음은 평이함과 험난함을 가릴 겨를이 없었기 때문이고, 길흉을 말하지 않음은 영리함과 어리석음은 논할 바가 아니기 때문이다.

강엄(康儼) 『주역(周易)』

本義, 蹇而又蹇, 以求濟之.

『본의』에서 말하였다: 어렵고 또 어려워서 구제하는 것이다.

按, 蹇蹇, 或者以其時勢之艱難言, 如誠齋所謂多難而非一難者, 是也. 愚意, 蹇蹇是就王臣心上, 說其時勢難而又難. 故王臣之心, 亦如之. 本義之意, 蓋如此故, 其下引孔明鞠躬盡力之語以明之.

내가 살펴보았다: '어렵고 어려움[蹇蹇]'을, 어떤 이는 당시 형세의 어려움으로 말하였다고 하는데, 성재가 말한 '어려움이 많음이니, 한 가지만 어려운 것이 아니다'와 같은 것이 이것이다. 내가 생각하기에는, '어렵고 어려움'은 임금과 신하의 마음에서 당시 형세가 어렵고 또 어려움을 말한 것이다. 그러므로 임금과 신하의 마음이 또한 같은 것이다. 『본의』의 뜻도 대체로 이와 같기 때문에, 그 아래에서 공명의 '몸을 굽혀 힘을 다한다'는 말을 인용하여 밝힌 것이다.

박문건(朴文健) 『주역연의(周易衍義)』

盡忠見疑, 故有蹇蹇之象, 蹇蹇, 言蹇又蹇也.

충성을 다했으나 의심을 받으므로 '건건(蹇蹇)'의 상이 있으니, '건건(蹇蹇)'은 어렵고 또 어려움을 말한다.

〈問, 王臣蹇蹇, 匪躬之故. 曰, 六二盡忠其上, 而未免見疑也. 王臣雖有蹇蹇之患, 然

---

56) 往: 경학자료집성DB와 원전에는 '迬'으로 되어 있으나, 문맥을 살펴서 '往'으로 바꾸었다.

所以蹇蹇者, 乃王之所以也, 匪躬之所以也. 用中逢蹇, 何尤之有哉.

물었다: "왕의 신하가 어렵고 어려움이 자기 때문이 아니다"는 무슨 뜻입니까?

답하였다: 육이가 위로 충성을 다했으나, 의심받음을 면하지 못했습니다. 왕의 신하에게 비록 어렵고 어려운 근심이 있지만, 그러나 어렵고 어려운 까닭은 임금 때문이지 자신 때문이 아닙니다. 쓰는 가운데 어려움을 만났으니, 무슨 허물이 있겠습니까?)

이지연(李止淵) 『주역차의(周易箚疑)』

自初六之蹇, 至于再, 所謂蹇蹇也, 猶謙初謙謙也. 幸而能濟其蹇則功也, 不幸而不能濟蹇, 亦不可罪之也.

초육의 어려움이 거듭함에 이른 것이 이른바 '어렵고 어려움'이니, 겸괘(謙卦) 초효의 '겸손하고 겸손함'[57]과 같다. 다행히 그 어려움을 구제할 수 있다면 공적이 되나, 불행하게 어려움을 구제할 수 없더라도 또한 탓할 수 없을 것이다.

이항로(李恒老) 「주역전의동이석의(周易傳義同異釋義)」

傳, 然其才不足以濟蹇也, 小可濟, 則聖人當盛稱, 以爲勸矣.

『정전』에서 말하였다: 그러나 그 재질이 어려움을 구제하기는 부족하니, 조금이라도 구제할 수 있었다면 성인이 마땅히 매우 칭찬하여 권장하였을 것이다.

本義, 不言吉凶者, 占者, 但當鞠躬盡力而已, 至於成敗利鈍, 則非所論也.

『본의』에서 말하였다: 길흉을 말하지 않은 것은, 점치는 자가 다만 몸을 굽혀 힘을 다해야 할 뿐이지, 성공과 실패나 영리함과 어리석음에 대해서는 논할 바가 아니기 때문이다.

按, 若計成敗利鈍而爲之, 則是爲其蹇而蹇也, 烏可曰匪躬之故乎. 旣曰匪躬之故, 則義之所在, 爲其所當爲而已.

내가 살펴보았다: 만약 성공과 실패나 영리함과 어리석음을 헤아려 이를 하였다면, 이는 어렵고 어렵기 때문이니, 어찌 자신 때문이 아니라고 할 수 있겠는가? 이미 "자신 때문이 아니다"라고 했으면, 의리에 있어서 마땅히 해야 할 것이 될 뿐이다.

---

57) 『周易·謙卦』: 初六, 謙謙君子, 用涉大川, 吉.

김기례(金箕澧) 「역요선의강목(易要選義綱目)」

二應君位, 故曰王臣.

이효는 임금의 자리와 호응하므로 '왕의 신하'라고 했다.

○ 二互坎, 則卦有二坎象. 故曰蹇蹇, 蓋言才柔任重, 甚艱濟難也.

이효는 호괘가 감괘이니, 괘에는 감괘의 상이 둘이 있다. 그러므로 "어렵고 어렵다"고 했으니, 재질이 부드럽고 소임이 무거워 어떤 어려움보다 구제하기 어려움을 말한 것이다.

○ 匪躬之故, 言王事.

"자신 때문이 아니다"는 왕의 일임을 말한다.

김기례(金箕澧) 「역요선의강목(易要選義綱目)」

不曰吉而曰无尤者, 蹇時陰才, 雖有盡忠, 而不能濟, 非有尤也. 諸爻皆曰往蹇, 而二五不言往蹇者, 方其蹇難之時, 以君臣之正位, 不往濟, 而其誰[58]哉.

"길하다"고 하지 않고 "허물이 없다"고 한 것은, 어려운 때에 음(陰)의 재질은 비록 충심을 다하더라도 구제할 수 없어서 탓할 수 있는 것이 아니기 때문이다. 여러 효에서 다 "가면 어렵다"고 하였는데, 이효와 오효에서 "가면 어렵다"고 하지 않은 것은, 어려운 때에 바른 자리의 임금과 신하가 가서 구제하지 않는다면 누가 하겠는가?

박종영(朴宗永) 「경지몽해(經旨蒙解)・주역(周易)」

傳曰, 二雖中正, 而陰柔之才, 豈易勝任. 所以蹇於蹇, 而志在濟君, 非爲身之故也. 雖使不勝, 志義可嘉, 故稱其忠藎, 不爲已也.

『정전』에서 말하였다: 이효가 비록 중정하지만, 부드러운 음의 재질로 어찌 쉽게 소임을 감당하겠는가? 그래서 어려움 때문에 어렵게 되는 것이지만, 뜻이 임금을 구제함에 있고 자신을 위함 때문이 아니다. 비록 감당하지는 못하더라도, 뜻과 의리가 아름답다고 할 수 있으므로 그 충심으로 나아감이 자기 때문이 아니라고 일컬은 것이다.

蓋反身脩德, 與蹇蹇匪躬, 皆自學業中出來. 孔明之言曰, 鞠躬盡瘁, 死而後已, 成敗利鈍, 非所逆覩, 君子於學業, 亦當如此俛焉. 日有孶孶, 至於老死而不已, 顧不宜哉.

대체로 '자신에게 돌이켜 덕을 닦음'과 '어렵고 어려움이 자기 때문이 아님'은 모두 학업으로부터 나온다. 공명의 말에 "몸을 굽혀 힘을 다하고 죽은 뒤에 그치니, 성공과 실패, 영리함과 어리석음은 돌아 볼 것이 아니다"라고 하였으니, 군자가 학업에 또한 마땅히 이와 같이 힘을 써야 할 것이다. 날마다 부지런하여 늙어 죽음에 이를 때까지 그치지 않는 것이 어찌 마땅하지 않겠는가?

심대윤(沈大允) 『주역상의점법(周易象義占法)』

蹇之井☲☵, 居其所而進也. 六二居柔, 從人者也, 而有應於五, 阻於三而未可卒合. 故進而不移其所, 如水始流, 艱而不進也. 王臣之所以蹇蹇而難於進就者, 守義而得中也, 匪愛其身也. 三顧五反, 是已應於五. 故曰王臣, 巽爲臣. 蹇蹇, 難而又難也. 二與五, 水之中行而无囬折者也. 故不言往來也, 知有曲達旁通之時, 亦有直行之時, 隨時而得宜也.

건괘가 정괘(井卦☲☵)로 바뀌었으니, 제자리에 있으면서 나아가는 것이다. 육이는 부드러운 자리에 있으니 사람을 따르는 것이며, 오효와 호응함이 있지만 삼효에 막혀서 갑자기 합칠 수 없다. 그러므로 나가지만 제자리에서 옮겨가지 못하니, 물이 처음 흐를 적에 막혀서 나가지 못함과 같다. 왕의 신하가 어렵고 어려워서 나아가기 힘든 까닭은 의리를 지켜서 알맞음을 얻었기 때문이지, 그 몸을 아껴서가 아니다. 삼효가 오효를 보고 돌아가면, 이에 자기가 오효와 호응한다. 그러므로 '왕의 신하'라고 하였으니, 손괘가 신하가 된다. '건건(蹇蹇)'은 어렵고 또 어려움이다. 이효와 오효는 물이 곧게 흘러서 돌고 꺾임이 없는 것이다. 그러므로 오고 감을 말하지 않았으니, 이리저리 이르고 통할 때도 있지만 또한 곧바로 나갈 때도 있어서 때에 따라 마땅함을 얻음을 알 것이다.

오치기(吳致箕) 「주역경전증해(周易經傳增解)」

六二, 柔得中正, 上應九五剛中之君, 而五方在大蹇之中. 故以二之賢德, 爲國憂難, 恒切濟世之心, 然才弱不能勝任. 所以蹇而又蹇, 惟其至誠憂國, 志在濟君, 匪以其身之故也. 雖不言占, 亦可知矣.

육이는 부드럽고 중정함을 얻어 위로 구오의 굳세며 알맞은 임금과 호응하는데, 오효가 마침 큰 어려움 속에 있다. 그러므로 이효가 어진 덕으로 나라를 위하여 어려움을 근심한다. 항상 세상을 구제하려는 마음은 간절하지만, 재질이 유약하여 소임을 감당할 수 없다. 그래서 어렵고 또 어려운 것이지만, 오직 지성으로 나라를 근심하고 뜻이 임금을 구제함에 있으니, 그 자신 때문은 아닌 것이다. 비록 점사를 말하지 않았지만 또한 알 수 있을 것이다.

○ 王指五, 臣指二, 而二五相應. 故曰王之臣也. 上有坎, 互又有坎. 故重言蹇蹇. 躬
取於艮.

왕은 오효를 가리키고 신하는 임금을 가리키는데, 이효와 오효가 서로 호응한다. 그러므로
'왕의 신하'라고 하였다. 위로 감괘가 있고, 호괘에 다시 감괘가 있다. 그러므로 거듭해서
'어렵고 어렵다蹇蹇'고 하였다. '자신躬'은 간괘에서 취하였다.

이진상(李震相) 『역학관규(易學管窺)』

二[59]與五應, 往則得中. 故不言往蹇, 而五在險中, 二在險下. 故曰王臣蹇蹇. 躬艮象,
爲五而益蹇. 故曰匪躬.

이효와 오효는 호응하고, 가면 알맞음을 얻는다. 그러므로 '가면 어렵다'고 하지 않았는데,
오효는 험한 가운데 있고, 이효는 험함의 아래에 있다. 그러므로 "왕의 신하가 어렵고 어렵
다"고 하였다. '자신躬'은 간괘의 상으로, 오효 때문에 더욱 어렵게 되었다. 그러므로 자신
때문이 아니라고 하였다.

채종식(蔡鍾植) 「주역전의동귀해(周易傳義同歸解)」

蹇六二, 王臣蹇蹇, 傳作蹇於蹇, 謂蹇君之蹇也. 本義作蹇而又蹇, 謂多難也. 蓋蹇君之
蹇, 故多難也.

건괘(蹇卦) 육이의 "왕의 신하가 어렵고 어렵다"에 대해, 『정전』에서는 "어려움 때문에 어렵
다"고 했으니, 임금의 어려움을 어려워함을 말한다. 『본의』에서는 "어렵고 또 어렵다"고 했으
니, 어려움이 많음을 말한다. 대체로 임금의 어려움을 어려워하므로 어려움이 많은 것이다.

이용구(李容九) 「역주해선(易註解選)」

蹇六二, 孔明雖志決身殲, 而天下後世, 誰能尤孔明者. 九五, 自古聖王濟天下之蹇, 有
聖賢之臣爲助, 湯武之伊呂, 劉禪之孔明, 唐肅宗之郭子儀, 德宗之李晟, 是也.

건괘의 육이는 공명이 비록 뜻을 결행하였지만 몸이 먼저 죽음이니, 천하 후세에 누가 공명
을 탓할 수 있겠는가? 구오는 예로부터 성왕(聖王)이 천하의 어려움을 구제함에 어진 신하
를 두어 보조하게 함이니, 탕왕과 무왕에게 이윤과 여상이 있었고, 유선에게 공명이 있었으
며, 당 숙종에게 곽자의가 있었고, 덕종에게 이성이 있었다.

---

59) 二: 경학자료집성DB와 영인본에는 모두 '上'으로 되어 있으나, 문맥을 살펴 '二'로 바로잡았다.

이병헌(李炳憲) 『역경금문고통론(易經今文考通論)』

程傳曰, 二與五相應, 中正同德, 而五方在大蹇之中, 二以陰柔, 豈能勝任. 所以蹇於蹇者, 非爲身之故, 志在濟君, 終無過尤.

『정전』에서 말하였다: 이효와 오효가 서로 호응하며 중정하고 덕이 같지만 오효가 마침 큰 어려움 속에 있으니, 이효의 부드러운 음이 어찌 소임을 감당할 수 있겠는가? 그래서 어려움 때문에 어려운 것이지만, 자신을 위하기 때문이 아니라 뜻이 임금을 구제함에 있으니, 끝내는 과실과 허물이 없다.

按, 六二, 爲九五之王臣. 待而止, 則蹇自解矣, 未必變而後爲解也.

내가 살펴보았다: 육이는 임금인 구오의 신하가 된다. 기다리며 멈춘다면 어려움은 저절로 풀릴 것이니, 반드시 변화한 뒤에 풀리게 되는 것은 아니다.

象曰, 王臣蹇蹇, 終无尤也.

「상전」에서 말하였다: "왕의 신하가 어렵고 어려움"은 끝내 허물이 없다.

┃中國大全┃

傳

雖艱厄於蹇時, 然其志在濟君難, 雖未成功, 然終无過尤也. 聖人, 取其志義, 而謂其无尤, 所以勸忠藎也.

비록 어려운 때여서 곤란하지만 그 뜻이 임금의 어려움을 구제함에 있으니, 비록 공(功)을 이루지는 못하더라도 끝내 허물은 없다. 성인이 그 뜻과 의리를 취하여 '허물이 없다'고 말했으니, 충심으로 나아감을 권장한 것이다.

本義

事雖不濟, 亦无可尤.

일을 비록 이루지 못했지만 또한 허물할 것이 없다.

小註

誠齋楊氏曰, 蹇蹇者, 多難而非一難也. 大臣犯天下之多難, 而捐軀以求濟, 何尤之有. 然以六二之匪躬, 而不聞濟難, 何耶. 蓋捐軀在志, 濟難在才. 六二陰柔, 短於才也. 聖人不尤之者, 嘉其志而恕其才也.

성재양씨가 말하였다: '건건(蹇蹇)'은 어려움이 많음이니 한 가지만 어려운 것이 아니다. 대신은 천하의 수많은 어려움을 무릅쓰고 몸을 바쳐서 구제하니, 무슨 허물이 있겠는가? 그러나 육이가 자신 때문은 아니지만, 어려움을 구제했다는 소리를 듣지 못하는 것은 어째서인

가? 대개 몸을 바침은 뜻에 있지만 어려움을 구제함은 재주에 있기 때문이니, 육이는 부드러운 음으로 재주가 부족하다. 성인이 그것을 허물하지 않는 것은 그 뜻을 아름답게 여기고 그 재주를 동정한 것이다.

○ 雷氏曰, 初六, 以不往爲有譽, 六二, 以匪躬爲无尤, 有位无位之間耳.

뢰씨가 말하였다: 초육은 가지 않아서 명예가 있게 되고, 육이는 자신 때문이 아니여서 허물이 없게 되니, 지위가 있음과 지위가 없음의 차이일 뿐이다.

○ 雲峰胡氏曰, 本義於爻引孔明之言, 此復本程傳意曰事雖不濟, 亦无可尤. 蓋孔明雖志決身殲. 然天下後世, 誰得而尤孔明者. 斯言眞足以勸忠藎矣.

운봉호씨가 말하였다:『본의』는 효에서는 공명의 말을 인용했고, 여기서는 다시『정전』의 뜻에 근본하여 "일을 비록 이루지 못했지만 또한 허물할 것이 없다"고 하였다. 공명은 비록 뜻은 결연하였으나 몸이 먼저 죽었다. 그러나 천하 후세에 누가 제갈공명을 탓할 자가 있겠는가? 이 말은 참으로 충성으로 나아감을 권면할 수 있을 것이다.

‖ 韓國大全 ‖

송시열(宋時烈)『역설(易說)』

小象, 終无尤, 兼釋占辭.

「소상전」의 "끝내 허물이 없다"는 점사를 겸하여 해석한 것이다.

김상악(金相岳)『산천역설(山天易說)』

蹇蹇者 時也 无尤者 道理也.

'어렵고 어려움'은 때이고, '허물이 없음'은 도리이다.

김규오(金奎五)「독역기의(讀易記疑)」

六二象義, 雲峯以爲復取傳意, 而實亦微有不同者. 傳則謂其陰柔不勝任, 但許其忠藎耳. 義則反意以設辭耳, 未嘗言其必不濟也.

육이「소상전」의『본의』에 대해, 운봉은 다시『정전』의 뜻을 취하였다고 여겼는데, 실제로
는 또한 미세하게 같지 않은 것이 있다.『정전』에서는 부드러운 음이어서 소임을 감당할
수 없다고 하고, 다만 그 충심으로 나아감만을 허락했을 뿐이다.『본의』에서는 뜻을 돌이켜
서 말을 펼쳤을 뿐이지, 일찍이 반드시 구제하지 못한다고 말하지는 않았다.

서유신(徐有臣)『역의의언(易義擬言)』

蹇蹇盡節, 有何尤也.

어렵고 어려움에 절개를 다했으니, 어떤 허물이 있겠는가?

오치기(吳致箕)「주역경전증해(周易經傳增解)」

雖以才弱而不能有濟, 志在忠藎, 終无可尤也.

비록 재질이 유약하여 구제할 수 없었지만, 뜻이 충심으로 나아감에 있으니, 끝내 탓할 수는
없을 것이다.

박문호(朴文鎬)「경설(經說)·주역(周易)」

蹇蹇匪躬, 雖不言吉, 然人臣之事吉, 孰大於此乎. 鞠躬盡力, 雖死亦吉. 又況傳象之終
无尤者, 是正指吉者乎.

어렵고 어려움이 자신 때문이 아니라고 하고 비록 길함을 말하지 않았지만, 신하의 일에서
이보다 더 길한 것이 무엇이겠는가? 몸을 굽혀 힘을 다한다면 비록 죽더라도 또한 길하다.
또한 게다가「소상전」에서 '끝내 허물이 없다'고 형상하였으니, 이는 바로 길함을 가리킨
것이겠구나!

이정규(李正奎)「독역기(讀易記)」

六二, 以中正之臣, 逢中正之君, 才弱而不能勝濟蹇之任. 然其志在濟君於蹇難之中.
故小象曰, 王臣蹇蹇, 終无尤也, 蓋云雖不濟事, 其忠藎則可尙也.

육이가 중정한 신하로서 중정한 임금을 만났지만, 재질이 유약하여 어려움을 구제하는 소임
을 감당할 수 없다. 그러나 그 뜻이 어려움 속에 있는 임금을 구제함에 있다. 그러므로「소
상전」에서 "왕의 신하가 어렵고 어려움은 끝내 허물이 없다"고 하였으니, 대체로 "비록 일을
구제하지는 못했지만, 그 충심으로 나아감은 숭상할 만하다"고 한 것이다.

九三, 往蹇, 來反.

구삼은 가면 어렵고 오면 돌아올 것이다.

‖中國大全‖

傳

九三, 以剛居正, 處下體之上, 當蹇之時, 在下者, 皆柔, 必依於三, 是爲下所附者也, 三與上, 爲正應, 上陰柔而无位, 不足以爲援, 故上往則蹇也. 來, 下來也, 反, 還歸也. 三爲下二陰所喜, 故來爲反其所也, 稍安之地也.

구삼이 굳센 양으로 바른 자리에 있고 하체의 맨 위에 머무르는데, 어려운 때를 맞아 아래에 있는 것들이 모두 유순하여 반드시 삼효를 의지하려 하니, 아래에 있는 것들이 따르는 바가 된다. 삼효는 상효와 정응이 되지만, 상효는 부드러운 음으로 지위가 없어서 도움이 되기에 부족하다. 그러므로 위로 가면 어렵게 된다. ‘옴[來]’은 내려옴이고, ‘돌아옴[反]’은 귀환함이다. 삼효는 아래의 두 음(陰)이 좋아하는 것이 되므로 와서 제자리로 돌아오게 되었으니, 조금 편안한 곳이다.

本義

反就二陰, 得其所安.

돌아와 두 음에게 나아가니, 편안한 바를 얻을 것이다.

小註

進齋徐氏曰, 九三當位, 與上爲應, 上柔无位, 不足與濟難, 故曰往蹇.

진재서씨가 말하였다: 구삼은 자리가 마땅하고 상효와 호응하게 되지만, 상효가 유약하고 지위가 없어 함께 어려움을 구제할 수 없다. 그러므로 “가면 어렵다”고 하였다.

○ 白雲郭氏曰, 反者, 旣往復反之辭.

백운곽씨가 말하였다: '돌아옴[反]'은 이미 갔다가 다시 돌아온다는 말이다.

○ 雲峰胡氏曰, 反身爲背艮象. 故爻曰來反, 象亦曰反身. 九居三, 是居其本位, 反, 如返故鄕歸故廬, 來而得其所安. 下有二陰, 就之愈安矣.

운봉호씨가 말하였다: 자신에게 돌이켜 등지게 됨은 간괘의 상이다. 그러므로 효사에서 "오면 돌아올 것이다"라고 하였고, 「대상전」에서도 "자신에게 돌이킨다"고 하였다. 양효[九]가 삼효의 자리에 있는 것은 그 본래의 자리에 있는 것이며, '돌아옴[反]'은 고향으로 돌아오고 옛집으로 돌아옴과 같으니, 오면 편안한 바를 얻을 것이다. 아래에 두 음이 있으니, 이에 나아가면 더욱 편안할 것이다.

‖韓國大全‖

송시열(宋時烈) 『역설(易說)』

三爻, 爲內卦之主, 近於坎險, 故不往而來, 反與二爻相得爲喜, 所爲反也. 上六, 雖爲正應, 柔而无位, 不足爲援, 故反而與二爲比也. 以象言之, 艮反爲震, 此謂綜卦也. 震爲喜, 小象喜之者, 亦此意也.

삼효는 내괘의 주인이 되고, 감괘의 험함을 가까이 하므로 가지 않고 오니, 돌아와 이효와 서로 얻어서 기뻐함이 '돌아옴[反]'인 것이다. 상육이 비록 정응이 되지만 부드럽고 지위가 없어서 도움이 되기에 부족하므로 돌아와 이효와 가까이 한다. 상으로 말하면 간괘(☶)를 뒤집으면 진괘(☳)가 되는데, 이를 '종괘(綜卦)'라고 한다. 진괘(☳)는 기쁨이 되니, 「소상전」의 '기뻐한다'는 것도 또한 이 의미이다.

이익(李瀷) 『역경질서(易經疾書)』

九三, 在下艮之上. 與大象相照, 反者, 反身之省文也. 傳云內喜之也, 內喜者, 猶言自好也. 剛得其位, 則非空疏妄動者. 故有反身之實者也.

구삼은 하괘인 간괘(☶)의 위에 있다. 「대상전」과 서로 비교하면, '돌아옴[反]'은 "자신에게 돌이킨다"를 줄인 글이다. 「소상전」에서 "안에서 기뻐한다"고 하였는데, '안에서 기뻐함'은 스스로 좋아한다고 말함과 같다. 굳센 것이 자기 자리를 얻었으니, 헛되이 함부로 움직이는 것이 아니다. 그러므로 자신에게 돌이키는 결실이 있는 것이다.

유정원(柳正源) 『역해참고(易解參攷)』

正義, 九三與坎爲隣, 進則入險, 故曰往蹇, 來則得位, 故曰來反.

『주역정의』에서 말하였다: 구삼은 감괘(☵)와 이웃이 되기에 나아가면 험함에 들어가게 되므로 '가면 어렵다'고 하였고, 오면 자리를 얻으므로 '오면 돌아올 것이다'라고 하였다.

김상악(金相岳) 『산천역설(山天易說)』

九三, 居艮之終, 四之比, 陰之陷也, 上之應, 險之極也. 故上往則蹇, 反就二陰, 則得其所安矣.

구삼이 간괘의 끝에 있으면서 사효와 가까이 하여 음에 빠지고, 상효와 호응하여 험함이 지극하다. 그러므로 위로 가면 어렵고, 돌아와서 두 음효에게 나아가면 편안함을 얻을 것이다.

○ 反者, 旣往復反之辭也. 象傳曰, 不利東北, 其道窮, 在九三, 而爻曰, 往蹇來反者, 卦言其靜, 爻言其動也. 三能見險而止, 得反身修德之義. 故諸爻之處蹇者, 二之內喜, 四之來連, 五之朋來, 上之來碩, 皆謂三也. 與五相合, 則可以共濟, 豈終于止而道窮也哉. 此爻之象, 與兌六三相似, 而實相反, 兌則來就二陽而求說者, 柔之不正也, 此則反就二陰而內喜者, 剛之得正也. 又三變爲比, 比有親輔之義, 故取象如此. 比之三, 則比之匪人. 故曰不亦傷乎, 傷者, 喜之反也.

'돌아옴[反]'이미 갔다가 다시 돌아온다는 말이다. 「단전」에서 "동북이 이롭지 않음은 그 도가 다하기 때문이다"라고 한 것은 구삼에 있는데, 효사에서 "가면 어렵고 오면 돌아올 것이다"라고 한 것은 괘에서는 그 고요함을 말하고, 효에서는 그 움직임을 말했기 때문이다. 삼효는 어려움을 보고 그칠 수 있으니, "자신에게 돌이켜 덕을 닦는다"는 뜻을 얻었다. 그러므로 어려움에 처한 여러 효에서, 이효의 '안에서 기뻐함'과 사효의 '와서 연합함'과 오효의 '벗이 옴'과 상효의 '오면 큼'이 모두 삼효를 말한다. 오효와 서로 화합하면 함께 구제할 수 있으니, 어찌 끝까지 그쳐있어 도(道)를 다하겠는가? 이 효의 상이 태괘(兌卦☱☱)의 육삼[60]과 서로 유사하지만 실제로는 서로 반대되니, 태괘는 와서 두 양효에게 나아가 기쁨을 구하는 것이니 부드러움이 바르지 못한 것이고, 이것은 돌아와 두 음효에게 나아가 안에서 기뻐하는 것이니 굳셈이 바름을 얻은 것이다. 또한 삼효가 변하면 비괘(比卦☵☷)가 되는데, 비괘에는 "친애하고 돕는다"[61]는 뜻이 있으므로 상을 취함이 이와 같다. 비괘의 삼효는 돕는 것이 사람이 아니다.[62] 그러므로 "또한 상하지 않겠는가"[63]라고 하였으니, 상함은 기쁨의 반대이다.

---

60) 『周易·兌卦』: 六三, 來兌, 凶.

61) 『周易·比卦』: 象曰, 比, 吉也, 比輔也, 下順從也.

62) 『周易·比卦』: 六三, 比之匪人.

서유신(徐有臣) 『역의의언(易義擬言)』[64]

此卽見險而止者也. 九五來, 則運通而反於蹇也.

이것은 험함을 보고 그친 것이다. 구오가 오면 움직여 통하여서 어려움을 돌이킨다.

박문건(朴文健) 『주역연의(周易衍義)』

退而相與, 故有來反之象. 反, 言反還其內也.

물러나서 서로 함께하므로 오면 돌아오는 상이 있다. '돌아옴[反]'은 안으로 돌이킴을 말한다.

〈問, 往蹇來反. 曰, 進往則蹇難, 退來則反還也. 反者, 恐上之有疑也.

물었다: "가면 어렵고 오면 돌아올 것이다"는 무슨 뜻입니까?

답하였다: 나아가면 어렵고, 물러나면 돌이키게 됩니다. '돌아옴[反]'은 상효가 의심할까 염려해서입니다.〉

이지연(李止淵) 『주역차의(周易箚疑)』

在外之應險而不可爲朋者也, 在內之朋止而可與安樂者. 又己之同體, 同體者, 便是骨肉之親也. 此乃往蹇來反之義也.

밖으로는 험하여서 벗할 수 없는 자와 호응하고, 안으로는 그쳐 있어서 함께 편안할 수 있는 자와 벗하고 있다. 또 자기와 몸체가 같으니, 몸체가 같다는 것은 곧 골육의 친척이다. 이것이 바로 "가면 어렵고 오면 돌아올 것이다"의 뜻이다.

김기례(金箕澧) 「역요선의강목(易要選義綱目)」

以陽居剛, 爲下體之上, 足以濟[65]蹇, 而上雖正應, 无位之陰, 不能爲援, 則不如反而就二, 安居而內喜也.

양(陽)으로 굳센 자리에 있고 하체의 맨 위가 있어서 충분히 어려움을 구제할 수 있지만, 정응(正應)인 상효가 지위가 없는 음(陰)으로 도움이 될 수 없으니, 돌아와 이효에 나가서 편안히 지내며 안에서 기뻐하는 것만 못하다.

---

63) 『周易·比卦』: 象曰, 比之匪人, 不亦傷乎.

64) 경학자료집성DB에서는 건괘(蹇卦) 육이에 해당하는 것으로 분류했으나, 내용에 따라 이 자리로 옮겼다.

65) 濟: 경학자료집성DB에는 '囗'로 되어 있으나, 경학자료집성 영인본을 참조하여 '濟'로 바로잡았다.

○ 艮爲背, 則大象所謂反身之義, 在此.

간괘가 등이 되니, 「대상전」에서 말한 "자신에게 돌이킨다"는 뜻이 여기에 있다.

심대윤(沈大允) 『주역상의점법(周易象義占法)』

蹇之比䷇, 比附也. 九三居剛, 從我者也. 有應於上, 而爲五所間, 未遽合也, 反而得其二陰之在內附從, 故曰反. 水之未得大川之入, 而得澗溪之會也. 三五, 侯王之蹇也, 故以剛居之.

건괘가 비괘(比卦䷇)로 바뀌었으니, 가까이 붙는 것이다. 구삼은 굳센 자리에 있으니 남들이 나를 따르는 것이다. 위로 호응하는 것이 있지만 오효에게 막히게 되어 갑자기 합치지 못하고, 돌아와 안에서 따르는 두 음효를 얻으므로 "돌아온다"고 하였다. 물이 아직 큰 내에 들어가지 못하고 계곡에서 합쳐지게 된 것이다. 삼효와 오효는 제후와 임금의 어려움이므로 굳센 것이 자리하고 있다.

오치기(吳致箕) 「주역경전증해(周易經傳增解)」

九三, 陽剛得正, 與九五之君同德, 而爲止蹇之主, 然上往則入于險難. 若來反而比六二之中正, 則可以剛柔相資, 共成濟功, 而以二柔弱之才, 亦當喜其有恃, 故戒言如此.

구삼은 굳센 양이 바름을 얻었고 구오의 임금과 덕이 같아서 어려움을 그치게 할 주인이 되지만, 위로 올라가면 어려움에 들어간다. 만약 돌아와서 중정한 육이를 가까이 한다면, 굳셈과 부드러움이 서로 도와서 함께 구제하는 일을 이룰 수 있고, 재질이 유약한 이효도 또한 믿을 것이 있음을 기뻐하므로 경계하는 말이 이와 같은 것이다.

○ 不往于外, 而來止于內, 曰來反也. 九三爲止之主, 故諸爻皆來于內爲義也.

밖으로 나가지 않고 안으로 돌아와 그치기에 "오면 돌아온다[來反]"고 하였다. 구삼은 그침의 주인이 되므로 여러 효에서 모두 '안으로 돌아옴'으로 뜻을 삼았다.

이진상(李震相) 『역학관규(易學管窺)』

往則入險, 來則得安. 反亦艮象. 但其道則窮耳, 人窮反本.

가면 험함으로 들어가고, 오면 편안함을 얻는다. '돌아옴[反]'은 또한 간괘(☶)의 상이다. 단지 도(道)라면 다할 뿐이지만, 사람은 다하면 근본으로 돌아간다.

象曰, 往蹇來反, 內喜之也.

「상전」에서 말하였다: "가면 어렵고 오면 돌아옴"은 안에서 기뻐하기 때문이다.

‖中國大全‖

傳

內, 在下之陰也. 方蹇之時, 陰柔, 不能自立. 故皆附於九三之陽, 而喜愛之, 九之處三, 在蹇爲得其所也, 處蹇而得下之心, 可以求安, 故以來爲反, 猶春秋之言歸也.

‘안[內]’은 아래에 있는 음이다. 어려운 때에는, 부드러운 음은 스스로 설 수 없다. 그러므로 모두 구삼의 양에게 붙어서 기뻐하고 사랑한다. 양효[九]가 삼효의 자리에 있어서 어려울 때에 제자리를 얻게 되고, 어려운 가운데 아랫사람의 마음을 얻었으니, 편안함을 구할 수 있다. 그러므로 ‘옴’을 ‘돌아옴[反]’으로 여겼으니, 『춘추』에서 ‘돌아옴[歸]’을 말함과 같다.

小註

潘氏曰, 往則入險, 不如反乎內也. 內二陰樂於從陽, 故喜也.

반씨가 말하였다: 가면 험함에 들어가니, 안으로 돌아옴만 못하다. 안의 두 음이 양을 따르기를 즐거워하므로 기뻐하는 것이다.

║韓國大全║

조호익(曺好益) 『역상설(易象說)』

喜, 陽者, 陰之所喜.

'기쁨[喜]'은 양을 음이 기뻐하는 것이다.

유정원(柳正源) 『역해참고(易解参攷)』

喜之也.

기뻐하기 때문이다.

正義, 內卦三爻, 唯九三一陽, 居二陰之上, 是內之所恃, 故云內喜之也.

『주역정의』에서 말하였다: 내괘의 삼효에서 유일한 양효인 구삼은 두 음효의 위에 있으면서 내괘가 의지하는 것이 되므로 '안에서 기뻐한다'고 하였다.

傳, 春秋言歸. 〈桓十五年, 鄭世子復歸于鄭, 莊二十四年, 陳赤歸于魯.〉

『정전』에서 말하였다: 『춘추』에서 돌아옴을 말하였다. 〈환공(桓公) 십오년에 정(鄭)나라 세자가 다시 정나라로 돌아가고, 장공(莊公) 이십사년에 진적(陳赤)이 노나라로 돌아갔다.〉

김상악(金相岳) 『산천역설(山天易說)』

內者, 內卦也, 陰之在下者, 得陽剛之反, 而喜之也.

'안[內]'은 내괘이니, 아래에 있는 음이 굳센 양이 돌아오게 되어 기뻐하는 것이다.

김규오(金奎五) 「독역기의(讀易記疑)」

九三象內喜, 指六二也. 二以匪躬之志, 欲濟大蹇, 而陰柔不勝. 三以陽剛篤實之體, 連四應上, 而反居. 其所以比於己, 己於是乎, 可以藉手而同往. 故喜之也. 然則朋來之功, 二與三, 皆可當之矣.

구삼 「소상전」의 '안에서 기뻐함'은 육이를 가리킨다. 이효는 자기 때문이 아닌 뜻으로 큰 어려움을 구제하려 하지만, 부드러운 음이어서 감당하지 못한다. 삼효는 독실한 굳센 양의 몸체로 사효와 연합하고 상효와 호응하지만, 돌아와 머무른다. 그래서 자기를 가까이 하는 것들이 이미 여기에서 손을 빌려 함께 나갈 수 있다. 그러므로 기뻐하는 것이다. 그렇다면 벗이 오는 공효는 이효와 삼효에 모두 해당될 수 있을 것이다.

서유신(徐有臣)『역의의언(易義擬言)』

五來而三喜也.

오효가 와서 삼효가 기뻐함이다.

박문건(朴文健)『주역연의(周易衍義)』

內喜, 言處內而喜外也.

'안에서 기뻐함[內喜]'은 안에 있으면서 밖을 기뻐함을 말한다.

심대윤(沈大允)『주역상의점법(周易象義占法)』

內喜之者, 言爲內所喜也.

"안에서 기뻐한다"는 안에 것이 기뻐하는 대상이 됨을 말한다.

오치기(吳致箕)「주역경전증해(周易經傳增解)」

二柔在內, 不能自立, 而賴三之來反, 可以有濟, 故喜之也.

부드러운 이효가 안에서 자립할 수 없다가, 삼효의 돌아옴을 의지하여 구제될 수 있으므로 기뻐하는 것이다.

박문호(朴文鎬)「경설(經說)·주역(周易)」

春秋, 凡言歸者, 皆主內喜而言, 內喜, 言國人喜之.

『춘추』에서 '돌아옴'을 말한 것은 모두 '안에서 기뻐함'을 위주로 말한 것이니, '안에서 기뻐함'은 나라 사람이 기뻐함을 말한다.

이병헌(李炳憲)『역경금문고통론(易經今文考通論)』

程傳曰, 來下來也, 反還歸也. 三爲下二陰所喜也.

『정전』에서 말하였다: '옴[來]'은 내려옴이고, '돌아옴[反]'은 귀환함이다. 삼효는 아래의 두 음이 기뻐하는 것이 된다.

六四, 往蹇, 來連.

육사는 가면 어렵고 오면 연합한다.

‖中國大全‖

傳

往則益入於坎險之深, 往蹇也. 居蹇難之時, 同處艱厄者, 其志, 不謀而同也. 又四居上位而與在下者, 同有得位之正, 又與三相比相親者也, 二與初, 同類相與者也, 是與下同志, 衆所從附也. 故曰來連, 來則與在下之衆, 相連合也. 能與衆合, 得處蹇之道也.

가면 더욱 감괘(坎卦)의 깊은 험함으로 들어가니, 가면 어려운 것이다. 어려운 때에 있으면, 함께 어려움과 곤액에 머무르는 자는 그 뜻이 도모하지 않아도 같아진다. 또 사효는 윗자리에 있으면서 아래에 있는 자와 똑같이 자리의 바름을 얻었는데, 또 삼효와는 서로 가까이 하고 서로 친애하는 자이고, 이효와 초효와는 같은 부류로 서로 함께 하는 자이니, 이는 아랫사람과 뜻을 같이 하여 무리가 따라 붙는 것이다. 그러므로 "오면 연합한다"고 하였으니, 오면 아래에 있는 무리와 서로 연합한다는 것이다. 무리와 연합할 수 있다면, 어려움에 대처하는 도를 얻은 것이다.

本義

連於九三, 合力以濟.

구삼과 연합하여 힘을 합해 구제함이다.

小註

單氏曰, 六四, 已至於險中, 而猶往焉, 則益蹇矣.

단씨가 말하였다: 육사는 이미 험함 가운데 이르렀지만, 여전히 가면 더욱 어렵게 된다.

○ 進齋徐氏曰, 六四近君, 往從乎五, 則陰柔不足以濟五之蹇. 唯下連九三, 牽引以進, 乃克有濟.

진재서씨가 말하였다: 육사는 임금과 가깝지만, 가서 오효를 좇는다면 부드러운 음이어서 오효의 어려움을 구제하기에 부족하다. 아래로 구삼과 연합하여 끌어당겨서 나아가야만 이에 구제함이 있을 수 있다.

○ 雲峰胡氏曰, 連, 牽連九三也. 上卦坎, 四往則陷於險, 來則與三牽連, 可以濟險. 四與三, 柔上剛下, 有連象.

운봉호씨가 말하였다: '연합함[連]'은 구삼을 끌어당겨 연결함이다. 상괘가 감괘(☵)여서 사효가 가면 험함에 빠지고, 오면 삼효와 끌어당겨 연합해서 험함을 구제할 수 있다. 사효와 삼효는 부드러운 음이 위에 있고 굳센 양이 아래에 있으니, 연합하는 상이 있다.

‖韓國大全‖

송시열(宋時烈) 『역설(易說)』

此亦往則險而來合, 則若牽連於九三. 連於三者, 傳義之意也. 荀爽曰, 四承五爻, 與至尊相連, 故曰來連, 拆中易以荀氏爲得. 以小象當位實之義觀之, 三不當位, 而五則當位, 實者, 陽實之謂也.

이것도 또한 가면 험하여 와서 화합함이니, 구삼과 당겨서 연합하는 것 같다. 삼효와 연합한다는 것은 『정전』과 『본의』의 뜻이다. 순상은 "사효가 오효를 이어서 지존과 서로 연합하므로 '오면 연합한다'고 하였다"고 했는데, 『주역절중』에서는 순씨의 설을 좋다고 하였다. 「소상전」의 "해당된 자리가 참되기 때문이다"의 의미로 본다면, 삼효가 해당된 자리가 아니고 오효가 해당된 자리이니, 참됨은 양의 참됨을 말하기 때문이다.

이익(李瀷) 『역경질서(易經疾書)』

六四來連, 其來也, 必與初六牽連, 而進近臣之道, 須薦撥在下之才德, 方可以濟蹇也. 傳云當位實也, 實猶正也, 叶韻故云實.

"육사는 오면 연합한다"는 오게 되면 반드시 초육과 당겨서 연합하여 근신(近臣)의 도리를 다한다는 것이니, 반드시 아래에 있는 재주와 덕을 지닌 사람을 천거하여야 어려움을 구제할 수 있을 것이다. 「소상전」에서 "해당된 자리가 참되기[實] 때문이다"라고 하였는데, '참됨[實]'은 바름[正]과 같으니, 협운 때문에 '참됨[實]'이라 하였다.

유정원(柳正源) 『역해참고(易解參攷)』

王氏曰, 往則旡應, 來則乘剛, 往來皆難. 故曰往蹇來連.

왕필이 말하였다: 가면 호응이 없고, 오면 굳센 것을 탔으니, 감과 옴이 모두 어렵다. 그러므로 "가면 어렵고 오면 연합한다"고 하였다.

김상악(金相岳) 『산천역설(山天易說)』

四居坎下之六, 比艮上之九. 當上下之際, 從五則往蹇, 與三則來連, 可以合力以濟.

사효는 감괘(☵)의 아래에 있는 음효[六]로 간괘(☶)의 위에 있는 양효[九]와 가까이 한다. 상괘와 하괘의 사이에 해당되는데, 오효를 좇으면 가면 어려움이 되고, 삼효와 함께 하면 와서 연합함이 되니 힘을 합쳐서 구제할 수 있다.

○ 三四相比連之象. 來連于艮, 則爲連山, 夏之易, 以艮爲首, 曰連山也. 不從于五而來連于下者, 九五在大蹇之中, 非陰柔所能濟. 惟九三以剛得正, 必牽連以進, 可以有爲, 雖互坎體, 貞悔異位, 故能不陷而連矣. 解者, 蹇之反也. 剛之比柔, 則曰解拇, 柔之附剛, 則曰來連, 爻位之當未當也. 中孚之四與三相比, 故曰絶類上也, 絶類與來連, 皆陰之從陽也. 又變爻爲咸, 咸九四曰, 憧憧往來, 朋從爾思. 故四曰往蹇來連, 五曰朋來.

삼효와 사효가 서로 가까이 하여 연합하는 상이다. 와서 간괘(艮卦☶)와 연합하면 '연산(連山)'이 되는데, 하(夏)나라의 역(易)으로 간괘를 머리로 삼기에 '연산'이라고 한다. 오효를 좇지 않고 와서 아래와 연합한 것은, 구오가 큰 어려움 속에 있어서 부드러운 음이 구제할 수 있는 것이 아니기 때문이다. 오직 구삼만이 굳세면서 바른 자리를 얻었기에 반드시 당겨서 연합해 나간다면 해냄이 있을 것이니, 비록 호괘인 감괘의 몸체이지만 내괘[貞]와 외괘[悔]로 자리가 다르므로 빠지지 않고 연합할 수 있는 것이다. 해괘(解卦䷧)는 건괘(蹇卦䷦)가 거꾸로 된 것이다. 굳셈이 부드러움을 가까이 하면 "엄지발가락을 푼다"[66]고 하고, 부드러움이 굳셈을 따르면 "오면 연합한다"고 했으니, 효의 자리가 마땅하고 마땅치 않기 때문이

---

66) 『周易·解卦』: 九四, 解而拇, 朋至, 斯孚.

다. 중부괘(中孚卦☴)의 사효는 삼효와 서로 가까이 하므로 "무리를 끊고 올라간다"[67]고 했으니, '무리를 끊음'과 '오면 연합함'은 모두 음이 양을 좇는 것이다. 또 효가 변하면 함괘(咸卦☶)가 되는데, 함괘의 구사에서 "동동대면 오가면 벗만이 너의 생각을 따른다"[68]고 하였다. 그러므로 (건괘의) 사효에서 "가면 어렵고 오면 연합한다"고 하고, 오효에서 "벗이 온다"고 하였다.

서유신(徐有臣) 『역의의언(易義擬言)』

九五來, 則相連也, 近比, 故曰連也.

구오가 오면 서로 연합하는데, 가까이 하기 때문에 '연합한다'고 하였다.

박문건(朴文健) 『주역연의(周易衍義)』

退而相信, 故有來連之象. 連, 言連合其朋也.

물러나 서로 믿으므로 오면 연합하는 상이 있다. '연합[連]'은 그 벗과 연합함을 말한다.

〈問, 往蹇來連. 曰, 往下則有蹇, 來位則有連也, 連者, 言相信而連合也.

물었다: "가면 어렵고 오면 연합한다"는 무슨 뜻입니까?

답하였다: 아래로 가면 어려움이 있고, 자리로 오면 연합함이 있다는 것입니다. '연합[連]'은 서로 믿어서 연합함을 말합니다.〉

심대윤(沈大允) 『주역상의점법(周易象義占法)』

蹇之咸☶, 感通也. 六四居柔, 從人者也. 旣无正應, 比近於三五, 而匪其應. 故不得脗合, 而但以精神感通也. 從於五而亦不舍三, 能承上接下者也. 故曰連, 古詩云, 爲臣良獨難. 水之未入大川而近之者也.

건괘가 함괘(咸卦☶)로 바뀌었으니, 느껴 통하는 것이다. 육사는 부드러운 자리에 있으니 사람을 좇는 것이다. 이미 정응도 없고, 삼효와 오효를 가까이 하지만 호응하는 것이 아니다. 그러므로 꼭 합쳐지지 않고, 다만 정신으로만 느껴 통할 뿐이다. 오효를 좇아도 또한 삼효를 버리지 않으니, 위를 받들고 아래와 접촉할 수 있는 것이다. 그러므로 "연합한다"고 하였는데, 옛 시에서는 "신하되기는 참으로 외롭고 어렵다"고 하였다. 물이 아직 큰 내에

---

67) 『周易·中孚卦』: 象曰, 馬匹亡, 絶類, 上也.
68) 『周易·咸卦』: 九四, 貞吉, 悔亡, 憧憧往來, 朋從爾思.

들어가지는 못했어도, 그것에 가까이 있는 것이다.

오치기(吳致箕) 「주역경전증해(周易經傳增解)」

六四, 柔得其正, 而上无應與. 當蹇之時, 雖居近君之位, 才柔不能有濟. 故戒言若往進則入于險難, 必須來連于九三之陽剛, 然後可以合力而濟蹇也.

구사는 부드러운 것이 바른 자리를 얻었지만, 위로 호응하여 함께 하는 것이 없다. 어려운 때를 맞아서 비록 임금을 가까이 하는 자리에 있지만, 재주가 부드러워 구제할 수 없다. 그러므로 경계하여 만약 나아가면 험난함에 들어가고, 반드시 와서 구삼의 굳센 양효와 연합해야 하니, 그런 뒤에야 힘을 합쳐서 어려움을 구제할 수 있다고 한 것이다.

○ 徐進齋曰, 六四, 往從于五, 則陰柔才弱, 不足以濟五之蹇. 唯下連九三, 牽引以進, 乃克有濟. 連, 謂連比也.

서진재가 말하였다: 육사는 가서 오효를 좇으면, 부드러운 음으로 재주가 빈약하여 오효의 어려움을 구제하기에 부족하다. 다만 아래로 구삼과 연합하여 끌어당겨서 나아가야만 이에 구제함이 있을 수 있다. '연합'은 연합하여 가까이 함을 말한다.

이진상(李震相) 『역학관규(易學管窺)』

往則益險, 來亦无應, 只得下連於艮山. 承乘皆陽, 故象曰當位實.

가면 더욱 험하고, 와도 호응이 없으니, 다만 아래로 간괘(☶)인 산과 연합할 수 있을 뿐이다. 받든 것과 탄 것이 모두 양(陽)이므로 「소상전」에서 "해당된 자리가 참되기 때문이다"라고 하였다.

박문호(朴文鎬) 「경설(經說)·주역(周易)」

二與初上, 當有與字, 而今無者, 省文也, 蓋蒙上文與三之與也.

『정전』의 '이효와 초효[二與初]'의 앞에는 마땅히 '여(與)'자가 있어야 하는데 지금 없는 것은 글을 생략한 것이니, 대체로 앞 문장의 '삼효와는[與三]'의 '와는[與]'을 받은 것이다.

象曰, 往蹇來連, 當位, 實也.

「상전」에서 말하였다: "가면 어렵고 오면 연합함"은 해당된 자리가 참되기 때문이다.

中國大全

傳

四, 當蹇之時, 居上位, 不往而來, 與下同志, 固足以得衆矣, 又以陰居陰, 爲得其實, 以誠實與下, 故能連合, 而下之二三, 亦各得其實, 初, 以陰居下, 亦其實也. 當同患之時, 相交以實, 其合可知. 故來而連者, 當位以實也, 處蹇難, 非誠實, 何以濟. 當位, 不曰正而曰實, 上下之交, 主於誠實, 用各有其所也.

사효는, 어려운 때를 맞아 윗자리에 있으나 가지 않고 와서 아래와 뜻을 같이 하니, 참으로 무리를 얻을 수 있다. 또 음(陰)으로 음의 자리에 있어서 참됨[實]을 얻게 되어 성실함으로 아래와 함께 한다. 그러므로 연합할 수 있는데, 아래의 이효와 삼효도 또한 각각 그 참됨[實]을 얻었고, 초효도 음으로 아래에 있어서 또한 참되다. 근심을 함께 하는 때를 맞아서 참됨으로 서로 사귀니 연합함을 알 수 있다. 그러므로 와서 연합함은 해당된 자리가 참되기 때문이다. 어려움에 처하여 참됨이 아니라면 어떻게 구제할 수 있겠는가? '해당된 자리[當位]'를 '바르다[正]'고 하지 않고 '참되다[實]'고 한 것은 위와 아래가 사귐에는 성실함을 주로 하니, 쓰임에는 각각 적소(適所)가 있는 것이다.

小註

雲峰胡氏曰, 六四陰也, 而曰當位實者, 四來連三, 以三之陽當位實. 四陰虛, 以連三之陽實, 合力以濟.

운봉호씨가 말하였다: 육사는 음인데, "해당된 자리가 참되다"고 한 것은 사효가 와서 삼효와 연합함에 삼효의 양이 해당된 자리가 참되기 때문이다. 사효의 비어있는 음이 삼효의 참된 양과 연합함이니, 힘을 합쳐서 구제한다.

○ 楊氏曰, 六四, 居二陽之間, 求之已者, 雖謂之陰, 而當位實者, 以陰比於陽也. 易之爲義, 以得陽爲實, 以失陽爲虛, 如翩翩不富, 皆失實者, 无陽故爾.

양씨가 말하였다: 육사는 두 양 사이에서 자기를 구하는 것이니, 비록 음(陰)이라 하더라도 해당된 자리가 참된 것은 음으로 양을 가까이 하기 때문이다. 역의 뜻은 양을 얻은 것을 참되다고 하고, 양을 잃는 것을 비었다고 하니, '훨훨 날아 부유하지 않음'[69]과 같은 것이 모두 참됨을 잃는 것은 양이 없기 때문이다.

‖韓國大全‖

김상악(金相岳) 『산천역설(山天易說)』

當位實, 謂九三得正位而剛實也. 蒙六四, 則不與陽相連, 故曰獨遠實也.

"해당된 자리가 참되다"는 구삼이 바른 자리를 얻고 굳세며 참됨을 말한다. 몽괘의 육사는 양(陽)과 서로 연합하지 않으므로 "홀로 참됨에서 멀다"[70]고 하였다.

김규오(金奎五) 「독역기의(讀易記疑)」

六四象當位實, 雲峯以連三之陽當之. 方釋六四, 而專言九三, 似若不類, 然來連之連, 連三也. 象言其所以可連之妙, 恐无不可也.

육사 「소상전」의 "해당된 자리가 참되기 때문이다"에서 운봉은 삼효의 양(陽)과 연합하는 것이 여기에 해당된다고 하였다. 막 육사를 해석하면서 오로지 구삼을 말한 것은 아마도 타당치 않은 것 같지만, '오면 연합한다[來連]'에서 '연합함[連]'은 삼효와 연합함이다. 「소상전」에서는 그 연합할 수 있는 근거의 묘함을 말하였으니, 불가함이 없을 듯하다.

서유신(徐有臣) 『역의의언(易義擬言)』

六四之位, 得當也, 九五之來, 得實也, 當位而又實也.

구사의 자리가 마땅함을 얻었고, 구오의 '옴'이 참됨을 얻었으니, 자리가 마땅하고 또 참된 것이다.

---

69) 『周易·泰卦』: 六四, 翩翩, 不富以其鄰, 不戒以孚.
70) 『周易·蒙卦』: 象曰, 困蒙之吝, 獨遠實也.

박문건(朴文健) 『주역연의(周易衍義)』

實, 信也.

'참됨[實]'은 미쁨[信]이다.

이지연(李止淵) 『주역차의(周易箚疑)』

六四小象之當位實三字, 當以胡雲峰之說爲勝耳.

육사 「소상전」의 "해당된 자리가 참되기 때문이다"라는 말은 당연히 호운봉의 설명이 가장 좋다.

김기례(金箕澧) 「역요선의강목(易要選義綱目)」

四與五三, 皆非正應, 而有暱比之義, 當蹇而上比五君, 則不足以濟險, 有入險之危. 故不如退與三牽連也. 四以陰虛連三之陽實, 則可以濟蹇. 故象曰當位實也.

사효는 오효나 삼효에 대해 모두 정응은 아니지만 친하게 가까이 하려는 뜻이 있는데, 어려운 때에 위로 오효의 임금을 가까이 한다면, 험함을 구제하기는 부족하고 험함에 빠질 위험이 있다. 그러므로 물러나 삼효와 당겨서 연합하는 것만 못한 것이다. 사효가 텅 빈 음으로 삼효의 참된 양과 연합하니, 어려움을 구제할 수 있다. 그러므로 「소상전」에서 "해당된 자리가 참되기 때문이다"라고 하였다.

심대윤(沈大允) 『주역상의점법(周易象義占法)』

當位, 謂五也 實, 謂三也.

'자리가 마땅함[當位]'는 오효를 말하고, '참됨[實]'은 삼효를 말한다.

오치기(吳致箕) 「주역경전증해(周易經傳增解)」

四之來連, 以三[71]之當位而剛實, 可助其柔虛而有濟也.

사효가 와서 연합함은 삼효가 자리가 마땅하며 굳세고 참되기 때문이니, 그 부드럽고 비어 있는 것을 도와서 구제할 수 있다.

---

71) 三: 경학자료집성DB에는 '二'로 되어 있으나, 경학자료집성 원문을 살펴서 '三'으로 바꾸었다.

박문호(朴文鎬) 「경설(經說)·주역(周易)」

用各有其所, 言或用正, 或用實, 各有所當也.
『정전』의 "쓰임에는 각각 적소(適所)가 있는 것이다"는 혹 '정(正)'자를 쓰고 혹 '실(實)'자를
씀에는 각각 마땅한 바가 있다고 말한 것이다.

이병헌(李炳憲) 『역경금문고통론(易經今文考通論)』

程傳曰, 往則益入於坎險.
『정전』에서 말하였다: 가면 더욱 감괘의 험함으로 들어간다.

本義曰, 連於九三.
『본의』에서 말하였다: 구삼과 연합함이다.

姚曰, 陽稱實.
요씨가 말하였다: 양은 참됨을 일컫는다.

九五, 大蹇, 朋來.

정전 구오는 크게 어려움에 벗이 온다.

본의 구오는 크게 어려움에 벗이 올 것이다.

|中國大全|

傳

五居君位, 而在蹇難之中, 是天下之大蹇也, 當蹇而又在險中, 亦爲大蹇. 大蹇之時而二在下, 以中正相應, 是其朋助之來也. 方天下之蹇而得中正之臣相輔, 其助豈小也. 得朋來而无吉, 何也. 曰, 未足以濟蹇也. 以剛陽中正之君, 而方在大蹇之中, 非得剛陽中正之臣相輔之, 不能濟天下之蹇也. 二之中正, 固有助矣, 欲以陰柔之助, 濟天下之難, 非所能也. 自古聖王, 濟天下之蹇, 未有不由賢聖之臣, 爲之助者, 湯武得伊呂, 是也. 中常之君, 得剛明之臣, 而能濟大難者, 則有矣, 劉禪之孔明, 唐肅宗之郭子儀, 德宗之李晟, 是也. 雖賢明之君, 苟无其臣, 則不能濟於難也. 故凡六居五, 九居二者, 則多由助而有功, 蒙泰之類, 是也, 九居五, 六居二, 則其功多不足, 屯否之類, 是也. 蓋臣賢於君, 則輔君以君所不能, 臣不及君, 則贊助之而已. 故不能成大功也.

오효는 임금의 자리에 있고 어려운 가운데 있으니 천하의 큰 어려움이고, 어려움을 맞아서 또 험한 가운데 있으니, 또한 큰 어려움이 된다. 크게 어려운 때에 이효가 아래에 있어 중정함으로 서로 호응하니, 그 벗의 도움이 오는 것이다. 막 천하가 어려울 때 중정한 신하를 얻어 서로 도우니, 그 도움이 어찌 작겠는가? 벗이 옴을 얻었는데도 길함이 없는 것은 어째서인가? 말하자면, 어려움을 구제할 수 없기 때문이다. 굳센 양(陽)의 중정한 임금이지만 크게 어려운 가운데 있으니, 굳센 양의 중정한 신하를 얻어 서로 돕는 것이 아니라면 천하의 어려움을 구제할 수 없다. 이효의 중정함은 참으로 도움이 있으나, 부드러운 음의 도움으로 천하의 어려움을 구제하려고 하니, 할 수 있는 바가 아니다. 예로부터 성왕이 천하의 어려움을 구제함에는 어질고 거룩한 신하가 도와줌을 말미암지 않은 적이 없었으니, 탕왕(湯王)과 무왕(武王)이 이윤(伊尹)과 여상(呂尙)을 얻은 것이 이것이다. 보통[中常]의 임금이 굳세며 현명한 신하를 얻어 큰 어려움을 구제한 경우가 있으니, 유선(劉禪)의 공명(孔明)

과 당 숙종(肅宗)의 곽자의(郭子儀)와 덕종(德宗)의 이성(李晟)이 이것이다. 비록 현명한 임금이라도 진실로 그런 신하가 없으면 어려움을 구제할 수 없다. 그러므로 음효[六]가 오효의 자리에 있고 양효[九]가 이효의 자리에 있는 것은 대부분 도움을 말미암아 공로가 있으니, 몽괘(蒙卦䷃)와 태괘(泰卦䷊)의 부류가 이것이고, 양효[九]가 오효자리에 있고 음효[六]가 이효자리에 있는 것은 그 공로가 부족한 경우가 많으니, 준괘(屯卦䷂)와 비괘(否卦䷋)의 부류가 이것이다. 신하가 임금보다 어질면 임금이 할 수 없는 것으로 임금을 보필하지만, 신하가 임금에 미치지 못하면 임금을 도와 보조할 뿐이다. 그러므로 큰 성공을 이룰 수 없다.

本義

大蹇者, 非常之蹇也. 九五, 居尊而有剛健中正之德, 必有朋來而助之者. 占者有是德, 則有是助矣.

큰 어려움은 보통의 어려움이 아니다. 구오가 높은 자리에 있으면서 강건하고 중정한 덕이 있으니, 반드시 벗이 와서 도와줌이 있을 것이다. 점치는 자에게 이러한 덕이 있으면 이러한 도움이 있을 것이다.

小註

或問, 蹇九五, 何故爲大蹇. 朱子曰, 五是爲蹇主. 凡人臣之蹇, 只是一事, 至大蹇, 須人主當之.

어떤 이가 물었다: 건괘(蹇卦䷦) 구오는 어째서 큰 어려움이 됩니까?

주자가 답하였다: 오효는 건괘의 주인이 됩니다. 대개 신하의 어려움은 한 가지 일일 뿐이고, 큰 어려움에 있어서는 반드시 임금이 감당해야 합니다.

○ 問, 大蹇朋來之義. 曰, 處九五尊位而居蹇之中, 所以爲大蹇. 所謂遺大投艱於朕身, 人君當此之時, 須屈群策用群力, 乃可濟也.

물었다: "크게 어려움에 벗이 온다"의 의미는 무엇입니까?

답하였다: 구오(九五)라는 높은 자리에 있으면서 어려운 가운데 머무르니, 그래서 큰 어려움이 되는 것입니다. 이른바 "내 몸에 큰일을 물려주고 난제를 던져 준다"[72]는 것이니, 임금이 이러한 때를 맞아서 반드시 여러 정책을 다하고 여러 힘을 써야만 이에 구제할 수 있습니다.

---

72) 『서경·대고』.

○ 濾川毛氏曰, 禍亂, 天所以開聖人也. 九五, 德正而位尊, 立乎險中, 以合天下, 使天下之有志者, 朋來而取節於我. 是故自我言之, 所謂當位貞吉, 以正邦也, 自朋來者言之, 所謂利見大人, 往有功也. 然則九五陷坎險之中, 所以爲蹇也, 而其位則君也, 治蹇者也. 以治蹇之主, 而居至險之中, 此所以撥亂反正, 乘危致安也歟.

노천모씨가 말하였다: 환란은 하늘이 성인을 펼쳐주는 것이다. 구오는 덕이 바르며 지위가 높으나 험한 가운데 서서 천하를 화합하여 천하에 뜻이 있는 자들에게 벗으로 와서 나에게서 부절을 취하게 한다. 이 때문에 나로 말하면 이른바 "자리가 마땅하여 곧으며 길함은 나라를 바르게 함이다"라는 것이며, 벗이 온 것으로 말하면 이른바 "대인을 보는 것이 이로움은 가서 공이 있음이다"라는 것이다. 그렇다면 구오는 감괘(坎卦☵)의 험함 가운데에 빠졌기에 어렵게 된 것이고, 그 지위는 임금이기에 어려움을 다스리는 것이다. 어려움을 다스리는 주인으로 지극히 험한 가운데 있으니, 이것이 환란을 다스려 바름으로 돌아가며 위태함을 타고서 안정됨을 이루는 까닭일 듯하다.

○ 中溪張氏曰, 九五以陽剛而陷於坎中, 是遺大投艱於朕身, 夫豈小蹇也哉. 斯時也, 正望群賢之來, 出其險以拔其禍, 幸而下有六二柔順之大臣, 爲之正應, 必能朋合來譽來反來連來碩之才, 翕然而至, 與同心協力, 共濟九五大蹇之難. 苟非二居下體之中, 能盡匪躬之節, 又安能朋合衆賢, 于于而來哉.

중계장씨가 말하였다: 구오의 굳센 양이 감괘(☵)의 안에 빠짐은 '내 몸에 큰일을 물려주고 난제를 던져 준 것'이니, 저것이 어찌 작은 어려움이겠는가? 이러한 때엔 바로 여러 어진 이가 와서 그 화를 뽑아내어 험함에서 벗어나기를 바라는데, 다행히 아래에 육이의 유순한 대신이 있어 정응이 되어서 반드시 오면 명예롭고, 오면 돌아오고, 오면 연합하고, 오면 큰 재주를 지닌 이들을 벗으로 화합할 수 있어서 한꺼번에 이르러 더불어 마음을 같이 하고 힘을 합하여 함께 구오의 크게 어려운 환난을 구제한다. 참으로 이효가 하체(下體)의 가운데에 있으면서 자기 때문이 아닌 절개를 다한 것이 아니라면, 또 어찌 여러 어진 이가 벗으로 화합하여 만족하며 올 수 있겠는가?

○ 雲峰胡氏曰, 諸爻皆以往爲蹇, 聖人又慮天下皆不往, 蹇无由出矣. 二五君臣, 復不往, 誰當往乎. 故於二曰蹇蹇, 於五曰大蹇. 或曰, 朋三也. 三四, 陰與陽相比, 有連象, 三五, 陽與陽同德, 有朋象. 蹇之三反爲解之四, 彼於四曰朋至, 故此以三爲朋來.

운봉호씨가 말하였다: 여러 효가 모두 가는 것을 어렵게 여긴다면, 성인은 다시 천하 사람들이 모두 기지 않아서 어려움을 벗어날 길이 없을까 염려할 것이다. 이효와 오효의 임금과 신하가 다시 가지 않는다면, 누가 마땅히 가야 하겠는가? 그러므로 이효에서는 "어렵고 어렵다"고 하고, 오효에서 "크게 어렵다"고 하였다. 어떤 이는 "벗은 삼효이다"라고 하는데, 삼효

와 사효는 음과 양이 서로 가까이 하니 연합하는 상이 있고, 삼효와 오효는 양과 양이 덕을 같이 하니 벗의 상이 있다. 건괘(蹇卦䷦)의 삼효는 반대로 뒤집으면 해괘(解卦䷧)의 사효가 되는데, 해괘에서는 사효에서 "벗이 이른다"고 했으므로 여기서는 삼효에서 벗이 온다고 하였다.

○ 鄭氏剛中曰, 諸爻皆以來爲言, 與朋來之來異. 諸爻之來, 自外反內也. 朋來之來, 自下趨五也.
정강중이 말하였다: 여러 효에서 모두 '옴[來]'을 말했으나 '벗이 온다[朋來]'의 '옴[來]'과는 다르니, 여러 효의 '옴'은 밖에서 안으로 돌아오는 것이고, '벗이 온다'의 '옴'은 아래에서 오효의 자리로 옮겨오는 것이다.

‖韓國大全‖

송시열(宋時烈) 『역설(易說)』

大者, 陽也. 蹇之時雖險, 然五居君位, 以大陽之德, 能不陷於滔中. 又求得中正之臣, 相與爲濟險之圖, 此所謂大蹇而朋來. 朋來來者, 二之中正, 以朋類而求故也. 小象中節者, 言中合於君臣之節也.
'큼[大]'은 양(陽)이다. 어려운 때라서 비록 험하지만, 오효는 임금의 자리에 머무르며 큰 양의 덕으로 흐름에 빠지지 않을 수 있다. 또한 중정한 신하를 구하여서 서로 더불어 험함의 구제를 도모하니, 이것이 이른바 "크게 어려움에 벗이 온다"는 것이다. 벗들이 오고 오는 것은 중정한 이효가 벗의 부류를 구했기 때문이다. 「소상전」의 '중절(中節)'은 군신의 예절에 꼭 맞음을 말한다.

석지형(石之珩) 『오위귀감(五位龜鑑)』

臣謹按, 蹇之九五, 以得臣之助爲朋來. 朋有友朋之義, 亦有朋類之義, 謂之友朋, 則不卑其臣也, 謂之朋類, 則不厭其衆也. 後世之尊君抑臣, 取人不廣者, 豈知得朋濟蹇之道哉. 今之世, 亦可謂蹇矣, 伏願殿下尙賢而廣其助焉.
신이 삼가 살펴보았습니다: 건괘의 구오는 신하의 도움을 얻는 것을 "벗이 온다"고 하였습니다. 벗에는 붕우(朋友)의 뜻이 있고 또한 벗의 부류라는 뜻도 있는데, 붕우라고 한다면 그 신하를 낮추지 않는 것이고, 벗의 부류라고 한다면 그 많음을 싫어하지 않는 것입니다. 후세에 임금을 높이고 신하를 낮추어서 사람을 널리 취하지 못한 자가 어찌 벗을 얻어 어려움을 구제하는 도(道)를 알겠습니까? 지금의 세상도 또한 어렵다고 할 수 있으니, 엎드려 바라건 대 전하께서는 어진 이를 높이시고 그 도움을 넓게 하십시오.

이현석(李玄錫) 「역의규반(易義窺斑)」

朱子以五爻爲蹇之主, 蓋德正位尊, 而陷於坎險之中, 所以爲蹇也. 其曰朋來者, 謂衆爻皆來助也. 見險能止, 卦之德也, 聖人於彖辭, 而贊其美矣. 然苟止而止, 則更無濟艱出險之功. 故又稱利見大人, 往有功也, 而於諸爻, 皆以往來取象, 所謂往來者, 非指卦內外而言也. 象傳之往有功, 以利見大人而往也, 諸爻之往者, 謂避險難而潔身長往也, 曰來者, 謂出而用世也. 象傳夫子所作, 爻辭周公所作. 非一人一時之筆, 故下字有不同者多矣, 非獨此也. 初六, 居不用之地, 而猶曰往蹇來譽者, 勉其來也, 漢之鄧禹, 以書生扶劍追光武, 足當此象. 然在下而微, 不可遽用. 故其來也, 姑得譽聲, 而且有宜待之戒也. 六二與五正應, 雖當亂世, 元無可往之義者. 故不言往來, 而直謂王臣蹇蹇. 本義亦引諸葛亮之鞠躬盡瘁, 斯可以當之矣. 蓋諸爻中, 惟二五不言往, 則往字之爲長往也, 益明矣. 九三, 有剛陽之才, 爲下所附, 足以濟屯者也. 故往則蹇而來則反, 反之謂反其蹇也. 六四, 上近九五, 下連九三, 居大臣之位, 故亦不可往, 而只宜來, 連在下之衆爻, 以謀濟蹇之道也. 於九五, 乃拈出朋來字, 以明諸爻之皆來附, 而諸爻之來字, 亦皆照應於此. 上六, 居無位高尚之地, 尤易於長往. 故旣言來碩, 而又言利見大人, 以重申之, 則聖人深意, 良可見矣. 先儒論初六曰, 古人生居亂世, 無官守言責者, 類皆高蹈隱淪, 以待天下之淸, 身名俱高, 傳播萬世, 而履富貴蹈危機者, 名位俱仆, 爲後代之指笑, 夫是之謂往蹇來譽, 此言固質矣. 第此卦則九五有陽剛中正之德, 而陷於坎險. 乃賢明之君, 遭時厄會, 而志剛才健, 可與有爲. 故說者以五爲撥亂之英君. 有君如此, 而爲其臣者, 避世自潔, 不盡匪躬之節, 則誰與濟艱哉. 忠臣志士, 斷不如是, 故雖初六上六之無位, 而聖人亦勉其來也, 此與屯九五小貞吉, 其義相類. 故表而論之.

주자는 오효를 건괘(蹇卦)의 주인으로 여겼는데, 대체로 덕이 바르고 자리가 높지만 감괘 (☵)의 험한 가운데 빠져서 어렵게 된 것이다. 그 '벗이 온다'고 한 것은 뭇 효가 모두 와서 도움을 말한다. 험함을 보고 그칠 수 있음은 괘의 덕이니, 성인이 단사에서 그 아름다움을 찬양하였다. 그러나 다만 멈추어 그치기만 한다면, 다시는 어려움을 구제하여 험함을 벗어나는 공이 없게 된다. 그러므로 또한 "대인을 보는 것이 이로움은 가서 공이 있음이다"라고 일컫고, 여러 효에서 모두 '감'과 '옴'을 상으로 취한 것인데, 이른바 '감'과 '옴'은 괘의 안과 밖을 가리켜 말한 것이 아니다. 「단전」의 '가서 공이 있음'은 대인을 보는 것이 이롭기 때문에 가는 것이며, 여러 효의 '감'은 험난함을 피하고 몸을 깨끗이 하여 오래감을 말하고, '온다'고 한 것은 나와서 세상에 쓰임을 말한다. 「단전」은 공자가 지은 것이고, 효사는 주공이 지은 것이다. 한 사람이 한 때에 적은 것이 아니므로 글자를 씀에 같지 않은 것이 많으니, 유독 이것뿐만이 아니다. 초효는 쓰이지 않는 곳에 있는데도, 오히려 '가면 어렵고 오면 명예롭다'고 한 것은 오는 것을 격려함이니, 한나라의 등우(鄧禹)가 서생으로 칼에 상처 입으며 광무제를 따른 것이 이 상에 해당된다. 그러나 아래에 있어서 미미하니, 갑자기 기용할 수 없다. 그러므로 그것이 오면 잠시 명성을 얻게 하면서, 또한 마땅히 기다려야 한다고 경계시켰던 것이다. 육이와 오효는 정응이 되니, 비록 난세를 맞았더라도 원래부터 갈 수 없다는 뜻이 없다. 그러므로 가고 옴을 말하지 않고서, 다만 '왕의 신하가 어렵고 어렵다'고 하였다. 『본의』에서도 또한 제갈량의 몸을 굽혀 힘을 다함을 인용하였으니, 이것이 이에 해당될 수 있을 것이다. 대체로 여러 효 가운데 오직 이효와 오효만이 감을 말하지 않았으니, '감'이 오래감의 뜻임이 더욱 분명할 것이다. 구삼은 굳센 양의 재질이 있으며 아래에서 추종하는 것이 되니, 어려움을 구제할 수 있는 것이다. 그러므로 가면 어렵고 오면 돌아오니, 돌아옴은 그 어려움을 돌이킴을 말한다. 육사는 위로는 구오를 가까이하고 아래로는 구삼과 연합하는데, 대신의 자리에 있으므로 또한 갈 수가 없고, 다만 와서 아래에 있는 여러 효와 연합하여 어려움을 구제하는 도를 꾀하여야만 한다. 구오에서는 바로 '벗이 온다'고 집어내어 여러 효가 모두 와서 따름을 밝혔으니, 여러 효의 '옴'은 또한 모두 이것을 비추고 호응함이다. 상육은 지위가 없는 높은 곳에 있으니 더욱 오래가기가 쉽다. 그러므로 이미 '오면 크다'고 하고, 다시 "대인을 보는 것이 이롭다"고 하여 거듭 되풀이 하였으니, 성인의 깊은 뜻을 잘 알 수 있다. 선유가 초육을 논의하여, "옛사람이 난세에 살면서 벼슬함이 없이 말의 책임을 지키는 자는 그 무리가 모두 초연히 은둔하고서 천하의 맑음을 기다려서 몸과 명예가 모두 높아지고 만세에 전해졌지만, 부귀를 밟고서 위기를 따르는 자는 명예와 지위가 함께 뒤집어져 후대의 웃음거리가 되었다"고 하고, 이것이 '가면 어렵고 오면 명예롭다'를 말한다고 했는데, 이 말은 참으로 소박한 것이다. 다만 건괘(蹇卦)에서는 구오가 굳센 양의 중정한 덕이 있지만 감괘(☵)의 험함에 빠져있다. 바로 현명한 군주가 재앙이 모인 때를 만났지만, 뜻이 굳세고 재주가 강건하여 더불어 일을 해낼 수 있는 것이다. 그러므로 설명하는 사람들이 오효를 환란을 제거할 영명한 임금으로 여겼다. 이와 같은 임금이 있는데 신하된 자들이 세상을 피하여 스스로만 깨끗이 하고는 자신 때문이 아닌 절개를 다하지 않는다면, 누가 더불어 어려움을 구제하겠는가? 충신과 지사(志士)는 결단코 이와 같지 않으므로 비록 초효와 지위가 없는 상육이라도 성인이 또한 오도록 권면한 것이니, 이것은 준괘(屯卦)의 구오의 "조금씩 곧게 하면 길하다"[73]와 그 뜻이 서로 유사하다. 그러므로 드러내어 논의하였다.

이익(李瀷) 『역경질서(易經疾書)』

九五大蹇, 非其中正之德, 豈有朋來之慶. 朋者, 指諸五爻而云也, 如漢之昭烈, 當板蕩之際, 便有諸葛關張之朋來, 卽此其象也.

구오는 크게 어려움이니, 중정한 덕이 아니라면 어찌 벗이 오는 경사가 있겠는가? 벗은 여러 다섯 효를 가리켜 말한 것이니, 예컨대 한나라의 소열이 상황이 어려울 때에 제갈량·관우·장비라는 벗이 옴이 있었던 것이 바로 이 상이다.

심조(沈潮) 「역상차론(易象箚論)」

朋, 從兩月者, 卽兩坎也. 先天八卦, 坎爲月.

'벗[朋]'은 두 개의 달[月]에서 온 것이니, 곧 두 개의 감괘(☵)이다. 선천팔괘도에서는 감괘가 달이 된다.

유정원(柳正源) 『역해참고(易解參攷)』

王氏曰, 處難之時, 獨在險中, 難之大者也. 故曰大蹇. 然居不失正, 履不失中, 執德之長, 不改其節如此, 則同志者, 集而至矣. 故曰朋來也.

왕필이 말하였다: 어려운 때에 처해서 홀로 험함 가운데 있으니, 어려움이 큰 것이다. 그러므로 '크게 어렵다'고 하였다. 그러나 거처가 바름을 잃지 않고 행실이 중도를 잃지 않아 덕을 길이 지킴과 절도를 바꾸지 않음이 이와 같으니, 뜻을 같이 하는 자가 모여 이를 것이다. 그러므로 '벗이 온다'고 하였다.

○ 進齋徐氏曰, 朋謂三, 五與三皆陽, 故曰朋.

진재서씨가 말하였다: 벗은 삼효를 말하니, 오효와 삼효가 모두 양이므로 '벗'이라 하였다.

○ 雙湖胡氏曰, 凡天下之蹇, 皆聚於人君之一身, 故稱大蹇, 又陽爻亦稱大. 合二五兩爻觀之, 五爲濟蹇之主, 二爲濟蹇之臣. 故五稱大蹇, 二稱蹇蹇. 又觀蹇之二五, 與比之二五, 一也, 比何爲而樂, 蹇何爲而難. 蓋不徒繫爻, 實繫卦體, 比以坎下乘坤, 蹇以坎下乘艮. 文王曰, 利西南, 不利東北, 坤正西南角卦, 艮正東北角卦, 平易險阻之分. 不徒在於坎, 尤在於坤艮者, 蓋可見矣.

쌍호호씨가 말하였다: 천하의 어려움이 모두 임금의 한 몸으로 모이므로 '크게 어렵다'고

---

73) 『周易·屯卦』: 九五, 屯其膏, 小貞, 吉, 大貞, 凶.

했는데, 또한 양효도 '크다'고 한다. 이효와 오효를 합쳐서 본다면, 오효는 어려움을 구제하는 임금이 되고, 이효는 어려움을 구제하는 신하가 된다. 그러므로 오효는 '크게 어렵다'고 하고, 이효는 '어렵고 어렵다'고 하였다. 또 건괘(蹇卦䷦)의 이효·오효를 보면 비괘(比卦䷇)의 이효·오효와 동일한데, 비괘는 어째서 즐겁고, 건괘는 어째서 어렵단 말인가? 단지 효 때문이 아니라 실제로 괘의 몸체 때문이니, 비괘는 감괘(☵)가 아래로 곤괘(☷)를 타고 있고, 건괘는 감괘(☵)가 아래로 간괘(☶)를 타고 있어서이다. 문왕이 "서북이 이롭고 동북은 이롭지 않다"고 했는데, 곤괘는 바로 서남쪽의 괘이고 간괘는 바로 동북쪽의 괘이니, 평탄하고 쉬움과 험하고 막힘이 나누어진다. 단순히 감괘(☵) 때문이 아니라, 문제가 곤괘(☷)와 간괘(☶)에 있음을 알 수 있을 것이다.

○ 李氏開曰, 四爻皆言往蹇而來善, 唯二與五不言往, 以中正濟蹇之才, 可以往故也.
이개가 말하였다: 네 효에는 모두 가면 어렵고 오면 좋음을 말했는데, 이효와 오효에서만 '감[往]'을 말하지 않았으니, 중정하며 어려움을 구제하는 재질이어서 갈 수 있기 때문이다.

김상악(金相岳) 『산천역설(山天易說)』

九五, 以陽剛居坎中. 四上之比, 皆陰之陷, 六二之應, 才柔不足以濟, 是遺大投艱於朕身也. 故有大蹇之象. 朋謂三也. 三五雖非比應, 三互離體而上, 故朋來而助之也.
구오는 굳센 양이 감괘(☵)의 가운데 있다. 사효와 상효가 가까이 하나 모두 음효의 함정이고, 육이가 호응하나 재질이 부드러워 구제하기 부족하니, "내 몸에 큰일을 물려주고 난제를 던져 준다"는 것이다. 그러므로 크게 어려운 상이 있다. 벗은 삼효를 말한다. 삼효와 오효가 비록 가까이 하거나 호응하는 것은 아니지만, 삼효가 호괘인 리괘의 몸체가 되어 올라가므로 벗이 와서 이를 돕는 것이다.

○ 陽爲大, 大蹇, 大人之蹇也. 朋陽朋也, 解之四曰朋至, 謂陽爻. 故此以三爲朋來. 又五變則豫之反, 其九四曰勿疑朋盍簪, 亦謂陽也. 來者, 自下來五也, 與他爻之來不同. 五之君, 方在大蹇之中, 則豈可以往蹇而不來. 坎陽動于上, 故艮陽之止者, 亦能用離之德而進也, 豐六五曰來章, 是也. 三之朋既來, 則居蹇諸賢, 亦當翕然而至, 智者慮能, 明者慮策, 以濟其蹇, 卽象傳所謂當位貞吉以正邦也.
양(陽)은 큼이 되니, '큰 어려움'은 대인의 어려움이다. 벗은 양효가 벗이 되니, 해괘(解卦䷧)의 사효에서 '벗이 이른다'[74]고 한 것은 양효를 말한다. 그러므로 여기서도 삼효를 벗이

---

74) 『周易·解卦』: 九四, 解而拇, 朋至, 斯孚.

오는 것으로 여겼다. 또 오효가 변하면 예괘(豫卦䷏)가 뒤집힌 괘인데, 그것의 구사에서 "의심하지 않으면 벗들이 모여든다"[75]고 한 것도 또한 양효를 말한다. '옴[來]'은 아래로부터 오효에게 옴이니, 다른 효의 '옴'과는 같지 않다. 오효의 임금이 마침 크게 어려운 가운데 있으니, 어찌 가면 어렵다고 (오효에게) 오지 않을 수 있겠는가? 감괘(☵)의 양효가 위에서 움직이므로 간괘(☶)의 멈춰있는 양효도 또한 (호괘인) 리괘(☲)의 덕을 써서 나아갈 수 있으니, 풍괘(豊卦䷶)의 오효에서 "빛난 것을 오게 한다"[76]고 한 것이 이것이다. 삼효의 벗이 이미 왔다면 어려움에 머물고 있는 여러 현인들도 또한 마땅히 한꺼번에 이르러 지혜로운 자는 능력을 고려하고 밝은 자는 계책을 생각하여 그 어려움을 구제할 것이니, 「단전」에서 말한 "자리에 마땅하여 곧으며 길함은 나라를 바르게 함이다"이다.

김규오(金奎五) 「독역기의(讀易記疑)」

九五朋以同類之意, 則雲峯之以三爲言者得之. 其引解四尤密. 然以由豫之朋見之, 二亦不害爲五之朋矣, 中溪謂二能朋合譽反連碩,[77] 其說亦好.

구오의 벗은 같은 부류의 의미이니, 운봉이 삼효를 가지고 말한 것이 좋다. 그가 해괘(解卦) 사효를 인용한 것도 아주 친밀하다. 그러나 예괘(豫卦)의 벗에 근거하여 본다면 이효가 오효의 벗이 된다고 해도 문제가 없으니, 중계가 "이효가 명예로운 사람과 돌이키는 사람과 연합하는 사람과 큰 사람들을 벗으로 화합할 수 있다"고 한 것도 그 설명이 또한 좋다.

서유신(徐有臣) 『역의의언(易義擬言)』

九五故爲大蹇, 大之蹇, 蹇之大也. 朋來者, 六二爲之, 匪躬也. 諸爻以九五爲時來, 而九五以六二爲朋來也.

구오이기 때문에 크게 어려움이 되니, 큰 어려움은 어려움이 큰 것이다. '벗이 온다[朋來]'는 것은 육이가 하는 것이니, 자기 때문이 아닌 것이다. 여러 효에서는 구오를 올 때로 여기지만, 구오에서는 육이를 벗이 옴으로 여긴다.

박문건(朴文健) 『주역연의(周易衍義)』

爲陰所陷, 故有大蹇之象. 朋, 謂六二也.

---

75) 『周易·豫卦』: 九四, 由豫, 大有得. 勿疑, 朋盍簪.
76) 『周易·豊卦』: 六五, 來章, 有慶譽, 吉.
77) 連碩: 경학자료집성DB와 영인본에는 모두 '□□'로 되어 있으나, 문맥을 살펴 '連碩'으로 바로잡았다.

음(陰)에게 빠지게 되었으므로 크게 어려운 상이 있다. 벗은 육이를 말한다.

〈問, 大蹇, 朋來. 曰, 九五爲二陰之所陷, 而雖大, 爲蹇難也. 然能用剛中之道而與下, 故六二所以來從而助己也.

물었다: "크게 어려움에 벗이 올 것이다"는 무슨 뜻입니까?

답하였다: 구오가 두 음효에게 빠지게 되었으니, 비록 크더라도 어렵게 되었습니다. 그러나 굳세며 알맞은 도(道)를 써서 아래와 함께 할 수 있으므로 육이가 와서 따르고 돕는 것입니다.〉

이지연(李止淵) 『주역차의(周易箚疑)』

陷於二陰之中, 蹇之大者也. 朋來而不言吉者, 其所來者, 雖中正, 而質柔才弱. 非如蒙二之大人, 屯初之貴人而已, 亦當大蹇之中, 免於凶幸也.

두 음효의 가운데 빠져서 어려움이 큰 것이다. 벗이 왔어도 길함을 말하지 않은 것은 그 온 것이 비록 중정하지만, 바탕이 부드럽고 재질이 약하기 때문이다. 몽괘(蒙卦) 이효의 대인이나 준괘(屯卦) 초효의 귀인과 같은 것이 아니니, 또한 큰 어려움을 맞이하여 다행히 흉함을 모면한 것이다.

김기례(金箕澧) 「역요선의강목(易要選義綱目)」

時蹇而位尊, 則當天下之難也. 二以中正之臣, 來應中正之君. 故曰朋來. 中節, 指坎象, 謂剛中正也.

어려운 때에 지위가 높으니, 천하의 어려움을 직면한다. 이효가 중정한 신하로 와서 중정한 임금과 호응한다. 그러므로 '벗이 온다'고 하였다. '중절(中節)'은 감괘를 가리키니, 굳세며 중정함을 말한다.

심대윤(沈大允) 『주역상의점법(周易象義占法)』

蹇之謙䷠, 斂下也. 九五居剛, 從我者也. 以剛中當位, 上下之陰大從, 而尙有九三之間其正應. 故曰大蹇. 朋來, 居尊而應二, 有斂下之象, 人君之知也. 水之斂下, 而行乎地中, 山谷之水大會, 而地形尙高, 猶是山也.

건괘가 겸괘(謙卦䷠)로 바뀌었으니, 아래로 모이는 것이다. 구오는 굳센 자리에 있으니, (남이) 나를 따르는 것이다. 굳세고 알맞으며 자리가 마땅하여 위아래의 음(陰)이 크게 따르지만, 여전히 구삼이 그 정응을 사이하고 있다. 그러므로 '크게 어렵다'고 하였다. '벗이 옴'은 높이 있으면서 이효와 호응하여 아래로 모이는 상이 있음이니, 임금의 지혜이다. 물이 아래로 모여 땅에서 흐르지만, 산곡의 물이 크게 모였어도 지형이 여전히 높으니, 아직도 산인 것이다.

오치기(吳致箕) 「주역경전증해(周易經傳增解)」

九五, 陽剛中正而居尊, 當蹇之時, 將有濟功, 而下有九三同德之臣, 連比群柔之得正者, 使引朋類而來助, 卽大蹇之中, 朋[78]來而共濟者也. 故其辭如此.

구오는, 굳센 양이 중정하고 높은 자리에 있으면서 어려운 때를 맞아 장차 구제할 일이 있는데, 아래로 구삼의 덕을 같이 하는 신하가 여러 바름을 얻은 부드러운 것들과 연합하고 가까이 하여 벗의 부류를 이끌어 와서 도움이 있으니, 바로 크게 어려운 가운데 벗이 와서 함께 구제하는 것이다. 그러므로 그 말이 이와 같다.

○ 大謂陽, 朋指九三之同德, 而亦指六二. 六四上六, 自率朋類, 連比九三而來也. 來與諸爻往來之義, 不同也.

'큼[大]'은 양을 말하고, 벗은 덕을 같이 하는 구삼을 가리키면서 또한 육이를 가리킨다. 육사와 상육은 스스로 벗의 무리를 따르니, 구삼과 연합하거나 가까이 하여 온다. '옴[來]'은 여러 효의 '가고 옴'의 뜻과는 같지 않다.

이진상(李震相) 『역학관규(易學管窺)』

陽陷險中, 故曰大蹇, 朋不必指六二. 蓋九五以中正之德, 當蹇難之際, 必有賢臣來助, 故有此象.

양이 험함의 가운데 있으므로 '크게 어렵다'고 하였고, 벗은 반드시 육이를 가리키는 것은 아니다. 대체로 구오가 중정한 덕을 쓰기에 어려운 때에는 반드시 어진 신하가 와서 도움이 있으므로 이러한 상이 있는 것이다.

채종식(蔡鍾植) 「주역전의동귀해(周易傳義同歸解)」

傳云, 二在下以中正相應, 是其朋助之來也, 此以六二爲朋也. 本義云, 五有剛健中正之德, 必有朋來而助之者, 此非直以六二爲朋而已也. 蓋九五以剛健中正之德, 處大蹇之時, 足以爲濟蹇之主也. 然六二正應之臣, 才柔未足以濟君之蹇也. 故程子曰, 方在大蹇之中, 非得剛陽中正之臣相輔之, 不能濟天下之蹇也, 此本義所以不言六二之應

而泛稱朋來之助者也.

『정전』에서는 "이효가 아래에 있어 중정함으로 서로 호응하니, 그 벗의 도움이 오는 것이다"라고 하니, 이는 육이를 벗으로 여긴 것이다. 『본의』에서는 "오효에는 강건하고 중정한 덕이 있으니 반드시 벗이 와서 도와줌이 있을 것이다"라고 하니, 이는 직접 육이를 벗으로 여긴 것은 아니다. 대체로 구오는 강건하고 중정한 덕을 쓰면서 크게 어려운 시기에 처했으니, 충분히 어려움을 구제할 수 있는 주인이 된다. 그러나 육이의 정응하는 신하가 재질이 부드러워 임금의 어려움을 구제하기에 부족하다. 그러므로 정자는 "크게 어려운 가운데 있으니, 굳센 양(陽)의 중정한 신하를 얻어 서로 돕는 것이 아니라면, 천하의 어려움을 구제할 수 없다"고 하였는데, 이것이 『본의』에서 육이와 호응함을 말하지 않고 범범하게 "벗이 와서 돕는다"고 일컬은 까닭이다.

박문호(朴文鎬) 「경설(經說)·주역(周易)」

輔君, 以君所不能之事也.

임금을 도움은 임금이 할 수 없는 일로써 한다.

九五本義, 不處二爲朋, 而遂無所指, 或以三爲同德之朋歟.

구오의 『본의』에서 이효가 벗이 된다고 처리하지 않고, 마침내는 가리키는 바가 없으니, 혹 삼효가 덕을 같이 하는 벗이 되는 것인가?

이정규(李正奎) 「독역기(讀易記)」

九五, 以中正之君, 得中正之臣, 不能濟蹇, 何也. 蓋雖以湯武之聖, 得伊呂之佐, 然後撥亂也. 雖以漢后主唐肅宗之昏弱, 有孔明郭子儀, 而尙有所爲, 然則濟難之才, 在於臣也.

구오가 중정(中正)한 임금으로 중정한 신하를 얻었는데, 어려움을 구제할 수 없는 것은 어째서인가? 비록 탕왕과 무왕 같은 성군(聖君)이라도 이윤과 여상의 도움을 얻어야 하니, 그런 뒤에야 혼란을 없앨 수 있다. 비록 한(漢)의 후주나 당(唐)의 숙종 같이 어둡고 약하더라도, 공명이나 곽자의가 있으면 오히려 일을 해낼 수 있으니, 그렇다면 어려움을 구제하는 재질은 신하에게 있을 것이다.

象曰, 大蹇朋來, 以中節也.

「상전」에서 말하였다: “크게 어려움에 벗이 옴”은 예절에 꼭 맞기 때문이다.

中國大全

傳

朋者, 其朋類也. 五有中正之德, 而二亦中正, 雖大蹇之時, 不失其守, 蹇於蹇, 以相應助, 是以其中正之節也. 上下中正而弗濟者, 臣之才, 不足也, 自古守節 秉義, 而才不足以濟者, 豈少乎. 漢李固王允, 晉周顗王導之徒, 是也.

‘붕(朋)’은 벗의 부류이다. 오효에 중정한 덕이 있고 이효도 중정하여 비록 크게 어려운 때라도 그 지킴을 잃지 않고, 어려움 때문에 어려워도 서로 호응하고 도와주니, 그 중정한 예절로 하는 것이다. 위와 아래가 중정한데 구제하지 못하는 것은 신하의 재주가 부족하기 때문이니, 예로부터 절개를 지키고 의리를 잡고서도 재주가 구제하기에 부족한 자가 어찌 적었겠는가? 한(漢)나라의 이고(李固)·왕윤(王允)과 진(晉)나라의 주의(周顗)·왕도(王導)의 무리가 이 경우이다.

小註

潘氏曰, 五, 君位也, 而在坎中, 蹇孰大焉. 然動而不失中正之節, 故能感其朋之來, 以 共成正邦之功也.

반씨가 말하였다: 오효는 임금의 자리인데 감괘(坎卦☵)의 안에 있으니, 어떤 어려움이 이 보다 크겠는가? 그러나 움직여도 중정한 예절을 잃지 않으므로 그 벗이 오게 감동시켜 함께 나라를 바르게 하는 공을 이룰 수 있다.

┃韓國大全┃

유정원(柳正源) 『역해참고(易解參攷)』

案, 變正言節者, 處蹇之義, 所貴, 在節操也.

내가 살펴보았다: '바름[正]'을 바꾸어 '절조[節]'라고 말한 것은 어려움에 대처하는 의미이니, 귀하게 여긴 것이 '절조'에 있다.

김상악(金相岳) 『산천역설(山天易說)』

中節, 卽節卦所謂當位以節, 中正以通也. 當大蹇之時, 能盡其中正之節, 則在下者, 不恤其往蹇, 而朋來助之.

'중절(中節)'은 절괘(節卦)에서 말한 '마땅한 자리로 절제하고 중정함으로 통한다'[79]는 것이다. 크게 어려운 때를 맞아서 그 중정한 절도를 다할 수 있다면 아래에 있는 자가 그 어려움에 나아감을 근심하지 않고 벗으로 와서 도울 것이다.

서유신(徐有臣) 『역의의언(易義擬言)』

節者, 變候也, 蹇將紓解也.

'예절[節]'은 상황을 변화시키니, 어려움이 장차 풀어질 것이다.

오치기(吳致箕) 「주역경전증해(周易經傳增解)」

中正之德合于節, 可以濟難. 故朋來而輔助也.

중정한 덕이 예절에 합쳐지면 어려움을 구제할 수 있다. 그러므로 벗이 와서 돕는 것이다.

이병헌(李炳憲) 『역경금문고통론(易經今文考通論)』

程傳曰, 五居君位, 而在險中, 爲大蹇, 有中正之德, 而二亦中正, 不失其守, 以相應助, 是以其中正之節也.

『정전』에 말하였다: 오효가 임금의 자리에 있어도 험한 가운데 있어서 크게 어렵지만, 중정한 덕이 있고 이효도 중정하여 그 지킴을 잃지 않아서 서로 호응하고 도와주니, 이것이 중정한 예절로 하는 것이다.

---

79) 『周易·節卦』: 象曰, … 說以行險, 當位以節, 中正以通.

上六, 往, 蹇, 來, 碩, 吉, 利見大人.

상육은 가면 어렵고 오면 크므로 길하리니, 대인을 보는 것이 이롭다.

|中國大全|

傳

六, 以陰柔居蹇之極, 冒極險而往, 所以蹇也, 不往而來, 從五求三, 得剛陽之助, 是以碩也. 蹇之道, 厄塞窮蹇, 碩, 大也, 寬裕之稱, 來則寬大, 其蹇, 紓矣. 蹇之極, 有出蹇之道, 上六, 以陰柔, 故不得出, 得剛陽之助, 可以紓蹇而已. 在蹇極之時, 得紓則爲吉矣, 非剛陽中正, 豈能出乎蹇也. 利見大人, 蹇極之時, 見大德之人則能有濟於蹇也. 大人謂五, 以相比, 發此義, 五, 剛陽中正而居君位, 大人也. 在五不言其濟蹇之功, 而上六利見之, 何也. 曰, 在五不言, 以其居坎險之中, 无剛陽之助, 故无能濟蹇之義, 在上六, 蹇極而見大德之人, 則能濟於蹇, 故爲利也. 各爻取義, 不同, 如屯初九之志正, 而於六二, 則目之爲寇也. 諸爻, 皆不言吉, 上獨言吉者, 諸爻, 皆得正, 各有所善, 然皆未能出於蹇, 故未足爲吉, 唯上, 處蹇極而得寬裕, 乃爲吉也.

음효[六]가 부드러운 음으로 지극히 어려운데 머무르니, 지극히 험함을 무릅쓰고 간다면 그래서 어려울 것이고, 가지 않고 와서 오효를 따르고 삼효에게 구하여 굳센 양의 도움을 얻는다면 이 때문에 클 것이다. 건(蹇)의 도는 재앙으로 막히고 곤궁하여 어려움이고, '석(碩)'은 큼으로 너그럽고 넉넉함을 일컬으니, 오면 관대하여 그 어려움이 풀릴 것이다. 어려움이 지극하면 어려움을 벗어나는 길이 있으나, 상육은 부드러운 음이기 때문에 벗어나지 못하고, 굳센 양의 도움을 얻어야만 어려움을 풀 수 있을 것이다. 어려움이 지극한 때에 풀리게 된다면 길하겠지만, 굳센 양의 중정함이 아니라면 어찌 어려움을 벗어날 수 있겠는가? (그래서) 대인을 봄이 이로운 것이니, 어려움이 지극한 때에 큰 덕이 있는 사람을 만난다면 어려움을 구제할 수 있을 것이다. 대인은 오효를 말하는데, 서로 가깝기 때문에 이 뜻을 밝혔고, 오효가 굳센 양으로 중정하며 임금의 지위에 있기에 대인인 것이다. 오효에서 어려움을 구제하는 공(功)을 말하지 않다가, 상육에서 보는 것이 이롭다는 것은 어째서인가? 말하자면, 오효에서 말하지 않은 것은 감괘의 험함 가운데 있으면서 굳센 양의 도움이 없으므로 어려움을 구제할 수 있다는 뜻이 없기 때문이고, 상육에서는 어려움이 지극하여 큰 덕이 있는 사람을 본다면 어려움을 구제할 수 있으므로 이롭게 되기 때문이다. 각 효에서 뜻을 취한 것이 같지 않으니, 준괘(屯卦) 초구의 뜻[志]이 바르지만, 육이에서는 지목하여 도적을 삼는 것과 같다. 여러 효에서 다 길함을 말하지 않다가 상효에서만 길함을 말한 것은, 여러 효는 모두 바름을 얻어 각각 착한 바가 있으나 모두 어려움을 벗어날 수는 없으므로 길함이 되지 못하고, 상효만이 지극히 어려운데 있다가 너그럽고 넉넉함을 얻어서 이에 길하게 되었기 때문이다.

小註

建安丘氏曰, 上六才柔, 固不足以濟難, 而得助猶可以有爲, 下與三應, 卽其助也. 唯不往而來, 與三同力, 則何蹇不濟. 所以吉也, 來碩, 應三也. 陽爲大, 故曰碩, 大人, 五也. 上旣得三之應, 則宜與之共見大人, 而成濟蹇之功矣. 先言來碩, 後言利見者, 蓋上得三而後, 可以援五也.

건안구씨가 말하였다: 상육은 재질이 부드러워 참으로 어려움을 구제할 수 없지만, 도움을 얻으면 오히려 일을 해낼 수 있으니, 아래로 삼효와 호응함이 곧 그 도움이다. 오직 가지 않고 와서 삼효와 힘을 합친다면 어떤 어려움을 구제하지 못하겠는가? 그래서 길한 것이니, '오면 크다'가 삼효와 호응함이다. 양은 큼[大]이 되므로 '크다[碩]'고 하였고, '대인'은 오효이다. 상효가 이미 삼효의 호응을 얻었다면 마땅히 그와 더불어 대인을 함께 보고 어려움을 구제하는 공을 이룰 것이다. 먼저 '오면 크다'고 하고 뒤에 '보면 이롭다'고 한 것은 대체로 상효가 삼효를 얻은 뒤에야 오효를 도울 수 있기 때문이다.

○ 中溪張氏曰, 上居坎, 上之上, 將出蹇矣, 而亦曰往蹇, 何哉. 蓋上之才雖柔, 而下有九三陽剛之才, 爲之正應, 相與共濟九五之蹇, 不往而來, 則有碩大之功, 而此爻所以獨言吉也.

중계장씨가 말하였다: 상효는 감괘(坎卦☵)에 있고 상괘의 맨 위에 있어 장차 어려움을 벗어나려고 하는데, 또 '가면 어렵다'고 한 것은 어째서인가? 대체로 상효의 재질이 비록 유약하지만, 아래로 구삼인 굳센 양의 재질이 정응이 되어 서로 더불어 구오의 어려움을 구제함이 있으니, 가지 않고 온다면 큰 공이 있게 되므로 이 효에서 이 때문에 홀로 길함을 말한 것이다.

本義

已在卦極, 往无所之, 益以蹇耳, 來就九五, 與之濟蹇, 則有碩大之功. 大人, 指

九五. 曉占者, 宜如是也.

이미 괘의 끝에 있어서 가려해도 갈 곳이 없고 더욱 어려울 뿐이니, 와서 구오에게 나아가 더불어 어려움을 구제하면 큰 공(功)이 있을 것이다. 대인은 구오를 가리킨다. 점치는 자가 마땅히 이와 같이 해야 함을 깨우친 것이다.

小註

朱子曰, 諸爻皆不言吉, 蓋未離乎蹇中也. 至上六, 往蹇來碩吉, 卻是蹇極有可濟之理. 旣是不往, 唯守於蹇, 則必見九五之大人, 與共濟蹇, 而有碩大之功矣.

주자가 말하였다: 여러 효에서 모두 길함을 말하지 않은 것은 대체로 어려움 속에서 떠나지 못했기 때문이다. 상육에 이르러서 가면 어렵고 오면 커서 길하니, 도리어 어려움이 지극함에 그것을 구제할 수 있는 이치가 있는 것이다. 이미 가지 않고서 어려움 속에서 지키기만 한다면 반드시 구오의 대인을 만나서 함께 어려움을 구제하여 큰 공이 있을 것이다.

○ 進齋徐氏曰, 碩, 大也, 剛也. 近附九五之大人, 故曰來碩. 下得乎剛, 可以出蹇, 故吉也.

진재서씨가 말하였다: '석(碩)'은 큼이고 굳셈이다. 구오의 대인과 가까이 붙어 있으므로 '오면 크다'고 하였다. 아래로 굳센 양을 얻어서 어려움을 벗어날 수 있기 때문에 길한 것이다.

○ 雲峰胡氏曰, 剝上九陽稱碩果, 蹇上六從五之陽, 故亦曰碩. 碩, 以功之大言, 大人, 以德之大言.

운봉호씨가 말하였다: 박괘(剝卦䷖) 상구에서 양(陽)을 '큰 과일[碩果]'로 일컬었고, 건괘(蹇卦䷦) 상육에서는 오효의 양을 따르므로 또한 '크다'고 하였다. '큼[碩]'은 공이 큼을 말하고, 대인은 덕이 큼을 말한다.

○ 平庵項氏曰, 上六之往, 猶初六之來, 上六本无所往, 特以不來爲往耳, 初六本无所來, 特以不往爲來耳.

평암항씨가 말하였다: 상육의 '감[往]'은 초육의 '옴[來]'과 같으니, 상육은 본래 가는 바가 없어서 단지 오지 않는 것을 간다고 하였고, 초육은 본래 오는 바가 없어서 단지 가지 않는 것을 온다고 하였다.

○ 童溪王氏曰, 大蹇至上六, 始爲吉者, 以謂蹇至此極, 物極則反, 蹇極必通也.

동계왕씨가 말하였다: 큰 어려움이 상육에 이르러 비로소 길하게 되는 것으로 어려움도 여

기에 이르면 다한다고 말했으니, 사물도 지극하면 돌아가고, 어려움도 지극하면 반드시 통한다.

韓國大全

조호익(曺好益)『역상설(易象說)』

往, 不來之謂, 來, 來就三. 碩大也, 陽爲大, 故曰碩. 大人五也. 丘氏說.

'감[往]'은 오지 않음을 말하고, '옴[來]'은 와서 삼효에게 나아감이다. '석(碩)'은 큼인데, 양(陽)도 큼이 되므로 '석(碩)'이라 하였다. 대인은 오효이다. 건안구씨의 이론이다.

송시열(宋時烈)『역설(易說)』

碩者, 亦大之意. 來碩, 諸先儒皆以來比於九五云, 然此則不如六四之連五也, 四則旣無正應, 而處大臣之位, 故從五而牽連. 然上六旣有九三之大人, 來爲正應. 孔子曰, 志在內也, 內者, 非指九三耶. 九五, 亦可謂之內耶. 從貴者, 從陽爻也, 陽爻, 豈獨九五耶. 利見者, 有離之相見之象, 然後可謂見矣. 說見乾之二五者, 以從五而言, 則不必曰利見. 此等處不敢强說, 折中易, 亦疑之而無質言.

'석(碩)'은 또한 크다는 의미이다. '와서 큼[來碩]'을 여러 선유들이 모두 '와서 구오에 가까이 하는 것'으로 말했는데, 그러나 이것은 육사가 오효와 연합하는 것만 못하니, 사효는 이미 정응이 없으면서 대신의 자리에 있으므로 오효를 좇아서 당겨 연합한다. 그리고 상육은 이미 구삼의 대인이 있어서 와서 정응이 된다. 공자가 "뜻이 안에 있음이다"라고 했는데, '안[內]'은 구삼을 가리킨 것이 아니겠는가? 구오도 또한 안이라고 할 수 있는가? "귀함을 좇음이다[從貴]"는 양효를 좇음인데, 양효가 어찌 구오만 있겠는가? '보는 것이 이로움[利見]'은 리괘(☲)의 서로 보는 상이 있어야 하니, 그런 뒤에야 '본다'고 할 수 있다. 건괘(乾卦䷀)의 이효와 오효에 나오는 것은 오효를 좇는 것으로 말했다고 한다면, '보는 것이 이롭다'를 말할 필요가 없다. 여기는 감히 억지로 설명할 수 없으니, 『주역절중』에서도 이를 의심하여 딱 잘라 말함이 없다.

이현익(李顯益) 「주역설(周易說)」

傳以從五求三言, 本義以就五言, 丘氏張氏以應三言, 各不同. 然當以本義爲正. 蓋爻有應與比, 應固重於比, 而或有比卻重於應者, 如此爻應於三, 則不能濟蹇, 而比於五, 方能濟蹇, 則比爲重於應也. 然則以三言固是, 而以五言尤當. 傳之兼三五言, 亦欠賓主之別.

『정전』은 오효를 좇고 삼효에서 구함으로 말하였고, 『본의』에서는 오효에 나아가는 것으로 말하였으며, 구씨와 장씨는 삼효와 호응하는 것으로 말하였으니, 각각 같지 않다. 그러나 마땅히 『본의』를 정론으로 해야 한다. 대체로 효에는 호응함과 가까이함이 있고 호응함이 가까이함보다 중요한데, 간혹 가까이함이 도리어 호응함 보다 중요한 것이 있으니, 예컨대 이 효가 삼효와 호응하더라도 어려움은 구제할 수 없지만, 오효를 가까이 하면 바야흐로 어려움을 구제할 수 있으니, 가까이함이 호응함보다 중요한 것이다. 그렇다면 삼효로 말하는 것이 참으로 옳지만, 오효로 말하는 것이 더욱 타당한 것이다. 『정전』에서 삼효와 오효를 겸하여 말한 것은 또한 주객(主客)의 구별을 소홀히 한 것이다.

이익(李瀷) 『역경질서(易經疾書)』

上六, 在賓師之位, 負才養德, 際會而出, 輔明主者也. 碩, 如剝上九碩果之碩, 其碩德, 足以有爲, 而不以筋力爲禮者也. 大人, 指九五也. 以碩德之賢, 利見其位之大人, 諸葛之於昭烈, 庶幾近之.

상육은 빈객(賓客)의 자리에 있는데, 재주를 품고 덕을 길러서 꼭 맞게 나와 임금을 돕고 밝히는 사람이다. '석(碩)'은 박괘(剝卦) 상구의 '큰 열매[碩果]'[80]의 '큰[碩]'과 같으니, 그 큰 덕이 일을 해낼 수 있고, 근력으로 예를 행하지 않는 것이다. 대인은 구오를 가리킨다. 큰 덕이 있는 현인이 지위가 있는 대인을 보는 것이 이로움은 제갈량의 소열에 대한 관계가 거의 가까울 것이다.

심조(沈潮) 「역상차론(易象箚論)」

碩字, 從石者, 與九三之艮相應也.

'석(碩)'자는 '석(石)'을 부수로 하는데, 구삼의 간괘(艮卦)와 서로 호응한다.

---

80) 『周易·剝卦』: 上九, 碩果不食, 君子得輿, 小人剝廬.

유정원(柳正源) 『역해참고(易解參攷)』

王氏曰, 往則長難, 來則難終. 難終則衆難皆濟, 志大得矣, 故曰往蹇來碩.

왕필이 말하였다: 가면 어려움이 길어지고, 오면 어려움이 끝난다. 어려움이 끝나면 많은 어려움이 모두 구제되어 뜻이 커질 수 있으므로 "가면 어렵고 오면 크다"고 하였다.

김상악(金相岳) 『산천역설(山天易說)』

上六, 處蹇之極, 往無所之, 益以蹇耳. 故從三則有來碩之吉, 就五則有見大人之利. 不來則爲往.

상육은 지극히 어려운데 있고 가려해도 갈 곳이 없어서 더욱 어려울 뿐이다. 그러므로 삼효를 좇으면 와서 커지는 길함이 있고, 오효에 나아가면 대인을 보는 이로움이 있다. 오지 않음이 '감[往]'이 된다.

○ 碩者, 大也, 指三之艮體也, 與剝碩果之碩同. 來者, 自上而來也, 山止於下則不動, 而水流於上, 終必反下. 故曰來碩. 大人五也. 象言利見者, 二之應五也, 爻言利見者, 上之比五也. 上六才柔, 得三而後, 可以援五. 故先言來碩, 後言利見, 上六一爻, 兼吉與利. 見者, 得二陽之大, 而出險也, 所以利西南也. 蹇之一卦, 自初至五, 有象无占, 而獨於上六曰, 來碩吉. 推此則他爻之无悔吝可知.

'석(碩)'은 큼으로 삼효인 간괘의 몸체를 가리키며, 박괘의 '큰 열매[碩果]'의 '큰'과 같다. '옴[來]'은 위로부터 옴이니, 산은 아래에서 그치면 움직이지 않지만, 물은 위에서 흘러도 끝내는 반드시 아래로 돌아간다. 그러므로 '오면 크다'고 하였다. 대인은 오효이다. 「단전」에서 "보는 것이 이롭다"고 한 것은 이효가 오효와 호응함이고, 효에서 "보는 것이 이롭다"고 한 것은 상효가 오효를 가까이 함이다. 상육은 재질이 부드러워 삼효를 얻은 뒤에야 오효를 도울 수 있다. 그러므로 먼저 '오면 크다'고 하고, 뒤에 "보는 것이 이롭다"고 했으니, 상육한 효에는 길함과 이로움이 겸비되어 있다. (대인을) 본 자는 두 개의 큰 양효를 얻어 험함을 벗어나니, 그래서 서남이 이로운 것이다. 건괘(蹇卦)는 초효부터 오효까지는 상(象)은 있지만 점사는 없었는데, 상육에서만 '오면 크므로 길하다'고 했다. 이를 유추한다면 다른 효에 후회나 부끄러움이 없음을 알 수 있을 것이다.

서유신(徐有臣) 『역의의언(易義擬言)』

九五來, 則碩大也, 得陽之大也. 諸爻之待來, 將然之辭, 故吉利未及言之, 至此則蹇終, 故曰碩, 又曰吉, 又曰利見大人, 大人者, 九五也.

구오가 오면 커지는데 양(陽)의 큼을 얻었기 때문이다. 여러 효에서 오기를 기다림은 장차 그러함을 말하므로 길함이나 이로움을 미처 언급하지 못했지만, 여기에서는 어려움이 끝나므로 '크다'고 하고, 또 '길하다'고 하고, 또 '대인을 보는 것이 이롭다'고 하였으니, 대인은 구오이다.

윤행임(尹行恁) 『신호수필(薪湖隨筆)·역(易)』

來碩之碩, 如碩果之碩. 剝與蹇之上爻, 皆以碩言者, 美其陽也, 陽之爲大, 所以謂碩. 蹇而往, 故碩而來, 碩來之美, 蓋自匪躬而始. 六二之臣, 當極艱之會, 不計成敗, 不謀功利, 不恤其身家, 不懾其孤危, 惟王室是奬, 惟王國是念. 故自三至五, 皆以來爲主, 而及其上六, 碩來而吉. 於乎盛哉. 追先報今, 其諸葛先生之流歟.

'오면 크다[來碩]'의 큼은 '큰 열매[碩果]'의 '큼[碩]'과 같다. 박괘(剝卦䷖)와 건괘(蹇卦䷦)의 상효에서 모두 '큼'을 말한 것은 양(陽)을 찬미함이니, 양이 큼[大]이 되기에 '크다[碩]'고 한 것이다. 어렵다가 갔기 때문에 큼이 오는 것인데, 큼이 오는 아름다움은 '자신 때문이 아닌 것'에서 시작된다. 육이의 신하가 지극한 어려움이 모인 가운데, 성패를 꾀하지도 않고, 공리를 도모하지도 않으며, 그 몸과 집안을 근심하지도 않고, 그 홀로 위태함을 두려워하지도 않고서 오직 왕실을 돕고, 오직 임금과 나라를 생각한다. 그러므로 삼효부터 오효까지 모두 옴[來]을 위주로 하는데, 상육에 미쳐서는 큼이 와서 길하게 되었다. 아! 성대하도다. 선주(先主)를 추모하여 당시에 보답함은 제갈선생의 삶일 것이다.

박문건(朴文健) 『주역연의(周易衍義)』

退不見剝, 故有來碩之象, 碩大也, 大人謂九五也.

물러나서 손상되지 않으므로 와서 크게 되는 상이 있으니, '석(碩)'은 큼이고 '대인'은 구오를 말한다.

〈問, 往蹇, 來碩, 吉, 利見大人. 曰, 往下則有蹇難, 退來則致碩大也. 雖有吉, 然若又從五, 則有利也, 利見大人, 言利己之見人也.

물었다: "가면 어렵고 오면 크므로 길하다"는 무슨 뜻입니까?

답하였다: 아래로 가면 어려움이 있고, 물러나 오면 크게 된다는 것입니다. 비록 길함이 있더라도 만약 다시 오효를 좇는다면 이로움이 있으니, '대인을 보는 것이 이로움'은 자기가 남을 봄에 이롭게 여김을 말합니다.〉

심대윤(沈大允) 『주역상의점법(周易象義占法)』

蹇之漸䷴, 漸進也. 上六居柔從人者也. 居蹇之將盡, 處无事之地. 應三而比五, 舍己從人也, 如小水之入大水也. 卦唯二陽而皆相與焉, 不遺遠近也, 如水不擇細巨也. 故曰碩, 對小過全爲坎, 互艮大且堅曰碩. 五貴而三賤, 從於五者, 從善也, 如水之就便也, 故曰利見大人. 是三者, 知之大者也. 在他卦則无兩從之理, 而在蹇則知无偏滯, 故兩從也. 二與上同德而時不同, 二之始流, 有其志也. 上之旣行, 有其事也. 與三爲應, 而從於五, 五非正應, 是以不能遽合而漸進也. 蹇之應爻, 皆有剛爻阻之, 所以爲蹇也. 睽異而同, 故雖隔而必合, 蹇見阻而止, 故不言合. 知之道, 行乎不可測而及其成事, 然後乃見其得失, 故諸爻无斷辭, 至上六始言吉利也. 水之將辭山而會于江河也, 蹇之時, 初有待也. 二求合也, 三小合也, 四相通也, 五大合也, 六乃行也. 〈知之淺者, 如小水之屈折□洄而行, 知之深者, 如江河之千里一曲□見其屈折, 無知名無勇功, 此之謂也. 知而不見其知, 上六有焉.〉

건괘가 점괘(䷴)로 바뀌었으니, 점차 나아가는 것이다. 상육은 부드러움에 거하여 남을 따르는 자이다. 어려움이 곧 다하려는데 거하여 일이 없는 처지에 놓였다. 삼효에 호응하고 오효와 가까와 자기를 버리고 남을 따름이 작은 물이 큰 물로 들어가는 것 같다. 괘에 양이 둘뿐이어서 서로 함께해서 멀고 가까움을 가리지 않는 것이 물이 좁고 넓음을 가리지 않는 것 같다. 그러므로 '크다'고 하였고, 음양이 바뀐 소과괘가 전체적으로 감괘가 되고 호괘인 간괘가 크고 굳으므로 '크다'고 하였다. 오효는 귀하고 삼효는 천하니 오효를 따르는 자는 선을 따름이 물이 순조롭게 내려감과 같다. 그러므로 "대인을 보는 것이 이롭다"라고 하였다. 이 세 가지는 앎의 큰 것이다. 다른 괘에는 둘 다 따르는 이치가 없지만 건괘에서는 지혜가 치우쳐 막힘이 없기 때문에 둘 다 따른다. 이효와 상효는 같은 덕이지만 때가 같지 않으니, 이효는 흐르기 시작함으로 그 뜻이 있는 것이고, 상효는 이미 갔으니 그 일이 있는 것이다. 삼효와 호응하지만 오효를 따르는데, 오효는 바른 호응이 아니어서 이 때문에 갑자기 합하지 못하고 점차 나아간다. 건괘의 호응하는 효는 모두 굳센 양효가 저지하니 그래서 어려움이 된다. 규괘는 다름에서 같아지기 때문에 격리되어있지만 반드시 합하고 건괘는 막힘을 보고 그치기 때문에 합함을 말하지 않았다. 앎의 도는 예측할 수 없는 상황에서 행하여 그 일을 이루는데 미친 연후에야 그 득실을 알 수 있다. 그러므로 여러 효에서 단정하는 말이 없이 상육에 이르러 비로소 '길하고 이로움'을 말하였다. 물은 산에서 헤어졌다가 강에서 만나고, 건괘의 때는 초효에서 기다렸다 이효에서 합하기를 구하고, 삼효에서 조금 합하며, 사효에서 서로 통하고, 오효에서 크게 합하고, 상효에서 행한다. 〈앎이 얕은 자는 작은 물이 꺾여 역류해서 행하는 것 같고, 앎이 깊은 자는 강물이 천리에 한 번 구부러져 그 꺾어짐을 보는 것 같으니, 알아줄 이름이 없고 용맹한 공로가 없음은 이를 말하는 것이다. 알면

서도 앎이 드러나지 않는 이로 상육이 있다.〉

오치기(吳致箕) 「주역경전증해(周易經傳增解)」

上六, 才柔居蹇之極, 宜若不能有濟, 而與九三之剛爲正應. 故戒言往居于外則蹇難,
必爲內就于三, 則有來碩之象, 而可以助濟功, 獲其吉, 而亦當利見九五之大人也.

상육은 재질이 부드럽고 지극히 어려운데 있으니 마땅히 구제할 수 없을 것 같지만, 구삼의
굳셈과 정응이 된다. 그러므로 경계하여 '가서 밖에 있으면 어렵고, 반드시 안으로 삼효에게
나가게 된다면 와서 크는 상이 있어서 구제하는 공을 도와 길함을 얻을 수 있는데, 또한
마땅히 구오의 대인을 보는 것이 이롭다'고 말한 것이다.

○ 碩, 大也. 九三陽剛居艮體之上, 故言碩, 而剝卦上九, 亦言碩果, 以碩從石, 取于艮爲
石也. 來碩, 言來于碩也. 九三剛居止體, 而其才可助同德之君, 故諸爻, 皆以就三言也.

'석(碩)'은 큼이다. 구삼의 굳센 양이 간괘(艮卦☶) 몸체의 위에 있으므로 '큼[碩]'을 말하였
고, 박괘(剝卦䷖) 상구에서 또한 '큰 열매'를 말한 것은 '석(碩)'은 '돌[石]'에서 왔기 때문이
니, 간괘(☶)가 돌이 됨에서 취한 것이다. '래석[來碩]'은 큰 것에게 옴이다. 구삼의 굳셈이
멈춰 있는 몸체에 있지만, 그 재질은 같은 덕의 임금을 도울 수 있다. 그러므로 여러 효에서
모두 삼효에게 나아가는 것을 말하였다.

박문호(朴文鎬) 「경설(經說)·주역(周易)」

蹇極必通, 上六爲卦之主, 故復取卦占爲爻占.

어려움이 지극하면 반드시 통하고, 상육은 괘의 주인이 된다. 그러므로 다시 괘의 점을 취해
서 효의 점을 삼았다.

象曰, 往蹇來碩, 志在內也, 利見大人, 以從貴也.

「상전」에서 말하였다: "가면 어렵고 오면 큼"은 뜻이 안에 있음이고, "대인을 보는 것이 이로움"은 귀함을 좇음이다.

中國大全

傳

上六, 應三而從五, 志在內也, 蹇旣極而有助, 是以碩而吉也. 六以陰柔, 當蹇之極, 密近剛陽中正之君, 自然其志從附, 以求自濟, 故利見大人, 謂從九五之貴也. 所以云從貴, 恐人不知大人爲指五也.

상육이 삼효와 호응하고 오효를 따르니, 뜻이 안에 있는 것이고, 어려움이 이미 지극하여 돕는 이가 있으니, 이 때문에 커서 길한 것이다. 음효[六]가 유순한 음(陰)으로 지극히 어려운 때를 맞아 굳센 양으로 중정한 임금을 아주 가까이 하니, 자연히 그 뜻이 따라 붙어서 스스로 구제되기를 구할 것이다. 그러므로 대인을 보는 것이 이로우니, 구오의 귀함을 좇음을 말한다. '귀함을 좇는다'고 말한 까닭은 대인이 구오를 가리킨 것임을 사람들이 알지 못할까 걱정해서이다.

小註

程子曰, 蹇以反身脩德. 故往者在外也, 在外必蹇, 來者在內也, 在內則有譽无尤來連朋來來碩, 皆反身脩德之謂也. 蹇蹇, 不暴進內顧之象也, 暴進出外, 則无事矣. 連則无窮也. 朋來則衆來, 言朋來未免於有思也. 至於來碩, 則來處於大人之事也, 故曰從貴.

정자가 말하였다: 어렵기에 자신에게 돌이켜 덕을 닦는다. 그러므로 간 것은 밖에 있는데 밖에 있으면 반드시 어렵고, 온 것은 안에 있는데 안에 있으면 '명예'와 '허물없음'과 '와서 연합함'과 '벗이 옴'과 '오면 큼'이 있으니, 모두 자신에게 돌이켜 덕을 닦음을 말한다. '어려움으로 어려움[蹇蹇]'은 갑자기 나가지 않고 안을 돌아보는 상이니, 갑자기 나아가 밖으로 벗어나면 일이 없을 것이다. 연합하면 다함이 없다. '벗이 옴[朋來]'은 무리가 옴이니, 벗들이 와서 반드시 생각이 있게 됨을 말한다. '오면 크다'에 이른다면, 와서 대인에게 머무르는 일

이므로 '귀함을 좇음'이라고 하였다.

○ 董氏曰, 內, 以五之位言, 貴, 以五之德言, 以位, 則上不當往於外, 而當來於內, 以德, 則五有大人之象, 居大人之位, 此其可貴也.

동씨가 말하였다: '안[內]'은 오효의 자리를 말하고, '귀함[貴]'은 오효의 덕을 말하니, 자리로는 상효가 밖으로 감이 마땅하지 않고 안으로 옴이 마땅하며, 덕으로는 오효에 대인의 상이 있으면서 대인의 자리에 있으니, 이것이 귀하다고 할 만한 것이다.

○ 中溪張氏曰, 三, 內卦也, 上應之, 故曰志在內也. 五, 大人也. 上利見之, 故曰以從貴也.

중계장씨가 말하였다: 삼효는 내괘(內卦)인데, 상효가 이와 호응하므로 '뜻이 안에 있다'고 하였다. 오효는 대인인데, 상효가 이를 보는 것이 이로우므로 '귀함을 좇음이다'라고 하였다.

○ 建安丘氏曰, 蹇, 難也. 詳六爻之義, 則處蹇者五也, 五在坎中, 需衆爻以出險, 故大蹇朋來. 蹇其蹇者二也. 二與五應, 與君同患難者, 故王臣蹇蹇. 餘四爻, 雖亦處蹇, 以不任濟蹇之責, 是以喜來而惡往. 故爻以往來爲辭. 然諸爻中, 唯三有剛實之才, 可以濟難, 以與五非近非應, 不能從五. 唯反而就二, 則可與之同往而濟君之蹇, 故爻言其來反, 而象以內喜釋之, 言二亦喜三之來也. 在四而言來連者, 比三也, 故象稱其當位實. 在上而言來碩者, 應三也, 故象稱其志在內. 蓋當蹇之世, 五方待三之來者也. 三來, 則衆爻俱來而蹇可濟矣. 獨初六才柔位卑, 未能有爲, 故以來譽勉之. 此蹇六爻之大旨也.

건안구씨가 말하였다: 건(蹇)은 어려움이다. 여섯 효의 뜻을 자세히 살펴보면 어려움에 있는 것은 오효이니, 오효가 감괘(☵)의 안에 있다가 여러 효를 기다려 험함을 벗어나므로 '크게 어려움에 벗이 온다'는 것이다. 그 어려움을 어려워하는 것은 이효인데, 이효는 오효와 호응하여 임금과 환난을 함께 하는 것이므로 '왕의 신하가 어렵고 어렵다'는 것이다. 나머지 네 효는 비록 어려움에 있더라도 어려움을 구제하는 책임을 맡지 않았으니, 이 때문에 오는 것을 좋아하고 가는 것을 싫어한다. 그러므로 '감[往]'과 '옴[來]'으로 효사를 삼았다. 그러나 여러 효 가운데 삼효만이 굳세고 참된 재질이 있어 어려움을 구제할 수 있는데, 오효와 가까운 것도 아니고 호응하는 것도 아니기 때문에 오효를 좇을 수 없다. 다만 돌아가 이효에 나아가면, 이효와 더불어 함께 가서 임금의 어려움을 구제할 수 있으므로 효에서 '오면 돌아올 것이나'라고 했는데, 「소상전」에서는 '안에서 기뻐한다'로 해석하였으니, 이효도 삼효가 오는 것을 기뻐함을 말한 것이다. 사효에서 '오면 연합한다'고 한 것은 (침된) 삼효와 가까이 하는 것이므로 「소상전」에서 "그 해당된 자리가 참되기 때문이다"라고 하였다. 상효에서 '오

면 크다'고 한 것은 삼효와 호응하는 것이므로 「소상전」에서 '뜻이 안에 있음이다'라고 일컬었다. 대체로 어려운 세상을 맞이하면 오효는 바로 삼효가 오기를 기다리니, 삼효가 오면 여러 효가 함께 와서 어려움을 구제할 수 있을 것이다. 초육만 재질이 부드럽고 지위가 낮아 일을 해낼 수 없으므로 '오면 명예롭다'로 권면하였다. 이것이 건괘(蹇卦) 여섯 효의 대체적인 종지이다.

‖韓國大全‖

김상악(金相岳) 『산천역설(山天易說)』

志在內者, 三居內卦也, 以從貴者, 五居尊位也.

'뜻이 안에 있다'는 것은 삼효가 내괘에 있기 때문이고, '귀함을 좇는다'는 것은 오효가 존귀한 자리에 있기 때문이다.

김규오(金奎五) 「독역기의(讀易記疑)」

上六, 來碩象. 志在內, 與臨上象辭同, 丘張之當以應三者, 不爲无見, 其言先言後言者, 亦有條理. 但上六之吉, 他爻所无, 而必著於來碩之下. 若便以應三爲來碩, 則是未及濟五, 而已爲吉占矣, 其言不已早乎. 所以本義必以就五爲言, 而以碩爲碩大之功耳, 功卽往有功之功也. 若如傳說, 則終无有功之時矣, 義所以不得不異也.

상육은 '오면 크는[來碩]' 상이다. '뜻이 안에 있음[志在內]'은 림괘(臨卦) 상효의 상사(象辭)[81]와 같으니, 구씨와 장씨의 '당연히 삼효와 호응해야 한다'는 주장은 터무니없지는 않으며, '먼저 말하고 뒤에 말하였다'[82]고 한 것도 또한 조리가 있다. 다만 상육의 '길함'은 다른 효에는 없는 것이고, 반드시 '오면 크다'의 다음에 나타나고 있다. 만약 삼효와 호응하는 것을 '오면 크다'로 여긴다면, 오효를 구제함에는 미치지 못했는데 이미 길하다고 점한 것이

---

81) 『周易·臨卦』: 象曰, 敦臨之吉, 志在內也.

82) 건괘(蹇卦) 상육의 소주에서 건안구씨는 "먼저 '오면 크다'고 하고 뒤에 '보면 이롭다'고 한 것은 대체로 상효가 삼효를 얻은 뒤에야 오효를 도울 수 있기 때문이다"라고 하여 '래석(來碩)'을 상육이 먼저 삼효와 호응하는 것으로 간주함.

되니, 그 말이 너무 빠른 것이 아닌가? 그래서 『본의』에서 반드시 '옴'을 오효에 나아가는 것으로 말하고, '석(碩)'을 크게 하는 공으로 여겼던 것이니, 공은 '가서 공이 있음이다'의 공이다. 만약 『정전』의 설명과 같다면, 끝내 공이 있을 때가 없을 것이니, 『본의』에서 할 수없이 달리한 것이다.

서유신(徐有臣) 『역의의언(易義擬言)』

曰內曰貴, 皆九五也.

'안[內]'이라 하고 '귀함[貴]'이라 한 것은 모두 구오이다.

박제가(朴齊家) 『주역(周易)』[83]

中溪張氏曰, 三內卦也, 上應之, 故曰志在內也. 五大人也, 上利見之, 故曰以從貴也. 此爲得之. 然本義曰, 應三而從五, 志在內也, 必合說焉, 豈以三之象. 傳曰內喜[84]之也者, 爲內而又內之故耶. 二爲內之主, 內喜者, 從二而言之, 則不害爲內之又內矣. 平菴項氏曰, 上六之往, 猶初六之來, 上六本無所往, 特以不來爲往, 初六本無所來, 特以不往爲來, 案此朱子說程傳初六來譽而云耳. 如上則在事外者也, 雖飄然長往, 可也, 豈曰无地乎. 恐其長往, 故以來爲碩耳. 若引初六之來字, 則此來碩之來, 亦爲不來, 何在內從貴之云耶. 象傳曰, 利見大人, 往有功也, 當屬此爻之利見, 則所謂往者, 乃來矣, 辭固不可泥着.

중계장씨는 "삼효는 내괘(內卦)인데, 상효가 이와 호응하므로 '뜻이 안에 있다'고 하였고, 오효는 대인인데, 상효가 이를 보는 것이 이로우므로 '귀함을 좇음이다'라고 하였다"라고 하였는데, 이것이 적합하다. 그러나 『본의』[85]에서 "삼효와 호응하고 오효를 따르니 뜻이 안에 있는 것이다"라고 하여, 반드시 합쳐서 말했으니 어찌 삼효의 상을 쓴 것이랴? 『소상전』에서 '안에서 기뻐한다'고 한 것은 안이면서 다시 안이 되기 때문인가? 이효는 내괘의 주인이 되고 '안에서 기뻐한다'는 이효로부터 말하였으니, 안이면서 다시 안이 되는 것은 문제가 없을 것이다. 평암항씨는 "상육의 '감[往]'은 초육의 '옴[來]'과 같으니, 상육은 본래 가는 바가 없어서 단지 오지 않는 것을 간다고 하였고, 초육은 본래 오는 바가 없어서 단지 가지 않는 것을 온다고 하였다"라고 하였는데, 살펴보면 이것은 주자가 초육의 '오면 명예롭다'에 대한 『정전』의 해석을 설명하면서 말했던 것일 뿐이다. 만약 상효라면 일을 벗어나 있는 것이니,

---

83) 경학자료집성DB에서는 건괘(蹇卦) 구삼에 해당하는 것으로 분류했으나, 내용에 따라 이 자리로 옮겼다.

84) 喜: 경학자료집성DB에는 '著'로 되어 있으나, 경학자료집성 영인본을 참조하여 '喜'로 바로잡았다.

85) 박제가는 『본의』의 말이라고 했는데, 『정전』의 말이다.

비록 표연히 오래가더라도 가하거늘, 어찌 갈 곳이 없다고 하겠는가? 그 오래감을 염려하였으므로 오는 것을 큼으로 여겼을 뿐이다. 만약 초육의 '옴[來]'을 끌어온다면, 여기의 '오면 크다[來碩]'의 '옴'도 또한 오지 않는 것이 되니, 어찌 '(뜻이) 안에 있다', '귀함을 따른다'고 하겠는가? 「단전」에서 "대인을 보는 것이 이로움은 가서 공이 있음이다"라고 한 것이 마땅히 이 효의 '보는 것이 이롭다'에 속해야 한다고 한다면, 이른바 '감'은 바로 '옴'일 것이니, 말에 참으로 천착하지 말아야 할 것이다.

박문건(朴文健) 『주역연의(周易衍義)』

問, 志在內, 以從貴. 曰, 來而致碩者, 志在三也, 往見大人者, 以從五也. 五有大人之德位, 故謂之貴也. 蓋上六先從應, 而後又從比, 故取此義也.

물었다: "뜻이 안에 있음이다"와 "귀함을 좇음이다"는 무슨 뜻입니까?

답하였다: 와서 크게 된 것이 뜻이 삼효에 있는 것이고, 가서 대인을 보는 것이 귀함을 좇는 것입니다. 오효에는 대인의 덕과 지위가 있으므로 '귀하다'고 하였습니다. 대체로 상육이 먼저 호응하는 것을 좇다가 뒤에 다시 가까이 하는 것을 좇기 때문에 이러한 뜻을 취했습니다.

심대윤(沈大允) 『주역상의점법(周易象義占法)』

內謂三五也, 貴謂五也.

'안[內]'은 삼효와 오효를 말하고, '귀함[貴]'은 오효를 말한다.

오치기(吳致箕) 「주역경전증해(周易經傳增解)」

三爲應而主濟蹇之權. 故來就之志, 在乎內矣. 五居尊而爲濟蹇之君. 故從附貴位, 而終有功也.

삼효가 호응하여 어려움을 구제하는 권한을 주재한다. 그러므로 와서 나아가려는 뜻이 안에 있는 것이다. 오효가 높이 있으면서 어려움을 구제하는 임금이 된다. 그러므로 귀한 자리를 따라 붙어서 끝내 공이 있게 된다.

이병헌(李炳憲) 『역경금문고통론(易經今文考通論)』

程傳曰, 碩大也, 寬裕之稱, 大人謂五. 應三而從五, 志在內也. 蹇旣極而有助, 是以碩而吉也.

『정전』에서 말하였다: '석(碩)'은 큼으로 너그럽고 넉넉함을 일컫고, 대인은 오효를 말한다. 삼효와 호응하고 오효를 따르니, 뜻이 안에 있는 것이다. 어려움이 이미 지극하여 도움이 있으니, 이 때문에 커져서 길하다.

按, 卦中往來, 非若他卦之言, 卦變當詳玩.
내가 살펴보았다: 괘에 있는 '감[往]'과 '옴[來]'이 다른 괘의 말과는 같지 않으니, 괘의 변화를 자세히 살펴야 할 것이다.

40

해괘
解卦

中國大全

傳

解, 序卦, 蹇者, 難也, 物不可以終難, 故受之以解. 物无終難之理, 難極則必散. 解者散也, 所以次蹇也. 爲卦, 震上坎下, 震動也, 坎險也, 動於險外, 出乎險也. 故爲患難解散之象, 又震爲雷, 坎爲雨, 雷雨之作, 蓋陰陽交感, 和暢而緩散, 故爲解. 解者, 天下患難解散之時也.

해괘(解卦䷧)는 「서괘전」에 "건(蹇)이란 어려움인데, 사물이 끝까지 어려울 수는 없으므로 해괘로 받았다"고 하였다. 사물은 끝까지 어려울 리가 없으니, 어려움이 극에 달하면 흩어지기 마련이다. 해(解)는 흩어짐이므로 건괘(蹇卦䷦) 다음에 놓였다. 괘는 진괘(☳)가 위이고 감괘(☵)가 아래인데, 진괘는 움직임이고 감괘는 험하니, 험함의 밖에서 움직여서 험함을 벗어나는 것이다. 그러므로 환난이 풀려 흩어지는 상이다. 또한 진괘는 우레가 되고 감괘는 비가 되어 우레와 비가 일어나니, 음양이 교감하여 화창하고 부드럽게 퍼지기 때문이다. 그러므로 해괘가 된다. '해(解)'는 천하의 환난이 풀려 흩어지는 때이다.

韓國大全

이병헌(李炳憲) 『역경금문고통론(易經今文考通論)』

直看爲解, 反省爲蹇. 難必待時而解, 故解次於蹇.

바로 보는 것이 해괘(解卦䷧)이고, 돌이켜 살피는 것이 건괘(蹇卦䷦)이다. 어려움은 반드시 때를 기다린 뒤에 풀리므로 해괘가 건괘에 다음에 왔다.

解, 利西南, 无所往, 其來復, 吉. 有攸往, 夙, 吉.

정전 해괘(解卦)는 서남쪽이 이로우니, 갈 곳이 없어서 와서 회복함이 길하다. 갈 곳이 있거든 일찍 하면 길하다.

본의 해괘(解卦)는 서남쪽이 이로우니, 갈 곳이 없으면 와서 회복함이 길하고, 갈 곳이 있으면 일찍 함이 길하다.

中國大全

傳

西南, 坤方, 坤之體, 廣大平易. 當天下之難方解, 人始離艱苦, 不可復以煩苛嚴急治之, 當濟以寬大簡易乃其宜也. 如是則人心懷而安之. 故利於西南也. 湯除桀之虐而以寬治, 武王誅紂之暴而反商政, 皆從寬易也. 无所往其來復吉有攸往夙吉, 无所往, 謂天下之難, 已解散, 无所爲也, 有攸往, 謂尚有所當解之事也. 夫天下國家, 必紀綱法度廢亂而後, 禍患生, 聖人旣解其難而安平无事矣. 是无所往也, 則當脩復治道, 正紀綱, 明法度, 進復先代明王之治. 是來復也, 謂反正理也, 天下之吉也. 其, 發語辭. 自古聖王, 救難定亂, 其始, 未暇遽爲也, 旣安定則爲可久可繼之治. 自漢以下, 亂旣除則不復有爲, 姑隨時維持而已. 故不能成善治, 蓋不知來復之義也. 有攸往夙吉, 謂尚有當解之事則早爲之乃吉也. 當解而未盡者, 不早去則將復盛, 事之復生者, 不早爲則將漸大, 故夙則吉也.

서남쪽은 곤괘의 방위이고, 곤의 몸체는 광대하고 평이하다. 천하의 어려움이 막 풀릴 때를 맞이하여 사람들이 비로소 고난에서 벗어나니, 다시는 번거롭고 가혹하고 엄하고 급박함으로써 다스려서는 안 되고 관대함과 간이함으로써 구제하는 것이 마땅하다. 이와 같이하면 인심이 회유(懷柔)되어 편안하게 여긴다. 그러므로 서남쪽에서 이롭다. 탕(湯)임금은 걸(桀)의 학정을 없애고 너그러움으로 다스렸고, 무왕(武王)은 주(紂)의 폭정을 척결하고 상나라의 정치를 제자리로 되돌렸으니, 모두 너그럽고 간이함을 따른 것이다. "갈 곳이 없어서 와서 회복함이 길하다. 갈 곳이 있거든 일찍 하면 길하다[无所往其來復吉有攸往夙吉]"에서 "갈 곳이 없다"는 것은 천하의 어려움이 이미 풀려 할 일이 없음을 말하고, "갈 곳이 있다[有攸往]"는 것은 여전히 풀어야 할 일이 있음을 말한다. 천하와 국가는 반드시 기강과 법도가 무너져 어지러운 뒤에 화와 근심이 생기는데, 성인이 이미 그 어려움을 풀었으니 편안하고 할 일이 없다. 이것이 '갈 바가 없음'이니, 마땅히 다스리는 도리를 닦고 회복하여 기강을 바르게 하고 법도를 밝혀서 나아가 선대(先代) 명철한 임금의 통치를 회복하여야 한다. 이것이 '와서 회복함[來復]'으로, 바른 이치로 돌이킴을 말하니 천하의 길함이다. '기(其)'는 발어사이다. 예로부터 성왕(聖王)이 난을 구제하고 혼란을 안정시킬 때, 그 처음에는 갑자기 할 수 있는 겨를이 없고, 안정이 되고 나면 오래할 수 있고 계속할 수 있는 통치를 한다. 한나라 이래로 혼란이 제거되고 나면 다시 무언가 해보려 하지 않고 고식적으로 그때그때 유지할 뿐이었다. 그러므로 좋은 정치를 이룰 수 없었으니 '와서 회복한다'는 뜻을 몰랐기 때문이다. "갈 바가 있거든 일찍 하면 길하다"는 여전히 풀어야 할 일이 있다면 일찌감치 하는 것이 길함을 말한다. 마땅히 풀어야 하는데 아직 다 하지 못한 것을 일찌감치 없애지 않으면 다시 왕성해질 것이고, 일이 다시 생기는 것을 일찌감치 조처하지 않으면 점점 커질 것이다. 그러므로 일찍하면 길하다.

小註

朱子曰, 无所往, 其來復吉, 程傳以爲天下之難已解而安平无事, 則當脩復治道, 正紀綱明法度, 進復先代明王之治. 夫禍亂旣平, 正合脩治道, 求復三代之規模, 卻只便休了. 兩漢以來, 人主還有理會正心誠意否. 須得人主如窮閭陋巷之士治心脩身, 講明義理, 以此應天下之務, 用天下之才, 方見次第.

주자가 말하였다: "갈 곳이 없으면 와서 회복함이 길하다"에 대하여 『정전』에서는 "천하의 어려움이 이미 풀려 편안하고 할 일이 없으면, 마땅히 다스리는 도리를 닦고 회복하여 기강을 바르게 하고 법도를 밝혀서 나아가 선대 명철한 임금의 통치를 회복하여야 한다"라고 하였다. 그러니 화란이 평정된 다음에 바로 다스리는 도리를 닦아 삼대의 모범을 구하여 회복하면 될 뿐이다. 그러나 양한 이래로 임금들이 마음을 바르게 하고 뜻을 참되게 함을 이해한 적이 있었던가? 반드시 임금이 궁벽한 동네와 누추한 마을의 선비가 마음을 다스리고 몸을 닦아 의리를 강론하여 밝히는 것과 같이 하여 이것으로 천하의 일에 대응하고 천하의 인재를 쓸 수 있어야 비로소 순서를 알 것이다.

本義

解, 難之散也. 居險能動, 則出於險之外矣, 解之象也. 難之旣解, 利於平易安靜, 不欲久爲煩擾. 且其卦自升來, 三往居四, 入於坤體, 二居其所而又得中, 故利於西南平易之地. 若无所往, 則宜來復其所而安靜, 若尙有所往, 則宜早往早復, 不可久煩擾也.

해(解)는 어려움이 흩어지는 것이다. 험한 데 있으면서 움직일 수 있으면 위험의 밖으로 벗어날 것이니, 풀리는 상이다. 어려움이 이미 풀리면 평이하고 안정함이 이로우니, 오래도록 번거롭고 어지러움을 바라지 않는다. 또 해괘(解卦䷧)가 승괘(升卦䷭)에서 와서 삼효가 사효의 자리로 가 있으니 곤괘의 몸체로 들어간 것이고, 이효가 제자리에 있는데다가 중(中)을 얻기 때문에 서남쪽의 평이한 땅이 이롭다. 만약 '갈 바가 없으면' 와서 제 자리를 회복하여 안정해야 할 것이고, 만약 아직도 '갈 바가 있다면' 일찌감치 가서 빨리 회복해야할 것이니, 오래도록 번거롭고 어지럽게 해서는 안된다.

小註

節齋蔡氏曰, 坎難震動. 動則離乎難, 解之義也. 利西南者, 坎震東北之卦也, 難解於東北, 至西南則无不利矣. 无所往其來復吉, 往, 進也, 來復, 退歸也, 謂二難旣解則居中以復其安靜也, 主內象言. 有攸往夙吉. 夙, 早也. 難有未解者, 當急往而解之, 不可久擾也, 主外象言.

절재채씨가 말하였다: 감괘는 험난하고 진괘는 움직인다. 움직이면 험난함에서 떠나니 풀린다는 뜻이다. '서남쪽이 이로움'은 감괘와 진괘가 동북쪽의 괘이니, 어려움이 동북쪽에서 풀려 서남쪽에 이르면 이롭지 않음이 없다는 것이다. "가는[往] 바가 없으면 와서 회복함이 길하다"에서 '감[往]'은 나아가는 것이고 '와서 회복함[來復]'은 물러나 돌아옴이다. 이효의 어려움이 이미 풀리면 가운데 머물러 그 안정됨을 회복해야함을 이르니, 이는 내괘의 상을 위주로 말하였다. "갈 바가 있으면 일찍함[夙]이 길하다"에서 '일찍함[夙]'은 빨리함이다. 어려움이 아직 풀리지 않은 경우는 급하게 가서 풀어야 하고 오래도록 시끄럽게 해서는 안되니, 이는 외괘의 상을 위주로 말하였다.

○ 雲峰胡氏曰, 蹇解西南, 皆取後天對待. 蹇下體艮, 東北隅, 與西南對, 解二體坎震, 震東坎北, 亦與西南對. 蹇未解且利西南, 旣解可知矣. 蹇言不利東北, 解不言者, 蹇方止於險中, 故言利平易不利險阻, 解已出險外, 故但言平易之利, 不言險阻之不利. 大抵解之時, 以平易爲利, 略有苟急, 卽非利, 以安靜爲吉, 久爲煩擾, 卽非吉. 本義曰, 若無所往, 則宜來復其所而安靜, 是以安靜爲吉也. 曰若有所往, 則宜早往早復, 不可久爲煩擾, 亦以安靜爲吉也. 本義兩若字, 未定之辭, 顧其時何如耳. 然其吉也, 則皆在於來復而已.

운봉호씨가 말하였다: 건괘(蹇卦䷦)와 해괘(解卦䷧)에서의 서남쪽[1]은 모두 「문왕후천괘」에서의 대대를 취한 것이다. 건괘의 아래 몸체인 간괘는 동북모퉁이로 서남쪽과 상대이고,

---

1) 『周易·蹇卦』: 蹇利西南, 往得中也, 不利東北, 其道窮也. ; 『周易·解卦』: 解, 利西南, 无所往, 其來復, 吉. 有攸往, 夙, 吉.

해괘의 두 몸체인 감괘와 진괘에서, 진괘는 동쪽, 감괘는 북쪽이니 역시 서남쪽과 상대이다. 어려움이 아직 풀리지 않았는데도 서남쪽이 이로우니, 이미 풀렸다면 그 이로움을 알만하다. 건괘에서는 동북쪽이 이롭지 않다고 하고 해괘에서는 그렇게 말하지 않은 것은 건괘(蹇卦)는 험한 가운데 멈추었기 때문에, 평이함이 이롭고 험난하여 막힘은 이롭지 않다고 한 것이고, 해괘는 이미 위험 밖으로 벗어났기 때문에 평이함의 이로움만을 말하고 험난하여 막힘이 불리함은 말하지 않은 것이다. 대체로 풀리는 때에는 평이함을 이롭게 여기니, 약간의 까다롭고 급하게 함이 있다면 이는 이로움이 아니고, 안정을 길하게 여기니, 오래도록 번거롭고 어지럽다면 이는 길함이 아니다. 『본의』에서 "갈 바가 없으면 와서 제 자리를 회복하여 안정해야 한다"고 하였으니, 이는 안정됨을 길하게 여긴 것이다. 또 "갈 바가 있다면 일찌감치 가서 빨리 회복해야 할 것이니 오래도록 번거롭고 어지럽게 해서는 안된다"고 하였으니 역시 안정됨을 길하게 여긴 것이다. 『본의』에서 두 번 '만약'이라고 한 것은 아직 확정되지 않았다는 말이니, 그때가 어떤지 살피는 것일 뿐이다. 그러나 그 길함은 모두 '와서 회복함'에 있을 따름이다.

▌韓國大全▐

조호익(曺好益) 『역상설(易象說)』

利西南, 指九四, 无所往, 其來復吉, 指九二. 有攸往, 夙吉, 二往則入於五, 而坎之險, 變爲坤之夷, 故吉.

"서남쪽이 이롭다"는 구사를 가리키고, "갈 곳이 없으면 와서 회복함이 길하다"는 구이를 가리킨다. "갈 곳이 있으면 일찍 함이 길하다"는 이효가 가면 오효에게로 들어가서 감괘(坎卦☵)의 험함이 곤괘의 편안함으로 변하여 바뀌므로 길하다는 것이다.

송시열(宋時烈) 『역설(易說)』

雷以動之, 水以潤物, 物無所解, 故曰解. 其與蹇相綜, 故蹇旣言利西南, 不利東北, 而此言利西南則蒙上文也. 林氏曰, 蹇止乎險中, 故利西南不利東北, 解則動於險外, 是以但言西南之利, 不言東北之不利也. 此說極有見而亦似引而不發也. 蓋震與坎卽東北之方, 往于對待之處, 則往而得應, 與蹇無異. 然蹇卽時値險難, 故戒其勿往於不利之方, 此則動而免險, 時盾解散, 故如曰不必利東北而當利西南也. 无所往者, 別無可往之謂也. 言雖蹇利於西南, 而西南亦無可往之道, 彼來求而復也. 必欲往之, 宜乎早往坎有終陷之義, 故以早爲誡也.

우레로 움직이고 물로 사물을 윤택하게 하여 사물이 흩어지는 것이 없기 때문에 해(解)라고 하였다. 그것이 건괘(蹇卦)가 거꾸로 된 괘이기 때문에 건괘(蹇卦)에서 이미 "서남은 이롭고 동북은 이롭지 않다"고 하였으니, 여기서 "서남쪽이 이롭다"고 한 것은 앞의 글을 이어받은 것이다. 임씨는 "건괘(蹇卦)는 험난한 가운데 머물러있기 때문에 서남은 이롭고 동북은 이롭지 않다. 해괘는 험난한 바깥에서 움직이니, 단지 서남의 이로움만 말하고 동북의 이롭지 않음을 말하지 않았다"라고 하였다. 이 설명은 아주 확실한 소견이고 또한『맹자·진심상』의 활시위를 당기고 쏘지 않는 것이다.[2] 진괘(震卦)와 감괘(坎卦)는 곧 동북의 방향으로 마주하는 곳으로 가는 것이니, 가서 호응을 얻는 것은 건괘와 차이가 없다. 그렇지만 건괘는 그때에 바로 험난함을 만난 것이기 때문에 이롭지 않은 방향으로 가지 말 것을 경계하였고, 여기서는 움직여서 험난함을 벗어나 때에 따라 흩어지기 때문에 "굳이 동북을 이롭게 여길 필요 없이 서남을 이롭게 여겨야 한다"고 말한 것과 같다. 별도로 "갈 곳이 없다"는 것은 갈만 한 곳이 없다는 것을 말한다. 건괘가 서남쪽을 이롭게 여길지라도 그쪽도 갈만한 길이 없으니, 저것이 와서 구하여 회복한다는 말이다. 반드시 가고자 한다면 일찍 가는 것이 마땅하다. 감괘에 마침내 빠지는 의미가 있기 때문에 '일찍'으로 훈계하였다.

이익(李瀷)『역경질서(易經疾書)』

解承蹇下, 難極將解之卦也, 故諸爻皆有去難之義. 趙鼎之言曰, 射[3]隼以去小人, 乃所以致解亦此意. 解之利西南與蹇同. 蹇解之得中, 皆主坎之中爻而言, 然蹇之中, 君也正也, 解之中, 臣也不正也, 故蹇之往, 則有功. 解未必有所往, 故來復乃吉也. 坎居下, 故往不過得衆, 來則中也, 然解亦得中, 而動免乎險, 又未必皆無所往. 故以無所往有攸往爲兩下說, 當蹇之新解也, 必須量己審物明辨夬斷. 其於餘亂之不可犯者, 則卽止來復可也, 其事機之不可失者, 則夙往圖功可也. 若妄觸險危, 緩不及期, 鮮不敗事, 此處解之道也.

해괘는 건괘(蹇卦䷦)의 다음을 이어 어려움이 극에 달해 풀리려는 괘이므로 여러 효에 모두

---

2)『孟子·盡心』: 孟子曰, 大匠不爲拙工改廢繩墨, 羿不爲拙射變其彀率. 君子引而不發, 躍如也. 中道而立, 能者從之.
3) 射: 경학자료집성DB와 영인본에는 모두 '財'로 되어 있으나, 문맥을 살펴 '射'로 바로잡았다.

어려움을 제거하는 의미가 있다. 조정(趙鼎)[4]의 말에 "새매를 쏘아서 소인을 제거해야 풀림을 이룬다"[5]는 것도 이런 의미이다. 해괘에서 서남쪽이 이롭다는 것은 건괘와 같다. 건괘(蹇卦䷦)와 해괘(解卦䷧)가 알맞음을 얻은 것은 모두 감괘(坎卦☵)의 가운데 효를 주로해서 말한 것이다. 그러나 건괘의 알맞음은 임금이고 바름인데, 해괘의 알맞음은 신하로서 바르지 않음이므로 건괘에서는 감에 공이 있다. 해괘에서는 굳이 갈 곳이 아직 있지 않으므로 와서 회복함이 길한 것이다. 감괘가 아래에 있기 때문에 가면 무리를 얻는 것에 불과하지만 오면 알맞다. 그러나 해괘에서도 알맞음을 얻어 움직임이 험함을 면하고 또 아직 굳이 모두 가는 것이 아니다. 그러므로 갈 곳이 없는 것과 있는 것으로 두 가지로 말한 것은 어려움이 새롭게 풀리는 것에 해당하니, 반드시 자신을 헤아리고 남들을 살펴 분명하게 분별하고 결단해야 한다. 범하지 말아야 할 남은 혼란에 대해서는 그대로 멈추어 돌아오는 것이 옳고, 잃지 말아야 할 일의 기틀은 일찍 가서 공을 도모하는 것이 옳다. 만약 함부로 위험에 부딪히거나 느긋하게 기일에 미치지 못하면 일이 잘못되지 않음이 드물 것이니, 이것이 풀림에 대처하는 방법이다.

解, 坎下震上.

해괘(解卦䷧)는 감괘(坎卦☵)가 하괘이고 진괘(震卦☳)가 상괘이다.

按, 說卦坎正北方之卦也, 於時爲冬. 震東方也, 於時爲春. 冬盡春生, 於是天地解, 而雷雨作, 在物, 則百果草木, 皆甲坼. 君子以之, 則赦過宥罪, 所謂省囹圄, 去桎梏, 毋肆掠, 止獄訟, 是也.

내가 살펴보았다: 「설괘전」에서 감괘는 정북방의 괘로 시절로는 겨울이다. 진괘는 동방으로 시절로는 봄이다. 겨울이 끝나 봄이 오면 이때에 천지가 풀려 우레와 비가 일어나니, 사물에서는 온갖 과일과 초목이 다 껍질이 터진다. 군자가 그것을 본받으면 과실을 사면하고 죄를 용서하니, 이른바 옥에 가두는 것을 줄이고 차꼬와 수갑을 없애며 함부로 약탈하지 않고 송사를 멈춘다는 것이 여기에 해당한다.

유정원(柳正源) 『역해참고(易解參攷)』

王氏曰, 西南, 衆也. 解難濟險, 利施於衆也.

---

4) 조정(趙鼎): 송나라 해주(解州) 문희(聞喜) 사람으로 자는 원진(元鎭)이고, 호는 득전거사(得全居士)며, 시호는 충간(忠簡)이다. 휘종(徽宗) 숭녕(崇寧) 5년(1106) 진사가 되고, 대책을 올려 장돈(章惇)이 나라를 그르친 과오를 질타했다. 고종(高宗)이 즉위하자 우사간(右司諫)과 전중시어사(殿中侍御史)를 지내면서 전투하고 수비하며 도피하는 세 가지 대책을 진술하고 어사중승(御史中丞)에 임명되었다.

5) 『宋名臣言行録·趙鼎』, 公用射隼於高墉之上, 謂射隼而去小人, 乃所以致解. 鼎之學得於易者如此.

왕필이 말하였다: 서남쪽은 무리이다. 어려움을 풀고 험난함을 구제하여 무리에게 이롭게 베푼다.

○ 雙湖胡氏曰, 解乃蹇之反體, 亦爲蹇變而成解. 昔焉艮止於坎險之下者, 今震動而出乎坎險之上矣, 是險難旣散而爲解也. 其曰, 利西南, 无所往, 其來復, 吉者, 自蹇九五言之也. 若曰西南雖利, 今九五於西南, 旣无所往, 則宜來復於九二以成坎體, 就下而吉也. 其曰, 有攸往, 夙, 吉者, 自蹇之九三言之也. 若曰九三若有所往, 則宜早往居四以成震體, 出乎坎險之上亦吉也. 九五來復於二, 九三上往居四, 便成解卦矣. 若必欲就卦中, 取西南之象, 則膠滯而有所不通矣.

쌍호호씨가 말하였다: 해괘(解卦䷧)는 건괘(蹇卦䷦)를 거꾸로 한 몸체인데 건괘가 변하여 해괘가 된다. 전에는 간괘(艮卦☶)가 험한 감괘(坎卦☵)의 아래에 멈추어 있다가 지금은 진괘(震卦☳)가 움직여서 험한 감괘(坎卦☵)의 위로 벗어나니, 험하고 어려움이 이미 흩어져 풀린 것이다. "서남쪽이 이로우니, 갈 곳이 없으면 와서 회복함이 길하다"라 한 것은 건괘(蹇卦䷦)의 구오로 말하였다. "서남쪽이 이롭다"고 했을지라도 이제 구오가 서남쪽에서 이미 갈 곳이 없다면 구이에게 와서 회복하며, 감괘(坎卦☵)의 몸체를 이루어야 하니, 아래로 나아가서 길한 것이다. "갈 곳이 있으면 일찍 함이 길하다"라 한 것은 건괘(蹇卦䷦)의 구삼으로 말하였다. "구삼이 갈 곳이 있다"고 하였다면 빨리 가서 사효에 거하여, 진괘(震卦☳)의 몸체를 이루어야 하니, 험한 감괘(坎卦☵)의 위로 벗어나기에 또한 길하다. 건괘(蹇卦䷦)의 구오가 이효로 와서 회복하고, 구삼이 위로 가서 사효에 있으면 바로 해괘(解卦䷧)를 이룬다. 굳이 괘의 가운데로 나아가 서남쪽의 상을 취하고자 한다면, 꽉 막혀서 통하지 않을 것이다.

○ 案, 治亂, 如治亂繩, 可緩而不可急. 故解之所利在西南平易之地. 利西南, 則不利東北, 可知矣. 除西南外, 无所往, 則來守中道, 復其正理而已. 於西南而有攸往, 則早往早復, 得其中正爲吉, 聖人拈出兩箇路以示人時措之如何耳.

내가 살펴보았다: 혼란을 다스리는 것은 어지러운 먹줄을 다스리는 것처럼 느긋하게 해야지 서둘러서는 안 된다. 그러므로 해괘의 이로움은 서남쪽의 평이한 땅에 있다. 서남쪽이 이롭다면 동북쪽은 이롭지 않음을 알 수 있다. 서남쪽 외에는 갈 곳이 없으니, 와서 중도를 지키고 바른 이치를 회복할 뿐이다. 서남쪽에 갈 곳이 있으면 빨리 가고 빨리 회복하여 중정함을 얻으니 길하다. 성인이 두 길을 드러내어 사람들에게 때에 맞게 처리하는 것이 어떤 것인지 보여주었을 뿐이다.

傳, 除則. 〈案則一作而〉
『정전』의 '제거되면' 〈살펴보건대 '~즉(則)'이 어떤 본에는 '~이(而)'로 되어 있다.〉

不早〈至〉復盛.

'일찌감치 없애지 않으면 … 다시 왕성해질 것이다.

水心葉氏曰, 張柬之等不殺武三思, 及其勢復成, 乃欲除之, 則亦晚矣.

수심섭씨가 말하였다: 장간지(張柬之) 등이 무삼사를 죽이고 않았다가 그 세력이 다시 이루어지자 제거하려 하였지만 또한 늦었다.

김상악(金相岳) 『산천역설(山天易說)』

西南坤方, 卦變三往居四, 入於坤體, 故利西南. 卦體二居其所而得中, 故无所往, 而來復吉. 有攸往夙吉, 又指九四也.

서남쪽은 곤의 방향이다. 괘의 변화로는 삼효가 사효로 가 있어 곤의 몸체로 들어간 것이기 때문에 서남쪽이 이롭다. 괘의 몸체로는 이효가 자신의 자리에 있어 알맞음을 얻었기 때문에 갈 곳이 없어 와서 회복하여 길하다. '갈 곳이 있으면 일찍 함이 길하다'는 또 구사를 가리켰다.

○ 上卦本坤, 而四變爲震, 故曰利西南. 不往則爲來. 來復者, 坎之剛安處而得中也. 夙吉者, 震之剛上進而有功也. 震之陽自外而來, 則曰不遠復元吉. 自下而上, 則曰有攸往夙吉.

상괘는 본래 곤괘인데 사효가 변하여 진괘가 되었기 때문에 "서남쪽이 이롭다"고 하였다. 가지 않으면 오는 것이다. '와서 회복한다'는 감괘의 굳셈이 편안하게 있어 알맞음을 얻은 것이다. '일찍 함이 길하다'는 진괘의 굳셈이 위로 나아가서 공이 있는 것이다. 진괘의 양효가 밖에서 왔으니, "멀리 가지 않고 돌아와 크게 길하다"[6]고 하였고, 아래에서 위로 가니, "갈 곳이 있으면 일찍 함이 길하다"고 하였다.

김규오(金奎五) 「독역기의(讀易記疑)」

卦變. 本義, 以利西南, 屬九四, 无所往, 屬九二. 又以來復之復爲旣往復還之意, 故竝以有攸往屬之九二, 而釋以早往早復也. 所以以安靜不擾爲歸者, 卦辭統體在於利西南, 爻取九二, 而義取坤體也. 抑以爻而已, 則雖以无往屬二, 有往屬四, 亦可矣. 釋象往有功, 亦似謂四往入坤, 而有動出險外之功也.

괘의 변화. 『본의』에서는 "서남쪽이 이롭다"를 구사에 소속시키고, "갈 곳이 없다"를 구이에

---

6) 『周易 · 復卦』: 初九, 不遠復, 无祇悔, 元吉.

소속시켰다. 또 '와서 회복한다'고 할 때의 회복을 갔다가 다시 돌아온다는 의미로 여겼기 때문에 아울러 갈 곳이 있는 것을 구이에 소속시키고 일찌감치 가서 빨리 회복하는 것으로 해석하였다. 안정하여 어지럽지 않음으로 결론을 삼은 것은 괘사전체의 핵심이 서남쪽이 이롭다는 것에 있기 때문이니, 효에서는 구이를 취하였고, 의미에서는 곤괘의 몸체를 취하였다. 효로만 했을 뿐이라면 갈 곳이 없는 것을 이효에 소속시키고 갈 곳이 있는 것을 사효에 소속시켜도 된다. 「단전」의 "가서 공이 있는 것이다"를 해석함에서도 비슷하게 사효가 가서 곤괘로 들어가 험함 밖으로 움직여 벗어나는 공이 있다고 말하였다.

서유신(徐有臣) 『역의의언(易義擬言)』

坎北震東, 此時東北之難已解矣. 又往施於西南, 而天下同解, 其利博哉. 无所往, 翼象無所釋, 竊疑初六爻辭相錯也. 屯變爲解, 而九二自外來, 故曰其來復也, 九四自內往, 故曰有攸往夙也. 以外卦之中, 來于內卦之中, 則謂復也, 以內卦之初, 往于外卦之初, 則謂夙也. 二四來往而成解, 故有來亦吉往亦吉之象也.

감괘는 북쪽이고 진괘는 동쪽인데, 이 때에 동북쪽의 어려움이 이미 풀려서 또 서남쪽으로 가서 베풀어 천하가 풀림을 함께 하니 그 이로움을 넓게 한다. "갈 곳이 없음"은 십익의 「단전」에는 해석한 것이 없는데, 가만히 보니 초육의 효사와 서로 뒤섞여 있다. 준괘(屯卦䷂)가 해괘(解卦䷧)로 변해 구이는 밖에서 왔기 때문에 '와서 회복한다'고 하였고, 구사는 안에서 갔기 때문에 '갈 곳이 있으면 일찍 한다'고 하였다. 외괘의 가운데에서 내괘의 가운데로 왔으니 '회복한다'고 하였고, 내괘의 시작에서 외괘의 시작으로 갔으니 '일찍 한다'고 하였다. 이효와 사효가 오가며 해괘가 되었기 때문에 와도 길하고 가도 길한 상이 있다.

박제가(朴齊家) 『주역(周易)』

解[7]利西南. 蹇利西南, 竝言不利東北, 以本體蹇險, 故自云不利, 而以對面無礙之方位爲利. 象傳雖曰險在前, 以本卦方位言之, 則不同. 解亦東北之卦, 蹇之在前者解, 故[8]亦言利西南, 以本體解, 故不言不利. 旣解則對面无礙而已, 非必前進而爲利. 故曰无所往其來復吉, 謂本體之無難, 與蹇不同也. 本義謂自升來而不及於蹇爲可疑.

해괘(解卦䷧)는 서남쪽이 이롭다. 건괘(蹇卦䷦)는 서남쪽이 이로운데 동북이 이롭지 않다고 함께 말했으니, 본래의 몸체가 어렵고 험하기 때문에 스스로 이롭지 않다고 하면서 정면

---

7) 解: 경학자료집성DB와 영인본에는 모두 '□'로 되어 있으나, 문맥을 살펴 '解'로 바로잡았다.
8) 故: 경학자료집성DB에는 '於'로 되어 있으나, 경학자료집성 영인본을 참조하여 '故'로 바로잡았다.

의 막힘없는 방위를 이롭게 여겼던 것이다. 「단전」에서 비록 "험함이 앞에 있는 것이다"라고 하였을지라도 본괘의 방위로 말하면 같지 않다. 해괘도 동북쪽의 괘이니, 앞에 있는 어려움이 풀렸기 때문에 서남쪽이 이롭다고 또한 말하였고, 본래의 몸체가 풀렸기 때문에 이롭지 않다고 말하지 않았다. 이미 풀렸다면 정면에 막힘이 없으니, 굳이 전진해서 이롭게 여길 것이 아니다. 그러므로 "갈 곳이 없으면 와서 회복함이 길하다"라고 하였으니, 본래 몸체에 어려움이 없는 것이 건괘와 같지 않다는 말이다. 『본의』에서 '승괘(升卦䷭)에서 왔다'고 하면서 건괘를 언급하지 않은 것은 의심스럽다.

윤행임(尹行恁) 『신호수필(薪湖隨筆)·역(易)』

雲雷爲屯. 屯者, 鬱結也. 雲和爲雨, 則爲解. 解者發散也, 屯則經綸. 解則赦宥. 隨時制宜, 不失時宜, 故易之爲貴也. 在於參天地贊化育. 赦宥之時, 弓矢斯張獲狐射隼, 卽深長之慮也. 人君體上天雷雨之澤, 釋人之過寬人之罪. 而小人當其時, 反有僥倖抵隙之心, 故如獲狐然, 如射隼然, 俾絶覬覦之望, 用敷維新之化, 此之謂恩威竝行, 而不相悖也.

구름과 우레가 준괘(屯卦䷂)이다. 준괘는 꽉 막힌 것이다. 구름이 합하여 비가 되니 해괘(解卦䷧)이다. 해괘는 발산되는 것이다. 준괘는 경륜이고 해괘는 사면하고 용서하는 것이다. 때에 따라 마땅하게 하여 때의 마땅함을 잃지 않기 때문에 역에서 귀하게 여기는 것은 천지와 함께하여 화육을 돕는 데 있다. 사면하고 용서할 때에 활과 화살로 긴장하며 여우를 잡고 새매를 쏘니, 곧 아주 길게 생각하는 것이다. 임금은 하늘에서 우레와 비로 윤택하게 하는 것을 체득하여 사람들의 과실과 죄를 풀어주고 용서한다. 그런데 소인은 이런 때에 도리어 요행을 바라며 거스르고 싸우려는 마음이 있기 때문에 여우를 잡는 듯이 하고 새매를 쏘는 것처럼 하여 분수를 넘어 바라는 것을 끊어버리게 하고 오직 새롭게 하는 교화를 펴니, 이것을 은택과 위의를 함께 행하여 서로 어그러지지 않게 하는 것이라고 한다.

박문건(朴文健) 『주역연의(周易衍義)』

旡所往, 得中也, 有攸往, 處下也. 雖進退俱吉, 然但時有早晚也.

'갈 곳이 없다'는 알맞음을 얻음이고, '갈 곳이 있다'는 아래에 있기 때문이다. 나아가고 물러남이 모두 길할지라도 오직 때에는 일찍 하고 늦게 함이 있다.

〈問, 解音. 曰, 解有自解與解之之二義, 又有解緩與和解之二義, 以一解卦而作兩音, 非先聖之志也, 乃後世韻書之實也. 俱作佳買反爲是.

물었다: '풀릴 해[解]'자의 음을 어떻게 해야 합니까?

답하였다: 해(解)자에는 저절로 풀린다와 푼다는 두 가지 의미가 있고, 또 풀어서 느슨하게

한다와 화해한다는 두 가지 의미가 있는데, 하나의 해괘에서 두 가지 음으로 사용하는 것은 옛 성인들의 뜻이 아니라 바로 후세 음운에 대한 책의 내용입니다. 모두 가(佳)자에서 'ㄱ'과 매(買)자에서 'ㅐ'를 합해 '개'로 하는 것이 옳습니다.〉

〈○ 問, 解卦則不言不利東北何. 曰, 九二進退俱吉, 故不取之也.
물었다: 해괘는 동북쪽이 이롭지 않다고 말하지 않은 것은 무엇 때문입니까?
답하였다: 구이는 나아가고 물러남이 모두 길하기 때문에 그 말을 하지 않았습니다.〉

〈○ 問, 利西南以下, 曰, 得二陰, 故利西南也. 无可往之道也, 來復其中, 則吉也, 若有所往, 當早往, 則亦吉也. 蓋九二居中得衆, 故无可往之道也. 故來處其位, 則吉. 以陽處下, 故其志在於升進也, 若有往, 當夙往, 則吉也. 夙則其交未深, 晩則其交已固也. 交未深, 則可往也, 交已固, 則不可往也, 故云夙吉也.
물었다: "서남쪽이 이롭다" 이하는 무슨 뜻입니까?
답하였다: 두 음을 얻기 때문에 서남쪽이 이롭습니다. 갈 수 있는 도가 없는 경우에는 와서 그 알맞음을 회복하면 길하고, 갈 곳이 있으면 당연히 빨리 가는 것이 또한 길합니다. 구이가 가운데 있으면서 무리를 얻었기 때문에 갈 수 있는 도가 없으므로 와서 제 자리에 있으면 길합니다. 양이 아래에 있기 때문에 그 뜻이 올라가 나아가는 데에 있으니, 간다면 당연히 일찍 가는 것이 길합니다. 일찍 하는 것은 그 사귐이 아직 깊지 않은 것이고, 늦게 하는 것은 그 사귐이 이미 견고한 것입니다. 사귐이 깊지 않으면 갈 수 있고, 사귐이 이미 견고하면 갈 수 없기 때문에 "일찍 하면 길하다"고 하였습니다.〉

이지연(李止淵) 『주역차의(周易箚疑)』

卦辭專以升九三往居于坤, 九二來居于中, 解之者也. 无所往者, 得中之後, 更有何所往也. 有攸往者, 往居于坤者, 宜早而不宜緩也.
괘사에서는 단지 승괘(升卦☷☴)의 구삼이 올라가 곤괘(坤卦☷☷)에 있고, 구이는 내려와 가운데 있음이 풀린다는 것이다. '갈 곳이 없다'는 알맞음을 얻은 뒤이니, 다시 어디로 갈 곳이 있겠는가? '갈 곳이 있다'는 올라가 곤괘에 있는 것이니, 빨리 가야지 천천히 해서는 안 된다.

김기례(金箕澧) 「역요선의강목(易要選義綱目)」

難極則必解.
어려움이 끝까지 가면 반드시 풀린다.

○ 雷雨作而春意解.9) 坎在上卦則爲雲, 坎在下卦則爲雨.

우레와 비가 일어나 봄의 뜻이 풀림이니, 감괘(坎卦☵)는 상괘에 있으면 구름이 되고 하괘에 있으면 비가 된다.

利西南, 无所往, 其來復, 吉, 有攸往, 夙, 吉.

서남쪽이 이로우니, 갈 곳이 없으면 와서 회복함이 길하고, 갈 곳이 있으면 일찍 함이 길하다.

西南卽震坎之對言. 解於東北險動之中, 則當以西南坤順之道行則利也.

서남쪽은 진괘와 감괘를 마주해서 말했다. 동북의 험한 움직임에서 풀려났으니, 당연히 서남의 유순한 곤괘의 도로 행하는 것이 이롭다.

○ 卦變自升來. 九三往居四, 而入坤體, 則有平順之象.

괘의 변화는 승괘(升卦䷭)에서 왔다. 구삼이 올라가 사효에 있어 곤괘의 몸체에 들어갔으니, 평이하게 순종하는 상이 있다.

○ 天下難已解, 則當復修三代之文治, 何必往而煩擾. 若有未盡解者, 當往早而定, 不至久擾, 故夙則吉.

천하의 어려움이 이미 풀렸다면 삼대의 문화와 다스림을 회복해서 닦아야지 무엇 때문에 굳이 가서 번거롭고 어지럽게 해야 하겠는가? 아직 덜 풀린 것이 있다면 일찍부터 가서 안정시켜 오래도록 어지럽지 않게 해야 하기 때문에 일찍 함이 길하다.

심대윤(沈大允) 『주역상의점법(周易象義占法)』

蹇之九五, 剛中在上, 知之事也, 解之九二, 剛中在下, 寬之事也. 西南, 坤也, 寬而平, 順而易也. 乾之主爻入坤而爲震, 故曰利西南. 寬之道太過則慢, 貴其得中. 无所往, 言无過也. 不言攸而言所, 明與有攸往異旨也. 對卦巽離爲往, 言无私恩也. 離震爲來. 乾爲復坎之中爻, 自乾入坤, 言威明而剛健也. 以寬恕之道, 有所作爲, 順而无傷, 故曰有攸往, 夙, 吉. 夙吉, 猶言本吉也. 不可言元吉大吉, 故言夙吉也. 言寬本是吉道也, 重言吉者, 吉而又吉也.

건괘(蹇卦䷦)에서 구오는 굳세고 가운데 있는 것이 위에 있어 책임지는 일이고, 해괘(解卦䷧)구이는 가운데 굳세고 가운데 있는 것이 아래에 있어 너그럽게 하는 일이다. 서남쪽은

곤괘여서 너그럽고 평탄하며 순종하고 쉬운 것이다. 건괘(乾卦☰)의 주효가 곤괘(坤卦☷)로 들어가 진괘(震卦☳)가 되었기 때문에 "서남쪽이 이롭다"고 하였다. 너그럽게 하는 도가 너무 지나치면 태만하니 알맞음을 얻음을 귀하게 여긴다. '갈 곳이 없다'는 지나침이 없다는 말이다. 배(攸)라고 말하지 않고 곳[所]이라고 한 것은 '갈 바가 있다'와 뜻을 달리함을 분명히 한 것이다. 음양이 바뀐 손괘(巽卦☴)와 리괘(離卦☲)는 가는 것이니 사사로운 은혜가 없다는 말이다. 리괘(離卦☲)와 진괘(震卦☳)는 오는 것이다. 건괘(乾卦☰)가 다시 감괘(坎卦☵)의 가운데 효가 된 것은 건괘(乾卦☰)에서 곤괘(坤卦☷)로 들어온 것이니 위엄 있고 밝으며 강건하다는 말이다. 너그럽게 용서하는 도로 뭔가를 할지라도 유순하여 해치는 것이 없기 때문에 "갈 바가 있으면 일찍 함이 길하다"고 하였다. 일찍 함이 길한 것은 본래 길하다고 하는 것과 같다. 원길(元吉)이나 대길(大吉)이라고 말할 수 없기 때문에 일찍 함이 길하다고 하였다. 관대함은 본래 길한 도인데 거듭 길하다고 한 것은 길하고 또 길하다는 말이다.

오치기(吳致箕) 「주역경전증해(周易經傳增解)」

解者, 難之解也. 上雷下雨, 有陰陽和解之象. 動在險外, 爲出險解難之象也. 坤在西南, 而震一陽得於坤, 故曰利西南, 卽象傳所言往得衆也. 陽居于終則窮, 而坎一陽乃得其中, 故爲无所往, 而來復之象, 卽象傳所言乃得中也. 剛得中而不窮, 故言吉. 有應則有攸往, 无應則无攸往, 而九二上有六五之應, 故爲有攸往之象, 而以其在內體, 故言夙, 卽象傳所言往有功也. 往而有功, 故曰吉也.

해괘(解卦䷧)는 어려움이 풀리는 것이다. 상괘가 우레이고 하괘가 비여서 음과 양이 화해하는 상이 있다. 움직임이 험함 밖에 있으니 험함을 벗어나고 어려움이 풀리는 상이 된다. 곤괘가 서남에 있는데 진괘가 하나의 양을 곤괘에서 얻기 때문에 "서남쪽이 이롭다"고 한 것은 바로 「단전」에서 말한 "가면 무리를 얻는다"는 것이다. 양이 끝에 있으면 곤궁한데 감괘가 하나의 양을 그 가운데에 얻었기 때문에 갈 곳이 없고 와서 회복하는 상이 되었으니, 바로 「단전」에서 말한 중(中)을 얻음이다. 굳셈이 가운데를 얻어 곤궁하지 않기 때문에 길하다고 하였다. 호응이 있으면 갈 곳이 있고 호응이 없으면 갈 곳이 없는데, 구이는 위로 육오의 호응이 있기 때문에 갈 곳이 있는 상이고, 그것이 안의 몸체에 있기 때문에 '일찍 한다'고 하였으니 바로 「단전」에서 말한 가서 공이 있음'이다. 가서 공이 있기 때문에 '길하다'고 하였다.

○ 以下體一卦之爻位言, 故曰所往, 以全卦應體言, 故曰攸往, 此所與攸之別也. 主爻二剛溺於陰, 故不言亨, 卦失正位, 故不言貞.

하괘의 몸체인 한 괘의 효와 자리로 말하였기 때문에 '갈 곳[所往]'이라고 하였고, 전체괘의 호응하는 몸체로 말하였기 때문에 '갈 배攸往'라고 하였으니, 이것이 '곳[所]'과 '배攸'의 구별이다. 주효인 굳센 이효가 음에 빠져 있기 때문에 형통하다고 말하지 않았고, 괘가 바른 자리를 잃었기 때문에 곧음을 말하지 않았다.

이진상(李震相) 『역학관규(易學管窺)』

卦體, 蹇之反也. 長男上而中男下, 亦以服事於外.

괘의 몸체(䷧)는 건괘(蹇卦䷦)가 거꾸로 되었다. 맏아들이 올라가고 둘째 아들이 내려오니, 또한 밖에서 일하는 것이다.

利西南.

서남쪽이 이롭다.

按, 先天圖, 解位在西而近南. 然其爲卦, 則坎下震上, 而坎震在其東北. 蓋其卦氣始於西南, 而自艮至坎入於蹇, 難由坤入震, 始得解散, 過此以往, 則南而西矣. 兌說以先之, 乾剛以斷之, 巽順而入之. 天下之治, 日臻乎盛大光明, 此其利也. 固不當泯泯泄泄, 務爲姑息, 使天下大勢倒入於純陰世界. 傳義皆以坤體之平易爲言, 此恐牽合於後天方位之說, 而非其本旨也. 況卦變之自升來者, 實是變坤而入於坎體, 初非變坎而入於坤體也. 解不言不利東北者, 以其解難之地, 正在東北之震方, 而旣解之後, 利在反本. 文王纔解羑里之囚, 而得歸岐周, 此其象也.

내가 살펴보았다: 「선천도」에서 해괘(解卦䷧)의 자리는 서쪽에 있고 남쪽에 가깝다. 그러나 그 괘는 감괘(坎卦☵)가 아래에 진괘(震卦☳)가 위에 있는데, 감괘와 진괘는 동북에 있다. 대개 괘의 기운이 서남에서 시작해 간괘(艮卦☶)에서 감괘(坎卦☵)로 와 건괘(蹇卦䷦)로 들어가니, 어려움이 곤괘에서 진괘로 들어가 비로소 풀려 흩어지는데, 더 나아가면 남쪽을 지나가서 서쪽이다. 태괘(兌卦☱)는 기쁨으로 인도하고, 건괘(乾卦☰)는 강건함으로 결단하며, 손괘는 순종하여 들어간다. 천하의 다스림이 날로 성대하고 광명한 데로 나아가니, 이것이 그 이로움이다. 진실로 어지럽고 태만하여 원칙 없는 임시방편에 힘써 천하의 대세가 순수한 음의 세계로 들어가게 해서는 안 된다. 『정전』과 『본의』에서는 모두 곤괘 몸체의 평이함으로 말했으니, 이것은 후천방위의 설로 억지로 끌어다 붙인 것이지 본래의 의미는 아니다. 하물며 괘의 변화가 승괘(升卦䷭)에서 왔다는 것은 실로 곤괘(坤卦☷)가 변해 감괘(坎卦☵)의 몸체로 들어갔다는 것이니, 애초에 감괘가 변해 곤의 몸체로 들어갔다는 것이 아니다. 해괘에서 동북이 이롭지 않다고 말하지 않은 것은 어려움을 풀어버리는 땅은 바로 동북의 진방(震方)에 있고, 이미 풀어버린 다음에는 이로움이 근본으로 돌아가는 데 있기 때문이다. 문왕이 유리의 감옥에서 벗어나자 기주(岐周)로 돌아갈 수 있었으니, 이것이 상징이다.

其來復吉.

와서 회복함이 길하다.

解之下體, 坎也. 處險而未動, 則無所往矣, 只宜來復乎九二之中. 蹇之九五, 來反於
二, 則便成坎下而得中故也. 上體震也, 過險而初動, 則有攸往矣, 正當進成其九四之
功. 苟其不夙而濡滯, 則無以解難而底易也, 蹇之九三, 往居於四, 則便成震初而爲夙
故也.

해괘(解卦䷧)에서 하괘의 몸체는 감괘(坎卦☵)이다. 험한 데 있으면서 움직이지 않으면 갈
곳이 없으니, 오직 와서 구이의 알맞음을 회복해야 될 뿐이다. 건괘(蹇卦䷦)의 구오가 이효
로 되돌아오면 하체의 감괘를 이루어 알맞음을 얻기 때문이다. 상괘의 몸체는 진괘(震卦☳)
로 험함을 지나 처음으로 움직이면 갈 곳이 있으니, 바로 나아가 구사의 공을 이루어야 한
다. 일찍 하지 않아 막히고 걸리면 어려움을 풀어 쉬움에 이를 수 없고, 건괘(蹇卦䷦)의
구삼이 가서 사효의 자리에 있으면, 바로 진괘의 초효가 되어 일찍함이 되기 때문이다.

이병헌(李炳憲) 『역경금문고통론(易經今文考通論)』

竪看爲解, 倒看爲蹇. 難久必解, 故解次於蹇.

바로 보는 것이 해괘이고 거꾸로 보는 것이 건괘(蹇卦䷦)이다. 어려움은 오래되면 반드시
풀리기 때문에 해괘가 건괘 다음에 있다.

象曰, 解, 險以動, 動而免乎險, 解.

「단전」에 말하였다: 해(解)는 험난하고서 움직이니, 움직여서 험난함을 벗어나는 것이 풀림[解]이다.

║中國大全║

傳

坎險震動, 險以動也. 不險則非難, 不動則不能出難, 動而出於險外, 是免乎險難也. 故爲解.

감괘는 험하고 진괘는 움직이니 험한 데로부터 움직이는 것이다. 험하지 않으면 어려운 것이 아니고 움직이지 않으면 어려움에서 벗어날 수 없으니, 움직여서 험난함의 밖으로 나오는 것이 험난함을 벗어나는 것이다. 그러므로 풀림이 된다.

本義

以卦德, 釋卦名義.

괘의 덕으로 괘의 이름을 풀이하였다.

小註

白雲郭氏曰, 遇險而止者, 才之不足也. 遇險而動者, 才之有餘也. 以有餘之才, 故能動而免乎險, 所以爲解也.

백운곽씨가 말하였다: 험난함을 만나 멈추는 것은 재질이 부족해서이고, 험난함을 만나 움직이는 것은 재질이 넉넉해서이다. 넉넉한 재질이 있기 때문에 움직여 험난함을 면할 수 있으니, 이것이 풀림이 되는 이유이다.

○ 臨川吳氏曰, 解者, 險難釋散之時也. 坎險在內, 震動在外, 是動而出乎險之外, 得以脫免於險難也.

임천오씨가 말하였다: '해(解)'는 험난함이 풀어져 흩어지는 때이다. 감괘의 험함이 안에 있고, 진괘의 움직임이 밖에 있으니, 움직여 험함의 밖으로 나와 험난함을 벗어날 수 있는 것이다.

○ 隆山李氏曰, 以畫觀之, 四陰二陽, 坎險在前, 是爲蹇, 四陰二陽, 坎險已過, 是爲解, 則解者蹇之反也. 以卦觀之, 坎上震下爲屯, 坎下震上爲解, 則解者屯之反也. 屯蹇者, 難之方興, 解則難之已散, 蹇之止于險下, 固不若屯之動于險中. 屯之動于險中, 又不若解之動于險外也.

융산이씨가 말하였다: 획으로 살펴보면, 네 음과 두 양으로 감괘의 험함이 앞에 있는 것이 건괘(䷦)이고, 네 음과 두 양으로 감괘의 험함이 이미 지나간 것이 해괘(䷧)이니, 해괘는 건괘와 반대이다. 괘로 살펴보면 감괘가 위이고 진괘가 아래인 것이 준괘(䷂)이고, 감괘가 아래이고 진괘가 위인 것이 해괘이니, 해괘는 준괘의 반대이다. 준괘와 건괘는 어려움이 막 일어남이고, 해괘는 어려움이 이미 흩어짐이니 험난의 아래에서 머물러 있는 건괘는 진실로 험한 가운데서 움직이는 준괘만 못하고, 험함의 가운데서 움직이는 준괘는 또한 험함의 밖에서 움직이는 해괘만 못하다.

韓國大全

김상악(金相岳) 『산천역설(山天易說)』

以卦德釋卦名義. 險在內而動而居外, 故免乎險.

괘의 덕으로 괘의 이름을 풀이하였다. 험난함이 내괘에 있는데 움직여서 밖에 있기 때문에 험난함을 벗어난다.

서유신(徐有臣) 『역의의언(易義擬言)』

險以動者, 不爲險之所困也, 動於險上, 能制險也. 動而免乎險者, 由動而免也, 能制險, 故得出於險外也.

험난하고서 움직이는 것은 험난함 때문에 곤혹스럽지 않은 것이니, 험난함에서 움직여 험난함을 제어할 수 있는 것이다. 움직여서 험난함을 벗어나는 것은 움직여서 벗어나는 것으로 험난함을 제어할 수 있기 때문에 험난함의 밖으로 벗어나는 것이다.

박문건(朴文健) 『주역연의(周易衍義)』

此以卦德釋卦名.

여기에서는 괘의 덕으로 괘의 이름을 해석하였다.

〈問, 動而免乎險解. 曰, 動於險外, 故謂之免乎險也. 解者, 解脫之謂也.

물었다: "움직여서 험난함을 벗어나는 것이 풀림이다"는 무슨 뜻입니까?

답하였다: 험난함의 바깥으로 움직이기 때문에 그것을 험난함을 벗어난다고 하였습니다. 풀림은 풀려서 벗어남을 말합니다.〉

심대윤(沈大允) 『주역상의점법(周易象義占法)』

在險而能動也.

험난하면서 움직일 수 있다.

이진상(李震相) 『역학관규(易學管窺)』

象. 先天圖解位, 本在西南巽坎之間, 而兩體坎震在其東北. 東北者, 解難之地也, 故言利西南, 而不言不利東北. 蓋利西南者, 從巽親乾, 而得其衆陽之會也, 此則卦體, 而非卦變也. 若以卦變言, 則自蹇反卦得之, 蹇之九五本自解往, 而九五大蹇, 無所往而來復乎本位之二, 蹇之九三本自解來, 而九三在下, 有所往而進居於上體之四. 一往一來, 固若互變, 而象體主靜卦象反本, 故來則曰復, 往亦夙復, 一以西南爲利者也. 往震象來坎象, 復坎象夙震象. 四居震初, 震又陽生之始, 而日未出之方也. 本義, 以坤位西南當之, 恐未安.

단전. 「선천도」에서 해괘(解卦䷧)의 위치는 본래 서남쪽으로 손괘와 감괘의 사이에 있는데, 두 몸체인 감괘와 진괘는 동북쪽에 있다. 동북쪽은 어려움이 풀리는 땅이기 때문에 서남쪽이 이롭다고 하고 동북쪽이 이롭지 않다고 하지 않았다. 서남쪽이 이롭다는 것은 손괘에서 건괘와 가까워 여러 양이 모이는 것을 얻어서이니, 이것은 괘의 몸체이지 괘의 변화가 아니다. 괘의 변화로 말하면, 거꾸로 된 건괘(蹇卦䷦)에서 얻은 것이니, 긴괘(蹇卦䷦)의 구오는 본래 해괘(解卦䷧)에서 갔는데, 구오가 크게 어렵고 갈 곳이 없어서 본래의 이효 자리로 와서 회복하였고, 건괘(蹇卦䷦)의 구삼은 본래 해괘(解卦䷧)에서 왔는데, 구삼이 아래에 있고 갈 곳이 있어서 위의 몸체 사효로 나아가 있다. 한 번 가고 한 번 오며 진실로 서로 변하는 것 같지만 「단전」에서 몸체는 고요함을 주로 하고 괘의 상이 근본으로 돌아오기 때문에 오면 '회복함'이라 하고, 가더라도 일찍 돌아오니, 한결같이 서남쪽을 이롭게 여긴다. 가는 것은 진괘의 상이고, 오는 것은 감괘의 상이며, 회복함은 감괘의 상이고, 일찍 함은 진괘의 상이다. 사효가 진괘의 처음에 있고, 진괘는 또 양이 나오는 시작이어서 해가 아직 나오지 않은 방위이다. 『본의』에서 곤괘의 자리를 서남쪽에 둔 것은 잘못인 듯하다.

○ 傳, 往得衆之往, 卦體上說, 往而反本也, 有攸往之往, 卦變上說, 往而上進也. 乃得中, 陽始居二也, 往有功, 陽能出險也.
「단전」의 "가면 무리를 얻어서이고"에서 '가면'은 괘의 몸체로 말하였으니, 가서 근본으로 되돌아감이고, "갈 바가 있거든"에서 '간다'는 괘의 변화로 말하였으니 가서 위로 올라감이다. "이에 알맞음을 얻음이고"는 양이 비로소 이효에 있는 것이고, "가서 공이 있는 것이다"는 양이 험함을 벗어날 수 있는 것이다.

解, 利西南, 往得衆也,

"해(解)는 서남쪽이 이로움"은 가면 무리를 얻어서이고,

中國大全

傳

解難之道, 利在廣大平易, 以寬易而往, 濟解, 則得衆心之歸也.

어려움을 푸는 방도는 이로움이 광대하고 평이함에 있으니, 너그럽고 평이하게 가서 구제해 풀어주면 무리의 마음이 돌아옴을 얻을 것이다.

小註

進齋徐氏曰, 往得衆, 指四也. 坤爲衆, 變坤成震, 九四往趨於西南平易之地, 則得衆心而無難矣. 豈非利乎.

진재서씨가 말하였다: '가면 무리를 얻는다'는 사효를 가리킨다. 곤괘는 무리이고, 곤괘가 변하여 진괘가 되었다. 구사가 서남쪽의 평이한 땅으로 옮겨가면 무리의 마음을 얻어 어려움이 없을 것이니, 어찌 이롭지 않겠는가?

○ 白雲郭氏曰, 解利西南往得衆者, 西南得朋之地也. 得朋而動, 乃能濟險, 故蹇之大蹇朋來與解之朋至斯孚, 皆一道也.

백운곽씨가 말하였다: "해(解)는 서남쪽이 이로움"은 가면 무리를 얻음이다"는 서남쪽이 벗을 얻는 곳이기 때문이다. 벗을 얻어 움직여야 험난함을 구제할 수 있다. 그러므로 건괘의 '크게 어려움에 벗이 오는 것'과 해괘의 '벗이 와서 믿는 것'이 모두 하나의 도리이다.

‖韓國大全‖

서유신(徐有臣) 『역의의언(易義擬言)』

解及四方, 故曰得衆也.

풀림이 사방으로 미치기 때문에 "무리를 얻어서이다"라고 하였다.

김기례(金箕澧) 「역요선의강목(易要選義綱目)」

指九四, 自三居坤體而順, 故往衆心所歸.

구사를 가리키니, 삼효에서 곤괘의 몸체로 가 있으면서 순종하기 때문에 감에 무리의 마음이 귀의하는 것이다.

○ 坤爲衆, 故曰得衆.

곤괘가 무리이기 때문에 "무리를 얻어서이다"라고 하였다.

○ 卦辭曰, 无所往, 言難已解, 則不必煩往, 當來修正理也. 此曰往, 言卦變往來之爻也.

괘사에서 "갈 곳이 없다"라고 한 것은 어려움이 이미 풀렸으면 굳이 번거롭게 갈 필요가 없으니 와서 바른 이치를 닦아야 한다는 말이다. 여기서 '간다'고 한 것은 괘의 변화로 왕래하는 효를 말한다.

이진상(李震相) 『역학관규(易學管窺)』

由震而順行, 則轉南而西, 離兌乾巽衆陽之會也, 豈不美歟. 坤固爲衆, 而解乃坤之變. 非變而坤者也, 苟謂解難之利在於往. 坤則豈非下喬木而入幽谷者耶.

진괘로 말미암아 순서대로 간다면 남쪽을 돌아 서쪽으로 가는데, 리괘(離卦)·태괘(兌卦)·건괘(乾卦)·손괘(巽卦)는 여러 양이 모인 것이니, 어찌 아름답지 않겠는가![10] 곤괘(坤卦)는 진실로 무리가 되지만, 해괘는 곤괘가 변한 것이지 변해서 곤괘인 것은 아니다. 참으로 어려움을 푸는 이로움이 가는데 있다고 한다면, 곤괘가 어찌 큰 나무 아래를 지나 어두운 골짜기로 들어가는 것[11]이 아니겠는가!

---

10) 「복희팔괘방위도」의 순서를 따른 것이다.
11) 『周易·困卦』: 初六, 臀困于株木. 入于幽谷, 三歲不覿.

其來復吉, 乃得中也,

"와서 회복함이 길함"은 이에 알맞음을 얻음이고,

┃中國大全┃

傳

不云无所往, 省文爾. 救亂除難, 一時之事, 未能成治道也. 必待難解无所往然後, 來復先王之治, 乃得中道, 謂合宜也.

"갈 바가 없다"를 말하지 않은 것은 문장을 생략하였을 뿐이다. 혼란을 구제하고 어려움을 제거함은 한 때의 일이니 아직 다스리는 도를 이루지는 못한 것이다. 반드시 어려움이 풀려 갈 바가 없기를 기다린 뒤에, 와서 선왕의 다스림을 회복하여야 중도를 얻을 것이니, 마땅함에 합치함을 말한다.

小註

進齋徐氏曰, 乃得中指二也. 蓋天下禍亂已散, 來則復返於安靜之域, 不事煩擾. 此以靜而吉也.

진재서씨가 말하였다: '이에 알맞음을 얻는다'는 이효를 가리킨다. 천하의 화란이 이미 흩어진 다음에 와서 다시 안정한 지경으로 회복하여 돌아가 번거롭고 어지러움을 일삼지 않는다. 이것이 고요해서 길한 것이다.

┃韓國大全┃

김기례(金箕灃) 「역요선의강목(易要選義綱目)」

指九二居內體之中. 當難解之後, 无有煩往, 而當復三代之治, 故曰復吉.

구이가 내괘 몸체의 가운데 있음을 가리킨다. 어려움이 풀린 뒤에는 번거롭게 갈 필요 없이 삼대의 다스림을 회복해야 하기 때문에 "회복함이 길함이다"라고 하였다.

이진상(李震相) 『역학관규(易學管窺)』

以九二言, 蹇則坎在外, 故往而得中, 解則坎在內, 故來而得中, 此皆自守之道, 而解難之地, 難方殷而躁動, 則生文宗甘露之禍. 亂已極而不圖, 則致袁紹不救徐州之悔. 下文所謂往有功者, 是也.

구이로 말하면, 건괘(蹇卦䷦)는 감괘가 외괘에 있기 때문에 가서 알맞음을 얻고, 해괘(解卦䷧)는 감괘가 내괘에 있기 때문에 와서 알맞음을 얻으니, 이것은 모두 스스로 지키는 도이다. 그런데 어려움이 풀리는 곳에는 어려움이 한창 큰데 조급하게 움직이면 문종(文宗)때의 감로의 화[12]가 생긴다. 어지러움이 극에 달했는데 도모하지 않으면 원소(袁紹)[13]가 서주(徐州)를 구하지 못한 후회를 하게 된다. 아래의 글에서 이른바 가서 공이 있다는 것이 여기에 해당한다.

---

12) 『구당서(舊唐書)·문종본기하(文宗本紀下)』에 나오는 이야기로 문종 때 내관(內官)들이 막강한 권력을 휘두르고 있었는데, 이들을 제거하고자 하는 문종의 의도를 알아챈 이훈(李訓)과 정주(鄭注)가 내관들을 죽이기 위해 금오 청사(金吾廳舍) 뒤의 석류(石榴)에 감로가 있다고 거짓으로 아뢰어 내관들을 유인해 내었다. 그러나 이들은 도리어 중위(中尉) 구사량(仇士良)에게 죽임을 당하였고, 조정의 많은 벼슬아치들도 목숨을 잃으니, 이 사건을 감로지변(甘露之變)이라고 한다.

13) 원소(袁紹: ?-202): 후한 말기 여남(汝南) 여양(汝陽) 사람으로 자는 본초(本初)다. 4대에 걸쳐 삼공(三公)의 지위에 있던 명문 귀족이었다. 처음에 낭(郎)이 되고, 영제(靈帝) 때 시어사(侍御史)와 호분중랑장(虎賁中郎將)을 지냈다. 영제가 죽자 대장군 하진(何進)의 명을 받아, 조조(曹操)와 함께 강력한 군대를 편성했다. 동탁(董卓)을 초대하여 당시 정치적 부패의 요인인 환관들을 일소하려 했지만, 사전에 계획이 누설되어 하진이 살해되자 역공하여 환관 2천여 명을 살해했는데, 동탁이 먼저 낙양(洛陽)에 들어가 황제를 옹립했다. 이에 토벌군을 일으켜 맹주가 되어 동탁을 공격하여 장안(長安)까지 패주시키는 데 성공하고, 하북(河北)을 중심으로 강력한 세력을 구축했다. 조조와 함께 화북(華北) 세력을 양분하고 상호 견제하던 중, 건안(建安) 5년(200) 관도(官渡)에서 결전을 벌였고, 대패한 뒤 분사(憤死)했다.

有攸往夙吉, 往有功也.

"갈 바가 있거든 일찍 하면 길함"은 가서 공이 있는 것이다.

▌中國大全▌

傳

有所爲則夙吉也, 早則往而有功, 緩則惡滋而害深矣.

할 일이 있으면 일찍 하는 것이 길하다. 일찍 하면 가서 공이 있고, 늦게 하면 해악이 불어나서 해로움이 깊을 것이다.

本義

以卦變, 釋卦辭. 坤爲衆. 得衆, 謂九四入坤體, 得中有功, 皆指九二.

괘변으로 괘사를 풀었다. 곤괘는 무리가 되니, '무리를 얻음'은 구사가 곤괘의 몸체로 들어갔음을 말한다. '알맞음을 얻음'과 '공이 있음'은 모두 구이를 가리킨다.

小註

西溪李氏曰, 未可以往, 則以來復爲中, 今難旣解, 則往而有功矣.

서계이씨가 말하였다: 갈만하지 않다면 와서 회복함으로 중도를 삼고, 이제 어려움이 이미 풀렸다면 가서 공이 있을 것이다.

○ 進齋徐氏曰, 往有功亦指二也. 謂當時或有未解之難, 則宜亟往而散之, 夙則有功. 此又以速而吉也.

진재서씨가 말하였다: "가서 공이 있다"는 또한 이효를 가리킨다. 때로 혹 풀리지 못한 어려움을 당하면 빨리 가서 없애야 하니, 일찍 하면 공이 있음을 이른다. 이것은 또한 빨라서

길한 것이다.

○ 建安丘氏曰, 大抵處時方平者易緩, 除惡不盡者易滋, 聖人於患難方平之際, 旣不欲人以多事自疲, 又不欲人以无事自怠也.
건안구씨가 말하였다: 대체로 처한 때가 평화로우면 느슨해지기 쉽고, 악을 다 없애지 않으면 불어나기가 쉽다. 성인은 환난이 평정되었을 무렵에는 벌써 사람들이 일이 많아 피로해짐을 바라지 않고, 또 사람들이 일이 없어서 태만해짐을 바라지 않는다.

▌韓國大全▌

홍여하(洪汝河) 「책제(策題): 문역(問易)·독서차기(讀書箚記)-주역(周易)」

本義卦變, 自是一例, 故往得衆, 此段之釋最好. 來復, 不言卦變, 便是卦變有推不去處.
『본의』에서의 괘의 변화는 본래 하나의 본보기이기 때문에 '가서 무리를 얻어서이고'라는 이 단락의 해석이 아주 좋다. '와서 회복함'에 괘의 변화를 말하지 않은 것은 바로 괘의 변화로는 미루지 못할 부분이 있기 때문이다.

蹇之坎居五, 往得中也. 解之坎居內, 則來而得中也. 周公於蹇爻, 皆以往來言之, 取文王解象往來之辭. 孔子於解象傳言往來, 本文王之說, 蹇象言往來, 本周公之說.
건괘(蹇卦䷦)에서 감괘(坎卦☵)는 양효가 오효의 자리에 있어 가서 알맞음을 얻은 것이다. 해괘(解卦䷧)에서 감괘(坎卦☵)가 내괘에 있는 것은 와서 알맞음을 얻은 것이다. 주공은 건괘(蹇卦䷦)의 효사에서 모두 오고가는 것으로 말했으니, 문왕의 해괘 단사의 '오고간다'는 말을 취한 것이다. 공자가 해괘의 「단전」에서 오고감을 말한 것은 문왕의 설명에 근본하고, 건괘의 「단전」에서 오고감을 말한 것은 주공의 설명에 근본한다.

유정원(柳正源) 『역해참고(易解參攷)』

山齋易氏曰, 有攸往, 震也. 方其在坎險而无所往, 故來復於中而吉. 以其陽剛在坎之中, 宜於復也. 及其出而之震, 則可以有所往, 故動宜早, 而往有功, 以其陽剛在震之初, 宜於動也.

산재역씨가 말하였다: 갈 바가 있는 것은 진괘이다. 험한 감괘에 있어 갈 곳이 없기 때문에 가운데로 돌아와서 회복함이 길하다. 굳센 양이 감괘의 가운데에 있으니 회복해야 한다. 벗어나서 진괘로 되면 갈 곳이 있기 때문에 움직임에 서둘러 가서 공이 있게 해야 하니, 굳센 양이 진괘의 처음에 있기에 움직여야 한다.

서유신(徐有臣) 『역의의언(易義擬言)』

二自屯五而來, 乃得內卦之中, 是爲復也. 四自屯初而往, 便得外卦之初, 是爲夙也. 四以成解, 故有功也.

이효가 준괘(屯卦䷂)에서 와서 내괘의 알맞음을 얻었으니 바로 '회복함'이다. 사효가 준괘(屯卦䷂)의 초효에서 가서 외괘의 초효를 얻었으니 바로 '일찍 함'이다. 사효가 풀림을 이루었기 때문에 공이 있는 것이다.

박문건(朴文健) 『주역연의(周易衍義)』

此以卦變卦體卦志釋卦辭.

여기에서는 괘의 변화·괘의 몸체·괘의 뜻으로 괘사를 해석하였다.

〈問, 往得衆乃得中往有功. 曰, 往得衆, 蹇反爲解也. 乃得中, 處下得中也. 往有功, 遂其升進也. 二往字, 升降不同者, 有卦變卦體之異也.

물었다: '가면 무리를 얻어서이고'·'이에 알맞음을 얻음이고'·'가서 공이 있는 것이다'는 무슨 뜻입니까?

답하였다: '가면 무리를 얻어서이고'는 건괘(蹇卦䷦)가 거꾸로 되어 해괘(解卦䷧)가 된 것입니다. '이에 알맞음을 얻음이고'는 아래에 있어 알맞음을 얻은 것입니다. '가서 공이 있는 것이다'는 올라감을 이룬 것입니다. 두 번의 '간다'라는 말은 오르내림이 같지 않은 것이니, 괘의 변화와 괘의 몸체라는 차이가 있는 것입니다.〉

김기례(金箕澧) 「역요선의강목(易要選義綱目)」

亦指二言. 若有未盡解者, □早往正之, 不宜緩而養亂, 故早往有功.

이 구절도 이효를 가리켜서 말하였다. 아직 다 풀리지 않은 것이 있을 경우 빨리 가서 바로 잡아야지 느슨하게 해서 혼란을 키우면 안 되기 때문에 빨리 가야 공이 있는 것이다.

이진상(李震相) 『역학관규(易學管窺)』

此則大難已極, 可以有爲之機. 以九四言, 非並指九二也.

이것은 큰 어려움이 이미 극에 달해 뭔가 할 수 있는 기틀이 있는 것이다. 구사로 말하였으니, 아울러 구이를 가리키는 것은 아니다.

天地解而雷雨作, 雷雨作而百果草木, 皆甲拆, 解之時大矣哉.

천지가 풀리자 우레와 비가 일어나고, 우레와 비가 일어나자 온갖 과일과 초목이 다 껍질이 터지니, 해괘의 때가 크도다!

‖中國大全‖

傳

旣明處解之道, 復言天地之解, 以見解時之大. 天地之氣開散, 交感而和暢, 則成雷雨, 雷雨作而萬物, 皆生發甲拆. 天地之功, 由解而成, 故贊解之時大矣哉. 王者法天道, 行寬宥, 施恩惠, 養育兆民, 至於昆蟲草木, 乃順解之時, 與天地合德也.

이미 풀어짐에 대처하는 방도를 밝히고 다시 천지의 풀어짐을 말하여 해괘의 때가 큼을 나타내었다. 천지의 기가 열려 흩어지고 서로 서귀어 화창하면 우레와 비를 이루고, 우레와 비가 일어나면 만물이 모두 껍질을 깨고 터져 나온다. 천지의 공로는 풀림[解]으로 말미암아 이루어지므로 해괘의 때가 크다고 찬탄하였다. 임금이 천도를 본받아 너그러움을 행하고 은혜를 베풂이 만백성을 양육하는 것에서 곤충과 초목에까지 이르러야 해괘의 때에 순응하여 천지와 덕을 합할 것이다.

本義

極言而贊其大也.

말을 극진히 하여 그 위대함을 찬탄하였다.

小註

朱子曰, 陰陽之氣閉結之極, 忽然迸散出做這雷雨. 只管閉結了, 若不解散, 如何會有雷雨作. 小畜所以不能成雷雨者, 畜不極也.

주자가 말하였다: 음양의 기운은 막혀 맺힘이 지극하면 홀연히 흩어져서 이 우레와 비를 일으킨다. 막히기만 하고 풀어져 흩어지지 않는다면 어떻게 우레와 비가 일어나겠는가. 소축괘가 우레와 비를 이룰 수 없는 까닭은 (막히고 맺혀) 쌓이는 것이 지극하지 않기 때문이다.

○ 厚齋馮氏曰, 以天地推廣卦義, 而贊之. 作, 興也. 拆, 分裂也. 雷雨爲屯, 故雷雨作爲解. 雨自天施, 雷出地, 天地解也. 雲雷二卦象, 百果草木四陰象, 或甲或拆得二陽而發育也.

후재풍씨가 말하였다: 천지로 괘의 뜻을 미루어 넓혀 찬탄하였다. 일어난대[作]는 흥성하는 것이다. 터진대[拆]는 쪼개져 갈라지는 것이다. 우레와 비가 준괘(䷂)가 된다. 그러므로 우레와 비가 일어나야 해괘(䷧)가 된다. 비가 하늘에서 내리고 우레가 땅에서 나와 천지가 풀어진다. 구름과 우레는 위아래 두 괘의 상이고, 온갖 과일과 초목은 네 음의 상이며, 껍질에 둘러싸여 있으면서 터지기도 하는 것은 두 양을 얻어 피어나 자라는 것이다.

○ 王氏曰, 天地否結, 則雷雨不作, 交通感散, 雷雨乃作. 雷雨之作, 則險厄者亨, 否結者散. 故百果草木, 皆甲拆也.

왕씨가 말하였다: 천지가 막혀 맺혀 있으면 우레와 비가 일어나지 않고, 사귀어 통하고 느껴 흩어져야 우레와 비가 일어나게 된다. 우레와 비가 일어나면 험난한 것은 형통하고 막혀 맺힌 것은 흩어진다. 그러므로 온갖 과일과 초목이 다 껍질이 터진다.

○ 誠齋楊氏曰, 當解之時, 如冬閉之久, 而忽逢春生. 天地之凝者散, 雷雨之靜者作, 萬物之甲者拆, 大哉, 解之時乎.

성재양씨가 말하였다: 풀리는 때를 만남이 마치 겨울에 오래도록 막혀 있다가 홀연히 봄의 소생함을 만나는 것과 같다. 천지의 응어리진 것이 흩어지고, 우레와 비의 고요함이 일어나며, 만물의 껍질이 터지니, 크도다, 해괘의 때여!

○ 進齋徐氏曰, 雷雨作者, 氣之解也, 百果草木皆甲拆者, 形之解也. 形隨氣而解, 則屈者伸, 鬱者暢, 生意流行, 充周普徧, 解之時, 其大矣哉.

진재서씨가 말하였다: 우레와 비가 일어나는 것은 기가 풀려서이고, 온갖 과일과 초목이 모두 껍질이 터지는 것은 형체가 풀려서이다. 형체가 기를 따라서 풀리면 구부러진 것이 펴지고, 꽉 막힌 것이 펼쳐지며, 생의(生意)가 두루 흘러 널리 충만하니 해괘의 때가 크도다!

○ 中溪張氏曰, 剝之碩果不食者, 藏天地生物之仁也, 解之百果草木皆甲拆者, 發天地生物之仁也.

중계장씨가 말하였다: 박괘(剝卦☷)에서 '큰 열매가 먹히지 않는다'는 것은 천지가 만물을 낳는 어짊을 간직하는 것이고, 해괘에서 '온갖 과일과 초목이 다 껍질이 터진다'는 것은 천지가 만물을 낳는 어짊을 드러내는 것이다.

○ 雲峰胡氏曰, 解上下體易爲屯. 動乎險中爲屯, 動而出乎險之外爲解. 屯象草穿地而未申, 解則雷雨作而百果草木皆甲拆. 蹇解得中, 皆指坎中而言, 蹇之中在五, 往則得中, 解之中在二, 无所往而來乃得中. 當蹇之未解, 必動而免乎險, 方可以爲解. 蹇之旣解卽宜安靜, 而不可久煩擾, 故蹇之時以往居五爲中, 旣解之時, 以復其安靜則爲中也, 是之謂時中. 故蹇之時用, 解之時義, 聖人皆極言而贊其大.

운봉호씨가 말하였다: 해괘(解卦)의 위아래 몸체가 바뀌면 준괘(屯卦)가 된다. 험함의 가운데서 움직이면 준괘가 되고, 움직여 험함의 밖으로 나오면 해괘가 된다. 준괘는 풀이 땅을 뚫고 나와 아직 펴지지 못한 모양을 본떴고, 해괘는 우레와 비가 일어나 온갖 과일과 초목이 다 껍질이 터진 것이다. 건괘(蹇卦☶)와 해괘(解卦☳)가 '중(中)을 얻음'은 모두 감괘(☵)의 가운데 양효를 가리켜 말하였다. 건괘(蹇卦)의 중(中)은 오효에 있으니 가서 중을 얻은 것이고, 해괘의 중(中)은 이효에 있으니 갈 필요가 없자 와서 중을 얻는 것이다. 어려움이 풀리지 않았을 때에는 반드시 움직여서 험난함을 벗어나야 비로소 풀리게 된다. 어려움이 풀리게 되면 마땅히 안정(安靜)해야 하고 오래도록 번거롭거나 어지럽게 해서는 안된다. 그러므로 건괘(蹇卦)의 때에는 가서 오효에 머무는 것이 중이 되고, 이미 풀렸을 때에는 그 안정됨을 회복하면 곧 중이 되니, 이것을 때에 알맞음[時中]이라고 한다. 그러므로 건괘의 때와 쓰임, 해괘의 때와 뜻을 성인이 모두 극진히 말하여 그 위대함을 찬탄하였다.

┃韓國大全┃

조호익(曺好益) 『역상설(易象說)』

初二地, 五上天. 坎在下, 雨自天而下施之象. 震在上, 雷出地而奮震之象. 果, 陽象, 如剝以一陽而象果. 草木陰象, 如巽得一陰而象木, 甲陽, 奇象, 柝陰, 偶象.

초효와 이효는 땅이고, 오효와 상효는 하늘이다. 감괘가 아래에 있는 것은 비가 하늘에서 아래로 널리 내리는 상이다. 진괘가 위에 있는 것은 우레가 땅을 벗어나 떨치면 진동하는 상이다. 과일은 양의 상징이니, 박괘에서 하나의 양을 가지고 과일을 상징한 것과 같다. 초목은 음의 상징이니, 손괘에서 하나의 음을 얻어 나무를 상징하는 것과 같다. 껍질[甲]은 양으로 기수의 상이고, '터진다'는 음으로 우수의 상이다.

권만(權萬) 『역설(易說)』

解, 不曰險而動, 而曰動而免乎險, 三雷在上離坎故也.

해괘에서 '험난해서 움직인다'고 하지 않고 '움직여서 험난함을 벗어나는 것'이라 한 것은 건괘(蹇卦䷦)에서 삼효가 위로 리괘(離卦☲)와 감괘(坎卦☵)가 있기 때문이다.

○ 卦本自地澤臨來. 坤爲後天西南位, 故曰西南. 利言成卦, 九二得九五, 故利.

괘가 본래 지택림(䷒)괘에서 왔다. 곤괘는 「후천도」에서 서남쪽이기 때문에 '서남쪽'이라고 하였다. '이로움'은 이루어진 괘에서 구이가 구오를 얻었기 때문에 이롭다는 말이다.

○ 得衆, 坤有衆象, 而初九之陽, 往居于四, 爲得衆也.

'무리를 얻어서이고'는 곤괘에 무리의 상이 있고 지택림(䷒)괘에서 초구의 양이 가서 사효의 자리(䷃)에 있으니 무리를 얻은 것이다.

○ 來, 自外反內之稱. 以正應言之, 則六五下就九二, 有來象, 復地雷之象. 解卦上體本坤地, 而下就九二, 時有地雷之象, 故曰來復. 復則吉, 可知也.

'와서'는 외괘에서 내괘로 되돌아옴을 칭한다. 정응(正應)으로 말하면, 육오가 구이에게로 내려간 것이어서 오는 상이 있고 땅과 우레를 회복하는 상이 있다. 해괘(解卦䷧)의 상체는 본래 곤의 땅인데 구이에게로 내려가서 때마침 땅과 우레의 상이 있기 때문에 '와서 회복함'이라 하였다. 회복하였다면 길함을 알 수 있다.

○ 夙, 早也. 九二處坎險之中, 若遲留, 則不免於險. 以剛中德, 勇斷趨外, 以就六五之應, 則有康濟之功也.

'일찍 함'은 빨리하는 것이다. 구이가 험한 감괘의 가운데 있으니, 지체하여 머무른다면 험난함을 벗어나지 못한다. 굳세고 알맞은 덕으로 용단을 내려 밖으로 나가 육오의 호응을 취하면 편안하게 구제되는 공이 있다.

○ 解以反對言, 則爲水山, 而以上下體言, 則又爲水雷, 之易, 故有雷雨滿盈之象, 草木甲坼之象也. 草句曲方生之狀.

해괘(解卦䷧)는 거꾸로 말하면 물(☵)과 산(☶)이고, 상하의 몸체로 말하면 물(☵)과 우레(☳)인데, 가서 바뀌기 때문에 우레와 비가 가득한 상이 있고 초목이 껍질이 터지는 상이 있다. 초목은 꼬불꼬불 나오려는 형상이다.

유정원(柳正源)『역해참고(易解參攷)』

案, 百果草木, 不必以卦象求之, 特因雷雨作之時而言.

내가 살펴보았다: 온갖 과일과 초목은 반드시 괘의 상으로 구할 필요가 없으니, 단지 우레와 비가 일어나는 때로 말한 것이다.

김상악(金相岳)『산천역설(山天易說)』

以卦變釋卦辭, 又極言而贊之. 四之得衆, 有西南之利, 二之得中, 有來復之吉. 四爲動之主, 故復釋利, 往夙吉之功也. 雷雨作者, 氣之解也, 百果草木, 皆甲坼者, 形之解也.

괘의 변화로 괘사를 해석하고 또 극도로 말하여 찬미했다. 사효가 무리를 얻은 것이 서남쪽의 이로움이 있는 것이고, 이효가 알맞음을 얻은 것이 와서 회복함의 길함이 있는 것이다. 사효는 움직임의 주인이기 때문에 다시 이롭다고 해석하였으니, 갈 바가 있거든 일찍 하면 길함의 공이다. 우레와 비가 일어나는 것은 기의 풀림이고, 온갖 과일과 초목이 다 껍질이 터지는 것은 형질의 풀림이다.

○ 果, 艮象, 草木, 震象, 震之勇, 陽氣之初舒也, 艮之果, 陽氣之結實也. 果之在甲者, 遇震之發生, 雷以動之, 雨以潤之, 剛柔分于上下, 甲坼之象. 至秋而草木搖落已盡, 而惟有剝之碩果不食, 卽此甲坼之果也.

과일은 간괘의 상이고 초목은 진괘의 상이니, 진괘의 펼침은 양기가 처음 퍼지는 것이고 간괘의 과일은 양기가 열매를 맺은 것이다. 껍질 속에 있던 열매가 진괘의 발생을 만나 우레로 움직이고 비로 윤택하게 하니, 강유가 위아래로 나눠 껍질이 터지는 상이다. 가을에 초목이 모두 소진했는데도 박괘의 큰 과일은 먹지 않음이 있으니, 바로 여기에서 껍질이 터진 과일이다.

김규오(金奎五)「독역기의(讀易記疑)」

彖, 天地解, 蓋謂冬寒閉塞之氣, 至春而和解. 坎冬而震春也. 馮氏, 雨自天雷出地之說, 亦言交感之妙. 日直卦解主春分.

「단전」. "천지가 풀리다"는 겨울의 차가움으로 막혔던 기운이 봄이 되어 온화하게 풀린다는 말이다. 감괘는 겨울이고 진괘는 봄이다. 풍씨의 비가 하늘에서 내리고 우레가 땅에서 나온다는 설명도 서로 감응하는 묘함을 말하였다. 일직(日直)괘로 해괘는 춘분을 주로 한다.[14]

서유신(徐有臣) 『역의의언(易義擬言)』

雷雨作者, 天地之解也, 皆甲坼者, 草木之解也. 方春百果草木之皮甲解坼, 而根芽句萌花葉發生. 卦形初三五上開坼有是象也. 內坎外震, 自冬而春, 故有雷雨甲坼之象, 而其時爲大矣.

우레와 비가 일어나는 것이 천지의 풀림이고, 다 껍질이 터지는 것이 초목의 풀림이다. 봄에 온갖 과일과 초목의 껍질이 풀려 터지고, 뿌리의 움이 꼬불꼬불 싹터 나와 꽃이 피고 싹이 난다.

박문건(朴文健) 『주역연의(周易衍義)』

此以天地之解而贊解時之大也.

여기에서는 천지가 풀리는 것으로 풀림의 때가 큼을 찬미하였다.

〈問, 百果草木皆甲拆. 曰, 雷, 動物者也, 雨, 潤物者也, 故百果草木, 皆甲折也. 百果則仁皆有甲, 草木則芽皆有甲也.

물었다: "온갖 과일과 초목이 다 껍질이 터진다"는 무슨 뜻입니까?

답하였다: 우레는 사물을 움직이는 것이고, 비는 사물을 적셔주는 것이기 때문에 온갖 과일과 초목이 모두 껍질이 터집니다. 온갖 과일은 씨앗에 모두 껍질이 있고, 초목은 싹이 틈에 모두 껍질이 있습니다.〉

김기례(金箕澧) 「역요선의강목(易要選義綱目)」

雷出地雨自天, 故曰天地解.

우레는 땅에서 나오고 비는 하늘에서 내리기 때문에 "천지가 풀리자"라고 하였다.

解爲屯之對. 屯雲雷動而草穿地, 解雷雨開而甲自拆. 拆指四陰象, 甲指二陽發生象.

해괘(解卦䷧)는 준괘(屯卦䷂)의 반대이다. 준괘는 구름과 우레가 진동해서 초목이 땅을 뚫고 나오는 것이다. 해괘는 우레와 비가 열려 껍질이 저절로 터지는 것이다. 껍질이 터지는 것은 네 음의 상을 가리키고, 껍질은 두 양이 나오는 상을 가리킨다.

---

14) 경학자료집성 DB에는 해괘 괘사에 해당하는 것으로 분류하였으나, 내용에 따라 이 자리로 옮겨왔다.

심대윤(沈大允)『주역상의점법(周易象義占法)』

坤爲衆. 子曰, 寬則得衆, 乃得中, 言寬嚴得中也. 時未可解而解, 則於物爲桃李冬華而妖, 於人爲以惠奸究而懦, 故大其時也. 凡寬而无私恩, 嚴而无私怒, 解之道也.

곤괘는 무리이다. 공자가『논어・양화』에서 "너그러우면 무리를 얻는다"고 한 것이 알맞음을 얻음이니, 너그러움과 엄격함이 알맞음을 얻었다는 말이다. 아직 풀릴 때가 아닌데 풀리면, 식물에서는 복숭아와 자두가 겨울에 꽃을 피워 요절하는 것이고, 사람에게서는 은혜를 끝까지 베풀어 나약한 것이기 때문에 그 때를 크게 여긴다. 너그러우면서 사사로운 은혜가 없고, 엄격하면서 사사로운 노함이 없는 것이 풀림의 도이다.

오치기(吳致箕)「주역경전증해(周易經傳增解)」

象曰, 解, 險〈坎〉而動〈震〉, 動而免乎險, 解. 解, 利西南, 往得衆也〈卦反〉, 其來復吉, 乃得中也〈卦反〉, 有攸往夙吉, 往有功也〈九二〉. 天地解而雷雨作, 雷雨作而百果草木, 皆甲拆, 解之時, 大矣哉.

「단전」에 말하였다: 해(解)는 험난하고서〈감괘〉움직이니〈진괘〉, 움직여서 험난함을 벗어나는 것이 풀림[解]이다. "해(解)는 서남쪽이 이로움"은 가면 무리를 얻어서이고〈거꾸로된괘〉, "와서 회복함이 길함"은 이에 알맞음을 얻음이고〈거꾸로된 괘〉, "갈 바가 있거든 일찍하면 길함"은 가서 공이 있는 것이다〈구이효〉. 천지가 풀리자 우레와 비가 일어나고, 우레와 비가 일어나니 온갖 과일과 초목이 다 껍질이 터지니, 해괘의 때가 크도다!

此以卦德卦反卦體, 釋卦名義及卦辭也. 言卦反則蹇卦下體之艮, 往爲本卦上體之震, 而震一剛居坤體之下, 有得衆之象. 坤爲衆也. 蹇卦上體之坎, 來爲本卦下體, 而剛得其中, 爲无所往而來復之象也. 終又極言解之時, 而贊其大也. 餘見象解.

여기에서는 괘의 덕・괘의 반대・괘의 몸체로 괘의 이름에 대한 의미와 괘사를 해석했다. 괘의 반대로 말하면 건괘(蹇卦☶)의 아래 몸체인 간(艮☶)이 가서 본괘(☳)의 위 몸체인 진(震☳)이 되는데, 진에 있는 하나의 굳셈이 곤(☷)의 몸체 아래에 있어 무리를 얻는 상이 있다. 곤괘가 무리이다. 건괘(蹇卦☶)의 위 몸체인 감(☵)이 와서 본괘(☳)의 아래 몸체가 되어 굳셈이 알맞음을 얻었으니 갈 곳이 없어 와서 회복하는 상이다. 마침내 또 풀림의 때를 극도로 말하여 그 큼을 찬미하였다. 나머지는 단사의 풀이에 있다.

최세학(崔世鶴)「주역단전괘변설(周易彖傳卦變說)」

解, 坤之二體變也. 二與四二爻爲主, 故象以得衆得中言之. 乾二來居於下體之中, 乾四往居於上體. 後天坤之下爲得衆也.

해괘(解卦䷧)는 곤괘(坤卦䷁)의 두 몸체가 변한 것이다. 이효와 사효 두 효가 주인이기 때문에 「단전」에서 무리를 얻고 알맞음을 얻는 것으로 말하였다. 건괘(乾卦)의 이효가 와서 아래의 몸체의 가운데 있고, 건괘의 사효가 가서 위의 몸체에 있다. 「후천도」에서 곤괘의 하체는 무리를 얻음이다.

박문호(朴文鎬) 「경설(經說)·주역(周易)」

得中有功, 旣皆指九二, 則此當以卦體言, 不當竝以卦變言之. 二之居其所, 非其變也. 若此卦自豫而來, 則亦爲卦變矣.

알맞음을 얻어 공이 있는 것은 이미 모두 구이를 지적했으니, 여기에서는 괘의 몸체로 말하는 것은 당연하고, 아울러 괘의 변화로 말하는 것은 당연하지 않다. 이효가 제 자리에 있는 것은 변화가 아니다. 여기의 괘(䷧)가 예괘(豫卦䷏)에서 왔다면 또한 괘의 변화이다.

이정규(李正奎) 「독역기(讀易記)」

解之象傳有曰, 天地解而雷雨作, 雷雨作, 而百果草木皆甲拆. 備嘗睽蹇之□. 當解之時, 則令人襟懷快解也. 蓋天地否結, 雷雨不作, 雷雨旣作, 則陰陽交和可知也. 陰陽交和, 而天地萬物安有[15]不解者乎.

해괘 단전의 "천지가 풀리자 우레와 비가 일어나고, 우레와 비가 일어나니 온갖 과일과 초목이 다 껍질이 터진다"고 한 것에서 규괘(䷥)와 건괘(蹇卦䷦)의 □를 자세히 봤다. 풀리는 때에는 사람들이 빨리 풀리기를 생각하게 한다. 천지가 막혀 우레와 비가 일어나지 않는데, 우레와 비가 이미 일어났다면 음양이 사귀어 조화로운 것을 알 수 있다. 음양이 사귀어 조화로우면 천지만물에 어떻게 풀리지 않는 것이 있겠는가?

이병헌(李炳憲) 『역경금문고통론(易經今文考通論)』

此與內卦, 皆二陽入坤而自內而轉, 則艮仍□在坎下而爲震, 故往得中也. □險坎, 則雖轉而復爲中也. 有攸往夙吉者, 往則成坤而爲豫. 豫者, 夙也. 蹇解之利西南, 皆指坎震得中得衆而言也. 右一對往來策數準晉明夷, 與上篇之屯蒙, 正相反也, 故上下易置耳.

---

15) 有: 학자료집성DB에는 '□'로 되어 있으나, 경학자료집성 영인본을 참조하여 '有'로 바로잡았다.

이것과 내괘는 모두 두 양이 곤괘로 들어가 내괘에서 굴러가는 것이니, 간괘는 그대로 □ 감괘의 아래에 있다가 진괘가 되었기 때문에 가서 알맞음을 얻은 것이다. 험한 감괘를 □하니, 비록 굴러갔을지라도 다시 알맞음이 되었다. '갈 바가 있거든 일찍 하면 길함'은 가면 곤괘를 이루어 예괘(豫卦䷏)가 된다. 예(豫)는 일찍 하는 것이다. 건괘(蹇卦䷦)와 해괘(解卦䷧)가 서남쪽이 이롭다는 것은 모두 감괘와 진괘가 알맞음을 얻고 무리를 얻은 것을 가리켜 말한 것이다. 이상은 한 짝으로 왕래하는 책수가 진괘(晉卦䷢)·명이괘(明夷卦䷣)와 같고, 상편의 준괘(屯卦䷂)·몽괘(蒙卦䷃)와는 정반대이기 때문에 상하로 바꾸어서 놓았을 뿐이다.

象曰, 雷雨作, 解, 君子以, 赦過宥罪.

「상전」에서 말하였다: 우레와 비가 일어남이 해(解)이니, 군자가 그것을 본받아 과실을 사면하고 죄를 용서한다.

║中國大全║

傳

天地解散而成雷雨, 故雷雨作而爲解也, 與明兩而作離, 語不同. 赦, 釋之, 宥, 寬之, 過失則赦之可也, 罪惡而赦之則非義也, 故寬之而已. 君子觀雷雨作解之象, 體其發育則施恩仁, 體其解散則行寬釋也.

하늘과 땅이 풀려 흩어져 우레와 비를 이루므로 우레와 비가 일어나서 해괘가 되니, 밝음이 둘이어서 리괘(離卦)가 된다는 것과는 말이 같지 않다. '사면한다[赦]'는 풀어줌이고, '용서한다[宥]'는 너그럽게 함이다. 과실은 사면해도 좋지만, 죄악까지 사면하면 의가 아니므로 너그럽게 할 뿐이다. 군자가 우레와 비가 일어나 풀리는 상을 관찰하고, 그 싹틔워 길러냄을 체득하여 은혜와 어짊을 베풀고, 그 풀어 흩어짐을 체득하여 너그럽게 풀어준다.

小註

建安丘氏曰, 雷雨交作, 天地以之而解萬物之屯. 赦過宥罪, 君子以之而解萬民之難.

건안구씨가 말하였다: 우레와 비가 서로 일어나니 천지가 이로써 만물이 막힌 것을 풀어준다. 과실을 사면하고 죄를 용서하니, 군자가 이로써 만백성의 어려움을 풀어준다.

○ 雙湖胡氏曰, 坎在上爲雲, 在下爲雨. 方雲雷爲屯, 則陰陽之未通, 今雷雨作解, 則陰陽之已通矣. 屯其爲難之始, 解其解屯之難者歟.

쌍호호씨가 말하였다: 감괘가 상괘에서는 구름이 되고, 하괘에서는 비가 된다. 먹구름이 몰려오며 우레가 치기 시작하는 것이 준괘이니 음과 양이 아직 통하지 못한 것이고, 이제 우레와 비가 일어나 풀렸으니, 음과 양이 이미 통한 것이다. 준괘는 어려움의 시작이고, 해괘는

준괘의 어려움을 풀어준 것이다.

○ 雲峰胡氏曰, 程傳云過失則赦之可也, 罪惡而赦之非義也, 寬之而已. 蓋雷雨者, 造化與物更新之仁也. 赦過宥罪, 君子與民更新之仁也, 而有義存焉.

운봉호씨가 말하였다: 『정전』에서 "과실은 사면해도 좋지만 죄악은 사면하면 의가 아니므로, 너그럽게 할 뿐이다"라고 하였다. 대체로 우레가 치고 비가 내리는 것은 조화가 만물과 다시 새로워지는 어짊이고, 과실을 사면하고 죄를 용서함은 군자가 백성과 다시 새로워지는 어짊이어서 뜻이 보존되어 있다.

○ 中溪張氏曰, 夫雷雨交作則爲解. 雷者天之威, 雨者天之澤. 威中有澤, 刑獄之有赦宥也. 有過者赦而不問, 有罪者宥而從輕, 此君子所以推廣天地之仁心也.

중계장씨가 말하였다: 우레와 비가 서로 일어나는 것이 풀림[解]이다. 우레는 하늘의 위엄이고 비는 하늘의 은택이니, 위엄 가운데 은택이 있고, 형벌 가운데 사면과 용서가 있다. 과실이 있는 자는 사면하여 죄를 묻지 않고, 죄가 있는 자는 용서하여 죄를 가볍게 하니, 이것이 군자가 천지의 어진 마음을 미루어 확장하는 것이다.

▮韓國大全▮

송시열(宋時烈) 『역설(易說)』

坎爲桎梏囚人之象, 而震之雷解之, 故以赦過宥罪言之, 赦宥以震言, 過罪以坎言.

감괘(坎卦)는 질곡으로 사람을 가두는 상인데, 진괘의 우레가 그것을 풀었기 때문에 과실을 용서하고 죄를 사면하는 것으로 말하였으니, 용서하고 사면하는 것은 진괘로 말하였고, 과실과 죄는 감괘로 말하였다.

김도(金濤) 「주역천설(周易淺說)」

愚按, 程傳下所釋丘氏以下, 凡四條, 而皆合於大象之旨矣. 蓋天地之氣欝塞, 則藏於地中, 而萬物不生, 遇春而發達, 則生物无餘矣. 雷者, 天地之氣也, 冬則潛閉, 春則發散, 莫非陰陽動靜而然也. 天地以生物爲心, 而發散之後, 則天下萬物昆虫草木, 莫不

被其澤矣. 解之爲卦, 坎險在下, 震動在上, 乃二氣和暢, 萬物發生之時也. 是以君子觀
雷雨作解之象, 體其發育, 則施恩仁, 體其解散, 則行寬釋, 其所以生物覆育之仁, 可謂
與天地合其德矣. 天地以生物爲心, 而昆蟲草木, 莫不被其澤, 聖人以愛民爲心, 而有
過者赦而勿問, 有罪者宥而從輕, 則聖人之與天地一體者, 益可見矣. 然則王者可不以
此爲法, 而解天下无辜之㟃哉. 大舜歌南風, 而萬姓解慍, 聖人之仁民, 固如是也. 然則
後之王者, 可不以此爲法, 而解天下萬民之所慍哉.

내가 살펴보았다:『정전』아래에서 해석한 구씨 이하는 모두 네 조목인데, 모두「대상전」의
뜻에 맞는다. 천지의 기운이 꽉 막혀 땅속에 감추어져 있으면 만물이 나오지 못하는데, 봄이
되어 터져 나오면 남김없이 사물들이 나온다. 우레는 천지의 기운으로 겨울이면 잠겨서 막
혀있고, 봄이면 터져서 분산되니, 음양의 동정이 그렇지 않은 것이 없다. 천지는 사물을 낳
는 것으로 마음을 삼아 터져서 분산된 다음에는 천하의 만물·곤충·초목이 그 혜택을 입지
않은 것이 없다. 해괘(解卦)는 험한 감괘가 아래에 있고 움직이는 진괘가 위에 있어 두 기운
이 화창하니 만물이 터져 나오는 때이다. 이 때문에 군자가 우레와 비가 일어나 풀리는 상을
보고 그 발육 체득하면 은택과 어짊을 베풀고, 풀려서 흩어짐을 체득하면 너그럽게 풀어줌
을 행하니, 그가 사물을 낳아 덮어서 길러주는 어짊은 천지와 그 덕을 합했다고 할 수 있다.
천지는 사물을 낳는 것으로 마음을 삼아 곤충과 초목이 그 혜택을 입지 않음이 없고, 성인은
백성을 사랑하는 것으로 마음을 삼아 허물이 있는 자는 사면하여 문초하지 않고, 죄가 있는
자는 용서하여 가볍게 하니, 성인과 천지가 일체인 것은 더욱 알 수 있다. 그렇다면 임금은
이것으로 법을 삼아 천하에서 허물없는 백성을 풀어준다. 위대한 순임금이 남풍을 노래하여
만백성이 원망을 풀었으니, 성인이 백성들을 어질게 함이 진실로 이와 같다. 그렇다면 후대
의 임금이 이것으로 법을 삼지 않고 천하 만민의 원망을 풀겠는가?

이만부(李萬敷)「역통(易統)·역대상편람(易大象便覽)·잡서변(雜書辨)」

傳曰, 天地解散而成雷雨, 故雷雨作而爲解也. 赦, 釋之, 宥, 寬之. 過失, 則赦之可也.
罪惡而赦之, 則非義也, 故寬之而已. 君子觀雷雨作解之象, 體其發育, 則施恩仁, 體其
解散, 則行寬釋也.

『정전』에서 말하였다: 하늘과 땅이 풀려 흩어져 우레와 비를 이루므로 우레와 비가 일어나
서 해괘가 된다. 사면한다[赦]'는 풀어줌이고, '용서한다[宥]'는 너그럽게 함이다. 과실은 사면
해도 좋지만, 죄악까지 사면하면 의가 아니므로 너그럽게 할 뿐이다. 군자가 우레와 비가
일어나 풀리는 상을 관찰하고, 그 싹틔워 길러냄을 체득하여 은혜와 어짊을 베풀고, 그 풀어
흩어짐을 체득하여 너그럽게 풀어준다.

臣謹按, 過失與罪惡, 有無情有意之不同. 故亦有赦宥之分焉, 不可少差者也.

신이 삼가 살펴보건대, 과실과 죄악에는 무정한 것과 의도적인 것의 차이가 있습니다. 그러므로 또한 사면하고 용서하는 분별이 있으니, 조금이라도 어긋나서는 안됩니다.

심조(沈潮) 「역상차론(易象箚論)」

赦從赤者, 坎爲赤也, 宥從月者, 坎爲月也.

사면할 사(赦)자가 적(赤)자를 부수로 한 것은 감괘가 적(赤)이기 때문이고, 용서할 유(宥)자가 월(月)자를 부수로 한 것은 감괘가 달이기 때문이다.

유정원(柳正源) 『역해참고(易解參攷)』

正義, 赦謂放免, 宥謂寬宥. 過輕則赦, 罪重則宥, 皆解緩之義也.

『주역정의』에서 말하였다: '사면한다[赦]'는 방면하는 것을 말하고, '용서한다[宥]'는 너그럽게 하는 것을 말한다. 과실이 가벼운 것은 사면하고, 죄가 무거운 것은 용서하니, 모두 풀어서 느슨하게 한다는 의미이다.

○ 隆山李氏曰, 雷雨作, 則澤被萬物, 赦過宥罪, 則澤被生民.

융산이씨가 말하였다: 우레와 비가 일어나면 은택이 만물에 미치고, 과실을 사면하고 죄를 용서하면 은택이 백성들에게 미친다.

○ 節齋蔡氏曰, 赦宥, 解義, 過動, 震象, 罪陷, 坎象.

절재채씨가 말하였다: 사면하고 용서함은 풀림의 의미이고, 지나치고 움직임은 진괘의 상이며, 죄를 짓고 빠짐은 감괘의 상이다.

○ 平庵項氏曰, 過與罪, 屬坎, 坎爲法律爲徽纆. 赦宥屬震, 震爲動出爲反生.

평암항씨가 말하였다: 과실과 죄는 감괘에 속하니, 감괘는 법률이고 포승줄이다. 사면하고 용서하는 것은 진괘에 속하니, 진괘는 움직여 벗어나는 것이고 돌아와서 사는 것이다.

○ 案, 赦過者, 赦小過也, 宥罪者, 罪疑從輕也.

내가 살펴보았다: 과실을 사면하는 것은 작은 허물을 사면하는 것이고, 죄를 용서하는 것은 죄가 의심되면 가볍게 처리하는 것이다.

김상악(金相岳) 『산천역설(山天易說)』

雷者, 天之威也, 雨者, 天之澤也, 威中有澤, 刑獄之有赦宥也.

우레는 하늘의 위엄이고 비는 하늘의 은택이니, 위엄 속에 은택이 있는 것이 형옥을 사면하고 용서하는 것이다.

○ 噬嗑豊, 離震上下, 明威竝行, 故噬嗑曰, 明罰勑法, 豊曰, 折獄致刑. 君子所以用刑, 輕重各取其象.

서합괘(噬嗑卦䷔)와 풍괘(豊卦䷶)는 리괘(離卦☲)와 진괘(震卦)가 위아래로 있어 밝음과 위엄이 나란히 행해진다. 그러므로 서합괘에서 "형벌을 밝히고 법령을 정비하였다"고 하였고, 풍괘에서 "옥사를 결단하고 형벌을 집행한다"고 하였다. 군자가 그래서 형벌을 사용함에 그 상을 취하여 가볍게 하고 무겁게 하였다.

서유신(徐有臣) 『역의의언(易義擬言)』

水上雷下, 則爲雲而屯也. 雷上水下, 則爲雨而解也. 回冬冱之嚴, 而敷陽春之和者, 雷雨之解也, 轉刑殺之威, 而布赦宥之恩者, 君子之解也, 皆所以使物自新也. 過者, 當罰者也, 罪者, 旣罪之也. 赦過, 蕩滌辜犯也, 宥罪, 如放還流竄之類也.

물이 위에 있고 우레가 아래에 있다면 구름이 되어 준괘(屯卦䷂)이다. 우레가 위에 있고 물이 아래에 있으면 비가 되어 해괘(解卦䷧)이다. 겨울로 가득한 혹독함을 돌아와 봄날의 화합을 펴는 것이 우레와 비의 풀림이고, 형벌로 죽이는 위엄을 돌려 사면과 용서의 은혜를 펴는 것이 군자의 풀림이니, 모두 사물이 저절로 새롭게 되도록 하기 위함이다. 과실은 가벼운 죄에 속하는 것이고, 죄는 이미 죄를 저지른 것이다. 과실을 사면하는 것은 허물을 범한 것을 씻어버리게 하는 것이고, 죄를 용서하는 것은 유배를 풀어 집으로 돌아가게 하는 것과 같은 것이다.

박문건(朴文健) 『주역연의(周易衍義)』

〈問, 雲雷何以爲屯, 雷雨何以爲解. 曰, 雲氣在上, 雷氣在下, 是雲雷未交者也, 故爲屯. 屯者, 氣盈而未交和者也. 雷氣已升, 雨澤已降, 是雷雨相交者也, 故爲解. 解者, 氣散而已舒者也. 觀小畜卦爻之辭, 則三聖之旨, 各有所取也.

물었다: 어째서 구름과 우레가 준괘(屯卦䷂)이고 우레와 비는 해괘(解卦䷧)입니까?

답하였다: 구름의 기운은 위에 있고 우레의 기운이 아래에 있으면 구름과 우레가 아직 사귀지 않는 것이기 때문에 준괘(屯卦䷂)입니다. 준괘는 기운이 가득한데도 아직 교제하여 화합

한 것이 아닙니다. 우레의 기운이 이미 올라가 비의 은택이 이미 내렸으면 우레와 비가 서로 교제한 것이기 때문에 해괘(解卦䷧)입니다. 해괘는 기운이 흩어져서 이미 펴진 것입니다. 소축괘(小畜卦)의 괘사와 효사를 보면, 세 성인의 뜻에는 제각기 취한 것이 있습니다.〉

〈○ 問雷雨作解. 曰, 雷作於上, 雨作於下, 其氣舒散者也, 所以爲解. 雷有威也, 雨有澤也. 故君子以之而行赦宥者, 威中有澤也, 所以用和解之道也.
물었다: 우레와 비가 일어남이 해(解)라는 것은 무슨 뜻입니까?
답하였다: 우레가 위에서 일어나고 비가 아래에서 일어나는 것은 기운이 펴져서 흩어지기 때문에 '풀림[解]'이라고 합니다. 우레는 위엄이 있고 비는 은택이 있습니다. 그러므로 군자가 그것을 본받아 사면과 용서를 시행하는 것은 위엄 속에 은택이 있어 그것을 가지고 화해의 도로 사용하는 것입니다.〉

김기례(金箕澧) 「역요선의강목(易要選義綱目)」

雷威雨澤, 威[16]中有澤. 赦之宥之, 推廣天地之仁.
우레는 위엄이고 비는 혜택이니, 위엄 속에 혜택이 있다. 사면하고 용서하는 것은 천지의 어짊을 미루어 넓힌 것이다.

심대윤(沈大允) 『주역상의점법(周易象義占法)』

赦過, 災眚肆赦也, 宥罪, 唯刑之恤也, 謂原情而求生也, 非謂寬縱而失刑也. 震坎爲動其險, 曰赦宥. 震坤爲迷而動, 曰過. 下卦之對離兌爲麗於惡, 曰罪.
과실을 사면하는 것은 어쩔 수 없이 잘못된 것을 사면하는 것이고, 죄를 용서하는 것은 형벌을 구휼하는 것이니, 실정을 살펴 살길을 찾아주는 것이지 너그럽게 방면하여 형벌을 잘못되게 하는 것을 말함이 아니다. 진괘와 감괘는 험난함에서 움직이니, '사면하고 용서한다'고 하였다. 진괘와 곤괘는 미혹되어 움직이니 '과실'이라고 하였다. 해괘(解卦䷧)의 하괘와 마주하는 괘가 리괘(離卦☲)이고 태괘(兌卦☱)가 악에 걸린 것이니, '죄'라고 하였다.

오치기(吳致箕) 「주역경전증해(周易經傳增解)」

天地解散而成雷雨, 雷是天之威, 雨是天之澤. 威中有澤, 卽刑獄之赦宥. 故君子觀解

---

16) 威: 경학자료집성 DB와 영인본에는 모두 '感'으로 되어 있으나, 문맥을 살펴 '威'로 바로잡았다.

之象, 有微過者, 赦釋之, 有眚罪者, 寬宥之, 卽推廣天地之仁心者也. 大義已備於程傳矣.

천지가 풀려서 흩어져 우레가 치고 비가 온다. 우레는 하늘의 위엄이고 비는 하늘의 혜택이다. 위엄 속에 혜택이 있으니, 바로 형벌을 사면하고 용서하는 것이다. 그러므로 군자는 해괘의 상을 보고 미미한 과실은 사면하여 풀어주고, 죄가 큰 것은 용서하니, 바로 천지의 어진 마음을 미루어 넓힌 것이다. 큰 뜻은 이미 『정전』에 자세히 있다.

이진상(李震相) 『역학관규(易學管窺)』

罪過坎象, 赦宥震象.

과실과 죄는 감괘의 상이고, 사면하고 용서하는 것은 진괘의 상이다.

項[17]氏曰, 坎爲法律爲徽纆, 震爲動出爲反生.

평암항씨가 말하였다: 감괘는 법률이고 포승줄이다. 진괘는 움직여 벗어나는 것이고 돌아와서 사는 것이다.

박문호(朴文鎬) 「경설(經說)·주역(周易)」

本義, 於離已釋作明. 兩作, 故於解之雷雨作, 遠蒙其文勢, 而不復釋之.

『본의』의 리괘(離卦☲)에서 이미 밝음을 일으키는 것으로 해석하였다.[18] 거듭 되기 때문에 해괘(解卦☳☵)의 우레와 비를 일으키는 것에서는 그 문세가 멀리 이어지니, 다시 해석하지 않았다.

---

17) 項: 경학자료집성DB와 영인본에는 모두 '□'로 되어 있으나, 문맥을 살펴 '項'으로 바로잡았다.
18) 『周易傳義大全·離卦』: 作, 起也.

初六, 无咎.

초육은 허물이 없다.

┃中國大全┃

傳

六居解初, 患難旣解之時, 以柔居剛, 以陰應陽, 柔而能剛之義. 旣无患難而自處, 得剛柔之宜. 患難旣解, 安寧无事, 唯自處得宜, 則爲无咎矣. 方解之初, 宜安靜以休息之, 爻之辭寡, 所以示意.

음[六]이 해괘(解卦䷧)의 처음에 있으니 환난이 이미 풀렸을 때이며, 부드러움으로 강건한 자리에 있고 음으로 양에 호응하니, 부드러우며 굳셀 수 있다는 뜻이다. 이미 환난이 없고 스스로 처신함이 굳셈과 부드러움[剛柔]의 마땅함을 얻었다. 환난이 이미 풀려 편안하고 일이 없으며 스스로 처신함이 마땅함을 얻었으니 허물이 없게 된 것이다. 막 풀릴 때에는 안정(安靜)하여 쉬어야 하니, 효사의 말이 적은 것이 그러한 뜻을 보인 것이다.

本義

難旣解矣, 以柔在下, 上有正應, 何咎之有. 故其占如此.

어려움이 이미 풀렸고, 부드러운 음으로서 아래에 있으면서 위에 바른 호응이 있으니 무슨 허물이 있겠는가? 그러므로 그 점사가 이와 같다.

小註

隆山李氏曰, 震陽動乎險上, 初與爲應藉, 以解散于屯蹇者, 安有咎哉.

융산이씨가 말하였다: 진괘(☳)의 양이 감괘(☵)의 험함 위에서 움직임에 함께 하는 초효가 호응의 바탕이 되어 막힘[屯]과 어려움[蹇]을 풀어 흩어버리는 것이니, 어찌 허물이 있겠는가?

○ 雲峰胡氏曰, 恒九二悔亡, 大壯九二貞吉, 解初六无咎. 三爻之占, 只二字, 其言甚
簡, 象在爻中, 不復言也. 但恒大壯, 占在本爻, 此占在應爻, 又兼方解之初, 宜安靜以
休息之. 爻之辭寡, 亦所以示意也

운봉호씨가 말하였다: 항괘(恒卦䷟) 구이에서는 "후회가 없다"고 하였고, 대장괘(大壯卦䷡)
구이에서는 "곧게 하여야 길하다"라고 하였으며, 해괘 초육에서는 "허물이 없다"고 하였다.
세 효의 점이 두 글자뿐으로 그 말이 매우 간단한 것은 상이 효 가운데 있으니 다시 말하지
않은 것이다. 다만 항괘와 대장괘는 점이 본효에 있으며, 해괘는 점이 응효(應爻)에 있고
또 막 풀릴 때의 초기를 겸하고 있으니 안정하여 쉬어야 한다. 효사의 말이 적은 것 또한
그러한 뜻을 보인 것이다.

韓國大全

송시열(宋時烈) 『역설(易說)』

陰柔在下, 四爻之陽, 以爲來應, 无咎之道也. 胡氏曰, 象在爻中, 不復言也. 折中言義
明故辭簡. 小象, 剛柔之際, 際者, 交際相接之意也.

부드러운 음이 하괘에 있고 사효의 양이 와서 호응하여 허물이 없는 도이다. 호씨가 "상이
효 가운데 있으니 다시 말하지 않은 것이다"라고 하였다. 『주역절중』에서는 "뜻이 분명하기
때문에 말이 간단하다"[19]고 하였다. 「상전」에서 "굳셈과 부드러움의 사귐이다"라고 하였으
니, 사귐은 교제하여 서로 만난다는 의미이다.

유정원(柳正源) 『역해참고(易解參攷)』

正義, 蹇難未解之時, 柔弱者, 不能无咎, 否結旣釋之後, 剛强者, 不復陵暴. 初六處蹇
難, 旣解之, 初以柔弱處无位之地. 逢此之時, 不慮有咎, 故曰, 初六无咎.

『주역정의』에서 말하였다. 어려움이 아직 풀리지 않은 때에는 유약한 것은 허물이 없을 수
없고, 막힘이 풀린 다음에는 굳세고 강한 것은 다시 능멸하고 포악하지 않을 수 없다. 초육
이 어려움에 있음이 이미 풀렸으나 처음에 유약함으로 지위가 없는 자리에 있다. 이런 때에

---

19) 『御纂周易折中·解卦』: 蔡氏淸曰, …. 義明故辭寡.

는 허물이 있음을 염려하지 않기 때문에 "초육은 허물이 없다"고 하였다.

김상악(金相岳) 『산천역설(山天易說)』

方解之初, 以柔居下, 承應皆剛而相際, 故得无咎也.

한창 풀리는 초기에 부드러움으로 아래에 있으면서 계승하고 호응함이 모두 굳셈인데도 서로 사귀기 때문에 허물이 없을 수 있다.

○ 當解之時, 五爲有解之主. 二四與上, 皆取解難之象, 而初六才柔无位, 不任其責, 故爻辭之簡, 有占无象. 剛柔之際, 乃其象也.

해괘(解卦䷧)의 때에는 오효가 해괘의 주인이다. 이효·사효·상효는 모두 어려움을 푸는 상을 취하고, 초육은 재질이 부드럽고 지위가 없어 그 직책을 맡기지 않기 때문에 효사를 간단히 하여 점이 있고 상은 없다. 그런데 '굳셈과 부드러움이 사귐이다'가 바로 그 상이다.

서유신(徐有臣) 『역의의언(易義擬言)』

此疑有錯簡闕文.

여기에는 순서가 잘못되고 빼놓은 문구가 있는 듯하다.

강엄(康儼) 『주역(周易)』

按, 解者患難旣解之謂. 而六爻皆取解小人之義者, 蓋小人難之本也. 難雖旣解, 而小人不去, 則難必復生, 故君子於難解之後, 尤切切於解小人. 解卦六爻之旨, 大抵皆然也. 然則初六不言解小人之義者, 蓋初六陰柔在下, 卽小人之類也. 上與九四相應, 又與九二相比, 有以小人而從君子之象. 故象曰, 剛柔之際, 義无咎也. 然以君子而從小人, 於義不可, 故在九四, 則曰解而拇, 其嚴於邪正之分者, 至矣.

내가 살펴보았다: 풀림은 환난이 이미 풀림을 말한다. 그런데 여섯 효가 모두 소인을 풀어주는 뜻을 취한 것은 소인이 어려움의 근본이기 때문이다. 어려움이 풀린 다음일지라도 소인이 제거되지 않으면 어려움이 반드시 다시 생기기 때문에 군자는 어려움이 풀린 다음에 더욱 소인을 풀어주는 데에 절실하다. 해괘 여섯 효의 뜻이 대체로 모두 그렇다. 그렇다면 초육에서 소인을 풀어주는 뜻을 말하지 않은 것은 초육이 부드러운 음으로 아래에 있는 바로 소인의 무리이기 때문이다. 위로 구사와 서로 호응하는데다가 구이와 서로 가까우니, 소인으로서 군자를 따르는 상이다. 그러므로 「상전」에서 "굳셈과 부드러움의 사귐이니 의리

에 허물이 없다"라고 하였다. 그러나 군자로 소인을 따르는 것은 의리상 안 되기 때문에 구사에서는 "너의 엄지발가락을 푼다"라고 하였으니, 옳고 그름의 구분에 엄격한 것이 지극하다.

박문건(朴文健) 『주역연의(周易衍義)』

處下盡道, 故有无咎之象. 用柔順剛, 卽无咎之義也.

아래에 있으면서 도를 극진하게 하기 때문에 허물이 없는 상이 있다. 부드러움으로 굳셈에 순종하는 것이 바로 허물이 없는 의미이다.

김기례(金箕澧) 「역요선의강목(易要選義綱目)」

以柔居下, 當解之時, 應四剛, 而自處靜, 以自休吉, 凶不在我, 而在於四之取舍. 故象曰, 剛柔際, 言得其宜.

부드러움으로 하괘에 있으면서 풀림의 때에 굳센 사효와 호응하면서도 스스로 고요함으로 처신하여 스스로 아름답고 길하니, 흉함이 자신에게 있지 않고 사효의 취사에 있다. 그러므로 「상전」에서 "굳셈과 부드러움의 사귐이다"라고 하였으니, 마땅함을 얻었다는 말이다.

심대윤(沈大允) 『주역상의점법(周易象義占法)』

解之寬, 非私愛也, 故解之應爻, 皆有剛爻之隔. 寬恕者, 接人御衆之道也, 故解之世, 取近而不取應也. 解之爻位, 居剛勉爲寬恕也, 居柔不得不寬恕也. 勉爲寬恕, 過也, 不得不寬恕, 不及也. 過則懦, 不及則嚴. 解以寬爲體, 則寧嚴而不欲重爲之懦也.

해괘(解卦䷧)의 너그러움은 사사롭게 사랑하는 것이 아니기 때문에 해괘의 호응하는 효들은 모두 굳센 효와 떨어져 있다. 너그럽게 용서하는 것은 사람을 대하고 무리를 부리는 도이기 때문에 해괘의 시대에는 가까운 것을 취하고 호응을 취하지 않는다. 해괘에서 효의 자리는 굳셈에 있으면 너그럽게 용서하는 것에 힘쓰고, 부드러움에 있으면 너그럽게 용서하지 않을 수 없다. 용서하는 것에 힘씀은 지나친 것이고, 너그럽게 용서하지 않을 수 없는 것은 미치지 못하는 것이다. 지나치면 유약하고 미치지 못하면 엄격하다. 해괘가 너그러움으로 몸체를 삼는다면 차라리 엄할지언정 거듭 유약하게 되지 않게 한다.

解之歸妹䷵, 有所歸也. 初六以柔居剛, 勉爲寬恕者也, 際於九二而下之, 幼賤之於長上, 不可以嚴懚也, 且居解之初, 未至於過, 故无咎. 夫寬者, 衆之所歸也. 初六地卑處初, 未及得衆, 而人必親附, 歸妹之義也.

해괘가 귀매괘(歸妹卦䷵)로 바뀌었으니, 귀의하는 것이 있다. 초육은 부드러움으로 굳센 자리에 있고 너그럽게 용서하는 것에 힘쓰는 자이며, 구이와 사귀면서 낮추고 어른과 윗사람보다 어리고 천하니, 엄격함으로써 꺼리게 해서는 안 된다. 게다가 해괘의 초효에 있어 지나치지 않으므로 허물이 없다. 너그러움은 무리가 귀의하는 것이다. 초육의 지위가 낮고 초효에 있어 무리를 얻지 못하나 사람들이 반드시 가까이 하여 따르니 귀매괘의 의미이다.

오치기(吳致箕) 「주역경전증해(周易經傳增解)」

初六, 居解之初, 无位而在下, 才柔而不能有爲. 宜若有咎. 然以柔居剛, 而近比九二之剛中, 遠應九四之陽剛, 患難旣解, 而又得剛助, 故言无柔弱之咎矣.

초육은 해괘(解卦䷧)의 처음에 있어 지위가 없이 아래에 있고 재질이 부드러워 일을 할 수 없으니 허물이 있을 것 같다. 그러나 부드러움으로 굳센 자리에 있으면서 가깝게는 굳세고 알맞은 구이를 가까이 하고 멀리는 굳센 양인 구사와 호응하여 환난이 이미 풀렸는데 또 굳센 도움을 얻었기 때문에 유약한 허물이 없다고 말하였다.

○ 卦中二剛, 主解難之權, 而初六在下, 一比一應. 觀其象, 可知爲无咎也.

괘의 두 굳셈이 어려움을 푸는 권세를 주도하는데, 초육은 아래에 있으면서 한편으로는 가까이하고 다른 한편으로는 호응한다. 그 상을 보면 허물이 없음을 알 수 있다.

이진상(李震相) 『역학관규(易學管窺)』

以陽居陰過也, 而上有正應, 故赦之. 承陽在下體, 自无咎.

양으로 음의 자리에 있는 것은 잘못인데, 위로 바른 호응이 있기 때문에 사면한다. 양을 계승하여 아래의 몸체에 있어 본래 허물이 없다.

박문호(朴文鎬) 「경설(經說)·주역(周易)」

無象有占者, 非獨解之初六也. 傳所云, 辭寡示意, 當通易之. 凡無象有占者, 看之示意, 蓋所以示安靜休息之意也.

상 없이 점이 있는 경우가 해괘(解卦䷧)의 초육만은 아니다. 『정전』에서 '효사의 말이 적은 것이 그러한 뜻을 보인 것이다'라고 하였으니, 통달하여 평이하게 해야 한다. 상 없이 점이 있을 경우는 그것을 보는 것으로 뜻을 드러냈으니 안정하여 휴식하라는 의미를 드러낸 것이다.

象曰, 剛柔之際, 義无咎也.

「상전」에서 말하였다: 굳셈과 부드러움의 사귐이니 의리에 허물이 없다.

‖中國大全‖

傳

初四相應, 是剛柔相際接也, 剛柔相際, 爲得其宜. 難旣解而處之, 剛柔得宜, 其 義无咎也.

초효와 사효가 서로 호응함은 굳셈과 부드러움이 서로 교제함이니, 굳셈과 부드러움이 서로 사귀어 그 마땅함을 얻게 된 것이다. 어려움이 이미 풀리고 처신함에 굳셈과 부드러움이 마땅함을 얻었으니 그 의리에 허물이 없다.

小註

節齋蔡氏曰, 際謂交際. 柔居解初, 入坎尙淺, 而承剛應剛, 得剛柔交際之宜, 難必解者 也. 故曰義无咎也.

절재채씨가 말하였다: ‘사귐[際]’은 교제함을 말한다. 부드러운 음이 해괘(解卦)의 처음에 있어서, 험난한 감괘로 들어감이 아직 얕은데다 굳센 양을 받들고 그것과 호응하여, 굳셈과 부드러움이 서로 사귀는 마땅함을 얻었으니 어려움이 반드시 풀리는 경우이다. 그러므로 ‘의리에 허물이 없다’고 하였다.

○ 中溪張氏曰, 居解之初, 患難方散之時也. 初才柔位卑, 未能有爲, 幸而初四相應, 剛柔交際, 以此處解, 揆之於義, 自无咎也.

중계장씨가 말하였다: 해괘의 처음에 있으니, 환난이 막 흩어지는 때이다. 초효는 재질이 유약하고 지위가 낮아서 아직 무슨 일을 해볼 수가 없지만, 다행이 초효와 사효가 서로 호응하여 굳셈과 부드러움이 서로 사귀니 이로써 풀림[解]을 처리하면 의리에서 헤아려도 저절로 허물이 없다.

○ 雲峰胡氏曰, 初六无咎, 有占无象, 剛柔之際, 擧初與四之象, 以明占也.

운봉호씨가 말하였다: '초육은 허물이 없다'는 점은 있으나 상은 없고, '굳셈과 부드러움이 사귄다'는 초효와 사효의 상을 들어 점을 밝혔다.

‖韓國大全‖

김상악(金相岳)『산천역설(山天易說)』

剛柔交際, 義之與比也. 屯則以震遇坎, 故曰剛柔始交.

굳셈과 부드러움이 교제하니 의로움을 따를 뿐이다. 준괘에서는 진괘로 감괘를 만났기 때문에 "굳셈과 부드러움이 처음 사귄다"고 하였다.

김규오(金奎五)「독역기의(讀易記疑)」

初六象, 義无咎. 凡言其義凶, 義无咎之屬, 非必其事之吉凶无咎也, 猶言其理當如此也. 義方外, 義不乘, 義不食, 直言制事之方. 言仁處少, 而言義處多者, 仁體而義用也.

초육의 상은 의리에 허물이 없는 것이다. '그 의리가 흉하다'거나 '의리상 허물이 없다'고 말한 것들은 반드시 그 일의 길흉과 허물없음을 말한 것이 아니라 그 이치가 그와 같다고 말한 것과 같다. 곤괘(坤卦)의 '의로 바깥을 방정하게 하고', 비괘(賁卦)의 '의리상 타지 않으며', 명이괘(明夷卦)의 '의리상 음식을 먹지 않는다'는 일을 제재하는 방법을 바로 말한 것이다. 어짊을 말한 곳이 적고 의리를 말한 곳이 많음은 어짊은 본체이고 의리는 작용이기 때문이다.

서유신(徐有臣)『역의의언(易義擬言)』

剛柔之際, 謂四五之際也. 四剛五柔, 而互坎猶險, 其間不可遽進. 故初六之不應於四, 其義爲无咎也.

굳셈과 부드러움의 사귐은 사효와 오효의 사귐을 말한다. 사효는 굳세고 오효는 부드러운데 호괘인 감괘가 여전히 험해 그 사이에 갑자기 나아갈 수 없다. 그러므로 초육이 사효와 호응하지 않으니, 그 의리에 허물이 없다.

박제가(朴齊家) 『주역(周易)』

初六象傳, 剛柔之際.
초육의 「상전」. 굳셈과 부드러움의 사귐이다.

傳, 初四相應, 是相際接也.
『정전』에서 말하였다: 초효와 사효가 서로 호응함은 굳셈과 부드러움이 서로 교제함이다.

案, 際從物之相接而言者, 如无往不復, 天地際也, 如唐虞之際, 如曰交際曰際會. 初雖應四間隔二三, 不可以其志, 而謂之際也, 此六際乃與二比近之謂, 在剛之下, 守其柔而已, 故曰, 義无咎.
내가 살펴보았다: 교제는 사물이 서로 만나는 것으로 말한 것이니, 이를테면 가서 회복하지 않음이 없는 것은 천지의 교제이고, 이를테면 요임금과 순임금의 사귐을 교제라고 하고 만남이라고 하는 것이다. 초효가 사효와 호응함에 이효와 삼효 때문에 막혀 그 뜻을 사용하지 못하지만 그것을 교제라고 한다. 여기서 육(六)의 교제는 바로 이효와 가까움을 이르니, 굳셈의 아래에서 그 부드러움을 지킬 뿐이므로 "의리에 허물이 없다"라고 하였다.

박문건(朴文健) 『주역연의(周易衍義)』

〈問, 剛柔之際義无咎也. 曰, 初與四, 剛柔之相接也. 用卑巽之道以事其上, 於義自當无咎也.
물었다: "굳셈과 부드러움이 사귐이니 의리에 허물이 없다"는 무슨 뜻입니까?
답하였다: 초효가 사효는 굳셈과 부드러움이 서로 사귀는 것입니다. 공손한 도리로 그 위를 섬기니, 의리에 저절로 합당하여 허물이 없습니다.〉

이지연(李止淵) 『주역차의(周易箚疑)』

解難之初, 解之之道, 以柔則恐有緩不及事之慮, 以剛則易有躁暴妄作之歎, 而初六以柔居剛, 以柔應剛, 所謂寬猛得中者也.
어려움이 풀리는 초기에는 푸는 도를 부드러움으로 하면 느슨하여 일을 하지 못하는 염려가 있을 듯하고, 굳셈으로 하면 조급하고 난폭하여 함부로 하는 탄식이 있기 쉽다. 그런데 초육이 부드러움으로 굳센 자리에 있고 부드러움으로 굳셈에 호응하니, 이른바 너그러움과 엄격함이 알맞음을 얻었다는 것이다.

오치기(吳致箕) 「주역경전증해(周易經傳增解)」

承剛應剛, 而以柔得交際之宜, 故其義當旡咎也.

굳셈을 계승하고 굳셈에 호응하면서 부드러움으로 교제의 마땅함을 얻었기 때문에 그 의리
에 당연히 허물이 없다.

이병헌(李炳憲) 『역경금문고통론(易經今文考通論)』

程傳曰, 初四相應, 是剛柔相接, 際宜其無咎也.

『정전』에서 "초효와 사효가 서로 호응함은 굳셈과 부드러움이 서로 교제함이다"라고 한 것
은 교제에 허물이 없음이 마땅하기 때문이다.

九二, 田獲三狐, 得黃矢, 貞, 吉.

정전 구이는 사냥하여 세 마리 여우를 잡아 누런 화살을 얻으니, 곧게 하여 길하다.
본의 구이는 사냥하여 세 마리 여우를 잡아 누런 화살을 얻으니, 곧게 하면 길하다.

▎中國大全▎

傳

九二, 以陽剛得中之才, 上應六五之君, 用於時者也. 天下, 小人常衆, 剛明之君在上, 則明足以照之, 威足以懼之, 剛足以斷之. 故小人不敢用其情. 然尤常存警戒, 慮其有間而害正也. 六五以陰柔, 居尊位, 其明易蔽, 其威易犯, 其斷不果而易惑, 小人一近之, 則移其心矣. 況難方解而治之初, 其變尚易. 二旣當用, 必須能去小人, 則可以正君心而行其剛中之道. 田者, 去害之事, 狐者邪媚之獸. 三狐, 指卦之三陰, 時之小人也. 獲, 謂能變化除去之, 如田之獲狐也. 獲之則得中直之道, 乃貞正而吉也. 黃, 中色, 矢, 直物, 黃矢, 謂中直也. 群邪不去, 君心一入, 則中直之道无由行矣, 桓敬之不去武三思是也.

구이는 굳센 양이 중(中)을 얻은 재질로 위로 육오의 임금과 호응하니, 때에 쓰이는 자이다. 천하에 소인이 언제나 많으나 굳세고 명철한 임금이 위에 있으면, 밝음으로 비출 수 있고, 위엄으로 두렵게 할 수 있으며, 굳셈으로 결단할 수 있다. 그러므로 소인이 감히 제멋대로 하지 못하는 것이다. 그러나 더욱 항상 경계를 하여 그 틈이 생겨서 바름을 해칠까 염려해야 한다. 육오는 유약한 음으로 존귀한 지위에 있으니 그 밝음이 가려지기 쉽고, 그 위엄이 침범되기 쉬우며, 그 결단함이 과감하지 못하여 미혹되기 쉬우니, 소인이 일단 다가가면 그 마음을 움직인다. 더구나 어려움이 막 풀려서 다스려지는 초기여서 더 변하기 쉽다. 이효는 이미 쓰이게 됨에 반드시 소인을 없앨 수 있으면, 임금의 마음을 바로 잡아 그 굳세고 알맞은[剛中] 도를 행할 수 있다. ‘사냥함[田]’은 해로움을 제거하는 일이고, ‘여우’는 간사하고 아첨하는 짐승이다. ‘세 마리 여우’는 괘의 세 음을 가리키니 당시의 소인이다. ‘잡는다[獲]’는 변화하고 제거하기를 사냥해서 여우를 잡듯이 할 수 있음을 말한다. 잡으면 알맞고 강직한[中直] 도를 얻어서, 곧고 바르게[貞正] 되어 길하다. ‘누런 것[黃]’은 가운데의 색이고, ‘화살’은 곧은 물건이니, ‘누런 화살’은 알맞고 강직함을 말한다. 사악한 무리들이 제거되지 않아 임금의 마음이 한 번 빠지면, 알맞고 곧은 도리가 행해질 수 없으니, 환언범(桓彦範)[20]과 경휘(敬暉)[21]가 무삼사(武三思)[22]를 제거하지 않은 것이 이러한 경우이다.

本義

此爻取象之意, 未詳. 或曰, 卦凡四陰, 除六五君位, 餘三陰, 卽三狐之象也. 大抵此爻爲卜田之吉占, 亦爲去邪媚而得中直之象, 能守其正, 則无不吉矣.

여기의 효에서 상을 취한 뜻은 자세하지 않다. 어떤 이는 괘의 네 음에서 육오인 임금 자리를 제외한 나머지 세 음이 바로 세 여우의 상이라고 한다. 대체로 여기의 효는 사냥하는데 길한 점이 되고, 또 사악하고 아첨하는 이를 제거하여 알맞고 강직함[中直]을 얻는 상이니, 그 올바름을 지킬 수 있다면 길하지 않음이 없다.

小註

劉氏彝曰, 狐者性柔而情奸, 晝伏而夜動, 小人道也.

유이가 말하였다: 여우는 성정(性情)이 유약하고 간사하여, 낮에는 숨어 있다가 밤이면 움직이니, 소인의 도이다.

○ 雲峰胡氏曰, 當解之時, 四欲其解拇, 上欲其射隼. 三則直以負且乘, 明其爲小人, 五則直欲其退小人, 一卦六爻而去小人者居其五. 此爻謂之獲狐者, 狐邪媚之獸, 所以形容小人者尤切. 九剛直而二得中, 故本義以爲去邪媚得中直之象. 蓋中直與邪媚相反, 中則无有不正, 故吉.

운봉호씨가 말하였다: 해괘의 때에 사효는 엄지발가락을 풀려고 하고, 상효는 새매를 쏘려고 한다. 삼효는 바로 짊어져야 하는데 올라탔으니 그것이 소인임을 드러내고, 오효는 곧바로 소인을 물리치려 하니, 한 괘 여섯 효에서 소인을 제거하려는 것이 오효에 있다. 여기의 효에서 '여우를 잡는다'고 한 것은 여우가 사악하고 아첨하는 동물이어서 소인을 형용하기에 매우 적절하기 때문이다. 구(九)는 강직하고 이효는 중(中)을 얻었으므로 『본의』에서 사악

---

20) 환언범(桓彦範: 653~706): 당나라 사람. 측천무후를 몰아내고 중종을 복위시켜 시중이 되었으나, 곧 무삼사의 참소로 귀양가다가 피살당했다.

21) 경휘(敬暉: ?~706) : 당 중종(中宗) 신룡(神龍) 원년(705) 장간지(張柬之) 등과 함께 장창종(張昌宗)과 장역지(張易之)를 살해하고 중종을 맞아 복위시켰고, 시중(侍中)에 발탁되어 평양군공(平陽郡公)에 봉해졌다. 얼마 뒤 무삼사(武三思)의 모함을 받아가 위후(韋后)를 폐위하려는 음모를 꾸몄다는 죄목으로 애주(崖州)로 좌천되었다가 살해되었다.

22) 무삼사(武三思: ?~707): 당나라 사람. 측천무후(則天武后)의 이복 오빠의 아들. 둘째 아들 무숭훈(武崇訓)이 중종의 딸 안락공주(安樂公主)와 결혼하자 환언범(桓彦范) 등 대신들을 모함하여 사람들이 조조(曹操)나 사마의(司馬懿)에 비교했다. 황태자 이중준(李重俊)을 제거하려다가 태자의 거병으로 부자가 함께 참형되었다.

하고 아첨함을 제거하여 알맞고 강직함[中直]을 얻는 상이라고 여겼다. 알맞고 강직함[中直]은 사악하고 아첨함과 서로 반대인데, 알맞으면[中] 바르지[正] 않음이 없으므로 길하다.

韓國大全

조호익(曺好益) 『역상설(易象說)』

矢, 坎, 堅木有矢象. 自二至四爲離, 戈兵象. 黃, 坤之色. 坎本坤體, 交於乾爲坎.

화살은 감괘이고, 단단한 나무에는 화살의 상이 있다. 이효부터 사효까지가 리괘이니, 무기의 상이다. 누런색은 곤의 색이다. 감괘는 본래 곤괘의 몸체가 건괘와 사귀어 감괘가 된 것이다.

송시열(宋時烈) 『역설(易說)』

田者, 遠野也. 坎爲狐象, 而內卦爲坎, 互卦爲坎, 互離又錯坎. 故指三坎象. 曰狐也, 說離錯, 又未盡, 故又以得黃矢, 黃, 以離得坤中爻爲中黃色. 矢, 以坎中爻剛直而言.

사냥터는 멀리 있는 들이다. 감괘가 여우의 상인데, 내괘가 감괘이고 호괘가 감괘이며, 호괘인 리괘의 음양이 바뀐 것이 또 감괘이기 때문에 감괘의 상이 세 개인 것을 가리켰다. '여우'라고 해놓고 리괘의 음양이 바뀐 것을 설명했는데, 또 미진하기 때문에 누런 화살을 얻은 것으로 거듭하였으니, 누런색은 리괘가 곤괘 가운데 효를 얻은 것을 가운데의 황색으로 여긴 것이고, 화살은 감괘의 가운데 효가 강직한 것으로 말하였다.

傳, 以三陰爲三狐之象, 未詳所指. 卦中有四陰, 而只言三陰, 不言初陰, 亦何如耶. 且離爲矢, 坎之錯也. 見噬嗑註, 蓋黃矢分明是離象, 而集說不言, 言之可悚.

『정전』에서는 세 음으로 세 마리 여우의 상을 삼았는데 가리키는 것이 자세하지 않다. 괘에는 네 음이 있는데 세 음만을 말하고 초효의 음을 말하지 않은 것은 어떻게 된 것인가? 또 리괘는 화살로 감괘의 음양이 바뀐 것이다. 서합괘의 주를 보면 누런 화살은 분명히 리괘의 상인데, 『집설』에서 말하지 않았으니, 말하는 것을 두려워해야 한다.

이현익(李顯益) 「주역설(周易說)」

建安丘氏, 謂獲狐者, 獲三, 解拇者, 解三, 有孚于小人者, 退三, 此非本義之旨. 本義,則以獲三爲獲三陰, 解拇爲解初六, 有孚于小人爲退三陰.

건안구씨는 "여우를 잡는다고 말한 것은 삼효를 잡았기 때문이고, 엄지발가락을 풀 것을 말한 것은 삼효를 풀기 때문이며, 소인에게서 증험이 있는 것을 말한 것은 삼효를 물러나게 하기 때문이다"라고 하였는데, 『본의』의 뜻은 아니다. 『본의』는 삼을 잡는 것을 세 음을 잡는 것으로, 엄지발가락을 푸는 것을 초육을 푸는 것으로 소인에게서 증험이 있는 것을 세 음을 물러나게 하는 것으로 여겼다.

이익(李瀷) 『역경질서(易經疾書)』

卦中上六之外, 二陽三陰, 皆失位不正. 二陽雖不正皆陽, 卦之陽則爲之主也. 狐者, 不正之獸, 三陰之不正有此象. 卦以解爲義, 則有主其陽, 而解去三狐之象. 狐, 非九二之象, 獲之者, 九二也. 不正之獸, 非獲不解, 非田不獲. 然初陰雖在三狐, 獲之之中居最下, 與卦中兩陽, 一比一應所得免咎害, 故曰, 剛柔際也.

괘에서 상육 이외에 두 양과 세 음은 모두 제 자리에 있지 않아 바르지 않다. 두 양은 비록 바르지 않을지라도 모두 양효이니, 괘의 양효는 그 주인이다. 여우는 바르지 못한 동물인데, 세 음이 바르지 않아 이런 상이 있다. 괘는 풀림으로 뜻을 삼으니 양을 주인으로 해서 세 마리 여우를 풀어 없애는 상이 있다. 여우는 구이의 상이 아니니, 그것을 잡는 것은 구이이다. 바르지 않은 동물은 잡지 않으면 풀리지 않고 사냥하지 않으면 잡지 못한다. 그러나 처음의 음이 세 마리 여우에 속할지라도 그것들을 잡는 가운데 가장 아래에 있고 괘에서 두 양과 한편으로는 가깝고 한편으로는 호응하여 허물과 해로움을 벗어날 수 있기 때문에 "굳셈과 부드러움의 사귐이다"라고 하였다.

動而免險, 有解難之象. 震爲車, 坎爲弓, 有田獵之象. 田而解難有獲狐之象. 三陰不正有三狐之象. 狐者, 邪媚不正之獸. 九二非有此象, 卽田而獲之者也. 旣云獲狐, 繼云得矢, 矢非獲狐之器而何. 旅之六五曰, 射雉一矢亡, 射而不獲, 故云矢亡. 此云得矢, 則射在其中意者, 古之田也. 不以獲禽爲能, 而射貴中度. 詩云, 公曰左之, 舍拔[23]則獲, 是也. 若亂射亡矢, 雖獲不貴, 故言獲, 則又言得矢, 此其制也. 九二得中道, 黃, 中色也. 坎之弓, 以矢爲用, 故云黃矢. 其必九二言之者, 陽卦之陽, 以剛處中, 惟此爻也.

움직여서 험난함을 벗어남에 어려움을 풀어버리는 상이 있다. 진괘는 수레이고 감괘는 활이니, 사냥하는 상이 있다. 사냥해서 어려움을 풀어버리니 여우를 사냥하는 상이 있다. 세 음

---

23) 拔: 경학자료집성DB와 영인본에는 모두 '撥'로 되어 있으나, 『시경』 원문에 따라 '拔'로 바로잡았다.

이 바르지 못하여 세 마리 여우의 상이 있다. 여우는 사악하고 아첨하여 바르지 못한 동물이다. 구이는 이런 상이 있는 것이 아니니, 바로 사냥하여 그것들을 잡는 것이다. '여우를 잡았다'고 말해놓고 이어서 '화살을 얻었다'고 말했으니, 화살이 여우를 잡는 기구가 아니라면 무엇이겠는가? 려괘(旅卦䷲)의 육오에서 "꿩을 쏘니, 화살 하나를 잃었다"라고 한 것은, 쏘아서 잡지 못했기 때문에 '화살을 잃었다'라고 했던 것이다. 여기에서 '화살을 얻었다'라고 한 것은 쏘는 것이 의도를 적중하는 데 있는 것이 옛날의 사냥이기 때문이다. 짐승을 잡는 것을 잘하는 것으로 여기지 않고, 쏘는 것은 알맞게 헤아리는 것을 귀하게 여긴다. 『시·진풍』에서 "공께서 분부하여 수레를 바깥으로 돌려 화살을 당기시니 잡았다"는 것이 여기에 해당한다. 난사하여 화살을 잃어버리면 잡을지라도 귀하게 여기지 않기 때문에 '잡았다'고 했다면 화살을 얻었다고 하는 것까지 말한 것이니, 이것이 그 제도이다. 구이가 중도를 얻은 것은 누런색이 가운데 색이기 때문이다. 감괘의 활은 화살을 사용하기 때문에 '누런 화살'이라고 했다. 굳이 구이에서 이것을 말한 것은 양괘의 양이 굳셈으로 가운에 있는 것은 여기의 효뿐이기 때문이다.

심조(沈潮) 「역상차론(易象箚論)」

三, 離數也, 狐, 坎爲狐也, 黃, 中色也, 矢陽爻之直也.
세 마리는 리괘의 수이고, 여우는 감괘가 여우이며, 누런색은 가운데 색이고, 화살은 양효의 곧음이다.

유정원(柳正源) 『역해참고(易解參攷)』

九二 [至] 貞吉.
구이 … 곧게 하면 길하다.

丹陽都氏曰, 人民曰獲, 器用曰得, 獲者, 得之難, 得者, 獲之易.
단양도씨가 말하였다: 인민은 '잡는대獲'고 하고, 용도는 '얻는대得'고 하니, 잡는 것은 얻기가 어렵고, 얻는 것은 잡기가 쉬운 것이다.

○ 隆山李氏曰, 坎爲穴, 爲隱伏物之穴, 居而隱伏者, 狐也. 三狐, 坎三爻象.
융산이씨가 말하였다: 감괘는 굴로 숨어 지내는 것들의 동굴이니, 그곳에 살면서 숨어있는 것이 여우이다. 세 마리 여우는 감괘 세 효의 상이다.

○ 誠齋楊氏曰, 當解之世, 此爻欲其獲狐, 三戒其致寇, 四欲其解拇, 五欲其退小人,六欲其射隼. 一卦六爻, 而去小人之象, 居其五. 然則召天下多難者, 誰乎. 人君亦何利天下之多難, 而何樂於近小人, 以疏君子乎.

성재양씨가 말하였다: 풀리는 세대에 여기의 효에서는 여우를 잡고자하고, 삼효에서는 도적이 오는 것을 경계하며, 사효에서는 엄지발가락을 풀려고 하고, 오효에서는 소인을 물리치고자 하며, 육효에서는 새매를 쏘아 잡으려고 한다. 한 괘는 여섯 효인데 소인을 제거하는 상이 다섯을 차지한다. 그렇다면 천하에서 여러 가지 어려움을 불러오는 것이 누구이겠는가? 임금 또한 무엇 때문에 천하의 여러 어려움을 이롭게 여기고 소인을 가까이 하는 것을 즐겨서 군자를 멀리하는가?

○ 雙湖胡氏曰, 二爲田, 坎爲弓輪, 互離爲甲胄戈兵, 有獵象. 互坎三爻, 三狐象, 互坎爲矢, 又互離爲黃. 噬嗑九四, 亦互坎稱金矢, 六五離中稱黃金. 此有互離互坎, 故兼黃矢象. 二不正而云貞吉, 戒之也. 此爻有互坎在二前, 故就互坎取象. 或以下坎爲狐, 不應九二. 自獲其義, 則程子盡矣.

쌍호호씨가 말하였다: 이효는 밭(田)이고, 감괘는 활과 수레바퀴이며, 호괘인 리괘는 갑주와 무기이니 사냥의 상이 있다. 호괘인 감괘 세 효는 세 마리 여우의 상이다. 호괘인 감괘는 화살인데다 호괘인 리괘가 누런 색이다. 서합괘(噬嗑卦䷔) 구사에서도 호괘인 감괘를 금과 화살로 칭하였고, 육오의 리괘 가운데에서도 황금을 칭하였다. 여기 해괘(解卦䷧)에는 호괘인 리괘와 호괘인 감괘가 있기 때문에 누런 화살의 상을 겸하였다. 이효는 제 자리가 아닌데도 '곧게 하면 길하다'라고 한 것은 경계한 것이다. 여기의 효에는 호괘인 감괘가 이효의 앞에 있기 때문에 호괘인 감괘로 상을 취했다. 혹 하괘의 감괘를 여우라고 하는데, 구이와 호응하지 않는다. '잡는다'는 것에서부터 그 의미는 정자가 지극하다.

傳, 三狐指三陰.

『정전』에서 말하였다: 세 마리 여우는 세 음을 가리킨다.

案, 此與本義說同. 先儒多以六三爲小人, 遂以三陰謂之六三. 然不曰六三, 而曰三陰, 則是指卦中之三陰, 明矣.

내가 살펴보았다: 여기는 『본의』와 설명이 같다. 앞선 유학자들은 대부분 육삼을 소인으로 여겨 마침내 '세 음[三陰]'을 육삼이라고 하였다. 그런데 육삼이라고 하지 않고 세 음이라고 했다면 이것은 괘에서 세 음을 가리킨 것이 분명하다.

김상악(金相岳) 『산천역설(山天易說)』

田者, 去害之事, 三狐, 指卦之三陰也. 九二坎互離體, 故有獲三狐得黃矢之象. 以中直之道, 去邪媚, 以應乎五, 得正而吉也.

사냥은 해로움을 없애는 일이고, 세 마리 여우는 괘의 세 음을 가리킨다. 구이는 감괘와 호괘인 리괘의 몸체이기 때문에 세 마리 여우를 잡아 누런 화살을 얻는 상이 있다. 알맞고 강직한도로 사악하게 아첨하는 것을 제거하여 오효와 호응하니 바름을 얻어 길하다.

○ 田者, 狩也, 坎離象. 凡獲器用, 曰得, 得用焉, 曰獲, 謂用器物而有得. 若麟爲田獲, 俘爲戰獲也. 狐, 坎象, 善疑之物也. 卦凡四陰, 除六五君位, 餘三陰. 而三之不正爲間於二五, 以疑其相應之志, 獲之所以解疑也. 上卦震木生離火, 變而爲未濟. 未濟卦言小狐, 初曰濡尾, 上曰濡首, 故取三狐之象也.

사냥은 수렵으로 감괘와 리괘의 상이다. 용도를 잡는 것을 '얻는다'고 하고 사용할 수 있는 것을 '잡는다'고 하니, 기구를 가지고 얻음이 있음을 말한다. 기린과 같은 것은 사냥하여 잡는 것이고, 포로와 같은 것은 전쟁하여 잡는 것이다. 여우는 감괘의 상으로 의심이 많은 동물이다. 괘는 모두 네 음인데 육오의 임금 자리를 제외하면 나머지는 세 음이다. 그런데 바르지 않은 삼효가 이효와 오효 사이에 있어 상응하는 마음이 의심받는 것이니, 그것들을 잡음은 의심을 풀기 위함이다. 상괘의 진괘 목에서 리괘인 화가 나오니, 변해서 미제괘(未濟卦䷿)가 된 것이다. 미제괘에서는 어린 여우를 말하여 초효에서는 '꼬리를 적심'이라고 하고, 상효에서는 '머리를 적심'이라고 하였기 때문에 세 마리 여우의 상을 취하였다.

或曰, 二本坎體之一, 而兼初三二陰爲三狐, 如巽之三品, 通上二剛而言也, 取象恐牽强. 黃, 中色, 矢, 直物. 卦變而下卦成坎, 二得其中, 故曰, 得黃矢. 噬嗑九四, 柔變爲剛, 不得其中, 則曰得金矢. 蓋解之二坎互離體, 故曰, 田獲三狐得黃矢. 旅之五離互坎體, 故曰, 射雉一矢亡, 皆以卦變言也.

어떤 이가 "이효는 본래 감괘의 몸체의 하나인데, 초효와 삼효의 두 음을 겸하여 세 마리 여우이니, 손괘(巽卦䷸) 육사에서 삼품의 짐승을 상괘의 두 굳셈과 통틀어 말하는 것과 같다"라고 하였는데, 상을 취함에 억지로 끌어다 붙인 것 같다. 누런색은 가운데 색이고, 화살은 곧은 것이다. 괘가 변하여 하괘가 감괘가 되고 이효가 알맞음을 얻기 때문에 "누런 화살을 얻었다"라고 하였다. 서합괘(噬嗑卦䷔)의 구사는 부드러움이 변해 굳셈이 되었고 사효가 알맞음을 얻지 못하였으니, "금과 화살을 얻었다"고 하였다. 해괘(解卦䷧)의 두 감괘와 호체인 리괘의 몸체이기 때문에 "사냥하여 세 마리 여우를 잡아 누런 화살을 얻는다"고 하였다. 려괘(旅卦䷷)의 오효는 리괘와 호체인 감괘의 몸체이기 때문에 "꿩을 쏘니 화살 하나를 잃는다"라고 하였다. 모두 괘의 변화로 말하였다.

김규오(金奎五) 「독역기의(讀易記疑)」

九二矢, 似以離體而言. 旅五嗑四之矢, 皆離也. 睽之弧矢, 亦有離體.

구이의 화살은 리괘의 몸체로 말한 같다. 려괘(旅卦☲)의 오효와 서합괘(噬嗑卦☲)의 사효에서 화살은 모두 리괘이다. 규괘(☲)의 활과 화살도 리괘의 몸체이다.

박제가(朴齊家) 『주역(周易)』

案, 三狐, 指三爲狐. 故曰, 三狐. 卦中惟三竊據匪位. 上以隼而射之, 下以狐而獲之, 而解之道, 無憂矣.

내가 살펴보았다: 세 마리 여우는 삼효가 여우임을 가리킨 것이다. 그러므로 '세 마리 여우'라고 하였다. 괘에서 삼효만 제 자리가 아닌 것을 슬쩍 차지했다. 위에서는 새매를 쏘고 아래에서는 여우를 잡으니, 풀리는 도에는 근심이 없다.

윤행임(尹行恁) 『신호수필(薪湖隨筆)·역(易)』

田獲三狐, 非卦中三陰, 卽六三一爻. 若以三陰爲三狐, 則初六之无咎, 上六之无不利, 何可謂之狐耶. 以陰居三者, 卽六三, 故謂之三狐.

사냥하여 세 마리 여우를 잡는 것은 괘에서 세 음이 아니라 곧 육삼 한 효이다. 세 음을 세 마리 여우로 여기면, 초육의 '허물 없음'과 상육의 '이롭지 않음이 없음'을 어떻게 여우라고 할 수 있겠는가? 음으로 삼효에 있는 것은 바로 육삼이기 때문에 세 마리 여우라고 하였다.

서유신(徐有臣) 『역의의언(易義擬言)』

三狐, 坎象, 黃矢中道之象也. 屯變爲解, 而下卦獲其坎體, 九二, 又得其中, 應於六五, 成解之功, 故貞而吉也.

세 마리 여우는 감괘의 상이고, 누런 화살은 중도의 상이다. 준괘(屯卦☵)가 해괘(解卦☳)로 변하였으니, 하괘에서 감괘의 몸체를 잡았는데, 구이가 또 알맞음을 얻고 육오와 호응하여 해괘의 공을 이루기 때문에 바르면 길한 것이다.

박문건(朴文健) 『주역연의(周易衍義)』

往取多惑, 故有獲三狐之象. 狐, 邪媚之獸也, 黃, 中色. 得黃矢, 言不亡一矢也. 或曰, 比應三陰, 皆害九二者也, 故謂之三狐也.

가면서 많은 의혹이 있기 때문에 세 마리 여우를 잡는 상이 있다. 여우는 사악하고 아첨하는 동물이고, 누런색은 가운데 색이다. '누런 화살을 얻다'는 하나의 화살도 잃지 않았다는 말이다. 어떤 이가 "세 음을 가까이 하고 호응하는 것은 모두 구이를 해치려는 것이기 때문에 그것을 세 마리 여우라고 한다"라고 했다.

〈問, 田獲三孤以下. 曰, 六五多惑, 故變幻不一, 其心未可測也, 所以取三孤之象. 三, 取升進之數也. 雖田獲三孤得矢, 而不亡, 用中也, 然二五之勢敵矣, 用貞則必吉. 田獲三孤, 與巽四田獲三品, 同文法也.
물었다: "세 마리 여우를 잡는다" 이하는 무슨 뜻입니까?
답하였다: 육오가 의혹이 많기 때문에 변환이 한결같지 않고 그 마음을 알 수 없으니 세 마리 여우의 상을 취한 이유입니다. 셋은 올라가는 수를 취함입니다. 사냥하여 세 마리 여우를 잡아 누런 화살을 얻고 잃지 않는 것은 알맞음 사용하기 때문이지만 이효와 오효의 기세가 대등해서 곧음을 사용하면 반드시 길합니다. 사냥하여 세 마리 여우를 잡은 것은 손괘(巽卦䷸) 육사에서 삼품의 짐승을 잡는 것과 문장 쓰는 법이 같습니다.〉

〈○ 問, 二謂五謂之三孤, 五謂二謂之小人, 何. 曰, 二五勢敵, 而相害者也, 故互相指斥之也. 陰亦有時而爲君子, 陽亦有時而爲小人者, 所處之時, 與所用之情, 不同也.
물었다: 이효에서 오효를 세 여우라고 하고 오효에서 이효를 소인이라고 하니 무엇 때문입니까?
답하였다: 이효와 오효는 기세가 대등하여 서로 해치는 것들이기 때문에 번갈아 서로 배척하는 것을 가리킵니다. 음도 때에 따라 군자가 되고, 양도 때에 따라 소인이 되는 것은 처신하는 때가 쓰이는 실정과 같지 않기 때문입니다.〉

이지연(李止淵)『주역차의(周易箚疑)』

難之未解者, 以坎險之故也. 初與四爲解難之主, 而初與三, 陷得九二而爲坎, 三與五, 陷得九四而爲互坎. 以媚道陷人者, 狐也. 卦之爲狐者, 初三五三畫也, 故謂之三狐. 諸家以六五君位, 故不忍指斥爲狐, 而以上六爲三狐之數者, 誤也. 五以陽爲君位, 而六五以陰居之, 是小人之擁蔽人君者, 所謂君側之惡也, 奚可不指爲狐耶. 況以九二觀之, 則初六, 乘者也, 六三, 承者也, 六五, 應者也, 皆爲九二之所獲者, 宜也, 以中直之道, 除去三小人. 則天下之難, 有不解者乎. 女三爲姦人, 三爲衆, 此三狐不去, 則難其有可解之日乎.
어려움이 아직 풀리지 않은 것은 감괘의 험난함 때문이다. 초효와 사효가 어려움을 푸는 주인인데, 초효와 삼효가 구이를 빠트려서 감괘가 되었고, 삼효와 오효가 구사를 빠트려서 호괘 감괘가 되었다. 아첨하는 도로 사람을 빠트리는 것은 여우이다. 괘에서 여우는 초효·삼효·오효의 세 획이기 때문에 세 마리 여우라고 했다. 여러 학자들은 육오가 임금 자리이기 때문에 차마 그것을 가리켜 여우로 배척하지 못하고 상육을 세 마리 여우의 수에 넣은 것은 잘못이다. 오효가 양효로는 임금의 자리이지만 육오가 음효로 그곳에 있으면 소인이 임금을 끌어안아 속이는 것이어서 이른바 임금 측근들의 악행이니, 어찌 여우로 지적하지 않아서야 되겠는가? 하물며 구이로 보면, 초육은 태우는 것이고 육삼은 계승하는 것이며 육오는 호응하는 것들로 모두 구이가 잡은 것들이니, 마땅히 알맞고 강직한 도로 세 소인을 제거해야 한다. 그렇게 하면 천하의 어려움이 풀리지 않은 것이 있겠는가? 계집녀[女]자가 세 개이면 '간사한 사람[姦人]'이고 셋이면 무리지은 것이니, 여기의 세 마리 여우를 제거하지 않으면 어려움이 풀릴 날이 있겠는가?

윤종섭(尹鍾燮)『경-역(經-易)』

三狐黃矢, 取於坎三. 爻上下陽畫橫遮, 有負乘之象, 四之拇取於震.

세 마리 여우와 누런 화살은 감괘의 삼효에서 취하였다. 위아래의 양효가 가로로 막고 있어 짊어지고 올라타는 상이 있다. 사효의 발가락은 진괘에서 취하였다.

김기례(金箕澧)「역요선의강목(易要選義綱目)」

三狐, 指六三, 係辭以解三爲小人.

세 마리 여우는 육삼을 가리키는데,「계사전」에서 삼효를 소인이라고 해석하였다.

○ 荀易坎爲狐, 故指三曰三狐.

순상의『순구가역』에서 감괘가 여우이기 때문에 삼효을 가리켜 세 마리 여우라고 하였다.

○ 二以剛中應五, 五以陰柔君位不能果斷, 故二能得中直之道, 除媚邪之小人, 則正而吉.

이효는 굳세고 알맞음으로 오효에게 호응하고, 오효는 유순한 임금의 자리로 과감하게 결단할 없기 때문에 이효가 알맞고 강직한 도를 얻어 아첨하고 사악한 소인을 제거하니 바르고 길하다.

심대윤(沈大允)『주역상의점법(周易象義占法)』

解之豫䷖, 逸也. 九二, 以剛中之才, 居柔不勉爲寬, 而位卑不得不寬, 以其得中, 故歸附者, 漸衆. 順而豫也, 故曰, 田獲三狐. 坎爲狐. 初三附二, 六五應二, 皆居坎體, 故曰, 三狐. 坤之變自坎而巽, 巽爲三. 解之道不以我就人, 而固人之所歸我也. 不以我就人, 无私恩也, 故言從人, 則不取應, 人之歸我也, 故言得衆, 則取應也. 坎交離爲矢. 黃中色, 言二之得中也.

해괘가 예괘(豫卦䷏)로 바뀌었으니, 기뻐하는 것이다. 구이는 굳세고 알맞은 재질로 부드러움에 있어 힘써 너그럽게 되려고 하지 않지만 자리가 낮아 너그럽지 않을 수 없고 알맞음을 얻었기 때문에 귀의하여 가까이 하는 자가 점차로 많아진다. 순종하면서 기뻐하기 때문에 "사냥하여 세 마리 여우를 잡는다"고 하였다. 감괘가 여우이다. 초효와 삼효가 이효와 가깝고 육오가 이효와 호응함이 모두 감의 몸체에 있기 때문에 '세 마리 여우'라고 하였다. 곤괘가 감괘에서 변화하여 손괘로 되니, 손괘가 세 마리이다. 풀림의 도는 자신 때문에 남들에게 나아가지 않지만 진실로 남들이 자신에로 귀의하는 것이다. 자신 때문에 남들에게 나아가지 않는 것은 은택을 사사롭게 함이 없는 것이기 때문에 남들을 따른다고 말하면, 호응을 취하지 않는다. 사람들이 나에게 귀의하기 때문에 무리를 얻는다고 말하면 호응을 취한 것이다. 감괘가 리괘와 사귀는 것이 화살이다. 누런색은 가운데 색이니, 이효가 알맞음을 얻은 것을 말한다.

오치기(吳致箕) 「주역경전증해(周易經傳增解)」

九二陽剛得中, 而上應六五柔中之君, 當解難之時, 柔君不能自濟, 而得此剛臣, 委任其權. 故二能退小人而進君子, 去邪媚而得中直, 有田獲三狐, 得黃矢之象, 而卽中以行正者也, 故言正吉.

굳센 양인 구이는 알맞음을 얻고 위로 부드럽고 알맞은 육오의 임금과 호응하여 어려움이 풀리는 때 부드러운 임금은 스스로 구제할 수 없지만 이런 굳센 신하를 얻어 그 권세를 위임한다. 그러므로 소인을 물리치고 군자를 나오게 하며 간사하게 아첨하는 자들을 없애고 알맞고 곧은 자들을 얻으니, 사냥하여 세 마리 여우를 잡아 누런 화살을 얻는 상이 있다. 그리고 곧 알맞음으로 바름을 행하는 자이기 때문에 '바르면 길하다'고 하였다.

○ 田, 謂田獵也. 互離, 爲戈兵爲網罟, 應震爲動, 乃震動田獵之象也. 三取於坎少陽位居三, 而狐亦取坎象也. 黃取中之色, 矢取剛之直也.

경문의 전(田)자는 사냥을 말한다. 호괘인 리괘(離卦☲)가 무기이고 거물이고 호응하는 진괘(震卦☳)가 움직임이니, 그야말로 진동하여 사냥하는 상이다. 세 마리는 소양인 감괘의 자리가 삼에 것에서 취하였고 여우도 감괘의 상을 취하였다. '누런'은 가운데 색을, 화살은 곧은 굳셈을 취하였다.

이진상(李震相) 『역학관규(易學管窺)』

九二田獲 [至] 貞吉.

구이는 사냥하여 … 곧게 하면 길하다.

說卦, 坎爲狐, 卦位坎居三. 中互離爲戈兵. 二地位之上有田象. 又離爲狩獵象. 坎離
體互有得黃矢象, 睽之弧矢, 噬嗑金矢, 皆是.

「설괘전」에서 감괘는 여우로 괘의 위치에서 감괘는 삼효에 있다. 가운데 호괘인 리괘는 무
기이다. 이효는 땅의 위치에서 위이니 밭[田]의 상이 있다. 또 리괘는 사냥하는 상이다. 감괘
와 리괘의 몸체가 번갈아 들어 누런 화살을 얻는 상이 있으니, 규괘(睽卦☲)의 활과 화살이
고, 서합괘(噬嗑卦☲)의 사효의 금과 화살이 모두 여기에 해당한다.

○ 田獲三狐.

사냥하여 세 마리 여우를 잡아.

卦中雖有四陰, 而五乃君位, 居中而應正, 能任九二之賢, 以解三陰之類. 故此以田獲
三狐爲象. 狐, 邪媚之獸, 故以爲喩. 坎爲穴, 爲隱伏狐之所居也. 二爲田, 坎爲弓輪,
互離爲戈兵有獵象. 離爲黃, 坎爲矢, 又得黃矢之象.

괘에 네 음이 있지만 오효는 임금의 지위로 있는 곳이 가운데이고 호응하는 것이 곧아 현명
한 구이에게 맡길 수 있고 세 음의 무리를 풀어버릴 수 있다. 그러므로 사냥하여 세 마리
여우를 잡는 것이 상이다. 여우는 간사하게 아첨하는 동물이기 때문에 그것으로 비유했다.
감괘는 굴로 여우가 숨어지내는 곳이다. 이효는 밭[田]이고, 감괘는 활과 수레바퀴이며, 호
괘인 리괘는 무기여서 사냥하는 상이 있다. 리괘는 누런색이고 감괘는 화살이니, 또 누런
화살을 얻는 상이다.

박문호(朴文鎬) 「경설(經說)·주역(周易)」

桓敬唐之桓彦範敬暉□二人也, 是平武氏之亂者也, 諸武皆誅之, 惟三思不誅, 三思後
復作亂.

『정전』에서 환경(桓敬)은 당나라의 환언범(桓彦範)과 경위(敬暉) 두 사람으로 무씨의 난
을 평정한 자들로 여러 무씨들을 모두 죽이고 무삼사만 죽이지 않았는데, 무삼사가 뒤에
다시 난을 일으켰다.

或曰, 卽程傳之意也.

어떤 이가 말하였다: 바로 『정전』의 뜻이다.

이정규(李正奎) 「독역기(讀易記)」

人二尓[24]出乎險者, 而□曰, 獲三狐貞[25]吉者, 卦才以解爲義, 而當解之時, 以剛居爲上, 除小人故也.

사람이 이효여서 아직 험난함을 벗어나길 원대하게 여기는데, □ '세 마리 여우를 잡으니 곧게 하면 길하다'고 한 것은 괘의 재질이 풀림을 의리로 하고 해괘의 때에 굳세게 있는 것을 최상으로 여겨 소인을 없애기 때문이다.

이병헌(李炳憲) 『역경금문고통론(易經今文考通論)』

虞曰, 二稱田, 田獵也. 坎爲弓.

우번이 말하였다: 이효의 경문에서 말한 전(田)자는 사냥이라는 의미이다. 감괘는 화살이다."[26]

干[27]曰坎爲狐.

간보(干寶)가 말하였다: 감괘는 여우이다.[28]

程傳曰, 黃中色, 矢直物, 所謂貞吉者, 得其中道也.

『정전』에서 말하였다: '누런 것[黃]'은 가운데의 색이고, '화살'은 곧은 물건이다. 이른바 '곧게 하면 길하다'는 중도를 얻는 것이다.

按, 三狐謂六三.

내가 살펴보았다: 세 마리 여우는 육삼을 말한다.

---

24) 尓: 경학자료집성DB에는 '□'으로 되어 있으나, 경학자료집성 영인본을 참조하여 '尓'로 바로잡았다.
25) 貞: 경학자료집성DB에는 '□'으로 되어 있으나, 경학자료집성 영인본을 참조하여 '貞'으로 바로잡았다.
26) 『周易集解·解卦』: 虞翻曰, 二稱田, 田獵也. 變之正, 艮爲狐, 坎爲弓.
27) 干: 경학자료집성DB와 영인본에는 모두 '于'로 되어 있으나, 『주역집해』 원문에 따라 '干'으로 바로잡았다.
28) 『周易集解·未濟卦』: 干寶曰, 坎爲狐.

象曰, 九二貞吉, 得中道也.

정전 「상전」에서 말하였다: "구이는 곧게 하여 길함"은 중도를 얻어서이다.
본의 「상전」에서 말하였다: "구이는 곧게 하면 길함"은 중도를 얻어서이다.

中國大全

傳

所謂貞吉者, 得其中道也. 除去邪惡, 使其中直之道, 得行, 乃正而吉也.

이른바 "곧게 하여 길하다[貞吉]"는 것은 그 중도를 얻은 것이다. 사악함을 제거하여 그 알맞고 강직한 도리가 행해지도록 하여야 바르고 길하다.

小註

中溪張氏曰, 九二所以攻守正之吉者, 以其能得居中之道也.

중계장씨가 말하였다: 구이가 바름을 지키는 길함을 이루는 것은 그것이 알맞게 지내는 도리를 얻을 수 있어서이다.

‖韓國大全‖

김상악(金相岳) 『산천역설(山天易說)』

坎離二卦, 皆以得中爲道.

감괘와 리괘 두 괘는 모두 알맞음을 얻은 것을 도로 한다.

서유신(徐有臣) 『역의의언(易義擬言)』

黃其中, 矢其道也.

황색은 그 중(中)이고 화살은 그 도이다.

오치기(吳致箕) 「주역경전증해(周易經傳增解)」

以剛中之德, 除去邪惡, 而得行中直之道, 故爲正吉也.

굳세고 알맞은 덕으로 사악함을 제거하여 알맞고 강직한 도를 행할 수 있기 때문에 바르고 길하다.

六三, 負且乘, 致寇至, 貞吝.

육삼은 짊어져야 하는데 또 올라탔기에 도적을 오게 하니, 곧게 하더라도 부끄러우리라.

┃中國大全┃

傳

六三, 陰柔居下之上, 處非其位, 猶小人宜在下以負荷, 而且乘車, 非其據也. 必致寇奪之至, 雖使所爲得正, 亦可鄙吝也. 小人而竊盛位, 雖勉爲正事, 而氣質卑下, 本非在上之物終可吝也. 若能大正則如何. 曰大正, 非陰柔所能也, 若能之則是化爲君子矣. 三, 陰柔小人, 宜在下, 而反處下之上, 猶小人宜負而反乘, 當致寇奪也. 難解之時而小人竊位, 復致寇矣.

육삼은 유약한 음으로 하괘의 위에 있어 있는 곳이 제 자리가 아니니, 소인이 아래에서 짐을 지고 메고 있어야 하는데 수레에 타고 있어 의지할 곳이 아닌 것과 같다. 반드시 도둑이 뺏으러 오게 만들 것이니, 하는 일이 바르더라도 비루하고 부끄러울 것이다. 소인이면서 성대한 지위를 훔쳤으니 비록 힘써 바른 일을 하더라도, 기질이 낮아서 본래 위에 있을 물건이 아니므로 끝내 부끄러울 것이다. 만약 크게 바르게 할 수 있다면 어떻겠는가. 크게 바르게 하는 것은 유약한 음이 할 수 있는 바가 아니니, 만약 그렇게 할 수 있다면 이는 변하여 군자가 된 것이다. 삼효는 유약한 음인 소인이니 아래에 있어야 하는데 도리어 하괘의 위에 있는 것은 소인이 짊어져야하는데 도리어 올라탄 것과 같으니 도둑의 약탈을 불러오게 될 것이다. 어려움이 풀리는 때인데 소인이 지위를 훔쳤으니 다시 도적이 이르게 될 것이다.

本義

繫辭備矣. 貞吝, 言雖以正得之, 亦可羞也. 唯避而去之, 爲可免耳.

「계사전」에 갖추어 있다. "곧게 하더라도 부끄럽다"는 비록 바름으로 얻더라도 부끄러울 수 있음을 말한 것이니, 피해서 떠나야만 벗어날 수 있다.

小註

朱子曰, 六居三, 大率少有好底. 負且乘, 聖人到這裏, 又見得有箇小人乘君子之器底象, 故又於此發出這箇道理來.

주자가 말하였다: 음이 삼효에 있으니 대체로 좋은 점이 없다. "짊어져야 하는데 올라탔다"는 성인이 여기에서 또한 소인이 군자의 기구를 올라타는 상을 보았으므로 다시 이에 이러한 도리를 드러내었다.

○ 臨川王氏曰, 負者, 小人之事, 六小人之材也. 乘者, 君子之器, 三君子之位也.

임천왕씨가 말하였다: 짊어지는 것은 소인의 일이고, 육(六)은 소인의 재질이다. 탈 것은 군자의 기구이고, 삼효는 군자의 자리이다.

○ 南軒張氏曰, 小人乘君子之器, 乃所以招寇而起禍. 貞固守此, 寧不可吝乎.

남헌장씨가 말하였다: 소인이 군자의 기구를 올라탔으니 도적을 불러들여 화를 일으키는 것이다. 곧고 굳게 이를 지키더라도 어찌 부끄럽지 않을 수 있겠는가?

○ 雲峰胡氏曰, 六才柔當上, 負乎四, 負, 小人之事也. 三志剛, 欲下乘乎二, 乘君子之器也. 寇上象解難莫切於解小人. 六三負者而乘君子之器, 小人據非其分, 寇至自致之也. 本義謂唯避而去之爲可免耳, 蓋使三能避而去之, 是三自解之也, 寇亦當解而去矣.

운봉호씨가 말하였다: 육은 재질이 유약하면서 위에 있어 사효를 짊어지니, 짊어지는 것은 소인의 일이다. 삼효는 뜻이 굳세고 아래로 이효를 타고자하니, 군자의 기구를 탄 것이다. '도적'은 앞에서 어려움을 푸는 것이 소인을 푸는 것보다 절실한 것이 없음을 상징하였다. 육삼이 짊어지는 자인데 군자의 기구를 올라탐은 소인이 그 분수 아닌데 거처한 것이니, 도적이 이르는 것은 스스로 불러들인 것이다. 『본의』에서 "피해서 떠나야만 벗어날 수 있다"라 하였는데, 삼효가 피하여 떠날 수 있게 하는 것은, 이는 삼효가 스스로 풀면 도적도 당연히 풀고 떠나갈 것이기 때문이다.

○ 雙湖胡氏曰, 六爻中, 唯三爲吝, 而不言凶咎者, 終是以卦體吉也.

쌍호호씨가 말하였다: 육효 가운데 삼효만이 '부끄러움[吝]'이 되는데, 흉과 허물을 말하지 않은 것은 끝내 괘체(卦體)가 길하기 때문이다.

‖韓國大全‖

조호익(曹好益) 『역상설(易象說)』

負承四, 有負之象. 乘二, 有乘之象. 又三坎體, 而在上有乘車之象. 寇, 坎爲盜. 象曰,
自我致戎, 戎離戈兵象.

사효를 짊어지며 계승하니 짊어지는 상이 있다. 이효를 올라탔으니 올라타는 상이 있다.
또 삼효는 감의 몸체인데 위로 수레를 타는 상이 있다. 도적은 감괘가 도적이다. 「상전」에서
'나로부터 도적을 불렀다'고 하였으니, 도적은 리괘의 무기의 상이다.

곽설(郭設) 『역전요의(易傳要義)』

解六三爻, 子曰, 作易者其知盜乎. 易曰, 負且乘致寇至. 負也者, 小人之事也, 乘也者,
君子之器也. 小人而乘君子之器, 盜思奪之矣. 上慢下暴, 盜思伐之矣. 慢藏誨盜, 冶
容誨淫, 易曰, 負且乘致寇至, 盜之招也.

해괘의 육삼효에 대해 공자가 「계사전」에서 말하였다: 『주역』을 지은 자는 도적이 생기는
이유를 알았을 것이다. 『주역』에 이르기를 "짊어져야하는데 또 올라탔기에 도적을 오게 한
다"라고 하였다. 짊어지는 것은 소인의 일이고 타는 것은 군자의 기물이다. 소인으로서 군자
의 기물을 타고 있기 때문에 도적이 빼앗을 것을 생각한다. 윗사람을 거만히 대하고 아랫사
람을 사납게 대하기 때문에 도적이 칠 것을 생각한다. 보관을 허술하게 함이 도적을 조장하
며, 모양을 치장함이 음란을 조장하는 것이다. 『주역』에 "짊어져야하는데 또 올라탔기에 도
적을 오게 한다"라고 하였으니, 도적을 불러들이는 것이다.

송시열(宋時烈) 『역설(易說)』

九四負如, 九二乘如, 故曰, 負且乘. 繫辭, 以負爲事, 以乘爲器. 事者, 以陰之當下於
陽, 此以事理言也. 器者, 以象有可據者言之, 此下坎爲車輪也. 坎爲寇盜, 故曰, 致寇,
主言自招寇盜之至也. 雖貞, 亦各以小人言, 陰柔之爻故也. 處亦非位, 陰居陽位, 於四
爻若負荷然者, 常事也, 若跨據二爻, 如柔車然者, 醜監之道也. 其致寇, 戒自取之也,
誰怨誰咎耶. 小象已明之.

구사를 짊어져야 하는데 구이를 타고 있기 때문에 "짊어져야 하는네 또 올라탔다"고 히였다.
「계사전」에서는 짊어지는 것을 일로, 타는 것을 기물로 여겼다. 일은 음이 양에게 낮추어야

하는 것이니, 이것은 사리로 말한 것이다. 기물은 상에 의지할 수 있는 것으로 말하였으니, 이것은 하괘의 감괘가 수레바퀴이기 때문이다. 감괘는 도적이기 때문에 "도적을 오게 한다"고 하였으니, 스스로 도적이 오도록 불렀음을 주로 말한 것이다. '곧게 하더라도'는 각기 소인으로 말하였으니, 부드러운 음의 효이기 때문이다. 있는 곳도 자리가 아니고 음이 양의 자리에 있으니, 사효에 대해서는 짊어져야 할 것 같은 것이 떳떳한 일이고, 이효에 걸터앉아 수레를 탄 것과 같은 것은 부끄럽게 보이는 도이다. 도적을 오게 한다는 스스로 그것을 취했음을 경계한 것이니, 누구를 원망하고 누구를 허물하겠는가? 「소상전」에서 이미 밝혔다.

권구(權榘) 「독역쇄의 · 역중기의 · 역괘취상(讀易瑣義 · 易中記疑 · 易卦取象)」

解下卦坎互亦坎, 本有難未盡解之象. 而三以不中不正之陰柔, 附麗於兩陽之間, 隱伏於重險之中, 又居下卦之上, 一卦腹心之內〈武三思之類〉, 是其難根猶存. 已解之難, 將必有更作之機, 當急拔夬去, 故卦辭有夬吉之戒, 而諸爻皆以去三爲義.

해괘는 하괘가 감괘인데 호괘도 감괘여서 본래 험난함이 아직 풀리지 않은 상이 있다. 그런데 삼효가 중정하지 않은 부드러움 음으로 두 양효 사이에 착 달라붙어 거듭된 험난함 속에 숨어 있고, 또 하괘의 위에 있으니, 한 괘에서 내면의 속마음으로 〈무삼사의 무리이다.〉 험난함의 뿌리가 여전히 남아 있다. 이미 풀어버린 어려움이 반드시 다시 일어날 기미여서 서둘러 뿌리를 뽑아 빨리 제거해야 하기 때문에 괘사에 일찍 함이 길하다는 경계가 있고, 여러 효에서 모두 삼효를 제거하는 것을 의미로 삼았다.

〈卦中陰爻, 初雖居剛而在下, 上得位皆正, 又在兩外無用之地, 非如六三之不中不正, 隱伏盤據, 將爲亂首, 則當大亂始解之初, 包容駕御以制其命, 使不爲害而已. 何必一一爬梳, 以起騷擾之端乎. 去其首惡, 後此等小小底類, 在我伸縮中矣.

괘의 음효들에서 초효가 굳센 자리에 있지만 아래에 있고, 상효가 자리를 얻은 것이 모두 바른데다가 양쪽 밖의 쓸모없는 자리에 있으니, 중정하지 않은 육삼이 숨어 의지하고 있으면서 혼란의 으뜸이 되는 것과는 같지 않다. 그렇다면 큰 혼란이 처음 풀린 초기에 포용하여 부리면서 그 명을 제재하여 해로움을 행하지 못하게 할 뿐이다. 무엇 때문에 굳이 하나하나 다스려서 시끄럽게 될 단서를 만들겠는가? 그 으뜸 되는 악을 제거하고 뒤에 이런 작은 것들은 자신이 늘이거나 줄이면서 알맞게 할 것이다. 〉

大難旣解, 一小人之未去, 似不至甚害. 而一卦之辭, 皆以此爲急, 君子小人進退之機, 其不可忽也, 如此.

큰 어려움이 이미 풀림에 하나의 소인이 아직 제거되지 않았으면 심한 해로움이 될 것 같지 않다. 그런데 한 괘의 말이 모두 이것을 급한 일로 여겼으니, 군자와 소인이 진퇴하는 기틀을 소홀히 할 수 없는 것이 이와 같다.

〈二以陽剛得中之才, 應六五之君, 爲解之主, 而三間之, 與九四大臣, 爲君子之朋, 而三間之, 去三之間, 然後五得九二之應, 四得九二之朋, 故此二爻獨言解. 蓋三在下卦而居初二之上有拇象. 坎有飛鳥象. 互又離, 離鳥象. 而三以陰居陽, 有鷙象, 又有小人象, 居內卦之上, 又有高墉象, 各爻皆以三取象者, 又可見也.

이효가 양의 굳세고 알맞은 재질로 육오의 임금과 호응하여 해괘의 주인이 되는데 삼효가 이간질하고, 구사의 대신과 군자라는 친구가 되는데 삼효가 이간질하니, 삼효의 이간질을 제거한 다음에 오효가 구이의 호응을 얻고, 사효가 구이의 친구를 만나기 때문에 여기의 구사와 구오 두 효에서만 풀림을 말하였다. 삼효는 하괘에 있으면서 초효와 이효의 위에 있어 엄지발가락의 상이 있다. 감괘에는 날아가는 새의 상이 있다. 호괘가 또 리괘이고, 리괘는 새의 상이 다. 그런데 삼효가 음으로 양의 자리에 있어 매의 상이 있고 또 소인의 상이 있으며, 내괘의 위에 있어 또 높은 담의 상이 있으니, 각 효가 모두 삼효로 상을 취한 것을 또 알 수 있다.〉

大抵坎本狐象, 而三又居互離兩陽之間, 晝伏之象也, 居坎之中, 入穴之象也. 晝伏夜行而入穴者狐也. 又坎有三象, 爻又居三, 則九二之三狐, 疑指三而言. 然傳本義不然, 似不敢疑. 但丘氏小註, 謂獲狐者, 獲三也, 豈非易本不是繃定底物事. 故苟不悖爻義, 亦不妨自爲一義耶.

대체로 감괘는 본래 여우의 상인데, 삼효가 또 호괘인 리괘에서 두 양의 사이에 있으니, 낮에 숨어 있는 상이고 감괘의 가운데 있어 굴속에 있는 상이다. 낮에 숨어 있고 밤에 다니면서 굴에 있는 것이 여우이다. 또 감괘에는 셋이라는 상이 있고 또 삼효에 있으니, 구이에서 세 마리 여우는 삼효를 가리켜서 말한 것으로 여겨진다. 그러나 『정전』과 『본의』에서 그렇게 여기지 않은 것은 감히 의심할 수 없을 것 같다. 다만 구씨의 상육 소주에서 "여우를 잡는다고 말한 것은 삼효를 잡았기 때문이다"라고 하였으니, 어찌 역이 본래 고정된 것이겠는가? 그러므로 진실로 효의 의미를 어그러지게 하지 않는다면 또 스스로 하나의 뜻으로 하는 것도 무방할 것이다.

〈九二之狐三也, 六三之寇二也. 二非寇也, 自六三而言, 故曰寇. 隨爻取義, 不同也.

구이에서 여우는 삼효이고, 육삼에서 도적은 이효이다. 이효는 도적이 아닌데, 육삼에서 말하였기 때문에 '도적'이라고 하였다. 효에 따라 의미를 취하는 것이 같지 않다.〉

〈○ 荀九家以陰居陽者狐象, 以陽居陰者鼠象.

『순구가역』에서는 음으로 양의 자리에 있는 것이 여우의 상이고, 양으로 음의 자리에 있는 것은 쥐의 상이다.〉

이익(李瀷) 『역경질서(易經疾書)』

卦中兩陽, 皆解難者也. 四陰, 皆見解者, 而下三陰矢正, 故稱三狐. 初是庶民負行者, 雖不率敎, 地遠勢絶, 故解則革面而已. 五雖君位有邪媚當解之象, 則是其近習狎小而君之起居與同者. 如此者, 惟君子有解也. 上居無位之地而得正, 則是處士橫議惑亂一世之是非者也. 如此者, 惟王公可以獲而解之也. 六三則庶官微秩, 不中不正, 居下卦之上, 有匪分之望, 乃三狐之一也. 負與乘, 无非六三之象, 負指初之賤, 乘指四之貴也. 上震有車象, 而陽剛近君乘車, 乃其分也.

괘에서 두 양은 모두 어려움을 푸는 자이다. 네 음은 모두 풀림을 보는 자인데, 아래의 세 음은 바름을 잃었기 때문에 세 마리 여우라고 칭하였다. 초효는 서민으로 짊어지고 가는 자이니, 이끌어 가르칠 수 없지만 지역이 멀리 떨어져 있고 세력이 끊어졌기 때문에 풀리면 얼굴을 바꿀 뿐이다. 오효는 임금의 자리일지라도 아첨으로 풀려는 상이 있으니, 익숙하고 사소한 것을 가까이서 친압하여 임금의 일상과 함께 하는 자이다. 이런 경우는 군자에게만 풀어줌이 있다. 상효는 지위가 없는 자리이지만 바름을 얻으면 처사가 마음대로 의론하여 한 세대의 시비를 어지럽히는 경우이다. 이런 경우는 왕공이 잡아서 풀어줄 수 있다. 육삼은 여러 관리들이 질서가 없고 중정하지 않으며 하괘의 위에 있어 분수가 아닌 기대가 있으니, 바로 세 여우 중의 한 마리이다. 짊어지고 올라타는 것은 육삼의 상이 아닌 것이 없으니, 짊어진 것은 천한 초효를 가리키고, 올라탄 것은 귀한 사효를 가리킨다. 위의 진괘에는 수레의 상이 있는데, 굳센 양이 임금을 가까이하고 수레를 탔으니 바로 그 분수이다.

三無才德, 則其人本與初六負行者同. 旣忝微官, 而又攬取九四之車乘, 其致寇宜矣. 始則國內之亂有傾奪者也, 終則隣國必將窺覘有擧兵解難者也. 繫辭云, 上慢而下暴. 暴與慢對勘, 則當作入聲讀. 暴者, 急也, 謂無才而暴興也. 車服者, 人主之所不可不愼, 而上慢以與之, 下暴以取之. 凡人之嗜欲莫甚於貪濫, 而貴顯爲尤甚. 繫辭又以財[29]色爲喩, 財之慢藏, 必挑人之貪心, 色之冶容, 必挑人之濫心, 此便是誨之也. 況上慢下暴, 豈非誨寇乎. 國內之傾奪, 隣國之侵伐, 皆由於世衰君弱小人在側而致之也. 卦以解爲名, 而君不能自主, 則必有數者之患. 然其事雖正, 而其義可羞. 寇盜交興, 邦其安乎, 故曰, 貞吝.

삼효는 재주와 덕이 없으니, 그 사람은 본래 짊어지고 가는 초육과 같다. 이미 작은 벼슬을 더럽히고 더하여 구사의 수레를 빼앗아 탔으니 도적을 불러옴이 마땅하다. 시작에는 국내의 혼란에서 뒤집어 빼앗는 자이나, 끝에는 이웃나라에서 엿보아 거병으로 어려움을 풀려는

---

29) 財: 경학자료집성DB와 영인본에는 모두 '射'로 되어 있으나, 문맥을 살펴 '財'로 바로잡았다.

자이니, 「계사전」에서 "윗사람을 거만히 대하고 아랫사람을 사납게 대한다"라고 하였다. '사납다'는 것과 '거만하다'는 것을 짝으로 따져보면, 입성으로 읽어야 한다. 사납다는 것은 급한 것으로 재주도 없으면서 사납게 일어나는 것이다. 수레와 복장은 임금이 삼가지 않을 수 없는 것인데, 윗사람에게 거만히 하여 그와 함께 하고 아랫사람에게 난폭하여 그것을 취한다. 사람들의 욕심은 음란함보다 심한 것이 없지만 귀함을 드러내는 것에서는 더욱 심하다. 「계사전」에서 또 재물과 여색으로 비유하였으니, 재물을 허술하게 보관하면 반드시 사람들의 탐욕이 꿈틀거리고 여자가 곱게 치장하면 반드시 사람들의 정욕이 끓어오르니, 이런 것들은 모두 그렇게 하도록 가르치는 것이다. 하물며 윗사람을 거만히 대하고 아랫사람을 난폭하게 대함이 어찌 도둑질 하도록 가르치지 않겠는가? 국내에서 뒤집어 빼앗고 이웃나라에서 침범하는 것은 모두 세태가 쇠퇴하고 임금이 유약한데 소인이 측근으로 있어 불러들인 것이다. 괘를 해(解)로 이름붙인 것은 임금이 스스로 주인노릇하지 못하면 반드시 여러 가지 환난이 있다는 것이다. 그런데 그 일이 비록 바를지라도 그 의미는 부끄러워해야 한다는 것이다. 도적이 서로 일어나니 나라가 어떻게 편안할 수 있겠는가? 그러므로 "곧게 하더라도 부끄러우리라"라고 하였다.

심조(沈潮) 「역상차론(易象箚論)」

此以陰之賤, 居陽之位, 而又乘陽剛, 非負且乘之象乎. 寇亦坎象.

이것은 천한 음이 양의 자리에 있는데다가 또 양의 굳셈을 올라타기까지 했으니, 짊어져야 하는데 올라탄 상이 아니겠는가? 도적도 감괘의 상이다.

유정원(柳正源) 『역해참고(易解參攷)』

王氏曰, 處非其位, 履非其正, 乘二負四, 以容其身, 寇之來也, 自己所致也.

왕필이 말하였다: 그 자리가 아닌 곳에 있고, 바르지 않음을 밟고 있으며, 이효를 올라타고 사효를 짊어진 것으로 처신하니 도적이 오는 것은 자신이 불러들인 것이다.

○ 進齋徐氏曰, 負謂上負九四, 乘謂下乘九二. 三以柔處二剛之中, 頑然不解, 故有負且乘, 致寇至象.

진재서씨가 말하였다: '짊어진다'는 것은 위로 구사를 짊어진다는 것이고, '올라탄다'는 것은 아래로 구이를 올라탄다는 것이다. 삼효는 부드러움으로 두 굳셈의 가운데 있어 융통성이 없어 풀리지 않기 때문에 짊어져야 하는데 올라타고 있으며 도적이 오게 하는 상이 있다.

○ 呂氏曰, 不安於上, 求媚於四而負之, 不安於下, 陵侮於二而乘之.

여씨가 말하였다: 위로 불안하여 사효에게 아첨하기를 구하여 짊어지고, 아래로 불안하여 이효를 능멸하여 올라탄다.

○ 漢上朱氏曰, 此爻當內卦之上而在高位, 自二言之爲孤, 自上言之爲隼, 自本爻言之, 又爲負且乘也.
한상주씨가 말하였다: 삼효는 내괘의 위에 있어 높은 자리에 있으니, 이효로 말하면 여우이고, 상효로 말하면 새매이며, 본효로 말하면 짊어져야 하는데 또 올라타고 있는 것이다.

傳. 〈案, 傳末, 本有乘如字石證反六字.〉
『정전』. 〈살펴보건대, 『정전』의 끝에 본래 '올라탄다'는 말은 글자 그대로의 의미이고, 음은 '석(石)'자의 'ㅅ'과 '증(證)'자의 'ㅇ'을 합친 승이다는 말이 있다.〉

本義, 雖以 [至] 可免.
『본의』에서 말하였다: 비록 … 벗어날 수 있다.
案, 以六居三, 本非正也. 小人之負乘, 安有正道以得之者乎. 盜賊至爲无道, 猶有禮樂禮樂正也而亦可羞也. 本爻无避去可免之象, 而卦以解得名, 故開示其自新之路.
내가 살펴보았다: 육(六)이 삼효의 자리에 있는 것은 본래 바름이 아니다. 소인이 짊어져야 하는데 또 올라탔으니, 어찌 바른 도로 얻은 것이겠는가? 도적이 오는 것은 도가 없기 때문이니, 여전히 인의예악의 바름이 있어도 부끄러워해야 한다. 본효에는 피해가서 벗어나는 상이 없는데, 괘가 풀림으로 이름을 얻었기 때문에 스스로 새로워지는 길을 개시하였다.

김상악(金相岳) 『산천역설(山天易說)』

六三以陰柔居坎之終, 比二四而居中, 故其象如此. 小人宜負荷, 而且乘君子之器, 以致寇奪之至, 皆所自致也. 雖正猶吝, 況不正乎.
육삼은 부드러운 음으로 감괘의 끝에 있으니, 이효·사효와 가깝고 가운데 있기 때문에 그 상이 이와 같다. 소인은 짊어져야 하는데 또 군자의 기구를 올라타고 있어 도적의 약탈이 오도록 불러들이니, 모두 스스로 부른 것이다. 바르게 하더라도 부끄러운데 하물며 바르지 않음에야 말해 무엇 하겠는가?

○ 負者, 荷也. 三居四之下, 故曰負. 又居二之上, 故曰乘. 與睽上九應三而曰, 見豕負塗載鬼一車, 相似. 寇者. 坎之盜也, 需解之三, 皆言致寇, 而需之坎, 在外, 故能敬愼而不敗, 解之坎在內, 故終於自取而吝矣. 在屯, 則二之乘初, 爲其所難, 而與之相

交, 故曰非寇婚媾. 解, 則三之承四, 與之不交, 而爲其所解, 故曰, 致寇至. 爲所解, 而
奪其所乘, 則二變爲豫. 豫有暴客之象也. 致者, 自我致之也. 繫辭傳所謂謾藏誨盜,
卽致字意也. 貞吝者, 固守不變之失也. 貞凶, 貞厲, 皆此例.

'짊어진다'는 메고 간다는 것이다. 삼효가 사효의 아래에 있기 때문에 '짊어진다'고 하였다.
또 이효의 위에 있기 때문에 '올라탄다'고 하였다. 규괘(睽卦䷥) 상구가 삼효와 호응하여
"돼지가 진흙을 짊어진 것과 귀신이 한 수레 실려 있음을 본다"고 한 것과 서로 비슷하다.
도적은 감괘(坎卦☵)의 도적이니, 수괘(需卦䷄)와 해괘(解卦䷧)의 삼효에서 모두 도적을
불러온다고 하였는데, 수괘(需卦䷄)에서 감괘(坎卦☵)는 외괘에 있기 때문에 공경하고 삼
가면 패망하지 않을 수 있으며, 해괘(解卦䷧)에서 감괘(坎卦☵)는 내괘에 있기 때문에 끝내
스스로 취해 부끄럽게 되는 것이다. 준괘(屯卦䷂)는 이효가 초효를 올라타고 있으면서 어려
워 그것과 서로 교제하기 때문에 "도적이 아니라 혼인하려는 자이다"라고 하였다. 해괘(解
卦䷧)에서는 삼효가 사효를 계승하면서 그것과 사귀지 않고 풀리기 때문에 "도적을 오게
한다"라고 하였다. 풀려서 타고 있는 것을 빼앗으면 이효가 변해 예괘(豫卦䷏)가 되니, 예
괘에는 '사나운 나그네'의 상이 있다.[30] '오게 한다'는 것은 내가 불러들인다는 것이니, 「계
사전」에서 이른바 '보관을 허술하게 함이 도적을 조장한다'는 것이 오게 한다는 의미이다.
'곧게 하더라도 부끄러우리라' · '곧게 하더라도 위태로우리라'가 모두 이런 예이다.

김규오(金奎五) 「독역기의(讀易記疑)」

六三卽上六所謂隼與悖也. 上六, 成器之君子. 而此云寇者, 但取其來伐之意, 自三視
之, 固不害其爲寇. 又三是坎體, 故爲自我致戎也. 三以不中不正之體, 居坎互坎, 旣兼
二坎, 又互爲離, 附麗兩陽, 而上負下乘, 其情狀難測. 而又居上下體之間, 機關由之.
卦之大體, 今雖解難, 而他日復難之根, 潛伏於此, 深爲可憂, 故卦中精神, 專在去此.
田之解之射之, 靡不用極, 而象辭申申, 又別於他爻. 丘氏六三爲主之說, 得之矣. 九二
之狐, 以坎而言, 則所謂三狐, 亦當就坎體中勘之, 三狐之三, 安知非六三之三也.

육삼은 곧 상육에서 말하는 새매와 거슬림이다. 상육은 그릇을 완성한 군자이다. 그런데
여기서 도적이라고 한 것은 와서 치는 의미를 취했을 뿐이니, 삼효에서 보면 그것이 도적임
이 해롭지 않다. 또 감괘의 몸체이기 때문에 나로부터 도적을 부름이다. 삼효는 중정하지
않은 몸체로 감괘와 호괘 감괘에 있어 이미 두 감괘를 겸했다. 또 호괘가 리괘여서 두 양에
달라붙어 위는 짊어지고 아래는 올라타고 있어 그 정황을 알기 어렵다. 게다가 또 상하체의
중간에 있어 기관이 그것으로 말미암는다. 괘의 대체는 지금 어려움이 풀리지만 다른 날

---

30) 『周易 · 繫辭傳』: 重門擊柝, 以待暴客, 蓋取諸豫.

다시 어렵게 되는 근본이 여기에 잠복해서 더욱 걱정이 되기 때문에 괘의 정신은 오로지 이것을 제거함에 있다. 사냥하고 풀고 쏨에 끝까지 하지 않음이 없는데 「상전」의 말에서 거듭하고 거듭하여 또 다른 효와 구별하였다. 구씨의 육삼이 주인이라는 설은 옳다. 구이의 여우는 감괘로 말하였다면, 이른바 세 마리 여우도 감괘의 몸체에서 따져야 하니, 세 마리 여우의 셋은 육삼의 삼이 아님을 어떻게 알겠는가?

서유신(徐有臣)『역의의언(易義擬言)』

坎爲背, 故曰負, 爲多眚之輿, 故曰乘, 爲盜, 故曰寇, 六三之位有此象也. 陰柔不正, 居二陽之間, 有上負下乘之象. 負戎器而乘兵車, 蓋卒伍而爲戎右, 故以來寇也. 三又互坎, 其寇不一也. 貞之義難曉.

감괘가 등이기 때문에 '짊어진다'고 하였고, 하자가 많은 수레이기 때문에 '탄다'라고 하였으며, 도적이기 때문에 '도적'이라고 하였으니, 육삼의 위치에 이런 상이 있다. 바르지 못하고 부드러운 음이 두 양의 사이에 있어 위로 짊어지고 아래로 올라타는 상이 있다. 무기를 짊어져야 하는데 병거를 올라타고, 일반 병졸인데 임금의 수레를 호위하기 때문에 도적을 불러온다. 삼효는 또 호괘 감괘이니, 그 도적은 하나가 아니다. '곧다'는 의미는 알기 어렵다.

강엄(康儼)『주역(周易)』

按, 小人之處高位, 必皆邪濫而得之. 或以有功而得之, 或以有才而得之, 則亦可謂以正得之. 然高位於小人, 終不相稱, 故云亦可羞吝. 又按, 需之九三曰, 致寇至, 而象曰, 自我致寇, 敬愼不敗也, 本義云, 敬愼不敗, 發明占外之占. 此卦六三曰, 致寇至, 而象曰, 自我致戎, 又誰咎也. 不復言敬愼不敗之意, 然旣曰自我致戎, 則其所以不至於致戎, 皆亦可見其在我而已. 故本義云, 避而去之, 爲可免耳, 此卽所謂發明占外之占者也.

내가 살펴보았다: 소인이 높은 자리에 올라가는 것은 나쁜 방법으로 얻은 것이다. 어떤 이는 공이 있어 얻고, 어떤 이는 재주가 있어 얻으니, 또한 바른 방법으로 얻었다고 할 수 있다. 그러나 소인에게 높은 자리는 끝내 서로 어울리지 않기 때문에 부끄러울 것이라고 했다. 또 내가 살펴보았다: 수괘(需卦䷄)의 구삼에서 "도적이 옴을 초래할 것이다"라고 하였고, 「상전」에서 "내가 도적이 옴을 불렀으니, 공경하고 삼가면 패망하지 않을 것이다"라고 하였으며,『본의』에서 "'공경하고 삼가면 패망하지 않는다'는 것은, 점 밖의 점을 밝힌 것이다'라 하였다. 해괘(解卦䷧)의 육삼에서 "도적이 오게 한다"고 하고, 「상전」에서 "나로부터 도적을 불렀으니 또 누구를 탓하겠는가?"라고 하였다. '공경하고 삼가면 패망하지 않는다'는 뜻을 다시 말하지 않았지만 이미 "나로부터 도적을 불렀다"고 하였으니, 나로부터 도적을 부르

는 데 이르지 않은 것은 모두 자신에게 달렸음을 알 수 있다. 그러므로 『본의』에서 '피해서 떠나야만 벗어날 수 있다'고 하였으니, 이것이 곧 이른바 점 밖의 점을 밝힌 것이다.

박문건(朴文健) 『주역연의(周易衍義)』

載柔跨剛, 故有負且乘之象. 負難而乘險, 致寇之道也.

부드러움을 싣고 굳셈을 걸터앉았기 때문에 짊어지고 또 올라타고 있는 상이 있다. 짊어지기는 어렵고 올라타기는 험하니 도적을 부르는 도이다.

〈問, 負且乘以下. 曰, 六三非所負而負之, 非所乘而乘之者也, 故致二寇之至也. 若用柔貞, 則必有窮吝之道也.

물었다: '짊어져야 하는데 또 올라탔기에' 이하는 무슨 뜻입니까?

답하였다: 육삼은 짊어질 것이 아닌데 짊어졌고 올라탈 것이아닌데 올라탔기 때문에 이효의 도둑이 오게 하는 것이다. 만약 부드러움으로 곧음하면 반드시 곤궁하여 부끄럽게 되는 도가 있다.〉

〈○ 問, 夫子於此貞字, 取何義. 曰, 取之柔義也. 夫子於貞字有取正義者, 有取剛柔之義者, 爲取正義者, 爲多也.

물었다: 공자는 여기의 곧다는 말에서 어떤 의미를 취하였습니까?

답하였다: 부드럽다는 의미를 취하였습니다. 공자는 '곧다'는 말에서 바르다는 의미를 취하는 경우가 있고 굳세고 부드럽다는 의미를 취하는 경우가 있는데, 바르다는 의미로 하는 경우가 많습니다.〉

이지연(李止淵) 『주역차의(周易箚疑)』

爲寇於六三者, 乃君子也. 桀之狗吠堯, 當解難之時, 君子之於小人視之如狐, 而必欲獲之. 六三之竊據盛位者, 其能不見奪乎. 自六三觀之, 則君子其小人之盜也, 故象傳不曰寇, 而曰自我致戎, 戎, 討罪之謂也.

육삼에게 도적인 자는 바로 군자이다. 걸 임금의 개가 요임금에게 짖으니, 어려움이 풀리는 때에 군자는 소인에게 여우처럼 보여 반드시 잡으려고 한다. 육삼이 성대한 자리를 은근히 차지하였으니, 어찌 빼앗기지 않을 수 있겠는가? 육삼으로 보면 군자는 소인의 도적이기 때문에 「단전」에서 '도적'이라고 하지 않고, "나로부터 도적을 불렀다"고 했으니, 도적은 죄를 토벌하는 것을 말한다.

김기례(金箕澧) 「역요선의강목(易要選義綱目)」

三以陰才當負四, 而服從小人之役者, 自以剛位, 又乘二剛, 則若小人之當負擔者, 反乘君子之車. 盜見其人早器美就, 而奪其車, 則雖貞可吝.

삼효는 음의 재질로 사효를 짊어지고 소인의 일에 합당한 자인데 본래 굳센 자리에다가 또 굳센 이효를 올라탔고 있다면, 소인으로 짊어져야 할 자가 도리어 군자의 수레를 타고 있는 것과 같다. 도둑이 그 사람이 빠른 기구로 화려하게 나아가는 것을 보고 그 수레를 빼앗는다면, 바를지라도 부끄럽게 될 것이다.

○ 坎爲盜, 故曰寇.

감괘가 도적이기 때문에 '도적'이라고 하였다.

○ 陰爻, 故曰吝.

음효이기 때문에 '부끄러우리라'라고 하였다.

박종영(朴宗永) 「경지몽해(經旨蒙解)·주역(周易)」

程傳曰, 陰柔居下之上, 處非其位, 猶小人宜在下以負荷, 而且乘車, 非其據也. 必致寇奪之至, 小人竊盛位, 雖勉爲正事, 而終可吝也.

『정전』에서 말하였다: 육삼은 유약한 음으로 하괘의 위에 있어 있는 곳이 제 자리가 아니니, 소인이 아래에서 짐을 지고 메고 있어야 하는데 수레에 타고 있어 차지할 곳이 아닌 것과 같다. 반드시 도둑이 뺏으러 오게 만들 것이다. 소인이 성대한 지위를 훔쳤으니 힘써 바른 일을 하더라도 끝내 부끄러울 것이다.

심대윤(沈大允) 『주역상의점법(周易象義占法)』

解之恒䷟, 常久也. 六三以柔才居剛, 不辨高下, 不擇彼此, 而專以寬恕爲常, 介在二剛之間, 不失於四, 而亦不失於二, 有負而又乘之象. 負四可也, 乘二不可也, 寬於上可也, 寬於下不可也. 六三不知可否, 而一之昏懦, 不能自主, 可醜之甚. 故爲上四所慢, 下二所暴, 以致戎寇, 雖貞而吝也. 以其无應而无私係, 故不至於凶矣. 六三, 所謂自侮而人侮之者也, 非寬而栗者也. 離艮爲麗背, 曰負, 離巽爲升而麗, 曰乘. 六三之時, 歸與不歸者, 叄半也. 〈侯牧職方在上命, 大夫在下有負且乘之義.〉

해괘가 항괘(恒卦䷟)로 바뀌었으니, 항상되고 오래가는 것이다. 육삼은 부드러운 재질로 굳센 자리에 있음으로 고하를 분별하지 않고 피차를 택하지 않으며 오로지 너그럽게 용서하

는 것으로 항상됨을 삼아 두 굳셈 사이에 끼어있으면서 사효를 잃지 않고 이효도 잃지 않으
니 짊어지고 또 올라타는 상이 있다. 사효를 짊어지는 것은 괜찮고 이효를 올라타는 것은
안 되며, 윗사람에게 너그러운 것은 괜찮고 아랫사람에게 너그러운 것은 안 된다. 육삼은
그 가부를 몰라 한결같이 하고 어둡고 나약하여 스스로 주인이 될 수 없으니 아주 부끄러워
할 만하다. 그러므로 위로는 사효가 거만하다고 여기고 아래로는 이효가 사납다고 여겨 도
적을 불러들이니, 비록 바를지라도 부끄럽게 될 것이다. 호응이 없지만 사사롭게 매이는
것도 없기 때문에 흉하게 되지는 않는다. 육삼은 이른바 스스로 업신여겨 남들이 업신여기
는 자이지 너그러우면서 위엄있는 자가 아니다. 리괘와 간괘가 등에 달라붙음이니 짊어짐이
라고 하고, 리괘와 손괘는 올라가서 달라붙음이니 탐이라고 한다. 육삼의 때에 귀의하고
귀의하지 않는 것은 반이다. 〈제후와 관리들은 위에서 명령하고 대부는 아래에서 짊어지고
올라타는 뜻이 있다.〉

오치기(吳致箕) 「주역경전증해(周易經傳增解)」

六三陰柔, 不中不正, 居險之極, 而在下體之上. 卽小人之得位者也, 有負乘致寇之象.
故占言正乎爲吝也, 繫辭傳備矣.

육삼은 부드러운 음이고 중정하지 않으며 험난함의 끝에 있고 하체의 위에 있다. 곧 소인으
로 지위를 얻은 자로 짊어져야 하는데 또 올라탔기에 도적을 오게 하는 상이 있다. 그러므로
점에서 바르게 하더라도 부끄러울 것이라고 하였다. 「계사전」에 자세하다.

○ 負者, 擔荷之物, 而在背上. 故三承四, 而有背負之象. 坎爲輿, 而三乘二, 有乘車
之象. 寇取於坎爲盜也. 卦內言狐言拇言隼, 皆指此爻也.

'짊어진다'는 짊어져서 번거로울 물건인데 등에 있는 것이다. 그러므로 삼효가 사효를 계승
하는데 등에 짊어지는 상이 있다. 감괘는 수레이고 삼효가 이효를 올라탔으니, 수레를 올라
타고 있는 상이 있다. 도적은 감괘가 도적인 것에서 취하였다. 괘에서 여우·엄지발가락·
새매를 말한 것은 모두 삼효를 가리킨다.

이진상(李震相) 『역학관규(易學管窺)』

上負震器, 下乘坎□□, 坎之寇盜, 且至也. 承乘, 皆陽不中不正, 以處下卦之上, 故有
是象.

위로 움직이는 진괘라는 기구를 올라타고 아래로 감괘리는 □□를 타고 있으니, 감괘라는
도적이 또 온다. 계승하고 타는 것은 모두 양이 중정하지 않으면서 하괘의 위에 있기 때문에

이런 상이 있는 것이다.

○ 丘氏說, 斥六三.

육오의 소주에서 구씨가 육삼을 배척한 설명.

六三一爻不可直謂之三狐. 而前輩多以六三當之者, 以上六射隼之公, 難可竝謂之狐也. 然初之无咎, 自九四視之, 以爲拇, 三之得乘, 自上六視之, 謂之悖. 況上六陰之過中者也, 密比於五, 自二視之, 獨不得爲狐乎. 劉隅果於元帝, 而得城狐之目.

육삼이라는 한 효를 바로 세 마리 여우라고 말할 수 없다. 그런데 선배들이 대부분 육삼을 이렇게 보았던 것은 상육의 '새매를 쏘아 잡는 공'을 아울러 여우라고 하기 어려웠기 때문이다. 그러나 초효의 '허물이 없다'는 말을 구사에서 본다면 엄지발가락이고, 삼효의 '올라탔다'는 말은 상육에서 본다면 어그러졌다고 말한다. 하물며 상육은 음이 알맞음을 지나친 것으로 오효에 아주 가까이 있으니, 이효에서 본다면 그것만 여우가 되지 않을 수 있겠는가? 유우(劉隅)가 원제(元帝)에게 과감하여 성 안의 여우라는 지목을 받았다.

박문호(朴文鎬) 「경설(經說)·주역(周易)」

此且字, 與亦字乃字, 其義相近.

이 구절에서의 '~데[且]'는 '또한'·'이에'라는 말과 그 의미가 서로 통한다.

其知盜以下, 不復引用繫辭之文, 而只釋其義, 故讀者多有不通者. 凡如此處, 叅以繫辭讀之, 可也. 滿假假大也, 言自滿自大也. 伐者, 聲其罪也. 盜, 橫暴而至者也, 蓋謂橫暴之盜, 固不當行聲伐, 而此云伐者, 以小人之罪惡, 有浮橫暴之盜故也.[31]

『정전』의 "도적을 알았다"는 이하의 구절에서는 다시 「계사전」의 말을 인용하지 않고 단지 그 의미를 해석했기 때문에 독자들이 대부분 알지 못하는 것이 있다. 이와 같은 곳은 「계사전」을 참고해서 읽어야 한다. '거짓을 채워서'는 거짓으로 크게 한 것이니, 자만하고 과신하는 것을 말한다. '친다'는 것은 죄를 성토하는 것이다. 도적은 방자하고 난폭하게 오는 자로 방자하고 난폭한 도적을 말하니, 성토하여 칠 것까지는 없는데 여기에서 '친다'고 한 것은 소인의 죄악으로 방자하고 난폭한 도적을 증험하려는 까닭이다.

---

31) 小人之罪惡有浮橫暴之盜故也는 경학자료집성DB에 누락되어 있으나, 경학자료집성 영인본을 참조하여 보충하였다.

이정규(李正奎) 「독역기(讀易記)」

六[32]三以陰柔居[33]下體[34]之上動之位, 乘二剛負四剛, 如愚昧庸下者, 不量才質本分, 好上貪位[35]也. 如此者, 在家致鄕里之寇,[36] 在國致天下之兵, 必然之勢也.

육삼은 부드러운 음으로 아래 몸체에서 위로 움직이는 자리에 있어 굳센 이효를 올라타고 굳센 사효를 짊어지고 있으니, 이를테면 우매하고 용렬한 자가 재질과 본분을 생각하지 않고 위를 좋아하여 자리를 탐하는 것이다. 이와 같은 자가 집에서는 마을의 도적을 불러들이고, 나라에서는 천하의 군대를 불러들이는 것은 필연적인 형세이다.

---

32) 六: 경학자료집성DB에는 '一'으로 되어 있으나, 경학자료집성 영인본을 참조하여 '六'으로 바로잡았다.

33) 居: 경학자료집성DB에는 '□'로 되어 있으나, 경학자료집성 영인본을 참조하여 '居'로 바로잡았다.

34) 體: 경학자료집성DB에는 '□'로 되어 있으나, 경학자료집성 영인본을 참조하여 '體'로 바로잡았다.

35) 分好上貪位는 경학자료집성DB와 영인본에는 모두 '□□□□'로 되어 있으나, 문맥을 살펴 '分好上貪位'로 바로잡았다.

36) 寇: 경학자료집성DB에는 '□'로 되어 있으나, 경학자료집성 영인본을 참조하여 '寇'로 바로잡았다.

象曰, 負且乘, 亦可醜也. 自我致戎, 又誰咎也.

「상전」에서 말하였다: "짊어져야 하는데 또 올라탐"은 또한 추하며, 나로부터 도적을 불렀으니 또 누구를 탓하겠는가?

‖ 中國大全 ‖

傳

負荷之人而且乘載, 爲可醜惡也. 處非其據, 德不稱其器, 則寇戎之致, 乃己招取, 將誰咎乎. 聖人又於繫辭, 明其致寇之道, 謂作易者其知盜乎. 盜者乘釁而至, 苟无釁隙, 則盜安能犯. 負者, 小人之事, 乘者, 君子之器, 以小人而乘君子之器, 非其所能安也. 故盜乘釁而奪之. 小人而居君子之位, 非其所能堪也. 故滿假而陵慢其上, 侵暴其下, 盜則乘其過惡而伐之矣. 伐者, 聲其罪也, 盜, 橫暴而至者也. 貨財而輕慢其藏, 是敎誨乎盜使取之也. 女子而妖冶其容, 是敎誨淫者使暴之也. 小人而乘君子之器, 是招盜使奪之也, 皆自取之之謂也.

짐을 짊어지고 메고 있어야 할 사람인데 타고 싣고 있으니 추악함이 된다. 있는 곳이 그 자리가 아니어서 덕이 그 기구에 걸맞지 않은 것은 도적이 옴을 자신이 불러들인 것이니 누구를 탓하겠는가? 성인이 또한 「계사전」에서 그 도적이 이르는 도리를 밝혀서 "『주역』을 지은 이가 그 도적을 알았다"라 하였다. 도적은 틈을 타고 오니, 참으로 틈새가 없다면 도적이 어떻게 범할 수 있겠는가? 짊어지는 것은 소인의 일이고, 올라타는 것은 군자의 기구이다. 소인으로서 군자의 기구를 타니 편안할 수 있는 것이 아니다. 그러므로 도적이 틈을 타고 빼앗는다. 소인이면서 군자의 지위에 있으니 감당할 수 있는 것이 아니다. 그러므로 거짓을 채워서 윗사람을 업신여기고 아랫사람에게 포악하게 하니, 도적이 그 과오를 틈타서 칠 것이다. 친다[伐]는 것은 그 죄를 성토하는 것이고, 도적은 횡포하게 오는 것이다. 재물이 있는데 간수하기를 태만히 함은 도적에게 그것을 취하라고 가르치는 것이다. 여자가 용모를 요염하게 가꿈은 음란한 자에게 폭행하라고 가르치는 것이다. 소인이 군자의 기구를 올라탐은 도적을 불러들여 빼앗게 하는 것이니, 모두 스스로 취했음을 말한다.

小註

雷氏曰, 負且乘, 小人自以爲榮, 而君子所恥, 故可醜. 寇小則爲盜. 大則爲戎. 任使非人, 則變解而蹇, 天下起戎矣. 已所致也. 復誰咎哉.

뇌씨가 말하였다: '짊어져야 하는데 올라타음'을 소인은 스스로 영예롭게 여기지만 군자는 부끄러워하는 것이기 때문에 추하다. 도둑이 작게 도둑질 하면 도적이지만, 크면 하면 병란[戎]이 된다. 그 인물이 아닌 자에게 일을 맡기면 풀림이 변하여 어렵게 되어 천하에 전쟁이 일어날 것이다. 자기가 부른 것이니 다시 누구를 탓하겠는가?

○ 中溪張氏曰, 負販之人而且乘車, 處非其據, 竊位而已, 亦可醜也. 寇戎之至, 自我招之, 將誰咎乎. 我指三也, 戎指上也.

중계장씨가 말하였다: 짐을 짊어질 사람이 수레에 올라타 있고 있는 곳이 그 자리가 아닌 것은 자리를 훔친 것일 뿐이니 또한 추하게 여겨야 한다. 도둑과 전쟁이 이르는 것은 나로부터 불러들인 것이니 누구를 탓하겠는가? '내我'는 삼효를 가리키고, 병란[戎]은 상효를 가리킨다.

‖韓國大全‖

김상악(金相岳) 『산천역설(山天易說)』

亦可醜也, 與觀六二大過九五同. 士之竊位, 猶女之失身也. 又誰咎也, 與同人初九節六三同, 而此則无所歸咎之意也.

'또한 추하다'는 관괘(觀卦䷓) 육이[37]와 대과괘(大過卦䷛) 구오[38]와 같다. 선비가 지위를 훔치는 것은 여자가 몸을 잃는 것과 같다. '또 누구를 탓하겠는가?'는 동인괘 초구[39]와 절괘 육삼[40]과 같은데, 이것은 허물을 돌릴 곳이 없다는 의미이다.

서유신(徐有臣) 『역의의언(易義擬言)』

負任而乘車, 其狀醜惡也, 卽其位有盜象, 自致之義也.

---

37) 『周易·觀卦』: 象曰, 闚觀女貞, 亦可醜也.
38) 『周易·大過卦』: 象曰, 枯楊生華, 何可久也. 老婦士夫, 亦可醜也.
39) 『周易·同人卦』: 象曰, 出門同人, 又誰咎也.
40) 『周易·節卦』: 象曰, 不節之嗟, 又誰咎也.

짐을 짊어져야 하는데 수레를 타고 있는 것은 추악함을 상징한 것으로 곧 그 자리에 도적의 상이 있는 것이니, 스스로 불렀다는 의미이다.

박문건(朴文健)『주역연의(周易衍義)』

負賤者且乘貴, 故云, 可醜也. 戎, 外寇欲奪其所乘之器者也.

짊어진 천한 자가 또 귀함을 탔기 때문에 '추하다'고 하였다. 도적은 밖의 도적이 올라타고 있는 기구를 빼앗으려고 하는 자이다.

〈問, 周公以二與上爲寇, 而夫子以寇爲外戎且取車馬之義焉, 此二易不同處歟. 曰, 然.

물었다: 주공은 이효와 상효를 도적으로 여겼는데, 공자는 도적을 밖의 도적이 또 수레와 말을 빼앗는 의미로 봤으니, 이 두 가지의 역은 같지 않은 것입니까?

답하였다: 그렇습니다.〉

김기례(金箕澧)「역요선의강목(易要選義綱目)」

我謂三, 戎上六. 上六以正居上, 射六三之不正者. 上變則爲離. 離爲戈兵, 故曰戎. 然則無所歸咎.

'나'는 삼효를 말하고, 도적은 상육이다. 상육은 바름으로 꼭대기에 있으면서 바르지 않은 육삼을 쏘는 자이다. 상효가 변하면 리괘이다. 리괘는 무기이기 때문에 '도적'이라고 하였다. 그렇다면 허물을 돌릴 곳이 없다.

박종영(朴宗永)「경지몽해(經旨蒙解)·주역(周易)」

傳曰, 盜者乘釁而至, 苟无釁隙, 則盜安能犯. 負者, 小人之事, 乘者, 君子之器, 以小人而乘君子之器, 非其所能安. 故盜乘釁而奪之. 貨財而輕慢其藏, 是教誨乎盜使取之也. 女子而夭冶其容, 是教誨淫者使暴之也. 小人而乘君子之器是, 招盜使奪之也. 皆自取也.

『정전』에서 말하였다: 도적은 틈을 타고 오니, 참으로 틈새가 없다면 도적이 어떻게 범할 수 있겠는가? 짊어지는 것은 소인의 일이고, 올라타는 것은 군자의 기구이다. 소인으로서 군자의 기구를 타니 편안할 수 있는 것이 아니다. 그러므로 도적이 틈을 타고 빼앗는다. 재물이 있는데 간수하기를 태만히 함은 도적에게 그것을 취하라고 가르치는 것이다. 여자가 용모를 요염하게 가꿈은 음란한 자에게 폭행하라고 가르치는 것이다. 소인이 군자의 기구를 올라탐은 도적을 불러들여 빼앗게 하는 것이니, 모두 스스로 취한 것이다.

심대윤(沈大允) 『주역상의점법(周易象義占法)』

以自致, 故不可咎. 人以貞而不嚴, 雖取侮慢, 而人亦无咎之者. 稱爲善人, 兼此二義而言. 故曰, 自我致戎, 又誰咎也.

스스로 불러들였기 때문에 허물할 수 없다. 사람이 바른데도 엄격하지 않으면 업신여김을 당할지라도 사람이 또한 허물할 수 없는 것이다. 선한 사람이라 하는 것은 이 두 가지 의미를 아울러서 말한 것이다. 그러므로 "나로부터 도적을 불렀으니 또 누구를 탓하겠는가"라고 하였다.

오치기(吳致箕) 「주역경전증해(周易經傳增解)」

負荷之人, 而且乘載, 爲可醜惡也. 處非其據, 德不稱器, 則寇戎之致, 乃已招取, 將誰咎乎.

짊어지는 사람인데 또 올라타서 싣고 있음은 추악할만하다. 있는 곳이 자신이 차지할 곳이 아니고 덕이 기구와 어울리지 않는다면, 도적을 불러들임은 바로 자신이 초치한 것이니, 누구를 허물하겠는가?

이병헌(李炳憲) 『역경금문고통론(易經今文考通論)』

義詳繫辭, 九二指以爲狐, 上六指以爲準, 三亦以二與上爲寇, 所戒者貪.

의미는 「계사전」에 자세하다. 구이에서 가리켜서 여우라고 하고, 상육에서 가리켜서 새매라고 하였는데, 삼효에서도 이효와 상효를 도적으로 여겼으니, 경계하는 것은 탐욕이다.

九四, 解而拇, 朋至, 斯孚.

구사는 너의 엄지발가락을 풀면 벗이 와서 믿을 것이다.

中國大全

傳

九四以陽剛之才, 居上位, 承六五之君, 大臣也, 而下與初六之陰爲應. 拇在下
而微者, 謂初也. 居上位而親小人, 則賢人正士遠退矣, 斥去小人, 則君子之黨,
進而誠相得也. 四能解去初六之陰柔, 則陽剛君子之朋, 來至而誠合矣, 不解去
小人, 則己之誠未至, 安能得人之孚也. 初六, 其應, 故謂遠之爲解.

구사는 굳센 양의 재질로 윗자리에 있으면서 육오의 임금을 받드니 대신인데, 아래로 초육의 음과
호응한다. 엄지발가락은 아래에 있고 미미한 것이니, 초육을 말한다. 윗자리에 있으면서 소인과 친하
면 어진 이와 올바른 선비들이 멀리하여 물러갈 것이고, 소인을 배척해 버리면 군자의 무리들이 나아
와 진실로 서로를 얻을 것이다. 사효가 초육의 유약한 음을 풀어 버릴 수 있으면 굳센 양인 군자의
벗들이 와서 진실로 합할 것이고, 소인을 풀어버리지 못하면 자기의 정성이 지극하지 못함이니 어떻
게 남들의 믿음을 얻을 수 있겠는가. 초육이 그 호응이므로 멀리하는 것이 풀음[解]이라고 하였다.

本義

拇, 指初. 初與四, 皆不得其位而相應, 應之不以正者也. 然四陽而初陰, 其類則
不同矣, 若能解而去之, 則君子之朋, 至而相信也.

엄지발가락은 초효를 가리킨다. 초효와 사효는 모두 제자리를 얻지 못한 채로 서로 호응하니, 호응을
바른 것으로 하지 못하는 것들이다. 그러나 사효는 양이고, 초효는 음이니, 그 부류가 같지 않다.
만약 풀어서 버릴 수 있으면 군자의 벗들이 와서 서로 믿을 것이다.

小註

朱子曰, 四與初皆不得正, 四能解而拇者, 以四雖陰位而才則陽, 與初六陰柔則爲有間, 所以能解去其拇, 故得陽剛之朋類至而相信矣.

주자가 말하였다: 사효와 초효는 모두 제자리를 얻지 못하였으나, 사효가 너의 엄지발가락을 풀 수 있는 것은 사효가 비록 음의 자리이지만 재질이 양으로서, 유약한 음인 초육과 틈이 있기 때문에 엄지발가락을 풀어버릴 수 있는 것이다. 그러므로 굳센 양인 친구들이 와서 서로 믿을 수 있다.

○ 進齋徐氏曰, 朋謂二, 四與二皆剛, 故曰朋. 解之時, 陽能解陰, 剛能解柔, 九四欲解初六在下之陰, 解而拇也.

진재서씨가 말하였다: 벗은 이효를 말하니, 사효와 이효가 모두 굳센 양이므로 벗이라고 하였다. 풀어버리는 때에는 양이 음을 풀 수 있고, 굳셈이 부드러움을 풀 수 있으니 구사가 아래에 있는 초육의 음을 풀어버리려 함이 '너의 엄지발가락을 푸는 것'이다.

○ 雲峰胡氏曰, 本義謂四陽初陰, 其類不同, 初應四固无可咎. 自四觀之, 九二非應類也, 初六雖應非類也, 必去初六非類之陰, 則九二之陽朋至而相信. 本義但曰君子之朋, 意可見矣.

운봉호씨가 말하였다: 『본의』에서는 '사효는 양이고 초효는 음이니 그 부류가 같지 않다'고 하였으나, 초효가 사효와 호응하는 것은 굳이 허물할 것이 없다. 사효로부터 본다면 구이는 호응이 아닌데 동류이고, 초육은 호응하지만 동류가 아니니, 반드시 초육의 동류가 아닌 음을 없애야 구이의 양인 벗이 와서 서로 믿는다. 『본의』에서 '군자의 벗'이라고만 하였으니, 그 뜻을 알만하다.

韓國大全

조호익(曺好益) 『역상설(易象說)』

拇, 初, 在下象. 震爲足, 因足取象. 孚陽實象.

엄지발가락은 초효로 아래에 있는 상이다. 진괘는 발이니, 발로 상을 취하였다. 믿음은 양의 실상이다.

송시열(宋時烈) 『역설(易說)』

此主解之爻也. 震爲足, 居震初爻, 故以拇言之. 當解之時, 但解其拇者, 四非當君之位. 故雖小解而不能大也. 坎爲桎梏, 鎖人之手足, 故震將解之. 解其足, 指坤爲拇, 而震來消坤, 居於初爻, 亦解拇之象. 由前看, 則竝上下而言, 由後看, 則單指震卦而言, 覽者取捨. 蓋初六在坎陷之下, 不能涉險. 故四爻能小解之, 朋至斯孚, 與蹇五朋來同意, 言在下之朋類, 當自至而孚合也. 朋以傳義視之, 似指九二. 然蹇之二, 以應而來五, 解之二, 以類而至四. 來者, 以應而來合也. 至者, 以類而隨至也, 亦可分看否.

이것은 해괘(解卦䷧)의 주인인 효이다. 진괘는 발이고 진괘의 초효에 있기 때문에 엄지발가락으로 말하였다. 풀어버리는 때에 단지 그 엄지발가락을 풀어버리는 것은 사효가 임금의 지위에 해당하지 않아서이다. 그러므로 작게 풀어버리는 것일지라도 크게 할 수 없다. 감괘는 차꼬와 수갑으로 사람의 수족을 채울 수 있기 때문에 진괘가 풀어버리는 것이다. 그 발을 풀어버리는 것은 곤괘가 엄지발가락임을 가리키고 진괘가 와서 곤괘를 소멸하는 것이다. 초효에 있는 것이 또한 엄지발가락을 풀어버리는 상이다. 앞에서 보면 상하를 아울러서 말하고, 뒤에서 보면 홀로 진괘를 가리켜서 말하였으니, 보는 자가 취사한다. 초육이 감괘라는 함정 아래에 있어 험함을 건널 수 없다. 그러므로 사효가 작게 풀어버릴 수 있다는 것은 '벗이 와서 믿을 것이다'는 것으로 건괘(蹇卦䷦) 오효의 '벗이 온다'와 같은 의미이니, 아래에 있는 벗들이 스스로 와서 믿음으로 합해야 한다는 말이다. 벗은 『정전』과 『본의』로 보면 구이를 가리키는 것 같다. 그러나 건괘(蹇卦䷦)의 이효는 호응하여 오효에게 왔고, 해괘(解卦䷧)의 이효는 무리가 되어 사효에게 왔다. 오는 것은 호응하여 와서 합한 것이고, 이르는 것은 무리로 따라서 이른 것이니 또한 구별해서 봐야 하지 않겠는가?

이익(李瀷) 『역경질서(易經疾書)』

四與初爲應, 皆未當位. 拇者, 指初也. 四若繫累於不正之初, 則豈有朋至斯孚之道. 卦中兩陽爲朋, 可以相助, 惟其有初之應, 故牽連而不能也. 若解去其拇, 二之朋於是可至, 拇, 支體之一, 苟使病毒在此, 將爲全身之害, 則寧去此而保命. 如所謂蝮蛇螫[41] 手, 壯士解腕也. 四居上震之下, 有車象, 又近君義合乘車, 惟不當位, 故反爲六三攬取. 若其當位, 自有弭難之道, 亦豈至於解拇.

---

41) 螫: 경학자료집성DB에는 '蟄'으로 되어 있으나, 경학자료집성 영인본을 참조하여 '螫'으로 바로잡았다.

사효와 초효는 호응인데, 모두 마땅한 자리가 아니다. 엄지발가락은 초효를 가리킨다. 사효가 바르지 못한 초효와 엮이면, 어찌 벗이 와서 믿는 도가 있겠는가? 괘에서 두 양은 벗으로 서로 돕는데, 초효의 호응이 있기 때문에 끌려서 할 수 없다. 그 엄지발가락을 풀어버리면 이효의 벗이 이 때문에 올 수 있다. 발가락은 지체의 하나로 여기에 병의 근원인 독이 있으면 온몸에 해가 될 바에는 차라리 그것을 없애고 목숨을 유지하니, 이른바 살무사가 손을 물면 장사가 팔을 잘라버리는 것과 같다. 사효가 위의 진괘에서 아래에 있어 수레의 상이 있고, 또 임금과 가까워 의로 합해 수레를 타는데, 단지 자리에 마땅하지 않기 때문에 도리어 육삼에게 휘둘린다. 자리에 마땅하다면 저절로 어려움을 풀어버리는 도가 있으니, 또한 엄지발가락을 풀어버려야 하겠는가?

유정원(柳正源) 『역해참고(易解參攷)』

王氏曰, 失位不正, 比於三, 故三得附之, 爲其拇也. 三爲之拇, 則失初之應, 故解其拇, 然後朋至而信矣.

왕필이 말하였다: 자리를 잃어 바르지 않고 삼효와 가깝기 때문에 삼효가 달라붙으니 그 엄지발가락이다. 삼효로 그의 발가락을 삼으면 초효의 호응을 잃기 때문에 그 발가락을 풀어버린 다음에 벗이 와서 믿을 것이다.

○ 正義, 而, 汝也. 拇, 足大指也. 履於不正, 與三相比, 三從下來附之, 如指之附足.

『주역정의』에서 말하였다: 네[而]는 네[汝]이다. 엄지발가락은 발에서 큰 발가락이다. 바르지 않은 곳에 있고 삼효와 서로 가까워 삼효가 아래로 따라와서 달라붙으니 발에 달라붙은 발가락 같다.

○ 案, 解之時, 所貴在同德相濟, 又取其正應相合. 若其應之, 不以正者, 則必解而去之, 然後同德者, 信從矣.

내가 살펴보았다: 풀리는 때에는 같은 덕으로 서로 구제하는 것을 귀하게 여기고, 또 바른 호응으로 서로 합하는 것을 취한다. 그 호응이 바르지 않다면 반드시 풀어버린 다음에 같은 덕을 가진 자가 믿고 따를 것이다.

김상악(金相岳) 『산천역설(山天易說)』

而, 汝也. 拇, 指初三也. 朋, 謂二也. 解, 以解陰爲義. 九四居震, 爲成卦之主, 而三之比, 初之應, 皆非其類. 能解而去之, 則陽之朋, 必至而相信也.

너[而]는 너[汝]이다. 엄지발가락은 초효와 삼효를 가리킨다. 벗은 이효를 말한다. 해괘는 음을 풀어버리는 것으로 뜻을 삼는다. 구사는 진괘에 있어 괘를 이루는 주인인데, 삼효가 가까이 있고 초효가 호응하니, 모두 그 무리가 아니다. 풀어버릴 수 있다면 양의 벗이 반드시 와서 서로 믿을 것이다.

○ 震之足在上, 而初與三, 皆居下, 拇之象. 然應遠而比近, 三之爲拇, 益親切矣. 解拇而三變, 則咸之反, 咸則以初爲拇. 蓋二之與四, 本同德, 相比而柔下爲間, 互成離體. 離有二義, 一陰間於二陽, 則陰有附麗之象, 陽有分離之象也. 朋, 見蹇九五. 孚, 信也. 豫解之四, 乃同體之卦也, 豫曰勿疑朋盍簪, 故此曰, 朋至斯孚, 與勿疑爲對.
진괘라는 발이 위의 괘에 있는데 초효와 삼효가 모두 아래의 괘에 있으니, 엄지발가락의 상이다. 그러나 호응하는 것은 멀리 있고 가까이하는 것은 근처에 있으니, 삼효라는 발가락이 더욱 가깝고 절실하다. 엄지발가락을 풀어 삼효가 변하면 함괘(䷞)의 '거꾸로 된 괘[항괘䷝]'이다. 함괘에서는 초효를 엄지발가락으로 여겼다. 이효가 가서 사효와 함께 하는 것은 본래 같은 덕인데, 서로 가까이 부드러움이 아래에 있어 틈이 벌어졌으니, 호괘로 리괘의 몸체를 이룬다. 리괘에는 두 의미가 있으니, 하나는 음이 두 양 사이에 끼어 있는 것이다. 그렇다면 음에는 착 달라붙은 상이 있고, 양에는 분리하는 상이 있다. 벗은 건괘(蹇卦䷦) 구오에 있다.[42] '믿는다'는 것은 믿음이 있다는 것이다. 예괘(豫卦䷏)와 해괘(解卦䷧)의 사효는 같은 몸체의 괘로 예괘에서 "의심하지 않으면 벗들이 모여들리라"하였기 때문에 여기에서 "벗이 와서 믿을 것이다"라고 하였으니, 의심하지 않는 것과 짝이 된다.

서유신(徐有臣) 『역의의언(易義擬言)』

屯變爲解, 而九四自屯初來. 震爲足, 故曰解而拇也. 以下之拇, 居四之位, 殊不當矣. 故初六之朋來而相孚也. 初六, 亦拇也. 六三九四, 蓋是未解者, 故三曰寇至, 四曰朋至, 皆未解之辭也.
준괘(屯卦䷂)가 해괘(解卦䷧)로 변하였으니, 구사가 준괘의 초효에서 왔다. 진괘는 발이기 때문에 '너의 엄지발가락을 풀어버린다'고 하였다. 아래에 있는 엄지발가락이 사효의 위치에 있어 아주 마땅하지 않다. 그러므로 초육의 벗이 와서 서로 믿는다. 초육도 엄지발가락이다. 육삼과 구사는 아직 풀리지 않았기 때문에 삼효에서는 '도적이 온다'고 하였고, 사효에서는 '벗이 이르른다'고 하였으니, 모두 아직 풀리지 않았다는 말이다.

---

42) 『周易·蹇卦』: 九五, 大蹇, 朋來.

박문건(朴文健) 『주역연의(周易衍義)』

先疑後信, 故有解而拇之象. 而謂九四, 朋謂初六也.
먼저 의심하고 뒤에 믿기 때문에 너의 엄지발가락을 풀어버리는 상이 있다. 너는 구사를 말하고 벗은 초육을 말한다.

〈問, 解而拇以下. 曰, 初六疑四之進, 故維其拇也. 知其不進, 而後乃解其拇也, 是先施孚信之道者也. 朋若釋疑而至斯用相孚也. 四居上體之下, 故取拇象也.
물었다: "너의 엄지발가락을 풀어버린다" 이하는 무슨 뜻입니까?
답하였다: 초육은 사효가 나아갈 것을 의심하기 때문에 그의 엄지발가락을 묶어놓았던 것입니다. 그것이 나아가지 않을 것을 안 다음에야 그 엄지발가락을 풀어주니, 바로 먼저 믿음을 베푸는 도입니다. 벗이 만약 의심을 풀고 온다면 이것은 서로 믿는 것입니다. 사효가 위의 몸체에서 아래에 있기 때문에 엄지발가락의 상을 취하였습니다.〉

김기례(金箕澧) 「역요선의강목(易要選義綱目)」

拇指初, 朋指二.
엄지발가락은 초효를 가리키고 벗은 이효를 가리킨다.

○ 四雖應初, 以剛近君, 當解之時, 宜解夫陰柔小人. 則當有剛明君子以顙信至矣.
사효는 초효와 호응하지만 굳셈으로 임금을 가까이 하니, 풀림의 때에 부드러운 음의 소인을 풀어버려야 한다. 그렇게 하면 굳세고 밝은 군자들이 절을 하며 지극히 믿을 것이다.

심대윤(沈大允) 『주역상의점법(周易象義占法)』

解之師䷆, 衆也. 衆之歸附者, 廣矣. 九四以剛居柔, 非勉爲寬者也. 應於初, 而爲二所隔舍之, 而不就, 故曰, 解而拇, 言寬恕有所不施也. 拇, 在下而動之象, 謂初也. 九四, 位高而能寬. 寬而能有所不寬, 人之所誠服也. 故曰朋至斯孚, 言斯孚者, 以明在乎人, 與六五有孚之出乎我, 不同也. 坎爲孚, 指三與五也. 有四之剛才, 而未當大君之位, 故寬恕之所不施者, 止於其人而已, 在天下之人, 則不得不寬恕也. 卑賤者, 不得不過於寬恕, 而有位者, 不宜過寬於私屬也. 解之道, 无所不寬恕, 則不成爲寬恕矣. 唯其有所不寬恕, 然後能爲寬恕也. 故寬恕之所不施, 亦謂之解, 解, 釋也.
해괘가 사괘(師卦䷆)로 바뀌었으니 무리이다. 무리가 돌아가 의지하는 것은 넓다. 구사가 굳셈으로 부드러운 자리에 있으니 힘써 너그럽게 하지 않는 자이다. 초효와 호응하지만 이효가 가로막고 있어 나아가지 못하기 때문에 "너의 엄지발가락을 풀어버리라"고 하였으니,

너그러운 용서로는 베풀지 못하는 것이 있다. 엄지발가락은 아래에서 움직이는 상이니, 초효를 말한다. 구사는 지위가 높아 너그러울 수 있다. 너그럽지만 너그럽지 않을 수 있으니 사람들이 진실로 복종하는 것이다. 그러므로 "벗이 와서 '믿을 것이다[孚]'"라고 하였으니, 여기의 믿음은 분명히 남에게 있어 육오의 '증험[孚]'이 나를 벗어나 있는 것과는 다르다는 말이다. 감괘는 믿음(증험)이니 삼효와 오효를 가리킨다. 사효의 굳센 재질이 있지만 대군의 지위에는 합당하지 않기 때문에 너그러운 용서가 시행되지 않는 것이 그 사람에게 그칠 뿐이고, 천하의 사람들에게서는 너그럽게 하지 않을 수 없다. 비천한 자는 너그러운 용서를 지나치지 않을 수 없고, 지위가 있는 자는 집안 식구들에게 지나치게 너그러워서는 안 된다. 해괘의 도는 너그럽게 용서하지 않는 것이 없으니, 너그럽게 용서함이 되지 않는다. 오직 너그럽게 용서하지 않는 것이 있은 다음에 너그럽게 용서할 수 있다. 그러므로 너그러운 용서가 시행하지 않는 것도 해(解)라고 하니, 해는 풀어버리는 것이다.

오치기(吳致箕) 「주역경전증해(周易經傳增解)」

九四, 以陽剛之才, 居大臣之位, 當解難之任者也. 然以剛居柔, 不得其正而親比六三之柔邪, 故戒言若能以其陽剛決去切近之小人, 如解其拇, 則同德中直之朋, 當自至而相孚, 无小人之害也.

구사가 굳센 양의 재질로 대신의 자리에 있으니 어려움을 풀러버릴 책임을 맡은 자이다. 그러나 굳셈으로 부드러운 자리에 있어 그 바름을 얻지 못하고 부드러운 육삼을 가까이 하기 때문에 엄지발가락을 풀어버리 듯이 그 굳센 양으로 아주 가까운 소인들을 싹 없애버릴 수 있다면, 당연히 덕을 같이 하는 중도의 강직한 친구들이 스스로 와서 서로 믿어 소인들의 해로움을 없앨 수 있다.

○ 而, 謂汝也, 呼九四而言也. 震爲足, 而拇附於足. 三居四下, 爲拇之象, 而喩切近之小人也. 四之陽剛, 惟與二同德, 故指二曰朋. 孚取於互坎.

'너[而]'는 너[汝]를 말하니, 구사를 불러서 말한 것이다. 진괘가 발이니 너의 엄지발가락이 발에 붙어 있다. 삼효가 사효의 아래에 있어 발가락의 상이 되어 아주 가까운 소인을 비유했다.

이진상(李震相) 『역학관규(易學管窺)』

震爲足, 而三附其下, 故曰拇. 解去六三之小人, 則九二之同德者, 至而相孚矣. 入坎體之中, 故有孚象. 傳義, 以初爲拇. 然二之朋至, 不待乎解初也.

진괘는 발이고 삼효가 그 아래에 의지하고 있기 때문에 '엄지발가락'이라고 하였다. 육삼의 소인을 풀어버리면 덕이 같은 구이가 와서 서로 믿는다. 감괘의 몸체 가운데로 들어갔기 때문에 믿는 상이 있다. 『정전』과 『본의』에서는 초효를 발가락으로 여겼다. 그러나 이효의 친구가 오니 초효를 풀어버릴 필요가 없다.

박문호(朴文鎬) 「경설(經說)·주역(周易)」

小人之罪惡, 有浮於橫暴之盜故也.
소인들의 죄악은 횡포한 도적을 믿기 때문이다.

拇, 足之大指, 而此云微者, 蓋通一身而言也.
엄지발가락은 큰 발가락인데, 여기서 작다고 한 것은 일신을 통괄해서 말했기 때문이다.

이정규(李正奎) 「독역기(讀易記)」

以四⁴³⁾出險而動者, 叱也. 實⁴⁴⁾爲解⁴⁵⁾之主, 而其位不正, 所與匪人, 故人不以靑天白日信⁴⁶⁾之, 必待解而拇⁴⁷⁾, 然後⁴⁸⁾朋至斯孚, 則君子居地與所親, 可不愼歟.
사효가 험난함을 벗어나 움직이는 것은 꾸짖기 때문이다. 실로 해괘의 주인인데 그 자리가 바르지 않아 아닌 사람들과 함께 하기 때문에 밝은 날에는 믿지 않고, 반드시 너의 엄지발가락을 풀러버리는 것을 기다린 그런 다음에 벗이 와서 믿을 것이니, 군자가 있을 곳과 가까이 하는 자들을 삼가지 않겠는가?

---

43) 以四: 경학자료집성DB에는 '□□'로 되어 있으나, 경학자료집성 영인본을 참조하여 '以四'로 바로잡았다.
44) 實: 경학자료집성DB에는 '□'로 되어 있으나, 경학자료집성 영인본을 참조하여 '實'로 바로잡았다.
45) 解: 경학자료집성DB에는 '□'로 되어 있으나, 경학자료집성 영인본을 참조하여 '解'로 바로잡았다.
46) 日信: 경학자료집성DB에는 '□□'로 되어 있으나, 경학자료집성 영인본을 참조하여 '日信'으로 바로잡았다.
47) 拇: 경학자료집성DB에는 '□'로 되어 있으나, 경학자료집성 영인본을 참조하여 '拇'로 바로잡았다.
48) 後: 경학자료집성DB에는 '□'로 되어 있으나, 경학자료집성 영인본을 참조하여 '後'로 바로잡았다.

象曰, 解而拇, 未當位也.

「상전」에서 말하였다: "너의 엄지발가락을 풀음"은 자리가 마땅하지 않아서이다.

‖中國大全‖

傳

四雖陽剛, 然居陰, 於正, 疑不足, 若復親比小人, 則其失正, 必矣. 故戒必解其拇, 然後能來君子, 以其處未當位也. 解者, 本合而離之也, 必解拇而後, 朋孚. 蓋君子之交而小人容於其間, 是與君子之誠, 未至也.

사효가 굳센 양이지만 음의 자리에 있어 바름이 부족할까 의심되는데 만약 다시 소인과 친밀하다면 분명히 그 바름을 잃을 것이다. 그러므로 반드시 그 엄지발가락을 풀어버린 뒤에 군자를 오게 할 수 있다고 경계하였으니, 그 거처가 마땅한 자리가 아니기 때문이다. '푼다[解]'는 본래 합친 것을 떼어놓음이니 반드시 엄지발가락을 풀어버린 뒤에 벗이 믿을 것이다. 이는 군자가 사귀는데 소인이 그 사이에 낀 것이니, 군자와 함께하는 정성이 지극하지 못해서이다.

小註

中溪張氏曰, 四以剛居柔, 故有未當位之戒.

증계장씨가 말하였다: 사효는 굳센 양으로서 부드러운 음의 자리에 있으므로 자리가 마땅하지 않음에 대한 경계가 있다.

▌韓國大全▌

김상악(金相岳) 『산천역설(山天易說)』

以剛居柔, 未當位也. 若復親比小人, 則其陽剛之朋, 必不信, 所以有解拇之戒也.

굳셈이 부드러운 자리에 있기 때문에 자리가 마땅하지 않다. 다시 소인을 가까이 하면 양의 굳센 친구들이 반드시 믿지 않기 때문에 엄지발가락을 풀라는 경계가 있다.

서유신(徐有臣) 『역의의언(易義擬言)』

九居四, 未當也, 拇居上未當也.

구가 사효에 있는 것이 마땅하지 않고, 엄지발가락이 위에 있는 것이 마땅하지 않다.

박문건(朴文健) 『주역연의(周易衍義)』

未得其位, 故有先維後解之難也.

자리가 마땅하지 않기 때문에 먼저 밧줄을 매고 뒤에 풀어주는 어려움이 있다.

이지연(李止淵) 『주역차의(周易箚疑)』

以君子解去小人之時, 初則陰也, 九二其君子之朋乎. 位未當者, 不幸當與初爲應之位, 故初爲四之拇也.

군자가 소인을 풀어 없앨 때에 초효는 음이고 구이는 군자의 친구들일 것이다. 자리가 마땅하지 않는 자가 불행히 초효와 호응하는 지위이기 때문에 초효가 사효의 엄지발가락이다.

김기례(金箕澧) 「역요선의강목(易要選義綱目)」

未當位, 四雖剛才, 居陰位, 則恐比小人而失正, 戒解去陰應, 交信同德之朋也.

자리가 마땅하지 않음은 사효가 굳센 재질이나 음의 자리에 있으니 소인을 가까이 하여 바름을 잃을까 싶어 음의 호응을 풀어 없애고 같은 덕의 친구들과 교신하라고 경계하였다.

심대윤(沈大允) 『주역상의점법(周易象義占法)』

不能解天下, 而只解其拇者, 未當君位也.

천하를 풀어버릴 수 없어 단지 그 엄지발가락을 풀어버리라는 것은 임금의 자리에 마땅하지 않기 때문이다.

오치기(吳致箕) 「주역경전증해(周易經傳增解)」

四雖陽剛, 而以其居柔失正. 故小人得容於其間, 使二四君子之朋, 其交不能相孚, 所以戒當解也. 解者, 本合而離之也.

사효가 굳센 양이지만 부드러운 자리에 있어 바름을 잃었다. 그러므로 그 틈에 소인들이 허용되어 이효와 사효라는 군자의 친구들이 사귐을 미덥게 할 수 없도록 하기 때문에 풀어버려야 한다고 경계하였다. 풀어버리는 것은 본래 합했던 것을 떼어놓는 것이다.

박문호(朴文鎬) 「경설(經說) · 주역(周易)」

與君子之誠未至, 其義未詳, 與或使之誤耶.

『정전』에서 "군자와 함께 하는 정성이 지극하지 못하다"는 그 의미가 자세하지 않으니, '함께 한다[與]'는 말은 사(使)자의 잘못인 것 같다.

六五, 君子維有解, 吉, 有孚于小人.

육오는 군자가 오직 풀음이 있으면 길하니, 소인에게서 증험이 있을 것이다.[49]

|中國大全|

傳

六五居尊位, 爲解之主, 人君之解也, 以君子通言之. 君子所親比者, 必君子也, 所解去者必小人也. 故君子維有解則吉也. 小人去則君子進矣, 吉孰大焉. 有孚者, 世云見驗也, 可驗之於小人, 小人之黨去, 則是君子能有解也. 小人去, 則君子自進, 正道自行, 天下不足治也.

육오는 존귀한 지위에 있어 해괘의 주인이 되니, 임금이 푸는 것이지만 군자로 통칭하여 말하였다. 군자가 친밀한 자는 반드시 군자이고, 풀어서 버리는 자는 반드시 소인이다. 그러므로 군자가 오직 풀음이 있으면 길하다. 소인이 제거되면 군자가 나오니 이보다 큰 길함이 있겠는가? '증험이 있음'은 세상에서 말하는 '증거가 나타남'으로 소인에게서 증험할 수 있으니, 소인의 무리가 제거됨은 군자가 풀 수 있어서이다. 소인이 제거되면 군자가 스스로 나아가 바른 도리가 저절로 행해지니 천하는 다스릴 것도 없다.

本義

卦凡四陰而六五當君位, 與三陰同類者, 必解而去之則吉也. 孚, 驗也, 君子有解, 以小人之退, 爲驗也.

괘에 음이 넷인데 육오가 임금의 지위에 있으면서 세 음과 동류인 것은 반드시 풀어버리면 길하다. '증험[孚]'은 증거이다. 군자가 풀어버림이 있는 것은 소인이 물러가는 것으로 증험을 삼는다.

---

49) 여기에서 유부우소인(有孚于小人)은 소인이 행동하는 것에서 그 효험이 드러난다는 말이다. 즉, 군자가 일을 잘 풀어낸 결과가 보증되어 소인이 물러가는 효험으로 드러나 보인다는 뜻이다.

小註

雲峰胡氏曰, 爻位吉凶无常, 原其卦體之休咎, 觀其時物之向背, 或指而云吉, 或戒而示凶, 作易者自有微權也. 此爻曰, 君子維有解吉者, 五得中, 可爲君子, 六爲陰, 亦類小人. 君子有解之吉, 必以小人之去爲驗也. 九二以陽居臣位, 三陰非類也, 必解而去之, 乃吉. 六五以陰居尊位, 三陰同類也, 不解而去之, 失君道矣, 吉未可知也. 卦唯四五言解, 四能解非類之小人, 可以來君子, 五能解同類之小人, 亦可驗其能爲君子.

운봉호씨가 말하였다: 효의 자리는 길흉이 고정되어 있지 않으니, 괘체의 길흉[休咎]을 근거로 당시 사물의 향배를 살펴서 어떤 것을 가리켜 길하다 하기도 하고 어떤 것을 경계하여 흉함을 나타내기도 하니, 역을 지은 자가 본래 은미하게 저울질했기 때문이다. 이 효에서 "군자가 오직 풀음이 있으면 길하다"고 한 것은 오효가 중을 얻어 군자라고 할 수 있지만 육효는 음이어서 또한 소인과 동류이기 때문이다. 군자의 풀음이 있는 것이 길함은 반드시 소인이 가버리는 것으로 증험을 삼는다. 구이는 양으로서 신하의 지위에 있고, 세 음과 동류가 아니니, 반드시 풀어버려야 길하다. 육오는 음으로서 존귀한 지위에 있으며 세 음과 동류이니, 풀어 버리지 않으면 임금의 도를 잃게 되어 길함을 알 수 없다. 괘의 사효와 오효에서만 '풀어버린다'고 하였는데, 사효는 동류가 아닌 소인을 풀어버릴 수 있어서 군자를 오게 할 수 있으며, 오효는 동류인 소인을 풀어버릴 수 있으면 역시 그가 군자가 될 수 있음을 증험할 수 있다.

○ 建安丘氏曰, 險難, 小人之爲也. 小人情狀, 最爲不一, 狐以言其蠱惑, 隼以言其鷙害, 拇以言其附麗, 負且乘以言其僭竊也. 聖人於諸爻, 所以斥六三者, 已極其形容矣. 至此復明以小人斥之, 斥之以小人者, 所以顯其罪而去之也. 然生天下之難者, 莫甚於小人, 而人君能解天下之難者, 莫大於君子. 唯六五之君, 得君子以爲解難之助, 此小人之所以心服而退聽也.

건안구씨가 말하였다: 험난함은 소인이 하는 짓이다. 소인의 실상은 모두 한 가지가 아니므로 여우로 그 미혹됨을 말하였고, 새매로 맹금의 해로움을 말하였고, 엄지발가락으로 그 달라붙음을 말하였으며, '짊어져야 하는데 올라타고 있음'으로 그 참람하게 훔침을 말하였다. 성인이 여러 효 가운데 육삼을 배척한 것이 이미 그 형용을 다하였는데, 여기에서 다시 밝혀 소인으로 배척하였다. 소인으로 배척하는 것은 그 죄를 드러내어 제거하는 것이다. 그러나 천하의 어려움을 발생시키는 것은 소인보다 심할 것이 없고, 임금이 천하의 어려움을 풀 수 있는 것은 군자보다 큰 것이 없다. 오직 육오의 임금이 군자를 얻어 어려움을 푸는 조력자로 삼아야하니, 이는 소인이 마음으로 복종하여 물러나 따르는 까닭이다.

○ 雙湖胡氏曰, 嘗觀, 卦體不吉, 諸爻雖得位, 以剛中正之君, 幾濟之不足, 蹇之九五
是也. 卦體旣吉, 諸爻雖不得位, 以柔不中正之主, 亦處之有餘, 解之六五是也. 以是,
知卦有小大, 實係卦體, 而不專係六爻, 於此可以見矣. 然解六五, 不過爲守成之常君,
蹇九五則實爲撥亂之英主, 遇蹇困而非如是之君, 生人之類, 復何賴焉. 吁, 此易之所
以爲易也.

쌍호호씨가 말하였다: 일찍이 살펴보았더니, 괘체(卦體)가 길하지 못하면 여러 효가 제 자
리를 얻더라도, 굳세고 중정한 임금으로 구제하기에 부족하니 건괘(蹇卦)의 구오가 이것이
다. 괘체(卦體)가 이미 길하면 여러 효가 비록 제자리를 얻지 못하더라도 유약하고 중정하
지 못한 임금으로 또한 넉넉히 대처할 수 있으니 해괘(解卦)의 육오가 이것이다. 이로써
괘에 크고 작음이 있음을[50] 아는 것은 실로 괘체와 관련되고, 전적으로 여섯 효와 관련되지
않음을 여기에서 볼 수 있다. 그러나 해괘의 육오는 수성(守成)하는 보통 임금에 불과하고,
건괘의 구오는 실로 혼란을 다스리는 영명한 군주이니, 험난한 곤경을 만났을 때 이러한
임금이 아니라면 백성의 무리들이 다시 누구에게 의지하겠는가? 아, 이것이 역(易)이 역이
되는 까닭이다.

┃韓國大全┃

조호익(曹好益) 『역상설(易象說)』

君子指五, 小人指三陰同類, 雲峯曰, 五得中可爲君子, 六爲陰亦類小人. 愚謂易中孚
字, 皆作孚信之義, 獨此作孚驗之義, 恐未安. 愚因張氏之說, 以爲孚五虛中之象. 君子
有所解去, 則吉而有孚於小人之心, 如舜之退四凶, 豈有不心服之理.

군자는 오효를 가리키고 소인은 세 음이 동류인 것을 가리키니, 운봉이 "오효가 중을 얻어
군자라고 할 수 있지만 육효는 음이어서 또한 소인과 동류이다"라고 하였다. 내 생각에 『역』
에서 '증험[孚]'이라는 말은 모두 '믿음[孚信]'의 의미로 되어있는데, 여기서만 증험의 의미로
하는 것은 자연스럽지 않다. 나는 장씨의 설을 근거로 믿음은 가운데가 비어있는 오효의
상이라고 여긴다. 군자가 풀어버림이 있으면 길하여 소인에게 증험이 있는 것은 순임금이

---

50) 『周易・繫辭傳』: 是故, 卦有小大, 辭有險易, 辭也者, 各指其所之.

사흉(四凶)을 물리친 것과 같으니 어찌 심복하지 않을 이치가 있겠는가?

송시열(宋時烈) 『역설(易說)』

五雖處君位, 陰柔, 故不能自主. 特維持於九四之剛陽, 有解之功, 故曰維有解. 然則小人皆孚信其上之心, 而退聽矣, 所以吉也. 以象言之, 震錯則爲巽. 巽爲繩, 若以繩維繫之也.

오효가 비록 임금의 자리에 있지만 부드러운 음이기 때문에 스스로 주인 노릇할 수 없다. 오직 굳센 양인 구사와 유지하기만 하면 풀어버리는 공이 있기 때문에 "오직 풀림이 있다"고 하였다. 그렇다면 소인은 모두 그 윗사람의 마음을 믿고 물러나 순종하기 때문에 길하다. 상으로 말하면 진괘(震卦☳)의 음양이 바뀐 괘가 손괘(巽卦☴)이다. 손괘는 밧줄이니, 밧줄로 묶어두는 것과 같다.

석지형(石之珩) 『오위귀감(五位龜鑑)』

臣謹按, 解之六五, 以小人之退散, 驗君子之解難. 蓋陽六分, 則陰四分, 陰六分, 則陽四分. 賢邪盛衰, 與之消長. 進退扶抑, 存乎人主, 觀其朝, 而小人皆散, 則人主之進君子, 可驗矣. 觀其朝, 而小人未退, 則君子之不遇主, 可驗矣. 世運之否泰, 主道之得失. 壹以小人爲候, 則所謂君子維有解有孚于小人者, 其理不亦明甚乎. 雖然, 事貴有漸慮必經遠. 解字, 有從容不迫之意, 无震撼擊撞之象, 故能釋險難而无後菑. 此君子之待小人, 所以不欲已甚也. 且孚字, 非特可訓爲驗, 直謂之以誠心退小人, 其義亦通. 伏願殿下誠於擧錯之際, 而驗諸進退之實焉.

신이 삼가 살펴보았습니다: 해괘(解卦䷧)의 육오는 소인이 물러나 흩어지는 것으로 군자가 어려움을 풀어버린 것에 대해 증험했습니다. 양이 육분이라면 음이 사분이고, 음이 육분이라면 양이 사분이니 어짊과 간사함·성대함과 쇠약함이 그것과 함께 사라지고 자랍니다. 나아감과 물러남, 북돋움과 억누름은 임금에게 달려 있으니, 그 조정을 보았는데 소인이 모두 흩어졌으면, 임금이 군자를 나아오게 한 것을 증험할 수 있습니다. 그 조정을 보았는데 소인이 아직 물러나지 않았으면 군자가 주인을 만나지 못한 것을 증험할 수 있습니다. 세상의 운수가 막히고 편안함은 임금의 도가 잘하고 못합니다. 오로지 소인으로 조짐을 삼으면 "군자가 오직 풀음이 있으면 소인에게 증험이 있을 것"이라는 것은 그 이치를 또한 심하게 밝히는 것이 아니겠습니까? 그렇다고 할지라도 일의 귀함은 조금씩 생각해서 반드시 멀리까지 헤아리는 데 있습니다. '풀림'이라는 말에는 여유 있게 서둘지 않는다는 의미가 있고 뒤흔들어 부딪힌다는 상은 없기 때문에 험난함을 풀어버려서 뒤의 재앙을 없앨 수 있습니다. 이것은 군자가 소인을 막음에 이미 심하게 물리치지 않고자 하는 까닭입니다. 또 증험이라는 말에는 체험으로 풀이할 수 있을 뿐만이 아니라 바로 성심으로 소인을 물리치는 것으로 말할 수 있으니, 그런 의미도 통합니다. 전하께서는 거동하실 때에 성심을 다하시고 나아가고 물러나는 것에서 증험하시길 엎드려 바라옵니다.

유정원(柳正源) 『역해참고(易解參攷)』

正義, 以君子之道解難, 則小人皆信服之, 故曰, 有孚于小人也.

『주역정의』에서 말하였다: 군자의 도로 어려움을 풀어버리면 소인이 모두 믿고 복종하기 때문에 "소인에게 증험이 있을 것이다"라고 하였다.

○ 雙湖胡氏曰, 五柔中爲君子, 初无咎, 上公用, 唯三負乘. 小人欲知君子有解, 驗之于三, 五能用上射三而獲之, 則可以見矣.

쌍호호씨가 말하였다: 오효는 부드러우면서 알맞아 군자이고, 초효는 허물이 없으며, 상효는 공인데, 삼효만 짊어져야 하는데 올라타고 있다. 소인은 군자가 풀음이 있음을 알고자 하니, 삼효에서 증험하여 오효가 상효로 삼효를 쏘아서 잡는다면 그것을 볼 수 있을 것이다.

○ 案, 六五柔弱之君也, 而位陽得中, 如太甲成王之賢者也. 但其上下三陰, 同類而進, 必解而去之, 而信任九二之君子, 則解可信矣.

내가 살펴보았다: 육오는 유약한 임금인데, 양의 자리이고 알맞음을 얻었으니, 태갑이나 성왕처럼 현명한 왕이다. 다만 그 아래위로 세 음이 같은 무리로 오니 반드시 풀어버리고 구이의 군자를 신임하면 풀림을 믿을 수 있다.

김상악(金相岳) 『산천역설(山天易說)』

當解之時, 柔中居尊, 三以不正之陰, 互離體以附麗, 五能維繫乎. 承應之陽, 以君子之道有解, 則吉而有孚於小人也, 舜湯擧皐陶伊尹. 不仁者, 遠此爻之義也.

풀리는 때에 부드러움이 존귀한 자리에 있고, 삼효는 바르지 못한 음으로 호체인 리괘로 착 달라붙었으니, 오효가 그것에 묶일 것이다. 계승하고 호응하는 양효가 군자의 도로 풀음이 있으면 길하고 소인에게 증험이 있을 것이니, 순임금과 탕임금이 고요와 이윤을 등용한 것이다. 어질지 않은 자는 오효의 의미와 거리가 멀다.

○ 解與渙, 其義相似. 渙之四曰, 渙其群, 亦有解之象. 蓋氣散爲解, 故取象于雷雨.

形散爲渙, 故取象于風水, 所以解四之解拇, 以形言, 渙五之汗號, 以氣言者, 氣與形之相禪也. 三之陰, 居人位, 小人之象也. 孚, 卽不誡以孚之孚也, 有孚于小人, 卽中孚豚魚吉之意也. 或曰, 四之孚, 信也, 五之孚, 驗也, 故四解拇, 而朋類之至相信, 五有解, 而小人之退可驗也.

해괘(解卦䷧)는 환괘(渙卦䷺)와 그 의미가 서로 비슷하다. 환괘의 사효에서 "흩어짐에 무리를 이룬다"고 한 것에도 풀림의 상이 있다. 기운이 분산되어 풀리기 때문에 우레와 비에서 상을 취했다. 형체가 분산되어 흩어지기 때문에 바람과 물에서 상을 취했다. 해괘의 사효에서 '엄지발가락을 풀어버리는 것'은 형체로 말하고, 환괘의 오효에서 '호령을 땀이 나듯이 하는 것'은 기운으로 말한 것이니, 이것은 기운과 형체가 서로에게로 변해가는 것이기 때문이다. 삼효의 음은 사람의 자리에 있으니 소인의 상이다. '증험[孚]'은 태괘(泰卦) 육사의 '경계하지 않아도 믿음이 있을 것이다'의 '믿음[孚]'이니, '소인에게 증험이 있을 것이다'는 바로 중부괘(中孚卦)의 '돼지와 물고기까지 하면 길하다'는 의미이다. 어떤 이가 "사효의 '믿을 것이다'는 믿는다는 것이고, 오효의 증험은 체험이기 때문에 사효에서는 엄지발가락을 풀어버리면 벗이 와서 서로 믿을 것이고, 오효에서는 풀음이 있으면 소인이 물러남을 체험할 것이다"라고 하였다.

김규오(金奎五) 「독역기의(讀易記疑)」

六五爻辭, 雖作君子有解于小人, 宜无不可, 而今不然者, 竊疑有解云者, 統言解難之意, 而天下當解之事, 皆在其中其意. 若曰, 君子解一世之難, 而其解之至否, 必驗於小人之退否云也, 不似他爻譬辭而直言君子小人者, 五爲人位也, 又以五爲君子, 而六有小人之嫌故也.

육오의 효사에서 '군자가 풀음이 있으면 소인에게 증험이 있을 것이다'라고 한 것이 불가함이 없을지라도 이제 그렇지 않은 것은, '풀음이 있다'라고 한 것은 어려움을 푼다는 의미로 통괄하여 말한 것인데 천하의 풀어야할 일이 모두 그 속에 있다는 것이 은근히 의심되기 때문이다. 군자가 한 세대의 어려움을 푼다고 말했는데 풀림이 오고 오지 않음이 반드시 소인의 물러나고 그렇지 않음에서 증험된다고 한다면, 다른 효사에서 비유로 군자와 소인이라고 말한 것과 같지 않으니, 오효는 사람의 자리이고 또 오효는 군자이지만 육에 소인의 혐의가 있기 때문이다.

서유신(徐有臣) 『역의의언(易義擬言)』

解難, 故君子也. 解小人, 故吉也. 天下見君子之有解, 而信其爲小人, 見小人之解去,而信其爲君子也. 故曰, 有孚于小人也.

어려움을 풀어버리기 때문에 군자이다. 소인을 풀어버리기 때문에 길하다. 천하가 군자의 풀어주는 것을 보고 그것이 소인임을 믿고, 소인이 풀려서 떠나는 것을 보고 그것이 군자임을 믿는다. 그러므로 "소인에게 증험이 있을 것이다"라고 하였다.

박제가(朴齊家) 『주역(周易)』

此卽赦過有罪之象. 五爲卦主, 故當之維繫也, 謂解其繫也. 有孚, 誠信格於小人. 爻本以地言, 而象傳以德言之, 爲小人心服退去. 蓋發明言外之意, 而傳以見驗, 本義從之.

이 구절이 바로 과실을 사면하고 죄를 용서하는 상이다. 오효는 괘의 주인이기 때문에 밧줄로 묶어놓는 것에 해당하니, 그 묶인 것을 풀어줄 수 있음을 말한다. '풀음이 있음'은 진실로 소인에게 믿겨지는 것이다. 효사에서는 본래 위치로 말했는데, 「상전」에서는 덕으로 말해 소인이 심복하여 물러가는 것으로 여겼다. 말 밖의 의미를 드러내 밝혔는데, 『정전』이 그 근거를 보여주었고 『본의』에서 따랐다.

박문건(朴文健) 『주역연의(周易衍義)』

處尊中直, 故有維有解之象. 君子謂五, 小人謂二也.

존엄한 자리에 있고 알맞고 강직하기 때문에 오직 풀음이 있는 상이 있다. 군자는 오효를 소인은 이효를 말한다.

〈問, 君子維有解吉以下. 曰, 六五居尊, 而用中直之道, 故維係之物, 自有解脫也. 雖有吉道, 然當有孚於小人也, 孚小人避維係之禍也.

물었다: "군자가 오직 풀음이 있으면 길하다" 이하는 무슨 뜻입니까?

답하였다: 육오가 존귀한 자리에 있고 알맞고 강직한 도를 사용하기 때문에 묶여 있는 것들이 저절로 풀려서 떠나는 상이 있습니다. 길한 도가 있지만 소인에게 증험이 있어야 하니, 그것이 묶여 있는 화를 피하는 것입니다.〉

김기례(金箕灃) 「역요선의강목(易要選義綱目)」

以君位爲卦主, 則可以爲君子. 然陰才恐與三陰同類, 故戒之以君子之道, 解去小人, 則吉而有孚驗也.

임금의 지위로 괘의 주인이 되었으니 군자일 수 있다. 그러나 음의 재질은 세 음과 같은 무리이기 때문에 군자의 도로 경계하였으니, 소인을 풀어 버리면 길하고 증험이 있다.

심대윤(沈大允)『주역상의점법(周易象義占法)』

解之困䷜, 不通也. 六五處君上之位, 以柔道居剛, 其心過於寬恕, 而以其得中, 故又能附從于九四之賢臣, 其頑囂之人, 教化之所不通者, 有所不恕, 而解去之, 故曰君子維有解. 比於四, 而隔二之應, 有其象. 兌對爲艮. 君子有慈仁惻怛之心, 而亦不失其嚴, 解道得中, 而蔑以加之矣, 仁聖之君也. 故特言君子也. 離坤爲小人, 誠懇之衷, 孚于小人, 解退而无怨, 管仲之於伯氏, 諸葛之於李嚴, 是也. 夫有寬恕, 然後能嚴, 而無怨也, 有嚴然後, 乃名爲寬恕也. 寬恕而不嚴, 則謂之懦弱, 而不謂之寬恕也.

해괘가 곤괘(困卦䷜)로 바뀌었으니, 통하지 않는 것이다. 육오가 임금의 자리에 있고 부드러운 도로 굳센 자리에 있어 그 마음이 너그러운 용서에 지나치지만 그것이 알맞음을 얻었기 때문에 구사라는 현명한 신하를 따를 수 있고, 완고하고 어리석은 사람으로 교화가 통하지 않는 자는 용서하지 않고 풀어 없애기 때문에 "군자가 오직 풀음이 있다"고 하였다. 사효가 가까이 있어 이효의 호응을 막아 그런 상이 있다. 태괘(兌卦☱)와 음양이 반대인 것이 간괘(艮卦☶)이다. 군자에게는 인자하고 불쌍한 마음이 있지만 또한 그 엄격함을 잃지 않으니 풀어버리는 도에서 알맞음을 얻으면서도 없앰을 가한다. 어질고 성스러운 임금이므로 특별히 군자를 말하였다. 곤괘(坤卦)에 걸려 있는 것이 소인이니, 성실한 속마음이 소인에게 증험되어 풀려서 물러나도 원망이 없으니, 관중[51]이 백씨에게 있어서와 제갈량이 이엄(李嚴)[52]에게 있어서가 여기에 해당한다. 너그럽게 용서한 다음에 엄격할지라도 원망이 없으니, 엄격한 다음에야 너그럽게 용서했다고 이름붙일 수 있다. 너그럽게 용서하고 엄격하지 않으면 그것은 유약하다고 하지 너그럽게 용서했다고 하지 않는다.

오치기(吳致箕)「주역경전증해(周易經傳增解)」

六五柔中而居尊, 爲解之君, 下應九二之賢輔, 又比九四之大臣, 所信用維此陽剛之君子. 故有解難之功而得吉, 自然孚信于小人之心. 自知其不能容, 不待逐斥, 而斂身退去, 故其辭如此.

육오는 부드러우면서 가운데 있고 존귀한 자리에 있어 풀어버리는 군자인데, 아래로 현명하

51) 관중(管仲, ?~BC645): 춘추시대 제(齊)나라의 재상. 소년시절부터 평생토록 변함이 없었던 포숙아와의 깊은 우정은 '관포지교'라 하여 유명하다. 환공을 도와 군사력의 강화, 상업·수공업의 육성을 통하여 부국강병을 꾀하였다.

52) 이엄(李嚴, ?~234년): 형주(荊州) 남양군(南陽郡) 출신이다. 원래 형주자사 유표(劉表)를 섬기고 있었으나, 유비의 군사(軍師) 제갈량(諸葛亮)의 계략에 포위되어 항복, 유비군에 투항한다. 231년 5차 북벌때 식량수송 담당이었던 이엄이 식량수송조달이 늦어지자, 오의 내습이라는 거짓정보를 흘려 원정군이 퇴각하였다. 후에 이 사실이 발각되어 관직을 박탈당하고 재동(梓潼)으로 귀양 갔다.

게 보필하는 구이와 호응하고, 또 대신인 구사와 가까이 있으니, 믿는 것이 오직 여기의 굳센 양인 군자이다. 그러므로 어려움을 풀어버리는 공이 있고 길함을 얻어 자연스럽게 소인의 마음에 증험이 있다. 그들이 스스로 용납되지 않을 줄 알고 배척될 때까지 기다리지 않고 몸을 움츠려 물러나기 때문에 그 말이 이와 같다.

○ 解謂難之解也. 有孚取於互坎.
해괘는 어려움이 풀림을 말한다. 증험이 있음은 호괘인 감괘에서 취했다.

이진상(李震相) 『역학관규(易學管窺)』

六五柔中應二比四, 皆君子也. 上下三陰皆小人也. 坎有孚象, 正義曰, 以君子之道解難, 則小人皆信服之, 故曰, 有孚于小人.
부드러우면서 가운데 있는 육오가 이효와 호응하고 사효를 가까이 하는 것은 모두 군자이기 때문이다. 위아래의 세 음은 모두 소인이다. 감괘에 증험의 상이 있으니, 『주역정의』에서 "군자의 도로 어려움을 풀어버리면 소인이 모두 믿고 복종하기 때문에 '소인에게 증험이 있다'라고 하였다"라고 하였다.

박문호(朴文鎬) 「경설(經說)‧주역(周易)」

世云, 猶言俗所謂也.
『정전』에서 "세상에서 말한다"고 한 것은 세속에서 말하는 것이라고 하는 것과 같다.

이병헌(李炳憲) 『역경금문고통론(易經今文考通論)』

君子維有解, 乃蹇上之所以從貴也,
군자가 풀림이 있음은 바로 건괘(蹇卦䷦)의 상효가 귀한 사람을 따르기 때문이다.

象曰, 君子有解, 小人退也.

「상전」에 말하였다: "군자가 풀음이 있음"은 소인이 물러가는 것이다.

‖中國大全‖

傳

君子之所解者, 謂退去小人也. 小人去則君子之道行, 是以吉也.

군자가 풀어버리는 것은 소인을 물러가게 함을 말한다. 소인이 제거되면 군자의 도가 행해지기 때문에 길하다.

‖韓國大全‖

이익(李瀷) 『역경질서(易經疾書)』

六五雖君位, 陰柔不中正, 不能自主, 小人在側, 如漢獻唐文. 非復君主之道, 亦在三狐之中如此者, 惟君子炳幾度時, 斡旋於袵席之上, 解難而得吉也. 不然漢之衣帶詔, 唐之甘露獄, 適所以促亡而已. 故曰, 君子維有解也. 有孚于小人者, 承有解說, 謂其有解者非他, 卽信乎小人之退也. 傳文可證.

육오가 임금의 자리지만 부드러운 음으로 중정하지 않아 스스로 주인이 될 수 없고 소인이 옆에 있으니, 한나라의 헌제와 당나라의 문제와 같다. 임금의 도를 회복하지 않으면 또한 이처럼 세 마리 여우 속에 있는 것이다. 군자만이 기미에 밝고 시기를 헤아리고 연회석상에서 알선하여 어려움을 풀어버리고 길함을 얻는다. 그렇지 않으면 한나라 의대의 조서[53]와 당나라 감로의 옥사[54]가 이르기 때문에 죽음을 재촉할 뿐이다. 그러므로 "군자가 오직 풀음이 있다"라고 하였다. 소인에게 증험이 있다는 것은 '풀음이 있음'이라는 말을 이어 '풀음이 있음'은 다른 것이 아니라 곧 소인이 물러가는 것으로 증험이 있다는 말이다.

심조(沈潮) 「역상차론(易象箚論)」

六五陰而在外, 小人解去之象也. 中正故稱君子.

육오는 음이면서 바깥에 있으니, 소인이 풀려서 떠나는 상이다. 중정하기 때문에 군자라고 칭하였다.

김상악(金相岳) 『산천역설(山天易說)』

君子有解, 則見孚于小人, 故雖不逐而自退也.

군자가 풀어버림이 있다면 소인에게 증험을 드러내기 때문에 쫓아내지 않을지라도 스스로 물러난다.

서유신(徐有臣) 『역의의언(易義擬言)』

旣云君子解之, 則其退者必小人也.

이미 군자가 풀어버린다고 말했다면 물러나는 것은 반드시 소인이다.

박문건(朴文健) 『주역연의(周易衍義)』

〈問, 君子有解, 小人退也. 曰, 君子有解, 則必進往也, 小人所以退去也.

물었다: "군자가 풀음이 있음은 소인이 물러가는 것이다"는 무슨 뜻입니까?

답하였다: 군자가 풀어버림이 있으면 반드시 나아가니, 소인이 그 때문에 물러납니다.〉

이지연(李止淵) 『주역차의(周易箚疑)』

君子維解, 以陽位言之, 有孚小人, 以陰言之. 以陽位而與九二陽德之君子有解. 六五與九二合而觀之, 則陽爲四分之三, 陰爲四分之一, 故小人退也.

군자가 오직 풀어버림은 양의 지위로 말했고, 소인에게 증험이 있을 것임은 음으로 말했다.

---

53) 『삼국지연의』.

54) 『구당서·문종본기하』.

양의 지위를 가지고 구이라는 양의 덕이 있는 군자와 풀어버림이 있다. 육오와 구이를 합해서 보면 양이 사분의 삼이고 음이 사분의 일이기 때문에 소인이 물러난다.

오치기(吳致箕) 「주역경전증해(周易經傳增解)」

用君子而有解難之功, 故小人自知其不能容而退去也.
군자로 어려움을 풀어버리는 공이 있기 때문에 소인은 자신이 용납되지 않을 줄 스스로 알고 물러난다.

上六, 公用射隼於高墉之上, 獲之, 无不利.

상육은 공(公)이 높은 담 위에서 새매를 쏘아 잡음이니, 이롭지 않음이 없다.

中國大全

傳

上六, 尊高之地, 而非君位. 故曰公, 但據解終而言也. 隼, 鷙害之物, 象爲害之小人. 墉, 牆, 內外之限也. 害若在內, 則是未解之時也, 若出墉外, 則是无害矣, 復何所解. 故在墉上, 離乎內而未去也. 云高, 見防限之嚴而未去者, 上, 解之極也. 解極之時而獨有未解者, 乃害之堅强者也. 上居解極, 解道已至, 器已成也, 故能射而獲之. 旣獲之則天下之患, 解已盡矣, 何所不利.

상육은 존귀하고 높은 자리이지만 임금의 지위는 아니므로 공(公)이라고 하였으니, 다만 풀림[解]의 끝이라는 측면에서 말한 것이다. 새매[隼]는 사납고 해치는 동물로 해를 끼치는 소인을 상징하고, 담[墉]은 담장으로 안팎을 나누는 것이다. 해로움이 안에 있다면 이는 아직 풀릴 때가 아니고, 담장 밖으로 나갔다면 이는 무해하니 다시 무엇을 풀겠는가? 그러므로 담장 위에 있는 것은 안에서 떠났지만 아직 제거되지 않은 것이다. '높다[高]'고 한 것은 엄하게 막았는데도 아직 가지 않았음을 나타내고, '위[上]'는 풀림이 극에 달한 것이다. 풀림이 극에 달하였을 때에 유독 풀리지 않는 것은 해로움이 굳고 강한 것이기 때문이다. 상육이 풀림의 극한에 머무르니 풀리는 도가 이미 지극하고 기구가 이미 완성되었으므로 쏘아서 잡을 수 있는 것이다. 이미 잡았으면 천하의 근심이 다 풀릴 것이니 어찌 이롭지 않겠는가?

夫子於繫辭, 復伸其義, 曰隼者, 禽也, 弓矢者, 器也, 射之者, 人也, 君子藏器於身, 待時而動, 何不利之有. 動而不括, 是以出而有獲, 語成器而動者也. 鷙害之物, 在墉上, 苟无其器, 與不待時而發, 則安能獲之. 所以解之之道, 器也, 事之當解, 與已解之之道至者, 時也. 如是而動, 故无括結, 發而无不利矣, 括結, 謂阻礙. 聖人於此, 發明藏器待時之義, 夫行一身, 至於天下之事, 苟无其器, 與不以時而動, 小則括塞, 大則喪敗. 自古, 喜有爲而无成功, 或顚覆者, 皆由是也.

공자가 「계사전」에서 그 뜻을 다시 펼쳐 "새매란 새이고, 활과 화살은 기구이고, 쏘는 것은 사람이니, 군자가 기구를 몸에 간직하였다가 때를 기다려 움직이는데 어찌 이롭지 않음이 있겠는가? 움직임에 막힐 것이 없기 때문에 나가서 잡음이 있으니, 기구를 이루어서 움직이는 것을 말한다"라고 하였다. 사납고 해치는 동물이 담장 위에 있는데 기구가 없고, 때를 기다리지 않고 쏜다면 어떻게 잡을 수 있겠는가? 그것을 풀어버리는 방도는 기구이며, 마땅히 풀어야할 일에 이미 풀어버릴 방도가 이른 것이 때인 것이다. 이와 같이 하여 움직이므로 묶여 막히는 것이 없어서, 화살을 쏘아 이롭지 않음이 없다. 묶여 막힘[括結]은 막히고 걸리는 것을 말한다. 성인이 여기에서 기구를 간직하여 때를 기다리는 뜻을 드러내어 밝혔으니, 한 몸에 실행하는 것에서부터 천하의 일에 이르기까지 그 기구가 없거나 때가 아닌데 움직인다면, 작게는 막힐 것이고 크게는 망할 것이다. 예로부터 뭔가 해보기를 기뻐하였으나 성공하지 못하고 혹 실패하는 것은 모두 이 때문이다.

本義

繫辭備矣.

「계사전」에 갖추어 있다.

小註

中溪張氏曰, 公者大臣之稱, 卽上六也. 隼者鷙害之禽也. 六三其小人之鷙者乎. 三負且乘, 竊據高位乃高墉也. 上與六三旣无應, 乃其敵也. 故公用射六三之隼于高墉之上, 獲之, 无不利矣.

중계장씨가 말하였다: 공(公)이란 대신의 칭호로, 곧 상육이다. 새매[隼]란 사납고 해치는 새이다. 육삼은 그 소인의 사나운 자이다. 삼효는 짊어져야 하는데 올라탔으니 높은 지위를 훔친 것으로, 바로 높은 담장이다. 상효와 삼효는 이미 호응함이 없으니 그 적이다. 그러므로 공(公)이 높은 담장 위에서 육삼의 새매를 쏘아서 잡으니 이롭지 않음이 없다.

○ 雲峰胡氏曰, 九二剛中視三柔而不中, 象狐之邪媚, 上柔正視三居剛不正, 又象隼之鷙害. 繫辭以三爲小人, 以上爲藏器待時之君子. 卦六爻, 唯上六獨正, 故又以象君子也. 易於震動, 多有戒辭, 今於動之極而曰无不利, 自坎而進於震, 經歷險阻而後動, 動必不妄也. 繫辭曰, 待時而動, 待解終也, 曰成器而動, 器至終而成也.

운봉호씨가 말하였다: 굳세고 알맞은[剛中] 구이가 유약하고 알맞지 못한 삼효를 보고 여우의 간사하고 아첨함으로 형상하였고, 부드럽고 바른[柔中] 상효가 삼효가 굳센 양의 자리에 있으나 바르지 못함을 보고 또 새매가 사납고 해치는 것으로 형상하였다. 「계사전」에서는

삼효를 소인으로 보고, 상효를 기구를 간직하여 때를 기다리는 군자로 보았다. 괘의 여섯 효에서 상육만이 바르기 때문에 또한 군자로 형상하였다. 『주역』에는 진괘의 움직임에 대해 경계하는 말이 많은데, 이제 움직임이 극에 달한 데에서 이롭지 않음이 없다고 한 것은, 감괘의 구덩이로부터 진괘로 나아가 험하고 막힌 곳을 지난 후에 움직였으니 움직임이 결코 망령되지 않기 때문이다. 「계사전」에 "때를 기다려 움직인다"고 한 것은 풀림이 마치기를 기다린 것이고, "기구를 이루어서 움직인다"고 한 것은 기구가 마침내 이루어진 것이다.

○ 厚齋馮氏曰, 解之時, 諸爻皆不當位, 故以二五得中爲貴, 以剛爻皆出險爲尙. 唯上一爻當位, 故无不利也.
후재풍씨가 말하였다: 해괘의 때에 여러 효가 모두 자리가 합당하지 않으므로 이효와 오효는 중(中)을 얻음을 귀하게 여기고, 굳센 양효는 모두 위험에서 벗어나는 것을 높인다. 오직 상효 하나만 자리가 합당하므로 이롭지 않음이 없다.

┃韓國大全┃

조호익(曺好益) 『역상설(易象說)』

雙湖曰, 墉, 指四. 坎爲弓. 自三至五, 互坎. 上在震體, 震爲動, 有射象. 隼離爲飛鳥象. 自二至四互離墉, 自三至上三陰坤土, 震木爲幹, 有墉象.
쌍호가 말하였다: 담은 사효를 가리킨다. 감괘는 활이다. 삼효에서 오효까지 호괘인 감괘이다. 상괘에 진괘의 몸체가 있는데, 진괘는 움직임이고 쏘는 상이 있다. 새매는 리괘로 날아가는 새의 상이다. 이효에서 사효까지 호괘 리괘가 담이고, 삼효부터 상효까지 세 음은 곤괘의 토이며, 진괘의 나무가 기둥이니 담의 상이 있다.

○ 同人之四, 取三奇畫連亘之象, 故但曰墉. 解之上, 取坤土震木之象, 故曰高墉. 取象无窮, 此所以爲易也.
동인괘(同人卦䷌)의 사효[55]에 세 양획이 연속된 상을 취하였기 때문에 단지 '담'이라고 하였다. 그런데 해괘(解卦䷧)의 상효는 곤괘인 토와 진괘인 목의 상을 취했기 때문에 '높은

---

55) 『周易 · 同人卦』: 九四, 乘其墉, 弗克攻, 吉.

담'이라고 하였다. 상을 취함에 끝이 없는 것은 이것이 역이기 때문이다.

곽설(郭偰) 『역전요의(易傳要義)』

子曰, 隼者, 禽也, 弓矢者, 器也, 射之者, 人也. 君子藏器於身, 待時而動, 何不利之有. 動而不括, 是以出而有獲, 語成器而動也.

공자가 「계사전」에서 말하였다: 새매는 날짐승이고, 활과 살은 기구이며, 쏘는 이는 사람이다. 군자가 기구를 몸에 간직하고 때를 기다려 움직이니, 어찌 이롭지 않음이 있겠는가? 움직여서 막히지 않기 때문에 나가서 잡으니, 기구를 만들어 움직임을 말한 것이다.

김장생(金長生) 『주역(周易)』

解字上下有異, 未詳所以然. 佳買切釋也, 旣釋曰解胡買切.

풀해[解]자는 윗말과 아랫말에 차이가 있는데 왜 그런지는 자세하지 않다. 가(佳)의 'ㄱ'과 매(買)의 'ㅐ'를 합친 '개'로 읽을 때는 푼다는 의미이며, 이미 풀어버린 것을 '해(解)'라고 하는 것은 '호(胡)'의 'ㅎ'와 매(買)의 'ㅐ'를 합쳐서 읽는다.

송시열(宋時烈) 『역설(易說)』

上六, 震爲諸侯, 故曰公. 離爲隼在下. 上六處尤高之地, 以離之弧, 射而得之. 來云, 離中虛外實, 爲城墉象, 故云高墉, 理亦然也. 然則之上者, 指上六也. 隼者, 鳥中之鷙悍也. 旣獲其隼, 其餘自無患矣, 言能去悖亂之小人, 則解險之道盡矣. 小象言以解悖也, 詳見繫辭.

상육은 진괘로 제후이기 때문에 '공'이라고 하였다. 리괘는 새매로 아래에 있다. 상육이 높은 곳에 있으면서 리괘라는 활로 쏘아서 잡는다. 래지덕은 "리괘는 가운데가 비어 있고 밖이 차 있어 성곽의 담이 되는 상이기 때문에 높은 담이다"라고 하였는데, 이치로도 그렇다. 그렇다면 '위에서[之上]'는 상육을 가리킨다. 새매는 새 중에서 빠르게 공격하는 것이다. 새매를 잡고나면 나머지는 저절로 근심할 것이 없어지니, 거슬려 어지럽히는 소인을 제거할 수 있으면 험함을 푸는 도가 극진하다는 말이다. 「상전」에서 거슬림을 풀어버리는 것으로 말했는데, 자세한 것은 「계사전」에 있다.

홍여하(洪汝河) 「책제(策題):문역(問易)·독서차기(讀書箚記)-주역(周易)」

公取震侯射之, 亦震象也. 小過公弋取在穴, 亦倣. 此隼者, 禽也, 互離也. 墉取坎象,坎爲城池之象. 此爲習坎, 故曰, 高墉之上.

공은 진괘의 제후가 쏘는 것을 취했으니, 또한 진괘의 상이다. 소과괘(小過卦䷽) 육오에서 "공(公)이 저 구멍에 있는 것을 쏘아서 잡도다"라는 말도 같다. 여기서의 매는 새이니, 호괘인 리괘이다. '담'은 감괘(坎卦☵)의 상을 취했으니, 감괘는 성곽 주위를 둘러싼 못의 상이다. 이것이 '거듭된 감괘[䷜]'이기 때문에 '높은 담 위'라고 하였다.

이현익(李顯益) 「주역설(周易說)」

中溪張氏以下, 皆專以九三言. 然本義於獲狐有孚于小人, 皆以三陰言, 則此亦似可. 只作三陰矣, 三與上應, 則專以三言亦通.

중계장씨 이하는 모두 오로지 구삼으로 말하였다. 그러나 『본의』에서는 '여우를 잡고' '소인에게 증험이 있을 것이다'에 대해 모두 세 음으로 말하였으니, 이것도 괜찮은 것 같다. 다만 세 음으로 한 것은 삼효가 상효와 호응하는 것이니 삼효로만 말해도 통한다.

이익(李瀷) 『역경질서(易經疾書)』

上六承六五. 說昵近之小人旣去, 於是始有王公之權, 公用者, 指六五也. 四陰之中, 惟上六得位, 處不臣之地. 爲飛隼居高墉之象, 卽處士橫議惑亂一世之是非者也. 射而獲之, 然後人心可定, 此須王公親討也. 射之者, 六五之君子. 傳所謂悖者, 上六之隼也. 不然, 上六安有王公之象.

상육은 육오를 받든다. 가까이 있는 소인이 이미 제거되었다면, 이 때에 비로소 왕공의 권세가 있음을 말하니, '공[公用]'은 육오를 가리킨다. 네 음 가운데 상육만이 얻은 지위가 신하로서는 할 수 없는 곳에 있어 날아다니는 새가 높은 담 위에 있는 상이니, 바로 처사가 마음대로 한 시대의 시비를 어지럽히는 자이다. 쏘아서 잡은 다음에 사람들의 마음이 안정될 수 있으니, 이것은 꼭 왕공이 친히 토벌해야 한하는 것이다. 쏘는 자는 육오의 군자이다. 『정전』에서 말한 '거슬림'은 상육의 새매이다. 그렇지 않다면 상육에 어떻게 왕공의 상이 있겠는가?

심조(沈潮) 「역상차론(易象箚論)」

射, 坎爲弓矢也. 隼, 指三, 互離爲飛鳥也.

'쏘는 것'은 감괘가 활과 화살이기 때문이다. 새매는 삼효를 가리키니, 호괘인 리괘가 날아가는 새이기 때문이다.

유정원(柳正源) 『역해참고(易解参攷)』

正義, 隼者, 貪殘之鳥, 鸇鷂之屬. 墉, 牆也. 六三失位負乘, 不應於上, 卽是罪釁之人, 故以譬於隼. 此借飛鳥爲喩, 而居下體之上, 其猶隼處高墉. 隼之爲鳥, 宜在山林, 集於人家高墉, 必爲人所繳射, 以譬六三處於高位, 必當被人所誅討.

『주역정의』에서 말하였다: 새매는 탐욕스럽고 해로운 새로 맹금류에 속한다. 담은 담장이다. 육삼이 자리를 잃어 짊어져야 하는데 올라타고 있으면서 상효와 호응하지 않으니 바로 죄인이기 때문에 새매에 비유했다. 여기서 나는 새로 비유했지만 아래 몸체의 위에 있으니, 그것은 새매가 높은 담 위에 있는 것과 같다. 새매라는 새는 산림에 있어야 하는데 인가의 높은 담 위에 있어 반드시 사람들에게 주살로 잡히니, 이것으로 육삼이 높은 자리에 있어 반드시 사람들에게 죄를 들어 토벌당하는 것을 비유했다.

○ 饒州李氏曰, 公, 在百僚之上者也. 以百僚之上而攻在下之小人, 宜其有獲而无不利也.

요주이씨가 말하였다: 공은 모든 관료들의 위에 있는 자이다. 모든 관료들의 위에 있으면서 아래에 있는 소인을 공격하니, 잡는 것이 당연하고 이롭지 않음이 없다.

○ 節齋蔡氏曰, 隼, 鷙害之物, 謂三. 墉, 內外之限, 三所居地. 解之不解者, 唯三, 用其所應而解之, 獲之必矣, 故无不利.

절재채씨가 말하였다: 새매는 사납고 해로운 동물로 삼효를 말한다. 담은 내외의 경계로 삼효가 있는 곳이다. 풀어도 풀리지 않는 것이 삼효뿐이어서 호응하는 것으로 풀면 잡을 것이 틀림없으므로 이롭지 않음이 없다.

○ 雙湖胡氏曰, 自五至三, 互坎爲弓矢射象. 自四至二, 互離爲飛鳥. 三居離中隼象, 三又下體之上, 高墉象. 同人九四, 乘其墉, 亦指三也.

쌍호호씨가 말하였다: 오효에서 삼효까지 호괘인 감괘가 활과 화살로 쏘는 상이다. 사효에서 이효까지가 호괘인 리괘로 날아가는 새이다, 삼효가 리괘 중앙의 새매상이고, 삼효가 또 아래 몸체의 꼭대기여서 높은 담의 상이다. 동인괘 구사의 '담에 올라갔다'[56]는 것도 삼효를 가리킨다.

○ 案, 解極之時, 猶有所未解者, 如漢之南越, 宋之南唐之類, 是也. 利用其器, 待時同

---

56) 『周易·同人卦』: 九四, 乘其墉, 弗克攻, 吉.

發, 則有何不獲之有.

내가 살펴보았다: 풀림이 끝까지 갔을 때에 여전히 풀리지 않음이 있는 것은 한(漢)나라에 남월(南越)[57]이 있는 것과 송(宋)나라에 남당(南唐)[58]이 있는 것과 같은 것이 여기에 해당한다. 그 기구를 예리하게 하여 때를 기다려 쏜다면 어찌 잡지 못하겠는가?

김상악(金相岳) 『산천역설(山天易說)』

隼, 鷙害之禽. 墉, 內外之限. 震體居終, 與三无應, 乃其敵也. 而三互坎離, 故有射隼于高墉之上之象, 動而有獲, 无不利也.

새매는 사납고 해로운 새이다. 담은 내외의 경계이다. 진괘의 몸체가 끝에 있어 삼효와 호응이 없으니 그 적이다. 그런데 삼효에는 감괘와 리괘가 번갈아들기 때문에 담 위에서 새매를 쏘는 상이 있으니, 움직여서 잡으면 이롭지 않음이 없다.

○ 震有侯象, 而上六无位, 故云公. 離上曰, 王用者, 五之君, 用上九之明也. 解曰, 公用者, 上六自用其威也. 坎爲弓射之象, 隼離象. 又隼之爲物, 善於搏[59]物, 震之性能震擊, 故取象之. 狐者, 地之走者也, 故曰田. 隼者, 天之飛者也, 故曰高. 二之獲, 上之射, 皆所以解悖也. 故除去天地之害, 謂之義. 墉, 王宮之墻, 離之象, 見同人九四註. 四爲墉而六居上, 爲高墉之上也. 獲者, 執也. 解之利西南, 成於上六, 故獨言利. 屯之卽鹿无虞, 解之射隼, 獲之時不同也. 故屯曰, 君子幾, 不如舍, 往見吝, 又於繫辭傳曰, 君子藏器於身, 待時而動, 何不利之有. 蓋此待時之君子, 卽屯見幾之君子也.

진괘에는 제후의 상이 있지만 상육은 지위가 없기 때문에 '공'이라고 하였다. 리괘의 상효에서 '왕'[60]이라고 한 것은 오효의 임금이 상구의 밝음을 쓰기 때문이다. 해괘에서 '공'이라고 한 것은 상육이 그 위엄을 스스로 쓰기 때문이다. 감괘는 활로 쏘는 상이고, 새매는 리괘의 상이다. 또 새매는 사물을 잘 낚아채고 진괘의 특성이 진격할 수 있기 때문에 상으로 취하였다. 여우는 땅에서 뛰어다니기 때문에 '사냥한다'고 하였다. 새매는 하늘에 날아다니는 것이므로 '높은'이라고 하였다. 이효에서 잡고 상효에서 쏘는 것은 모두 거슬림을 풀기 위함이다. 그러므로 천지의 해로움을 제거하는 것을 의라고 한다. 담이 왕궁의 경계로 리괘의 상인

---

57) 남월(南越): 한나라 때의 나라 이름이다.

58) 남당(南唐): 중국 오대십국(五代十國)의 하나로 937년에 이변(李昪)이 오(吳)나라 예제(睿帝)를 몰아내고 지금의 남경(南京)인 금릉(金陵)을 도읍으로 하여 세운 나라이다. 수(隋), 당(唐)의 문화를 이어받아 오대십국 중 제일의 문화국이 되었으나, 975년 송(宋)나라에 의해 멸망 당하였다

59) 搏: 경학자료집성DB에는 '搏'으로 되어 있으나, 경학자료집성 영인본을 참조하여 '搏'으로 바로잡았다.

60) 『周易·離卦』: 上九, 王用出征.

것은 동인괘 구사의 주에 있다. 사효가 담장이고 육효가 위에 있으니, 높은 담의 위이다. '잡는다'는 포획한다는 것이다. 해괘가 서남쪽이 이로운 것은 상육에서 이루기 때문에 여기에서만 이로움을 말했다. 준괘에서 사슴을 추적하는데 길잡이가 없는 것과 해괘에서 새매를 쏘는 것은 잡는 때가 같지 않기 때문이다. 그러므로 준괘(屯卦)에서 "군자가 기미를 알아차려 포기하는 것만 못하니, 계속 추적하면 부끄럽게 된다"고 하였고, 또 「계사전」에서 "군자가 기구를 몸에 간직하였다가 때를 기다려 움직이는데 어찌 이롭지 않음이 있겠는가?"라고 하였다. 여기서 때를 기다리는 군자는 곧 준괘에서 기미를 알아차리는 군자이다.

김규오(金奎五) 「독역기의(讀易記疑)」

上六. 隼, 三之體也, 墉, 三之地也. 墉指內卦之限, 故同人九四, 亦言墉. 高, 指下體之上, 故同人九三, 亦言高.

상육. 새매는 삼효의 몸체이고, 담은 삼효의 영역이다. 담 내괘의 경계이기 때문에 동인괘의 구사에서도 담을 말하였다. '높은'은 아래 몸체의 꼭대기이기 때문에 동인괘의 구삼에서도 '높은'[61]을 말하였다.

○ 傳, 謂隼在墉上, 又以墉爲上六, 蓋主解極而猶有未解之意. 若以其解之悖, 謂在六三, 則自四以上, 似有都无事之嫌故也. 但射者, 與見射者, 同在一位, 終有所礙, 故諸家皆不從之.

『정전』에서 '새매가 담 위에 있다'고 했는데, 또 담을 상육으로 여긴다면, 풀림이 다하기를 주로 했지만 여전히 풀리지 않았다는 의미가 있다. 풀림의 거슬림이 육삼에 있다고 한다면, 사효 이상은 모두 일이 없다는 의심이 있는 듯하기 때문이다. 단지 쏘는 자와 그 쏘는 대상이 동일하게 하나의 자리에 있어 끝내 막히므로 여러 학자들이 모두 따르지 않았다.

○ 外三爻, 皆言解者, 卦以震體之動而難解故也.

외괘 삼효에서 모두 풀림을 말한 것은 괘가 진괘의 몸체로 움직여서 어려움이 풀리기 때문이다.

윤행임(尹行恁) 『신호수필(薪湖隨筆)·역(易)』

射隼高墉. 以六三之位, 隔以四五, 故登高墉之上, 然後可以射也. 九二之於六三, 在近近, 則有媚蠱隱比之意, 故取象於狐. 上六之於六三, 在遠遠, 則有高飛橫走之意, 故取

---

61) 『周易·同人卦』: 九三, 伏戎于莽, 升其高陵, 三歲不興.

象於隼.

높은 담에서 매를 쏜다. 육삼의 위치가 사효와 오효에게 막혀 있기 때문에 높은 담 위에 올라간 다음에 쏠 수 있다. 구이가 육삼을 가까이서 가까이하는 것에는 아첨하며 미혹하고 남모르게 가까이하는 의미가 있기 때문에 여우로 상을 취하였다. 상육이 육삼에 대해 멀고 멀어 높이 날아 가로질러 가는 의미가 있기 때문에 새매를 상으로 취하였다.

서유신(徐有臣) 『역의의언(易義擬言)』

公, 六五也. 射, 坎爲弓, 互離爲矢也. 隼, 上六也. 墉, 九四也. 隼飛高, 故爲上六. 以其高, 故非乘墉, 不可射也. 隼之鷙戾, 而終獲之, 解道成矣, 故无不利也. 一卦之象, 有隼焉, 有公焉, 有墉焉, 有弓矢焉. 以是公乘是墉, 發是弓矢, 射是隼而獲之, 是卒成終之也.

공은 육오이다. 쏨은 감괘가 화살이고 호괘인 리괘가 화살이기 때문이다. 새매는 상육이다. 담은 구사이다. 새매는 날아서 높이 올라가기 때문에 상육이다. 높이 올라가기 때문에 담에 올라가지 않고는 쏠 수 없다. 새매는 사납지만 끝내 잡아 풀림의 도가 이루어지기 때문에 이롭지 않음이 없다. 한 괘의 상에 새매·공·담·활과 화살이 있으니, 여기의 공이 여기의 담에 올라가 여기의 활과 화살을 꺼내 여기의 새매를 쏘아서 잡으니, 마침내 이루어져서 끝나는 것이다.

박문건(朴文健) 『주역연의(周易衍義)』

處高除害, 故有射隼之象. 隼, 鷙鳥也. 墉, 六三之墉, 居下體之上, 故謂之高墉也.

높은 곳에서 해로움을 없애기 때문에 새매를 쏘는 상이 있다. 새매는 사나운 새이다. 담은 육삼의 담으로 아래 몸체의 꼭대기에 있기 때문에 높은 담이라고 하였다.

〈問, 公用射隼以下. 曰, 六三欲害上六, 故用射隼而於高墉之上獲之也, 以解悖亂之禍也, 故无所不利.

물었다: '공이 높은 담 위에서 새매를 쏘아' 이하는 무슨 뜻입니까?

답하였다: 육삼은 상육을 해치려고 새매를 쏘고는 높은 담 위에서 잡아 거슬리고 어지러운 재난을 풀어버리기 때문에 이롭지 않음이 없습니다.〉

김기례(金箕澧) 「역요선의강목(易要選義綱目)」

上居高位, 非君位, 故曰公, 大臣之稱.

상효는 높은 자리에 있지만 임금의 자리가 아니기 때문에 '공'이라고 하였으니, 대신을 이른다.

○ 隼, 指六三, 言其邪惡與鷙同. 高墉, 亦指三謂下體之上.

새매는 육삼을 가리키니 그 사악함이 매와 같다는 말이다. 높은 담도 삼효를 가리키니 아래 몸체의 꼭대기를 이른다.

○ 上與三无應, 則所謂敵也, 故射之. 卦中三爲凶邪小人, 故曰狐曰隼曰負且乘.

상효와 삼효가 호응함이 없다는 것은 이른바 적이기 때문에 쏜다. 괘에서 삼효는 흉악하고 나쁜 소인이기 때문에 '여우'·'새매'·'짊어짐'·'올라탐'이라 하였다.

○ 上六, 獨以陰居陰而得正, 動出於險外. 而蓋陰主利, 故曰无不利. 係辭, 以上爲藏器待時之君子. 易中震體多戒辭, 五四二爻皆戒意.

상육만 음이 음의 자리에 있으면서 바름을 얻었고 움직여 험난함 밖으로 벗어난다. 그런데 음은 이로움을 주로하기 때문에 "이롭지 않음이 없다"고 하였다. 「계사전」에서 상효를 기구를 몸에 간직하고 때를 기다리는 군자로 보았다.[62] 『역』에서 진괘의 몸체는 경계하는 말이 많으니, 오효와 사효 두 효는 모두 경계하는 의미이다.

贊曰, 雷解雨潤, 宥而赦之. 動於險外, 體坤順時. 黃矢中直, 射狐之疑. 公正在上, 獲隼于玆.

찬미하여 말하였다: 우레치고 비 내림에 용서하고 사면하네. 험난한 밖에서 움직임에 곤을 체득하고 때에 순종하네. 누런 화살과 알맞은 강직함으로 의심스런 여우를 쏘네. 공의 곧음이 위에 있어 여기에서 새매를 잡네.

박종영(朴宗永) 「경지몽해(經旨蒙解)·주역(周易)」

傳曰, 隼,[63] 鷙害之物, 象爲害之小人, 墉, 墻內外之限也. 害若在內, 則是未解之時也, 若出墉外, 則是无咎矣, 復何所解. 上居解極, 解道已至, 器已成也, 故能射而獲之. 旣獲之, 則天下之患, 解已盡矣, 何所不利. 夫子於繫辭, 復坤其義曰, 君子藏器於身, 待時而動, 何不利之有.

『정전』에서 말하였다: 새매[隼]는 사납고 해치는 동물로 해를 끼치는 소인을 상징하고, 담

---

62) 『周易·繫辭下』: 子曰, 隼者, 禽也, 弓矢者, 器也, 射之者, 人也. 君子藏器於身, 待時而動, 何不利之有.

63) 搏: 경학자료집성DB에는 '準'으로 되어 있으나, 경학자료집성 영인본을 참조하여 '隼'으로 바로잡았다.

[墉]은 담장으로 안팎을 나누는 것이다. 해로움이 안에 있다면 이는 아직 풀릴 때가 아니고, 담장 밖으로 나갔다면 이는 허물이 없는 것이니 다시 무엇을 풀겠는가? 상육이 풀림의 극한에 머무르니 풀리는 도가 이미 지극하고 기구가 이미 완성되었으므로 쏘아서 잡을 수 있는 것이다. 이미 잡았으면 천하의 근심이 다 풀릴 것이니 어찌 이롭지 않겠는가? 공자가 「계사전」에서 그 뜻을 다시 펼쳐 "군자가 기구를 몸에 간직하였다가 때를 기다려 움직이는데 어찌 이롭지 않음이 있겠는가?"라고 하였다.

小註中溪張氏釋之曰, 公者大臣之稱, 卽上六也. 隼者, 鷙害之禽也, 六三, 其小人之鷙者. 負且乘, 竊據高位, 乃高墉也, 故公用射六三之隼, 于高墉之上, 獲之, 无不利矣. 蓋解者, 解去其害也. 譬則人欲之害天理, 如鷙害之隼, 亦如小人之竊據高位, 而害君子, 必射而獲之, 使其爲害者, 夬得解袪, 然後吉利矣. 君子藏器於身, 待時而動, 器卽學業之謂也. 學業成, 然後可以有爲於天下. 而雖有其器, 若不待時而動, 則非徒不能成功, 或至於覆敗, 此宜深可戒哉.

소주에서 중계장씨가 "공(公)이란 대신의 칭호로, 곧 상육이다. 새매[隼]란 사납고 해치는 새이다. 육삼은 소인의 사나운 자로 짊어져야 하는데 올라탔으니 높은 지위를 훔친 것으로, 바로 높은 담장이다. 그러므로 공(公)이 높은 담장 위에서 육삼의 새매를 쏘아서 잡으니 이롭지 않음이 없다"라고 하였다. '풀음'은 해로움을 풀어버리는 것이다. 비유하자면 인욕이 천리를 해치는 것이 사납고 해치는 매와 같고 또한 소인이 높은 자리를 훔쳐 차지하고 군자를 해치는 것과 같으니, 반드시 쏘아 잡아 그 해로움이 되는 것을 결단하여 풀어버린 다음에 길하여 이롭다. 군자는 기구를 몸에 간직하였다가 때를 기다려 움직임에 기구는 학업을 말한다. 학업이 이루어진 다음에 천하에 큰일을 한다. 그런데 기구는 이루어졌을지라도 때를 기다리지 않고 움직인다면 성공할 수 없을 뿐만 아니라 혹 낭패를 당하니, 이것은 당연히 깊이 경계해야 할 것이다.

심대윤(沈大允) 『주역상의점법(周易象義占法)』

〈无所寬恕, 亦无所不寬恕, 而解之道至矣.

너그럽게 용서하는 것이 없고, 또한 너그럽게 용서하지 않는 것도 없어야 풀림의 도가 지극하다.〉

解之未濟䷿. 上六以柔居柔, 而獨遠於陽, 无所寬恕, 而居无位之地, 又无私應, 无所統屬, 故亦不得不寬恕也. 師傅之道, 不可有所寬恕, 而其不至門者, 亦不可不恕也. 故曰, 公用射隼于高墉之上, 獲之. 禽之止[64]于墉上者, 則射而獲之, 墉之外, 則不往求之也, 未濟之義也. 貴而无位, 故曰公. 艮震爲用, 坎離爲弓矢, 隼墉皆離象. 巽爲高, 離艮爲獲. 上震變巽而爲渙, 有艮嚴厲, 不及于墉外, 故只取上卦之對也, 亦有渙釋之義. 謂近五而得其附從也.

해괘가 미제괘(未濟卦☲☵)로 바뀌었다. 상육은 부드러움이 부드러운 자리에 있고 그것만 양에서 멀리 떨어져 너그럽게 용서할 것이 없으며, 지위가 없는 자리에 있고 또 사사롭게 호응하는 것이 없으며 거느릴 무리도 없으므로 너그럽게 용서하지 않을 수 없다. 사부의 도는 너그럽게 용서해서는 안 되지만 문에 이르지 못한 자는 또한 용서하지 않을 수 없다. 그러므로 "공이 높은 담 위에서 새매를 쏘아 잡는다"라고 하였다. 새가 담 위에 있을 경우 쏘아서 잡고, 담 밖이라면 좇아가서 잡지 않는다는 것이 미제괘의 뜻이다. 귀하면서 지위가 없기 때문에 '공'이라고 하였다. 간괘와 진괘는 용(用)이고, 감괘와 리괘는 활과 화살이며, 새매와 담은 모두 리괘의 상이다. 손괘는 높음이고 리괘와 간괘는 잡음이다. 위에 있는 진괘(震卦☳)가 손괘(巽卦☴)로 변해 환괘(渙卦☴☵)가 되면 간괘(艮卦☶)의 매서움이 담 밖까지 미치지 못하기 때문에 단지 상괘의 음양이 바뀐 괘만 취했고, 또한 푼다는 의미가 있으니, 오효를 가까이 하여 따라다닐 수 있다는 말이다.

解之道, 寬恕通于天下, 而不恕偏于其屬, 寬恕廣而不恕狹. 其位益高, 則所接益多, 而當益務寬恕也, 所屬益衆, 而當益有所不恕也, 此解之時也. 三五, 人君也, 故尙寬, 二四, 人臣也, 故尙嚴. 初賤有寬而无嚴, 上无位而高, 不得不寬而无不嚴也.

풀림의 도는 너그럽게 용서함을 천하에 통용하고 용서하지 않음을 그 무리에게 제한하며, 너그럽게 용서함을 널리 하고 용서하지 않음을 협소하게 한다. 그 자리가 높을수록 만나는 자들은 더욱 많아져서 더욱 너그럽게 용서함에 힘써야 하고, 무리로 하는 것이 더욱 늘어나지만 용서하지 않는 것이 더욱 있어야 하니, 이것은 풀림의 때이기 때문이다. 삼효와 오효는 임금이기 때문에 너그러움을 숭상하고, 이효와 사효는 신하이기 때문에 엄격함을 숭상한다. 천한 초효에는 너그러움이 있고 엄격함이 없으며, 상효는 지위 없이 높아 너그럽지 않을 수 없고 엄격하지 않을 수 없다.

〈此卦言恕者, 貰人之恕也, 非忠恕之恕也.

여기의 괘에서 '용서할 서(恕)'자는 사람들에게 너그럽게 대한다는 서(恕)자이지 충서(忠恕)의 서(恕)자가 아니다.〉

오치기(吳致箕) 「주역경전증해(周易經傳增解)」

上六以柔居上, 獨得其正, 卽賢人在外而有道者也. 當解難之時, 雖不在朝廷之位,

---

64) 止: 경학자료집성DB에는 '正'으로 되어 있으나, 경학자료집성 영인본을 참조하여 '止'로 바로잡았다.

而亦能斥退小人, 以除陰邪悖亂之害, 有射隼高墉以獲之象. 故言无攸不利也. 繫辭
傳備矣.

상육은 부드러움으로 상괘에 있고 그것만 바름을 얻어 곧 현인이 밖에 있으면서 도가 있는
것이다. 어려움을 풀어버리는 때에 조정에 자리하고 있지는 않지만 또한 소인을 배척해서
물리칠 수 있어 사악한 음과 패란의 해로움을 제거하니 높은 담 위에서 새매를 쏘아 잡는
상이 있다. 그러므로 이롭지 않음이 없다고 했으니 「계사전」에서 자세히 설명했다.

○ 上六在賢人之位, 故言公也. 射, 用弓矢, 而取於互坎, 陰鷙之鳥曰隼, 而取於應坎.
高, 取對體之巽, 墉取於變離, 已見同人之四. 在下而獲, 則曰狐, 在上而獲則曰隼, 而
皆指三也.

상육은 현인의 지위에 있기 때문에 '공'이라고 하였다. '쏨'은 활과 화살을 사용하는데 호괘인
감괘에서 취하였고, 음험하고 사나운 새를 '매'라고 하는데 호응하는 감괘에서 취하였다. '높
음'은 마주하는 손괘(巽卦☴)에서 취하였고, '담'은 변한 리괘(離卦☲)에서 취하였으니, 이
미 동인괘(同人卦☲)의 사효에 있다.[65] 아래에서 잡으면 '여우'라고 하고, 위에서 잡으면
'새매'라고 하는데, 모두 삼효를 가리킨다.

이진상(李震相) 『역학관규(易學管窺)』

公, 居上而無位者也. 離爲飛鳥, 故取隼象. 六三正當離中, 居下體之上, 而乘九二之
陽, 乃高墉象. 同人九四, 乘其墉, 亦三也. 自五至三, 互坎爲弓矢射之象. 上六變離以
明動者也, 故能助五解悖, 且六三比四, 而不應上, 故射之.

공은 위에 있는데도 지위가 없는 자이다. 리괘는 나는 새이기 때문에 새매의 상을 취하였다.
육삼은 리괘의 가운데에 해당하고 아래 몸체의 위에 있어 구이의 양을 타고 있으니 바로
높은 담의 상이다. 동인괘(同人卦☲)의 사효에서 담에 올라갔다는 것[66]도 삼효이다. 오효
에서 삼효까지 호괘인 감괘가 활과 화살로 쏘는 상이다. 상육은 변한 리괘로 밝게 움직이는
자이기 때문에 오효를 도와 거슬림을 풀 수 있고, 또 육삼은 사효를 가까이하고 상효와는
호응하지 않기 때문에 쏘아버리는 것이다.

박문호(朴文鎬) 「경설(經說)・주역(周易)」

防限之嚴下, 又當有此四字, 而不言者, 省文也.

---

65) 『周易・同人卦』: 九四, 乘其墉, 弗克攻, 吉.
66) 『周易・同人卦』: 九四, 乘其墉, 弗克攻, 吉.

『정전』에서 '엄하게 막았다'는 말 아래에도 또 이 말이 있어야 하는데 말하지 않은 것은 글을 생략한 것이다.

已解之之道至, 言在我解之之道, 已至也.
『정전』에서 '이미 풀어버려야 할 방도가 이르렀다'는 자신에게 해결할 방도가 이미 이르렀다는 말이다.

이병헌(李炳憲) 『역경금문고통론(易經今文考通論)』

正義曰, 隼, 貪殘之鳥, 譬六三. 墉, 牆也, 義詳繫辭. 蹇固一轉爲解, 然蹇初之上, 則卦便成解. 故蹇之諸爻, 皆以往來言. 蓋蹇之五爻, 皆下來, 而初六一爻, 待而爲上六也. 自咸恒至此十卦, 爲五對, 其策數亦合爲一千有八百.
『주역정의』에서 "'새매'는 탐욕스럽고 해로운 새로 육삼을 비유하였다. '담'은 담장이다"라고 하였는데, 의미는 「계사전」에 자세하다. 건괘(蹇卦䷦)가 본래 한 번 거꾸로 되어 해괘(解卦䷧)가 되었지만 건괘의 초효가 상효로 가면 건괘가 바로 해괘로 된다. 그러므로 건괘의 여러 효는 모두 오고 감으로 말하였다. 건괘의 다섯 효가 모두 내려오는데 초육 한 효가 기다려 상육이 되었다. 함괘(咸卦)와 항괘(恒卦)부터 해괘(解卦)까지 열 개의 괘는 다섯 짝으로 그 책수도 합이 1,800이다.

象曰, 公用射隼, 以解悖也.

「상전」에서 말하였다:“공이 새매를 쏨”은 거슬림을 풀어버리는 것이다.

| 中國大全 |

傳

至解終而未解者, 悖亂之大者也. 射之, 所以解之也, 解則天下平矣.

풀림의 끝에 이르렀는데 아직 풀리지 않은 것은 크게 거슬러 어지러운 것이다. 쏘는 것은 그것을 푸는 것이니, 풀리면 천하가 화평할 것이다.

小註

節齋蔡氏曰, 悖, 逆也. 解悖, 謂解三之悖逆, 而卒得其順也.

절재채씨가 말하였다: 거슬리대[悖]는 거꾸로 하는 것이다. 거스름을 푸는 것은 삼효의 패역함을 풀어서 마침내 그 순응함을 얻는 것이다.

○ 雲峰胡氏曰, 諸爻, 唯六三, 爲小人之尤, 亦可醜也. 猶未見其爲惡以解悖也. 悖之一字, 其惡著矣.

운봉호씨가 말하였다: 여러 효에서 육삼효가 가장 소인이니 또한 추하다. 오히려 그 악이 드러나지 않았을 때 거스름[悖]을 풀어버리니, 패(悖)라는 한 글자에 그 악이 드러난다.

○ 建安丘氏曰, 解, 散也, 散天下之難也. 然小人者, 難之根, 故蹇難之後, 猶當思於去小人, 解去小人之卦也. 在卦以六三一陰爲主. 其爻曰, 負且乘, 致寇至, 言三以小人陰險之才, 處非其據而召天下之兵也. 在諸爻, 皆欲去三者, 二在三下而言獲狐者, 獲三也, 四處三上而言解拇者, 解三也, 上與三應而言射隼者, 射三也, 五解之主而言有孚于小人者, 退三也. 觀上下諸爻, 莫不一. 唯六三之去. 小人不去, 難根不除, 此作易聖人之所深懼也. 唯初六, 才柔位卑, 不任解難之責, 故爻无他辭, 但曰无咎而已. 此解六爻之大旨也.

건안구씨가 말하였다: 해(解)는 흩뜨림이니, 천하의 어려움을 흩뜨리는 것이다. 그러나 소인은 험난함의 뿌리이므로, 건괘의 험난함 뒤에도 여전히 소인을 제거할 것을 생각해야 하니, 해괘는 소인을 버리는 괘이다. 괘에서 육삼의 한 음이 중심이 된다. 그 효에 "짊어져야 하는데 올라타고 있어 도적을 오게 한다"라 하였으니, 삼효가 소인의 음험한 재질로 있는 곳이 제 자리가 아니어서 천하의 병난을 불러들임을 말한다. 여러 효에서 모두 삼효를 없애고자 하는 경우로, 이효가 삼효의 아래에 있는데도 여우를 잡는다고 말한 것은 삼효를 잡았기 때문이고, 사효가 삼효의 위에 있는데도 엄지발가락을 풀 것을 말한 것은 삼효를 풀기 때문이며, 상효가 삼효와 호응인데도 새매를 쏠 것을 말한 것은 삼효를 쏘기 때문이고, 오효가 풀어버리는 임금인데도 소인에게서 증험이 있는 것을 말한 것은 삼효를 물러나게 하기 때문이다. 위아래 여러 효를 보면 일치하지 않음이 없는 것은 육삼을 제거하는 것일 뿐이다. 소인이 제거되지 않으면 험난함의 뿌리가 없어지지 않으니, 이것은 『주역』을 지은 성인이 깊이 두려워한 것이다. 초효만 재질이 유약하고 자리가 낮아 어려움을 푸는 책임을 맡길 수 없으므로 효사에 다른 말이 없이 다만 '허물이 없다'고 하였을 뿐이다. 이것이 해괘 여섯 효의 대체적인 뜻이다.

‖韓國大全‖

김상악(金相岳) 『산천역설(山天易說)』

六三, 是負乘之小人也. 故二言獲狐者, 獲三也, 四言解拇五言有解者, 解三也, 上言射隼者, 射三也, 豈非悖亂之大者也. 射之乃解之也. 上雖陰柔, 六爻獨得正, 故曰, 解悖. 悖者, 正之反也.

육삼은 짊어져야 하는데 올라탄 소인이다. 그러므로 이효에서 '여우를 잡는 것'을 말한 것은 삼효를 잡는 것이고, 사효에서 '발가락을 풀어버리는 것'을, 오효에서 '풀림이 있는 것'을 말한 것은 삼효를 풀어버리는 것이며, 상효에서는 '새매를 쏘는 것'을 말한 것은 삼효를 쏘는 것이니, 어찌 크게 거슬려 어지러운 것이 아니겠는가? 쏘는 것은 풀어버리는 것이다. 상효가 부드럽지만 여섯 효에서 그것만 바름을 얻었기 때문에 "거슬림을 풀어버리는 것이다"라고 했으니, '거슬림'은 바름의 반대이다.

서유신(徐有臣) 『역의의언(易義擬言)』

以隼之鷙戾, 喩小人之凶悖也.

새 중의 사나운 매로 흉하게 거스르는 소인을 비유했다.

박제가(朴齊家) 『주역(周易)』

發明繫辭未盡之意, 惟恐解之復蹇也.

효사의 미진한 뜻을 드러내 밝혔으니, 오직 해괘(解卦䷧)가 건괘(蹇卦䷦)로 돌아갈까 염려했기 때문이다.

심대윤(沈大允) 『주역상의점법(周易象義占法)』

〈解之道, 嚴於身, 而寬於人, 嚴於私屬, 而寬於天下, 嚴於大衆, 而寬於小過也.

해괘의 도는 자신에게 엄격하지만 남에게 너그러우며, 집안사람들에게 엄격하지만 천하에 너그러우며, 대중에게 엄격하지만 작은 잘못에는 너그럽다.〉

解悖, 猶言解惑也. 明上六之嚴, 以解人之惑也, 非謂猛而有傷也. 師嚴然後道尊, 道尊然後民知敬學也.

'거슬림을 풀어버림'은 의혹을 풀어버림과 같다. 상육이 엄격하여 사람들의 의혹을 풀어버림을 밝힌 것이지 사나워서 해침이 있음을 말함이 아니다. 스승이 엄격한 다음에 도가 높여지고, 도가 높여진 다음에 백성들이 배움을 공경할 줄 안다.

〈來就我者, 取之有損之善.

나에게 와서 따르는 것은 취함에 덜어냄의 선함이 있는 것이다.〉

오치기(吳致箕) 「주역경전증해(周易經傳增解)」

小人之惡極者, 爲悖, 而至于解終, 解此悖亂, 而天下平矣.

극도로 악한 소인이 거슬리는 것인데, 해괘의 끝에 와서 이렇게 거슬리는 혼란을 풀어버려 천하가 평안해진다.

41

손괘

損卦

‖中國大全‖

傳

損, 序卦, 解者, 緩也, 緩必有所失, 故受之以損. 縱緩則必有所失, 失則損也, 損
所以繼解也. 爲卦艮上兌下, 山體高, 澤體深. 下深則上益高, 爲損下益上之義.
又澤在山下, 其氣上通, 潤及草木百物, 是損下而益上也. 又下爲兌說, 三爻皆
上應, 是說以奉上, 亦損下益上之義. 又下兌之成兌, 由六三之變也, 上艮之成
艮, 自上九之變也. 三本剛而成柔, 上本柔而成剛, 亦損下益上之義. 損上而益
於下則爲益, 取下而益於上則爲損, 在人上者, 施其澤, 以及下則益也, 取其下,
以自厚則損也. 譬諸壘土, 損於上, 以培厚其基本, 則上下安固矣, 豈非益乎. 取
於下, 以增上之高, 則危墜至矣, 豈非損乎. 故損者, 損下益上之義, 益則反是.

손괘는 「서괘전」에 "해(解)는 느슨해짐이니, 느슨해지면 반드시 잃는 것이 있으므로 손괘(損卦☶)로
받았다"고 하였다. 늘어지고 느슨해지면 반드시 잃는 것이 있게 되고, 잃으면 손실되니 손괘가 해괘를
이은 것이다. 괘의 모양은 간괘(☶)가 위에 있고 태괘(☱)가 아래에 있는데 산의 몸체는 높고 연못의
몸체는 깊다. 아래가 깊으면 위가 더욱 높으니 아래를 덜어서 위를 보태는 뜻이 된다. 또 연못이 산
아래 있어서 그 기운이 위로 통하여 윤택함이 초목과 만물에 미치니, 이것이 아래를 덜어서 위에 보태
는 것이다. 또 하괘는 태괘라는 기쁨이 되어 세 효가 모두 위로 호응하니 이는 기쁨으로 위를 받드는
것으로 역시 아래를 덜어 위를 보태는 뜻이다. 또 아래의 태괘가 태괘로 된 것은 육삼으로 변했기 때문
이고, 위의 간괘가 간괘로 된 것은 상구로 변했기 때문이다. 삼효는 본래 굳센 양이었는데 부드러운
음이 되고, 상효는 본래 부드러운 음이었는데 굳센 양이 되었으니 또한 아래에서 덜어 위에 보태는 뜻
이다. 위에서 덜어 아래에 보태면 익괘가 되고, 아래에서 취하여 위에 보태면 손괘가 되니, 남의 윗자리
에 있는 자가 은택을 베풀어 아래에 미치면 보탬이고, 그 아래에서 취하여 자신에게 두텁게 하면 덜어
냄이다. 성루의 흙에 비유하면 위에서 덜어 그 터전을 북돋우면 위아래가 편안하고 튼튼할 것이니, 어
찌 유익이 아니겠는가? 아래에서 취하여 위를 높게 올리면 위태롭고 추락할 것이니, 어찌 손실이 아니
겠는가? 그러므로 손괘(損卦)는 아래에서 덜어 위에 보태는 뜻이고, 익괘(益卦)는 이와 반대이다.

小註

雲峰胡氏曰, 上下經, 陰陽各三十畫, 然後爲泰否爲損益. 咸男女之交, 變而損則不交,
恒男女之不交, 變而益則交. 咸者夫婦之情, 情之感也極必損, 恒者夫婦之道, 道之久
也極必益. 然損九三益上六爲損, 初九上而爲四爲五, 胡不謂之損. 損九四益初六謂之
益, 上九下而爲三爲二, 胡不謂之益. 益在下卦之下, 民爻也, 下之上, 容可損, 下之下
爲民, 決不可損也. 故損之釋象曰損下益上, 而不言損民, 益之釋象曰損上益下, 民說

无疆, 則其爲益民也可知矣. 民爲邦本, 可益而不可損, 如此.

운봉호씨가 말하였다: 상경·하경에 음과 양이 각기 30획씩이 된 뒤에 태괘(䷊)·비괘(䷋)가 되고, 손괘(䷨)·익괘(䷩)가 된다. 함괘(咸卦)에서 남녀가 사귀다가 변하여 손괘(損卦)가 되면 사귀지 않고, 항괘(恒卦)에서 남녀가 사귀지 않다가 변하여 익괘(益卦)가 되면 사귄다. 함(咸)이란 부부의 정인데, 정(情)의 교감은 지극하면 반드시 감소하고, 항(恒)이란 부부의 도인데, 도의 항구함은 지극하면 반드시 보태진다. 그런데 태괘(泰卦䷊)에 구삼을 덜어내 상육에 보태 손괘(損卦䷨)가 되는 것은 초구가 올라서 사효나 오효가 된 것인데, 어찌 손(損)이라고 하지 않는가? 비괘(否卦䷋)에서 구사를 덜어내 초육에 보태 익괘(益卦)䷩가 되는 것은 상구가 내려가 삼효나 이효가 된 것인데, 어찌하여 익(益)이라고 하지 않는가? 보태줌이 하괘의 아래에 있는 것은 백성의 효이기 때문이다. 하괘의 위에 있는 것은 덜어내도 괜찮지만, 하괘의 아래는 백성이 되니 결코 덜어내어서는 안 된다. 그러므로 손괘 「단전」의 풀이에서 "아래에서 덜어 위에 보탠다"고 하였지 백성에게서 덜어낸다고는 하지 않았고, 익괘 「단전」의 풀이에서 "위를 덜어 아래에 보태니, 백성이 기뻐함이 끝이 없다"고 하였으니, 백성을 유익하게 한 것임을 알 수 있다. 백성은 나라의 근본이니 보태주어야 하고 덜어내지 않아야 하는 것이 이와 같다.

○ 漢上朱氏曰, 損泰變也, 損九三以益上六也. 益上矣, 而謂之損, 何也. 蓋上以下爲基, 譬之築墉, 損其基, 以增上之高, 則危矣, 非益也.

한상주씨가 말하였다: 손괘(損卦䷨)는 태괘(泰卦䷊)가 변한 것으로 태괘에서 구삼을 덜어서 상육에 보태었다. 위에 보태었는데 손(損)이라 한 것은 어째서인가? 대체로 위는 아래를 기반으로 삼으니, 비유하건대 담을 쌓을 때 그 기반을 파내어 위로 쌓아 올리는 것은 위태하여 익(益)이 아니다.

‖韓國大全‖

홍여하(洪汝河) 「책제(策題): 문역(問易)·독서차기(讀書箚記)-주역(周易)」

損兌澤益艮山, 有剛柔交易, 上下往來之義. 隨蠱咸恒賁噬, 交易往來之理, 與此無異, 恐不必別設卦變而推之也.

태괘라는 못에서 덜어내어 간괘라는 산에 보태니, 굳셈과 부드러움이 서로 바뀌어 상하가 왕래하는 의미가 있다. 수괘(隨卦)·고괘(蠱卦)·함괘(咸卦)·항괘(恒卦)·비괘(賁卦)·서합괘(噬嗑卦)가 서로 바뀌며 왕래하는 이치가 이와 다르지 않으니, 굳이 따로 괘의 변화를 설명해서 미룰 필요가 없을 것 같다.

損, 有孚, 元吉, 无咎, 可貞, 利有攸往,

정전 손괘는 믿음이 있으면 크게 착하고 길하며 허물이 없어서, 바르고 곧게 할 수 있기에 가는
　　것이 이로우니,

본의 손괘는 믿음이 있으면 크게 착하고 길하며 허물이 없고, 곧게 할 수 있으며, 가는 것이 이로우니,

‖中國大全‖

傳

損, 減損也, 凡損抑其過, 以就義理, 皆損之道也. 損之道, 必有孚誠, 謂至誠順
於理也. 損而順理則大善而吉, 所損无過差, 可貞固常行而利有所往也. 人之所
損, 或過或不及或不常, 皆不合正理, 非有孚也. 非有孚則无吉而有咎, 非可貞
之道, 不可行也.

손(損)은 덜어냄이니, 허물을 덜어내고 억제하여 의리로 나아가는 것이 모두 ‘덜어냄’의 도리이다.
‘덜어냄’의 도리에는 반드시 믿음과 정성이 있어야 하니 지극한 정성으로 이치에 순응함을 말한다.
덜어내어 이치에 순응하면 크게 착하고 길하며, 덜어낸 것이 지나치거나 어긋남이 없어서 곧고 굳음
으로 항상 행할 수 있고 가는 것이 이롭다. 사람이 덜어냄에 지나치거나 미치지 못하거나 한결같지
못하면 모두 바른 이치에 합하지 못할 것이니 믿음이 있는 것이 아니다. 믿음이 있지 않으면 길함은
없고 허물만 있으며, 바르고 곧은 도리가 아니니 행할 수 없다.

本義

損, 減省也. 爲卦, 損下卦上畫之陽, 益上卦上畫之陰, 損兌澤之深, 益艮山之高.
損下益上, 損內益外, 剝民奉君之象, 所以爲損也. 損所當損, 而有孚信, 則其占,
當有此下四者之應矣.

손(損)은 덜고 생략함이다. 괘의 모양이 (태괘) 하괘 윗 획의 양을 덜어내어 상괘 윗 획의 음에 보태
니, 태괘 연못에서 깊게 덜어내어 간괘 산에 높게 보태는 것이다. 아래에서 덜어서 위에 보태고, 안에

덜어서 밖에 보태며, 백성에게 깎아서 임금에게 받드는 상이기 때문에 손괘이다. 덜어내야 할 것을 덜어내어 믿음이 있으면 그 점에 당연히 아래 네 가지의 호응이 있을 것이다.

小註

節齋蔡氏曰, 內本乾外本坤, 乾上爻與坤上爻往來, 本剛得柔爲損, 本柔得剛爲益. 凡卦以內爲貞, 主貞而言, 故爲損.

절재채씨가 말하였다: 내괘는 건괘이고 외괘는 본래 곤괘로 건괘의 상효와 곤괘의 상효가 가고 오니, 본래 굳센 양이 부드러운 음을 얻어 손괘가 되고, 본래 부드러운 음이 굳센 양을 얻어 익괘가 된다. 모든 괘는 내괘를 정(貞)으로 삼는데, 정(貞)을 위주로 말하였으므로 손괘가 된다.

○ 進齋徐氏曰, 孚, 信實也. 損所當損, 適時之宜, 而有孚信可行之理, 所謂有孚也. 可貞者, 可以正, 故守此也, 其道可行, 故利往. 損而有孚, 則元吉无咎, 可貞而利有攸往也. 蓋損者, 拂人情之事, 易至凶咎, 故特詳之.

진재서씨가 말하였다: '믿음[孚]'은 신실함이다. 덜어내야 할 것을 덜어냄은 시의에 맞고 믿음이 있어서 행해야 하는 이치이니 이른바 '믿음이 있는 것[有孚]'이다. '곧게 할 수 있음[可貞]'은 바르게 해야 하기 때문에 이를 지키고, 그 도를 행할 수 있기 때문에 가는 것이 이롭다. 덜어냈으나 믿음이 있으면 크게 길하며 허물이 없고, 곧게 할 수 있으며 가는 것이 이롭다. 덜어내는 것은 인정을 거스르는 일이어서 흉과 허물에 이르기 쉬우므로 특별히 상세하게 말하였다.

○ 雲峰胡氏曰, 損之元吉无咎, 可貞利往, 占之辭, 繁而不殺. 自坤象外, 未有如此反覆詳悉者, 損本拂人情之事也. 損下未必大善而吉, 未必无過, 未必可固守, 未必可有往. 唯損其所當損, 於理可行而下信之, 則其占可如此爾.

운봉호씨가 말하였다: 손괘의 "크게 착하고 길하며 허물이 없고, 곧게 할 수 있으며 가는 것이 이롭다"는 점사가 번잡한데도 줄이지 않았다. 『곤괘·단전』 외에 이처럼 반복해서 상세하게 다 말한 경우는 없으니, 덜어냄은 본래 인정을 거스르는 일이기 때문이다. 아래에서 덜어냄은 반드시 크게 선하여 길한 것도 아니고, 반드시 허물이 없는 것도 아니며, 반드시 굳게 지켜야 하는 것도 아니고, 반드시 갈만한 것도 아니다. 오직 덜어내야 할 것을 덜어 이치상 행하여야 되고 아래에서 믿으면, 그 점이 이와 같을 수 있을 뿐이다.

韓國大全

조호익(曺好益) 『역상설(易象說)』

孚, 全體中虛象. 貞, 卦之成由上九, 九居三, 則正, 居上則不正, 故曰可貞. 往, 指九自三而往之象.

'믿음'은 괘 전체에서 속이 비어 있는 상이다. '곧음'은 괘의 이루어짐이 상구에 있으니, 구가 삼효의 자리에 있으면 바르고 상효에 있으면 바르지 않기 때문에 "곧게 할 수 있다"라고 하였다. '감'은 구가 삼효에서 가는 상을 가리킨다.

송시열(宋時烈) 『역설(易說)』

此亦乾坤之變損, 乾之上爻爲坤之上爻也. 損義見傳義. 有孚者, 二五相孚也. 利有攸往, 亦以正應而言, 卦亦有震故也. 曷之用者, 言損之道何以用之乎, 以至薄之物者, 損下也, 用亨者, 益上也. 二者, 兌之數也, 簋者, 行器. 震爲升, 離象爲器也, 與坎四爻同辭, 二簋卽簋貳之意. 亨道當豊, 而以薄者, 時當損也. 必言亨者, 損益相綜, 則有風地觀之象. 故互取卦象類多倣此.

여기에서도 건괘와 곤괘가 손괘로 변했으니, 건괘의 상효가 곤괘의 상효가 되었다. 손괘의 의미는 『정전』과 『본의』에 있다. '믿음이 있다'는 것은 이효와 오효가 서로 믿는 것이다. '가는 것이 이롭다'는 것도 바르게 호응하는 것으로 말하였으니, 괘에 또한 진괘가 있기 때문이다. '어디에 쓰겠는가'라는 것은 손괘의 도를 어떻게 사용하겠는가라는 말이니, 지극히 박한 것으로 아래에서 덜어내는 것이고, 제사로 위에 보태는 것이다. 둘은 태괘의 수이고, 그릇은 그릇을 사용하는 것이다. 진괘가 올림이고 리괘의 상이 그릇이어서 감괘의 사효와 말이 같으니,[1] '그릇 둘'은 '두 개를 질그릇으로 사용한다'는 의미이다. 제사지내는 도리는 풍성해야 하는데 박하게 한 것은 때에 맞춰 덜어내야 하는 것이다. 굳이 제사를 말한 것은 손괘와 익괘를 서로 종합하면, 풍지관괘(風地觀卦䷓)의 상이 있어서이다. 그러므로 서로 괘상을 취하는 부류는 대부분 이와 같다.

유정원(柳正源) 『역해참고(易解參攷)』

西溪李氏曰, 夏商周之貢助徹, 不過什一, 皆損下益上之義也. 其法不過天下之中正,

---

1) 『周易·坎卦』: 六四, 樽酒簋貳, 用缶, 納約自牖, 終无咎.

故曰可貞. 出力奉上, 然後可得以治, 故曰利有攸往.

서계이씨가 말하였다: 하나라·상나라·주나라의 세금인 공·조·철이 수확의 1/10에 지나지 않은 것은 모두 아래에서 덜어내어 위에 보탠다는 의미이다. 그 법이 천하의 알맞고 바름을 지나치지 않았기 때문에 "곧게 할 수 있다"고 하였다. 힘써 윗사람을 섬긴 다음에 다스릴 수 있기 때문에 "가는 것이 이롭다"고 하였다.

○ 雙湖胡氏曰, 利有攸往, 申言卦變也. 損自泰. 九利往居上, 六來居三也.

쌍호호씨가 말하였다: '가는 것이 이롭다'는 괘의 변화를 거듭 말한 것이다. 손괘(損卦䷨)는 태괘(泰卦䷊)에서 왔으니, 구가 가서 꼭대기에 있음이 이롭고 육이 와서 삼효에 있다.

○ 案, 元吉者, 當損而損也. 无咎者, 无過不及之差也.

내가 살펴보았다: "크게 길하다"는 것은 덜어내야 할 것이서 덜어낸 것이다. "허물이 없다"는 것은 지나치고 모자라는 어긋남이 없다는 것이다.

김규오(金奎五) 「독역기의(讀易記疑)」

序卦下, 雲峯說, 初九上而爲四, 上九下而爲三, 蓋指恒咸也. 爲五爲二云云, 似以九五九二而言, 但蒙上文, 故略言之耳.

괘 순서 아래에서 운봉호씨가 "초구가 올라서 사효가 되고, 상구가 내려가 삼효가 되었다"고 한 것은 항괘와 함괘를 가리키는 것이다. '오효가 되고 이효가 되었다'고 하는 것은 구오와 구이를 가지고 말한 것 같은데, 다만 위의 글을 이어받고 있기 때문에 간략하게 말했을 뿐이다.

○ 卦辭, 有孚, 蓋指卦辭虛中, 而五元吉, 二利貞也.

괘사에서 믿음이 있음은 괘사에서 비어 있어 알맞음을 가리키니, 오효는 크게 길하다는 것이고, 이효는 곧게 함이 이롭다는 것이다.

서유신(徐有臣) 『역의의언(易義擬言)』

損之爲損, 三往於上也. 上九上而六三下, 剛柔相交相應, 是爲有孚也. 兌說艮止, 損得宜而不過, 故元吉无咎也. 二三五上, 雖不得正, 而正應相與, 故可以爲貞也. 通行無滯, 故利有攸往也.

손괘가 손괘인 것은 삼효가 상효로 갔기 때문이다. 상구가 위에 있고 육삼이 아래에 있어 굳셈과 부드러움이 서로 사귀고 서로 호응하니 바로 믿음이 있음이다. 태괘는 기뻐하고 간괘는 멈추어 손괘(損卦䷨)가 마땅함을 얻어 지나치지 않기 때문에 크게 착하고 길하며 허물이 없다. 이효·삼효·오효·상효가 바름을 얻지 못했으나 바르게 호응하여 서로 함께 하기 때문에 곧게 할 수 있다. 통행에 막힘이 없기 때문에 가는 것이 이롭다.

박문건(朴文健) 『주역연의(周易衍義)』

有孚, 言用孚於六三也. 可貞, 勉辭也.

'믿음이 있음'은 육삼에게 믿음이 있는 것이다. '곧게 할 수 있음'은 힘쓰게 하는 말이다.

〈問, 有孚元吉以下. 曰, 上九有孚於六三, 則大吉也. 以陽處上, 而能與其下, 雖无咎之道, 然用剛貞爲可. 又升進處上, 爲四五二陰之所載, 故利有所往也.

물었다: "믿음이 있으면 크게 착하고 길하다" 이하는 무슨 뜻입니까?

답하였다: 상구가 육삼에게 믿음이 있으면 크게 길합니다. 양으로 상구의 자리에 있으면서 그 아래와 함께 할 수 있으면 허물이 없는 도일지라도 굳세고 바른 도를 사용해야 됩니다. 또 함께 나아가 상구의 자리에 있어 사효와 오효 두 음이 싣고 있기 때문에 가는 것이 이롭습니다.〉

김기례(金箕澧) 「역요선의강목(易要選義綱目)」

損咸恒至解, 陰陽十變, 各爲三十畫, 而後爲損益, 如上經乾坤十變, 而爲泰否.

손괘·함괘·항괘에서 해괘까지 음양이 10번 변해서 제각기 30획이 된 다음에 손괘·익괘가 되는 것은 상경의 건괘·곤괘가 10번 변해서 태괘·비괘가 되는 것과 같다.

○ 凡事解, 則必損失.

일이 풀리면 반드시 손실된다.

○ 山澤通氣, 澤潤而山輝.

산과 못에 기가 통하면 못은 물이 차고 산은 빛난다.

○ 山在澤上, 澤深則山益高, 損下益上之義.

산이 못 위에 있어 못이 깊으면 산이 더욱 높은 것이 아래에서 덜어내어 위에 보태는 의미이다.

심대윤(沈大允) 『주역상의점법(周易象義占法)』

凡學敎取與之道, 俱不可无信, 而於學與取者, 爲尤重. 无信則无所得, 故言有孚於損,而不言於益也. 全卦離爲孚. 思而不學, 則勞而无得, 取諸宮中, 而不取於人, 則勤而不給. 學焉取焉則不勞而得矣, 故曰, 元吉. 人之生也, 固學焉取焉, 故曰无咎. 人不死, 則必學焉取焉, 故曰可貞. 學焉取焉, 而有爲則可也, 故曰利有攸往.

배우고 가르치며 취하고 주는 도는 모두 믿음이 없을 수 없는데, 배움과 취함에서 더욱 중요하다. 믿음이 없으면 얻는 것이 없기 때문에 손괘에서 믿음이 있음을 말하고 익괘에서 말하지 않았다. 전체 괘에서 리괘가 믿음이다. 생각하고 배우지 않으면 수고롭지만 얻는 것이 없고, 집안에서 취하고 남들에게 취하지 않으면 부지런하지만 넉넉하지 않다. 배우고 취하면 수고하지 않고 얻기 때문에 "크게 착하고 길하다"라고 하였다. 사람이 태어나서 진실로 배우고 취하기 때문에 "허물이 없다"라고 하였다. 사람이 죽지 않았다면 반드시 배워서 취하기 때문에 "곧게 할 수 있다"고 하였다. 배우고 취해서 큰일을 할 수 있기 때문에 "가는 것이 이롭다"고 하였다.

박문호(朴文鎬) 「경설(經說)·주역(周易)」

元[2]吉无咎可貞利有攸往, 散見於易者, 不一而足, 故本義, 不復釋其義, 但以四者言之, 此朱子註經之法也.

"크게 착하고 길하며 허물이 없고 곧게 할 수 있으며, 가는 것이 이롭다"는 구절은 『주역』에서 산견되어 있는 것으로 하나의 의미로 할 수 없기 때문에 『본의』에서는 그 의미를 다시 해석하지 않고 단지 네 가지로 말하였으니, 이것이 주자가 경을 주석하는 방법이다.

---

2) 元: 경학자료집성DB에는 '无'로 되어 있으나, 경학자료집성 영인본을 참조하여 '元'으로 바로잡았다.

曷之用. 二簋, 可用享.

어디에 쓰겠는가? 그릇 둘로도 제사지낼 수 있다.

中國大全

傳

損者, 損過而就中, 損浮末而就本實也. 聖人, 以寧儉, 爲禮之本, 故於損發明其義, 以享祀言之. 享祀之禮, 其文最繁, 然以誠敬爲本. 多儀備物, 所以將飾其誠敬之心, 飾過其誠則爲僞矣. 損飾, 所以存誠也. 故云曷之用二簋可用享, 二簋之約, 可用享祭. 言在乎誠而已, 誠爲本也. 天下之害, 无不由末之勝也, 峻宇雕牆, 本於宮室, 酒池肉林, 本於飲食, 淫酷殘忍, 本於刑罰, 窮兵黷武, 本於征討. 凡人欲之過者, 皆本於奉養, 其流之遠則爲害矣. 先王, 制其本者, 天理也, 後人, 流於末者, 人欲也. 損之義, 損人欲, 以復天理而已.

손(損)이란 지나친 것을 덜어서 알맞게 하고, 헛되고 지엽적인 것을 덜어서 근본적이고 실질적이게 하는 것이다. 성인이 차라리 검소함으로 예의 근본을 삼았으므로, 손괘에서 그 뜻을 밝혀서 제사지내는 것으로 말하였다. 제사의 예(禮)가 그 꾸밈이 아주 번잡하지만, 정성과 공경으로 근본을 삼는다. 의식을 많이 하고 제물을 갖춤은 그 정성스럽고 공경하는 마음을 꾸미려는 것이니, 꾸밈이 그 정성보다 지나치면 거짓이 될 것이다. 꾸밈을 덜어냄은 정성을 보존하려는 것이다. 그러므로 "어디에 쓰겠는가? 그릇 둘로도 제사지낼 수 있다"라고 한 것은 그릇 둘의 간략함으로 제사지낼 수 있다는 것으로 정성에 달렸을 뿐이라는 말이니 정성이 근본이 된다. 천하의 해로움은 지엽적인 것이 성한데서 오지 않음이 없으니, 지붕을 높게 짓고 담장을 아로새김은 궁실에서 비롯되고, 주지육림은 음식에서 비롯되며, 혹독하고 잔인함은 형벌에서 비롯되고, 병력을 끝없이 일으키고 무력을 마구 씀은 정벌과 토벌에서 비롯된다. 인욕의 지나친 것은 모두 생계에서 비롯되지만 그것이 절제 없이 멀리 마음대로 흘러가면 해가 된다. 선왕이 그 근본을 제재한 것은 천리이고, 뒷사람이 지엽적인 데로 절제 없이 흘러간 것은 인욕이다. 손(損)의 뜻은 인욕을 덜어서 천리를 회복함일 뿐이다.

本義

言當損時則至薄, 无害.

덜어야 하는 때에는 아주 간략하게 해야 해(害)가 없다는 말이다.

小註

朱子曰, 二簋與簋貳, 字不同, 可見其義亦不同.

주자가 말하였다: '그릇 둘[二簋(이궤)]'과 '그릇에 더하여[簋貳(궤이)]'는 글자가 같지 않으니, 그 의미도 같지 않음을 알 수 있다.

○ 進齋徐氏曰, 曷之用者, 問辭, 二簋可用享者, 答辭. 下之奉上, 皆謂之享, 卽燕享之享也.

진재서씨가 말하였다: "어디에 쓰겠는가?"는 묻는 말이고, "두 그릇으로도 제사지낼 수 있다"는 답하는 말이다. 아랫사람이 윗사람을 받듦을 모두 '향(享)'이라고 하였으니, 임금과 신하가 함께 하는 잔치[燕享]라는 뜻의 '향'이다.

○ 雲峰胡氏曰, 上有不得已而損下者, 非以自用也. 曷之用, 二簋可用享, 必用享爲訓者. 損之時, 享猶不敢過, 則所以自奉者可知矣. 古者享禮, 陳饋八簋爲盛, 四簋爲中, 二簋爲簡. 坎之時, 以一簋貳一罇, 則又簡矣.

운봉호씨가 말하였다: 위에서 부득이하게 아래에서 덜어내더라도 자기가 쓰려고 해서가 아니다. "어디에 쓰겠는가? 두 그릇으로도 제사지낼 수 있다"라 하였으니, 반드시 제사지냄으로 풀이해야 한다. 손(損)의 때에는 제사마저도 지나치게 하지 않으니, 자신의 생계가 어떨지 알 수 있을 것이다. 예전에 제사의례에 제물을 진설할 때 여덟 그릇이면 성대한 것이고, 네 그릇이면 중간이며, 두 그릇이면 간략한 것이다. 감괘의 때에는 하나의 그릇에 술 한 병을 더하니 더 간략한 것이다.

韓國大全

조호익(曺好益) 『역상설(易象說)』

簋, 震竹艮手, 有爲簋之象. 二簋, 雙湖曰, 无其象而義取諸損, 或曰, 下卦三爻損一爻,二簋象. 二爻, 皆應上卦, 有享象.

그릇은 진괘가 대나무이고 간괘가 손이어서 그릇의 상이 있다. 두 그릇에 대해 호씨는 "상이 없으나 의미를 손괘에서 취하였다"[3]라고 하였고, 어떤 이는 "하괘의 삼효에서 한 효를 덜어내 두 그릇의 상인데, 두 효가 모두 상괘와 호응하니 제사의 상이 있다"라고 하였다.

이익(李瀷) 『역경질서(易經疾書)』

損之象, 合二十字. 傳文但上加一而字, 其意若曰, 雖損又必如此也. 損者, 損下而益上, 雖損而或不能誠實, 故損而有孚, 方得元吉. 元吉, 大善也. 善惡在己, 咎譽在人, 故雖善而未必无咎, 雖善且无咎, 又或有宜於一時而不宜於永久者, 故惟損而元吉无咎而可貞, 方是利有攸往也. 其道只在於不豊而約, 損剛而益柔, 與時偕行而无弊也.

손괘의 단사는 합하여 20글자이다. 단전에서 이(而)자만 더했는데, 그 의미는 "덜어낼지라도 반드시 이처럼 해야 한다"와 같다. 덜어냄은 아래에서 덜어내 위에 보내니 덜어낼지라도 혹 성실할 수 없기 때문에 덜어내는 데 믿음이 있으면 크게 길하다. "크게 길하다"는 크게 선하다는 것이다. 선하고 악한 것은 자신에게 있고, 허물하고 칭찬함은 남에게 있기 때문에 선할지라도 꼭 허물이 없는 것이 아니고, 선한데다가 허물이 없을지라도 또 한 때는 마땅하지만 영원한 것에는 마땅하지 않은 것이 있기 때문에, 오직 덜어낼지라도 크게 길하고 허물이 없으며 곧게 할 수 있는 것이 바로 가는 것이 이로운 것이다. 그 도는 오직 풍성하게 하지 않고 간략한 데 있으니, 굳셈에서 덜어내어 부드러움에 보태며 때와 함께 행하여 잘못됨이 없다.

曷, 楬也. 楬諧聲也. 古稱曷, 今稱楬, 楬之爲曷, 如感之爲咸, 烹之爲亨, 荷之爲何, 鬚之爲須, 趦趄之爲次. 且易中用字多如此.

'어찌 갈[曷]'자는 '꾸밈이 없다[楬]'는 것으로 '꾸밈이 없다[楬]'는 것은 해성(諧聲)[4]이다. 옛날에는 갈(曷)로 했는데 요즘은 갈(楬)로 하니, 갈(楬)이 갈(曷)로 된 것은 감(感)이 함(咸)으로 되고, 팽(烹)이 형(亨)으로 되며, 하(荷)가 하(何)로 되고, 발(鬚)이 수(須)로 되며, 자저(趦趄)가 차(次)로 된 것과 같다. 『주역』에서 이처럼 글자를 사용한 것이 많다.

明堂位曰, 有虞氏兩敦, 夏后氏四璉, 殷人六瑚, 周人八簋, 夏后氏楬豆, 殷玉豆, 周獻豆. 註楬不飾也. 夏后氏猶不飾, 則有虞氏之用楬可知, 有虞氏兩敦, 卽周八簋之兩也.

---

3) 『易附錄纂註』: 二簋, 无其象, 而義取諸損.

4) 해성(諧聲): 한자의 구성 원리인 육서(六書)의 하나. 두 개의 글자를 합하여 새로운 하나의 글자를 만든 것으로, 한쪽은 뜻을 나타내고 다른 쪽은 음을 나타낸다. 예를 들어, '경(鏡)' 자에서 '금(金)'은 뜻을 나타내고 '경(竟)'은 음을 나타내고 있다.

不飾而用兩, 則所謂曷之用二簋者. 曷之而用二簋也. 周尙文, 器必有飾, 故有簠, 簋不飾之譏. 此卦以損爲名, 故以時而可損. 則損也, 如享祀, 古帝王, 則尙質而損, 灾荒役亂, 則取儉而損. 損之之極, 則二簋亦可用享也, 何以先言曷而後言簋. 曷非一物而享主於簋也. 坎之九四曰, 樽酒簋, 貳用缶, 樽簋之貳皆缶, 則二樽二簋而皆用缶也. 今簋旣用曷, 則餘皆用曷可知. 故言曷而包之也. 謂之應, 則非常例也, 應字包下二句.

『예기‧명당위』에서 "유우씨는 '두 대[兩敦]'이고, 하후씨는 '네 연[四璉]'이며, 은나라 사람은 '여섯 호[六瑚]'이고, 주나라 사람은 '여덟 궤[八簋]'이다. …. 하후씨는 꾸미지 않은 제기이고, 은나라에서는 옥으로 만든 제기이며, 주나라에서는 새겨서 꾸민 제기이다"[5]라고 하였다. 주석에서 "갈(楬)은 꾸미지 않은 것이다"[6]라고 하였다. 하후씨가 여전히 꾸미지 않았다면 유우씨가 꾸미지 않은 것을 사용했음을 알 수 있고, 유우씨의 두 대는 곧 주나라의 여덟 궤가 둘인 것이다. 꾸미지 않고 둘을 사용했다면, 경문에서 "어디에 쓰겠는가? 궤 둘로도[曷之用二簋]"라고 한 말은 꾸미지 않고 두 궤(簋)를 썼다는 것이다. 주나라는 문식을 숭상해서 그릇은 반드시 꾸몄기 때문에 보(簠)가 있으니, 궤는 꾸미지 않은 것을 나무란 것이다. 이 괘를 손괘로 이름 붙였기 때문에 때에 따라 덜어낼 수 있다. 그렇다면 덜어내는 것은 이를테면 제사를 지내는 것으로 옛날의 제왕은 질박함을 숭상해서 덜어냈으니, 흉년들고 혼란하면 검소한 것을 취해 덜어냈던 것이다. 덜어내기를 지극히 하면 두 그릇으로도 제사 지낼 수 있거늘, 어째서 먼저 꾸미지 않음을 말하고 뒤에 그릇을 말했는가? 꾸미지 않는 것이 한 가지만이 아니고, 제사에는 그릇을 주로 하기 때문이다. 감괘(坎卦)의 구사에서 "동이의 술과 궤(簋)요, 더하되 질그릇을 사용한다"고 했을 때, 동이의 술과 궤에 더하는 것이 모두 질그릇이니, 두 동이와 두 궤를 모두 질그릇으로 사용하는 것이다. 이제 궤를 이미 꾸미지 않은 것으로 사용했다면 나머지 모두 꾸미지 않은 것을 사용했음을 알 수 있으므로 꾸미지 않음을 말하여 포괄했던 것이다. 그것을 「단전」에서 '마땅히'라고 한 것은 일상적인 사례가 아니니, 그 말은 아래의 두 구절을 포함한다.

유정원(柳正源) 『역해참고(易解參攷)』

雙湖胡氏曰, 簋內方外圓, 下二陽爲底, 三陰爲腹, 上一陽爲蓋, 乃盛黍稷之器, 可用以享上者也. 主損之事者, 六五之君, 故以用享終焉.

쌍호씨가 말하였다: 그릇은 안이 모나고 바깥이 둥근데, 아래의 두 양은 바닥이고, 세 음은 속이며, 위의 한 양은 뚜껑이니, 바로 기장과 피를 채우는 그릇으로 위로 제사를 드릴 수 있는 것이다. 덜어냄의 일을 주도하는 자는 육오의 임금이기 때문에 제사에 쓰는 것으로 마쳤다.

---

5) 『禮記‧明堂位』: 有虞氏之兩敦, 夏后氏之四璉, 殷之六瑚, 周之八簋. …. 夏后氏以楬豆, 殷玉豆, 周獻豆.
6) 『禮記正義‧明堂位』: 楬不飾也.

○ 案, 禮貴得中, 享以二簋, 非中正之道也. 然子曰, 禮奢也寧儉. 儉者, 禮之本也. 損之爲義, 其隨時之宜也歟.

내가 살펴보았다: 예는 알맞음을 얻은 것을 귀하게 여기니, 제사에 그릇을 둘로 하는 것은 알맞고 바른 도는 아니다. 그러나 공자가 『논어·팔일』에서 "예는 사치하기보다는 차라리 검소한 것이다"라고 했으니, 검소함이 예의 근본이고, 덜어냄의 의미가 때를 따르는 마땅함일 것이다.

김상악(金相岳) 『산천역설(山天易說)』

有孚, 謂損之道, 必以孚誠也. 三與上爲成卦之主, 故在上者, 元吉而无咎, 在下者, 可貞而利往. 二簋用享者, 損道之成也.

'믿음이 있음'은 덜어내는 도를 말하니, 반드시 믿음으로 성실하게 해야 한다. 삼효와 오효는 괘를 이루는 주인이기 때문에 위에 있는 자는 크게 착하고 길하며 허물이 없고, 아래에 있는 자는 곧게 할 수 있으며, 가는 것이 이롭다. "두 그릇으로 제사를 지낼 수 있다"는 것은 덜어내는 도가 이루어짐이다.

○ 中虛爲孚. 卦因三上, 上下虛中相應, 故曰, 損有孚. 蓋損本拂人情之事, 有孚信而後, 可以得元吉无咎可貞利往. 所以繫辭之繁, 他卦所未有. 簋震象, 下卦本三陽, 而損其一, 只有二, 而初與二, 爲重畫之震, 故取二簋爲象. 二簋用享, 言其薄也習, 坎之四曰簋貳, 取象相似, 然二與貳字義不同. 誠齋易傳, 卦形頂踵實而腹虛, 有二器上覆下承之象, 故曰二簋.

가운데가 비어 있음이 믿음이다. 괘에서 삼효와 상효가 위아래로 비어 가운데로 서로 호응하기 때문에 "손괘는 믿음이 있다"라고 하였다. 덜어내는 것은 본래 인정에 어긋나는 일이니, 믿음이 있은 다음에 크게 착하고 길하며 허물이 없고 곧게 할 수 있으며, 가는 것이 이롭다. 설명하는 말이 번거로운 것은 다른 괘에 없는 것이다. 그릇이라는 진괘의 상은 아래의 괘에 본래 양이 셋인데 하나를 덜어내어 둘만 있고 초효와 이효가 거듭된 획으로 진괘가 되기 때문에 두 그릇을 상으로 하였다. "그릇 둘로도 제사지낼 수 있다"는 것은 간소한 것이 익숙하다는 말이니, 감괘(坎卦)의 사효에서 "그릇이고 더하여"[7]라고 한 것과 상을 취한 것이 서로 비슷하지만 '둘[二]'과 '더하여[貳]'는 글자와 의미가 다르다. 『성재역전』에서는 "괘가 머리와 발꿈치는 차 있는데 배가 비어 있는 모양이어서 두 그릇이 위에서 덮고 아래에서 이어주는 상이 있기 때문에 '두 그릇 둘로도'라고 하였다"라고 하였다.[8]

---

7) 『周易·坎卦』: 六四, 樽酒簋, 貳用缶, 納約自牖, 終无咎.

김규오(金奎五) 「독역기의(讀易記疑)」

曷之用, 言損之道, 而用於何等□也, 進齋問答之說, 是也. 但以傳何所用哉見之, 又似謂浮飾何用耳. 更詳之.

"어디에 쓰겠는가?"는 덜어내는 도여서 어떤 □에 쓴다는 말이다. 진재가 묻고 답한 말이 여기에 해당한다. 다만 『정전』에서 "어디에 쓰겠는가?"라고 말한 것으로 보면, '헛된 수식을 어디에 쓰겠는가'라고 말한 것 같을 뿐이니, 다시 자세히 보라.

○ 本義, 損陽益陰, 言成卦之由也, 損澤益山, 据成卦後言也.

『본의』의 '양에서 덜어내어 음에 보탬'은 괘가 이루어진 유래를 말한 것이고, '못에서 덜어내어 산에 보탬'은 괘가 이루어진 뒤를 근거로 말한 것이다.

서유신(徐有臣) 『역의의언(易義擬言)』

損之道, 宜如何. 用之三簋多, 而可損. 一簋少而過損, 唯二簋損之得中, 而可用享也. 凡遇兵凶,減君膳, 簡賓禮時, 有不可已也. 初二爲二簋象, 損三之一, 而存二也, 互坤爲食也.

덜어내는 도를 어떻게 해야 하는가? 세 그릇을 사용하면 많아서 덜어내야 한다. 한 그릇은 적게 하여 지나치게 덜어냈으니, 오직 두 그릇이면 덜어냄이 알맞음을 얻어 제사를 지낼 수 있다. 전쟁의 재앙을 만나 임금의 반찬을 줄이고 빈례를 간단하게 할 때는 어쩔 수 없다. 초효와 이효가 두 그릇의 상으로 셋 중의 하나를 줄여 둘이 남았다. 호괘인 곤괘는 음식이다.

박문건(朴文健) 『주역연의(周易衍義)』

二簋, 四五二陰之象也.

'그릇 둘'은 사효와 오효 두 음의 상이다.

〈問, 曷之用二簋可用享. 曰, 何以用二簋之饋於我乎. 惟此可以用享也. 若加用一簋, 則非養上之道也, 反損其上也.

물었다: "어디에 쓰겠는가? 그릇 둘로도 제사를 지낼 수 있다"는 무슨 뜻입니까?
답하였다: 무엇 때문에 두 그릇으로 나를 대접하겠습니까? 단지 이것은 제사를 지내는 것입니다. 만약 하나의 그릇을 사용한다면 위를 봉양하는 도리가 아니라 도리어 위에서 덜어내는 것입니다.〉

---

8) 『誠齋易傳·損卦』: 卦形頂踵實而腹虛, 有二器上覆下承之象, 故曰二簋.

이지연(李止淵) 『주역차의(周易箚疑)』

卦上三陰, 蒸潤之氣也. 上一陽, 則山之頂也. 損我澤中之氣, 益彼山頂之上, 故云耳有
孚者, 中虛之象也. 損而有孚, 則何事之不可往也. 雖自上厚, 歛損於下之事, 有孚而爲
之, 則可以无咎. 此則況損我益彼之事, 而以孚爲之者乎.

괘에서 위의 세 음은 후덥지근하게 적셔주는 기운이다. 위의 한 양은 산꼭대기이다. 내 못의
기운을 덜어내어 저 산꼭대기 위에 보태기 때문에 ‘믿음이 있음’이라고 했으니, 가운데가 비어
있는 상이다. 덜어내어 믿음이 있다면 어떤 일인들 하지 못하겠는가? 위를 두텁게 하는 것에
서 아래에서 덜어내는 일일지라도 믿음이 있게 한다면 허물이 없을 수 있다. 이것이 하물며
나에게서 덜어내어 저것을 이롭게 하는 일인데 믿음으로 그것을 함에야 말해 무엇 하겠는가?

김기례(金箕澧) 「역요선의강목(易要選義綱目)」

曷之用, 設辭以問, 二簋可用, 設辭以答.

“어디에 쓰겠는가?”는 말을 만들어 물은 것이고, “그릇 둘로도 제사를 지낼 수 있다”는 말을
만들어 대답한 것이다.

○ 下奉上曰享.

아래에서 위를 봉양하는 것을 ‘제사’라고 한다.

○ 上不得已損下, 則何可過益. 當以物薄而誠厚.

위에서 어쩔 수 없이 아래에서 덜어내니 어떻게 지나치게 더하겠는가? 사물은 간략하나 정
성은 두텁게 해야 한다.

심대윤(沈大允) 『주역상의점법(周易象義占法)』

曷之, 用二簋, 可用享.

어디에 사용했겠는가? 그릇 둘로 제사를 지낼 수 있다.

曷之用, 言用而无迹也. 曰曷嘗見其用乎. 艮爲簋, 艮之一陽, 爲二陰之主, 故曰, 二簋.
離爲二, 兌爲享, 艮震爲用. 二簋可用享, 言其微也. 山取於澤而澤不竭, 我取於人而人
不殫者, 以其微而无迹也.

“어디에 사용했겠는가”는 써도 흔적이 없다는 말이니, “어디에서 그 쓰임을 본적이 있었겠는
가?”라고 한 것이다. 간괘는 그릇인데 간괘의 한 양이 두 음의 주인이기 때문에 그릇 둘이라

고 하였다. 리괘는 이(二)이고 태괘는 제사이며, 간괘와 진괘는 쓰임이다. "그릇 둘로 제사를 지낼 수 있다"는 은미함을 말한다. 산이 못에서 취하지만 못이 마르지 않고, 내가 남에게 취하지만 남이 다하지 않는 것은 은미해서 흔적이 없기 때문이다.

오치기(吳致箕) 「주역경전증해(周易經傳增解)」

損者, 減損也. 山高在上, 而上高則下益深, 澤深在下, 而下深則上益高, 爲損之象. 損下之剛, 而益于上之柔, 亦爲損之義也. 損之道, 當順於理, 而必用誠信, 故言有孚. 損而有孚, 則大善而吉. 雖損下益上, 而无所咎害, 亦可固守此道, 卽戒辭也. 卦體, 則剛柔皆應卦義, 則損而有信, 故言利有攸往. 在損之時, 雖如二簋至薄之物, 亦可以薦享者, 以其在誠而不在物, 此亦損而有孚之義也.

손(損)은 덜어냄이다. 산이 높아 위에 있는데 위가 높으면 아래가 더욱 깊고, 못이 깊어 아래에 있는데 아래가 깊으면 위가 더욱 높으니, 손괘의 상이다. 하괘의 굳셈에서 덜어내어 상괘의 부드러움에 더하는 것도 손괘의 의미이다. 손괘의 도는 이치에 순종하여 반드시 진실한 믿음을 쓰기 때문에 믿음이 있음을 말하였다. 덜어내는데 믿음이 있으면 크게 선하여 길하다. 아래에서 덜어내 위에 보탤지라도 허물과 해로움이 없으면 또한 여기의 도를 굳게 지킬 수 있으니, 바로 경계하는 말이다. 괘의 몸체가 굳셈과 부드러움이 모두 괘의 뜻에 호응한다면, 덜어내지만 믿음이 있기 때문에 가는 것이 이로움을 말하였다. 손괘의 때에 두 그릇과 같은 아주 하찮은 사물일지라도 제사를 지낼 수 있는 것은 정성에 있는 것이지 사물에 있는 것이 아니기 때문이다. 이것도 덜어내지만 믿음이 있다는 의미이다.

○ 卦體, 虛中爲有孚之象. 曷之用者, 設爲問辭也. 二取兌之數, 而互震中虛爲簋之象, 故言二簋也. 損必有益, 益必有損, 互爲盛衰, 故二卦, 皆不言亨貞.

괘의 몸체에서 비어있는 가운데가 '믿음이 있는' 상이다. '어디에 쓰겠는가'는 묻는 말로 한 것이다. '둘'은 태괘의 수를 취했고, 호괘인 진괘의 가운데가 비어 있음이 그릇의 상이기 때문에 '그릇 둘'을 말하였다. 덜어내면 반드시 더함이 있고 더함이 있으면 반드시 덜어냄이 있어 서로 채우고 줄어들기 때문에 두 괘에서 모두 형통함과 곧음을 말하지 않았다.

이진상(李震相) 『역학관규(易學管窺)』

損之下二陽爲底, 中三陰爲腹, 上一陽爲蓋, 乃簋象也. 當損時, 則儉爲中, 故二簋之薄, 可以用享.

손괘(損卦䷨)에서 아래의 두 양은 바닥이고, 가운데 세 음은 속이며, 위의 한 양은 덮개이니, 그릇의 상이다. 손의 때에는 검소함이 알맞기 때문에 하찮은 두 그릇으로도 제사를 지낼 수 있다.

卦體, 遯下八卦, 皆四陰四陽, 正宜損有餘, 而益不足. 故次之以損益之三陰三陽也. 上經乾坤以下, 陰陽各滿三十畫, 然後有否泰, 下經咸恒以下, 陰陽亦各滿三十畫, 然後有損益. 此卦少男上而少女下, 交於咸者, 定於損矣. 咸恒互乾, 而損益互坤, 咸恒厚坎, 損益厚離. 然其實, 則咸損山澤而通氣, 恒益雷風而相薄, 此又對立之關鍵也.

괘의 몸체. 돈괘(遯卦☳)부터 뒤로 여덟 괘는 모두 음이 넷이거나 양이 넷이니, 충분한 것에서 덜어내 부족한 것에 보태야 한다. 그러므로 음이 셋이고 양이 셋인 손괘와 익괘로 다음에 배치하였다. 하경의 함괘와 항괘 이하는 음양이 또한 각기 30획이 된 다음에 손괘와 익괘가 있다. 여기의 괘는 막내아들이 상괘이고 막내딸이 하괘이니, 함괘(咸卦☳)에서 사귀던 것이 손괘(損卦☶)에서 안정된다. 함괘(咸卦☳)와 항괘(恒卦☳)에서는 호괘가 건괘(乾卦☰)이고, 손괘(損卦☶)와 익괘(益卦☳)에서는 호괘가 곤괘(坤卦☷)이며, 함괘(咸卦☳)와 항괘(恒卦☳)는 두터운 감괘(坎卦☵)이고 손괘(損卦☶)와 익괘(益卦☳)는 두터운 리괘(離卦☲)이다. 그러나 실은 함괘(咸卦☳)와 손괘(損卦☶)는 산과 못이어서 기를 통하는 것이고, 항괘(恒卦☳)와 익괘(益卦☳)는 우레와 바람이어서 서로 가까이 하는 것이니, 이것이 또 대립하는 관건이다.

이정규(李正奎) 「독역기(讀易記)」

損卦, 損上益下也, 下雖損而上則益矣, 然聖人以下之損名卦者, 視戒深切矣, 爲天下國家者, 可不明目醒心者乎.

손괘는 위에서 덜어내 아래에 보태니, 아래에서는 덜어낼지라도 위에서는 보태는 것이다. 그러나 성인이 아래에서 덜어내는 것을 손괘라고 이름붙인 것은 경계를 보여 줌이 아주 절실하니 천하와 국가를 다스리는 자가 눈을 밝게 하고 마음을 깨어있게 하지 않을 수 있겠는가?

이병헌(李炳憲) 『역경금문고통론(易經今文考通論)』

簋, 孟作□, 通.

그릇[簋]을 맹씨는 □로 했는데 통한다.

象曰, 損, 損下益上, 其道上行,

「단전」에서 말하였다: 손괘는 아래를 덜어서 위에 보태어, 그 도가 위로 행하니,

┃中國大全┃

傳

損之所以爲損者, 以損於下而益於上也, 取下以益上, 故云其道上行. 夫損上而益下則爲益, 損下而益上則爲損, 損基本以爲高者, 豈可謂之益乎.

손괘가 손(損)이 되는 까닭은 아래에서 덜어서 위에 보태기 때문이니, 아래에서 취해서 위에 보태기 때문에 "그 도가 위로 행한다"라고 하였다. 위에서 덜어서 아래에 보태면 익괘가 되고, 아래에서 덜어서 위를 보태면 손괘가 되니, 기초를 덜어서 높게 만드는 것을 어떻게 유익하다고 할 수 있겠는가?

小註

隆山李氏曰, 在下者, 民之象, 而在上者, 君之象也. 損民益君, 亦分之常, 而作易者名之爲損, 蓋損民者, 乃所以損國, 故設卦命名, 深寓至戒也.

융산이씨가 말하였다: 아래에 있는 것은 백성의 상이고, 위에 있는 것은 임금의 상이다. 백성에게 덜어서 임금에게 보태는 것이 또한 분수(分殊)의 항상됨인데 『주역』을 지은 이가 손(損)이라고 이름지었으니, 대체로 백성에게서 덜어냄은 곧 나라를 덜어내는 것이기 때문이다. 그러므로 괘를 만들어 이름을 지으면서 깊이 경계하였다.

○ 劉氏曰, 古之爲人上者, 无損下獲益之理. 故易以損下爲損, 益下爲益. 後世乃有百姓輸已之財以助公上者, 皆非盛世之事也.

유씨가 말하였다: 옛날의 윗사람은 아래에서 덜어내 이익을 취함이 없었다. 그러므로 『주역』에서 아래에서 덜어내는 것을 손(損)이라 하였고, 아래에 보태는 것을 익(益)이라 하였다. 후세에 백성이 자기의 재물을 옮겨서 윗사람을 돕는 경우가 있지만 모두 성대한 세상의 일이 아니다.

○ 開封耿氏曰, 貴以賤爲本, 高以下爲基. 故益下則下與上俱益, 損下則下與上俱損.

개봉경씨가 말하였다: 귀함은 천함을 기반으로 하고, 높음은 낮음을 기반으로 한다. 그러므로 아래에 보태면 아래와 위가 함께 유익하고, 아래에서 덜어내면 아래와 위가 다 손실이다.

本義

以卦體, 釋卦名義.

괘의 몸체로 괘의 이름을 풀이하였다.

小註

中溪張氏曰, 損者, 損下益上之卦. 自三而上, 其益在上. 故曰其道上行. 道者當然而然之謂, 以下奉上, 損實益虛, 損有餘益不足, 其道當如是, 非過損也.

중계장씨가 말하였다: 손괘는 아래에서 덜어내어 위에 보태는 괘이다. (태괘) 삼효로부터 올라가니 그 보태줌이 위에 있다. 그러므로 "그 도가 위로 행함이다"라고 하였다. 도란 마땅히 그래야 해서 그런 것을 말하는데, 아랫사람으로서 윗사람을 받들고 가득 찬 것에서 덜어서 빈 데에 보태고, 넉넉한 것에서 덜어서 부족한데 보태니, 그 도가 마땅히 이와 같으면 지나치게 덜어냄이 아니다.

○ 蘭氏廷瑞曰, 損益二卦, 專爲三陰設也, 損乾之九四, 故曰損上, 損乾之九三, 故曰損下.

난정서가 말하였다: 손괘와 익괘 두 괘는 온전히 세 음이 세워져 있기 때문에, 건괘(乾卦)의 구사에서 덜어냈으므로 위를 덜었다고 하고, 건괘(乾卦)의 구삼에서 덜어냈으므로 아래에서 덜었다고 한다.[9]

○ 建安丘氏曰, 損之名, 由有餘而起, 益之名, 自不足而生. 損有餘所以補不足也. 故滿則招損, 謙則受益. 若多寡適稱則无所損益矣. 今觀損下體本乾, 三畫皆陽, 過於富

---

9) 손괘와 익괘는 각기 태괘(泰卦☷)와 비괘(☷)의 양효가 움직여 이루어진 것으로 본다. 손괘는 태괘 구삼이 빈한 것이므로 아래에서 덜은 것이고, 익괘는 비괘 구사가 변한 것이므로 위에서 덜은 것이 된다. 따라서 태괘와 비괘의 세 음은 변동 없이 온전하게 세워져 있기 때문에, 나머지 양효의 변동으로 손괘와 익괘가 형성되는 것이다.

實, 當損者也, 上體本坤, 三畫皆陰, 過於虛乏, 當益者也. 當損而損, 當益而益, 是乃理之正, 事之宜也. 聖人豈以損民之不足者, 爲損哉.

건안구씨가 말하였다: 손(損)이라는 이름은 넉넉함으로부터 일어나고, 익(益)이라는 이름은 부족함에서부터 생긴다. 넉넉함에서 덜어내는 것은 부족함을 보충하는 것이므로 가득차면 손실을 부르고 겸손하면 보탬을 받는다. 만약 많고 적음이 적절히 균형을 이룬다면 덜고 보탤 것이 없을 것이다. 이제 손괘를 살펴보면, 하체는 본래 건괘로 삼획이 모두 양이어서 충실함이 지나치니 덜어내야 할 것이고, 상체는 본래 곤괘로 삼획이 모두 음이어서 비어 결핍함이 지나치니 보태야할 것이다. 덜어내야 할 것에서 덜어내고, 보태야 할 것에 보태는 것이 바로 이치의 바름이고 일의 마땅함이다. 성인이 어찌 백성의 부족한 것에서 덜어내는 것을 가지고 손(損)이라고 하였겠는가?

‖韓國大全‖

조호익(曺好益) 『역상설(易象說)』

下體本乾, 上體本坤. 乾之九三變而爲上九, 坤之上六變而爲六三, 是損乾之九三, 益坤之上六. 上行自三而上, 其益在上, 故曰其道上行.

아래의 몸체는 본래 건괘이고 위의 몸체는 본래 곤괘였다. 건괘의 구삼이 변하여 상구가 되고, 곤괘의 상육이 변하여 육삼이 되니, 바로 건괘의 구삼을 덜어내 곤괘의 상육에 더한 것이다. 위로 행하는 것은 삼효에서 위로 올라가 그 더함이 상효에 있기 때문에 "그 도가 위로 행한다"고 하였다.

建安丘氏曰, 下體本乾, 三畫皆陽, 過於富實, 當損者也, 上體本坤, 三畫皆陰, 過於虛乏, 當益者也. 當損而損, 當益而益, 是乃理之正, 事之宜也. 聖人豈以損民之不足者, 爲損哉.

건안구씨가 말하였다: 하체는 본래 건괘로 삼획이 모두 양이어서 충실함이 지나치니 덜어내야 할 것이고, 상체는 본래 곤괘로 삼획이 모두 음이어서 비어 결핍함이 지나치니 보태야할 것이다. 덜어내야 할 것에서 덜어내고, 보태야 할 것에 보태는 것이 바로 곧 이치의 바름이고 일의 마땅함이다. 성인이 어찌 백성의 부족한 것에서 덜어내는 것을 가지고 손(損)이라고 하였겠는가?

김상악(金相岳) 『산천역설(山天易說)』

以卦體釋卦名義. 道者, 陰陽往來之道也. 謙象傳曰, 天道下濟而光明, 地道卑而上行, 是也. 所以損曰, 其道上行, 益曰其道大光.

괘의 몸체로 괘의 이름을 해석하였다. 도는 음양이 왕래하는 도이다. 겸괘(謙卦)의 단전에서 "하늘의 도가 내려와 교제하여 빛나고 밝으며, 땅의 도가 낮아도 올라가 유행함이다"라고 한 것이 여기에 해당한다. 그래서 손괘에서 "그 도가 위로 행한다"고 하였고, 익괘에서 "그 도가 크게 빛난다"고 하였다.

유정원(柳正源) 『역해참고(易解參攷)』

王氏曰, 艮爲陽, 兌爲陰, 凡陰順於陽者也. 陽止於上, 陰說而順, 損下益上, 上行之義也.

왕씨가 말하였다: 간괘는 양이고 태괘는 음이고 음은 양에게 순종하는 것이다. 양은 위에 있고 음이 기꺼이 순종하는 것은 아래에서 덜어 위에 보태는 것이니 위로 행한다는 의미이다.

○ 雙湖胡氏曰, 損下益上, 卦變也. 損自泰來, 損九三之剛, 益上六之柔, 而成損, 故曰, 其道上行.

쌍호호씨가 말하였다: 아래에서 덜어 위에 보태는 것은 괘의 변화이다. 손괘(損卦䷨)는 태괘(泰卦䷊)에서 왔으니, 구삼의 굳셈을 덜어 상육의 부드러움에 보태어 손괘가 되었기 때문에 "그 도가 위로 행한다"라고 하였다.

案, 不曰卦變, 而曰卦體者, 本義諸卦, 皆以陰陽相比, 二爻之往來, 爲卦變. 此越位而相易者, 謂之卦體. 下六三, 本義下卦本乾而損上以益坤云云者, 皆指卦體言也.

내가 살펴보았다: 괘의 변화라고 하지 않고 괘의 몸체라고 한 것은, 『본의』에서는 여러 괘에서 모두 음양이 서로 가깝고 두 효가 왕래하는 것을 괘의 변화로 여겼는데, 여기서는 자리를 넘어서 서로 바뀌는 것을 괘의 몸체라고 하였다. 아래 육삼효의 『본의』에서 "하괘는 본래 건괘인데 위를 덜어 곤괘에 보탰다"고 한 것도 모두 괘의 몸체로 말한 것이다.

서유신(徐有臣) 『역의의언(易義擬言)』

釋損也. 損下之剛以益於上也, 下之道上行於上也.

손괘를 풀이하였다. 하괘의 굳셈에서 덜어내 위에 보태니, 아래의 도가 위로 위에서 행해지는 것이다.

박문건(朴文健) 『주역연의(周易衍義)』

此, 以卦變釋卦名.

여기에서는 괘의 변화로 괘의 이름을 풀이하였다.

〈問, 損, 損下益上其道上行. 曰, 益反爲損, 則陽損於下, 而益於上也, 是其道行於上也. 陽自下而居上, 故夫子取損下益上之義也.

물었다: "손괘는 아래에서 덜어내 위에 보태어 그 도가 위로 행한다"는 무슨 뜻입니까? 답하였다: 더하는 것이 도리어 덜어내는 것이니, 양이 아래에서 덜어내져 위에 보태지면 이것은 그 도가 위로 행해지는 것입니다. 양이 아래에 있다가 위에 있기 때문에 공자가 아래에서 덜어내 위에 보탠다는 의미를 취했습니다.〉

김기례(金箕澧) 「역요선의강목(易要選義綱目)」

卦變自泰來, 乾上畫往居坤上, 坤上畫來居乾上.

괘의 변화는 태괘에서 왔으니, 건괘의 상획이 가서 곤괘의 상효자리에 있고, 곤괘의 상획이 와서 건괘의 상효 자리에 있다.

○ 以剛換柔, 故曰損下. 以柔換剛, 故曰[10]益上. 取下益上, 故曰上行.

굳셈으로 부드러움을 바꾸기 때문에 "아래에서 덜어낸다"고 하였다. 부드러움으로 굳셈을 바꾸기 때문에 "위에 보탠다"고 하였다. 아래에서 취해 위에 보태기 때문에 "위로 행한다"고 하였다.

○ 損民則損本, 故卦名之義深矣.

백성에게 덜어내는 것은 근본을 덜어내는 것이기 때문에 괘이름의 뜻이 깊다.

최세학(崔世鶴) 「주역단전괘변설(周易象傳卦變說)」

損, 泰之二體變也. 三與上二爻爲主, 故象以損下益上言之. 否三來居於下體之上, 而變陽爲陰. 損下者, 下失實也. 否上往居於上體之上, 而變陰爲陽. 益上者, 上得實也. 陽道在上, 而今得居於上, 故曰上行也.

손괘(損卦䷍)는 태괘(泰卦䷊)의 두 몸체가 변한 것이다. 삼효와 상효 두 효가 주인이기 때문에 「단전」에서 아래에서 덜어서 위에 보태는 것으로 말하였다. 비괘(否卦䷋)의 삼효가

---

10) 剛故曰: 경학자료집성DB에는 '故剛曰'로 되어 있으나, 경학자료집성 영인본을 참조하여 '剛故曰'로 바로잡았다.

와서 아래 몸체의 위에 있어 양이 음으로 변하였다. "아래에서 덜어낸다"는 것은 아래에서 차 있는 것을 잃는 것이다. 비괘(否卦䷋)의 상효가 가서 위 몸체의 위에 있어 음이 양으로 변하였다. "위에 보탠다"는 것은 위에서 차 있는 것을 얻는 것이다. 양의 도는 위에 있는데, 이제 그곳에 있기 때문에 "위로 행한다"라고 하였다.

박문호(朴文鎬)「경설(經說)·주역(周易)」

本義, 不言卦變者, 以六三爻辭, 專言卦變故也.
『본의』에서 괘의 변화를 말하지 않은 것은 육삼의 효사에서 전적으로 괘의 변화를 전적으로 말했기 때문이다.

謂當如此, 而今不如此, 此所謂簡直也. 以其簡直, 故人或泥其語, 而不達其義. 是以夫子特明之.
그래야 하는데 이제 그렇지 않다고 하니, 이것이 이른바 간략하고 곧은 것이다. 간략하고 곧기 때문에 사람들이 혹 그 말에 빠져 그 의미를 알지 못한다. 이 때문에 공자가 특별히 밝혔다.

損而有孚, 元吉无咎可貞, 利有攸往,

덜어서 믿음이 있으면, 크게 길하며 허물이 없어서, 곧게 할 수 있기에 가는 것이 이로우니,

‖中國大全‖

傳

謂損而以至誠, 則有此元吉以下四者, 損道之盡善也.

덜어냄에 지극한 정성으로 하면 여기의 ‘크게 길하며[元吉]’ 이하 네 가지가 있을 것임을 말하니, 덜어내는 도가 착함을 다 하였다.

小註

進齋徐氏曰, 卦辭曰損有孚, 彖辭曰損而有孚, 加以而之一字, 則其義曉然矣.

진재서씨가 말하였다: 괘사에서는 ‘손유부(損有孚; 손괘는 믿음이 있으면)’이라고 하고, 「단전」에서는 ‘손이유부(損而有孚; 덜어내는 데 믿음이 있으면)’이라고 하였는데, ‘이(而)’ 한 글자를 더함으로써 그 뜻이 분명해졌다.

‖韓國大全‖

유정원(柳正源) 『역해참고(易解參攷)』

王氏曰, 損剛益柔, 不以消剛, 損下益上, 不以盈上. 損剛而不爲邪, 益上而不爲諂, 則何咎而可正. 雖不能拯濟大難, 以斯有往, 物无距也.

왕씨가 말하였다: 굳셈에서 덜어 부드러움에 보태는데 굳셈을 없애지 않고 아래에서 덜어
위에 보태는데 위를 채우지 않는다. 굳셈에서 덜어냈는데 잘못되지 않고 위에 보탰는데 아
첨하지 않으니 무엇을 허물하고 바르게 하겠는가? 큰 어려움을 구제하지 못할지라도 이렇게
하면 사물과 떨어지지 않는다.

서유신(徐有臣)『역의의언(易義擬言)』

損而有孚, 下損剛上損柔, 而爲中虛之象也. 元吉无咎, 說而止也. 可貞利有攸往, 剛柔
應也.

"덜어서 믿음이 있다"는 것은 아래에서 굳셈을 덜어내고 위에서 부드러움을 덜어내서 가운
데가 빈 상이라는 것이다. "크게 길하며 허물이 없다"는 것은 기뻐서 멈추는 것이다. "곧게
할 수 있기에 가는 것이 이롭다"는 것은 굳셈과 부드러움이 호응하는 것이다.

박문건(朴文健)『주역연의(周易衍義)』

此釋卦辭.

여기에서는 괘사를 풀이하였다.

〈問, 損而有孚以下, 曰, 上九損四五二陰, 觸有孚於六三, 則元吉而无咎. 然必貞正爲
可, 且利有攸往也. 往三而有利者, 用孚之道也, 此是二易不同處也.

물었다: '덜어서 믿음이 있으면' 이하의 뜻은 무엇입니까?

답하였다: 상구는 사효와 오효 두 음에서 덜어내 육삼에게 받들어 믿음이 있으면 크게 길하
며 허물이 없습니다. 그러나 반드시 곧음으로 할 수 있기에 또 하는 것이 이롭습니다. 삼효
에게 가서 이롭다는 것은 믿음의 도를 쓰기 때문이니, 이것은 두 역이 같지 않은 곳입니다.〉

曷之用二簋可用享, 二簋應有時, 損剛益柔有時,

"어디에 쓰겠는가? 그릇 둘로도 제사를 지낼 수 있음"은 그릇 둘이 마땅히 때가 있으며, 굳센 양을
덜어 부드러운 음에 보탬이 때가 있는 것이니,

‖中國大全‖

傳

夫子特釋曷之用二簋可用享. 卦辭簡直, 謂當損去浮飾, 曰何所用哉, 二簋可以
享也, 厚本損末之謂也. 夫子恐後人不達, 遂以爲文飾當盡去, 故詳言之. 有本,
必有末, 有實, 必有文. 天下萬事无不然者, 无本不立, 无文不行. 父子主恩, 必
有嚴順之體, 君臣主敬, 必有承接之儀, 禮讓存乎內, 待威儀而後行, 尊卑有其
序, 非物采則无別, 文之與實, 相須而不可缺也. 及夫文之勝, 末之流, 遠本喪實,
乃當損之時也. 故云曷所用哉, 二簋足以薦其誠矣, 謂當務實而損飾也. 夫子恐
人之泥言也, 故復明之曰二簋之質, 用之當有時, 非其所用而用之, 不可也, 謂
文飾未過而損之, 與損之至於過甚則非也. 損剛益柔有時, 剛爲過, 柔爲不足,
損益, 皆損剛益柔也, 必順時而行, 不當時而損益之則非也.

공자가 특별히 "어디에 쓰겠는가? 그릇 둘로도 제사지낼 수 있다"를 풀이한 것이다. 괘사가 간략하고
직접적인 것은 헛된 수식을 덜어 버려야 함을 말하니 "어디에 쓰겠는가? 그릇 둘로도 제사지낼 수
있다"고 한 것은 근본을 두텁게 하고 지엽적인 것을 덜어냄을 말한다. 공자가 후세 사람들이 깨닫지
못하고 마침내 문식을 다 버려야 하는 것으로 여길까 염려하였기 때문에 상세하게 말하였다. 근본이
있으면 반드시 말단이 있고, 실질이 있으면 반드시 문식(文飾)이 있다. 천하의 모든 일이 그렇지 않
음이 없으니, 근본이 없으면 설 수가 없고, 문식(文飾)이 없으면 행할 수가 없다. 부모와 자식은 은
혜를 위주로 하지만 반드시 엄하고 순종하는 바탕[體]이 있어야 하고, 임금과 신하는 공경함을 위주
로 하나 반드시 받들고 대접하는 의례가 있어야 하며, 예의와 사양은 내면에 있지만 위엄과 의례를
기다린 후에 행하고, 높고 낮음은 질서가 있지만 사물의 문채가 아니고서는 분별할 수가 없으니, 문
식과 실질은 서로 필요해서 빠질 수 없는 것이다. 문식이 우세하고 지엽적으로 흘러 근본에서 멀어지
며 실질을 잃으면 마땅히 덜어내야 하는 때이다. 그러므로 "어디에 쓰겠는가, 두 그릇으로도 충분히
그 정성을 올릴 수 있다"고 하였으니, 실질에 힘쓰고 문식을 덜어야 함을 말한 것이다. 공자가 사람

들이 말에 빠질까 염려하였기 때문에 다시 밝혀 "두 그릇의 실질을 쓰는 것은 마땅히 때가 있으니, 그 쓸 곳이 아닌데 쓰면 안된다"고 하였으니, 문식이 지나치지 않은데 덜어내는 것과 덜어냄이 너무 심한 것은 옳지 않다고 한 것이다. "굳센 양을 덜어 부드러운 음에 보탬이 때가 있는 것이니", 굳셈은 지나침이 되고 부드러움은 부족함이 되니 덜고 보탬이 모두 굳셈을 덜어 부드러움에 보태는 것이지만, 반드시 때에 따라 행해야지 때에 맞지 않는데도 덜고 보태면 옳지 않다는 것이다.

小註

厚齋馮氏曰, 夫剛非當損, 柔非當益也. 損剛益柔, 蓋有時如此. 故二簋之享, 亦當有時如此也. 三剛而損其一, 止有二剛, 可以用享耳.

후재풍씨가 말하였다: 굳세다고 덜어내야만 하는 것은 아니고, 부드럽다고 보태야만 하는 것은 아니다. 굳센 양에서 덜어내어 부드러운 음에 보태는 것은 때가 있음이 이와 같기 때문이다. 그러므로 '두 그릇으로도 제사지냄'도 마땅히 때가 이와 같아서이다. 세 개의 굳센 양에서 그 하나를 덜어내 두 개의 굳센 양이 있는데 그치니 제사지낼 수 있는 것이다.

○ 潘氏曰, 於時爲損, 則享祀何所用哉, 曰二簋足矣, 蓋處損之時則可. 若處萃之時則大牲矣.

반씨가 말하였다: 때가 손(損)이라면 제사를 어디에 쓸 것인가? 말하자면, 두 그릇으로 족하니, 덜어낼 때는 그것만 해도 좋지만, 모이는[萃] 때라면 큰 제물을 써야한다.

┃韓國大全┃

서유신(徐有臣) 『역의의언(易義擬言)』

二簋, 應其當損之時, 非其時, 則不用也.

그릇 둘은 마땅히 덜어내야 할 때이니, 그 때가 아니라면 쓰지 않는다.

박제가(朴齊家) 『주역(周易)』

案, 曷之用, 猶言用之何也, 謂何以用之也. 故曰, 二簋可用享. 上下兩用字, 若問若答, 自相照應. 若曰, 何所用, 則必上加浮飾二字, 然後其義可成. 又用享之用, 爲義不同.

又象傳二簋應有時, 恐當以應爲句, 應謂享上接應之事也. 傳曰, 用之當有時, 則以應爲當也. 雖不言當字, 旣曰有時, 則當非可論. 又下損剛益柔有時兩句, 皆以有時二字結辭. 又以享爲享祀, 蓋享當包祀享宴享二義. 若專取11)祀義, 則只說鬼而不說人矣.

내가 살펴보았다: "어디에 쓰겠는가?"는 '무엇에 쓰겠는가?'라고 하는 것과 같으니, "무엇으로 쓰겠는가?"라는 말이다. 그러므로 "그릇 둘로도 제사를 지낼 수 있다"고 하였다. 위아래로 있는 두 번 '쓸용[用]'자가 있는 것은 묻고 답하는 것처럼 서로 비추어 응한 것이다. "어디에 쓰겠는가?"라고 하였다면, 반드시 '헛된 수식'이라는 말을 위로 덧붙인 다음에 그 의미가 이루어졌을 것이다. 또 "제사를 지낸다[用享]"고 할 때의 '지낸다'는 의미가 다르다. 또 「단전」의 "그릇 둘이 마땅히 때가 있다[二簋應有時]"는 구절은 '마땅히 응[應]'자에서 구두해야 할듯하니, '마땅히 응[應]'자는 위로 바쳐 접대하고 응대하는 일이다. 『정전』에서 "마땅히 때가 있다"고 했으니, 응대로 마땅함을 삼은 것이다. '마땅함'을 말하지 않더라도 이미 '때가 있음'이라고 했다면 '마땅함'은 논할 것이 아니다. 또 "굳센 양을 덜어 부드러운 음에 보탬이 때가 있다"는 아래 두 구절은 모두 '때가 있음'으로 말을 맺었다. 또 바침[享]을 제사를 지내는 것으로 여겼는데, 바침[享]에는 '제사를 드리는 것'과 '잔치를 베푸는 것' 두 의미를 포함해야 한다. 제사의 의미만 취하면 귀신을 기쁘게 하면서 사람을 기쁘게 하지 않는 것이다.

---

11) 取: 경학자료집성DB에는 '敢'으로 되어 있으나, 경학자료집성 영인본을 참조하여 '取'로 바로잡았다.

損益盈虛, 與時偕行

덜고 보태며 채우고 비움을 때에 맞게 행한다.

‖中國大全‖

傳

或損或益或盈或虛, 唯隨時而已, 過者損之, 不足者益之, 虧者盈之, 實者虛之, 與時偕行也.

덜거나 보태거나 채우거나 비움을 오직 때를 따를 뿐이니, 지나친 것은 덜고, 부족한 것은 보태며, 이지러진 것은 채우고, 가득 찬 것은 비우기를 때에 맞게 행한다.

本義

此, 釋卦辭. 時, 謂當損之時.

이는 괘사를 풀이한 것이다. ‘때[時]’는 덜어야할 때를 말한다.

小註

厚齋馮氏曰, 損益盈虛與時偕行, 復釋損剛益柔之義, 謂損而不已必虛, 益而不已必盈, 亦惟與時偕行耳.

후재풍씨가 말하였다: “덜고 보태며 채우고 비움을 때에 맞게 행한다”는 굳센 양에서 덜어내어 부드러운 음에 보태는 뜻을 다시 밝힌 것이니, 계속해서 덜어내면 반드시 비고, 계속해서 보태면 반드시 채워지니, 또한 때에 맞게 행할 뿐이라고 한 것이다.

○ 中溪張氏曰, 當其可之謂時, 當損而損, 時也. 不當損而損, 則非時矣. 損其盈者, 益其虛者, 適時之宜, 與之偕行, 雖聖人亦不能違乎時也.

중계장씨가 말하였다: 할 수 있을 때를 만난 것을 때라고 하니, 덜어야 해서 덜어냄이 때이고, 덜어내지 말아야 하는데 덜어내면 때가 아니다. 가득 찬 것에서 덜어내고 빈 것에 보태는 것은 시의에 적절함이니, 때에 맞게 행하는 것이다. 비록 성인이라도 때를 어길 수는 없다.

○ 雲峰胡氏曰, 益曰與時偕行, 損於時之一字, 凡三言之. 然則不當損之時而損, 可乎哉. 非特二簋之用有時, 以卦畫推之, 損剛益柔有時, 以天下之理推之, 凡損益盈虛皆有時也.

운봉호씨가 말하였다: 익괘에서는 "때에 맞게 행한다"고 하였고, 손괘에서는 '때[時]'라는 한 글자를 모두 세 번 말하였다. 그렇다면 덜어내지 말아야 할 때인데 덜어내는 것이 괜찮겠는가? 두 그릇으로도 제사지내는 것에만 때가 있는 것이 아니라, 괘와 획으로 미루어 보면 굳센 양에서 덜어 부드러운 음에 보탬도 때가 있으며, 천하의 이치로 미루어 보면 가득 찬 것에서 덜어 빈 데 보태는 것에도 모두 때가 있다.

‖韓國大全‖

조호익(曺好益) 『역상설(易象說)』

損, 損九三, 益, 益上六. 盈, 指上九, 陰虛故盈之, 虛, 指六三, 陽實故虛之.

손괘는 구삼을 덜어내고, 익괘는 상육을 보탠다. 채움은 상구를 가리키니 음이 비어 있기 때문에 채웠고, 비움은 육삼을 가리키니 양이 차 있기 때문에 비웠다.

이현익(李顯益) 「주역설(周易說)」

傳義不同, 然傳恐長. 蓋上文享二簋應有時之時, 專謂損之時, 損剛益柔有時之時, 是兼言損益, 非專言損之時. 而所謂損益盈虛與時偕行, 是承損剛益柔有時而言, 則亦兼言損益而非專謂損之時也.

『정전』과 『본의』가 같지 않은데 『정전』이 나은 듯하다. "제사를 지낼 수 있음은 그릇 둘이 마땅히 때가 있다"에서 때는 오로지 덜어내는 때를 말하였고 "굳센 양을 덜어 부드러운 음에 보탬이 때가 있다"에서의 때는 덜어내고 보태는 것을 겸하여 말하였으니, 오로지 덜어내는 때를 말한 것이 아니다. 그런데 이른바 "덜고 보태며, 채우고 비움을 때에 맞게 행한다"는 바로 "굳센 양을 덜어 부드러운 음에 보탬이 때가 있다"는 것을 이어서 말하였으니, 또한 덜어내고 보태는 것을 겸하여 말한 것이지 오로지 덜어내는 때를 말한 것은 아니다.
〈更詳損剛益柔, 只是以損卦三上兩爻而言, 則非兼言損益, 而爲專言損矣. 然則損益盈虛與時偕行, 雖兼言損益盈虛, 而蓋亦主損而言. 本義之說無可疑也.
다시 굳셈에서 덜어내어 부드러움에 보태준다는 것을 자세히 살펴보니, 손괘에서 삼효와 상효 두 효로 말하면 덜어냄과 보탬을 겸하여 말한 것이 아니라 오로지 덜어냄을 말한 것이다. 그렇다면 '덜고 보태며, 채우고 비움을 때에 맞게 행함'은 덜고 보탬과 채우고 비움을 겸하여 말하였을지라도 덜어냄을 주로 해서 말하였다. 『본의』의 설명도 의심할 것이 없다.〉

권만(權萬) 「역설(易說)」

損自泰來, 損下體九三, 上爲上九, 故曰損下上行. 自二至上, 爲中虛, 似中孚象, 故曰有孚.
손괘(損卦☶)는 태괘(泰卦☷)에서 왔으니, 아래 몸체의 구삼을 덜어내어 위로 상구로 하였기 때문에 '아래에서 덜어 위로 행한다'라고 하였다. 이효부터 상효까지는 가운데가 비어 중부괘(中孚卦☴)의 상과 비슷하기 때문에 "믿음이 있다"고 하였다.

○ 二簋, 指成卦上下體. 周禮旅人爲簋, 實一觳, 豆實三而成觳. 注曰, 簋外圓而內方. 損卦上下陽畫象天圓, 中三陰爻象地方, 是外圓內方也. 中三陰, 又象豆. 實三, 而下體一豆, 上體二豆三. 非六陰, 則非豆象. 四五非六陰, 則非豆象也. 三豆盛在上下體之間, 而上多下少者, 自下享上也, 又有益上之象
'그릇 둘[궤 제기 둘]'은 완성된 괘에서 상하의 몸체를 가리킨다. 『주례』에서 옹기쟁이가 '궤 제기[簋]'를 만들 때는 그 용적을 1곡(觳)으로 하고, '두 제기[豆]'를 만들 때는 용적을 3배를 해야 1곡(觳)이 된다는 것이다.[12] 주에서 "'궤 제기[簋]'는 밖이 둥글고 안이 모나다"고 하였다. 손괘(損卦☶)에서 위아래의 양획은 하늘의 둥글음을 상징하였고, 가운데 세 음효는 땅의 모남을 상징하였으니, 이것이 밖은 둥글고 안은 모나다는 것이다. 가운데 세 음은 또 '두 제기[豆]'를 상징한다. 차 있는 것이 셋이어서 아래의 몸체에는 '두 제기[豆]'가 하나 있고,

---

12) 곡(觳): 곡(斛)이라고도 하는데, 용량을 재는 기구 또는 단위이다. 곡(觳)의 단위는 시대마다 기록마다 차이를 보이고, 또 용량을 재는 대상에 따라서도 다소 다른데, 곡식을 잴 때에는 10되(斗)가 1곡이 다. 반면 액체를 잴 때는 12승(升)을 1곡(觳)이라고도 한다. 본래 1승(升)은 0.1되이니, 1곡은 1.2되(斗)이다. '두 세기[豆]'의 용적은 3배를 해야 1곡(觳)이 된다는 것은 두 제기의 용적이 4승(升)이므로, 4x3을 하면 12승(升) 1되(斗) 2승(升)으로 1곡(觳)이 된다는 의미이다.

위의 몸체에는 '두 제기[豆]'가 둘이 있어 셋이니, 음인 육이 아닌 것은 '두 제기[豆]'의 상이 아니다. 사효와 오효가 음인 육이 아니라면 '두 제기[豆]'의 상이 아니다. '두 제기[豆]'가 셋으로 위의 몸체와 아래의 몸체 사이에 풍성하게 있는데, 위에 많고 아래에 적은 것은 아래에서 위를 제사를 지내는 것으로 또 위에 보태주는 상이 있다.

○ 二簋應有時, 初九應於六四, 九二應於六五, 六三應於上九, 此重在應, 而時在其中. 損剛益柔有時, 若本卦爲泰, 而不肯損三益上, 則是不知時象也, 今此卦損乾之剛, 而益坤之柔, 是有時也. 且天地和泰之時, 萬物豊足, 而君上有不足之歎, 故損下而益之. 若君上無不足之歎時, 又不能豊亨, 而損下而益之, 則非時也. 此所謂損益盈虛與時偕行也.

'그릇 둘이 마땅히 때가 있음'은 초구가 육사와 호응하고 구이가 육오와 호응하며 육삼은 상구와 호응함이니, 이것들이 거듭함은 호응함에 있고 때는 그 속에 있다. '굳센 양을 덜어 부드러운 음에 보탬이 때가 있음'은 만약 본래의 괘가 태괘(泰卦䷊)로서 삼효를 덜어내 상효에 보태려고 하지 않는다면, 때를 모르는 상인데, 이제 여기의 괘에서 건괘의 굳셈을 덜어내 곤괘의 부드러움에 더하니, 이것은 때가 있음이다. 또 천지가 편안한 때에 만물이 풍족한데도 임금이 부족하다는 한탄이 있기 때문에 아래에서 덜어내 보태준다. 임금이 부족하다는 한탄이 없는 때에 또 풍성하게 제사를 지낼 수 없다고 아래에서 덜어 위에 보탠다면 때가 아니다. 이것이 이른바 덜고 보태며, 채우고 비움을 때에 맞게 행한다는 것이다.

○ 享者, 自下餽上之辭. 更思之, 損剛益柔, 別有卦外之義. 言下能自損以益其上, 則上又損己益下, 會有其時. 此言剛柔以成卦言. 艮剛而兌柔也. 故摠以括之, 曰損益盈虛云云.

"제사를 지낼 수 있다"는 것은 아래에서 위로 받든다는 말이다. 그런데 다시 생각해 보면, '굳센 양에서 덜어내 부드러운 음에 보탬'에는 별도로 괘 밖의 의미가 있다. 아래에서 자신에게서 덜어 위로 보태면, 위에서 또 자신에게서 덜어내 아래로 보탠다는 것으로 만남에 때가 있다는 말이다. 여기에서는 굳셈과 부드러움으로 괘가 이루어졌음을 말하였으니, 간괘는 굳세고 태괘는 부드럽다는 말이다. 그러므로 총괄해서 "덜고 보태며, 채우고 비움을 …"라고 하였다.

심조(沈潮) 「역상차론(易象箚論)」

說而動, 動而順, 何往而不可. 簋, 兌金, 而又全體似器也. 互坤有實飯象. 上一陽有器蓋象. 貳者, 損其數而不豊也.

기뻐서 움직이고 움직이면서 순종하니 어디를 간들 불가하겠는가? '그릇'은 태괘의 금인데, 또 괘 전체가 그릇과 비슷하다. 호괘 곤괘에는 음식을 채우는 상이 있다. 위에 있는 하나의 양은 그릇 덮개의 상이다. '둘'은 그 수를 덜어내어서 풍부하지 않은 것이다.

김상악(金相岳) 『산천역설(山天易說)』

釋卦辭而言時者, 當其可之謂也. 二簋用享之時, 屬已損之後, 損剛益柔之時, 屬當損之初. 損益盈虛, 滿招損謙受益之道也, 所以爲盛衰之始, 故曰與時偕行.

괘사를 해석하면서 때를 말한 것은 해야 될 때를 말한다. '그릇 둘로도 제사를 지낼 수 있을 때'는 이미 덜어낸 후에 속하고, '굳센 양을 덜어 부드러운 음에 보탤 때'는 덜어내야 할 처음에 속한다. 덜고 보태며 채우고 비움은 채워진 것은 덜어냄을 부르고 겸손한 것은 보태줌을 받는다는 도이다. 그래서 차고 기우는 시작이기 때문에 "때에 맞게 행한다"고 하였다.

○ 象傳言時者三, 而二簋下可應二字, 皆將然之辭, 故與損剛益柔, 分二節言也.

단전에서 때를 말한 것이 세 곳인데, '그릇 둘' 아래의 '할 수 있다[可]'와 '마땅히'는 모두 그렇게 될 것이라는 말이기 때문에 "굳센 양을 덜어 부드러운 음에 보탠다"와 두 구절로 나누어 말하였다.

서유신(徐有臣) 『역의의언(易義擬言)』

剛者有餘, 柔者不足. 有餘者損, 不足者益, 自有當行之時也. 損益, 事也, 盈虛, 時也, 故曰與時偕行也.

굳센 자는 여유 있고, 부드러운 자는 부족하다. 여유 있는 자는 덜어내고 부족한 자는 보태주니 저절로 행해야 하는 때가 있는 것이다. 덜고 보태는 것은 일이고 채우고 비움은 때이기 때문에 "때에 맞게 행한다"고 하였다.

윤행임(尹行恁) 『신호수필(薪湖隨筆)·역(易)』

孔子答樊遲修慝之問, 蓋取諸山澤之損.

『논어·안연』에서 공자는 사특함을 닦는 것에 대한 번지의 물음에 답하였으니, 산과 못의 손괘(損卦䷨)에서 취하였다.

山澤, 皆有損上益下之意. 水出於山, 而下滙爲澤, 則二卦之合, 而爲損. 上也山, 上銳而下圓, 則益下也, 澤之洩而灌物, 則益下也. 益下者興, 益上者替, 大學之戒聚斂, 論語之責附益, 是也. 爲人君爲人臣者, 勿以一朝之利, 罔念萬世之策, 則目前雖有少損, 日後自有大益.

산과 못에는 모두 위에서 덜어내 아래에 보태는 의미가 있다. 물이 산에서 나와 아래에 모여 못이 되니, 두 괘가 합쳐져 손괘가 된다. 위가 산이어서 위가 뾰족하게 되고 아래가 둥글게 된 것이 아래에 보탠 것이고, 못의 물이 흘러나와 만물을 적셔주는 것이 아래에 보탠 것이다. 아래에 보태는 자는 흥하고 위에 보태는 자는 멸망하니, 『대학』에서 취하여 거둬들이는 것을 경계한 것이고 『논어』에서 부유한 사람에게 더 보태주는 것을 문책한 것이 여기에 해당한다. 임금과 신하는 하루아침의 이익을 가지고 만세의 경계를 함부로 생각하지 않으면 눈앞에 작은 덜어냄이 있을지라도 시간이 흐른 뒤에 큰 보탬이 있을 것이다.

박문건(朴文健) 『주역연의(周易衍義)』

應猶接也. 此以卦體釋卦辭, 而極言損益之有時也.

'마땅히(베풂)[應]'은 접대와 같다. 여기에서는 괘의 몸체로 괘사를 해석하면서 덜어내고 보탬에 때가 있음을 극도로 말하였다.

〈問, 曷之用二簋可用享二簋應有時損剛益柔有時損益盈處與時偕行. 曰, 用二簋應接其上有時, 又傷損其上, 反助益其下, 亦有時也, 損益之盈虛, 隨其時而其行也. 蓋二陰有時, 而養上, 然有時而損上益三也. 損剛柔以卦體言, 與上損下益上文義異也. 損益盈虛, 損則必虛,[13] 益則必盈, 與剝[14]卦象辭消息盈虛文法同也. 始則用二簋而益剛, 終則比六三而損剛也, 此亦二易不同處也.

물었다: "어디에 쓰겠는가? 그릇 둘로도 제사를 지낼 수 있음은 그릇 둘이 마땅히 때가 있으며, 굳센 양을 덜어 부드러운 음에 보탬이 때가 있는 것이니, 덜고 보태며, 채우고 비움을 때에 맞게 행한다"는 무슨 뜻입니까?

답하였다: 그릇 둘로도 윗사람들을 응접함에 때가 있고, 또 그 윗사람에게 덜어내 도리어 아랫사람을 돕는 것에도 때가 있으니, 덜어내고 보태어 차고 비는 것은 때에 따라 행합니다. 두 음은 때에 따라 윗사람을 봉양하지만 때에 따라 상효에서 덜어내 삼효에게 보탭니다. 굳센 양효와 부드러운 음효에게 덜어내는 것은 괘의 몸체로 말한 것이니, 위의 "아래에서 덜어 위에 보탠다"는 문맥의 의미와는 다릅니다. 덜고 보태며, 채우고 비움은 덜면 반드시 비고 보태면 반드시 채워지니, 박괘(剝卦) 「단사」의 '사라지고 자라남·차고 이지러짐'의 문법과 같습니다. 처음에는 그릇 둘로 하여 굳센 양에게 보태고, 끝에는 육삼을 가까이 하여

---

13) 虛: 경학자료집성DB에는 '處'로 되어 있으나, 경학자료집성 영인본을 참조하여 '虛'로 바로잡았다.
14) 剝: 경학자료집성DB에는 '剝'으로 되어 있으나, 경학자료집성 영인본을 참조하여 '剝'으로 바로잡았다.

굳센 양에게서 덜어내니, 이것도 두 역이 같지 않은 곳입니다.〉

이지연(李止淵)『주역차의(周易箚疑)』

簋, 則取象於重體之震. 仰盂[15]而上, 一陽則其弆也.

그릇은 겹친 몸체인 진괘에서 상을 취하였다. 그런데 사발을 따라 올라가면, 하나의 양은 아마도 덮개일 것이다.

김기례(金箕澧)「역요선의강목(易要選義綱目)」

上三陰虛, 下三陽實, 故損實益虛, 有時.

위의 세 음은 비어 있고 아래의 세 양은 차 있기 때문에 차 있는 것에서 덜어내 비어 있는 것을 채우니 때에 맞다.

○ 萃曰, 用大牲, 損曰, 用二簋, 易之義可謂與時偕行.

취괘(萃卦)에서는 "큰 제물을 쓴다"고 하고, 손괘(損卦)에서는 "그릇 둘을 쓴다"고 하였으니,『주역』의 의미는 때에 맞게 행한다고 할 수 있다.

심대윤(沈大允)『주역상의점법(周易象義占法)』

損而者, 猶言遯而也. 遯亨, 遯而乃得亨也, 非以遯爲亨也. 此言損而乃有此五事也, 非損之爲此五事也. 雖二簋之微取之, 亦有時也, 不當學而學, 雖一行亦爲惡, 雖一事亦爲害也, 不當取而取, 雖一毫亦爲貪, 雖一縷亦爲禍也. 損剛益柔, 言損有餘, 而益不足也, 損乾之剛, 而益坤之柔, 是也.

'덜어서'는 돈괘(遯卦)에서 '도피하여서'라고 말하는 것과 같다. '돈은 형통함'이란 도피하여 형통함을 얻는다는 것이지 도피로 형통함을 삼은 것이 아니다. 여기에서는 덜어서 이런 다섯 가지 일이 있음을 말한 것이지 덜어내서 이런 다섯 가지 일을 한다는 것이 아니다. 그릇 둘의 미미한 것을 취할지라도 때가 있으니, 배워서는 안 되는데 배운다면 어떤 행동이라도 악이 되고 어떤 일이라도 해가 되며, 취해서는 안 되는데 취한다면 털끝만큼이라도 탐함이 되고 실오라기만큼이라도 화가 된다. 굳센 양에서 덜어내 부드러운 음에 보탬은 충분한 것에서 덜어내 부족한 것에 보탠다는 말이니, 굳센 건에서 덜어내 부드러운 음에 보태는 것이 여기에 해당한다.

---

15) 盂: 경학자료집성DB에는 '盂'으로 되어 있으나, 경학자료집성 영인본을 참조하여 '盂'로 바로잡았다.

聖人之道, 主乎利己, 而利己存乎利人, 故其作爲, 則濟物而已矣, 利人而已矣. 濟物而我自足, 利人而我自厚, 己與人同利者, 大綱也, 其小目則事多, 有彼此不得兩利者, 有損人益己之時, 亦有損己益人之時. 利於我而不害於人, 利於人而不害於我, 則亟爲之, 利我大而害人小, 利人多而害我寡, 則亦爲之. 若夫專利我, 而甚害人, 專利人, 而甚害我, 君子之所不爲也. 未有害人而終能利己者也, 亦未有害我而終能不害于人者也.

성인의 도는 자신을 이롭게 함을 주로 하지만 자신을 이롭게 함이 남을 이롭게 하는 데 있기 때문에 그가 하는 일은 사물을 구제하는 것일 뿐이고 남을 이롭게 하는 것일 뿐이다. 사물을 구제하여 자신이 스스로 만족하고 남을 이롭게 하여 자신이 스스로 두텁게 되니, 자신과 남이 같이 이로운 것은 대강이다. 그 작은 조목은 일이 많으니, 피차가 모두 이롭지 않은 경우가 있고, 남에게서 덜어 자신에게 보탤 때에 있고, 또한 자신에게 덜어 남에게 보태는 때도 있다. 나에게 이롭고 남에게 해롭지 않으며, 남에게 이롭고 나에게 해롭지 않으면 빨리 하고, 나를 이롭게 함이 크고 남을 해롭게 함이 작고, 남을 이롭게 함이 많고 나를 해롭게 함이 적으면 그것도 한다. 나만 이롭게 하고 남을 심하게 해치며 남만 이롭게 하고 나를 심하게 해치는 것은 군자가 하지 않는 것이다. 남을 해롭게 하고 끝내 자신을 이롭게 하는 경우는 없고, 또한 나를 해롭게 하고 끝내 남을 해롭게 하지 않을 수 있는 경우는 없다.

要之曰, 損有餘益不足, 而亦有時焉, 不可常也. 學者, 固當學於有餘, 而其不當學者, 不可學也. 敎者, 敎其不足, 而其不可敎者, 不當敎也. 取與亦然, 此謂有時也. 夫有學必有誨, 有取必有與. 士學於友, 而復以敎其弟子, 君取於民, 而復以養其臣. 未有學而不出, 取而不費者, 故兼言損益也. 屢言時者, 重其時也.

요약하여 말하자면, 충분한 것에서 덜어내 부족한 것에 보태주는데도 또한 때가 있으니, 일정할 수 없다는 것이다. 배우는 자는 진실로 충분한 것에서 배워야 하고 배워서 안될 것은 배워서는 안된다. 가르치는 자는 부족한 것을 가르치고 가르쳐서 안될 것은 가르쳐서는 안된다. 취하고 주는 것도 그러하니 이것을 때가 있음이라고 한다. 배운 것이 있으면 반드시 가르침이 있고, 취하는 것이 있으면 반드시 주는 것이 있다. 선비가 친구에게 배워 다시 그 제자에게 가르치고, 임금에 백성에게 취해 다시 그 신하를 기르니, 배워서 내놓지 않고 취해서 소비하지 않는 경우는 없기 때문에 덜어내고 보탬을 겸해서 말하였다. 자주 때에 대해 말한 것은 그 때가 중요하기 때문이다.

오치기(吳致箕) 「주역경전증해(周易經傳增解)」

此以卦反釋卦名義及卦辭也. 益卦上體爲巽之柔, 下體爲震之剛, 而卦反則下體之剛, 加于上體之柔, 而爲本卦剛在上而柔在下, 有損下益上之象, 故以卦反之體, 明損之義. 而取下以益上, 故言其道上行也. 損而有孚信, 則有元吉以下四者之道. 終又言雖如二簋之薄薦, 亦有以應當損之時, 卽順於理者, 而損下之剛以益上之柔, 乃有當行之時. 故過者則損之, 不足者則益之, 虧者則盈之, 實者則虛之, 皆惟是理, 而隨時偕行者也. 餘見象解.

여기에서는 반대괘로 괘의 이름 및 괘사를 해석했다. 익괘(益卦䷩)에서 위의 몸체는 부드러운 손괘이고 아래의 몸체는 굳센 진괘인데, 괘를 반대로 하면 아래 몸체의 굳셈이 위의 몸체의 부드러움에 가해지니, 손괘(損卦䷨)에서 굳셈이 위에 있고 부드러움이 아래에 있어 아래에서 덜어 위에 보태는 상이 있기 때문에 괘의 반대 몸체로 덜어냄의 의미를 밝혔다. 그런데 아래에서 취해 위에 보태기 때문에 "그 도가 위로 행한다"고 하였다. 덜어서 믿음이 있으면 '크게 길하고' 이하 네 가지의 도가 있다. 끝에서 또 그릇 둘의 간소한 것으로 올릴지라도 응당 덜어내야 할 때가 있음을 말했으니 바로 이치에 순응하는 것이며, 아래의 굳셈에서 덜어내 위의 부드러움에 보태니 행해야 되는 때가 있음이다. 그러므로 지나친 것을 덜어내고 부족한 것을 보태며, 줄어든 것을 채우고 차 있는 것을 비우는 것이 모두 이치일 뿐으로 때에 맞게 행하는 것이다. 나머지는 「단전」의 해석에 있다.

이진상(李震相) 『역학관규(易學管窺)』

山澤通氣, 故有孚. 中有互震, 故利往, 互坤, 故可貞. 卦之全體有簋象, 下二陽, 底也, 上一陽, 蓋也, 中三陰, 腹也. 且自上至三, 有宗廟象, 故曰, 可用享. 利有攸往者, 九二往居三, 則爲賁, 往四, 則爲噬嗑, 往五, 則爲益, 皆利也.

산과 못에 기가 통하였기 때문에 믿음이 있다. 가운데 호괘인 진괘가 있기 때문에 가는 것이 이롭고, 호괘인 곤괘가 있기 때문에 곧게 할 수 있다. 전체 괘에 그릇의 상이 있으니, 아래의 두 양은 바닥이고, 위의 한 양은 덮개이며, 가운데 세 양은 속이다. 상효에서 삼효까지 종묘의 상이 있기 때문에 "제사를 지낼 수 있다"고 하였다. '가는 것이 이로운 것'은 손괘(損卦䷨)의 구이가 가서 삼효의 자리에 있으면 비괘(賁卦䷕)이고, 가서 사효의 자리에 있으면 서합괘(噬嗑卦䷔)이며, 가서 오효의 자리에 있으면 익괘(益卦䷩)여서 모두 이롭기 때문이다.

○ 傳卦變, 上體本坤, 下體本乾, 損下一陽之剛, 益上二陰之柔. 程傳明矣, 而自泰變來, 故有所損.

『정전』에서 괘의 변화는 위의 몸체는 본래 곤괘이고 아래의 몸체는 본래 건괘이니, 아래에 있는 굳센 양 하나를 덜어 위에 있는 부드러운 두 음에 보탰다는 것이다. 『정전』은 분명히 태괘(泰卦䷊)에서 변해 왔기 때문에 덜어내는 것이 있다.

이병헌(李炳憲) 『역경금문고통론(易經今文考通論)』

李鼎祚曰, 坤之上六, 下處乾三, 乾之九三, 上升坤六, 損下益上者也. 陽德上行, 故曰 其道上行也.

이정조가 말하였다: 곤괘의 상육이 아래로 건괘의 삼효자리에 있고, 건괘의 구삼이 위로 곤괘의 육효 자리에 있으니, 아래에서 덜어내 위에 보탠 것이다. 양의 덕이 위로 행하였기 때문에 "그 도가 위로 행한다"고 하였다.

程傳曰, 損而有至誠, 則有此元吉以下四者. 二簋之約, 可用享祭, 言在乎誠而已.

『정전』에서 말하였다: 덜어냄에 지극한 정성으로 하면 여기의 '크게 길하며[元吉]'이하 네 가지가 있다. 그릇 둘의 간략함으로도 제사지낼 수 있는 것은 정성에 있을 뿐이라는 말이다.

虞曰, 時謂春秋祭祀, 乾爲盈, 坤爲虛.

우번이 말하였다: 때는 춘추의 제사를 말한다. 건괘는 차 있음이고 곤괘는 비어 있음이다.[16]

按, 下篇之損益, 猶上篇之泰否.

내가 살펴보았다: 하편의 손괘(損卦) · 익괘(益卦)는 상편의 태괘(泰卦) · 비괘(否卦)와 같다.

---

16) 『周易集解 · 損卦』: 虞翻曰, 時, 謂春秋也. …, 謂春秋祭祀. 虞翻曰, 乾爲盈, 坤爲虛.

象曰, 山下有澤, 損, 君子以, 懲忿窒欲.

「상전」에서 말하였다: 산 아래 못이 있는 것이 손(損)이니, 군자가 그것을 본받아 분노를 자제하고 욕심을 막는다.

‖中國大全‖

傳

山下有澤, 氣通上潤, 與深下以增高, 皆損下之象. 君子觀損之象, 以損於己, 在 脩己之道, 所當損者, 唯忿與欲. 故以懲戒其忿怒, 窒塞其意欲也.

산 아래 못이 있으니 기운이 통하여 위가 윤택해짐과 아래를 깊게 하여 높이를 더함이 모두 아래를 덜어내는 상이다. 군자가 덜어내는 상을 보고 자기에게서 덜어내니, 자기를 닦는 도에서 덜어내야 할 것은 분노와 욕심이다. 그러므로 그 성냄을 자제하고 그 욕심을 막는다.

本義

君子修身, 所當損者, 莫切於此.

군자가 몸을 닦음에 덜어내야 할 것으로 이보다 절실한 것이 없다.

小註

或問, 懲忿窒慾, 忿怒易發難制, 故曰懲, 懲是戒於其後. 慾之起則甚微, 漸漸到熾處, 故曰窒. 窒謂塞於初. 古人說情竇, 竇是罅隙, 須是塞其罅隙. 朱子曰, 懲也, 不專是戒 於後. 若是怒時, 也, 須先懲治他始得. 懲者, 懲於今而戒於後耳. 窒亦非是, 眞有箇孔 穴去塞了, 但遏絶之使不行耳. 又曰, 觀山之象以懲忿, 觀澤之象以窒慾. 慾如汙澤然, 其中穢濁解汙染人, 須當塡塞了

어떤 이가 물었다: "분노를 자제하고 욕심을 막는다"고 하였는데, 분노는 쉽게 발동하여 제어하기 어려우므로 '자제한다[懲]'고 하였으니, '자제함[懲]'은 발동한 뒤에 경계하는 것입니까? 욕심이 일어날 때에는 매우 미미하지만 점점 치열해지므로 '막는다'고 하였습니다. '막음[窒]'은 애초에 막는 것입니다. 옛 사람이 '정두(情竇;마음이 막 생겨남)'[17]라고 하였는데, 두(竇)는 틈이니, 반드시 그 틈을 막는다는 것입니다.

주자가 답하였다: '자제함[懲]'은 오로지 발동한 뒤를 경계하는 것은 아닙니다. 분노할 때라면 반드시 먼저 그것을 '자제하여' 다스려야 합니다. '자제함'이란 지금 자제하는 것[懲]이고, 뒤에는 경계할[戒] 뿐입니다. '막음[窒]' 또한 정말로 구멍이 있어서 막아버리는 것이 아니라 끊어서 행하지 않는 것일 뿐입니다.

또 말하였다: 산의 상을 보고 분노를 자제하고, 연못의 상을 보고 욕심을 막습니다. 욕심은 더러운 못과 같아서, 그 속의 더러움이 흩어져서 남까지 물들이니 반드시 메워서 틀어막아야 합니다.

○ 問, 觀山之象以懲忿, 是如何. 曰, 人怒時, 自是恁突兀起來, 故孫權曰, 令人氣湧如山.
물었다: 산의 상을 보고 분노를 자제한다는 것이 무슨 말입니까?
답하였다: 사람이 분노할 때 저절로 갑자기 치밀어 오르므로 손권은 "사람의 기운을 산처럼 솟구치게 한다"고 하였습니다.

○ 懲忿如摧山, 窒慾如填壑. 又曰, 懲忿如救火, 窒慾如防水.
'분노를 자제함'은 산을 꺾는 것과 같고 '욕심을 막음'은 골짜기를 메우는 것과 같다.
또 말하였다: '분노를 자제함'은 불을 막는 것과 같고, 욕심을 막음은 물을 막는 것과 같다.

○ 山下有澤損, 君子以懲忿窒慾, 必是降下山以塞其澤, 便是此象, 六十四卦象, 皆如此.
"산 아래 못이 있는 것이 손(損)이니, 군자가 이를 본받아 분노를 자제하고 욕심을 막는다"는 분명코 산을 끌어내려 그 못을 막는 것이 이러한 상이니, 64괘의 괘상이 모두 이와 같다.

○ 問, 何以窒慾. 伊川云, 思, 此莫是言慾心一萌, 當思禮義以勝之否, 曰, 然.
물었다: 어떻게 욕심을 막습니까? 이천이 '생각하라'고 하였는데, 이는 혹시 욕심이 일단 싹트면 마땅히 예의로써 이길 것을 생각하라는 말이 아닙니까?

---

17) 정두(情竇): 『예기·예운』에서는 "예란 …천도에 도달하고 인정에 따르는 큰 통로[竇]이다"라고 하였으나, 후세에 정두는 감정의 발생, 남녀의 애정이 막 싹트는 것을 의미하게 되었다.

답하였다: 그렇습니다.

○ 龜山楊氏曰, 君子之修德可損者, 莫過於忿慾, 忿之不懲, 必至於遷怒, 慾之不窒,
必至於貳過.
구산양씨가 말하였다: 군자가 덕을 닦아 덜어낼 것은 분노와 욕심보다 더한 것이 없으니,
분노를 자제하지 않는다면 반드시 분노를 옮기게 되고, 욕심을 막지 않는다면 반드시 잘못
을 거듭하게 된다.

○ 節齋蔡氏曰, 山下之澤, 潤上行而水漸減, 損之象也. 懲, 止也, 窒, 塞也. 忿則陵物,
欲則溺已, 二者, 皆所當損. 懲忿艮象, 窒慾兌象.
절재채씨가 말하였다: 산 아래의 못은 적셔주며 위로 흘러 물이 점점 줄어드니 덜어내는
상이다. 징(懲)은 그침이고, 질(窒)은 막음이다. 성나면 남을 능멸하게 되고, 욕심이 나면
자기에게 빠지니, 두 가지는 모두 마땅히 덜어야할 것이다. 분노를 그침은 간괘(☶)의 상이
고, 욕심을 막음은 태괘(☱)의 상이다.

○ 林氏栗曰, 風雷爲益者, 雷震則益風, 風怒則益雷. 山澤爲損者, 山摧則損澤, 澤動
則損山, 此損益二卦, 有自然之象也.
임률이 말하였다: 바람과 우레가 익괘(益卦)인 것은 우레가 울리면 바람을 더하고, 바람이
노하면 우레를 더하기 때문이다. 산과 못이 손괘(損卦)인 것은 산이 꺾이면 못이 손실되고,
못이 움직이면 산이 손실되기 때문이니, 이 손괘와 익괘 두 괘에는 저절로 그러한 상이 있다.

○ 建安丘氏曰, 忿慾者, 吾身愛惡之私, 皆所當損也. 然懲忿易, 窒慾難. 蓋忿屬陽,
其發也, 氣勢暴湧, 如山之突兀, 人皆知之, 故懲之易. 欲屬陰, 其溺人也, 如水之浸淫,
泯无痕迹, 使人不覺, 陷其中而不能出, 故窒之難. 懲忿, 唯用心之剛者, 卽能制之, 窒
慾, 不唯用剛, 非見理之精, 未易察也.
건안구씨가 말하였다: 분노와 욕심은 내 몸의 아낌과 미워함이니 모두 마땅히 덜어야할 것
이다. 그러나 분노를 자제하는 것은 쉽지만 욕심을 막는 것은 어렵다. 분노는 양에 속해
그것이 발동하면 기세가 폭등함이 마치 산이 솟아오르는 것 같아 남들이 모두 눈치체기 때
문에 자제하기가 쉽지만, 욕심은 음에 속해 그것이 사람을 빠뜨림이 마치 물이 젖어 들음이
슬그머니 흔적이 없는 것과 같아서, 알지 못하는 사이에 그 속에 빠져서 벗어날 수가 없기
때문에 막기가 어렵다. 분노를 그치는 일은 마음 씀이 굳센 자라면 제재할 수 있지만, 욕심
을 막는 일은 마음 씀이 굳셀 뿐만 아니라 이치를 봄이 정밀하지 않고서는 쉽게 살필 수
없다.

韓國大全

권근(權近) 『주역천견록(周易淺見錄)』

水潤於山而土萌, 土壤於澤而水涸, 上下交損而爲害也. 君子觀此而戒之, 懲其忿, 而窒其慾. 忿者, 疾怒於人, 慾者, 貪求於己. 欲利於己, 則必害於人, 然求利未得, 而害己隨之. 忿疾在己者, 亦必害人. 然一朝之忿, 忘其身以及其親, 是於人我交, 相損而爲害也, 故忿將發而懲戒之, 使不得發, 慾將萌而窒塞之, 使不得萌, 然後爲無損於己德也. 彖全言當損之道, 而象於當損之中, 又戒其無損也, 以此象上下交相損害, 非可法而爲可戒也.

물이 산을 적셔 흙에서 싹이 돋고 흙이 못을 메워 물이 마르니, 상하가 사귀면서 덜어내 해로움이 된 것이다. 군자가 이것을 보고 경계하여 그 분노를 자제하고 그 욕심을 막는다. 분노는 남에게 노하는 것이고 욕심은 자신에게 탐욕스럽게 구하는 것이다. 자신에게 이롭게 하고자 하면 반드시 남을 해롭게 하지만 구하는 것을 얻지 못하고 자신을 해롭게 함이 뒤따른다. 분노가 자신에게 있을 경우에도 반드시 남을 해롭게 한다. 그러나 하루아침의 분노로 자신을 잊어 그 부모에게 미치면, 이것은 남과 내가 사귐에 서로 덜어내어 해롭게 되기 때문에 분노가 폭발하려고 하면 자제하고 경계하여 폭발하지 못하게 하고, 욕심이 나오려고 하면 막아서 싹트지 못하게 한 다음에 자신의 덕을 덜어냄이 없게 된다. 「단전」에서는 덜어내야 되는 도를 전체적으로 말하였고, 「상전」에서는 덜어내야 하는 가운데 또 덜어냄이 없음을 경계하였으니, 상하가 사귀어 서로 덜어내 해롭게 하는 여기의 상은 본받아야 할 것이 아니라 경계해야 할 것이다.

조호익(曺好益) 『역상설(易象說)』

朱子曰, 山下有澤, 澤下山以塞其澤之象.
주자가 말하였다: 산 아래 못이 있으니, 못이 산을 끌어내려 못을 막는 상이다.

愚謂澤山之高, 則損其高, 塞澤之深, 則損其深, 損之象也. 懲忿, 法損山之高之象, 窒慾, 法損澤之深之象.
내가 살펴보았다: 산의 높음을 못으로 하면 그 높음을 덜어내고, 못의 깊음을 막으면 그 깊음을 덜어내니 덜어내는 상이다. 분노를 자제함은 산의 높음을 덜어내는 상을 본받는 것이고, 욕심을 막음은 못의 깊음을 덜어내는 상을 본받는 것이다.

송시열(宋時烈) 『역설(易說)』 대상전으

艮少男, 故多忿, 兌少女, 故多慾. 懲忿, 兌之象. 窒, 艮之之象, 又損之義也, 虞氏已言之.

간괘는 막내아들이기 때문에 분노가 많고, 태괘는 막내딸이기 때문에 욕심이 많다. 분노를 자제하는 것은 태괘의 상이고, 막는 것은 간괘의 상이고 또 손괘의 의미인데, 우씨가 이미 말했다.

○ 卦象傳, 以上九言, 見下.

괘의 단전은 상구로 말하였으니, 아래에 있다.

김도(金濤) 「주역천설(周易淺說)」

愚按, 本義下朱子問答, 凡四條. 龜山以下諸儒, 又凡四條, 而皆得於大象之旨矣. 蓋憤者, 突兀起來者也, 慾者, 查滓汚人者也. 忿而不懲, 則必至於殘酷, 欲而不窒, 則必陷於淫[18]濁, 所係, 豈不大哉. 損之爲卦, 艮山在上, 兌澤居下, 澤水浸潤, 而山受其潤, 則剝民奉君之象也. 至於君子之修身, 則懲戒其忿怒, 窒塞其意欲, 亦莫非法此象, 而所貴於君子者, 以其懲治二者而已. 二者不治, 則不徒其身之有害, 至於天下國家莫不被其殃, 則其爲禍患, 豈不大哉. 秦皇漢武之窮兵黷武, 皆以不治二者之故, 而病天下生民之業, 後世之所當警戒者也. 況學者不當忿而憤, 不當怒而怒, 終至於喪德失義. 然則當何以哉. 莫若先治其二者之萌, 而斷絶其根本, 終使此心之天, 如日月之光明, 則豈不美哉. 嗚呼其勉之哉.

내가 살펴보았다: 『본의』의 아래에 있는 주자의 문답이 모두 네 가지이고, 구산 이하 여러 학자들의 설명이 또 모두 네 가지인데 모두 「대상전」의 뜻을 얻었다. 분노는 치밀어오는 것이고, 욕심은 찌꺼기가 사람을 더럽히는 것이다. 분노가 치미는데 자제하지 않으면 반드시 해치기를 잔인하게 하고, 욕심이 나는데 막지 않으면 음란하여 더러운 것에 빠지니, 걸려 있는 것이 어찌 크지 않겠는가? 손괘는 간이라는 산이 위에 있고 태라는 못이 아래에 있어 못의 물이 스며들며 적셔주어 산을 윤택하게 하니, 백성들을 쥐어짜 임금을 섬기는 상이다. 군자가 자신을 수양하는 것에서 그 분노를 자제하고 그 욕심을 막는 것도 이 상을 본받지 않은 것이 없으니, 군자에게 귀하게 여기는 것은 두 가지를 자제하여 다스리는 것일 뿐이다. 두 가지를 다스리지 않으면 자신에게 해로울 뿐만 아니라 심지어 천하와 국가까지 그 재앙을 입지 않음이 없으니 그 재난이 어찌 크지 않겠는가? 진시황과 한무제가 끝까지 전쟁으로 군대를 더럽힌 것은 모두 두 가지를 다스리지 못하여 천하 백성들의 생업을 병들게 한 것이

---

18) 淫: 경학자료집성DB에는 '滛'로 되어 있으나, 경학자료집성 영인본을 참조하여 '淫'으로 바로잡았다.

어서 후세에 경계해야 할 것이다. 하물며 학자가 분노하지 않아야 하는데 분노하는 것은 끝내 덕과 의를 잃는 것이다. 그렇다면 어떻게 해야 하겠는가? 두 가지가 싹트는 것을 미리 막고 그 근본을 잘라버려 마침내 이 마음의 하늘을 해와 달의 밝음처럼 되게 하면 어찌 아름답지 않겠는가? 아! 그것에 힘써야 할 것이다.

이만부(李萬敷) 「역통(易統)·역대상편람(易大象便覽)·잡서변(雜書辨)」

臣謹按, 朱子曰, 觀山之象以懲忿, 觀澤之象以窒慾, 又曰, 懲忿如摧山, 窒慾如塡壑. 蓋人或有不愜於心, 則血氣奮發, 志不能御, 不覺突兀如山之聳, 或有愛好於物, 則私意兆眹, 物爲之掩, 不覺汚下如壑之陷. 夫摧山塡壑, 非略施其力所能及, 則懲窒之功, 其可少施而能焉. 又況怒不必盛氣咆哮, 而纔有所發動者, 亦是也, 慾不必非理貪取, 而纔有所係戀者, 亦是也.

신이 삼가 살펴 보았습니다: 주자가 "산의 상을 보고 분노를 자제하고, 연못의 상을 보고 욕심을 막는다"라고 하였고, 또 "'분노를 자제함'은 산을 깎는 것과 같고 '욕심을 막음'은 골짜기를 메우는 것과 같다"라고 하였습니다. 사람이 혹 마음에 흡족하지 않으면 혈기가 끓어 오르는데 마음으로 제어할 수 없어 높은 산처럼 치밀어 오르는 것을 깨닫지 못하고, 혹 사물을 좋아하면 사사로운 마음이 조짐을 드러내는데 사물에 가려져서 도랑에 빠진 것처럼 더럽혀 지는 것을 깨닫지 못합니다. 산을 깎아 도랑을 메우는 것은 대충 노력해서 할 수 있는 것이 아니라면, 자제하고 막는 일은 조금 베풀어 할 수 있습니다. 또 이에 분노는 굳이 대단한 기세로 으르렁거릴 때가 아니라 막 발동하는 때가 또한 여기에 해당하고, 욕심은 굳이 무리하게 탐하여 취할 때가 아니라 얽매이기 시작하는 때가 여기에 해당합니다.

故程子曰, 聖人之喜, 以物之當喜, 聖人之怒, 以物之當怒, 聖人之喜怒, 不繫於心, 周濂溪曰, 養心不止於寡慾, 寡焉而以至於無, 張南軒曰, 凡有所爲而爲者, 皆欲. 雖曰, 懲窒有所未盡, 則是山未及平, 壑未及充, 殊非象辭垂戒之意也. 顏子去聖人一間, 而稱其好學之實, 則不過曰, 不遷怒, 不貳過, 爲其懲窒之功, 已至也. 龜山楊氏曰, 忿之不懲, 必至於遷, 怒慾之不窒, 必至於貳過, 至哉言乎.

그러므로 정자가 "성인이 기뻐하는 것은 기뻐해야 할 만한 사물이고, 성인이 분노하는 것은 분노해야 할 만한 사물이니, 성인의 기쁨과 분노는 마음에 매여 있는 것이 아니다"[19]라고 하였고, 주렴계가 "마음을 기르는 것으로는 욕심을 줄이는 데 멈추지 않고 줄여서 아무 것도 없게 한다"[20]라고 하였으며, 장남헌이 "할 것 있어 하는 것은 모두 욕심이다"[21]라고 하였습

---

19) 『二程文集·書』: 聖人之喜, 以物之當喜, 聖人之怒, 以物之當怒, 是聖人之喜怒, 不繫於心而繫於物也.

니다. 비록 "자제하고 막음에 미진한 것이 있다면 산이 아직 평평해지지 않은 것이고 도랑이 아직 채워지지 않은 것이다"라고 말했을지라도 「상전」에서 경계한 의미가 전혀 아닙니다. 안자가 성인과 다소 차이가 있지만 그가 학문을 좋아하는 실질을 일컬은 것이 "분노를 옮기지 않고 잘못을 반복하지 않는다"는 것이었다면 자제하고 막는 공이 이미 지극합니다. 구산 양씨가 "분노를 자제하지 않는다면 반드시 분노를 옮기게 되고, 욕심을 막지 않는다면 반드시 잘못을 거듭하게 된다"라고 하였으니 지극한 말입니다.[22]

程子曰, 夫人之情易發, 而難制者, 惟怒爲甚. 第能於怒時, 遽忘其怒, 而觀理之是非, 亦可見外誘之不足惡, 而於道亦思過半矣.
정자가 말하였다: 사람의 정에서 발하기 쉽지만 제어하기 어려운 것은 오직 분노가 심하다. 분노할 때에 싹은 틀 수 있으나 바로 그것을 잊어버리고 이치의 시비를 보고 또 외부의 유혹이 악으로는 부족하다는 것을 안다면 도에서 또한 반 이상 지나간 것으로 여겨진다.

朱子曰, 未知學問, 此心渾爲人欲. 旣知學問, 天理自然發見, 而人欲漸漸消去者, 固是好矣. 然克得一層, 又有一層. 大者固不可有, 而纖微尤要密察.
주자가 말하였다: 학문을 아직 알지 못하면 이 마음이 인욕과 뒤섞여 있다. 학문을 안 다음에 천리가 저절로 발현되어 인욕이 점차로 없어지는 것이 진실로 좋은 것이다. 그러나 한 층을 얻으면 또 한 층이 있다. 큰 것은 가질 수 없더라도 작은 것은 더욱 세밀하게 살펴야 한다.[23]

臣謹按, 右程子之言, 於懲忿之方, 甚切, 朱子之言, 於窒慾之道, 極要, 故敢表出而附焉. 臣伏聞殿下威儀之盛, 動靜之安, 從容溫重, 無少失度, 又未嘗少有流連荒亡之失, 以累聖德者. 聖學之高明, 未嘗不頌祝, 而忿怒之發, 私欲之萌, 或不無闖生於俄頃, 而不卽懲窒, 則如山如塹之勢, 不覺立見於前, 可不懼哉. 臣螻蟻之微, 無足比數, 然犬馬之誠, 不敢自後於人, 至此脩德之要, 尤不覺眷眷. 伏願聖明於措事接物之時, 燕閑幽獨之處, 輒以此二言用力, 於懲窒之功幸甚幸甚, 臣無任惶懼, 悚慄之至.
신이 삼가 살펴보았습니다: 앞에서 정자의 말은 분노를 자제하는 것으로 아주 절실하고, 주

---

20) 『明本釋』: 曰, 養心不止於寡欲而存耳. 寡焉以至於無. 無則誠立明通.

21) 『古今源流至論 · 義利』: 南軒孟子, 序凡有爲而爲者, 皆利也.

22) 『二程文集 · 書』: 夫人之情, 易發而難制者, 惟怒爲甚. 第能於怒時, 遽忘其怒, 而觀理之是非, 亦可見外誘之不足惡, 而於道亦思過半矣.

23) 『朱子語類』: 未知學問, 此心渾爲人欲. 旣知學問, 則天理自然發見, 而人欲漸漸消去者, 固是好矣. 然克得一層, 又有一層. 大者固不可有, 而纖微尤要密察.

자의 말은 욕심을 막는 도로 최고의 핵심이기 때문에 감히 드러내어 뒤에 붙였습니다. 신이 엎드려 들으니, 전하께서는 위의가 성대하시고 동정이 편안하시며 여유 있으시고 중후하시여 조금도 법도를 잃지 않으셨고, 또 일찍이 조금도 노름과 주색의 잘못에 빠져 성덕에 누를 끼친 적이 없으셨습니다. 고명한 성학은 축하받고 기려지지 않으신 적이 없지만 분노하고 사사롭게 욕심 부리는 것이 혹 잠시 나오지 않은 적이 없으실 것이어서 바로 자제하고 막지 않으면 산과 같고 도랑 같은 기세가 앞에 서 있는데도 깨닫지 못하실 것이니 두려워하지 않을 수 있겠습니까? 신의 미미함으로는 견주어 말할 것이 없지만 개나 말 같은 성심으로 감히 남들보다 스스로 뒤에 있지 못하고 여기 덕을 닦는 핵심에 이르러서는 더욱 깨닫지 못해 사모하고 사모했습니다. 바라옵건대 성상께서 일을 하시고 사물을 접하시는 때나 연회를 하시거나 한가하게 고요히 혼자 계시는 곳에서 밝게 하시어 언제나 이 두 가지 말로 힘쓰시면 자제하고 막는 일이 아주 편하고 아주 즐겁게 되실 것입니다. 신은 매우 황공하고 두려우며 지극히 당황스럽고 떨립니다.

이현익(李顯益) 「주역설(周易說)」

山下有澤損, 是氣通. 上潤深下增高之謂. 而林氏栗, 謂山澤爲損者, 山摧則損澤, 澤動則損山, 是謂山損澤, 澤損山也. 若是, 則何在其損下益上爲全卦之義耶. 曰, 山下有澤損, 則只是損下益上之意. 曰, 風雷益, 則是風雷交相益之意. 二者立語, 自異於山下有澤, 不可以交相損言也.

산 아래 못이 있는 것이 손괘로 기가 통하여 위로 적셔주어 깊고 아래로 보태주어 높음을 말한다. 그런데 임율은 "산과 못이 손괘(損卦)인 것은 산이 깎이면 못이 손실되고, 못이 움직이면 산이 손실되기 때문이다"라고 하였으니, 이것은 산이 못을 덜어내고 못이 산을 덜어내는 것을 말한다. 이와 같다면 어디에 아래에서 덜어내어 위에 보탬으로 전체 괘를 삼는다는 의미가 있는가? 말하자면, 산 아래 못이 있어 덜어낸다는 것은 아래에서 덜어내어 위에 보탠다는 의미일 뿐이니, 바람과 우레가 익괘라는 것은 바람과 우레가 서로 보태는 의미이다. 두 사람의 주장은 산 아래 못이 있다는 것에서 저절로 차이가 있으니, 서로 덜어내는 것으로 말해서는 안 된다.

이익(李瀷) 『역경질서(易經疾書)』

山下有澤. 澤之鬱蓄, 滋濕上洩於山, 如人之喜怒, 見於外, 山之水泉, 沙礫下聚於澤, 如人之物欲, 積於內也. 卦以損爲名, 故有懲窒之象.

산 아래 못이 있다. 못에 답답하게 쌓인 것들이 습기를 산으로 올라가게 하는 것은 사람의 기쁨과 분노가 밖으로 드러나는 것과 같고, 산에 흐르는 물이 모래와 자갈을 못 아래로 모이게 하는 것은 사람의 물욕이 안에서 쌓이는 것과 같다. 괘를 손으로 이름 붙였으므로 자제하고 막는 상이 있다.

심조(沈潮) 「역상차론(易象箚論)」

艮爲手, 兌爲口, 故損字, 從手從口. 中虛似離, 故從目. 互有坤, 故從八.

간괘는 손이고 태괘는 입이므로 '손(損)'자에는 '손수[手]'와 입귀[口]가 있다. 가운데가 비어 있는 것이 리괘와 같으므로 '눈목[目]'이 있다. 호괘에 곤괘가 있으므로 여덟팔[八]이 있다.

유정원(柳正源) 『역해참고(易解參攷)』

正義, 懲者息其既往, 窒者閉其將來. 忿欲皆有來往, 懲窒互文而相足也.

『주역정의』에서 말하였다: 자제하는 것은 이미 지나간 것에 대해 삭이는 것이고, 막는 것은 올 것에 대해 막는 것이다. 분노와 욕심이 모두 오가니, 자제하고 막는 것으로 표현을 바꾸어 서로 감당했다.

○ 平庵項氏曰, 艮少男, 兌少女, 忿莫甚於少男, 欲莫甚於少女, 故損言懲忿窒欲. 小註朱子說情竇 禮運, 禮者, 順人情之大竇.

평암항씨가 말하였다: 간괘는 막내아들이고, 태괘는 막내딸이니, 분노는 막내아들보다 심한 것이 없고, 욕심은 막내딸보다 심한 것이 없기 때문에 손괘에서 분노를 자제하고 욕심을 막는 것에 대해 말하였다. 소주에서 주자가 '마음의 통로[情竇]'[24]에 대해 설명했는데,『예기·예운』에서 예는 인정의 큰 통로를 따르는 것이다.

김상악(金相岳) 『산천역설(山天易說)』

懲, 止也, 窒, 塞也. 朱子曰, 觀山之象, 以懲忿, 觀澤之象, 以窒欲. 蓋君子修身之道, 莫切於此, 忿不懲, 必遷怒, 欲不窒, 必貳過也.

'자제하는 것'은 멈추는 것이고, '막는 것'은 나오지 못하게 하는 것이다. 주자가 "산의 상을 보고 분노를 자제하고 못의 상을 보고 욕심을 막는다"라고 하였다. 군자가 자신을 닦는 도로 이것보다 절실한 것이 없으니, 분노를 자제하지 않으면 반드시 분노를 옮기게 되고, 욕심을 막지 않으면 반드시 잘못을 반복하게 된다.

---

24) 정두(情竇):『예기·예운』에서는 "예의란 …천도에 도달하고 인정에 따르는 큰 통로[竇]이다"라고 하였으나, 후세에 정두는 감정의 발생, 남녀의 애정이 막 싹트는 것을 의미하게 되었다.

서유신(徐有臣) 『역의의언(易義擬言)』

山下有澤, 山日剝而損, 澤日淤而損, 是爲損也. 忿日懲而損, 慾日窒而損, 君子之損
也. 山澤損, 而險阻去, 則地道平矣. 忿慾損, 而私累去, 則天德全矣. 此皆損所當損,
而爲益也. 損所當損, 而爲益, 乃損之義也. 虞氏曰, 兌說, 故懲忿, 艮止, 故窒慾.
산 아래 못이 있는데, 산이 날마다 깎여나가 손상되고, 못에 날마다 진흙이 쌓여 줄어드니
이것이 덜어내는 것이다. 분노를 날마다 자제하여 덜어내고 욕심을 막아서 덜어내는 것은
군자의 덜어냄이다. 산과 못을 덜어내어 험하고 막힌 것이 없어지니 땅의 도가 평평해진다.
분노와 욕심을 덜어내 사적으로 얽힌 것이 없어지니 하늘의 덕이 온전해진다. 이것은 모두
덜어내야 할 것을 덜어내어 보탠 것이다. 덜어내야 할 것을 덜어내어 보태는 것이 바로 덜어
내는 것의 의미이다. 우씨가 "태(兌)로 기뻐하기 때문에 분노를 자제하고 간(艮)으로 멈추기
때문에 욕심을 막는다"고 하였다.

박제가(朴齊家) 『주역(周易)』

象傳云, 損下益上, 取卦體而言者, 象則只從卦名而說者. 君子但觀象之損而已, 固不
必復取所以損之義以自損也. 蓋山下有澤, 未必盡如築城爲隍, 而後有此高深也. 見彼
之高而知此深之爲損也. 故釋象則可言上下. 釋象但當言損, 不當復言上下. 所謂懲與
窒, 固非取上下之義也, 如大象.
「단전」에서 아래에서 덜어내 위에 보탠다는 것은 괘의 몸체를 가지고 말한 것이고, 「상전」
은 단지 괘의 이름으로 말한 것이다. 군자는 단지 상에서 덜어내는 것을 보았을 뿐이어서
굳이 다시 덜어내는 의미를 취해 스스로 덜어낼 필요는 없다. 산 아래 못이 있는 것은 성을
쌓고 해자를 만드는 것처럼 극진하게 한 이후에 그렇게 높고 깊게 할 필요는 없다. 저것의
높음을 보고 이것의 깊음이 덜어냄이라는 것을 안다. 그러므로 「단전」의 해석에서는 아래와
위를 말하였다. 「상전」의 해석에서는 단지 덜어냄을 말해야 되고, 다시 아래와 위를 말해서
는 안된다. 이른바 자제하고 막는 것은 진실로 위와 아래의 의미를 취한 것이 아니니 「대상
전」과 같다.

程傳曰, 深下以增高, 猶之可也. 至氣通上潤, 又說得鑿, 此專由於靠定損下益上之說,
而然若如太玄之云, 山日瘦而澤漸平之義, 則豈不可曰見山之損而取象耶. 窒欲之窒,
又似塡澤矣.
『정전』에서 "아래를 깊게 하여 높이를 더한다"고 한 것은 오히려 괜찮다. "기운이 통하여 위가
윤택해진다"는 것까지는 또 설명이 천착했으니, 이것은 오로지 아래에서 덜어내 위에 보탠다
는 설명에 의지하여 정하는 것에서 나왔다. 그런데 『태현경』에서 말한 것처럼 산이 날마다

줄어들어 못이 점점 평평해진다는 의미라면, 어찌 산이 줄어드는 것을 보고 상을 취했다고 말할 수 없겠는가? 욕심을 막는다고 할 때의 막는 것이 또 못을 메우는 것과 비슷하다.

林黃中曰, 山摧則損澤, 澤動, 則損山, 此又以在澤以塡爲損, 在山以削爲損, 而正是損上益下之說耳.

임황중이 "산이 깎이면 못에서 덜어내고 못이 움직이면 산에서 덜어낸다"고 한 것은 또 못에서 메우는 것을 덜어내는 것으로, 산에서 깎아내는 것을 덜어내는 것으로 한 것이니, 바로 위에서 덜어내어 아래에 보탠다는 설명일 뿐이다.

朱子曰, 觀山之象以懲忿, 觀澤之象以窒欲, 又恐未安. 夫損之爲義, 必合山澤而成, 如山自山澤自澤, 則其名何必爲損耶. 澤山咸以下, 無非可以懲與窒者矣. 又曰, 人怒時, 自是突兀起, 故孫權曰, 令人氣湧如山, 亦恐未然. 慾火起時, 獨不湧如山耶. 節齋蔡氏曰, 澤潤上行而水漸減, 損之象也, 此出程傳者. 然損非山澤通氣而損也, 山之氣, 亦入於澤, 則將曰山有損耶. 如河潤九里, 則乃益也, 非損也, 如咸之山上有澤, 則將謂損上益下耶. 象與象自異, 所謂不可典要者也.

주자가 "산의 상을 보고 분노를 자제하고, 연못의 상을 보고 욕심을 막습니다"라고 한 것은 또 자연스럽지 않은 듯하다. 덜어낸다는 의미는 반드시 산과 못을 합쳐서 이루어지니, 산은 본래 산이고 못은 원래 못인 것과 같다면, 그 이름을 굳이 덜어냄[損]으로 할 필요가 있었겠는가? 못과 산이 함괘 이하는 자제하고 막아야 되는 것 아닌 것이 없다. 또 "사람이 분노할 때 저절로 갑자기 치밀어 오르므로 손권은 '사람의 기운을 산처럼 솟구치게 한다'고 하였습니다"라고 한 것도 그렇지 않은 듯하다. 욕망이 불타오를 때는 유독 산처럼 솟구치지 않는다는 것인가! 절재채씨가 "못이 적셔주며 위로 흘러 물이 점점 줄어드니 덜어내는 상이다"라고 한 것은 『정전』에서 나온 것이지만 덜어냄은 산과 못이 기운을 통해서 덜어낸 것이 아니니, 산의 기운이 못으로 들어가면 산에 덜어냄이 있다고 하겠는가? 황하가 구리까지 윤택하게 하는 것이라면 보태는 것이지 덜어내는 것이 아니니, 함괘의 산 위에 못이 있는 것이라면 위에서 덜어내 아래에 보탠 것이라고 하겠는가? 「상전」과 「단전」은 본래 다르니, 이른바 준칙으로 할 수 없는 것이다.

윤행임(尹行恁) 『신호수필(薪湖隨筆)·역(易)』

損其疾, 損其柔也. 雖柔必强, 如沈痾之袪體, 其喜可知. 人有疾, 則醫藥以治之, 有惡, 則郛郭以護之. 袪惡如袪疾, 可以謂懲窒. 袪惡之醫, 聖賢也, 藥, 聖賢之言也.

질병을 덜어내는 것은 부드러움을 덜어내는 것이다. 부드러운 것일지라도 반드시 굳세게 하는 것은 고질병을 몸에서 떠나보내는 것과 같으니 그 기쁨을 알만하다. 사람이 질병이 나면 의약으로 치료하고 악함이 있으면 지켜서 보호한다. 질병을 떠나보내듯이 악을 떠나보내면, 자제하고 막았다고 할 수 있다. 악을 떠나보내는 의사는 성현이고 약은 성현의 말씀이다.

박문건(朴文健)『주역연의(周易衍義)』

懲窒, 言戒塞於未發之前也.

자제하고 막는 것은 아직 나오기 전에 경계하여 막는 것이다.

〈問, 山下有澤損. 曰, 山崩漂澤, 則是山澤俱損也. 君子以之懲窒忿欲, 則於修身也, 何有.

물었다: "산 아래 못이 있는 것이 손이다"는 무슨 뜻입니까?

답하였다: 산이 무너져 못으로 흘러 들어가면 이것은 산과 못을 모두 덜어낸 것입니다. 군자는 그것을 본받아 분노와 욕심을 자제하고 막으니, 자신을 닦는 것에 무슨 어려움이 있겠습니까?〉

이지연(李止淵)『주역차의(周易箚疑)』

忿與欲, 皆自心下之而起, 起而上者也. 上陽爲懲之窒之之象. 又念者, 怒氣也, 慾者血氣也, 苟非說於義理而自止者, 則不能懲而窒之. 卦之德, 說而止, 故云耳.

분노와 욕심은 모두 마음 속에서 일어나고 일어나서 치솟는 것이다. 위에 있는 양이 자제하고 막는 상이다. 또 분노는 노기이고 욕심은 혈기이니, 의리를 기뻐하여 스스로 멈추는 자가 아니면 자제하여 막을 수 없다. 괘의 덕이 기뻐하고 멈추는 것이기 때문에 말했을 뿐이다.

김기례(金箕澧)「역요선의강목(易要選義綱目)」

忿屬陽, 如山之突兀, 故自彊則易懲. 欲屬陰, 如水之浸淫, 故理不精通, 則難可窒矣.

분노는 양에 속해 우뚝 솟은 산과 같기 때문에 스스로 힘쓴다면 자제하기 쉽다. 욕심은 음에 속해 적시는 물과 같기 때문에 이치로 정통하지 않으면 막기 어렵다.

박종영(朴宗永)「경지몽해(經旨蒙解)・주역(周易)」

程傳曰, 君子脩己之道, 所當損者, 唯忿與欲. 故以懲戒其忿怒, 窒塞其意欲也. 蓋君子之脩德可損者, 莫切於忿慾. 忿之不懲, 必至於遷怒, 慾之不窒, 必至於貳過, 此以平常而言也. 九思曰, 忿思難, 難者禍患之謂也. 與人而爭競歐鬪, 自己之危辱陷敗, 莫不由忿而出, 是豈可不懲乎. 至若欲之害人, 有甚於忿. 聲色臭味之慾, 權位貨利之慾, 人所不能無者. 然若一循乎此, 不以理義裁制, 則其危險如九折之羊腸, 千尋之瞿塘, 其不車敗船覆者, 幾希矣. 所以君子懲忿如救火, 窒慾如防水, 不可少忽於日用事爲之間也. 噫, 天理人欲相爲對立, 人慾熾盛, 則天理息滅, 人慾克除, 則天理流行. 然則學者觀損卦之象, 於懲室之訓, 其可不念念在玆, 以爲進學之要道也歟.

『정전』에서 "군자가 자기를 닦는 도에서 덜어내야 할 것은 분노와 욕심이다. 그러므로 그 성냄을 자제하고 그 욕심을 막는 것이다"라고 하였다. 군자가 덕을 닦음으로 덜어내야 할 것은 분노와 욕심보다 절실한 것이 없다. 분노를 자제하지 않으면 반드시 분노를 옮기게 되고, 욕심을 막지 않으면 반드시 잘못을 반복하게 되니, 이것은 일상으로 말한 것이다. 『논어』의 '아홉 가지로 생각할 것[九思]에서 "분노할 때는 어렵게 될 것을 생각하라"라고 하였으니, 어렵게 될 것은 재난을 당한다는 말이다. 남들과 싸우며 치고받아 자신이 위태롭고 욕을 당해 잘못되는 것은 분노로 말미암아 생기지 않은 것이 없으니, 이것을 자제하지 않아서야 되겠는가? 심지어 욕심으로 남을 해치는 것이 분노보다 지나치게 된다. 소리·색·맛·냄새에 대한 욕심과 권력·지위·재화·이익에 대한 욕심은 사람이 없을 수 없는 것이다. 그러나 이것을 따르고 이치나 의로움으로 재제하지 않으면 그 위험은 구불구불한 양의 내장과 같고 아주 깊은 못과 같아 수레가 망가지고 배가 뒤집히지 않는 경우가 드물다. 그래서 군자는 불을 끄듯이 분노를 자제하고 물을 막듯이 욕심을 막으니, 일상생활에서 조금이라도 소홀히 해서는 안된다. 아! 천리와 인욕이 서로 대립함에 인욕이 극성을 부리면 천리가 사라지고, 인욕이 극복되면 천리가 유행한다. 그렇다면 배우는 사람은 손괘의 상에서 자제하고 막는 교훈을 보고, 늘 이것을 생각하여 학문을 나아가게 하는 핵심의 도로 삼지 않아서야 되겠는가!

심대윤(沈大允) 『주역상의점법(周易象義占法)』

象曰, 山下有澤, 損, 君子以, 懲忿窒欲. 〈與者不忿, 取者云□〉

「상전」에서 말하였다: 산 아래 못이 있는 것이 손(損)이니, 군자가 그것을 본받아 분노를 자제하고 욕심을 막는다. 〈주는 자는 분노하지 않고, 취하는 자는 □.〉

山在澤上, 山潤而澤減, 澤在山下, 澤動而山墜, 交相損也, 兼而言之. 故曰, 山下有澤. 少男忿而不下女, 少女欲而不進任事, 亦交相損也. 夫學於人者, 必兩勤焉, 取於人者, 必交易焉. 以剛易柔, 乾之所得者, 虛也, 坤之所得者, 實也. 澤之氣上于山而錯其文, 山之影入于澤而漾其光, 澤得虛, 而山得實, 交相益也. 我以虛而易其實, 故卦以損下益上損人益己爲義也, 而象則取交相損之義也. 艮爲突怒忿恨, 兌爲欲. 懲忿, 象澤之隆山, 窒欲, 象山之減澤也. 兌爲懲戒, 艮爲窒塞.

산이 못의 위에 있어 산이 젖어들면 못의 물이 빠지고, 못이 산의 아래에 있어 못이 요동치면 산의 흙이 무너져 내리는 것은 서로 덜어내는 것이니 겸해서 말했다. 그러므로 "산 아래 못이 있다"고 하였다. 막내아들이 분노하면서도 여자에게로 내려가지 않고, 막내딸이 욕심을 내면서도 나아가 일을 책임지지 않는 것도 서로 덜어내는 것이다. 남에게 배우는 자는 반드시 양쪽으로 부지런하고 남에게 취하는 자는 반드시 바꾼다. 굳셈을 부드러움으로 바꾸면 건괘(乾卦)가 얻는 것은 비움이고 곤괘(坤卦)가 얻은 것은 채움이다. 못의 기운이 산으로 올라가 그 문채를 섞고, 산의 그림자가 못으로 들어가 그 빛을 덮으면 못은 비움을 얻고 산은 채움을 얻어 서로 보탠다. 내가 비움으로 채움을 바꾸었기 때문에 괘에서는 아래에서 덜어 위에 보태고 남에게 덜어 나에게 보태는 것으로 의미를 삼았는데, 「상전」에서는 서로 덜어내는 의미를 취하였다. 간(艮)은 갑작스러운 분노와 원망이고, 태(兌)는 욕심이다. 분노를 자제하는 것으로 못이 산의 흙을 무너뜨리는 것을 상징하였고 욕심을 막는 것으로 산이 못의 물을 빨아들이는 것을 상징하였다.

오치기(吳致箕) 「주역경전증해(周易經傳增解)」

山高臨下, 而山摧, 則損澤, 澤潤上行, 而澤浸, 則損山. 君子觀其象, 反己而損, 其害於德者, 莫切於忿欲, 故懲戒其忿怒, 窒塞其意欲也. 山之突兀, 爲忿之象, 澤之浸淫, 爲欲之象, 兌以悅之, 則忿可懲矣, 艮以止之, 則欲可窒矣.

높은 산이 아래를 내려다보고 있는데, 그것이 깎이면 못에서 덜어내고, 축축한 못이 위로 가고 있는데 그것이 침범당하면 산에서 덜어낸다. 군자는 그 상을 보고 자신에게 반성하여 덜어내니, 덕에 해로운 것은 분노와 욕심보다 절실한 것이 없기 때문에 분노를 징계하고 욕심을 막는다. 우뚝한 산은 분노의 상이고, 적셔주는 못은 욕심의 상징이니, 태(兌)로 기뻐하면 분노를 자제할 수 있고, 간(艮)으로 멈추면 욕심을 막을 수 있다.

이진상(李震相) 『역학관규(易學管窺)』

象. 忿如山而兌以懲之, 慾如澤而艮以窒之.

「상전」 분노는 산과 같아 태(兌)로 자제하고 욕심은 못과 같아 간(艮)으로 막는다.

이병헌(李炳憲) 『역경금문고통론(易經今文考通論)』

本義曰, 君子修身, 所當損者, 莫切於此.

『본의』에서 말하였다: 군자가 몸을 닦음에 덜어내야 할 것으로 이보다 절실한 것이 없다.

初九, 已事, 遄往, 无咎, 酌損之.

정전 초구는 일을 마치면 빨리 가야 허물이 없을 것이니, 참작하여 덜어낸다.
본의 초구는 일을 멈추고 빨리 가야 허물이 없을 것이니, 참작하여 덜어낸다.

中國大全

傳

損之義, 損剛益柔, 損下益上也. 初以陽剛, 應於四, 四以陰柔, 居上位, 賴初之
益者也. 下之益上, 當損已而不自以爲功. 所益於上者, 事旣已, 則速去之, 不居
其功, 乃无咎也, 若享其成功之美, 非損己益上也, 於爲下之道, 爲有咎矣. 四之
陰柔, 賴初者也, 故聽於初, 初當酌度其宜, 而損己以益之, 過與不及, 皆不可也.

손(損)의 뜻은 굳센 양을 덜어서 부드러운 음에 보탬이니, 아래에서 덜어 위에 보태는 것이다. 초효는
굳센 양으로 사효와 호응하고, 사효는 부드러운 음으로 윗자리에 있으니 초효가 보태줌에 힘입는 자이
다. 아랫사람이 윗사람에게 보태줌에는 자기를 덜되 스스로 공으로 여겨서는 안된다. 윗사람에게 보태
주는 일은 일이 끝났으면 빨리 떠나서 그 공에 머물지 않아야 허물이 없을 것이다. 만약 그 성공의
아름다움을 누린다면 자기에게 덜어 위에 보태는 것이 아니니 아랫사람의 도리에 허물이 있을 것이다.
사효는 부드러운 음으로 초효에 힘입는 자이기 때문에 초효의 말을 들으니, 초효는 그 마땅함을 잘
짐작하고 헤아려서 자기에게서 덜어 보태야 하니, 지나침과 미치지 못함은 다 옳지 않다.

本義

初九, 當損下益上之時, 上應六四之陰, 輟所爲之事而速往以益之, 无咎之道也.
故, 其象占如此. 然居下而益上, 亦當斟酌其淺深也.

초구는 아래에서 덜어 위에 보태는 때를 당하여 위로 육사의 음과 호응하니, 하는 일을 멈추고 빨리
가서 보태야 허물이 없는 도이다. 그러므로 그 상과 점이 이와 같다. 그러나 아래에 있으면서 위에
보탬이니 또한 그 얕고 깊음을 잘 참작해야 한다.

小註

朱子曰, 酌損之, 在損之初下, 猶可以斟酌也.

주자가 말하였다: '참작하여 덜어냄'은 손괘(損卦)의 처음인 아래에 있어서 오히려 참작할 수 있는 것이다.

○ 問, 損卦二陽, 皆能益陰, 而二上二爻則弗損益之, 初則曰酌損之, 何邪. 曰這一爻難解, 只得用伊川說. 又云, 易解得處少, 難解處多, 今且恁地說去, 到那占時, 又自別消詳有應處, 難豫爲定說也.

물었다: 손괘의 두 양은 모두 음에 보태줄 수 있는데, 이효와 상효 두 효에서는 "덜지 말고 보태준다"고 하였고, 초효에서는 "참작하여 덜어낸다"고 한 것은 어째서 입니까?

답하였다: 이 효는 풀기 어려우니 다만 이천의 설을 씁니다.

또 말하였다: 풀기 쉬운 곳은 적고 풀기 어려운 곳은 많으니, 이제 잠시 이런 식으로 말했더라도, 점칠 때에는 또한 저절로 자세하게 분별되어 호응하는 곳이 있을 것이니, 미리 정설을 정하기 어렵습니다.

○ 臨川吳氏曰, 損之時, 皆當以下陽益上陰. 已, 止也. 事, 所作爲之事也. 陽動喜作爲, 初在下, 當止其所作爲之事, 而速往以益四也. 居下者, 不當有爲, 以其有餘之才, 補益其上. 已損而上益, 此處下之道也, 故无咎.

임천오씨가 말하였다: 손괘의 때는 모두 아래의 양으로써 위의 음에 보태주어야 한다. '이(已)'는 멈추는 것이다. '사(事)'는 하고 있는 일이다. 양은 움직여 일하기를 좋아하지만, 초효는 아래에 있기에 마땅히 그 하는 일을 멈추고 빨리 가서 사효에게 보태주어야 한다. 아래에 있는 자는 무언가를 하려 해서는 안 되니, 그 남는 재주로 그 윗사람에게 보태주어야 한다. 자기를 덜고 위를 보태는 이것이 아래에 처하는 도이므로 허물이 없다.

○ 廣平游氏曰, 損下而益上者, 或失其節則後難繼, 故必酌損之.

광평유씨가 말하였다: 아래에서 덜어서 위에 보태는 자가 혹 그 절도를 잃으면 뒤에는 계속하기 어려우므로 반드시 참작하여 덜어내는 것이다.

○ 雲峰胡氏曰, 初九以剛居剛, 而當損之初, 唯其以剛居剛則爲之過. 故可自已其所爲, 而速往以益四. 唯其當損之初, 則又未可自損之過, 故當酌其淺深之宜, 而不自傷其本, 量其所受, 隨器而止, 酌之義也.

운봉호씨가 말하였다: 초구는 굳센 양으로 양의 자리에 있으면서, 손괘의 처음에 해당한다. 오직 그 굳셈으로 굳센 양의 자리에 있으니 지나친 것이므로 스스로 그 하던 것을 멈추고

빨리 가서 사효에게 보태주는 것이 좋다. 오직 손괘의 처음에 해당되기에 또한 스스로의 손실이 지나치다고 할 수 없다. 그러므로 그 얕고 깊은 마땅함을 참작하여 스스로 그 근본을 손상시키지 말아야 하니, 그 받은 바를 헤아리고 그릇에 따라 멈추어 참작한다는 뜻이다.

‖韓國大全‖

조호익(曺好益)『역상설(易象說)』

初應四, 四止體, 有已事象. 四應初, 初說體而陽動, 有遄往象. 說以益四而能止, 有酌象.

초효는 사효와 호응함에, 사효가 멈춰있는 몸체이니 일을 멈추는 상이 있다. 사효가 초효와 호응함에 초효가 기뻐하는 몸체이면서 양의 움직임이니, 빨리 가는 상이 있다. 기뻐서 사효에게 보태면서도 멈출 수 있으니 참작의 상이 있다.

송시열(宋時烈)『역설(易說)』

孔穎達曰, 廢事而往, 咎莫大焉, 竟其事速其往, 无咎之道 說得似好, 酌損者, 不可大損, 當斟酌其淺深而損之. 小象尙合志者, 與六四合志也. 尙字, 傳云崇尙義, 云與上通, 似小異, 然當活看.

공영달이 “하던 일을 관두고 가는 것은 허물이 그보다 큰 것이 없다. 하던 일을 마치고 빨리 가는 것이 허물이 없는 도이다”라고 하였으니, 잘 설명한 것 같다. 참작하여 덜어내는 것은 크게 덜어내서는 안되고 그 얕고 깊음을 참작하여 덜어내야 한다. 「소상전」에서 “위와 뜻이 합한다”는 것은 육사와 뜻이 합하는 것이다. ‘상(尙)’이라는 글자에 대해 『정전』에서 숭상의 의미로 말하면서 ‘위[上]’와 통용한다고 한 것은 다소 차이가 있는 것 같지만 융통성 있게 봐야 한다.

이익(李瀷)『역경질서(易經疾書)』

初九居最下, 固不可易而往也. 已事如語所謂遂事, 已決之事也. 已事遄往, 則前此固滯未決可知. 上應六四, 四爲近君之臣, 竭賢誠求者也, 薦引初九之剛. 陽必致, 乃已其義宜, 感而起矣. 此已事, 而猶且次且遲回, 則事或失機, 功不可成. 四云, 損其疾, 使遄, 此云遄往酌損, 損之使之者四也. 疾與遄, 屬初, 是四能損初固滯之疾, 使之遄. 若非初之遄往, 則使遄者, 何物. 然在初不可專[25]仰四之指揮, 故斟酌而自損其疾也. 若非六四使之損疾, 則初之自損者, 何物對勘而互足也. 此非上下相得不可, 故曰, 尙合志也. 蓋志行之過中者, 謂之疾, 如齊宣所謂有疾, 是也. 酌損, 遄往而无咎, 則知前此之有過中也. 酌損, 則如伊尹之幡然, 是也.

초구가 가장 아래에 있으니 진실로 바꾸어서 가서는 안된다. "일을 마쳤다"는 것은 이른바 끝낸 일이라고 말하는 것과 같으니, 이미 결정한 일이다. 일을 끝내고 빨리 갔다면 이 앞에는 굳게 막혀서 결정되지 않았음을 알 수 있다. 위로 육사와 호응하는데, 사효는 임금에게 가까운 신하이고 어짊을 다하여 진실로 구하는 자이니, 초구의 굳셈을 천거하고 끌어당긴다. 양이 반드시 오는 것은 바로 그 의와 마땅함을 이미 결정하고 감동해서 일어난 것이다. 여기에서는 일을 끝내놓았는데, 여전히 또 오지 않고 더디게 배회한다면 일에 혹 기회를 놓쳐 공을 이룰 수 없다. 사효에서 "그 병을 덜어내는데 빨리하면"이라고 했고, 여기에서는 "빨리 가서 참작하여 덜어낸다"고 하였으니, 덜어냄에 그것을 시키는 것이 사효이다. '병'과 '빨리'는 초효에 속하니, 사효는 초효의 굳게 막혀 있는 병을 덜어내어 빠르게 할 수 있다. 초효가 빨리 가지 않으면 빠르게 하는 자가 어떤 것이겠는가? 그러나 초효에서는 사효의 지휘를 전적으로 따를 수 없기 때문에 참작해서 스스로 그 병을 덜어낸다. 육사가 병을 덜어내게 하지 않았다면 초효가 스스로 덜어낸 것이니, 어떤 것이 대질해서 서로 만족하겠는가? 여기에서는 상하가 서로 얻는 것이 불가하지 않기 때문에 "위와 뜻이 합해서이다"라고 했다. 뜻과 행동이 지나친 것을 '병'이라고 하니, 이를테면 『맹자』에서 제선왕이 이른바 "병이 있다"[26]는 것이 여기에 해당한다. 참작하여 덜어냄에 빨리 갔지만 허물이 없으니, 이 앞에서 알맞음을 지나쳤음을 알겠다. 참작하여 덜어내는 것은 이를테면 『맹자』에서 "이윤이 마음을 고치었다"[27]는 것이 여기에 해당한다.

심조(沈潮) 「역상차론(易象箚論)」

酉字, 從酉者, 兌也.
'작(酌)'자는 유(酉)자가 부수이니 태괘이다.

---

25) 專: 경학자료집성DB에는 '專'로 되어 있으나, 경학자료집성 영인본을 참조하여 '專'으로 바로잡았다.
26) 『孟子·梁惠王』: 王曰, 大哉言矣. 寡人有疾, 寡人好勇.
27) 『孟子·萬章』: 萬章問曰, 人有言伊尹以割烹要湯, 有諸. …孟子曰, 否. …. 湯三使往聘之, 旣而幡然改曰, ….

유정원(柳正源) 『역해참고(易解參攷)』

童溪王氏曰, 兌三爻, 皆損己益上者. 然二以不損爲益, 三以獨行得友. 初所謂出粟米麻絲以事上, 宜速往免咎, 上亦當酌損之, 使下供上之心不厭, 上取下之道不窮, 可也.

동계왕씨가 말하였다: 태괘의 세 효는 모두 자신에게서 덜어내 위에 보태는 것들이다. 그러나 이효는 덜어내지 않음으로 보태고, 삼효는 홀로 가서 벗을 얻었다. 초효는 이른바 곡식과 실을 내어서 위를 섬기니, 빨리 가야 허물을 면할 수 있고 위에서도 참작하고 덜어내어, 아래에서 위로 바치는 마음이 싫어하지 않게 하며 위에서 아래로 취하는 도가 다하지 않도록 해야 한다.

○ 進齋徐氏曰, 損者, 人情之所難, 而初又最下, 不可過損. 損下太過, 則其本傷矣, 必斟酌其義之淺深, 而不失損己益人之道, 可也.

진재서씨가 말하였다: 덜어내는 것은 인정의 어려운 것이고, 초효가 가장 아래에 있어 지나치게 덜어내서는 안된다. 아래에서 덜어내는 것이 너무 지나치면 근본이 상하니, 반드시 그 의의 얕고 깊음을 참작하여 아래에서 덜어내어 위에 보태는 도를 잃지 않아야 한다.

○ 案, 言有當損之事, 則往而益之當速, 不可失時遲緩, 如孟子所謂, 何待來年, 是也.

내가 살펴보았다: 덜어내야 될 일이 있으면 가서 보태주기를 속히 해야지 때를 놓치게 늦어서는 안되니, 『맹자』에서 이른바 "무엇 때문에 내년까지 기다리겠는가!"[28]가 여기에 해당한다.

김상악(金相岳) 『산천역설(山天易說)』

損之義, 損剛益柔, 損下益上也. 初剛四柔, 相應而交, 而艮互震體, 益上之事旣已, 則當速去之勿失, 其剛乃无咎也. 故酌損之, 則亦无過損之失矣.

덜어낸다는 의미는 굳셈에서 덜어내 부드러움에 보태고 아래에서 덜어내 위에 보태는 것이다. 초효는 굳세고 사효는 부드러우니, 서로 호응하여 사귀는데, 간괘는 호괘인 진괘의 몸체이니, 위에 보태는 일이 이미 끝났다면 속히 가서 잘못하지 말아야 그 굳셈이 허물이 없다. 그러므로 참작하여 덜어내니, 또한 지나치게 덜어내는 잘못이 없다.

○ 艮, 爲止已之象. 卦者, 事也. 初爲事之始, 故損益皆言之. 遄, 疾也, 震之象. 又損者, 咸之交也. 咸, 速也. 往者, 震之動也, 故二三亦言征行. 損之損剛, 困之剛掩, 不

---

28) 『孟子・滕文公』: 如知其非義, 斯速已矣, 何待來年.

同, 故初四有遄往來, 徐之別也. 又損四, 則應兌之剛, 損陰柔之疾, 困五, 則比兌之柔, 從陽剛之應, 故喜悅之遄徐, 亦不同也. 酌, 謂斟酌損益, 无過不及也. 兌六艮九, 皆節陰陽之過, 故曰酌損之.

간괘는 멈추는 상이다. 괘는 일이다. 초효는 일의 시작이기 때문에 덜어내고 보태는 것을 모두 말하였다. '빨리'는 '급히'이니 진괘의 상이다. 또 덜어냄[損卦䷖]은 함괘(咸卦䷞)와 음양이 바뀐 것이다. 함은 '속히'이다. '간다'는 것은 진괘(震卦☳)의 움직임이기 때문에 이효와 삼효에서도 '간다[征·行]'고 하였다. 손괘(損卦䷖)에서는 굳셈을 덜어내는 것이고 곤괘(困卦䷮)에서는 굳셈을 가린 것이 같지 않기 때문에 초효와 사효에 빨리 오감이 있어 '서서히'와 구별된다. 또 손괘(損卦䷖)의 사효는 태괘(兌卦☱)의 굳셈에 호응하여 음의 부드러운 병을 덜어내고, 곤괘(困卦䷮)의 오효는 태괘(兌卦☱)의 부드러움을 가까이 하여 양의 굳센 호응을 따르기 때문에 희열의 빠르고 늦음[29]이 또한 같지 않다. '참작하다'는 덜어내고 보탬을 참작하여 지나치고 모자람이 없음이다. 태괘(兌卦☱)의 음과 간괘(艮卦☶)의 양이 모두 음양의 지나침을 조절하기 때문에 "참작하여 덜어낸다"고 하였다.

김규오(金奎五) 「독역기의(讀易記疑)」

初九酌損, 謂酌損君疾. 損君之疾, 所以益君也. 一酌字甚富, 君之病症, 交之淺深, 事之先後, 時之遲速, 无所不包. 然已事之已自含損意, 則已事之意, 亦在酌中.

초구가 참작하여 덜어내는 것은 임금의 병을 참작하여 덜어내는 것을 말한다. 임금의 병을 덜어내어 임금에게 보태진다. '참작한다'는 한 글자의 의미는 아주 풍성하여 임금의 병증·사귐의 얕고 깊음·일의 선후·때의 더딤과 빠름을 포함하지 않는 것이 없다. 그런데 "일을 멈춘다"고 할 때의 '멈춘다'에도 덜어낸다는 의미를 스스로 포함하고 있으니, "일을 멈춘다"는 의미도 참작한다는 것에 들어 있다.

서유신(徐有臣) 『역의의언(易義擬言)』

事, 私事也. 損下益上, 不敢自吝, 故輟其私也. 與時偕行, 不敢或違, 故遄其往也. 應四无咎, 剛柔相濟也. 裁酌爲損, 說而止也.

'일'은 사사로운 일이다. 아래에서 덜어내 위에 보태고 감히 스스로 아끼지 않기 때문에 그 사적인 것을 멈춘다. 때에 맞게 행하고 감히 혹시라도 한가하게 여기지 않기 때문에 빨리 간다. 사효와 호응하고 허물이 없으니 굳셈과 부드러움이 서로 구제한다. 재제하고 참작하

---

29) 『周易·困卦』: 九五, 劓刖, 困于赤紱, 乃徐有說, 利用祭祀.

여 덜어내고 기뻐하여 멈춘다.

박제가(朴齊家) 『주역(周易)』

損下益上, 終非下志, 故象傳以遄往爲尙合志, 言在下之道, 不可蓄持難之心也. 曰酌損之者, 從在上者而言者也. 在下者, 但從上而順之, 惟恐不速, 豈敢自酌. 雖欲自酌, 亦有不可得之勢, 經曰, 損之. 若自酌, 則只當曰, 損而已.

아래에서 덜어내 위에 보태는 것이 끝내 뜻을 낮추는 것이 아니기 때문에 「상전」에서 빨리 가는 것을 위와 뜻이 합한 것으로 여겼으니, 아래에 있는 도는 미루려는 마음을 지녀서는 안된다. 참작하여 덜어내는 것은 위에 있는 자를 따라 말하였다. 아래에 있는 자는 단지 위를 따라 순종하여 오직 빨리 하지 못할까 염려하니, 어찌 감히 스스로 참작하겠는가? 스스로 참작하고 싶을지라도 할 수 없는 형세가 있어 경에서 "덜어낸다"고 하였다. 만약 참작하였다면 단지 "덜어낼 뿐이다"라고만 해야 한다.

박문건(朴文健) 『주역연의(周易衍義)』

知上信己, 故有遄往之象. 酌損, 言酌我志而行損也.

위에서 자신을 믿는 것을 알기 때문에 빨리 가는 상이 있다. '참작하여 덜어내는 것'은 나의 뜻을 참작하여 덜어냄을 행한다는 말이다.

〈問, 己事, 遄往, 无咎, 酌損之. 曰, 六四信己而合志. 己當止其損上之事, 而速往. 則无咎也. 六四但斟酌己志之如何, 而損也. 若不損上而從上, 則上何損己之有哉.

물었다: "일을 멈추고 빨리 가야 허물이 없을 것이니 참작하여 덜어낸다"는 무슨 뜻입니까? 답하였다: 육사가 자신을 믿어 뜻을 합했으니, 자신은 위에서 덜어내는 일을 멈추고 빨리 가야 합니다. 그렇게 하면 허물이 없습니다. 육사는 단지 자신의 뜻이 어떤지를 참작하여 자신에게서 덜어냅니다. 위에서 덜어내지 않고 위를 따른다면 위에서 어떻게 자신을 덜어냄이 있겠습니까?〉

이지연(李止淵) 『주역차의(周易箚疑)』

凡常人之情, 每以益於己之事, 自以爲務, 而在損下益上之道, 不輟己之所事, 則无由以益於上也. 八家同養公田, 公事畢, 然後敢治私事. 同養公田之時, 苟不輟其私家所爲之事, 則何以遄往而與上合志乎. 舜之耕歷山陶河濱, 曁夔命之曰, 濬井, 曰完廩, 舜苟不輟其耕陶之事, 何以遄往而爲井廩之事乎. 凡爲人下之道, 審於自己之事, 而不知遄往之義者, 皆不忠不孝也. 觀此象與本義, 則聖賢事上之心, 可知也. 詩曰, 王事靡固, 不遑將母. 記曰, 子婦无私貨.

보통 사람들의 마음은 매번 자신에게 보태는 일로 스스로 일을 삼아 아래에서 덜어내 위에 보태는 도에서 자신이 일삼는 것을 멈추지 않으니, 위로 보탤 연유가 없다. 여덟 집이 함께 공전(公田)을 경작함에 공동의 일이 끝난 다음에 감히 자신의 일을 한다. 공전을 함께 경작할 때, 자기 집에서 하던 일을 멈추지 않으면, 어떻게 빨리 가서 위와 뜻을 합하겠는가? 순이 역산에서 농사짓고 강변에서 질그릇을 굽고 있을 때, 고수가 "우물을 파라"고 "곳집을 손질하라"고 명령하면 순이 진실로 농사짓고 질그릇 굽던 일을 멈추지 않고 어떻게 빨리 가서 우물과 곳간의 일을 하겠는가? 아랫사람이 되는 도리에서 자신의 일을 살피느라 빨리 가는 의리를 모르는 것은 모두 불충하고 불효한 것이다. 여기의 「단전」과 『본의』를 보면 성현이 윗사람을 섬기는 마음을 알 수 있다. 『시경·소아』에서 "나랏일을 견고하게 하지 않으면 어머니 봉양할 겨를도 없네"[30]라고 하였고, 『예기·내칙』에서 "자식과 며느리는 개인적인 재화가 없어야 한다"[31]라고 하였다.

김기례(金箕澧) 「역요선의강목(易要選義綱目)」

程傳本義, 少有不同. 初以陽居剛, 无有自剛, 當自止其事, 速往益四, 以盡在下之[32] 道, 則无咎.

『정전』과 『본의』는 다소 같지 않다. 초효는 양으로 굳센 자리에 있는데 스스로 굳세다고 여기지 않고 하던 일을 스스로 멈추고 빨리 가서 사효에게 보탬으로 아래에 있는 도를 다하니 허물이 없다.

○ 益上者, 不宜過益, 而自傷其本, 故斟其淺深, 而遄往損四之疾, 故與上合志.

위에 보태는 것은 지나치게 보태어 그 근본을 스스로 손상해서는 안되기 때문에 그 얕고 깊음을 참작하고, 빨리 가서 사효의 병을 덜어내기 때문에 위와 뜻을 합한다.

이항로(李恒老) 「주역전의동이석의(周易傳義同異釋義)」

按, 損卦, 損下益上, 其道上行. 已事, 乃損下, 遄往, 乃益上. 且初九爲始事之象, 不宜先言後事之戒. 往是上行, 而不宜釋以讓功. 先言讓功, 而後言酌損, 語倒, 故本義未敢從.

---

30) 『詩經·小雅』: 王事靡盬, 不遑將母.

31) 『禮記·內則』: 行子婦無私貨.

32) 之: 경학자료집성DB와 영인본에는 모두 '□'로 되어 있으나, 문맥을 살펴 '之'로 바로잡았다.

내가 살펴보았다: 손괘는 아래에서 덜어서 위에 보태어, 그 도가 위로 행한다. '일을 멈추는 것'은 아래에서 덜어내는 것이고, '빨리 가는 것'은 위에 보태는 것이다. 또 초구는 일을 시작 하는 상이어서 먼저 말하고 뒤에 일한다는 경계에 마땅하지 않다. '가는 것'은 '위로 행하는 것'이니, 공을 넘겨주는 것으로 해석해서는 안된다. 먼저 공을 넘겨주는 것에 대해 말하고 뒤에 참작하여 덜어내는 것을 말하여 말이 거꾸로 되었기 때문에 『본의』에서 따르지 않았다.

심대윤(沈大允) 『주역상의점법(周易象義占法)』

損益之道, 有三. 損取乎人也, 益與乎人也, 有損必有益, 有益必有損, 有取必有與, 有 與必有取. 益於我, 必損於人, 益於人, 必損於我, 我有取, 則人必有與, 人有取, 則我 必有與. 未有不損人而能有取者也, 未有不損我而能與者也, 此一也.

덜어내고 보태는 방법에는 세 가지가 있다. 남에게서 덜어내 취하여 남에게 보태주는 것으 로 덜어내는 것이 있으면 반드시 보태주는 것이 있고, 보태주는 것이 있으면 반드시 덜어내 는 것이 있으며, 취하는 것이 있으면 반드시 주는 것이 있고, 주는 것이 있으면 반드시 취하 는 것이 있다. 나에게 보태면 반드시 남에게서 덜어내고, 남에게 보태면 반드시 나에게서 덜어내며, 내가 취함이 있으면 남이 반드시 주는 것이 있고, 남이 취함이 있으면 내가 반드 시 주는 것이 있다. 남에게서 덜어내지 않고 취할 수 있는 경우는 없고, 나에게서 덜어내지 않고 줄 수 있는 경우는 없으니, 이것이 그 첫 번째이다.

有益然後, 能有損, 有與然後, 能有取, 未有不與而獨取乎人者也. 有損然後能有益, 有 取然後能有與, 未有不取而但與者也. 故損之義, 交相取與也. 交相取與者, 虛實相易 也, 此二也. 有損於此, 則必有益於彼, 有取於此, 則必有與於彼, 學於友而移以教弟 子, 取於民而移以養其臣, 此三也.

보태는 것이 있은 다음에 덜어낼 수 있고, 주는 것이 있은 다음에 취할 수 있으니, 주지 않고 남에게 취하기만 하는 경우는 없다. 덜어낸 다음에 보탤 수 있고 취한 다음에 줄 수 있으니, 취하지 않고 주기만 하는 경우는 없다. 그러므로 덜어낸다는 의미는 서로 취하고 주는 것이다. 서로 취하고 주는 것은 비움과 채움이 서로 바뀌는 것이니, 이것이 그 두 번째 이다. 여기에 덜어내는 것이 있으면 반드시 저기에 보태는 것이 있고, 여기에 취하는 것이 있으면 저기에 주는 것이 있으니, 친구에게 배워 제자에게로 옮겨서 가르치고, 백성에게 취 하여 신하에게 옮겨서 기르니, 이것이 그 세 번째이다.

凡損之義, 无物不在. 而學也取也, 上之擧人也, 是三者爲最大而切, 故以爲之說也. 損 之爲學, 異乎蒙之學於尊師也, 朋友之交相學敎也. 上之擧人以爲臣, 取於民也, 任人而治民事, 與民也, 亦有交相取與之義. 損之爻位居剛, 取多而與少也, 居柔, 取少而與多也.

덜어낸다는 의미는 어느 것에도 있지 않은 것이 없다. 그런데 배우는 것과 취하는 것과 위에서 사람을 뽑는 것 이 세 가지는 가장 중대하고 절실하므로 그것을 설명하겠다. 덜어내는 것으로 배우는 것은 철부지가 존경하는 스승에게 배우는 것과 달리 친구들끼리 서로 배우고 가르치는 것이다. 위에서 사람을 뽑아 신하로 삼는 것은 백성에게 취한 것이고, 남에게 맡겨 백성들의 일을 처리하는 것은 백성들에게 주는 것이니, 또한 서로 취하고 주는 의미가 있다. 손괘(損卦䷨)에서 효의 위치가 굳센 자리에 있으면 취하는 것이 많고 주는 것이 적으며, 부드러운 자리에 있으면 취하는 것이 적고 주는 것이 많다.

損之蒙䷃, 雜而未辨也. 初九, 居卑處初, 而居剛取多, 而與少者也. 多學而少敎, 多擧而少任. 多擧少任, 言有使令之人, 而未使治民也, 應於四, 而爲二所阻, 乃取而无得之象. 其得失蒙雜, 而未可辨, 然以其才剛, 終必有得, 故曰, 己事遄往. 己事, 言輟其所事也. 不思而學, 不取諸宮中而取諸人, 不躬執萬幾而擧人也. 遄往, 言速往取之也, 初之時, 可以速往取之, 而无咎也. 當審其可否, 而學焉取焉擧焉, 故曰, 酌損之, 言斟酌而取之也. 兌巽爲己事, 震爲遄, 巽離爲往, 對革四居巽體, 艮坎爲取水, 曰酌.

손괘가 몽괘(蒙卦䷃)로 바뀌었으니, 섞여서 분명하지 않은 것이다. 초구는 낮은 자리에 있고 처음에 있지만 굳센 자리에 있어 취하는 것이 많고 주는 것이 적으니, 배우는 것이 많고 가르치는 것이 적으며 천거하는 것이 많고 맡기는 것이 적다. 천거가 많고 맡김이 적은 것은 명령하여 시키는 사람이 있지만 아직 백성들을 다스리지 않게 하는 것이니, 사효에게 호응하지만 이효가 가로막아 취하지만 얻지 못하는 상이다. 그 득실이 몽매하게 섞여 아직 분명하지 않지만 그 재질이 굳세어 끝내 반드시 얻기 때문에 "일을 멈추고 빨리 간다"고 하였다. '일을 멈추는 것'은 하던 일을 멈춘다는 말로 생각하지 않고 배우고 집안에서 취하지 않고 남에게 취하여서 몸소 모든 일의 기틀을 잡지 않고 사람을 뽑는 것이다. '빨리 가는 것'은 빨리 가서 취한다는 말로 초기에는 빨리 가서 취할 수 있고 허물이 없다는 것이다. 그 가부를 살펴 배우고 취하며 뽑아야 하기 때문에 "참작하여 덜어낸다"고 하였으니 참작하여 취한다는 말이다. 태괘와 손괘는 '일을 멈추는 것'이고, 진괘가 '빨리'이며, 손괘와 이괘는 '간다[往]'이고, 음양이 바뀐 혁괘(革卦䷰)의 사효가 손괘의 몸체에 있고 간괘와 감괘가 물을 취하는 것이어서 "참작한다"고 하였다.

오치기(吳致箕) 「주역경전증해(周易經傳增解)」

初九, 以剛居剛, 而在下先位, 上有六四柔應, 而其志相合, 在損之時, 其剛有餘, 故言當止其私事, 而速往相益. 然在下无位, 而欲遄益于上者, 雖若有咎, 以其爲正應, 故可得无咎. 而終不可驟損, 或失於過, 故戒言當斟酌其宜而損之也.

초구는 굳셈으로 굳센 자리에 있고 아래에서 지위가 없는데 위로 육사의 부드러운 호응이 있고 그 뜻이 서로 합하며, 덜어내는 때에 그 굳셈이 여유가 있기 때문에 사사롭게 하던 일을 멈추고 빨리 가서 서로 보태야 한다고 말하였다. 그런데 아래에서 자리가 없는데 빨리 가서 위에 보태고자 하는 것은 허물이 있을 것 같지만 그것이 바르게 호응하는 것이기 때문에 허물이 없을 수 있다. 그러나 끝내 급히 덜어내어 혹 지나침에서 잘못되어서는 안되기 때문에 그 마땅함을 참작하여 덜어내야 한다고 경계하여 말하였다.

○ 已者, 止也, 取於對艮. 遄者, 疾也, 速也, 取於應體互震.

'멈춘다'는 정지하는 것이니 마주하는 간괘에서 취하였다. '빨리'는 급하고 신속하다는 것이니 호응하는 몸에 호괘 진에서 취하였다.

이진상(李震相) 『역학관규(易學管窺)』

已, 止也. 艮象遄疾也, 震象欲其上應乎六四也. 兌澤有限量, 震爲酒尊, 有斟酌意.

'멈추다'는 그친다는 것이다. 간괘는 빠름을 상징하고, 진괘는 그것이 위로 육사와 호응하는 것을 상징한다. 간이라는 못은 한정된 분량이 있고, 진은 술잔이니 참작의 의미가 있다.

박문호(朴文鎬) 「경설(經說)·주역(周易)」

已事酌損二義, 程傳之釋, 自好.

'일을 마친다'는 것과 '참작하여 덜어낸다'는 것의 두 가지 의미는 『정전』의 해석이 본래 좋다.

이정규(李正奎) 「독역기(讀易記)」

蓋時義, 則損下益上也. 性情, 則居說體而說於正應六四之陰, 且以剛居剛[33], 當損已之過, 益彼之不足, 故舍已事而速往, 是則象傳損剛益柔也. 說而自損者, 或有過分之慮, 故斟酌之, 是則象傳, 損益盈虛, 與時偕行者也.

때의 의미로는 아래에서 덜어내어 위에 보탠다. 성정으로는 기쁜 몸체에 있어 육사의 음과 바르게 호응하는 것을 기뻐하는 것이고, 또 굳셈으로 굳센 자리에 있어 자신의 지나침을

---

33) 剛: 경학자료집성DB에는 '□'으로 되어 있으나, 경학자료집성 영인본을 참조하여 '剛'으로 바로잡았다.

덜어내어 부족한 저것에 보태주기 때문에 일을 멈추고 빨리 가는 의미를 포함하니, 바로 「단전」의 굳셈에서 덜어내어 부드러움에 보탠다는 의미이다. 기뻐하여 스스로 덜어내는 것은 혹 과분하다는 염려가 있기 때문에 참작하는 것이니, 바로 「단전」의 "덜고 보태며, 채우고 비움을 때에 맞게 행한다"는 것이다.

이병헌(李炳憲) 『역경금문고통론(易經今文考通論)』

已事, 虞作祀事.

'이사(已事)'를 우번은 '사사(祀事)'로 썼다.

象曰, 已事遄往, 尚合志也.

정전 「상전」에서 말하였다: "일을 마치면 빨리 감"은 위와 뜻이 합해서이다.
본의 「상전」에서 말하였다: "일을 멈추고 빨리 감"은 위와 뜻이 합해서이다.

‖中國大全‖

傳

尚, 上也. 時之所崇用爲尚, 初之所尚者, 與上合志也. 四賴於初, 初益於四, 與
上合志也.

‘상(尚)’은 위이다. 때에 높여서 쓰는 것이 ‘상(尚)’이니, 초효가 숭상하는 것은 위와 뜻을 합하는
것이다. 사효는 초효에 힘입고, 초효는 사효에 보태니 위와 뜻을 합함이다.

本義

尚, 上通.

상(尚)은 상(上)과 통한다.

小註

廣平游氏曰, 四之志, 欲損其疾, 而初遄往, 使遄有喜焉, 故曰, 尚合志也.
광평유씨가 말하였다: 사효의 뜻은 그 병을 덜려는 것이고, 초효는 빨리 가서 기쁨이 있게
하는 것이다. 그러므로 "위와 뜻이 합해서이다"라고 하였다.

┃韓國大全┃

유정원(柳正源) 『역해참고(易解參攷)』

尙合志.

위와 뜻이 합해서이다.

正義, 尙, 庶幾也, 竟事速往, 庶幾與上合志也.

『주역정의』에서 '숭상한다'는 것은 바라는 것이니, 일을 마치고 빨리 가서 위와 뜻을 합하기를 바란다.

김상악(金相岳) 『산천역설(山天易說)』

損初之剛, 益四之柔, 乃其合志也. 然兌惟和說, 易失其剛, 故有遄往酌損之戒.

초효의 굳셈에서 덜어내 사효의 부드러움에 보태니, 뜻을 합하는 것이다. 그러나 태(兌)는 조화롭게 기뻐하기만 하여 그 굳셈을 잃기 쉽기 때문에 빨리 가지만 참작하여 덜어낸다는 경계가 있다.

서유신(徐有臣) 『역의의언(易義擬言)』

所尙與六四合志也. 初九尙六三, 六四尙上九, 以損以益, 故曰, 合志也.

숭상하는 것이 육사와 뜻을 함께 한다. 초구는 육삼을 숭상하고 육사는 상구를 숭상하여 덜어내고 보태기 때문에 "뜻이 합해서이다"라고 하였다.

박문건(朴文健) 『주역연의(周易衍義)』

尙合志, 言上與己而合志也.

"위와 뜻이 합한다"는 것은 윗사람이 자신과 뜻을 함께 한다는 것이다.

심대윤(沈大允) 『주역상의점법(周易象義占法)』

尙, 崇尙也. 合志, 言應四也.

'위'는 숭상한다는 의미이다. "뜻이 합한다"는 것은 사효와 호응하는 것이다.

오치기(吳致箕) 「주역경전증해(周易經傳增解)」

尙, 上也, 亦有尊尙之意. 而剛柔相應, 初益于四, 故上合志也.

'위'는 윗사람으로 또한 존경하고 숭상한다는 의미가 있다. 그런데 굳셈과 부드러움이 서로 호응하여 초효가 사효에게 보태기 때문에 위와 뜻을 합한다.

박문호(朴文鎬) 「경설(經說)·주역(周易)」

尙合志之尙, 程傳旣訓以上, 又取崇義. 而其取崇義者, 竟無歸著, 當以本義只取上義者爲正.

"위와 뜻이 합해서이다"에서의 '위'를 『정전』에서는 윗사람으로 해놓고 또 숭상하다는 의미를 취했다. 그런데 그렇게 한 것이 마침내 귀착할 곳이 없으니, 『본의』에서 단지 '위'라는 의미로 취한 것을 바르게 여겨야 한다.

이병헌(李炳憲) 『역경금문고통론(易經今文考通論)』

已, 如齊語, 管子所謂, 有司已於事而竣之已, 當訓起.

'마치다[已]'는 이를테면 제나라 말로 『관자』에서 이른바 "유사가 일을 마치고 멈추어 있다"[34]고 할 때의 '마치다'이니 '세우다'로 풀이해야 한다.

孟曰, 遄, 往來數也.

맹희가 말하였다: '빨리 감[遄]'은 왕래가 잦다는 것이다.

程傳曰, 四賴於初, 初益於四, 與上合志也.

『정전』에서 말하였다: 사효는 초효에 힘입고, 초효는 사효에 보내니 위와 뜻을 합함이다.

按, 往來數, 所以酌損之. 已作祀字, 恐是.

내가 살펴보았다: 왕래가 잦기 때문에 참작하여 덜어낸다. '이[已]'자는 '새[祀]'자로 되어 있는데 옳은 것 같다.

---

34) 『管子·小匡』: 有司已於事而竣.

九二, 利貞, 征, 凶, 弗損, 益之.

구이는 곧게 함이 이롭고 가면 흉하니, 덜지 말아야 보태주는 것이다.

‖中國大全‖

傳

二以剛中, 當損剛之時, 居柔而說體, 上應六五陰柔之君, 以柔說應上則失其剛中之德, 故戒所利 在貞正也. 征, 行也. 離乎中則失其貞正而凶矣, 守其中乃貞也. 弗損益之, 不自損其剛貞, 則能益其上, 乃益之也. 若失其剛貞而用柔說, 適足以損之而已, 非損己而益上也. 世之愚者, 有雖无邪心而唯知竭力順上, 爲忠者, 蓋不知弗損益之之義也.

이효는 굳세고 알맞음으로서 굳셈을 덜어내는 때를 당하여 부드러운 음의 자리에 있고 기뻐하는 몸체로서 위로 부드러운 음인 육오의 임금과 호응하니, 부드럽고 기뻐함으로 위와 호응하면 그 굳세고 알맞은 덕을 잃으므로 이로운 것이 곧고 바름에 있다고 경계하였다. ‘정(征)’은 가는 것이다. 알맞음에서 떠나면 그 곧고 바름을 잃어 흉하게 될 것이니, 그 알맞음을 지켜야 곧은 것이다. ‘덜지 말아야 보태주는 것이다’는 스스로 그 굳세고 곧음을 덜어내지 않으면 그 위에 보탤 수 있으니, 이것이 보태주는 것이다. 만약 그 굳세고 곧음을 잃어 부드러움과 기쁨을 쓴다면 다만 덜어낼 뿐이니, 자기를 덜어낸다고 해서 위에 보태는 것이 아니다. 세상의 어리석은 자가 비록 사악한 마음은 없지만 오직 힘을 다해 위에 순종하는 것만을 충성이라고 여김이 있는 것은 “덜지 말아야 보태주는 것이다”의 뜻을 알지 못하기 때문이다.

小註

董氏曰, 二以剛益五之柔, 亦如初益四. 初以剛居剛, 少損之, 則可裁度以助四, 二以剛居柔, 更損之將至, 媚說以狥五矣. 故旣以利貞, 勉之, 復以征凶, 警之.

동씨가 말하였다: 이효는 굳셈으로 오효의 부드러움에 보태니, 또한 초효가 사효에 보태주는 것과 같다. 초효는 굳센 양으로 양의 자리에 있어서 적게 덜어내니 참작하여 헤아려 사효

를 돕고, 이효는 굳센 양으로 부드러운 음의 자리에 있기 때문에 다시 덜어내게 된다면 아첨함과 기뻐함으로 오효를 따를 것이다. 그러므로 "곧게 함이 이롭다"로 격려했을 뿐만 아니라, 다시 "가면 흉하다"로 경계하였다.

○ 廣平游氏曰, 兌之情說而陽性好動. 故有利貞征凶之戒也.

광평유씨가 말하였다: 태괘의 정은 기뻐함이고 양의 성질은 움직이기를 좋아한다. 그러므로 "곧게 함이 이롭고 가면 흉하다"는 경계가 있다.

本義

九二剛中, 志在自守, 不肯妄進. 故占者利貞而征則凶也. 弗損益之, 言不變其所守, 乃所以益上也.

구이는 굳세고 알맞아 뜻이 스스로 지키는데 있고, 함부로 나아가려하지 않는다. 그러므로 점치는 자가 곧게 함이 이롭고 나아가면 흉한 것이다. "덜지 말아야 보태주는 것이다"는 그 지키는 바를 변치 않는 것이 위에 보태는 것임을 말한다.

小註

雲峰胡氏曰, 二剛中, 无有不正, 倘不能自守而妄進, 則非正矣, 故凶. 卦唯九三剛過乎中, 故當損, 初九九二, 則深恐其損之之過. 初以剛居剛而未及乎中, 當酌其所當損而損之, 二以剛居柔而得乎中, 不自損其所守者, 乃所以益之也. 損兼言益, 益不言損, 此又易之微意.

운봉호씨가 말하였다: 이효는 굳세고 알맞아서 바르지 않음이 없으나 혹 스스로 지키지 못하여 함부로 앞으로 나아간다면 바르지 못하므로 흉할 것이다. 괘에는 구삼만이 굳셈이 알맞음에서 지나치므로 덜어내야 하고, 초구와 구이의 경우는 그 덜어냄이 지나침을 깊이 경계하였다. 초효는 굳센 양으로서 양의 자리에 있어서 알맞음에 미치지 못하니, 그 덜어야 할 것을 참작하여 덜어내야하고, 이효는 굳센 양으로 부드러운 음의 자리에 있어서 알맞음을 얻었으므로 스스로 그 지키는 바를 덜지 않는 것이 바로 보태주는 것이다. 손괘에서는 익(益)을 겸하여 말하였으나 익괘에서는 손(損)을 말하지 않았으니, 이 또한 『주역』의 은미한 뜻이다.

○ 臨川吳氏曰, 初九九二, 皆是以下卦之陽, 益上卦之陰者, 而爻辭之意相反. 初必自止其事而速當上往就四, 二當利於正固而不可上征就五. 初之益四則損己而益之, 二之益五則不損己而益之. 蓋初以陽居陽, 二以陽居陰, 故不同也.

임천오씨가 말하였다: 초구와 구이는 모두 하괘의 양으로 상괘의 음에 보태는 것인데 효사의 뜻이 서로 반대이다. 초효는 반드시 스스로 그 일을 멈추고 빨리 위로 사효에게 나아가야 하지만, 이효는 곧고 굳음을 이롭게 여기고 위로 오효에 나아가서는 안된다. 초효가 사효에게 보태줌은 자기를 덜어 보태는 것이고, 이효가 오효에게 보태줌은 자기를 덜지 않고 보태는 것이다. 초효는 양으로서 양의 자리에 있고, 이효는 양으로서 음의 자리에 있으므로 같지 않은 것이다.

○ 雙湖胡氏曰, 二雖弗損, 然與六五爲正應, 以剛濟柔, 固未嘗无益之之道也.

쌍호호씨가 말하였다: 이효는 비록 덜지 말아야 하지만 육오와 바른 호응이 되어, 굳센 양으로 부드러운 음을 구제하니 참으로 보태주는 도가 아닌 적이 없다.

韓國大全

조호익(曺好益) 『역상설(易象說)』

二不正, 故利貞. 互震體以陽居震動, 故有征凶之戒. 以陽居陰, 剛柔適中, 損則失中, 故曰, 弗損, 亦說以能止之象. 五, 虛中受益之象.

이효는 바르지 않기 때문에 곧게 함이 이롭다. 호괘인 진괘의 몸체는 양으로 진동에 있기 때문에 가면 흉하다는 경계가 있다. 양으로 음의 자리에 있어 굳셈과 부드러움이 알맞은데, 덜어내면 알맞음을 잃기 때문에 "덜지 말아야"라고 하였으니, 또한 멈출 수 있는 상으로 설명한 것이다. 오효는 비어 있음으로 보탬을 받는 상이다.

송시열(宋時烈) 『역설(易說)』

利於貞固, 以陽從陰而征, 則凶. 震之道以進爲主, 艮爲止, 故以勿征戒之. 澤水若震動, 則山之高必損, 理勢然也. 弗損, 乃爲益之之道, 但以中正之道, 爲志而已.

구이는 정고함이 이로우니, 양으로서 음을 따라 가면 흉하다. 진괘의 도는 나아감을 주로 하는데 간괘가 멈춤이기 때문에 가지 말라고 경계하였다. 못의 물이 진동하면 산의 높음을 반드시 덜어내는 것은 이치나 추세가 그런 것이다. '덜지 마는 것'이 보태주는 도이어서 단지 중정한 도로 뜻을 삼을 뿐이다.

이익(李瀷) 『역경질서(易經疾書)』

九二陽剛, 與初同. 彼正而不中, 此中而不正. 正則行之果, 中則守之固, 故彼往而旡咎, 此征則凶. 不損者, 承酌損言. 卽自守不征, 而不肯酌損遄往也. 雖不遄往, 乃守道丘園, 扶植名節, 實爲國家之助益. 此以不損爲益也, 與上九義不同. 上九是居賓師之位, 不肯貶損詭隨者也. 此則在下位, 養德自重, 爲世觀效者也. 如漢之嚴陵, 不改初服, 養成東京之節義, 比趨走承順, 不啻天壤. 其所益之實, 六五可見, 然終涉過高之病, 故承損疾說.

구이가 양의 굳셈인 것은 초효와 같다. 그런데 저것은 바르지만 알맞지 않고 이것은 알맞지만 바르지 않다. 바른 것은 행위의 결실이고, 알맞음은 지킴의 견고함이기 때문에 저것은 가도 허물이 없고, 이것은 가면 흉하다. '덜어내지 않는 것'은 초구의 '참작하여 덜어낸다'를 이어 말하였다. 곧 자신을 지켜 가지 않는 것이니, 참작하여 덜어내거나 빨리 가서는 안된다. 빨리 가지 않고 시골에서 도를 지키고 명예와 절개를 키울지라도 실은 국가를 도와 보태는 것이다. 이것은 덜어내지 않음으로 보태는 것으로 상구의 의미와 같지 않다. 상구는 빈객의 대접을 받는 학자이니, 덜어내어 속이면서 따라서는 안되는 자이다. 이것은 아랫자리에서 덕을 기르며 자중하여 세상의 본보기가 될 자이다. 이를테면 한나라 때의 엄릉(嚴陵)[35]이 관리가 되기 전의 복장을 고치지 않고 동경(東京)의 절의를 길러서 이룬 것은 달려가 받들어 순종하는 것보다 하늘과 땅의 차이일 뿐만이 아니다. 보탠 실적은 육오에서 볼 수 있는데, 끝내 지나치게 높게 되는 병을 건넜기 때문에 병을 덜어내는 것을 이어 말했다.

유정원(柳正源) 『역해참고(易解參攷)』

雙湖胡氏曰, 九二不正, 故戒以正. 自守則利, 而上征則凶, 皆不損之道.

쌍호호씨가 말하였다: 구이는 바르지 않기 때문에 바름으로 경계하였다. 자신을 지키는 것이 이롭고 위로 가면 흉한 것은 모두 덜어내지 않는 도이기 때문이다.

○ 案, 以剛濟柔, 自損其剛, 則是征凶也. 以剛居柔, 不失其中, 乃所以益上也.

내가 살펴보았다: 굳셈이 부드러움을 구제하여 그 굳셈을 스스로 덜어내는 것이 바로 가면

---

35) 엄릉(嚴陵): 중국 한나라의 대학자였던 엄자릉(嚴子陵)을 말한다.

흉한 것이다. 굳셈으로 부드러운 자리에 있어 그 알맞음을 잃지 않았으니 바로 위에 보태주는 것이다.

김상악(金相岳) 『산천역설(山天易說)』

九二, 以陽居陰, 雖中不正, 志在自守, 故利於貞, 而征則凶矣. 惟不變其所受之正, 乃所以益上也. 弗損者, 貞也, 益者, 利也.

구이는 양으로 음의 자리에 있어 알맞고 바르지 않을지라도 뜻을 스스로 지키기 때문에 곧음이 이롭고 가면 흉하다. 오직 받은 바의 바름을 변하지 않는 것이 위에 보태는 것이다. '덜지 않는 것'은 곧음이고 보태는 것이고, '보태는 것'은 이로운 것이다

○ 六五雖柔居剛, 非不足, 九二雖剛居柔, 非有餘. 王註, 柔不可全益, 剛不可全削, 下不可无正. 初已損剛以益柔, 二復損己而益五, 則二爻皆變而爲剝, 所以利貞而征凶也. 故剝曰, 不利有攸往, 初二, 曰蔑貞凶. 蓋厚下安宅, 治剝之道也. 損下益上, 成損之義也, 故象傳皆以盈虛言之.

육오는 부드러움이 굳센 자리에 있을지라도 부족한 것이 아니고, 구이는 굳셈이 부드러운 자리에 있을지라도 충분한 것이 아니다. 왕필의 주에서 "부드러움은 전부 보태어줄 수 없고, 굳셈은 전부 깎아낼 수 없으며, 아래는 바름이 없을 수 없다"[36]라고 하였다. 초효가 이미 굳셈을 덜어내어 부드러움에 보탰고, 이효가 자신에게 덜어내어 오효에게 보태는 것은 두 효가 모두 변하여 '깎아냄[剝]'이 된 것이다. 그래서 곧게 함이 이롭고 가면 흉하다. 그러므로 박괘(剝卦䷖)에서 "가는 것이 이롭지 않다"고 하였고, 초효와 이효에서 "곧음을 업신여기면 흉할 것이다"라고 하였다. 아래를 두텁게 하여 집안을 편하게 하는 것이 '깎아냄[剝]'을 다스리는 도이다. 아래에서 덜어내 위에 보태는 것이 '덜어냄[損]'을 이루는 의미이다. 그러므로 「단전」에서 모두 채움과 비움으로 말하였다.[37]

김규오(金奎五) 「독역기의(讀易記疑)」

二上, 皆言弗損者, 卦旣損陽, 而二上居柔, 若復損之, 則陽損太過故也.

이효와 상효에서 '덜지 말아야(않고)'를 말한 것은 괘가 이미 양을 덜어냈고 이효와 상효가 부드러운 자리에 있는데, 다시 덜어냈다면 양을 덜어냄이 너무 지나치기 때문이다.

---

36) 『周易注疏 · 損卦』: 柔不可全, 益剛不可全削, 下不可以无正. 初九已損剛以順柔, 九二履中而復損己以益柔, 則剝道成焉. 故不可遄往而利貞也. 進之於柔, 則凶矣.

37) 『周易 · 剝卦』: 君子尚消息盈虛, 天行也.

서유신(徐有臣) 『역의의언(易義擬言)』

與六五正應, 故曰利貞. 以中應中, 得損之貞也, 損而又損爲征凶, 不宜過中也. 弗損益
之, 猶云匪損伊益. 損而得中, 合於時宜, 雖云損之實爲益之也.

육오와 바르게 호응하기 때문에 "곧게 함이 이롭다"고 하였다. 알맞음으로 알맞음에 호응하
여 덜어내는 곧음을 얻었는데, 덜어내고 또 덜어내어 가면 흉하니, 알맞음을 지나쳐서는 안
되기 때문이다. "덜어내지 말아야 보태주는 것이다"는 "덜어내지 않아야 그것이 보태는 것이
다"라고 하는 것과 같다. 덜어내어 알맞음을 얻고 때의 마땅함에 합하였으니, 덜어냈다고
말했을지라도 실은 더한 것이다.

박제가(朴齊家) 『주역(周易)』

二與上辭同. 蓋曰, 不損之, 又不益之, 非弗損於已, 而益於上下也. 然則當曰, 弗損而
益之. 或曰, 益之弗損, 又或曰, 弗損之益. 二之象傳曰, 中以爲志者, 以二之柔順爲貞.
弗損弗益者, 以其中也, 故言征凶. 征者, 動也. 若曰, 弗損而益上, 則弗損, 雖爲不變,
而益之者, 乃動也, 固爲征之凶矣, 至上九之釋曰, 惠而弗費, 而雲峯胡氏又謂, 上與二
辭同而意異, 節齋蔡氏曰, 損兼言益, 益不兼言損者, 以二上兩爻而爲言者也. 然雖有
益字, 乃弗益義. 至六五, 則受益者, 故言益.

이효와 상효는 효사가 같다. 대개 "덜어내지 않고 또 보태주지 않는다"라고 하는 것은 자신
에게 덜어내지 않고 위아래로 보태어 준 것이 아니다. 그렇다면 "덜어내지 않고 보태준 것이
다"라고 해야 하니, 어떤 이는 "보태준 것이 덜어내지 않은 것이다"라고 하고, 또 어떤 이는
"덜어내지 않고 보태주었다"라고 한다. 이효의 「상전」에서 "알맞음으로 뜻을 삼은 것이다"라
고 한 것은 이효의 유순함으로 곧음을 삼은 것이다. 덜어내지 않고 보태주지 않는 것이 그
알맞음이기 때문에 "가면 흉하다"고 하였다. '가는 것'은 움직이는 것이다. 만약 "덜어내지
않아 위에 보태었다"고 한다면 덜어내지 않는 것이 변하지 않아 보태주는 것일지라도 이에
움직이는 것은 물론 가서 흉한 것이니, 상구의 해석에서 "은혜를 베풀되 허비하지 않는다"고
하였다. 절재채씨가 "손괘에서 보탬[益]을 겸하여 말하고 익괘에서 덜어냄[損]을 겸하여 말
하지 않았다"라고 한 것은 이효와 상효 두 효로 말하였기 때문이다. 그러나 보태준다는 말이
있을지라도 보태준다는 의미가 아니다. 육오에서는 보탬을 받기 때문에 보태줌을 말하였다.

박문건(朴文健) 『주역연의(周易衍義)』

用剛固守, 故有利貞之象. 其志在中, 故得上之益也.

굳셈을 사용하여 굳게 지키기 때문에 곧게 함이 이롭다는 상이 있다. 그 뜻이 안에 있기

때문에 위의 보탬을 얻는다.

〈問, 利貞, 征凶, 不損, 益之. 曰, 二五勢敵, 不无相疑之道也, 故用貞固守爲利也. 若釋疑征上, 則有凶必矣. 退而不犯, 故上亦信下, 弗用損而行益也. 弗損, 益之, 與上酌損之同, 句法也.

물었다: "곧게 함이 이롭고 가면 흉하니 덜지 말아야 보태주는 것이다"는 무슨 뜻입니까? 답하였다: 이효와 오효는 기세가 대등하여 서로 의심하지 않을 수 없는 도이기 때문에 곧게 함으로 지키는 것이 이롭습니다. 만약 의심을 풀고 위로 가면 반드시 흉합니다. 물러나서 범하지 않기 때문에 위에서도 아래를 믿으니, 덜어냄을 쓰지 않고 가서 보태줍니다. "덜지 말아야 보태주는 것이다"는 구절은 앞에서 "참작하여 덜어낸다"와 같으니 글의 구성 방법입니다.〉

이지연(李止淵) 『주역차의(周易箚疑)』

易牙之殺子食君, 吳起之殺妻求將, 皆是自損而益者也.

역아가 자식을 죽여 임금에게 먹이고,[38] 오기가 처를 죽여 장군이 된 것[39]은 모두 자신에게서 덜어내 보탠 것이다.

김기례(金箕澧) 「역요선의강목(易要選義綱目)」

兌性悅, 則二若妄進, 恐有媚悅於五, 故曰, 征凶.

태괘의 특성은 기뻐하는 것이니, 이효가 함부로 나아간다면 아마도 오효에게 비위를 맞추며 알랑거릴 것이 염려되기 때문에 "가면 흉하다"고 하였다.

○ 初爲下民位, 故當盡力而往益四. 二爲君子位, 則當盡心自守剛中. 不變, 則雖不損己, 自有益上, 故象曰, 中以爲志.

초효는 백성들의 자리이기 때문에 힘을 다해 가서 사효에게 보태야 한다. 이효는 군자의 자리이니, 마음을 다해 스스로 굳세고 알맞음을 지켜야 한다. 그것을 변치 않으면 자기에게 덜어내지 않을지라도 본래 위에 보탬이 있기 때문에 「상전」에서 "알맞음을 뜻으로 삼은 것이다"라고 하였다.

---

38) 춘추전국시대의 유명한 제나라 환공은 미식가로도 유명했는데, 그가 진미를 찾자 요리사인 역아(易牙)는 자기의 장남을 잡아서 삶아 바쳤다고 한다.

39) 오기가 노나라에서 말단 무장으로 있을 때 제나라가 쳐들어왔다. 왕이 그를 장군으로 임명하려고 했지만 몇몇 대신들은 그의 아내가 제나라 사람이라는 이유로 반대를 하자 오기는 아내를 죽임으로써 장군에 임명되어 제나라를 물리쳤다.

이항로(李恒老) 「주역전의동이석의(周易傳義同異釋義)」

按, 損者益之對也. 天下之物, 无无損而能益之理. 是以初九損己之事, 而益君之事者也. 六三損下之人, 而益上之人者也. 六四損己之疾, 而益人之善者也. 六五損人之物, 而益己之財者也. 一損一益, 是乃天道之常也. 而九二及上九, 皆曰不損益之, 斯何理也. 曰, 以物對言, 則固无无損有益之理矣. 以道言之, 則固无彼此內外之可言, 九二所以應乎六五者, 卽此道也, 六五所以取於九二者, 亦此道也. 道有一定之體, 損些不得, 益些不得者也.

내가 살펴보았다: 손괘(損卦䷨)는 익괘(益卦䷩)를 거꾸로 한 괘이다. 천하의 사물에는 덜어냄이 없이 보태줄 수 있는 이치가 없다. 이 때문에 초구가 자신의 일에서 덜어내어 임금의 일에 보태주는 것이다. 육삼은 아랫사람의 일에서 덜어내어 윗사람의 일에 보태주는 것이다. 육사는 자신의 병을 덜어내어 남의 선에 보태주는 것이다. 육오는 남의 사물에서 덜어내어 자신의 재물에 보태주는 것이다. 한쪽으로 덜어내 다른 쪽으로 보태주는 것이 천도의 일정함이다. 구이와 상구는 모두 "덜지 말아야(않더라도) 보태주는 것이다"라고 하였으니, 이것이 무슨 이치이겠는가? 사물의 짝으로 말하자면 진실로 덜어내지 않고 보태주는 이치가 없다는 것이다. 도로 말하자면 진실로 피차의 내외로 말할 수 있는 것이 없다는 것이니, 구이가 육오에 호응하는 것이 곧 이런 도이고, 육오가 구이에게 취하는 것도 이런 도이다. 도에는 일정한 몸체가 있어 조금도 덜어내고 보탤 수 없는 것이다.

損此道, 則无以立身. 況可以事君乎. 若使伊尹割烹以要湯, 是失其道也, 將以何物事湯, 而任天下之責乎. 若使孔子主癰疽寺人以要衛君, 是失其義也, 將以何物正君而救春秋之亂乎. 聖賢尙矣勿說, 嚴光不損己之志, 而屈首風塵. 故能以一絲扶漢之鼎, 養成天下之名節, 孔明不損己之志, 而躬耕南陽, 故能一出而托契魚水, 經濟天下. 何嘗有損己之道, 而能益人之國者乎. 九二剛中和悅, 己无可損之過, 六五柔中篤實,[40] 又有易益之象, 故不損益之之義, 於此而發之矣. 至於上九, 則居損之極, 受益之廣者也, 有損而不費益, 而无強之道者也. 學易者, 當玩味.

이런 도를 덜어내면 자신을 확립할 방법이 없는데, 하물며 임금을 섬길 수 있는 것에 있어서야 말해 무엇 하겠는가? 이윤이 음식을 만들어 탕임금에게 구했다면 이것은 도를 잃은 것이니, 어떤 것으로 탕임금을 섬겨 천하라는 책무 맡을 수 있었겠는가? 공자가 종기 치료하는 의원이나 내시를 주인으로 삼아 위나라 임금에게 구했다면 이것은 의를 잃은 것이니, 무엇으로 임금을 바로 잡아 춘추시대의 혼란을 구할 수 있었겠는가? 성현이 그런 것은 말할 것도

---

40) 實: 경학자료집성DB에는 '實'로 되어 있으나, 경학자료집성 영인본을 참조하여 '實'로 바로잡았다.

없고, 엄광(嚴光)[41]은 자신의 뜻을 덜어 혼란한 세상에 머리를 숙이지 않았기 때문에 하나의 실로 한나라의 솥을 떠받쳐 천하의 이름과 절개를 양성했고, 공명은 자신의 뜻을 덜어내지 않고 남양(南陽)에서 농사를 지었기 때문에 한 번 출사하여 물과 물고기처럼 서로 믿고 의지하여 천하를 경영하였다. 어떻게 자신에게 덜어내는 도가 있어 남의 나라에 보태줄 수 있는 것이겠는가? 구이는 알맞고 화락하여 이미 덜어낼 수 있는 지나침이 없고, 육오는 부드럽고 알맞으며 독실하고 또 보태줌을 바꾸는 상이 있기 때문에 덜어내어 보태지 않는 의미를 여기에서 말했다. 상구는 덜어냄의 끝에 있어 보태줌을 받는 것이 광대하니, 덜어내고 보태주지 않는 것이 아니지만 강함이 없는 도이다. 『주역』을 배우는 자는 완미해야 한다.

심대윤(沈大允) 『주역상의점법(周易象義占法)』

損之頤䷚, 漸成也. 九二得位, 漸有所得也. 以剛中居柔, 取少而與多, 學少而敎多, 擧少而任多.〈言使令少, 而治民事多者也.〉有應於五, 而以位卑, 據初之上, 體面高, 而才力相敵, 不可多取也. 以其得中, 故利貞也. 以其所處之不便, 而才又剛, 故設征凶之戒. 對巽互震爲征, 不損益之, 言取少而與多也. 恒之不恒其德, 言不恒大而所恒小也. 此言不損益之, 所取少而所與多也. 若全爲不恒不損, 則何以爲恒卦爲損卦乎.

손괘가 이괘(頤卦䷚)로 바뀌었으니, 점차로 이루어진 것이다. 구이가 자리를 얻어 점차로 얻는 것이 있으니, 굳세고 알맞음으로 부드러운 자리에 있어 취하는 것은 적고 주는 것은 많으며 배우는 것은 적고 가르치는 것은 많으며, 선발한 것은 적고 책임질 것은 많다.〈명령하여 시키는 것은 적고 백성들의 일을 다스릴 것은 많다는 말이다.〉오효와 호응하면서 낮은 지위로 초효의 위에 있어 체면이 높지만 재주와 힘이 서로 대등하니 많이 취해서는 안된다. 알맞음을 얻었기 때문에 곧게 함이 이롭다. 있는 곳이 불편하고 재질이 또 굳세기 때문에 가면 흉하다는 경계를 하였다. 손괘(巽卦☴)와 음양이 반대인 호괘 진괘(震卦☳)가 감이다. "덜지 말아야 보태주는 것이다"는 취한 것은 적은데 주는 것은 많다는 말이다. 항괘(恒卦)에서 그 덕을 항상되게 하지 않음은 큼을 항상되게 하지 않고 작은 것을 항상되게 한다는 것을 말한다. 여기에서 "덜지 말아야 보태주는 것이다"라고 말한 것은 취하는 것이 적고 주는 것이 많기 때문이다. 만약 전적으로 항상되게 하지 않고 덜어내지 않는다면 어떻게 항괘가 되고 손괘가 되겠는가?

---

41) 엄광(嚴光): 후한 회계(會稽) 여요(餘姚) 사람으로 자는 자릉(子陵)이다. 젊어서부터 명성이 높았고, 후한의 광무제(光武帝) 유수(劉秀)와 함께 공부했다. 광무제가 즉위하자 성명을 바꾸고 은거했다. 광무제가 불러 경사(京師)에 왔는데, 옛 친구처럼 스스럼없이 지냈다. 간의대부(諫議大夫)를 제수하려고 했지만 사양하고 부춘산(富春山)에 은거했다. 후세 사람들은 그가 낚시하던 곳을 엄릉뢰(嚴陵瀨)라 하였다.

오치기(吳致箕) 「주역경전증해(周易經傳增解)」

九二, 陽剛得中, 而居兌體, 上應六五柔中之君, 而在損之時, 當損下益上. 然二雖剛, 而以其居柔, 故剛非有餘, 五雖柔, 而以其居剛, 故剛非不足. 則事上者, 不可妄損而益之. 以取柔悅反爲无益於上, 故戒言固守剛中之德爲利. 而若不能守中, 而有所往, 則爲凶. 苟能守正, 而弗損, 亦可爲益上之道矣. 蓋二居兌體, 互震說而動, 則必至容悅媚上, 故其辭如此.

구이는 굳센 양이 알맞음을 얻고 태괘의 몸체에 있으니, 위로 부드럽고 알맞은 임금과 상응하여 덜어내는 때에 아래에서 덜어내어 위에 보태야 한다. 그러나 이효가 굳셀지라도 부드러운 자리에 있기 때문에 굳셈이 충분한 것이 아니고, 오효가 부드러울지라도 굳센 자리에 있기 때문에 굳셈이 부족하지 않다. 그렇다면 윗사람을 섬기는 자는 함부로 덜어내어 보태서는 안된다. 부드러움의 기쁨을 취함이 도리의 위에 무익함이 되기 때문에 굳세고 알맞은 덕을 굳게 지킴이 이롭다고 경계하였는데, 만약 알맞음을 지킬 수 없어 가는 바가 있다면 흉하니, 바름을 지킬 수 있어 덜어내지 않은 것도 위에 보태는 도가 될 수 있다. 이효가 태괘의 몸체에 있어 호괘인 진괘가 기뻐하며 움직이니, 반드시 윗사람에게 웃는 낯으로 아첨하기 때문에 그 말이 이와 같다.

○ 貞, 謂固守也, 象所言可貞之戒, 正當此爻也.

'곧게 함'은 굳게 지킴을 말하니, 「단전」에서 말한 "곧게 할 수 있다"는 경계는 바로 이 효에 해당한다.

이진상(李震相) 『역학관규(易學管窺)』

不損, 益之.

덜지 말아야 보태주는 것이다.

在下者, 損其陽剛, 而求以益上, 則是失其所守, 而枉道徇人也. 在上者, 損其陽剛, 求以益下, 則是暴其小惠, 而違道干譽也. 士惟自重, 然後可以納君於道, 君亦匡之直之, 輔之翼之, 使自得之而已.

아래에 있는 자가 양의 굳셈을 덜어내 위에 보태주기를 구하면, 이것은 지키는 것을 잃어 도를 굽혀 사람을 따르는 것이다. 위에 있는 자가 양의 굳셈을 덜어내 아래에 보태주기를 구한다면 이것은 작은 은혜를 드러내 도를 어기고 명예를 구하는 것이다. 선비는 자중할 뿐이니, 그런 다음에 임금을 도에 들어가세 할 수 있고, 임금도 바르게 하고 곧게 하며 보태고 더하여 자득하게 할 뿐이다.

○ 九二利貞[至]益之
구이는 곧게 함이 이롭고 … 보태주는 것이다.
上應六五, 震體宜往, 而二陰間之, 易被陰害. 九三旣損, 則九二不當自損其陽剛, 守其
剛正乃所以應上也
위로 육오와 상응하여 진괘의 몸체가 가야 하지만 두 음이 사이에 있어 음의 해침을 입기
쉽다. 구삼은 이미 덜어냈으니, 구이는 양의 굳셈을 스스로 덜어내서는 안되고, 굳세고 바름
을 지키는 것이 위로 호응하는 것이다.

박문호(朴文鎬) 「경설(經說)·주역(周易)」

此卦本取損下益上之義. 而六三爻辭, 乃取損上之義, 故傳特明之云. 上以柔易剛, 而
謂之損, 但言其減一也. 兩相與, 言皆相應也. 按, 損卦之皆相應, 與同德相比, 非必由
二爻升降而然也. 蓋所以就二爻升降, 以明損益之大義也, 一陰一陽, 豈可二言. 若一
陰可二, 則竝陽爲三, 或一陽可二, 則亦竝陰爲三也. 非謂一陰一陽, 各二而成四也.
손괘(損卦䷨)는 본래 아래에서 덜어내 위에 보태는 의미를 취하였다. 그런데 육삼의 효사에
서 위에서 덜어내는 의미를 취했기 때문에 『정전』에서 특별히 밝혀 "상효는 부드러운 음에
서 굳센 양으로 바뀌었는데 손(損)이라고 하였으니, 다만 그 하나를 덜었음을 말할 뿐이다"
라고 하였다. 둘이 서로 함께 하는 것은 모두 서로 호응한다는 말이다. 살펴보건대, 손괘가
모두 상응하는 것은 덕을 같이 하는 것과 서로 가까운데 반드시 두 효가 올라가고 내려가서
그런 것이 아니다. 두 효의 올라가고 내려가는 것으로 덜어내고 보태는 큰 의미를 밝힌 까닭
이니, 하나가 음이 되고 하나가 양이 된 것을 어찌 둘로 말할 수 있겠는가? 하나가 음이
된 것을 둘로 할 수 있다면 양을 아울러 셋이 되고, 혹 하나가 양이 된 것을 둘로 할 수
있다면 또한 음을 아울러 셋이 된다. 하나가 음이 되고 하나가 양이 되었다고 말하지 않은
것은 각기 둘로 되어 넷이 되기 때문이다.

이정규(李正奎) 「독역기(讀易記)」

臣之於君, 固當損已益上之不暇, 然二以剛居柔, 未爲過也. 未過而損, 則失中也. 失中
而益上, 則是以非理事君也, 故不損所以爲益也. 后世爲人臣者, 不知此理, 枉道求合,
而反呵出處以正者, 吁亦好笑.
신하는 임금에게 오로지 자신에게 덜어내어 위로 보탬에 겨를이 없어야 하지만 이효는 굳셈
이 부드러운 자리에 있어 지나친 것이 아니다. 지나치지 않은데 덜어낸다면 알맞음을 잃는
다. 알맞음을 잃으면서까지 위로 보탠다면, 이것은 이치가 아닌 것으로 임금을 섬기는 것이

기 때문에 덜어내지 않는 것이 보태는 것이다. 후세에 신하된 자는 이런 이치를 모르고 도를 굽혀 합하기를 구하면서 도리어 바르게 처신하는 자를 비웃으니 정말 또한 우습다.

이병헌(李炳憲) 『역경금문고통론(易經今文考通論)』

本義曰, 弗損益之, 言不變其所守, 乃所以益之也.

『본의』에서 말하였다: "덜지 말아야 보태주는 것이다"는 그 지키는 바를 변치 않는 것이 위에 보태주는 것임을 말한다.

象曰, 九二利貞, 中以爲志也.

「상전」에서 말하였다: "구이는 곧게 함이 이로움"은 알맞음으로 뜻을 삼은 것이다.

‖中國大全‖

傳

九居二, 非正也, 處說, 非剛也, 而得中爲善, 若守其中德, 何有不善. 豈有中而不正者, 豈有中而有過者. 二所謂利貞, 謂以中爲志也, 志存乎中則自正矣. 大率中, 重於正, 中則正矣, 正不必中也, 能守中則有益於上矣.

구가 이효의 자리에 있으니 바른 것이 아니고, 기뻐함에 있으니 굳센 것이 아니지만, 알맞음[中]을 얻어 선하니, 그 알맞은 덕을 지킨다면 어떻게 선하지 않음이 있겠는가? 어찌 알맞은데 바르지 못한 것이 있겠으며, 어찌 알맞은데 지나친 것이 있겠는가? 이효에 '곧게 함이 이롭다'고 한 것은 알맞음으로 뜻을 삼는다는 말이니, 뜻이 알맞음에 있으면 저절로 바르게 될 것이다. 대체로 알맞음[中]이 바름[正]보다 중요하니 알맞으면 바르지만, 바르다고 해서 꼭 알맞지는 않으니, 알맞음을 지킬 수 있으면 위에 보태줄 수 있다.

小註

臨川吳氏曰, 以其中爲志而益六五, 利在自守, 不宜行往也.

임천오씨가 말하였다: 그 알맞음으로 뜻을 삼아 육오에 보태주어 이로움이 스스로 지킴에 있으니, 나아감은 마땅하지 않다.

┃韓國大全┃

김상악(金相岳) 『산천역설(山天易說)』

弗損, 益之, 與上同, 而二則弗損而自守, 故曰中以爲志也, 上則自損而益人, 故曰大得志也.

덜지 말아야(않고) 보태주는 것은 상효와 같지만 이효는 덜지 않고 스스로 지키기 때문에 "알맞음으로 뜻을 삼은 것이다"라고 하였고, 상효는 자신에게서 덜어내어 남에게 보태기 때문에 "크게 뜻을 얻음이다"라고 하였다.

서유신(徐有臣) 『역의의언(易義擬言)』

以中應中, 中以爲志, 故損而得中也.

알맞음으로 알맞음에 호응하여 알맞음으로 뜻을 삼기 때문에 덜어내서 알맞음을 얻은 것이다.

오치기(吳致箕) 「주역경전증해(周易經傳增解)」

利貞之戒, 謂以守中爲志, 而不宜行往也.

곧게 함이 이롭다는 경계는 알맞음을 지킴으로 뜻을 삼아 가지 않아야 한다는 것이다.

六三, 三人行, 則損一人, 一人行, 則得其友.

육삼은 세 사람이 가면 한 사람을 덜어내고, 한 사람이 가면 그 벗을 얻는다.

‖中國大全‖

傳

損者, 損所餘也, 益者, 益不足也. 三人謂下三陽, 上三陰, 三陽同行, 則損九三以益上, 三陰同行, 則損上六以爲三, 三人行則損一人也. 上以柔易剛, 而謂之損, 但言其減一耳. 上與三, 雖本相應, 由二爻升降, 而一卦皆成, 兩相與也. 初二二陽, 四五二陰, 同德相比, 三與上應, 皆兩相與, 則其志專, 皆爲得其友也. 三雖與四相比, 然異體而應上, 非同行者也.

덜어냄이란 넉넉한 것을 덜어냄이고, 보탬이란 부족한 것에 보탬이다. 세 사람은 태괘(泰卦䷊) 하괘의 세 양과 상괘의 세 음을 말한다. 세 양이 동행하면 구삼을 덜어 위에 보태고, 세 음이 동행하면 상육을 덜어 삼효를 삼으니, '세 사람이 가면 한 사람을 덜어내는 것'이다. 상효는 부드러운 음에서 굳센 양으로 바뀌었는데 손(損)이라고 하였으니, 다만 그 하나를 덜었음을 말할 뿐이다. 상효와 삼효는 본래 서로 호응하지만 두 효가 오르내림으로 말미암아 한 괘가 모두 이루어지니, 둘이 서로 함께 하는 것이다. 초효·이효 두 양과 사효·오효 두 음은 같은 덕으로 서로 가깝고, 삼효와 상효는 호응하니, 모두 둘이 서로 함께하면 그 뜻이 전일하여 모두 그 벗을 얻는 것이다. 삼효는 비록 사효와 서로 가까우나 몸체가 다르고 상효와 호응하니 동행하는 자가 아니다.

三人則損一人, 一人則得其友, 蓋天下无不二者, 一與二相對待, 生生之本也, 三則餘而當損矣. 此損益之大義也. 夫子又於繫辭, 盡其義曰, 天地絪縕, 萬物化醇, 男女構精, 萬物化生. 易曰, 三人行則損一人, 一人行則得其友, 言致一也. 絪縕, 交密之狀, 天地之氣相交而密, 則生萬物之化醇. 醇謂醲厚, 醲厚猶精一也. 男女精氣交構, 則化生萬物, 唯精醇專一, 所以能生也. 一陰一陽, 豈可二也. 故三則當損, 言專致乎一也. 天地之間, 當損益之明且大者, 莫過此也.

'세 사람이면 한 사람을 덜고, 한 사람이면 벗을 얻음'은 대체로 천하에 둘 아닌 것이 없기 때문이다.

하나와 둘은 서로 대대하여 낳고 낳는 근본이고, 셋이면 남아서 덜어야 할 것이니, 이것이 덜어내어 보태는 큰 뜻이다. 공자 또한 「계사전」에서 그 뜻을 다하여 "하늘과 땅의 기운이 얽히고설킴에 만물이 변화하여 두터워지고, 남녀가 정기를 얽음에 만물이 변화하여 생겨난다. 『주역』에 '세 사람이 가면 한 사람을 덜어내고, 한 사람이 가면 그 벗을 얻는다'고 하였으니 하나를 이룸을 말한다"고 하였다. '얽히고설킴[絪縕]'은 사귀어 친밀한 모양이니, 하늘과 땅의 기운이 서로 사귀어 친밀하면 만물이 변화하여 두터움을 낳는다. 두터움[醇]은 농후함을 말하고, 농후함은 '깨끗하고 한결같음[精一]'과 같다. 남녀의 정기가 서로 얽히면 만물을 변화하여 낳으니 오직 한결같이 깨끗하고 두터워 낳을 수 있는 것이다. 한 번 음이 되고 한 번 양이 됨이 어찌 둘이겠는가? 그러므로 셋이면 덜어야 하니, 오로지 하나가 되도록 해야 한다는 말이다. 천지 사이에 덜고 보태야함이 분명하면서도 큰 것이 이보다 더한 것이 없다.

小註

程子曰, 道二, 仁與不仁而已, 自然理如此. 道无无對, 有陰則有陽, 有善則有惡, 有是則有非. 无一亦无三, 易曰三人行則損一人, 一人行則得其友, 只是二也.

정자가 말하였다: 도는 둘로 어짊과 어질지 못함일 뿐이니, 자연히 이치가 이와 같다. 도는 짝이 없을 수 없으니 음이 있으면 양이 있고, 선이 있으면 악이 있으며, 옳음이 있으면 그름이 있다. 하나인 것도 없고 셋인 것도 없기에, 『주역』에서 "세 사람이 가면 한 사람을 덜어내고, 한 사람이 가면 그 벗을 얻는다"고 하였으니, 둘일 뿐이다.

○ 絪縕, 陰陽之感.

'기운이 쌓임[絪縕]'은 음양의 감응이다.

○ 朱子曰, 三人行損一人, 一人行得其友, 一陽上去換得一陰來, 伊川就六爻上說得好.

주자가 말하였다: "세 사람이 가면 한 사람을 덜어내고, 한 사람이 가면 그 벗을 얻는다"는 하나의 양이 올라가 하나의 음과 바뀌는 것이니, 이천이 여섯 효를 가지고 잘 설명하였다.

○ 中溪張氏曰, 陰陽對待, 唯二而已, 三則餘其一而當損. 此所以損九三而益上六也. 故曰, 三人行則損一人, 此一人也, 獨往以應上則艮兌相合, 男女構精, 而有萬物化生之功矣. 故曰一人行, 則得其友也.

중계장씨가 말하였다: 음과 양은 상대하여 마주하니 둘일 뿐이고, 셋이면 그 하나가 남아 덜어야 한다. 이것이 구삼을 덜어 상육에 보태는 이유이다. 그러므로 "세 사람이 가면 한 사람을 덜어낸다"고 하였으니, 이 한 사람이 홀로 가서 상효와 호응하면 간괘와 태괘가 서로 합하고 남녀가 정기를 얽어서 만물을 변화하여 낳는 공이 있게 될 것이다. 그러므로 '한 사람이 가면 그 벗을 얻는다'고 하였다.

本義

下卦本乾, 而損上爻以益坤, 三人行, 而損一人也, 一陽上, 而一陰下, 一人行, 而得其友也. 兩相與則專, 三則雜而亂. 卦有此象, 故戒占者, 當致一也.

하괘는 본래 건괘(☰)인데 위의 효를 덜어 곤괘(☷)에 보탰으니 세 사람이 가는데 한 사람을 덜은 것이고, 한 양이 올라가고 한 음이 내려왔으니 한 사람이 가서 그 벗을 얻은 것이다. 둘이 서로 함께 하면 전일하게 되고 셋이면 섞여서 어지러워진다. 괘에 이 상이 있으므로 점치는 자는 마땅히 하나를 이루어야 한다고 경계하였다.

小註

建安丘氏曰, 此爻乃損之所以爲損也. 下體之乾三陽竝進, 三人行也, 九三一爻損而上之, 三人行則損一人也. 九三上而爲上, 則上六下而爲三, 剛柔偶合, 一人行則得其友也.

건안구씨가 말하였다: 이 효가 바로 손괘가 덜어냄이 되는 이유이다. 건괘인 아래 몸체의 세 양이 함께 나아감이 세 사람이 가는 것이고, 구삼의 한 효가 덜어져 위로 가는 것이 세 사람이 가면 한 사람을 더는 것이다. 구삼이 올라가 상효가 되면, 상육은 내려와 삼효가 되어 굳센 양과 부드러운 음이 짝하여 합치니 이것이 한 사람이 가면 그 벗을 얻는 것이다.

○ 雲峰胡氏曰, 損以三之損而名, 故於此爻極論損之精義. 三人行而損一人兩也, 一人行而得其友亦兩也. 天地間陰陽剛柔鬼神造化之類, 皆兩而已. 本義兩相與則專, 曰戒占者當致一. 一則一陰一陽之謂也, 各致其一則爲兩矣.

운봉호씨가 말하였다: 손괘는 삼효의 덜어낸 것을 가지고 이름을 붙였기 때문에 삼효에서 손(損)의 자세한 뜻을 지극하게 논하였다. 세 사람이 가는데 한 사람을 덜면 둘이고, 한 사람이 가서 그 벗을 얻으면 역시 둘이다. 천지 사이에 음양·강유·귀신과 같은 조화의 종류가 모두 둘일 뿐이다. 『본의』에서 둘이 서로 함께하면 전일하게 되어 "점치는 자는 마땅히 하나를 이루어야 한다고 경계하였다"고 하였다. '하나'는 한 번 음이 되고 한 번 양이 됨을 말하니, 각각 그 하나를 이루는 것은 둘이다.

○ 雙湖胡氏曰. 此爻大旨, 本義已盡之矣. 繫辭致一之說, 已自是夫子之意, 而程傳則又推之六爻者也.

쌍호호씨가 말하였다: 이 효의 큰 뜻은 『본의』에서 이미 다 하였다. 「계사전」의 "하나를 이룬다"는 설은 본디 공자의 뜻인데,[42] 『정전』에서는 또한 여섯 효로 미루어 생각하였다.

‖韓國大全‖

곽설(郭雪) 『역전요의(易傳要義)』

損六三爻, 天地絪縕, 萬物醇化, 男女搆精, 萬物化生. 易曰三人行, 則損一人, 一人行則, 得其友, 言致一也.

손괘의 육삼효. 하늘과 땅의 기운이 얽히고설킴에 만물이 변화하여 두터워지고, 남녀가 정기를 얽음에 만물이 변화하여 생겨난다. 『주역』에 "세 사람이 가면 한 사람을 덜어내고, 한 사람이 가면 그 벗을 얻는다"고 하였으니 하나를 이룸을 말한다.

김장생(金長生) 『주역(周易)』

傳義不同. 程傳之意, 三人中一人行去, 則損一人, 惟有二人也, 二人相比爲友也. 本義, 一陽上去, 換得一陰來, 一陽上, 而一陰下, 一人行, 而得其友也. 程傳所謂, 得其友者, 愚意, 非謂惟有二人, 相比爲友也, 乃謂初與二四與五三與六, 皆成兩, 相與之謂也. 傳義不異.

『정전』과 『본의』가 같지 않다. 『정전』의 뜻은 세 사람 중에 한 사람이 가면 한 사람을 덜어내고 오직 두 사람이 있고, 두 사람이 서로 가까이 하여 친구가 된 것이다. 『본의』는 하나의 양이 올라가는 것을 하나의 음이 오는 것으로 바꿀 수 있으니, 하나의 양은 올라가고 하나의 음은 내려오며 한 사람이 행하여 그 친구를 얻었다. 『정전』에서 말한 "그 벗을 얻는다"는 것은 내가 생각할 때, 오직 두 사람이 있고 서로 가까이 하여 친구가 된다는 말이 아니라, 초효와 이효, 사효와 오효, 삼효와 육효가 모두 둘이 됨을 말하는 것이니, 서로 함께 한다는 말이다. 그렇게 보면 『정전』과 『본의』가 같지 않다.

송시열(宋時烈) 『역설(易說)』

下卦本乾, 而此爻損之, 以益坤上, 言若三人始, 則同行而則損一人. 一人者, 三爻也, 三爲人位故也. 六三之一人, 上行而得坤, 坤爲得朋之象, 見坤象. 小象曰,[43] 一人行, 三則疑也. 言當一人獨上行, 而若三人竝行, 則必致疑亂. 蓋一陽爻上, 而一陰爻下, 則

---

42) 『周易·繫辭傳』: 天地絪縕, 萬物化醇, 男女構精, 萬物化生, 易曰, 三人行, 則損一人, 一人行, 則得其友, 言致一也,

43) 曰: 경학자료집성DB와 영인본에는 모두 '四'로 되어 있으나, 문맥을 살펴 '曰'로 바로잡았다.

所謂一人行, 得一人之友也. 或三陽竝進, 則疑亂而不得專一也. 繫辭以致一言.

아랫 괘는 본래 건괘인데 삼효를 덜어내어 곤괘의 꼭대기에 보태었으니, 세 사람이 시작했다면 동행하면서 바로 한 사람을 덜어냈다는 말이다. 한 사람은 삼효이니, 삼효는 사람의 자리이기 때문이다. 육삼이라는 한 사람이 위로 올라가 곤괘를 얻으면, 곤괘가 친구를 얻는 상이 되니, 곤괘의 「단전」에 있다. 「상전」에서 "한 사람이 감은 셋이면 의심하여서이다"라고 하였으니, 당연히 한 사람은 홀로 올라가야 하니, 세 사람이 함께 하면 반드시 의심하여 혼란하기 때문이라는 말이다. 하나의 양효가 올라가고 하나의 음효가 내려오면 이른바 한 사람이 가서 한 사람의 친구를 얻는다는 것이다. 혹 세 양이 함께 가면 의심하고 혼란하여 전일할 수 없으니, 「계사전」에서 하나를 이루는 것으로 말하였다.

이익(李瀷) 『역경질서(易經疾書)』

損益二卦, 據自上下之文, 分明是卦變, 傳義皆闕之, 未知何故也. 此從泰來, 而隔着二爻者也. 不特渙之隔着一爻. 故朱子彌縫於渙, 而全沒於此, 未知何故. 卦名損益, 故有損下益上, 損上益下之義.

손괘(損卦☶☷)와 익괘(益卦☴☳) 두 괘는 내려가고 올라간다는 말에서 근거해 볼 때, 분명히 괘의 변화인데, 『정전』과 『본의』에서 모두 제외했으니 무엇 때문인지 알 수 없다. 이것들은 분명히 태괘(泰卦☷☰)에서 와서 두 효를 띄어놓은 것이니, 환괘(渙卦☴☵)에서 한 효를 띄어놓은 것뿐이 아니다. 그러므로 주자가 환괘에서 미봉해놓고 여기에서는 전부 없앴으니 무슨 까닭인지 모르겠다. 괘의 이름이 손괘와 익괘이기 때문에 아래에서 덜어내 위에 보태고 위에서 덜어내 아래에 보태는 의미가 있다.

大傳云, 天地絪縕, 萬物化醇, 男女構精, 萬物化生, 言致一也. 天地者, 乾坤也, 乾坤者, 男女之祖也. 在損三爻盡交, 則爲咸, 所謂三則疑也. 疑者, 陰陽不一也. 兌一陰二陽, 損一, 則二行也. 損一而惟六三不行, 則爲否, 上卦皆陽, 下卦皆陰, 雖致一, 而各得其友, 天地不交, 而萬物不通也. 惟六三行, 則爲泰, 上卦皆陰, 下卦皆陽, 其得友, 雖與三行損一同, 而上下交, 而其志同也. 故化醇之義, 必於損三發之. 至於益, 損一爲泰, 一行爲否, 與此相反也. 不然, 天地絪縕, 分明是交泰之義, 而帖在此爻, 何也. 易中諸爻往來, 惟此卦有之, 損下益上故也. 恒初坎二, 亦有此例, 而非損益, 故不害.

「계사전」에서 "천지가 얽히고설킴에 만물이 변화하여 엉기고, 남녀가 정기(精氣)를 얽음에 만물이 변화하여 나오니, 『주역』에 '세 사람이 가면 한 사람을 덜어내고, 한 사람이 가면 그 벗을 얻는다'고 하니, 하나를 이룸[致一]을 말한 것이다"라고 하였다. 하늘과 땅은 건과 곤이고, 건과 곤은 남자와 여자의 조상이다. 손괘(損卦☶☷)의 세 효가 사귐을 극진하게 하면 함괘(咸卦☱☶)인데 이른바 "셋은 의심한다"는 것이다. 의심은 음과 양이 하나가 되지 않은 것이다. 태괘(兌卦☱)의 한 음과 두 양에서 하나를 덜어내면 둘이 가는 것이다. 하나를 덜어내어 육삼이 가지 않을 뿐인 것은 비괘(否卦☰☷)로 상괘가 모두 양이고 하괘가 모두 음이니, 하나를 이루어 각기 그 벗을 얻었을지라도 천지가 사귀지 않아 만물이 통하지 않는다. 육삼이 갔을 뿐인 것은 태괘(泰卦☷☰)로 상괘가 모두 음이고 하괘가 모두 양이니, 그것들이 벗을 얻음에 셋이 가서 하나를 덜어내는 것과 같을지라도 상하가 사귀어서 그 뜻이 하나이다. 그러므로 만물이 변화하여 두터워진다는 의미는 반드시 삼효를 덜어내는 것에서 나왔다. 익괘(益卦☴☳)에서 하나를 덜면 태괘(泰卦☷☰)이고 하나가 가면 비괘(否卦☰☷)이니, 이것과 상반된다. 그렇지 않다면 하늘과 땅의 기운이 얽히고설킨 것은 분명히 사귀는 태괘의 의미인데, 그 말이 여기의 효에 붙어있는 것은 무엇 때문인가?『주역』에서 여러 효의 왕래는 오직 여기의 괘에 있을 뿐이니, 아래에서 덜어내 위에 보태기 때문이다. 항괘(恒卦☳☴)의 초효와 감괘(坎卦☵☵)의 이효에도 이런 사례가 있지만 덜어내고 보태는 것이 아니기 때문에 해롭지 않다.

유정원(柳正源)『역해참고(易解參攷)』

潮州王氏曰, 三剛竝行, 損一而益上, 三人行, 則損一人之象也. 剛上柔下, 相應以相與, 一人行, 則得其友之象也.

조주왕씨가 말하였다: 세 굳셈이 함께 가서 하나를 덜어내어 위에 보태니, 세 사람이 가면 한 사람을 덜어내는 상이다. 굳셈이 올라가고 부드러움이 내려와 상응하여 서로 함께 한다. 한 사람이 간다면 벗을 얻는 상이다.

○ 南軒張氏曰, 三居下體之上, 數之當變, 故極言損益之理.

남헌장씨가 말하였다: 삼효가 아래 몸체의 꼭대기에 있어 변해야 될 운수이기 때문에 덜고 보태는 이치를 극도로 말하였다.

○ 案, 友者, 陰與陽友, 陽與陰友也.

내가 살펴보았다: 벗이란 음이 양과 함께 하여 벗하는 것이고, 양이 음과 함께 하여 벗하는 것이다.

김상악(金相岳)『산천역설(山天易說)』

三爲成損之爻, 下卦本乾, 而損三益上, 是三人行, 則損一人也. 三往居上, 得六三之應, 是一人行得其友也. 三人行, 而損一人, 則兩也, 一人行, 而得其友, 則亦兩也.

天地萬物, 皆兩而已, 繫辭傳所謂致一者, 此也. 一則一陰一陽之謂也. 陰陽各致其一, 則爲兩矣. 程子曰, 道无不對者, 張子曰, 不有兩, 則无一, 是也.

삼효는 손괘를 이루는 효이다. 하괘는 본래 건괘인데 삼효를 덜어내어 상육에 보태니, 세 사람이 가면 한 사람을 덜어낸다는 것이다. 삼효가 가서 육효에 있으면서 육삼의 호응을 얻으니, 한 사람이 가면 그 벗을 얻는다는 것이다. 세 사람이 가면서 한 사람을 덜어내면 둘이고, 한 사람이 가면서 그 벗을 얻으면 또한 둘이다. 천지와 만물은 둘 일뿐이니, 「계사전」에서 말한 하나를 이룸이 이것이다. 하나는 한 번 음이 되고 한 번 양이 되는 것을 말한다. 음양이 각기 그 하나를 이룬 것이 둘이다. 정자가 "도는 짝하지 않는 것이 없다"라고 했고, 장자(張子)가 "둘이 있지 않으면 하나가 없다"는 것이 여기에 해당한다.

○ 陽之數奇, 陽之象圓, 圓者, 徑一, 而圍三. 損本自泰而成. 三人行, 損一人, 則乾之三陽, 損其一, 而爲兌之毁折也. 一人行, 則三往居上, 坤得乾所損之一, 而爲艮之篤實也. 得友者, 旣成損體, 則上九得六三之應, 而爲友也. 與泰九二曰朋亡, 互見其象. 山澤通氣, 艮變爲兌, 上下皆兌, 有朋友麗澤之象. 子曰, 益者三友, 損者三友, 三之一人, 上行得麗澤之應, 相與講習, 則得其益友也.

양의 수는 홀수이고 양의 상은 원이니, 원은 지름이 일이고 둘레가 삼이다. 손괘는 본래 태괘에서 이루어졌다. 세 사람이 가면 한 사람을 덜어내니, 건괘의 세 양에서 그 하나를 덜어내서 상처난 태괘가 되었다. 한 사람이 가면 삼효가 가서 상효에 있으니 곤괘가 건괘의 덜어낸 하나를 얻어 독실한 간괘가 되었다. '벗을 얻은 것'이 이미 손괘의 몸체를 이룬 것이라면, 상구가 육삼의 호응을 얻어 벗이 된 것이다. 태괘의 구이에서 "붕당(朋)을 없앤다"라고 한 것과 함께 번갈아서 그 상을 볼 수 있다. 산과 못이 기운을 통하고 간괘가 태괘로 변하면 상괘나 하괘가 모두 태괘여서 붕우가 절차탁마하는 상이 있다. 공자가 "유익한 것이 세 종류의 벗이고, 해로운 것이 세 종류의 벗이다"라고 하였으니, 셋 중의 한 사람이 위로 가서 절차탁마의 호응을 얻어 서로 강습하면 유익한 벗을 얻은 것이다.

김규오(金奎五) 「독역기의(讀易記疑)」

六三, 三人未成卦時, 本象也, 一人, 旣成卦後, 見象也. 卦本三陽連體之位, 損一出外, 換來陰爻, 卦之得名, 正在此爻, 故爻辭詳之. 大抵下經之有損益, 猶上經之有泰否, 故損益當從泰否看起矣. 泰則貞偏實, 而悔偏虛, 故損三而就上, 否則悔偏實, 而貞偏虛, 故移四而就初. 然則曰損, 曰益, 蓋主於貞, 而生於卦畫之變也. 卦變之說, 肇自二卦, 而夫子又推之餘卦, 或以相應之地, 或以鄰比之爻, 而其變又多. 變例活動, 而不可窮矣. 又按, 三陽三陰之卦, 皆自泰否而來, 咸恒之剛柔上下, 亦似有此意矣.

육삼에서 '세 사람'은 아직 괘를 이루지 않았을 때의 본래 상이고, 한 사람은 이미 괘를 이룬 다음의 드러나는 상이다. 본래 세 양이 연결된 몸체의 괘에서 하나를 밖으로 덜어내어 음효로 바꾸었기에 괘의 이름을 얻은 것이 바로 여기의 삼효에 있기 때문에 효사에서 자세히 설명했다. 대체로 「하경」에 손괘(損卦)와 익괘(益卦)가 있는 것은 「상경」에 태괘(泰卦)와 비괘(否卦)가 있는 것과 같기 때문에 손괘와 익괘는 태괘와 비괘에서 중요하게 여겼다. 태괘는 곧음이 치우치게 차있고 뉘우침이 치우치게 비어 있기 때문에 삼효를 덜어내어 상효로 보내고, 비괘는 뉘우침이 치우치게 차있고 곧음이 치우치게 비어 있기 때문에 사효를 옮겨 초효로 보냈다. 그렇다면 '손괘'라고 하고 '익괘'라고 한 것은 곧음을 주로하여 괘획의 변화에서 나온 것이다. 괘의 변화에 대한 설명은 두 괘에서 시작했고, 공자가 또 나머지 괘에 미루니, 혹 상응하는 위치로 하고 혹 가까이 있는 효로 하여 그 변화가 더욱 많아졌다. 변화에 대한 예는 활발하게 움직여서 무궁하다.

또 살펴보았다: 세 양과 세 음으로 된 괘는 모두 태괘와 비괘에서 나왔으니, 함괘와 항괘의 굳셈과 부드러움이 올라가고 내려간 것에도 유사하게 이런 의미가 있다.

○ 傳, 皆得其友, 謂初與二, 四與五, 三與六也. 義, 一上一下, 只指三上也. 雲峯合二說而一之, 以陰陽相應爲言. 若以相應而已, 則九三上六之時, 未嘗不相應, 何所明於損一之義耶.

『정전』에서는 모두 그 벗을 얻은 것으로 초효와 이효, 사효와 오효, 삼효와 육효를 말하였다. 『본의』에서는 하나가 올라가고 하나가 내려갔으니, 삼효와 상효를 가리켰을 뿐이다. 운봉은 두 설을 합하여 하나로 하면서 음양의 상응으로 말하였다. 상응할 뿐이라면 구삼과 상육의 때에 서로 상응하지 않은 적이 없었으니, 하나를 덜어내는 의미를 어디에서 밝히겠는가?

서유신(徐有臣) 『역의의언(易義擬言)』

三人行者, 同體之三畫也. 二男一女同行, 女爲當損, 二女一男同行, 男爲當損, 遠嫌疑也. 然則六三之義, 在所當損也. 一人行者, 所當損之男女也. 得其友者, 所當得之配耦也. 是則無嫌而有益也.

'세 사람이 가는 것'은 같은 몸체의 세 획이다. 두 남자에 한 여자가 동행하면 여자를 덜어내야 될 것이고, 두 여자에 한 남자가 동행하면 남자를 덜어내야 될 것이니, 혐의를 멀리하리는 것이다. 그렇다면 육삼의 의미는 덜어내야 될 것에 해당한다. '한 사람이 가는 것'은 덜어내야 될 남녀이다. '그 벗을 얻는 것'은 얻어야 될 짝이다. 이것이 혐의를 없애 보태는 것이다.

박제가(朴齊家) 『주역(周易)』

象傳曰, 三則疑也. 繫辭又言致一之義. 然此蓋因卦象而托言者, 其實則固欲損之不多也, 損下之道, 損下三之一, 則足矣. 若過於三之一, 則孟子所謂, 用其一, 緩具二. 用其二, 則民有殍,[44] 用其三, 父子離者也.

「상전」에서 "셋이면 의심하여서이다"라고 하고, 「계사전」에서 또 하나를 이루는 의미를 말하였다. 그런데 괘상을 근거로 말을 한 것은 실로 덜어내고자 하는 것이 많지 않기 때문이니, 아래에서 덜어내는 도는 아래의 삼효 하나를 덜어내면 충분하다. 삼효 하나에서 지나치면, 『맹자·진심하』에서 이른바 "그 하나를 쓰고 두 가지를 늦추니, 두 가지를 쓰면 백성들이 굶어죽고, 세 가지를 쓰면 부자지간도 흩어진다"는 것이다.

박문건(朴文健) 『주역연의(周易衍義)』

獨行遇三, 故有得友之象. 三人, 謂三陰, 一人, 謂六三也.

홀로 가서 셋을 얻기 때문에 벗을 얻는 상이 있다. 세 사람은 세 음을 말하고, 한 사람은 육삼을 말한다.

〈問, 三人行則損一人以下. 曰, 三陰竝進, 則上有所疑, 故損六三. 六三獨行, 則上有所信, 故得朋類也.

물었다: "세 사람이 가면 한 사람을 덜어낸다" 이하는 무슨 뜻입니까?

답하였다: 세 음이 함께 가면 위에서 의심하는 것이 있기 때문에 육삼을 덜어냅니다. 육삼이 홀로 가면 위에서 믿는 것이 있기 때문에 그 벗들을 얻습니다.〉

〈○ 問, 或曰, 損一人, 損上一人, 何如. 曰, 此卦六爻之損益, 皆從他來也, 非自此出也.

물었다: 어떤 이가 "한 사람을 덜어내는 것은 위의 한 사람을 덜어낸다는 것이다"라고 하였는데 어떻습니까?

답하였다: 손괘에서 여섯 효의 덜어냄과 보태줌은 모두 다른 것에서 왔지 여기에서 나온 것이 아닙니다.〉

이지연(李止淵) 『주역차의(周易箚疑)』

以大將軍有揖, 客反不重耶. 中以爲志, 故能知利於貞之道也.

대장군으로 읍했으니 객이 도리어 무겁지 않겠는가? 알맞음으로 뜻을 삼았기 때문에 곧게

---

44) 殍: 경학자료집성DB와 영인본에는 모두 '莩'로 되어 있으나, 『사서집주』의 원문에 따라 '殍'로 바로잡았다.

함에 이로운 도를 알 수 있다.

김기례(金箕澧) 「역요선의강목(易要選義綱目)」

六三, 三人行, 則損一人, 一人行, 則得其友, 指卦變損乾一陽而益坤, 故曰, 損一人.

"육삼은 세 사람이 가면 한 사람을 덜어내고, 한 사람이 가면 그 벗을 얻는다"는 것은 괘의 변화에서 건괘의 한 양을 덜어내 곤괘에 보태는 것을 가리켰기 때문에 "한 사람을 덜어낸다"고 하였다.

○ 一陽往居上, 一陰來居下, 故曰, 則得其友.

하나의 양이 올라가 위에 있고 하나의 음이 내려와서 아래에 있기 때문에 "벗을 얻는다"고 하였다.

○ 凡一陰一陽之謂道, 陰陽待對, 唯二也. 初四合志有喜, 二五利貞元吉, 上與三易位而得臣. 天地男女, 相對爲兩, 三則疑也.

한 번 음이 되고 한 번 양이 되는 것을 도라고 하니, 음과 양이 대대하는 것은 오직 둘뿐이기 때문이다. 초효와 사효가 뜻을 합해 기쁘고, 이효와 오효는 곧게 함이 크게 이로워 크게 길하며, 상효와 삼효는 자리를 바꾸어 신하를 얻었다. 천지와 남녀가 서로 마주함으로 둘이 되니 셋이면 의심한다.

이항로(李恒老) 「주역전의동이석의(周易傳義同異釋義)」

或問, 三必損一, 一必得, 友之義. 繫辭已盡之矣. 伊川推說於六爻, 則朱子亦曰, 說得好. 然本義, 則止說六三一爻之義, 而不及他爻, 何也. 曰, 此乃本義之例也, 釋此卦時, 只釋此卦, 釋此爻時, 只釋此爻, 不泛及他說. 然占得者, 隨地推移, 逐事變通, 五贊所謂, 理定旣實, 事來尙虛者也. 然則推說未嘗不廣也. 雲峯胡氏, 二五爲兩, 初四爲兩之說, 又與伊川不同, 如是說, 恐亦无害.

어떤 이가 물었다: 셋에서 반드시 하나를 덜어내면 하나가 반드시 벗을 얻는다는 의미는 「계사전」에서 이미 잘 설명하였습니다. 이천이 육효로 미루어 설명한 것은 주자도 "잘 설명했다"고 하였습니다. 그러나 『본의』에서는 육삼 한 효의 의미만 설명하고 다른 효를 언급하지 않은 것은 무엇 때문입니까?

답하였다: 이것은 『본의』 사례로 어떤 괘를 설명할 때는 단지 어떤 괘만 설명하고 어떤 효를 설명할 때는 어떤 효만 설명할 뿐 다른 설명은 덧붙이지 않습니다. 그러나 점에서 얻었을 경우는 어디서나 미루어갈 수 있어 마침내 일의 변화에 통하니, 「오찬(五贊)」에서 이른바

이치가 정해져서 이미 채워졌으나 일의 옴은 오히려 비어 있다는 것입니다. 그렇다면 미루어 설명한 것이 일찍이 넓히지 않은 적이 없습니다. 운봉호씨의 이효와 오효가 둘이고 초효와 사효가 둘이라는 설명은 이천과 같지 않은데, 이처럼 설명해도 무방합니다.

심대윤(沈大允)『주역상의점법(周易象義占法)』

損之大畜䷙, 畜而有實也. 六三以柔道居剛, 取多而與少者也. 位居二陽之上, 而應於上, 有實得也. 三本以坤之上爻, 入乾而得二陽之與. 三人行, 則損一人, 言坤之損一陰也. 一人行, 則得其友, 言三之入乾, 而得二陽之與也. 對萃有巽, 爲三爲行. 坤爲人, 坎乾爲一人, 三舍坤二陰, 而得乾二陽, 以虛易實也, 損取也. 而此去之, 亦言損何也. 以明損益取與之相附. 而行交相易而无辨也. 猶解之通用於寬嚴也.

손괘가 대축괘(大畜卦䷙)로 바뀌었으니, 쌓아서 채움이 있는 것이다. 육삼은 부드러운 도로 굳셈에 있어 취하는 것이 많고 주는 것이 적다. 자리가 두 양의 위에 있고 상효와 호응하여 채움을 얻는다. 삼효는 본래 곤괘의 상효인데, 건괘로 들어와 두 양이 함께 함을 얻었다. '세 사람이 가면 한 사람을 덜어내는 것'은 곤괘에서 하나의 음을 덜어내는 것이다. '한 사람이 가면 그 벗을 얻는 것'은 삼효가 건괘로 들어와서 두 양의 함께 함을 얻은 것이다. 대축괘(大畜卦䷙)에서 음양이 바뀐 취괘(萃卦䷬)에 손괘가 있으니 삼이고 가는 것이다. 곤괘는 사람이고 감괘와 건괘는 한 사람이다. 삼효가 곤괘의 두 음을 버리고 건괘의 두 양을 얻은 것은 비움을 채움으로 바꾸었으니 덜어내어 취한 것이다. 그런데 여기서 떠난 것을 또한 덜어냈다고 하는 것은 무엇 때문인가? 덜어내어 보태고 취하여 주는 것이 서로 의지하는 것을 밝혔다. 그런데 가서 주고받는 것이 서로 바뀌어서 구별이 없는 것은 해괘(解卦)에서 너그러움과 엄함을 통용한 것과 같다.

오치기(吳致箕)「주역경전증해(周易經傳增解)」

六三, 以陰柔居兩剛之上, 而應上九之剛, 故以同體竝居而言, 則爲三人之同行, 以剛柔異質而言, 則爲損其一人. 而兌之一柔上與艮之一剛相應, 故爲一人行而則得其友之象. 卽繫辭傳所言致一之義也. 雖不言占, 卽象可知矣.

육삼은 음의 부드러움으로 두 굳셈의 위에 있어 상구의 굳셈과 호응하기 때문에 같은 몸체가 함께 있는 것으로 말하면 세 사람이 동행하는 것이고, 굳셈과 부드러움이 재질을 달리하는 것으로 말하면 한 사람을 덜어내는 것이다. 그런데 태괘의 한 부드러움이 위로 간괘의 한 굳셈과 서로 호응하기 때문에 한 사람이 가서 그 벗을 얻는 상이니, 곧「계사전」에서 말한 하나를 이룬다는 의미이다. 점을 말하지 않았지만 상으로 알 수 있다.

○ 行取於互震, 剛柔相應, 故曰得. 而友者, 匹也. 三, 主損下之權者, 故其辭如此.

'가는 것'은 호괘인 진괘에서 취했다. 굳셈과 부드러움이 서로 호응하기 때문에 '얻는다'고 하였다. 그런데 벗은 짝이다. 삼효가 아래를 덜어내는 권세를 주도하는 자이기 때문에 그 말이 이와 같다.

이진상(李震相) 『역학관규(易學管窺)』

此在所損之爻, 故以三人行損一人爲象. 一陰行乎下, 則一陽應乎上, 得友之象也. 三, 人位, 故言人, 兌體, 故得友.

삼효는 덜어내는 효에 있기 때문에 세 사람이 가면 한 사람을 덜어내는 것으로 상을 삼았다. 하나의 음이 아래로 가면 위로 하나의 양이 위로 호응하여 벗을 얻는 상이다. 삼효는 사람의 자리이기 때문에 사람을 말하였고, 태괘의 몸체이기 때문에 벗을 얻는다.

박문호(朴文鎬) 「경설(經說)·주역(周易)」

本義, 只主下體而言, 故損字无與於上. 然其以一陰下爲得其友者, 恐亦不甚通.

『본의』에서 아래 몸체를 주로 하여 말하였기 때문에 덜어낸다는 말에 위와 함께 함이 없다. 그러나 하나의 음이 내려가는 것을 그 친구를 얻는 것으로 여긴 것은 잘 통하지 않는 것 같다.

疑所與, 言迷於所當與也.

누구와 함께 해야 할지 의심하는 것은 함께 해야 할 것에 헷갈리기 때문이라는 말이다.

이정규(李正奎) 「독역기(讀易記)」

六三三人行損一人一人行則得其友者. 乾一陽往居坤上, 坤一陰來居乾上, 爲少男少女構精, 而萬物化生.

"육삼은 세 사람이 가면 한 사람을 덜어내고, 한 사람이 가면 그 벗을 얻는다"란, 건괘의 한 양이 가서 곤괘의 위에 있고, 곤괘의 한 음이 내려와 건괘의 위에 있어 막내아들과 막내딸이 정기를 얽음에 만물이 변화하여 생겨나는 것이다.

象曰, 一人行, 三則疑也.

「상전」에서 말하였다: "한 사람이 감"은 셋이면 의심하여서이다.

‖中國大全‖

傳

一人行而得一人, 乃得友也. 若三人行, 則疑所與矣, 理當損去其一人. 損其餘也.

한 사람이 가서 한 사람을 얻으면 벗을 얻는 것이다. 그런데 세 사람이 간다면 누구와 함께 할지 의심하게 되니, 이치상 그 한 사람을 덜어내야 한다. 그 남는 것을 덜어낸다.

小註

中溪張氏曰, 夫一陰一陽之謂道, 苟參之以三, 則疑心生焉. 此聖人因一人之行, 而得致一之理也.

중계장씨가 말하였다: 한 번 음이 되고 한 번 양이 됨을 도라고 하니, 참여하여 셋이 된다면 의심이 생길 것이다. 이것은 성인이 한 사람이 감으로써 하나를 이룰 수 있는 이치이다.

○ 雲峰胡氏曰, 損因三而成, 故必損六三, 然後陰陽各以兩而相資. 六三損則三於上爲得友, 上於三爲得臣, 三與上爲兩. 九二利貞, 六五元吉, 二與五爲兩. 初尙合志四, 亦可喜, 初與四爲兩. 天地男女之義, 不過乎兩, 故曰, 三則疑也.

운봉호씨가 말하였다. 손괘는 삼효로 인하여 이루어지므로, 반드시 육삼을 덜은 연후에 음과 양이 각기 둘이 되어 서로 돕게 된다. 육삼을 덜면 삼효는 상효를 벗으로 얻게 되고, 상효는 삼효를 신하로 얻게 되어 삼효와 상효가 둘이 된다. 구이는 '곧게 함이 이롭고' 육오는 '크게 길하니' 이효와 오효가 둘이 된다. 초효는 위로 사효와 뜻을 합하여 역시 기쁠만하니 초효와 사효가 둘이 된다. 천지와 남녀의 의리는 둘을 지나치지 않는다. 그러므로 "셋이면 의심하여서이다"라고 하였다.

▌韓國大全▌

김상악(金相岳) 『산천역설(山天易說)』

兩相與則專, 三則雜亂而疑矣.

둘이 함께 하면 전일하고, 셋이면 난잡하여 의심한다.

서유신(徐有臣) 『역의의언(易義擬言)』

三人行, 則有疑, 而一人行, 則無嫌也.

세 사람이 가면 의심이 있고 한 사람이 가면 의심이 없다.

심대윤(沈大允) 『주역상의점법(周易象義占法)』

三爻皆剛皆柔, 則敵疑而不相爲用也.

세 효가 모두 양이거나 음이면 맞서서 의심하여 서로 쓰임이 되지 않는다.

오치기(吳致箕) 「주역경전증해(周易經傳增解)」

一剛一柔, 則成兩而爲匹. 二剛一柔, 則成三, 而疑所與矣.

하나는 굳세고 하나는 부드러우니, 둘을 이루어 짝이 된다. 둘이 굳세고 하나가 부드러우면, 셋을 이루어 누구와 함께 할지 의심한다.

이병헌(李炳憲) 『역경금문고통론(易經今文考通論)』

本義曰, 兩相與則專, 三則雜而亂

『본의』에서 말하였다: 둘이 서로 함께 하면 전일하게 되고 셋이면 섞여서 어지러워진다.

六四, 損其疾, 使遄, 有喜, 无咎.

육사는 그 병을 덜어내는데 빨리하게 하면 기쁨이 있어 허물이 없으리라.

中國大全

傳

四以陰柔, 居上, 與初之剛陽, 相應. 在損時而應剛, 能自損以從剛陽也, 損不善以從善也. 初之益四, 損其柔而益之以剛, 損其不善也. 故曰損其疾. 疾謂疾病, 不善也. 損於不善, 唯使之遄速, 則有喜而无咎. 人之損過, 惟患不速, 速則不致於深過, 爲可喜也.

사효는 부드러운 음으로 위에 있으면서 초효의 굳센 양과 서로 호응한다. 덜어내는 때에 굳센 양과 호응하기에 스스로를 덜어서 굳센 양을 따를 수 있으니, 좋지 못한 것을 덜어서 좋은 것을 따름이다. 초효가 사효에 보탬은 그 부드러움을 덜어내고 굳셈으로 보태는 것이니 그 좋지 못한 것을 덜어내는 것이다. 그러므로 "그 병을 덜어낸다"고 하였다. '병'은 질병을 말하니 좋지 못한 것이다. 좋지 못한 것을 덜어냄에 오직 빠르게 하면 기쁨이 있고 허물이 없다. 사람이 허물을 덜어냄에 빨리하지 못함을 근심할 뿐이니, 빠르게 하면 심한 잘못에 이르지 않아 기쁠 수 있다.

本義

以初九之陽剛益己, 而損其陰柔之疾, 唯速則善, 戒占者如是則无咎矣.

초구의 굳센 양을 자신에게 보태어 그 유약한 음의 질병을 덜어냄에 빨리 하기만 하면 좋으니, 점치는 자가 이렇게 하면 허물이 없을 것이라고 경계하였다.

小註

楊氏曰, 物不得剛柔之中者, 俱謂之疾. 偏乎剛者, 忿之疾也. 偏乎柔者, 欲之疾也. 六四以柔居柔, 偏乎柔者之疾也. 得初九之陽以爲應, 損其疾者也. 損其疾, 則喜者速矣.
양씨가 말하였다: 사물이 굳셈과 부드러움의 알맞음을 얻지 못한 것을 모두 '병'이라고 한다. 굳셈에 치우친 것은 분노하는 병이고, 부드러움에 치우친 것은 욕심내는 질병이다. 육사는 부드러운 음으로 부드러운 자리에 있으니, 부드러움에 치우친 병이다. 초구의 양을 얻어 호응하니 그 병을 덜어내는 것이다. 그 병을 덜면 기쁨이 빨리 이를 것이다.

○ 中溪張氏曰, 初言遄往, 四言使遄, 蓋初之遄, 實四有以使之也.
중계장씨가 말하였다: 초효에서는 "빨리 간다"고 하였고, 사효에서는 "빨리하게 한다"고 하였으니, 초효가 빨리하는 것은 실상 사효가 그렇게 만들어서이다.

○ 雲峰胡氏曰, 六四與初九爲應, 初方已其事而速於益四. 四以初之陽剛而損其陰柔之疾, 唯速則有喜. 不然彼方汲汲, 此乃悠悠, 非受益之道也.
운봉호씨가 말하였다: 육사는 초구와 호응하는데, 초구는 자신의 일을 그만두고 사효에 서둘러 보태주며, 사효는 초효의 굳센 양으로 자신의 유약한 음의 질병을 덜어내니, 빨리 하기만 하면 기쁨이 있을 것이다. 그렇게 하지 않아 저쪽에서 급급한데 이쪽에서 느긋한 것은 도움을 받는 도리가 아니다.

┃韓國大全┃

조호익(曺好益) 『역상설(易象說)』

疾, 楊氏曰, 物不得剛柔之中者, 俱謂之疾. 四以柔居柔, 偏乎柔者也. 使遄, 四互震動象. 有喜, 四近兌, 取象. 又初兌體說以益四, 四之喜, 因初而得者也. 或曰, 自二至上, 似離, 伏, 似坎, 坎爲疾.
병에 대해 양씨는 "사물이 굳셈과 부드러움의 알맞음을 얻지 못한 것을 모두 '병'이라고 한다. 육사는 부드러운 음으로 부드러운 자리에 있으니, 부드러움에 치우친 병이다"라고 하였다. '빨리하게 하는 것'은 사효의 호괘인 진괘가 움직이는 상이다. '기쁨이 있는 것'은 사효가 태괘와 가까워 상을 취한 것이다. 또 초효는 태괘의 몸체인 기쁨으로 사효에 보태니, 사효의 기쁨은 초효에게 얻은 것이다. 어떤 이는 "이효에서 상효까지는 리괘와 비슷하고 '숨어있는 괘[伏卦]'는 감괘와 비슷한데 감괘는 병이다"라고 하였다.

○ 遯下體艮, 九三言疾. 損上體艮, 六四言疾. 艮上盛下虛, 疾之象.

돈괘(遯卦䷡)에서 아래의 몸체가 간괘로 구삼에서 병을 말하였다.[45] 손괘(損卦䷨)에서 위의 몸체가 간괘로 육사에서 병을 말하였다. 간괘(艮卦☶)는 위로는 성대하고 아래로는 비어 있으니 병의 상이다.

송시열(宋時烈) 『역설(易說)』

六四疾, 傳以不善釋之, 然未瑩. 疾終是坎象, 而卦之大離錯坎耶. 使初爻遄來, 則以變坎言之耶. 有喜者, 互震象也. 蓋當損之時, 陽來, 從陽而役, 初陽之來, 四有以使之也, 言損我之陰柔之疾者, 使初之已事遄主也. 有喜而无咎, 无妄之五, 勿藥而有喜. 此則有應而損疾, 爻之剛柔不同故也, 當更商之. 又與益三綜而同意.

육사의 병에 대해 『정전』에서는 좋지 못한 것으로 해석했지만 분명하지 않다. 병은 끝내 감괘의 상인데 괘에서 큰 리괘의 음양이 바뀐 괘가 감괘일 것이다. 초효가 빨리하게 하는 것은 변한 감괘로 말한 것인가? '기쁨이 있는 것'은 호괘인 진괘의 상이다. 덜어내야 할 때에 양이 와서 양을 따라 일을 시키는 것은 초효의 양이 와서 사효가 그것을 부리는 것으로 나의 부드러운 음의 병을 덜어내는 것은 초효가 일을 멈추고 빨리 주관하게 하는 것을 말한다. 기쁨이 있고 허물이 없는 것은 무망괘(无妄卦䷘) 오효의 "약을 쓰지 않아도 기쁜 일이 있으리라"는 것이다. 이것은 호응이 있어 병을 덜어내는 것으로 효의 굳셈과 부드러움이 같지 않기 때문이니, 다시 살펴야 한다. 또 익괘의 삼효[46]와는 거꾸로 된 괘로 의미가 같다.

이익(李瀷) 『역경질서(易經疾書)』

損其疾使遄, 已見初九象. 初之往, 四之喜也. 六三據大傳之辭, 雖不言喜, 喜可知也. 故於此傳添一亦字.

그 병을 덜어내는데 빨리하게 하는 것은 이미 초구의 상에 있다. 초구가 가는 것이 사효의 기쁨이다. 육삼은 대전의 말에 근거하면 기쁨을 말하지 않았을지라도 그것을 알 수 있다. 그러므로 여기 사효의 「상전」에서 '역시'라는 말을 덧붙였다.

유정원(柳正源) 『역해참고(易解參攷)』

潮州王氏曰, 剛以敏速爲遄, 柔以遲鈍爲疾. 以柔居柔, 疾象. 動以陽卦, 使遄之象. 柔

---

45) 『周易·遯卦』: 九三, 係遯. 有疾厲, 畜臣妾, 吉.
46) 『周易·益卦』: 六三, 益之用凶事, 无咎, 有孚中行, 告公用圭.

以得剛爲喜, 應初剛, 有喜之象. 以遄補疾, 无咎之象. 凡相應而相與, 能損其遲鈍之疾, 遄速應剛, 是亦柔道之可喜者也. 是以无咎.

조주왕씨가 말하였다: 굳셈은 민첩하고 빠름으로 빨리함을 삼고, 부드러움은 느리고 둔함으로 병을 삼는다. 부드러움으로 부드러운 자리에 있어 병의 상이다. 양의 괘로 움직이니, 빨리하게 하는 상이다. 부드러움은 굳셈을 얻는 것으로 기쁨을 삼아 초효의 굳셈과 호응하니 기쁨의 상이 있다. 빨리 병을 보완하니 허물이 없는 상이다. 서로 호응하며 함께 하여 느리고 둔한 병을 덜어내어 빨리 굳셈과 호응하니, 부드러운 도로 기뻐할 수 있는 것이다. 이 때문에 허물이 없다.

○ 南軒張氏曰, 當損而不損, 過也. 不當損而損之, 亦過也. 酌損之, 不損益之者, 言不過損也, 所謂損一人損其疾者, 皆理之所當損者也.

남헌장씨가 말하였다: 덜어내야 하는데 덜어내지 않으면 잘못이다. 덜어내지 않아야 하는데 덜어내도 잘못이다. '참작하여 덜어내는 것'과 '덜지 말아야 보태주는 것'은 지나치게 덜어내지 않는다는 말이니, 이른바 '한 사람을 덜어내는 것'이고 '그 병을 덜어내는 것'으로 모두 이치상 덜어내야 하는 것들이다.

○ 進齋徐氏曰, 才柔苟止, 而或怠於從善. 初剛在下, 亦每難於益己. 苟非自損其過, 自治其私, 汲汲然, 以好善求益爲心, 則應者緩, 而益者寡也, 能无咎乎. 凡言有喜有慶者, 皆內外相應之情也.

진재서씨가 말하였다: 재질이 부드러워 구차하게 멈추며 혹 선을 따름에 게으르다. 초효의 굳셈이 아래에 있어 또한 자신에게 보태는 것에 매번 어렵다. 스스로 그 잘못을 덜어내고 스스로 그 사사로움을 다스림에 서둘러 선을 좋아하고 보탬을 구하는 것을 마음가짐으로 하지 않으면, 호응하는 자가 느슨해지고 보태는 자가 적어지니 허물이 없을 수 있겠는가? 기쁨이 있다고 하고 경사가 있다고 하는 것은 모두 내외가 서로 호응하는 마음이다.

김상악(金相岳) 『산천역설(山天易說)』

疾, 陰柔之疾. 六四爻位皆柔, 賴初剛而益之, 爲損其疾之象. 互震體而應兌, 故使之遄速, 則有喜而无咎也.

병은 음이 부드러운 병이다. 육사는 효와 자리가 모두 부드러우니, 초효의 굳셈에 의지하여 보태는 것이 그 병을 덜어내는 상이다. 호괘가 진괘의 몸체인데 태괘와 호응하기 때문에 빨리 하게 하니, 기쁨이 있고 허물이 없다.

○ 凡言疾者, 多在陰爻, 見豫六五. 有喜, 疾瘳之辭, 見兌九四. 使遄者, 四互震體以動之也. 以柔受益者, 則使遄而有喜, 以剛自損者, 則遄往而酌損者, 所以勉戒不同. 變爻爲睽, 睽之四曰, 遇元夫交孚. 又損之爲卦, 損下益上, 而初變爲蒙. 蒙曰, 利用刑人, 用說桎梏. 去其昏蒙之蔽. 故此曰, 損其疾. 蓋艮山止于外, 兌水止于內, 止而不行, 失損之義, 爲四之疾. 然中互離火, 鎔金合土, 故終得有喜而无咎也.

병을 말할 경우는 음효에 많으니, 예괘(豫卦) 육오[47)]에 있다. '기쁨이 있는 것'은 병이 낫는다는 말이니, 태괘(兌卦) 구사[48)]에 있다. '빨리하게 하는 것'은 사효의 호괘인 진괘의 몸체로 움직이는 것이다. 부드러움으로 보탬을 받는 것은 빨리하게 하면 기쁨이 있고, 굳셈으로 자신을 덜어내는 것은 빨리 가서 참작하여 덜어낸 것이니, 힘쓰게 하고 경계한 것이 같지 않다. 효가 변하여 규괘(睽卦☲)가 되었으니, 규괘의 사효에서 "착한 남편을 만나 서로 믿는다"고 하였다. 또 손괘(損卦☶)는 아래에서 덜어내 위에 보태는데, 초효가 변하여 몽괘(蒙卦☶)가 되니, 몽괘에서 "사람에게 형벌을 써서 질곡을 벗겨줌이 이롭다"고 하였다. 어두운 폐단을 제거하기 때문에 여기에서 "그 병을 덜어낸다"고 하였다. 간괘의 산이 밖에 머물러 있고 태괘의 물이 안에 머물러 있는 것은 머물러서 가지 못해 덜어냄을 잃은 의미로 사효의 병이다. 그러나 가운데의 호괘인 리괘(離卦)의 불이 금을 녹여 흙과 합하기 때문에 끝내 기쁨이 있고 허물이 없는 것이다.

서유신(徐有臣) 『역의의언(易義擬言)』

其疾者, 太柔之病也. 曷以損之. 以剛相濟也. 使遄者, 使初九遄損之也. 初九, 下卦之初, 六四, 上卦之初, 故曰遄, 如解象之爲夙也. 正應相與, 爲有喜也. 有喜, 故无咎也.

그 병은 너무 부드러운 병이다. 어떻게 덜어내는가? 굳셈으로 서로 구제할 뿐이다. '빨리하게 하는 것'은 초구가 빨리 덜어내게 하는 것이다. 초구는 아래에 있는 괘의 처음이고 육사는 위에 있는 괘의 처음이기 때문에 "빨리하게 한다"고 하였으니, 해괘(解卦) 「단전」의 '일찍 한다'[49)]는 것과 같다. 바르게 호응하여 서로 함께 하니 기쁨이 있는 것이다. 기쁨이 있기 때문에 허물이 없다.

박제가(朴齊家) 『주역(周易)』

四, 爲上體. 初之遄, 下從上也. 此之遄, 上體下也, 故曰, 使遄. 損其疾者, 乃下之疾也, 故曰, 其疾. 若四之自疾, 則不當曰, 其詳. 觀文義, 自可得之, 非初九之陽益已而

---

47) 『周易·豫卦』: 六五, 貞疾, 恒不死.

48) 『周易·兌卦』: 九四, 商兌, 未寧, 介疾, 有喜.

49) 『周易·解卦』: 有攸往夙吉, 往有功也.

來, 損已疾也. 此疾, 卽民之疾, 若爲上者, 當亟損其弊政爲民疾者, 則所謂損其當損者. 而程傳卻屬之下體三爻, 而以此爻爲損已從人. 朱子曰, 下三爻, 無損已益人意, 四, 只是損那不好, 五, 無損已從人意.[50]

사효는 위의 몸체이다. 초효의 빨리하는 것은 아래에서 위를 따르는 것이고, 여기의 빨리하는 것은 상체가 낮추는 것이기 때문에 "빨리하게 한다"고 하였다. '그 병을 덜어내는 것'은 바로 아래의 병이기 때문에 '그 병'이라고 하였다. 사효 스스로의 병이면 '그 자세함'을 말하여서는 안 된다. 문맥의 의미를 보면 저절로 알 수 있으니, 초구의 양이 자신에게 보태려고 온 것이 아니라 자신의 병을 덜어내려는 것이다. 여기의 병은 바로 백성들의 병이니, 윗사람은 잘못된 정치로 백성들의 병이 되는 것을 빨리 덜어내면 이른바 덜어내야 될 것을 덜어내는 것이다. 그런데『정전』에서는 도리어 아래 몸체의 세 효에 그것을 속하게 하고 여기의 효를 자신을 덜어 남을 따르는 것으로 여겼다. 주자는 "아래의 세 효에는 자신을 덜어내어 남에게 보태려는 뜻이 없고, 사효는 저들의 좋지 않은 것을 덜어낼 뿐이고, 오효는 자신을 덜어 남을 따르는 의미는 없다"[51]고 하였다.

강엄(康儼)『주역(周易)』

按, 使遄之使字, 本義不言, 獨張氏云初之遄, 四有以使之也. 蓋六四柔順得正, 且居尊位, 乃自損以從剛陽者, 能使初九遄來損疾也. 若六四不有是德, 則爲初九者, 亦將遲遲而不肯來矣.

내가 살펴보았다: "빨리하게 한다"고 할 때의 '~하게 하는 것[使]'에 대해『본의』에서는 말하지 않았는데, 유독 장씨가 초효가 빨리 가는 것은 사효가 그렇게 하게 했다고 하였다. 육사는 유순함으로 바름을 얻었고 또 존귀한 지위에 있어 스스로 덜어내어 굳센 양을 따를 수 있는 자이니, 초구가 빨리 와서 병을 덜어내게 할 수 있다. 육사가 이런 덕이 있지 않다면 초구도 게으름피면서 오려고 하지 않는다.

박문건(朴文健)『주역연의(周易衍義)』

信而從己, 故有損疾之象. 疾, 疑疾也.

믿고 자신을 따르기 때문에 병을 덜어내는 상이 있다. 병은 의심하는 병이다.

---

50) 意: 경희지료집성DB와 영인본에는 모두 '音'으로 되어 있으나,『주자어류』의 원문에 따라 '意'로 바로잡았다.

51)『朱子語類』: 問, 損卦下三爻, 皆損己益人, 四五兩爻是損己從人, 上爻有爲人上之象, 不待損而自有以益人. 曰, "下三爻無損己益人底意, 只是盛到極處, 去不得, 自是損了. 四爻損其疾, 只是損了那不好了, 便自好. 五爻是受益, 也無損己從人底意.

〈問, 損其疾以下. 曰, 六四恐初九之害己, 故以成疑疾. 然彼進而從己, 故損其疑疾也. 若使遄來, 則物藥而有喜也, 何咎之有哉.

물었다: "그 병을 덜어내는데" 이하는 무슨 뜻입니까?

답하였다: 육사는 초구가 자신을 해칠까 두려워하기 때문에 의심하는 병이 생겼습니다. 그러나 저것이 와서 자신을 따르기 때문에 그 의심하는 병을 덜어냈습니다. 빨리하면 약물이어서 기쁜데, 무슨 의심이 있겠습니까?〉

이지연(李止淵) 『주역차의(周易箚疑)』

如知其非義, 何待來年. 聞一善, 則拳拳服膺而勿失, 不可護疾而忌醫也.

그것이 의가 아님을 알았다면 무엇 때문에 내년까지 기다리겠는가? 하나의 선을 들었다면 정성스럽게 가슴에 간직하여 잃지 말아야 하니 병을 보호하려고 치료를 꺼려서는 안된다.

김기례(金箕澧) 「역요선의강목(易要選義綱目)」

賴初剛, 而損其柔弱之病, 故曰損其疾.

초효의 굳셈에 의지하여 유약한 병을 덜어내기 때문에 "그 병을 덜어낸다"고 하였다.

○ 使初遄往而益我, 故曰使遄.

초효가 빨리 가서 나를 돕게 하기 때문에 "빨리 하면"이라고 하였다.

○ 賴初合志, 而疾瘳, 故曰, 有喜.

초효에 의지하고 뜻을 합하여 병이 나았기 때문에 "기쁨이 있다"고 하였다.

심대윤(沈大允) 『주역상의점법(周易象義占法)』

損之暌䷥, 立異也. 學而有所難辨, 取而有所揀選, 擧而有所優劣也. 六四以柔居柔, 取少而與多者也. 應於初, 而初爲二之所阻. 損之世應爲重, 終必相通也. 氣滯則爲疾. 損其疾, 言通二之阻也. 此去之, 亦言損也. 坎爲疾, 從四以言者, 權在於四也. 使遄有喜之也, 二之事微, 故不言无咎, 四之事顯, 故言无咎, 以明與之之, 爲取之也, 言使初速有喜也. 對巽爲使, 坎兌爲喜. 二與四, 人臣也, 故取少而與多. 其與之者, 乃所以取

손괘가 규괘(暌卦䷥)로 바뀌었으니, 다름을 세우는 것이다. 배워서 힐난하고 분변하는 것이 있고, 취해서 쳐내고 가리는 것이 있으며, 들어서 우수하고 모자라는 것이 있다. 육사는 부드러움으로 부드러운 자리에 있어 취하는 것은 적고 주는 것은 많은 경우이다. 초효와 호응하는데 이효가 초효를 가로막았다. 덜어내는 시대에는 호응이 중요하니 끝내 반드시 서로 통한다. 기가 막히면 병이 된다. '그 병을 덜어내는 것'이 이효의 가로막음을 통하게 하는 것이다. 이것이 제거되니 또한 덜어냈다고 하였다. 감괘가 병이 되니, 사효로 말한 경우에는 권세가 그것에 있다. "빨리하게 하면 기쁨이 있는 것"은 이효의 일이 미미하기 때문에 "허물이 없다"고 하지 않고, 사효의 일이 드러나기 때문에 "허물이 없다"고 하여 주는 것이 취하는 것임을 밝혔으니, 초효가 빨리 기쁨이 있게 한다는 말이다. 반대괘인 손괘는 부림이고 감괘와 태괘는 기쁨이다. 이효와 사효는 신하이기 때문에 취하는 것이 적고 주는 것이 많다. 주는 것은 취하였기 때문이다.

오치기(吳致箕) 「주역경전증해(周易經傳增解)」

六四, 上承六五之君, 當大臣之位, 以柔居柔, 而承乘皆柔, 在損剛益柔之時, 過於陰柔. 故爲有疾之象, 而宜若有咎. 然下有初九正應, 其剛有餘, 故戒言宜損其疾, 而必使剛應速來相益, 則可以有其喜, 而无其咎也.

육사는 위로 육오의 임금을 계승하여 대신의 지위에 해당하고, 부드러움으로 부드러운 자리에 있으며 계승하고 올라탄 것이 모두 부드러움이어서 굳셈을 덜어내 부드러움에 보태는 때에 음의 부드러움이 지나치다. 그러므로 병이 있는 상이어서 당연히 허물이 있을 것 같다. 그러나 아래에 초구가 바르게 호응하고 그 굳셈이 넘치므로 그 병을 덜어내야 한다고 경계하여 말하였으니, 반드시 굳셈의 호응을 빨리 와서 서로 돕게 한다면 기쁨이 있고 허물이 없을 수 있다.

○ 偏於過柔爲疾之象. 遄之取象與初同, 喜取於應兌.

지나치게 부드러워 병이 된 상이다. '빨리'를 상으로 취한 것은 초효와 같고 기쁨은 호응하는 태괘에서 취하였다.

이진상(李震相) 『역학관규(易學管窺)』

爻變成坎. 坎爲心疾, 而艮爲藥石, 震爲草木, 虞氏說有治疾之象. 初九以剛敏之才, 治四柔弱之疾, 而震以遄之, 艮以止之, 兌以喜之.

효가 변하여 감괘(坎卦☵)가 되었다. 감괘는 마음의 병이고, 간괘는 약과 침이며, 진괘는 초목이니, 우씨는 병을 치료하는 상이 있다고 하였다. 초구는 굳세고 영민한 재질로 사효의 유약한 병을 치료하는데, 진괘로 빨리 하고 간괘로 멈추며 태괘로 기뻐한다.

박문호(朴文鎬) 「경설(經說)·주역(周易)」

損其疾, 本義, 蓋用程子第二說也. 雖然以其字觀之, 程子第一說, 終似長.

그 병을 덜어내는 것에 대해 『본의』에서는 정자의 두 번째 설을 따랐다. 그렇지만 그 글자로 보면 정자의 첫 번째 설이 끝내 뛰어난 것 같다.

이병헌(李炳憲) 『역경금문고통론(易經今文考通論)』

王曰, 履得其位, 以柔納剛, 能損其疾速乃有喜.

왕필이 말하였다: 그 자리를 차지하고 부드러운 음으로서 굳센 양을 받아들여서 그 병을 덜어내기를 빨리할 수 있으니 기쁨이 있다.

姚曰, 疾謂二, 四應初而隔於二.

요신이 말하였다: '질병'은 이효를 말한다. 사효가 이효와 호응하는데 이효에 막혔다.

按, 疾恐指三.

내가 살펴보았다: '질병'은 삼효를 가리키는 듯 하다.

象曰, 損其疾, 亦可喜也.

「상전」에서 말하였다: "그 병을 덜어냄"은 역시 기뻐할만하다.

‖中國大全‖

傳

損其所疾, 固可喜也. 云亦, 發語辭.

그 앓는 것을 덜어내니 참으로 기뻐할만하다. '역시[亦]'라 한 것은 발어사이다.

小註

廣平游氏曰, 有疾, 初无可喜, 因人而去之, 故曰, 亦可喜也.

광평유씨가 말하였다: 병이 있으니 처음에는 기뻐할만한 것이 없으나, 다른 사람 덕분에 병을 없앴기 때문에 "역시 기뻐할만하다"고 하였다.

‖韓國大全‖

권근(權近)『주역천견록(周易淺見錄)』

程傳, 亦發語辭.

『정전』에서 말하였다: '역시[亦]'라 한 것은 발어사이다.

愚謂, 象有但擧上文, 而竝釋下句者, 亦有但釋上句, 以包其餘者. 此象但釋上句者也. 亦者, 承爻辭使遄之意而言, 非語辭也. 蓋以初九陽剛, 損其六四陰柔之疾, 亦已可喜,

況使遄乎. 爻辭有喜, 主使遄而言, 象主損其疾而言, 不待使遄, 而亦已可喜也. 益上
九, 莫益之, 或擊之. 立心勿恒, 凶, 程傳以莫益爲人於上九莫肯益之而或擊之, 又以勿
恒爲禁戒之辭, 本義辭簡而不明釋, 然於語錄謂, 此勿只是不字, 非禁止辭,
내가 살펴보았다:「상전」에는 위의 글만 들었지만 아래의 구절을 함께 해석한 것이 있고,
또한 위의 구절만 해석하면서 그 나머지를 포함한 것도 있다. 여기의「상전」은 위의 구절을
해석한 것이다. '역시'는 "빨리하게 한다"는 효사의 의미를 이어 말한 것이니 어조사가 아니
다. 양의 굳셈인 초구로 육사의 부드러운 음의 병을 덜어낸 것도 이미 기뻐할만한데, 하물며
빨리하게 함에야 말해 무엇 하겠는가! 효사에서는 '기쁨이 있는 것'은 빨리하게 하는 것을
주로 해서 말하였고,「상전」에서는 그 병을 덜어내는 것을 주로 해서 말하였으니, 빨리하게
하는 것을 기다리지 않아도 이미 기뻐할만하다. 익괘의 "상구는 보태주는 이가 없으니 혹
칠 것이다. 마음을 세우는 것이 일정하지 않으니, 흉하다"에 대해『정전』에서 '보태주는 이
가 없는 것'을 사람들이 상구에 대해 아무도 보태주려고 하지 않고 혹 칠 것으로 여겼고,
또 일정하지 않은 것을 금지하고 경계하는 말로 여겼다.『본의』는 간략하게 하여 분명하게
해석하지 않았지만『어록』에서 여기에서의 '~하지 않다[勿]'는 단지 '~하지 않다[不]'는 말
일 뿐이지 금지하는 말이 아니라고 하였다.

愚謂, 此經勿字多與不同. 此卦九五勿問元吉, 亦是不字之意, 此爻不容頗異也. 上九
居益之終, 當益於人, 而反欲自益, 以害於人, 始若益之, 而卒莫益之, 是其心志, 不恒
之人也. 我將以偏己之私, 而莫益於人, 則人亦有或擊, 而自外來者矣. 故象曰, 莫益
之, 偏辭也, 或擊之, 自外來也.
내가 살펴보았다:『주역』에서 '묻지[勿]'자는 대부분 여기와 같지 않다. 여기 손괘 구오의 "묻지
않아도 크게 길하다"는 말에서도 '묻지[勿]'자는 '~하지 않다[不]'는 의미이니, 이 괘에서 다소
다른 것을 용납하지 않는다. 상구는 익괘의 끝에 있어 남들에게 보태주어야 하는데 도리어
자신에게 보태어 남을 해치려고 하고, 처음에는 보태줄 것처럼 하다가 마침내 아무 것도
보태주지 않으니, 이것은 심지가 일정하지 않은 사람이다. 내가 자신의 사사로움에 편중되
어 남에게 조금도 보태주려고 하지 않으면 사람들이 혹 칠 수 있는데 밖으로부터 오는 것이
다. 그러므로「상전」에서 "'보태주는 이가 없음'은 치우쳤다는 말이고, '혹 칠 것'은 밖으로부
터 오는 것이다"라고 하였다.

程子以莫益連下文或擊自外之意而看, 故皆以爲在人之事, 而其說辭費. 蓋我以偏私
求自益, 而不行益於人, 則人亦與之力爭, 而莫肯之如此, 則莫益. 語複而難通, 但謂我
莫益於人, 而人或來擊, 則不費辭而可通. 此卽朱子之意, 但本義語簡, 又若莫益或擊,
皆在我之事, 以爻辭觀, 則雖以或擊爲我莫益人而或擊之亦通. 但於象辭不恊, 故必分

人己而言之, 意甚明白,

정자는 '보태주는 이가 없는 것'을 아래의 글 "혹 칠 것'은 밖으로부터 오는 것이다'의 의미와 연결해서 보았기 때문에 모두 사람들에게 있는 일로 여겨서 설명하는 말을 낭비했다. 내가 사사로움에 치우쳐 자신에게 보태기를 구하고 남에게 보태주기를 행하지 않는다면 사람들도 그와 힘으로 다투어 아무도 인정하려고 하지 않을 것이니, 이와 같다면 보태주는 이가 없다. 말이 중복되어 통하기 어려우니, 다만 내가 남들에게 보태주지 않아 남들이 혹 와서 친다고 말하면 말을 낭비하지 않아도 통할 수 있다. 이것은 곧 주자의 생각인데, 『본의』의 설명이 간략할 뿐이다. 또 "보태주는 이가 없으니 혹 칠 것이다"는 모두 자신에게 있는 일인데, 효사로 보면 "혹 칠 것이다"를 "내가 남에게 보태주지 않아 혹 칠 것이다"로 여겨도 통한다. 다만 효사와 맞지 않기 때문에 남과 자신을 구분해서 말했으니, 뜻이 아주 명백하다.

김상악(金相岳) 『산천역설(山天易說)』

損其疾, 因初之剛故云亦

그 병을 덜어냄은 초효의 굳셈으로 말미암았으므로 '또한'이라고 하였다.

서유신(徐有臣) 『역의의언(易義擬言)』

應與可喜, 損疾亦喜也.

호응하여 함께 하는 것을 기뻐할만한데 병을 덜어내니 또한 기쁘다.

오치기(吳致箕) 「주역경전증해(周易經傳增解)」

有疾而能損, 亦可以喜也. 亦發語辭而兼有戒意也.

병이 있는데 덜어낼 수 있으면 또한 기뻐할만하다. '역시'는 발어사인데 경계의 의미가 함께 있다.

이병헌(李炳憲) 『역경금문고통론(易經今文考通論)』

王曰, 履得其位以柔納剛, 能損其疾, 速乃有喜.

왕필이 말하였다: 행함에 그 지위를 얻고 부드러움으로 굳셈을 받아들여 그 병을 덜어낼 수 있으니, 빨리하면 기쁨이 있다.

姚曰, 疾謂二, 四應初而隔於二.

요신이 말하였다: 병은 이효를 말하니 사효가 초효와 효응하지만 이효에게 가로 막혔다.

按, 疾恐指三.
내가 살펴보았다: 병은 삼효를 가리키는 것 같다.

六五, 或益之, 十朋之. 龜弗克違, 元吉.

정전 육오는 혹 보태면 벗이 열이다. 거북도 어기지 못할 것이니 크게 길하다.

六五, 或, 益之十朋之龜, 弗克違, 元吉.

본의 육오는 어떤 이가 열 쌍의 거북으로 보태어 어길 수 없으니 크게 길하다.

‖中國大全‖

傳

六五, 於損時, 以中順, 居尊位, 虛其中以應乎二之剛陽, 是人君能虛中自損, 以順從在下之賢也. 能如是, 天下孰不損己自盡以益之. 故或有益之之事, 則十朋助之矣, 十衆辭. 龜者, 決是非吉凶之物, 衆人之公論, 必合正理, 雖龜筴, 不能違也. 如此, 可謂大善之吉矣, 古人曰, 謀從衆則合天心.

육오는 손(損)의 때에 알맞게 순응함으로써 존귀한 자리에 있고, 그 마음을 비워 구이의 굳센 양과 호응하니, 이는 임금이 마음을 비우고 스스로 덜어내어 아래에 있는 현인을 따르는 것이다. 이와 같을 수 있다면 천하에서 누가 스스로 덜기를 극진히 하여 보태지 않겠는가? 그러므로 혹 보탤 일이 있으면 열 벗이 도울 것이니, '열[十]'은 많다는 말이다. '거북'은 옳음과 그름, 길함과 흉함을 결단하는 물건이지만, 여러 사람의 공론이 반드시 바른 이치에 합한다면 비록 거북점과 시초점이라도 어길 수 없다. 이와 같으면 크게 착해서 길하다고 할 수 있으니, 옛사람이 "도모함에 있어 무리를 따르면 하늘의 마음에 합한다"고 하였다.

小註

中溪張氏曰, 十朋之, 龜弗克違, 則天下之益, 皆歸焉.

중계장씨가 말하였다: '벗이 열이어서 거북도 어기지 못한다면' 천하의 유익함이 모두 돌아온다.

本義

柔順虛中, 以居尊位, 當損之時, 受天下之益者也. 兩貝爲朋, 十朋之龜大寶也. 或以此益之, 而不能辭, 其吉可知. 占者有是德, 則獲其應也.

유순하게 마음을 비워 존귀한 자리에 있으니, 손(損)의 때에 천하의 보탬을 받는 자이다. 조개껍질 두 개가 쌍[朋]이 되니, 열 쌍[十朋]의 (가치에 상응하는) 거북은 큰 보물이다. 어떤 이가 이것으로 보태어 사양할 수 없으니, 그 길함을 알 수 있다. 점치는 자기 이러한 덕이 있으면 그 호응을 얻을 것이다.

小註

朱子曰, 或益之十朋之龜句, 弗克違.

주자가 말하였다: '어떤 이가 열 쌍의 거북으로 보태어'에서 구두하니, 어길 수 없다는 것이다.

○ 易象自是一法. 如離爲龜, 則損益二卦, 皆說龜. 此類甚多.

역의 상은 본래 하나의 법이다. 예컨대 리괘(☲)는 거북이 되니, 손괘와 익괘 두 괘에서 모두 거북을 말하였다. 이러한 것들은 매우 많다.

○ 損益二卦說龜, 一在二, 一在五, 是顚倒說去, 未濟與旣濟說鬼方, 亦然.

손괘와 익괘 두 괘에서 거북을 말하였는데, 하나는 이효에 있고, 하나는 오효에 있으니, (괘를) 뒤집어서 말한 것이다. 미제괘와 기제괘에서 '귀방(鬼方)'을 말한 것도 그러하다.

○ 汪彥章說離爲龜, 故卦言龜處皆有離象. 如頤之靈龜, 損益十朋之龜, 以其卦雖无離, 而通體似離也. 頤六爻, 損自二至上, 益自初至五, 此其求之巧矣. 然頤猶取龜義, 而无取於離, 損益則但言其得益之多, 而義亦不復繫於龜矣. 今乃不論其所以得益之故, 以爲求之方, 而必求其龜之所自來, 亦可謂枉費心力矣.

왕언장이 "리괘(☲)가 거북이 되므로 괘에 거북을 말한 곳에는 모두 리괘의 상이 있다. 예컨대 이괘(頤卦䷚)의 '신령한 거북52)과 손괘·익괘의 '열 쌍의 거북'53)은, 그 괘에 비록 리괘가 없지만 괘 전체를 보면 리괘와 유사하기 때문이니, 이괘의 여섯 효와 손괘(損卦䷨)의 이효부터 상효까지와 익괘(益卦䷩)의 초효부터 오효까지이다"라고 하는데, 이는 절묘하게

---

52) 『周易·頤卦』: 初九, 舍爾靈龜, 觀我, 朶頤, 凶.
53) 『周易·益卦』: 六二, 或益之, 十朋之龜, 弗克違, 永貞吉, 王用享于帝, 吉.

찾은 것이다. 그러나 이괘(頤卦)는 여전히 거북의 뜻을 취했지만 리괘에서 취하지는 않았고, 손괘와 익괘는 단지 그 이익을 얻음이 많다고만 하였지 뜻을 다시 거북과 연계시키지 않았다. 이제 이익을 얻게 된 까닭을 논해 이익을 구하는 방도로 삼지 않고 반드시 그 거북이가 어디에서 왔는지를 찾으려 하니, 또한 마음을 쓸데없이 낭비하였다고 할 수 있다.

○ 節齋蔡氏曰, 元龜有國之大寶, 言益之大也. 弗克違者, 不求而必至之意, 故元吉.
절재채씨가 말하였다: 원구(元龜)[54]는 나라의 큰 보물이니, 보탬이 큼을 말한다. "어길 수 없다"는 구하지 않아도 반드시 이른다는 뜻이기 때문에 "크게 길하다".

○ 雲峰胡氏曰, 益不可以有心求. 唯不知其益之所自來而有不能辭者, 有德而自然益之者也. 龜爲大寶, 直二十貝爲大龜, 或益之以此, 其益也大矣. 然五有柔順虛中之德, 未嘗求此益. 非五有柔順虛中之德, 亦莫能受此益.
운봉호씨가 말하였다: '이익'은 마음을 써서 구해서는 안된다. 오직 그 이익이 어디에서 왔는지 알지 못해서 사양할 수 없음이 있는 것이니, 덕이 있어서 자연히 보태지는 것이다. 거북은 큰 보물로, 조개껍질 20개의 가치인 것이 '큰 거북[大龜]'이니, 어떤 이가 이로써 보탠다면 그 이익이 크다. 그러나 오효는 유순하게 마음을 비우는 덕이 있어서 이러한 이익을 구한 적이 없다. 오효에 유순하게 마음을 비우는 덕이 있지 않다면 또한 이러한 이익을 받을 수 없다.

○ 進齋徐氏曰, 班固食貨志, 元龜, 岠冉長尺二寸, 直二千一百六十, 爲大貝十朋, 注, 冉, 龜甲緣也, 岠, 至也. 度背兩邉緣尺二寸也. 兩貝爲朋, 朋直二百一十六, 元龜十朋, 故二千一百六十也. 又有公龜九寸, 直五百, 爲壯貝十朋, 候龜七寸以上, 直三百, 爲么貝十朋, 子龜五寸以上, 直百, 爲小貝十朋, 是爲龜寶四品. 大貝, 四寸八分以上二枚爲一朋, 直二百一十六, 壯貝三寸六分以上二枚爲一朋, 直五十, 么貝二寸四分以上二枚爲一朋, 直三十, 小貝寸二分以上二枚爲一朋, 直十. 不盈寸二分漏貝, 不得爲朋.
진재서씨가 말하였다: 반고의 「식화지(食貨志)」에, "원구(元龜)는 껍데기 둘레[冉]의 길이가 1척 2촌에 이른다. 조개무늬 2,160의 가치이니 대패(大貝) 열 쌍이 된다. 주석에 '염(冉)은 거북껍데기의 둘레이고, 거(岠)는 이른다는 말이다. 등 양쪽 둘레를 재보면 1척 2촌이다. 두 개의 조개껍질이 한 쌍[一朋]이고, 한 쌍은 조개무늬 216의 가치이며, 원구(元龜)는 열 쌍[十朋]이므로 2160이다'라고 하였다. 또 공구(公龜)는 9촌으로 조개무늬 500의 가치이니 장패(壯貝) 열 쌍이 되고, 후구(候龜)는 7촌 이상으로 조개무늬 300의 가치이니 요패(么貝)

---

54) 원구(元龜): 궁성에서 기르는 거북이다.

열 쌍이 되고, 자구(子龜)는 5촌 이상으로 조개무늬 100의 가치이니 소패(小貝) 열 쌍이 되니, 이것이 보배로운 거북의 네 등급이다. 대패(大貝)는 4촌 8푼 이상의 것 2매가 한 쌍으로 216의 가치이고, 장패(壯貝)는 3촌 6푼 이상의 것 2매가 한 쌍으로 50의 가치이며, 요패(么貝)는 2촌 4푼 이상의 것 2매가 한 쌍으로 30의 가치이고, 소패(小貝)는 1촌 2푼 이상의 것 2매가 한 쌍으로 10의 가치이며, 1촌 2푼에 차지 못하는 볼품없는 조개는 쌍[朋]이 될 수 없다"고 하였다.

○ 東谷鄭氏曰, 凡曰或益, 曰有它吉, 曰有隕自天, 曰自天祐, 皆謂不期於得之也.
동곡정씨가 말하였다: "어떤 이가 보탠다"고 하고, "다른 길함이 있다"[55]고 하며, "하늘로부터 떨어짐이 있다"[56]고 하고, "하늘로부터 돕는다"[57]고 한 것들은 모두 얻을 것을 기대하지 않았음을 말한다.

‖韓國大全‖

조호익(曹好益) 『역상설(易象說)』

十朋, 坤象, 龜, 似離象. 弗克違, 六柔象, 五虛中有受益象. 丘氏曰, 五受二之益, 而又得上之益, 故曰, 或益之.
'열 쌍'은 곤괘의 상이고, 거북은 리괘(離卦)의 상과 비슷하다. '어길 수 없다'는 육의 부드러운 상이고, 오효의 비어 있음에 보탬을 받는 상이 있다. 구씨는 오효는 이효의 보탬을 받는 데다가 또 상효의 보탬을 받기 때문에 "어떤 이가 보태면"이라고 하였다.

홍여하(洪汝河) 「책제(策題):문역(問易)·독서차기(讀書箚記)-주역(周易)」

文王繫繇, 有孚元吉, 二簋用享, 十朋受益.
문왕이 붙인 노래는 믿음이 있으면 크게 착하고, 그릇 둘로 제사지내며, 열 쌍의 거북으로 보탬을 받는 것이다.

---

55) 『周易·比卦』: 初六, 有孚盈缶, 終, 來有他吉.
56) 『周易·姤卦』: 九五, 以杞包瓜, 含章, 有隕自天.
57) 『周易·大有卦』: 上九, 象曰, 大有上吉, 自天祐也.

송시열(宋時烈) 『역설(易說)』

或者, 非常有也, 言或人來益於我, 是錫之以十朋之惠也. 詩云, 錫我百朋, 亦此意. 兩龜之貝, 爲一朋, 則十朋者大寶也. 龜者, 離象也. 十者, 坤之成數也. 又朋者, 坤之得朋也. 龜, 亦弗克違者, 以占言之. 書云, 叶朕卜, 亦此意. 損與益相綜, 損之五, 卽益之二, 故同辭. 蓋或益之者, 非正應之謂也, 乃上九之益也. 五之陰柔, 不能主損, 而賴有上九以陽剛來助, 故其吉如此. 象曰, 自上祐也, 如大有自天祐之之意也.

'어떤 이'는 항상 있는 것이 아니라 어떤 이가 와서 나에게 보태주니 바로 열 쌍의 혜택을 주는 것을 말한다. 『시경』에서 "나에게 백 쌍을 준다"는 것도 이런 의미이다. 두 거북에 해당하는 조개가 '한 쌍[一朋]'이니 열 쌍은 큰 보물이다. 거북은 리괘의 상이다. '열[十]'은 곤(坤)의 완성수이다. 또 '벗[朋]'은 곤괘가 벗을 얻음이다. "거북도 어기지 못할 것이다"는 점으로 말한 것이다. 『서경』에서 "나의 점과 맞는다"는 것도 이런 의미이다. 손괘와 익괘가 서로 통괄하니, 손괘의 오효가 곧 익괘의 이효[58]이기 때문에 말이 같다. "혹 보태준다"는 것은 바르게 호응하는 것을 말한 것이 아니라 상구의 보탬이다. 오효는 부드러운 음으로 손괘에서 주인이 될 수 없어 상구가 굳센 양으로 와서 돕는 것에 의지하기 때문에 그 길함이 이와 같다. 「상전」에서 "위로부터 돕는 것이다"라고 한 것은 대유괘의 "하늘로부터 도움을 받는다"[59]와 같은 의미이다.

석지형(石之珩) 『오위귀감(五位龜鑑)』

臣謹按, 損之六五, 程傳, 解十朋爲衆人之助, 本義, 以爲兩龜爲朋, 乃是十朋之寶龜. 程訓, 主於求益, 朱訓, 主於受益. 或求或受爲益, 則一要, 未可以差殊觀也. 但爻无龜象, 而取龜義, 何也. 卦體自三至五, 皆偶畫, 有龜背之象故也. 易多取肖象, 如以離爲龜, 亦取其肖也. 且五是十之半, 又得衆助, 則有一倍之益, 故曰, 十朋. 大抵求益受益, 无非君德之美. 人謀所同鬼謀, 亦從天理之必然也. 伏願殿下, 兩存其義, 而務自益焉.

신이 삼가 살펴 보았습니다: 손괘의 육오에 대해 『정전』에서는 '벗이 열[十朋]'은 여러 사람의 도움이라고 풀이했고, 『본의』에서는 두 거북이 '한 쌍[朋]'이니, 바로 열 쌍의 보배 같은 거북이라고 여겼습니다. 『정전』의 설명은 보탬을 구하는 것을 주로 했고, 『본의』의 설명은 보탬을 받는 것을 주로 했습니다. 혹 구하거나 혹 받는 것이 보태주는 것이라면, 동일하게 구하는 것이니, 다르게 볼 수 없습니다. 다만 효에 거북의 상이 없는데 거북의 뜻을 취한 것은 무엇 때문이겠습니까? 괘의 몸체가 삼효부터 오효까지 모두 짝으로 된 획이어서 거북

---

58) 『周易·益卦』: 六二, 或益之, 十朋之. 龜弗克違, 永貞, 吉, 王用享于帝, 吉.
59) 『周易·大有卦』: 上九, 自天祐之, 吉无不利.

등의 상이 있기 때문입니다. 『주역』에는 닮은꼴의 상을 취하는 경우가 많으니, 이를테면 리괘를 거북으로 여기는 것도 닮은꼴을 취한 것입니다. 또 다섯은 열의 반이니, 여러 도움을 얻었으면 한 배의 보탬이 있기 때문에 '열쌍[十朋]'이라고 했습니다. 보탬을 구하거나 보탬을 받거나 임금의 아름다운 덕이 아닌 것이 없습니다. 사람에게 도모하는 것이 귀신에게 도모하는 것과 같은 바이니, 또한 천리의 반드시 그러함을 따르는 것입니다. 엎드려 전하께 양쪽으로 그 뜻을 보존하시어 스스로 힘써 보태시기를 바라옵니다.

이익(李瀷) 『역경질서(易經疾書)』

頤口中無物, 龜不貪食, 故頤有龜象. 損九二益九五變, 則皆爲頤, 故亦有龜象. 左傳僖公十五年晉獻公筮得歸妹之睽, 史蘇占之, 曰震之離, 亦離之震, 爲雷爲火. 然則損之九二, 兌之震也, 益之九五, 巽之艮也, 皆有頤象, 可以爲證.

턱과 입 속에는 아무 것도 없고, 거북이는 음식을 탐하지 않기 때문에 이괘(頤卦䷚)에 거북의 상이 있다. 손괘(損卦䷨)의 구이와 익괘(益卦䷩)의 구오가 변하면 모두 이괘(頤卦䷚)가 되기 때문에 거북의 상이 있다. 『춘추좌씨전』 희공 15년에 진헌공[60]이 점을 쳐서 귀매괘(歸妹卦䷵)가 규괘(睽卦䷥)로 변하는 것을 얻으니, 사소(史蘇)가 점을 쳐서 "진괘(震卦☳)가 리괘(離卦☲)로 변하고 또한 리괘(離卦☲)가 진괘(震卦☳)로 변해 우레가 되고 불이 되었다"라고 했다. 그렇다면 손괘(損卦䷨)의 구이는 태괘(兌卦☱)가 진괘(震卦☳)로 변한 것이고 익괘(益卦䷩)의 구오는 손괘(巽卦☴)가 간괘(艮卦☶)로 변한 것으로 모두 턱의 상이 있으니 증거가 될 수 있다.

龜不食之物. 故飾簠簋以龜者, 戒其貪食也, 所謂簠簋不飾, 是也. 卦以損爲義, 故物亦用損食者. 十朋, 數之多. 多不可以爲常也, 用多而謂之或, 則用少之常, 益可知. 不克違者, 受之也. 受之者六五, 則益之者, 指九二也. 二不言七而言九, 則變在其中, 本有龜象. 而於五不帖, 益六二同辭, 而有王用享帝之語, 二安有此象, 以是知. 此亦非六五之象也. 二乃居下之賢德, 而以不損爲益者, 則五之所不敢不受也. 龜不貪食. 不食則無欲, 無欲則靈通, 故占筮所以知來也. 推是觀之, 九二之所以益之者, 可見. 不以犇走承奉爲能, 以節損公明爲益, 其不損益之之義, 顯矣. 傳云, 自上祐者, 何也. 上是賓師協輔者, 故云爾或. 謂損益反對之卦也. 反之則損之五, 卽益之二, 其辭同. 以夫姤之臀無膚, 旣未濟之伐鬼方爲證. 此亦有理. 然若但如此, 何獨於二五有龜象意, 其用變

---

60) 진헌공(晉獻公?~B.C.651): 그 이름이 궤제(詭諸)로 제위기간 26년 동안 국력을 신장시켜 여융(驪戎)·경(耿)·곽(霍)·위(魏) 등 17개국을 병탄하고 38개국을 복속시켰다.

爻者占多.

거북이는 먹지 않는 동물이다. 그러므로 거북으로 '보와 궤 제기[簠簋]'를 꾸미는 것은 음식을 탐하는 것을 경계하였으니, 이른바 보와 궤 제기를 꾸미지 않는 것이 여기에 해당한다. 괘는 덜어내는 것으로 의미를 삼았기 때문에 사물에서도 음식을 덜어내는 것으로 하였던 것이다. 열 쌍은 숫자가 많은 것이다. 많은 것은 일정할 수 없어 그것을 쓰면서 '어떤 이'라고 하였으니, 적은 것을 쓰는 것의 일정함을 더욱 알 수 있다. '어길 수 없는 것'은 받는 것이다. 받는 것이 육오이고, 보태는 것은 구이를 가리킨다. 이효에서 칠을 말하지 않고 구를 말했다면 변화가 그 속에 있으니, 본래 거북의 상이 있다. 그런데 오효에서는 따르지 않으면서 익괘의 육이와 말을 같이하고 "임금이 상제께 제사지낸다"는 말을 하였으니, 이효에 어떻게 이 상이 있는지 이것으로 안다. 이것은 또한 육오의 상이 아니다. 이효는 아래에 있는 현명하고 덕있는 자여서 덜어내지 않음으로 보태는 자이니, 오효가 감히 받지 않을 수 없는 것이다. 거북은 음식을 탐하지 않는다. 먹지 않으면 욕심이 없고, 욕심이 없으면 영통하므로 점으로 미래를 아는 것이다. 이렇게 미루어보면 구이가 보태는 것을 알 수 있다. 달려가 받드는 것을 능함으로 여기지 않고 절약하여 덜어내고 공평하게 밝은 것을 보탬으로 여기니, 덜어내지 않고 보태는 의미가 드러난다. 「상전」에서 "위로부터 돕는 것이다"라고 한 것은 무슨 의미인가? 위는 빈객의 대접을 받는 학자로 협조하고 보좌하는 자이기 때문에 '어떤 이'라고 했다. 말하자면 손괘(損卦䷨)와 익괘(益卦䷩)는 뒤집힌 괘이다. 뒤집으면 손괘의 오효가 익괘의 이효여서 그 말이 같다. 쾌괘(夬卦䷪)와 구괘(姤卦䷫)의 "볼기에 살이 없다"[61]는 것과 기제괘(既濟卦䷾)와 미제괘(未濟卦䷿)의 "귀방을 정벌하였다"[62]는 것으로 증거를 삼는다. 여기에도 이치가 있지만 이와 같이 할뿐이라면, 어찌 이효와 오효에만 거북의 상과 의미가 있겠는가? 변효를 쓸 경우가 점에는 많다.

유정원(柳正源) 『역해참고(易解參攷)』

王氏曰, 以柔居尊爲損道. 江海處下, 百谷歸之. 履尊以損, 則或益之矣. 朋, 黨也. 龜者, 決疑之物也. 陰非先唱, 柔非自居, 損以守之. 故人用其力, 事竭其功. 智者慮能, 明者慮策, 不能違也, 則衆才之用盡矣. 獲益而得十朋之龜, 足以盡天人之助也.

왕씨가 말하였다: 부드러움으로 존귀한 자리에 있는 것이 덜어내는 도이다. 강과 바다가 아래로 처신하니 모든 계곡의 물이 모여든다. 존귀한 자리에 있으면서 덜어내면 어떤 이가

---

[61] 『周易·夬卦』: 九四, 臀无膚, 其行次且, 牽羊, 悔亡, 聞言, 不信. / 『周易·姤卦』: 九三, 臀无膚, 其行次且, 厲, 无大咎.

[62] 『周易·既濟卦』: 九三, 高宗伐鬼方, 三年克之, 小人勿用. / 『周易·未濟卦』: 九四, 貞吉, 悔亡, 震用伐鬼方, 三年, 有賞于大國.

보태준다. 벗[朋]은 무리이다. 거북은 의심을 결정하는 것이다. 음은 선창하는 것이 아니고 부드러움은 자처하는 것이 아니어서 덜어냄으로 지킨다. 그러므로 사람들이 그 힘을 쓰고 일에 그 공을 다한다. 지혜로운 자는 능할 것을 생각하고 밝은 자는 책수로 헤아려 어길 수 없으니, 여러 재주의 쓰임이 극진하다. 보탬을 얻어 열 쌍의 거북을 얻었으니 하늘과 사람의 도움을 충분히 다할 수 있다.[63]

○ 林氏〈栗〉曰, 五固无待乎外, 以上九之富, 又自上而益之, 是以有或益之象.
임율이 말하였다: 오효는 진실로 밖에서 기다리는 것이 없는데, 상구가 부유해서 또 위에서 보태주니 이 때문에 어떤 이가 보태주는 상이 있다.

○ 案, 朋龜取象, 姑闕之可也. 不違, 如洪範所謂大同.
내가 살펴보았다: 붕(朋)과 거북에 대해 상을 취한 것은 잠시 빼놓는 것이 좋다. "어기지 못한다"는 『서경·홍범』에서 말한 대동(大同)과 같다.

김상악(金相岳) 『산천역설(山天易說)』

兩龜爲一朋, 十朋之龜, 大寶也. 六五柔順虛中以應九二, 艮互坤離, 故其象如此. 或以此益之而不能違, 大善之吉也.
두 거북이 한 쌍이니 열 쌍의 거북은 큰 보물이다. 육오는 유순하고 비어 있음으로 구이와 호응하고 간괘의 호괘가 곤괘와 리괘이기 때문에 그 상이 이와 같다. 어떤 이가 이것으로 보태주어 어길 수 없는 것은 크게 좋은 길함이다.

○ 或者, 衆无定主之辭. 十者, 坤土之成數也, 龜, 離象. 坤土兩, 兩相比, 故曰, 十朋之龜. 不克違, 艮之止也. 自來而不能辭者, 乃自上之祐也. 損則山澤通氣, 益則雷風相與, 故取象同. 頤則震艮異德, 故初九自舍其龜而凶也.
'어떤 이'는 여럿 중에 일정한 주인이 없다는 말이다. '열'은 곤토의 완성수이고, 거북은 이괘의 상이다. 곤토가 둘이고, 둘은 서로 가깝기 때문에 '열 쌍의 거북'이라고 했다. '어길 수 없는 것'은 간괘의 머무름이다. 스스로 와서 사양할 수 없는 것이 바로 위로부터 돕는 것이다. 덜어 내면 산과 못이 기를 통하고 보태면 우레와 바람이 함께 하기 때문에 상을 취한 것이 같다. 이괘(頤卦䷚)는 진괘와 간괘로 덕이 다르기 때문에 초구가 스스로 거북을 버려 흉하다.

---

63) 『周易注疏·損卦』: 以柔居尊而爲損道. 江海處下, 百谷歸之. 履尊以損, 則或益之矣. 朋, 黨也. 龜者, 決疑之物也. 陰非先唱, 柔非自任, 尊以自居, 損以守之, 故人用其力, 事竭其功. 知者慮能, 明者慮策, 弗能違也, 則衆才之用盡矣. 獲益而得十朋之龜, 足以盡天人之助也.

조유선(趙有善) 「경의-주역본의(經義-周易本義)」

六五十朋, 本義両龜爲朋. 按, 詩註両貝爲朋, 徐氏說亦然, 當云, 両貝爲朋. 十朋之龜, 卽直二十貝者, 而本義如此可疑. 程傳, 龜屬下句. 以漢食貨志考之, 大龜之直, 爲十朋. 據此, 則十朋之龜, 似當爲一句. 本義之不從傳說, 其以此也歟.

육오의 십붕(十朋)에 대해 『본의』에서는 거북 두 마리가 한 쌍이라고 하였다. 내가 살펴보았다. 『시경』의 주에 "조개껍질 두 개가 쌍이 된다"고 했고, 서씨의 설명에서도 그렇게 했으니, "조개껍질 두 개가 쌍이 된다"고 해야 한다. 열 쌍의 거북은 곧 스무 개의 조개껍질의 가치인데 『본의』에서 이처럼 한 것은 의심스럽다. 『정전』에서는 거북을 뒤의 구절로 연결했다. 한 대 「식화지(食貨志)」로 상고해보면, 큰 거북의 가치가 열 쌍이다. 이것을 근거로 하면 열 쌍의 거북은 한 구절로 해야 할 것 같다. 『본의』에서 『정전』의 설명을 따르지 않은 것은 이 때문일 것이다.

서유신(徐有臣) 『역의의언(易義擬言)』

六四, 但言損柔之爲喜, 此又言其得剛爲益之吉也, 上得上九, 下得九二, 以成中虛之象, 故曰龜也. 離中包三陰, 故曰, 十朋之龜. 十朋, 大貝也, 其所資, 益大矣, 得陽剛之益, 如得大龜也. 損益者時, 故曰弗克違, 謂不違其時也.

육사에서는 부드러움을 덜어내는 기쁨만 말하였고, 여기에서는 또 굳셈을 얻어 보탬이 되는 길함을 말하였다. 위로 상구를 얻고 아래로 구이를 얻어 가운데가 빈 상을 이루기 때문에 '거북'이라고 하였다. 세 음이 포함된 리괘의 가운데이므로, '열 쌍의 거북'이라고 하였다. 열 쌍은 큰 조개로 의지하는 것이 더욱 크니, 굳센 양의 보탬을 얻은 것이 큰 거북을 얻은 것과 같다. 덜어내고 보태는 것은 때이므로 "어길 수 없다"고 하였으니, 그 때를 어기지 않는다는 말이다.

박제가(朴齊家) 『주역(周易)』

此有福力之元吉, 非義理之元吉. 其曰不克違者, 無必辭之義. 本義亦曰, 不能辭, 適丁其時, 而不去之謂. 象傳曰, 自上祐也, 歸之於命, 與大有之上九, 微有不同者, 是也.

여기에는 복력의 크게 길함이 있는 것이지 의리의 크게 길함이 아니다. "어길 수 없다"라고 한 것은 굳이 사양할 필요가 없다는 의미이다. 『본의』에서도 "어길 수 없다"고 했으니, 그 때와 꼭 맞아 떠나지 않는다는 말이다. 「상전」에서 "위로부터 돕는 것이다"라고 한 것은 천명으로 돌아간 것이니, 대유괘의 상구[64]와 조금 같지 않은 것이 여기에 해당한다.

박문건(朴文健) 『주역연의(周易衍義)』

尙賢得助, 故有弗違之象. 朋, 兩貝也. 龜, 大寶也.

현자를 높여 도움을 얻기 때문에 어길 수 없다는 상이 있다. 쌍은 조개껍질 두 개다. 거북은 큰 보배이다.

〈問, 十朋之龜. 曰, 損益之取龜, 與震二取貝之義同, 而與頤初取龜之義異也. 龜寶四品, 其直皆十朋, 則與十年之義, 亦異也.

물었다: '열 쌍의 거북'은 무슨 뜻입니까?

답하였다: 덜어내고 보태면서 거북을 취한 것은 진괘(震卦)의 이효에서 재물[貝][65]을 취한 의미와 같고 이괘(頤卦)의 초효에서 거북[66]을 취한 의미와 다릅니다.〉

〈○ 問, 或益之十朋之龜以下. 曰, 六五尙上九之賢, 故或者益之十朋之龜, 而五弗能辭避也, 所以大吉也.

물었다: "어떤 이가 열 쌍의 거북으로 보탠다" 이하는 무슨 뜻입니까?

답하였다: 육오는 현명한 상구를 높이므로, 어떤 이가 열 쌍의 거북을 보태면 오효가 사양하여 피할 수 없으니, 크게 길한 까닭입니다.〉

이지연(李止淵) 『주역차의(周易箚疑)』

龜者, 通神明之意者也. 或益之, 如神明之不克違者也, 故曰上自佑也. 鬼神害盈而福謙. 六二至上六, 有地有山, 謙之象. 柔順而虛中, 亦謙之意也.

거북은 신명에 통한다는 의미이다. 어떤 이가 보태는 것은 신명을 어길 수 없는 것과 같기 때문에 "위로부터 돕는 것이다"라고 하였다. 귀신은 차 있는 것을 해치고 겸허한 것에 복을 준다. 육이부터 상육까지는 땅이 있고 산이 있으니, 겸괘(謙卦☷)의 상이다. 유순하여 마음을 비운 것도 겸괘의 의미이다.

김기례(金箕澧) 「역요선의강목(易要選義綱目)」

不期而益, 故曰或.

기대하지 않았는데 보태기 때문에 '어떤 이'라고 하였다.

---

64) 『周易·大有卦』: 上九, 自天祐之, 吉无不利.

65) 『周易·震卦』: 六二, 震來厲, 億喪貝, 躋于九陵, 勿逐, 七日得.

66) 『周易·頤卦』: 初九, 舍爾靈龜, 觀我, 朶頤, 凶.

○ 卦體似離, 故取龜, 蓋外剛內柔之義.

괘의 몸체가 리괘와 비슷하기 때문에 거북을 취했으니 밖이 굳세고 안이 부드럽다는 의미이다.

○ 五柔順居尊, 以虛受人, 則來益者大矣.

유순한 오효가 존귀한 자리에 있어 비움으로 사람을 받아들이니, 와서 보태는 것이 많다.

○ 十朋之義, 不同. 程傳以爲衆朋助, 而卜筮弗能違. 朱子以爲益之以十朋之龜. 蓋元龜爲大寶, 故直二十貝. 凡二貝謂之一朋, 言或有益之以二十貝之龜, 則不能辭, 其吉也. 自上祐之, 卽自天祐之意.

십붕(十朋)의 의미가 같지 않다. 『정전』에서는 여러 벗들이 도우니 점도 어길 수 없다고 여겼다. 주자는 열 쌍의 거북으로 보태주는 것으로 여겼다. 원구(元龜)는 큰 보배이기 때문에 가치가 스무 개의 조개껍질에 해당한다. 조개껍질 둘을 한 쌍이라고 하는데, 어떤 이가 스무 개의 가치에 해당하는 거북으로 보태주면 사양할 수 없어 길하다는 말이다. '위로부터 돕는 것'은 하늘로부터 돕는다는 의미이다.

윤종섭(尹鍾燮) 『경(經) · 역(易)』

損, 二簋. 中虛爲簋, 而二爲兌數. 損益相反, 大象肖離, 取象於龜, 而互坤爲十朋.

손괘의 두 그릇. 가운데가 빈 것이 그릇이고, 둘은 태괘의 수이다. 덜어내고 보태는 것은 상반되니, 리괘와 닮은 꼴인 큰상은 거북에서 상을 취하였고, 호괘인 곤괘가 열 쌍이다.

이항로(李恒老) 「주역전의동이석의(周易傳義同異釋義)」

傳, 龜者, 決是非吉凶之物, 衆人之公論, 必合正理, 雖龜筮, 不能違也.

『정전』에서 말하였다: '거북'은 옳음과 그름, 길함과 흉함을 결단하는 물건이지만, 여러 사람의 공론이 반드시 바른 이치에 합한다면 비록 거북점과 시초점이라도 어길 수 없다.

本義, 兩龜爲朋, 十朋之龜大寶也. 或以此益之, 而不能辭. 〈小註, 離爲龜, 則損益二卦, 皆設龜. 此類甚多.〉

『본의』에서 말하였다: 거북 두 마리가 쌍[朋]이 되니, 열 쌍의 거북은 큰 보물이다. 어떤 이가 이것으로 보태어 사양할 수 없다. 〈소주에서 말하였다: 리괘(☲)는 거북이 되니, 손괘와 익괘 두 괘에서 모두 거북을 말하였다. 이러한 것들은 매우 많다.〉

按, 龜義, 以理言則程傳長, 以象言則本義實, 當叅觀而自擇.

내가 살펴보았다: 거북의 뜻은 이치로 말하면 『정전』이 뛰어나고, 상으로 말하면 『본의』가 알차니, 참고해서 스스로 골라야 한다.

심대윤(沈大允) 『주역상의접법(周易象義占法)』

損之中孚䷼, 取與之道, 旣有孚信, 不勉不求而自得, 有成法也. 六五以柔道居剛, 取多而與少者也. 得中而有應, 學雖多而不困, 取雖多而不求, 擧雖多而不勞, 得之自多, 而費之自少. 以學言之, 則曾子之友顔子也, 可學者多而可敎者少也. 以取言之, 則人主之賦於民也, 入多而出少也. 以擧言之, 則天子之取人也. 在內輔弼者多, 而在外治民者少也.

손괘가 중부괘(中孚卦䷼)로 바뀌었으니, 취하고 주는 도에 이미 믿음이 있어 힘쓰지 않고 구하지 않아도 저절로 얻으니 법을 이루는 것이다. 육오는 부드러운 도로 굳센 자리에 있어 취하는 것은 많고 주는 것은 적다. 알맞음을 얻어 호응함에 배운 것이 많을지라도 힘들지 않고, 취한 것이 많을지라도 요구하지 않으며, 뽑는 것이 많을지라도 수고롭지 않으니, 얻는 것은 저절로 많은데 소비하는 것은 적다. 배우는 것으로 말하면, 증자가 안자를 벗삼은 것으로 배워야 할 것은 많은데 가르쳐야 할 것을 적다. 취하는 것으로 말하면 임금이 백성들에게 세금을 걷는 것으로 들어오는 것은 많은데 나가는 것은 적다. 뽑는 것으로 말하면 천자가 사람을 취하는 것으로 안에서 보필하는 자는 많고 밖에서 다스리는 자는 적다.

或益之者, 謂二應而上祐也. 自我取人謂之損, 我不求取, 而自人與我, 故曰益. 離爲龜, 二上居離體, 而中有坤, 故曰十朋之龜. 朋, 合兩而爲一對也. 坤爲十龜, 卜利害吉凶者也. 人君爲天下取與之主, 而利害吉凶之所由生也. 不克違, 言不求而自至, 故不能違也. 艮背震動爲違三. 五人君也, 故取多而與少. 其取之將以與之也.

'어떤 이가 보태는 것'은 이효가 호응하고 상효가 돕는 것을 말한다. 나에게서 취한 것을 남들이 덜어냈다고 하는데, 내가 남에게 취하는 것으로 말하면 덜어내는 것인데, 내가 취함을 구하지 않는데도 스스로 사람들이 나에게 주었기 때문에 '보탰다'고 한다. 리괘가 거북이다. 이효와 상효는 리괘의 몸체에 있어 가운데 곤괘가 있기 때문에 '열 쌍의 거북'이라고 하였다. '쌍'은 둘을 합해 하나의 짝으로 한 것이다. 곤은 열 쌍의 거북으로 이익과 손해·길함과 흉함을 점치는 것이다. 임금은 천하를 취하고 주는 주인이어서 이익과 손해·길함과 흉함이 나오는 근원이다. '어길 수 없는 것'은 구하지 않았는데도 저절로 왔기 때문에 어길 수 없는 것이다. 간괘가 진괘의 움직임을 뒤집은 것이 삼효를 어기는 것이다. 오효는 임금이기 때문에 취하는 것은 많고 주는 것은 적다. 취하는 것은 주려는 것이다.

오치기(吳致箕) 「주역경전증해(周易經傳增解)」

六五柔順, 得中而居尊, 下應九二剛中之臣. 當損之時, 虛心而下賢, 損志而求益, 故乃至天下之助益, 不期而自至. 如十朋之寶龜, 或來相益, 亦皆順受而不克違, 故言大善而吉也.

유순한 육오가 알맞음을 얻고 존귀한 자리에 있으면서 아래로 구이라는 굳세고 알맞은 신하와 호응한다. 덜어내는 때에 마음을 비워 현자에게 낮추고 뜻을 덜어내어 보탬을 구하기 때문에 심지어 천하의 보탬을 기대하지 않아도 저절로 온다. 이를테면 열 쌍의 보배 같은 거북이 혹 와서 서로 보태는 것도 모두 순종하여 받고 어길 수 없기 때문에 크게 좋아서 길하다고 하였다.

○ 或者, 未定之辭. 兩爲朋, 而十言其多也. 十取互坤, 龜取於似離, 而言重寶也. 弗克違, 言來益者, 皆合於理, 故順受也.

'혹'은 정해지지 않았다는 말이다. 두 개가 '쌍'이고, '열'은 많음을 말한다. '열'은 호괘인 곤괘에서, '거북'은 리괘와 비슷한 것에서 취하여 귀중한 보배를 말하였다. '어길 수 없는 것'은 와서 보태주는 자가 모두 이치에 합하기 때문에 순종하여 받는다는 말이다.

이진상(李震相) 『역학관규(易學管窺)』

中互坤, 故言十, 下有兌體, 故言朋卦似厚離, 故有龜象, 然龜是玄武之精, 而坤居北, 疑卽坤體也. 或益者, 上九益之也. 十朋之者, 下皆益之也. 龜不克違, 如洪範之大同.

가운데가 호괘 곤괘이기 때문에 '열[十]'을, 아래에 태괘의 몸체가 있기 때문에 벗을 말하였다. 괘가 두터운 리괘와 비슷하기 때문에 거북의 상이 있지만 거북은 현무의 정령이고 곤괘는 북쪽에 속하니 곧 곤체인 것 같다. '혹 보태는 것'은 상구가 보태는 것이다. '벗이 열이라는 것'은 아래에서 모두 보태는 것이다. '거북도 어기지 못하는 것'은 「홍범」의 대동과 같다.

박문호(朴文鎬) 「경설(經說)·주역(周易)」

或益之爲句, 十朋之爲句, 殊不成文勢, 當以本義合作一句者爲正.

'혹 보태면'에서 구두를 끊고 '벗이 열이다'에서 구두를 끊으면 전혀 어세가 만들어지지 않으니, 『본의』에서 하나의 구절로 합한 것을 바르게 여겨야 한다.

象曰, 六五元吉, 自上祐也.

「상전」에 말하였다: "육오는 크게 길함"은 위로부터 돕는 것이다.

‖中國大全‖

傳

所以得元吉者, 以其能盡衆人之見, 合天地之理. 故自上天降之福祐也.

'크게 착해서 길함'을 얻게 된 것은 그가 여러 사람의 견해를 다하여 천지의 이치에 합할 수 있기 때문이다. 그러므로 하늘로부터 복을 내려주는 것이다.

‖韓國大全‖

김상악(金相岳) 『산천역설(山天易說)』

損之終有益之義, 故曰, 自上祐也. 與大有上九相似, 亦合於繫辭傳之旨. 柔中爲孚, 是履信也. 三五互坤, 是思順也. 上九自三而上, 是尙賢也.

손괘의 끝에 보태는 의미가 있기 때문에 "위로부터 돕는 것이다"라고 하였으니, 대유괘의 상구[67]와 서로 비슷하고, 또한 「계사전」의 뜻에 부합한다. 부드러운 가운데 믿음이 있으니, 이것은 믿음을 행한 것이다. 삼효부터 오효까지는 곤괘이니 순종함을 생각하는 것이다. 상구가 삼효에서 올라간 것은 현자를 숭상하는 것이다.

---

67) 『周易·大有卦』: 上九, 自天祐之, 吉无不利.

김규오(金奎五) 「독역기의(讀易記疑)」

六五象, 上祐, 丘氏以上九當之. 然捨二言上, 何也. 二有不待言者而然耶. 雖以上爲
上天, 亦似以上九來, 自乾體而言.

육오의 「상전」에서 "위로부터 돕는 것이다"에서 구씨는 상구를 그것에 해당시켰다. 그런데
이효를 버리고 상효를 말한 것은 무엇 때문인가? 이효는 말할 필요가 없어 그런 것인가?
위를 하늘로 여기는 것도 상구가 오는 것과 비슷하니, 건의 몸체로 말한 것이다.

서유신(徐有臣) 『역의의언(易義擬言)』

成卦由於上九, 五受其益也.

괘를 이룸이 상구로 말미암고, 오효가 그 보탬을 받는다.

박문건(朴文健) 『주역연의(周易衍義)』

上, 謂上天也.

'위'는 하늘을 말한다.

〈問上非上九歟. 曰, 觀爻辭或之一字, 則上乃是上天也.

물었다: '위'는 상구가 아닙니까?

답하였다: 효사의 '혹' 한 글자를 보면 '위'는 바로 하늘입니다.〉

심대윤(沈大允) 『주역상의점법(周易象義占法)』

二之應五易知, 而上之祐五難知, 故獨言自上祐也.

이효가 오효와 호응하는 것은 알기 쉽고 상효가 오효를 돕는 것은 알기 어렵기 때문에 오로
지 "위로부터 돕는 것이다"라고 말하였다.

오치기(吳致箕) 「주역경전증해(周易經傳增解)」

受天下之益, 大善而吉者, 自上天降之福祐也.

천하의 보탬을 받아 크게 선하고 길한 것은 하늘에서 복을 내려주어 돕는 것이다.

이병헌(李炳憲) 『역경금문고통론(易經今文考通論)』

按, 上恐指上九.

내가 살펴보았다: '위[上]'는 상구를 가리킨 것 같다.

上九, 弗損, 益之, 无咎, 貞吉, 利有攸往. 得臣, 无家.

정전 상구는 덜지 않고 보태면 허물이 없고, 곧고 길하니, 가는 것이 이롭다. 신하를 얻음이 집안에서 만이 아니다.

본의 상구는 덜지 않더라도 보탤 것이니 허물이 없지만, 곧으면 길하여 가는 것이 이롭다. 신하를 얻음이 집안에서만이 아니다.

▌中國大全▐

傳

凡損之義有三, 損己從人也, 自損以益於人也, 行損道以損於人也. 損己從人, 徙於義也, 自損益人, 及於物也, 行損道以損於人, 行其義也, 各因其時, 取大者言之. 四五二爻, 取損己從人, 下體三爻, 取自損以益人, 損時之用, 行損道以損天下之當損者也. 上九, 則取不行其損爲義, 九居損之終, 損極而當變者也. 以剛陽居上, 若用剛以損削於下, 非爲上之道, 其咎大矣. 若不行其損, 變而以剛陽之道, 益於下則无咎, 而得其正且吉也. 如是則宜有所往, 往則有益矣. 在上能不損其下而益之, 天下孰不服從. 從服之衆, 无有內外也. 故曰, 得臣无家, 得臣, 謂得人心歸服, 无家, 謂无有遠近內外之限也.

손(損)의 뜻은 셋이 있으니 자기를 덜어서 남을 따름과 스스로 덜어서 남에게 보태줌과 덜어내는 도리를 행하여 남에게서 덜어냄이다. 자기를 덜어 남을 따름은 의(義)로 옮기는 것이고, 스스로 덜어서 남에게 보탬은 사물에 미치는 것이고, 덜어내는 도리를 행하여 남에게서 덜어냄은 그 의(義)를 행하는 것이니, 각기 그 때에 따라 큰 것을 취해서 말하였다. 사효와 오효 두 효는 자기를 덜어 남을 따름을 취하였고, 하체의 세 효는 스스로 덜어 남에게 보태줌을 취하였으니, 덜어내는 때의 쓰임은 덜어내는 도리를 행하여 천하의 마땅히 덜어야 할 것을 덜어내는 것이다. 상구에서 그 덜어냄을 행하지 않는 것을 취하여 뜻으로 삼은 것은 양으로 손괘의 끝에 있음으로 덜어냄이 극에 이르러 마땅히 변할 자이기 때문이다. 굳센 양으로 위에 있으니 굳셈을 써서 아래에서 덜어내어 깎는다면 윗사람이 된 도리가 아니어서 그 허물이 클 것이다. 만약 그 덜어냄을 행하지 않고 변하여 굳센 양의 도리로써 아래에 보태주면 허물이 없어 그 바름과 길함을 얻을 것이다. 이와 같이 하면 마땅히 갈 곳이 있으니, 가면 유익함이 있을 것이다. 위에 있으면서 그 아래에서 덜지 않고 보태줄 수 있다면 천하에 누가 복종하지 않겠는가? 따르고 복종하는 무리가 안팎이 없기 때문에 "신하를 얻음이 집안에서만이 아니다"라 하였으니, "신하를 얻음"은 인심이 돌아와 복종함을 얻는다는 말이고, "집안에서만이 아니다"는 멀고 가까움, 안팎의 제한이 없음을 말한다.

本義

上九當損下益上之時, 居卦之上, 受益之極而欲自損以益人也. 然居上而益下, 有所謂惠而不費者, 不待損己然後, 可以益人也. 能如是則无咎. 然亦必以正, 則吉而利有所往, 惠而不費, 其惠廣矣. 故又曰得臣无家.

상구가 아래에서 덜어 위에 보태는 때에 괘의 꼭대기에 있으니, 보태줌을 받음이 극에 달하여 스스로 덜어 남에게 보태려고 한다. 그러나 위에 있으면서 아래에 보태줌은 이른바 "은혜를 베풀되 허비하지 않는다"는 것이 있으니, 자기에게 덜어낼 필요가 없는 다음에 남에게 보태줄 수 있다. 이와 같을 수 있다면 허물이 없다. 그러나 또한 반드시 바르게 하면 길하여 가는 것이 이롭다. 은혜를 베풀되 허비하지 않음은 그 은혜가 넓은 것이므로 또 "신하를 얻음이 집에서만이 아니다"라고 하였다.

小註

朱子曰, 得臣无家, 猶言化家爲國相似. 得臣, 有家, 其所得也小矣, 无家則可見其大.
주자가 말하였다: "신하를 얻음이 집안에서만이 아니다"는 "집안을 바꾸어 나라로 만들었다"고 말하는 것과 비슷하다. "신하를 얻음이 집안에서이다"는 그 얻은 바가 작은 것이고, "집안에서만이 아니다"이면 그 큼을 알 수 있다.

○ 雲峰胡氏曰, 弗損益之, 上與二辭同而意異. 二當益上之時, 不損其所守, 乃所以益上. 上受益旣至于極, 則又當推以益下, 然有不待損己而後, 可以益人者, 所謂惠而不費, 是也. 惠而不費, 其惠也廣. 故得臣无家, 其得也大. 然曰无咎, 又曰貞吉, 利有攸往者, 九二先言利貞, 而後言弗損益之, 二剛中无有不貞者, 貞其所有也. 上九曰弗損益之, 无咎, 而又曰貞吉者, 上以剛居益之極, 貞其所欠也, 故戒之.
운봉호씨가 말하였다: "덜지 않더라도 보탤 것이다"는 상효와 이효의 말이 같지만 뜻은 다르다. 이효는 마땅히 위에 보태야 하는 때에 그 지키는 바를 덜어내지 말아야 위에 보탠다는 것이다. 상효는 보태줌을 받음이 이미 지극하니 또한 미루어 아래에 보태야 하지만, 자기를 덜어낼 필요 없이 한 다음에 남들에게 보탤 수 있는 자이니, 이른바 "은혜를 베풀되 허비하지 않는다"는 것이 여기에 해당한다. "은혜를 베풀되 허비하지 않음"은 그 베풂이 넓음이다.

그러므로 신하를 얻음이 집에서만이 아니니, 그 얻음이 크다. 그러나 "허물이 없다"고 하고, 다시 "곧으면 길하여 가는 것이 이롭다"고 한 것은, 구이(九二)에서 먼저 "곧게 함이 이롭다"고 하고, 뒤에 "덜지 말아야 보태줄 것이다"라고 한 것은 이효가 굳세고 알맞아 곧지 않음이 없어 '곧음'이 그것에 있기 때문이고, 상구에서 "덜지 않더라도 보탤 것이니 허물이 없다"고 하고, 또 "곧으면 길하다"고 한 것은 상효가 굳센 양으로 보태줌이 지극한 때에 있으면서 '곧음'이 그것에 부족하기 때문에 경계하였던 것이다.

∥韓國大全∥

조호익(曺好益) 『역상설(易象說)』

上受三之益, 不可更損以益三. 故曰弗損, 亦艮止象. 益三柔虛, 象上不正, 故曰貞吉利有攸往. 象主上九言, 爻亦言之. 得臣, 指下五爻, 家, 指五四三, 卦體外實中虛有家象, 又艮門庭象. 五四同體, 三其應也, 无家, 指二初. 二初異體而非應也.

상효는 삼효의 보탬을 받았으니, 다시 덜어내어 삼효에 보태서는 안된다. 그러므로 '덜지 않더라도'라 한 것도 또한 간괘의 멈추는 상이다. 비어 있는 부드러운 세 효에 보태주는 것은 상효가 바르지 않은 것을 상징한다. 그러므로 "곧으면 길하여 가는 것이 이롭다"라고 하였으니, 「단전」에서는 상구를 주로 하여 말하여 효사에서도 말하였다. '신하를 얻음'은 아래의 다섯 효를 가리키고, '집안'은 오효·사효·삼효를 가리키니, 괘의 몸체가 밖은 차있고 안은 비어 집안의 상이 있고, 또 간괘에 가문의 상이 있다. 오효·사효는 같은 몸체이고 삼효는 호응하는 것이니, "집안에서만이 아니다"는 이효와 초효를 가리킨다. 이효와 초효는 몸체가 다르고 호응이 아니다.

홍여하(洪汝河) 「책제(策題):문역(問易)·독서차기(讀書箚記)-주역(周易)」

无咎, 可貞, 上九之謂. 上曰得臣, 卽三之友.

'허물이 없음'은 곧을 수 있음이니, 상구를 말한다. 상효에서 '신하를 얻음'이라고 한 것은 곧 삼효의 친구이다.

송시열(宋時烈) 『역설(易說)』

以此爻觀之, 卦象元吉无咎可貞利往, 贊上九之辭. 處損之極, 反爲益下也. 爻居高位, 得九三之臣, 然非君位, 故云无家. 來氏云, 无无家者忘家也. 三專以奉上爲心, 不自私家也, 亦通. 然則得忘家之純臣之謂也.

여기의 효로 보면 「단전」의 "크게 길하며 허물이 없어서, 곧게 할 수 있기에 가는 것이 이롭다"는 상구를 찬미하는 말이다. 덜어냄의 끝에 있어 도리어 아래에 보태주는 것이 되었다. 효가 높은 자리에 있어 구삼의 신하를 얻었지만 임금의 자리가 아니기 때문에 "집안에서만이 아니다"라고 하였다. 래지덕은 "집안에서만이 아니다"를 "집안을 잊은 것"[68]이라고 하였다. 삼효는 오로지 윗사람 받드는 것으로 마음을 삼아 스스로 집안을 사사롭게 하지 않는다는 것도 통한다. 그렇다면 집안을 잊는 순수한 신하를 얻는 것을 말한다.

이익(李瀷) 『역경질서(易經疾書)』

上九, 卽賓師協輔者, 故與九二同辭. 得臣無家, 得字屬六五, 臣字屬上九. 孟子曰, 孟獻子有友五人焉, 獻子之與此五人者, 友也, 無獻子之家者也. 此不獨臣以不損爲益君, 亦友之, 而無其國家也, 始以无咎, 終以貞吉, 宜哉.

상구는 곧 빈객의 대접을 받는 학자로 협조하고 보좌하는 자이기 때문에 구이와 말이 같다. '신하를 얻음이 집안에서만이 아니다'에서 '얻음'은 육오에 속하고 '신하'는 상구에 속한다. 맹자가 "맹헌자에게 벗 다섯이 있었는데, 그가 이들과 벗할 적에 이들은 헌자의 집안을 의식함이 없었던 자들이다"[69]라고 하였다. 이것은 신하가 덜어내지 않음을 임금에게 보태는 것으로 여겼을뿐만 아니라 또 벗할 적에 그 나라와 집안을 의식하지 않았던 것이니, 처음에는 허물이 없을 것이고 끝에는 곧고 길하여 마땅할 것이다.

유정원(柳正源) 『역해참고(易解參攷)』

漢上朱氏曰, 易外以內爲家, 四以初, 五以二, 上以三, 外本於內也.

한상주씨가 말하였다: 역의 외괘는 내괘를 집안으로 여겨 사효는 초효를, 오효는 이효를, 상효는 삼효를 사용하니, 외괘는 내괘를 근본으로 하기 때문이다.

○ 雙湖胡氏曰, 或曰不損益之, 與二辭同義異. 蓋上本陰爻, 乃受三之益而成九, 故言

---

68) 『周易集註 · 損卦』: 无家者, 此爻變坤, 有國無家之象也, ⋯. 若以理論, 乃國爾忘家, 無自私家之心也.
69) 『맹자 · 만장하』.

不損益之謂, 非所當損, 乃受益者也. 本陰得陽, 无咎之道, 但不正, 故戒利有攸往. 上應乎三, 得臣无家, 三應乎上, 故三曰得友, 上曰得臣.

쌍호호씨가 말하였다: 어떤 이가 "'덜어내지 않더라도 보탤 것이다不損益之]'는 이효의 '덜지 말아야 보태주는 것이다不損益之]'와 말은 같지만 의미는 다르다"라고 하였다. 상효는 본래 음효인데, 삼효의 보탬을 받아 구(九)가 되었기 때문에 덜어내지 않더라도 보탤 것이라는 말을 하였으니, 덜어내야 할 것이 아니라 보탬을 받아야 할 것이다. 본래 음이 양을 얻는 것은 허물이 없는 도인데, 단지 바르지 않기 때문에 가는 것이 이롭다고 경계하였다. 상효가 삼효와 호응하여 신하를 얻음이 집안에서만이 아니고, 삼효가 상효와 호응하기 때문에 삼효에서 "벗을 얻는다"고 하고, 상효에서 "신하를 얻음"이라고 하였다.

○ 案, 處損之極, 无可損之事, 唯當受人之益者也.

내가 살펴보았다: 덜어냄의 끝에 있어 덜어낼 일이 없으니, 오직 사람들이 보태는 것을 받아야 하는 것이다.

김상악(金相岳) 『산천역설(山天易說)』

上九以陽剛處艮之終, 受益之極, 欲自損以益人也. 然居上而益下, 有不待損己而益之, 故无咎也, 正而吉也. 又比五應三, 互爲震坤, 故利有攸往, 得臣无家.

상구는 굳센 양으로 간괘의 끝에 있고 보탬을 받는 끝이어서 자신에게 덜어내어 남에게 보태려고 한다. 그러나 상효에 있으면서 아래에 보태는 것은 자신에게 덜어내어 보탤 필요가 없기 때문에 허물이 없고 곧아서 길하다. 또 오효와 가깝고 삼효와 호응하며 호괘가 진괘와 곤괘이기 때문에 가는 것이 이롭고 신하를 얻음이 집안에서만이 아니다.

○ 艮體篤實, 故曰弗損益之. 上與二辭同而意異, 二之弗損, 以志言, 上之弗損, 以事言, 故有征凶利往之別. 卦辭曰, 元吉无咎, 承有孚以言, 爻辭曰, 无咎貞吉, 因弗損以言, 貞吉, 卽可貞也. 往者, 震之象, 與益象同. 弗損, 本自泰而成, 而損益之, 則三變爲泰. 泰之三曰, 无往不復, 故此曰, 利有攸往. 益則自否而成, 故以變益而言也. 陽爲君, 陰爲臣, 九三損一人, 則爲得友, 上九得正應, 則爲得臣. 家者, 艮之象, 曰无家者, 以變而言. 師之坤, 不變, 則曰開國, 變則曰承家, 是也. 又上互剝體, 得臣, 卽民所載也, 无家卽小人剝廬也. 然得臣无家, 猶言化家爲國, 所以易春秋美惡不嫌同辭. 五之元吉, 卽自上之祐也, 上之得臣, 弗損而益之也. 五之功, 由上而成也.

간괘의 몸체는 독실하기 때문에 "덜지 않더라도 보탤 것이다"라고 했다. 상효는 이효와 말이 같고 뜻이 다르니, 이효의 '덜지 말아야[弗損]'는 뜻으로 말했고, 상효의 "덜지 않더라도"는 일로 말했다. 그러므로 '가면 흉하고'와 '가는 것이 이롭다'의 차이가 있다. 괘사에서 "크게 착하고 길하며 허물이 없다"는 "믿음이 있다"를 이어 말했고, 효사에서 "허물이 없지만 곧으면 길하다"는 "덜지 않더라도"로 말미암아 말했으며, "곧으면 길하다"는 곧 "곧게 할 수 있다"는 것이다. '가는 것'은 진괘의 상이니, 익괘의 단사와 같다. '덜지 않더라도'는 본래 태괘(泰卦䷊)에서 이루어졌던 것인데 덜어내고 보태니 삼효가 변하여 태괘가 되었다. 태괘(泰卦䷊)의 삼효에서 "가서 돌아오지 않은 것은 없다"고 했기 때문에 여기에서 "가는 것이 이롭다"라고 하였다. 익괘(益卦䷩)는 비괘(否卦䷋)에서 이루어졌기 때문에 익괘(益卦䷩)를 변화해서 말하였다. 양은 임금이고 음은 신하이니, 구삼이 한 사람을 덜어내는 것은 벗을 얻는 것이고, 상구가 바른 호응을 얻는 것은 신하를 얻는 것이다. 집안은 간괘의 상이니, "집안에서만이 아니다"는 변화로 말한 것이다. 사괘(師卦䷆)의 곤괘(坤卦☷)가 변하지 않으면 "나라를 연다"고 하고, 변하면 "가문을 잇는다"[70]고 하는 것이 여기에 해당한다. 또 위로 박괘(剝卦䷖)의 몸체가 갈마드니 "신하를 얻음"은 곧 "백성들이 추대한 것"[71]이고, "집안에서만이 아니다"는 곧 '소인은 집을 허물 것'[72]이라는 것이다. 그러나 "신하를 얻음이 집안에서만이 아니다"는 "집안을 바꾸어 나라로 만들었다"라고 말하는 것과 같기 때문에 『주역』과 『춘추』에서 아름답게 여기는 것과 싫어하는 것 및 혐의를 두지 않는 것은 말이 같다. 오효의 '크게 길한 것'은 곧 '위로부터 돕는 것'이고, 상효의 '신하를 얻음'은 "덜지 않더라도 보탤 것이다"는 것이며, 오효의 공은 상효에서 이루어진 것이다.

김규오(金奎五) 「독역기의(讀易記疑)」

上九爻辭, 與卦辭略同, 疑以上爲成卦之由, 而以陽居高爲一卦之主故也. 弗損益之, 亦與六二文同意殊, 其說固當如本義. 而原其取象, 蓋謂不損而實益之耳. 以爻本損陰益陽而成也. 又按, 損極則益, 益極則損, 損益之義, 實如泰否. 若以益上九莫益或擊之例推之, 此爻不損益之, 雖主傳說恐亦好矣.

상구의 효사가 괘사와 대략 같은 것은 아마 상효를 괘가 완성된 연유로 여기고 양이 높이 있는 것을 한 괘의 주인으로 여겼기 때문일 것이다. "덜지 않더라도 보탤 것이다"는 육이와 말이 같고 의미가 다르니, 그 설명은 진실로 『본의』와 같아야 한다. 그런데 상을 취한 근원은 덜어내지 않더라도 실로 보태는 것을 말할 뿐이다. 효가 본래 음에서 덜어내고 양에 보태어 완성되었기 때문이다.

---

70) 『周易·師卦』: 上六, 大君有命, 開國承家, 小人勿用.
71) 『周易·剝卦』: 象曰, 君子得輿, 民所載也, 小人剝廬, 終不可用也.
72) 『周易·剝卦』: 上九, 碩果不食, 君子得輿, 小人剝廬.

또 내가 살펴보았다. 손괘가 다하면 익괘이고 익괘가 다하면 손괘이니, 손괘와 익괘의 의미
는 실로 태괘나 비괘와 같다. 만약 익괘의 상구는 "보태주는 이가 없으니 혹 칠 것이다"로
미루면, 손괘 구효의 "덜지 않더라고 보탤 것이다"는『정전』의 설명을 주로할지라도 좋을
듯하다.

서유신(徐有臣)『역의의언(易義擬言)』

損柔得剛, 匪損伊益也. 上九爲損之成, 而卽是其道上行, 損而有孚者, 故无咎貞吉利
有攸往, 與卦辭同也. 得臣, 得三之益也, 无家, 如春秋傳所謂毁室也.

부드러움을 덜어내 굳셈을 얻었으니, 저 보탬을 덜어낸 것이 아니다. 상구에서 덜어냄이
완성되어 곧 "그 도가 위로 행하는 것"이고, "덜어내어 믿음이 있는 것"이다. 그러므로 "허물
이 없지만 곧으면 길하여 가는 것이 이롭다[无咎, 貞吉, 利有攸往]"는 "허물이 없고 곧게
할 수 있으며, 가는 것이 이롭다[无咎, 可貞, 利有攸往]"는 괘사와 말이 같다. "신하를 얻음"
은 삼효의 보탬을 얻은 것이고, "집안에서만이 아니다"는『춘추좌씨전』에서 말한 "집을 허물
다"는 것과 같다.

박제가(朴齊家)『주역(周易)』

上九弗損益, 見上. 得臣无家, 在三則爲得友, 在九則曰得臣. 无家者, 謂不以陰陽之私
也. 傳及本義, 亦得大意. 若曰, 益於下爲不費之惠, 則此爻已成, 益之初矣. 將變益,
故利攸往, 將變而未及變, 故曰弗損. 又弗益, 雖有合, 而亦无私也.

"상구는 덜지 않더라도 보탤 것이니"에 대해서는 앞을 참고하라. "신하를 얻음이 집안에서만
이 아니다"는 삼효에서는 "벗을 얻는 것"이고, 상구에서는 "신하를 얻음"이라고 했다. "집안
에서만이 아니다"는 음양의 사사로움으로 하지 않는다는 말이다.『정전』과『본의』도 큰 의
미는 얻었다. 아래에 보태는 것이 소비하지 않는 은혜라고 한다면, 여기의 효가 이미 이루어
졌으니, 익괘의 초효이다. 익괘로 변하려고 하기 때문에 가는 것이 이롭고, 변하려고 하면서
도 아직 변하지 않았기 때문에 "덜지 않더라도"라고 하였다. 또 보태지 않고 합할지라도 사
사로움이 없다.

象傳曰, 大得志者, 以陽剛之才, 處富厚之上, 不犯手而自享其利, 天下太平之象也.
「상전」에서 "크게 뜻을 얻음이다"라고 한 것은 양의 굳센 재질로 넉넉하고 두터운 상효에
있어 마음대로 써버리지 않고 그 이로움을 스스로 누리니 천하가 태평한 상이다.
程子謂損有三義. 損已從人, 一也, 自損益人, 二也, 行損道, 以損天下之當損者, 三也.

傳曰, 四五二爻, 取損已從人, 下體三爻, 取自損益人, 損天下之當損. 但損下益上, 與損上益下之義, 非他, 皆從財而言者, 卽大學末章之事也. 若夫損天下之當損者, 則自禁暴止亂,[73] 至於禮樂刑政, 無非當損, 非上下之可論. 惟自損益人爲財義, 然乃益之道, 如損己從人, 卽益之. 大象遷善之義在損. 則象之二簒, 大象之懲忿窒欲, 皆只說損. 不說從人益人者, 涉於益故也.

정자가 손(損)의 뜻은 셋이 있으니 자기를 덜어서 남을 따른 것이 하나이고, 스스로 덜어서 남에게 보태주는 것이 둘이며, 덜어내는 도리를 행하여 천하에서 덜어내야 할 것을 덜어냄이 셋이라고 하였다. 『정전』에서 "사효와 오효 두 효는 자기를 덜어 남을 따름을 취하였고, 하체의 세 효는 스스로 덜어 남에게 보태줌을 취하였으니, 천하의 마땅히 덜어야 할 것을 덜어내는 것이다"라고 하였다. 다만 아래에서 덜어내 위에 보태는 것과 위에서 덜어내 아래에 보태는 뜻은 다른 것이 아니라 모두 재물로 말한 것이니, 곧 『대학』에서 마지막 장의 일이다. 천하의 마땅히 덜어야 할 것을 덜어내는 것이라면, 난폭함을 금지하는 것에서 예악과 형정까지 덜어내야 될 것 아닌 것이 없으니, 상하로 논할 수 있는 것이 아니다. 오직 자신에게 덜어내 남에게 보태는 것을 재물의 의미로 여기지만 이에 보태는 도리는 이를테면 자신에게 덜어내고 남을 따르는 것으로 바로 보태는 것이다. 「대상전」에서 선으로 고치는 의미가 덜어냄에 있는 것은 「단전」의 '그릇 둘'과 「대상전」의 '분노를 자제하고 욕심을 막는 것'이니, 모두 단지 덜어냄을 설명했을 뿐이다. 남을 따라 남에게 보태는 것을 설명하지 않았던 것은 보태는 것에 관계되기 때문이다.

至於爻辭, 則專爲爲人上者, 有損下自益之慮而說, 故於初以速從上志爲无咎, 恐其拂上之意而加損也. 又必曰, 酌損之者, 象外之戒也. 二則不動. 三則惟恐其損之多, 旣損其一, 則二矣, 二猶以爲多, 必曰一人. 至於四, 則反言損民疾, 非徒不欲損其財, 乃反欲損其疾苦. 五爲損主, 而歸之于時命之適然, 九又不動發其將變爲益之象. 此六爻序次, 全體之義也. 夫說損而纏及於益, 則失文王之象, 因象傳而說大象, 則又失孔子之旨. 不說卦之所云損益者, 專爲財, 而以修已治人之義理說六爻, 則又失周公之旨矣. 蓋象傳之損下益上, 不釋象而卻釋爻義, 主大象, 又若說象者, 所以致此紛紜也.

효사에서 임금으로만 한 것은 아래에서 덜어내 자신에게 보태려는 생각이 있어 설명했기 때문에 초효에서는 빨리 윗사람의 뜻을 따르는 것을 허물이 없는 것으로 여기고 윗사람의 의도를 어기는 것을 염려하여 덜어냄을 더했다. 또 반드시 "참작하여 덜어낸다"고 했던 것은 상 밖의 경계이다. 이효는 움직이지 않는 것이다. 삼효는 단지 많은 것을 덜어낼 것에 대한 염려로 이미 그 하나를 덜어냈다면 둘이고, 둘도 여전히 많다고 여겨 '한 사람'이라고 굳이 말했던 것이다. 사효는 도리어 백성들의 병을 덜어내는 것을 말했으니, 한갓 그 재물을 덜어내지 않으려고 한 것이 아니라 도리어 그 병과 고통을 덜어내려고 했다. 오효는 손괘의 주인이어서 당시의 천명에 맞는 것으로 돌아가려고 했고, 상구는 또 익괘의 상으로 변하려는 것을 움직여 드러내지 않았다. 여기에서 여섯 효의 차례가 전체의 의미이다. 손괘를 설명하면서 익괘에 대해 언급하는 것은 문왕의 「단사」를 놓치는 것이고, 「단전」을 근거로 「대상전」을 한 것은 또 공자의 의도를 놓치는 것이다. 괘에서 말한 덜어내고 보태는 것이 오로지 재물이라고 설명하지 않고 수기치인의 의리로 여섯 효를 설명하는 것은 또 주공의 뜻을 놓치는 것이다. 「단전」의 아래에서 덜어내 위에 보태는 것은 단사를 해석하지 않고 효의 의미를 해석한 것이며, 괘 전체 상을 주로 하여 단사를 설명하는 것처럼 했기 때문에 이렇게 어렵게 되었다.

박문건(朴文健) 『주역연의(周易衍義)』

處上信下, 故有弗損之象. 臣, 謂在下三陰也, 家, 謂卿大夫之家也.

위에 있으면서 아래를 믿기 때문에 덜지 않는 상이 있다. '신하'는 아래에 있는 세 음을, '집안'은 경대부의 집안을 말한다.

〈問, 弗損益之以下. 曰, 上九處高, 而信六三, 故下弗損己, 而用益也. 雖无咎, 用[74]貞以威, 則吉也. 信下而往從, 故云利有攸往. 得宰而失家, 故云得臣无家也. 雖得臣反害其家, 故取此義也. 蓋上九與一人則得益, 與三人, 則致損也.

물었다: '덜지 않더라도' 이하는 무슨 뜻입니까?

답하였다: 상구가 높이 있으면서 육삼을 믿기 때문에 아래로 자신에게서 덜어내지 않고 보탬을 사용합니다. 허물이 없지만 곧음을 사용하여 위엄이 있으니 길합니다. 아래를 믿고 가서 따르기 때문에 "가는 것이 이롭다"고 하였습니다. 벼슬을 얻어 집안을 잃었기 때문에 "신하를 얻어 집안이 없다"고 하였습니다. 신하를 얻었지만 도리어 집안에 해가 되기 때문에 이런 의미를 취하였습니다. 상구가 한 사람과 함께 하면 보탬을 얻고 세 사람과 함께 하면 덜어내게 됩니다.〉

이지연(李止淵) 『주역차의(周易箚疑)』

居損之上, 受益之極, 損將變而爲益下之道. 如以李正已所獻錢三十萬, 因賜淄靑將士, 此所謂不損而益者也.

---

74) 用: 경학자료집성DB에는 '川'으로 되어 있으나, 경학자료집성 영인본을 참조하여 '用'으로 바로잡았다.

손괘의 위에 있어 보탬의 극치를 받으니, 덜어냄이 변하여 아래에 보태는 도가 될 것이다. 이를테면 이정기(李正己)는 헌납한 30만전으로 치청장사(淄靑將士)를 하사받았으니, 이것이 이른바 덜어내지 않고 보탠 것이다.

김기례(金箕澧) 「역요선의강목(易要選義綱目)」

上受益極, 故有益得臣无家下之義. 不待損己而益. 所謂不費之惠, 惠廣故得人之心多, 而不可以一二家計, 則无不往利矣

상효가 보탬의 궁극을 받았기 때문에 보태면 신하를 얻음이 집안에서만이 아니라는 의미가 있다. 자신에게서 덜어내 보탤 필요가 없다. 이른바 허비하지 않는 은혜는 은혜가 광대하기 때문에 사람들의 마음을 얻는 것이 많아서 한 두 가구로 헤아릴 수 있는 것이 아니니 가는 것이 이롭지 않음이 없다.

贊曰, 山下澤深, 其山益嵬. 陰陽待對, 一往一來 二簋用享, 誠心相開. 損民益君, 不宜過裁.

찬미하여 말하였다: 산이 아래에 있고 못이 깊으니, 그 산이 더욱 높네. 음과 양이 대대하니 한 번 가고 한 번 오네. 그릇 둘로도 제사를 지내니, 진실한 마음이 서로 통하네. 백성들에게서 덜어내 임금에게 보태도 마땅히 지나치지 않네.

이항로(李恒老) 「주역전의동이석의(周易傳義同異釋義)」

按, 上九居損之上, 所以損己益人者, 廣及天下. 以一人之損廣及天下而无限者, 以道, 不以力不以財也, 是乃所謂, 惠[75]而不費也. 餘見上.

내가 살펴보았다: 상구가 손괘의 끝에 있으면서 자신에게 덜어 남에게 보태는 것을 천하에 널리 미쳤다. 한 사람의 덜어냄을 천하에 널리 미쳤는데 제한이 없는 것은 도를 사용한 것이지 힘과 재물로 한 것이 아니니, 이것이 바로 이른바 은혜를 베풀되 허비하지 않는 것이다. 나머지는 앞에 있다.

심대윤(沈大允) 『주역상의점법(周易象義占法)』

損之臨䷒, 下接也. 上九以剛德居柔, 取少而與多者也. 居損之終, 而下有三陰之從應二陽之低拜, 所得既富, 能推以施之也. 上九去乾二陽, 而得坤二陰, 以實易虛者也. 學

---

75) 惠: 경학자료집성DB에는 '患'으로 되어 있으나, 경학자료집성 영인본을 참조하여 '惠'로 바로잡았다.

於友, 而推以教弟子, 取於民, 而推以養其臣, 舉於衆, 而推以治官事, 所與者有形, 所取者无形. 我之取於人, 則以虛易實, 費我智力而得之也. 我之與乎人, 則以實易虛, 與之而得其智力也. 其取之與之者, 皆所以自爲也, 而爲人在其中矣, 聖人之忠恕中庸, 是也.

손괘가 림괘(臨卦䷒)로 바뀌었으니, 아래로 접하는 것이다. 상구는 굳센 덕으로 부드러운 자리에 있으니 취하는 것은 적고 주는 것은 많은 자이다. 손괘의 끝에 있으면서 아래에 세 양이 따르고 호응하고 두 양이 와서 절하니 얻은 것이 이미 넉넉하여 미루어 베풀 수 있다. 상구가 건괘의 두 양을 제거하고 곤괘의 두 음을 얻었으니 차 있는 것을 비어 있는 것으로 바꾼 자이다. 벗에게 배워 미루어 제자에게 가르치고, 백성들에게 취해 미루어 신하들을 기르며, 무리에서 뽑아 미루어 관의 일을 처리하니, 주는 것은 형태가 있지만 취하는 것은 형태가 없다. 내가 남에게 취하면, 비어 있는 것을 차 있는 것으로 바꿈에 나의 지력을 소비하여 얻는다. 내가 남에게 주면, 차 있는 것을 비어 있는 것으로 바꿈에 주어서 그들의 지력을 얻는다. 취하고 주는 것을 모두 내가 한 것인데 남들이 그 속에 있으니, 성인의 충서와 중용이 여기에 해당한다.

无咎, 言與之之爲取之也. 貞吉, 旣正而又吉也. 利有攸往, 言惠而不費, 可以作爲也. 得臣, 言得人之知力也. 无家, 言无私畜也. 艮爲得對, 遯爲巽臣, 亦有舍舊從新之義也. 艮爲家, 兌爲无, 言无家, 則取本卦言, 得臣, 則取對卦也. 夫道也財也, 俊乂也, 天下之公物也, 不可以爲私畜也. 公則可以得常也, 私則不可復得也. 損終而推施者, 大公之道也, 君子之知也. 損之初上无位, 二有位而卑. 故以剛居之, 其位高者, 皆以柔居之也.

'허물이 없는 것'은 주어서 취했다는 말이다. '곧고 길한 것'은 이미 곧아서 또 길한 것이다. '가는 것이 이로운 것'은 은혜를 베풀지만 소비하지 않아 일을 할 수 있는 것이다. '신하를 얻음'은 남들의 지력을 얻는다는 말이다. '집안에서만이 아니라는 것'은 사사롭게 쌓아놓지 않는다는 말이다. 간괘(艮卦)가 상대를 얻고, 돈괘(遯卦)가 겸손한 신하인 것에도 옛것을 버리고 새것을 따르는 의미가 있다. 간괘가 집이고 태괘가 없음이니, '집안에서만이 아닌 것'을 말한 것은 본괘를 취하여 말한 것이고, '신하를 얻음'을 말한 것은 거꾸로 된 괘를 취한 것이다. 도는 재물이고 재주와 슬기가 뛰어난 것이며 천하의 공적인 것이니 사사롭게 쌓아놓을 수 없다. 공적이면 일정함을 얻을 수 있고, 사적이면 다시 얻을 수 없다. 덜어냄이 끝나 베풂을 미루는 것이 아주 공평한 도이고 군자의 지혜이다. 손괘의 초효와 상효는 지위가 없고, 이효는 지위가 있지만 낮기 때문에 굳셈으로 그곳에 있고, 지위가 높은 자들은 모두 부드러움으로 그곳에 있다.

오치기(吳致箕) 「주역경전증해(周易經傳增解)」

上九居損之終, 受益之極, 宜若有咎, 然陽剛在上, 應下之柔, 不求損下而益己, 反爲自損而益下, 故言无咎, 而又言守此正道, 則可以得吉, 利於攸往. 其益甚廣, 天下皆爲臣庶, 无家不服而大得志也.

상구는 손괘의 끝에 있어 보탬을 받는 궁극이어서 허물이 있어야 할 것 같지만, 위에 있는 굳센 양이 아래에 있는 부드러움에 호응하여 아래에서 덜어내 자신에게 보태는 것을 구하지 않고 도리어 스스로 덜어내 아래에 보태주기 때문에 허물이 없다고 하고 또 이것을 지켜 도를 바르게 하면 길하여 가는 것이 이로울 수 있다고 하였다. 그 보태줌이 아주 광대해 천하가 모두 신하와 백성이 되니 어느 집안이고 복종하지 않음이 없어 크게 뜻을 얻는다.

○ 坤爲臣, 艮爲家, 而亦以爻變, 則得坤而无艮, 故爲得臣无家也. 損極必益, 故自五至上, 皆言吉也.

곤괘는 신하이고 간괘는 집안인데, 또한 효의 변화로는 곤괘를 얻어 간괘가 사라졌기 때문에 "신하를 얻음이 집안에서만이 아니다"가 되었다. 덜어냄이 다하면 반드시 보태기 때문에 오효에서 상효까지 모두 길함을 말하였다.

이진상(李震相) 『역학관규(易學管窺)』

我无所損人自益之, 此在所益之爻, 卦主也. 利有攸往, 震在下, 又止極, 當行无家, 言非特六三一爻之來應也. 艮廬變, 故无家.

내가 남에게서 덜어내어 자신에게 보태는 것이 없으니, 이것은 보태는 효에서 괘의 주인이다. '가는 것이 이로운 것'은 진괘가 아래에 있는데 또 궁극에서 멈추어 "집안에서만이 아니다"를 행해야 하니, 육삼 한 효만 와서 호응하는 것이 아니라는 말이다. 간괘의 집이 변했기 때문에 집안에서만이 아니다.

박문호(朴文鎬) 「경설(經說)·주역(周易)」

上九, 弗損益之, 傳義之釋, 皆與九二弗損益之不同, 而本義似長. 蓋旣云益下, 則其弗損於下, 已在其中, 更不消言也.

"상구는 덜지 않더라도 보탤 것이다"는 『정전』과 『본의』의 해석이 모두 "구이는 덜지 말아야 보태주는 것이다"와 같지 않은데 『본의』가 뛰어난 것 같다. 이미 아래에 보태준다고 했으면 아래에서 덜어내지 않는 것은 벌써 그 속에 있으니 다시 말할 필요가 없다.

本義, 不釋无家之義, 此闕文也. 小註, 所補化家爲國者得之.

『본의』에서 '집안에서만이 아니다'는 의미를 해석하지 않았으니, 이것은 제쳐놓은 것이다. 소주에서 보충한 '집안을 바꾸어 나라로 만들었다'는 것이 타당하다.

이병헌(李炳憲) 『역경금문고통론(易經今文考通論)』

漢書五行志云, 易稱得臣無家, 言王者臣天下, 無私家也.

『한서·오행지』에서 "'『주역』에서 말한 신하를 얻음이 집안에서만이 아니다'는 임금이 천하를 신하로 함이 개인 집안이 없다는 것을 말한다"[76]라고 하였다.

按, 此谷永述京氏學必爲今文, 則王亦當爲歸住之王明矣. 夫君子損其忿慾疑疾, 以至得臣無家, 則漸趨於天下爲公之域矣, 倡社會主義者, 亦不可不知也. 十朋之龜, 乃殷周之事, 而上九蓋有大君之神化, 以發新文王之風者歟.

내가 살펴보았다: 이것은 곡영(谷永)[77]이 경씨의 학문이 반드시 금문(今文)[78]으로 되었다면 왕도 그것에 돌아가 머물러야 왕이 밝아진다고 기술한 것이다. 군자가 분노와 욕심, 의심하는 병을 덜어내고 신하를 얻음에 집안에서만 하지 않으면 점차 천하에서 공공을 위하는 영역으로 옮겨가, 사회주의자들도 몰라서는 안된다. 열 쌍의 거북은 은나라와 주나라 때의 일이고, 상구에 대군의 예측할 수 없는 변화가 있어 문왕의 기풍을 드러내 새롭게 한 것이다.

---

76) 『前漢書·五行志』: 谷永諫曰, 易稱得臣无家, 言王者得臣天下, 故無私家也.
77) 곡영(谷永): 전한의 장안(長安) 사람으로 본명은 병(竝)이고, 자는 자운(子雲)이며, 곡길(谷吉)의 아들이다. 젊어서 장안(長安)의 소사(小史)가 되어 경서를 두루 공부했는데, 특히 천관(天官)과 『경씨역(慶氏易)』에 정통했다. 원제(元帝) 건소(建昭) 연간에 태상승(太常丞)에 올랐다. 여러 차례 상서하여 재이(災異)의 발생을 조정의 득실과 관련지어 추론했다. 성제(成帝) 때 광록대부급사중(光祿大夫給事中)으로 옮겼다. 황태후와 측근들이 재이의 논리로 성제를 설득하자 그를 썩 달갑지 않게 여겼다. 이 때문에 북지태수(北地太守)로 나갔다가 다시 불려 대사농(大司農)이 되었는데, 그 해 말에 병으로 사직했다.
78) 금문(今文): 한대에 당시 통용하던 예서를 '고문(古文)'과 상대해서 일컫던 말이다.

象曰, 弗損益之, 大得志也.

정전 「상전」에서 말하였다: "덜지 않고 보탬"은 크게 뜻을 얻음이다.
본의 「상전」에서 말하였다: "덜지 않더라도 보탬"은 크게 뜻을 얻음이다.

中國大全

傳

居上, 不損下而反益之, 是君子大得行其志也. 君子之志, 唯在益於人而已.

위에 있으면서 아래를 덜지 않고 도리어 보태니, 이는 군자가 그 뜻을 행함을 크게 이루는 것이다. 군자의 뜻은 오직 남에게 보태주는데 있을 뿐이다.

小註

或問, 損卦下三爻皆是損己益人, 四五兩爻是損己從人, 上爻有爲人上之象, 不待損己而自有以益人. 朱子曰, 三爻无損己益人底意, 只是盛到極處, 去不得, 自是損了. 四爻損其疾, 只是損了那不好了, 便自好. 五爻是受益, 也無損己從人底意.

어떤 이가 물었다: 『정전』의 "손괘의 아래의 세 효는 모두 자기를 덜어 남에게 보태주는 것이고, 사효와 오효 두 효는 자기를 덜어 남을 따르는 것이고, 상효는 윗사람의 상이 있으니 자기를 덜어낼 필요 없이 스스로 남에게 보태줄 수 있다"는 무슨 뜻입니까?

주자가 답하였다: 아래의 세 효에는 자기를 덜어 남을 돕는다는 뜻은 없고, 다만 왕성함이 지극하여 나갈 수 없기에 스스로 덜어낸 것입니다. 사효의 '그 병을 덜어냄'은 단지 그 좋지 않은 것을 덜어낼 뿐이니 자신에게 좋은 것입니다. 오효는 보태줌을 받는 것이니 또한 자기를 덜어 남을 따르는 뜻이 없습니다.

○ 陳塤說損益曰, 勢自是如此. 有人主出來, 也只因這箇勢, 自往不得, 到這裏方看做是如何. 唯是聖人能順得這勢, 盡得這道理, 以下人不能識得損益之宜, 便會錯了壞了, 也是自立不得.

진식이 손괘와 익괘에 대해 말하였다: 형세가 저절로 이와 같은 것이다. 임금이 나오더라도 다만 이러한 형세를 따를 뿐 스스로는 나갈 수 없으며, 여기에 이르러야 비로소 어떠한 것인지를 알아 볼 것이다. 오직 성인만이 이 형세에 순응하여 이 도리를 다할 수 있고, 아래의 사람들은 손괘와 익괘의 마땅함을 알 수가 없어서 곧 착오를 일으키고 일을 그르칠 것이니, 또한 스스로 서지 못하는 것이다.

○ 節齋蔡氏曰, 損之爲義, 損下益上, 聖人不得已用之, 故卦辭必曰有孚. 爻辭初曰酌損, 二上皆曰弗損, 四但損其疾而已, 五則无損而大有益. 唯三當可損之時耳, 損兼言益, 益不兼言損意, 亦可見.
절재채씨가 말하였다: 손(損)의 뜻은 아래를 덜어 위에 보탬이니, 성인이 부득이 쓰는 것이다. 그러므로 괘사에서 반드시 "믿음이 있다"고 말한 것이다. 효사로는 초효에서 '참작하여 덜어낸다'고 하고, 이효와 상효에서 "덜지 않는다[弗損]"고 하였으며, 사효에서는 다만 그 질병을 덜어낼 뿐이고, 오효는 덜어냄이 없이 큰 이익이 있다. 오직 세 효만이 덜어내야 할 때에 해당되니, 손괘에서 보탬[益]을 겸하여 말하고 익괘에서 덜어냄[損]을 겸하여 말하지 않는 뜻을 또한 알 수 있다.

○ 建安丘氏曰, 損者損下乾之陽, 以益上坤之陰也. 合六爻觀之, 損在下則益在上矣. 其在下卦, 初爻位俱剛, 可損也, 故曰酌損之. 二處柔得中, 不可損矣, 故曰弗損益之. 三則有餘於陽, 當損其一以奉上, 故曰損一人, 此三爻, 皆知損者也. 其在上卦, 四陰虛, 賴初之陽以爲益, 故曰損其疾. 五受二之益, 而又得上之益, 故曰或益之. 上與三爲往來之爻, 旣得三之益, 不待損人以益己, 故曰弗損益. 此三爻, 則處損而得益者也.
건안구씨가 말하였다: 손괘(損卦)는 하괘인 건괘(☰)의 양을 덜어 상괘인 곤괘(☷)의 음에 보태는 것이다. 여섯 효를 합하여 보면, 덜어냄이 하괘에 있으니 보태짐은 상괘에 있을 것이다. 하괘에서 초효는 자리도 굳센 양의 자리여서 덜어낼 만하므로 "참작하여 덜어낸다"고 하였다. 이효는 부드러운 음의 자리에 있으면서 알맞음을 얻었으니, 덜어내서는 안되므로 "덜지 말아야 보태줄 것이다"라고 하였다. 삼효는 양이 남아서 그 하나를 덜어 위로 올려야 하므로 "한 사람을 덜어낸다"고 하였으니, 이 세 효가 모두 덜어내는 것임을 알 것이다. 상괘에서 사효는 음으로 비어있어 초효의 양에 힘입어 보태지게 되므로 "그 병을 덜어낸다"고 하였다. 오효는 이효의 보태줌을 받고 또 상효의 보태줌을 얻으므로 "혹 보탠다"고 하였다. 상효는 삼효와 왕래하는 효여서 이미 삼효의 보태줌을 얻었으니, 남을 덜어낼 필요 없이 자기에게 보태졌으므로 "덜지 않는다"고 하였다. 이 세 효는 손(損)에 있으면서 보태줌을 얻은 것들이다.

┃韓國大全┃

유정원(柳正源) 『역해참고(易解參攷)』

正義, 剛德不損, 爲物所歸, 故大得志也.

『주역정의』에서 말하였다: 굳센 덕을 덜어내지 않아 사물이 귀의하기 때문에 크게 뜻을 얻음이다.

김상악(金相岳) 『산천역설(山天易說)』

損兼言益, 故與益五同辭.

덜어냄에서 보탬을 함께 말했기 때문에 익괘의 오효[79]와 말이 같다.

서유신(徐有臣) 『역의의언(易義擬言)』

損之所以求益, 徒損而無益, 非其志也.

덜어냄은 보탬을 구하는 까닭이니, 덜어내기만 하고 보탬이 없는 것은 그 뜻이 아니다.

오치기(吳致箕) 「주역경전증해(周易經傳增解)」

弗損乎下, 而乃反益之, 故大得民志也.

아래에서 덜어내지 않고 도리어 보태주기 때문에 크게 백성들의 뜻을 얻었다.

이진상(李震相) 『역학관규(易學管窺)』

象, 大得志.

「상전」에서 말하였다: 크게 뜻을 얻음이다.

定軒李丈曰, 損上益五, 皆臨互體之坤, 故曰大得志. 損上柔志, 故逢兌而志得. 益五剛志, 故逢震而志得.

정헌이씨 어른이 말하였다: 상효에서 덜어내 오효에 보태주는 것은 모두 림괘(臨卦䷒)의

---

79) 『周易·益卦』: 象曰, 有孚惠心, 勿問之矣, 惠我德, 大得志也.

호괘 몸체의 곤이기 때문에 "크게 뜻을 얻음이다"라고 하였다. 상효에서 덜어낸 뜻을 부드럽게 했기 때문에 태괘를 만나 뜻을 얻는다. 오효의 굳센 뜻에 보태기 때문에 진괘를 만나 뜻을 얻는다.

又曰, 坤是大順底卦, 故不論剛志柔志. 當其得志之時, 逢坤者, 莫不大得志.
또 말하였다: 곤괘는 크게 순종하는 괘이기 때문에 뜻을 굳세게 하고 부드럽게 하는 것을 논하지 않았다. 뜻을 얻은 때에 곤괘를 만날 경우에는 크게 뜻을 얻지 않을 수 없다.

▌한국주역대전 편찬실

연구책임자	최영진_성균관대 교수, 율곡학회 회장
연구실장	임옥균_성균관대
연구팀장	김학목_고려대
	이선경_성신여대
	허종은_성균관대
전임연구원	강필선_서일대
	김병애_서울시립대
	윤종빈_충남대
	이경한_성균관대
	이상훈_형양사범대
	정병섭_전북대
	조희영_숭실대
	진성수_전북대
	최정준_동방문화대
	함윤식_성균관대
연구원	김송자_성균관대
	단윤진_성균관대
	마용철_성균관대
	오상현_숭실대
	정진욱_성균관대
	이윤정_성균관대
	김혜일_경희대
	이은호_성균관대

한국주역대전 8 명이괘·가인괘·규괘·건괘·해괘·손괘

초판 인쇄   2017년 8월 10일
초판 발행   2017년 8월 30일

엮 은 이 | 한국주역대전 편찬실
펴 낸 이 | 하운근
펴 낸 곳 | 學古房

주   소 | 경기도 고양시 덕양구 통일로 140 삼송테크노밸리 A동 B224
전   화 | (02)353-9908   편집부(02)356-9903
팩   스 | (02)6959-8234
홈페이지 | http://hakgobang.co.kr
전자우편 | hakgobang@naver.com, hakgobang@chol.com
등록번호 | 제311-1994-000001호

ISBN   978-89-6071-688-9 94140
            978-89-6071-680-3   (세트)

값 : 1,250,000원 (전14책)

이 도서의 국립중앙도서관 출판예정도서목록(CIP)은 서지정보유통지원시스템 홈페이지
(http://seoji.nl.go.kr)와 국가자료공동목록시스템(http://www.nl.go.kr/kolisnet)에서 이용하
실 수 있습니다. (CIP제어번호 : CIP2017021507)